Festschrift für Ulrich Büdenbender
zum 70. Geburtstag

Recht und Energie

Liber Amicorum für ULRICH BÜDENBENDER zum 70. Geburtstag

herausgegeben von

Peter Rosin und Arnd Uhle

De Gruyter

MIX
Papier aus verantwortungsvollen Quellen
FSC® C016439

ISBN 978-3-11-059537-6
e-ISBN (PDF) 978-3-11-059635-9
e-ISBN (EPUB) 978-3-11-059289-4

Library of Congress Control Number: 201894952

Bibliografische Information der Deutschen Nationalbibliothek
Die Deutsche Nationalbibliothek verzeichnet diese Publikation in der Deutschen Nationalbibliografie; detaillierte bibliografische Daten sind im Internet über http://dnb.dnb.de abrufbar.

Datenkonvertierung und Satz: Satzstudio Borngräber, Dessau-Roßlau
Druck und Bindung: Hubert & Co. GmbH & Co. KG, Göttingen

www.degruyter.com

Geleitwort

Oder: Ein Dankeschön an den „Grenzenüberwinder“

Am 1. September 2018 hat Prof. Dr. Ulrich Büdenbender sein 70. Lebensjahr vollendet. Dies ist kaum glaublich, wenn man diesen schlanken, dynamischen und sportlichen Menschen vor sich stehen sieht. Sein aktuelles Auftreten ist ein Beleg dafür, dass nicht das kalendarische Alter entscheidend dafür ist, wie „alt“ jemand ist; Ulrich Büdenbender ist jung geblieben – auch wenn es mittlerweile Zeiten in seinem Leben gibt, in denen ihm die Ausübung seines geliebten Tennissportes aufgrund des einen oder anderen Zipperleins etwas schwerfällt. In solchen Momenten sollte man besser etwas Abstand von ihm halten.

Durch den Tennissport haben wir uns auch vor mehr als 25 Jahren kennen gelernt. Er ist ein ausgezeichneter Tennisspieler, der noch heute erfolgreich an Medenspielen teilnimmt. Früher hat er exzellent Tischtennis in seiner Heimatstadt Siegen gespielt. Unzählige Male haben wir früher auf dem Tennisplatz die „Klingen gekreuzt“; dabei musste ich mich dann stets etwas zurücknehmen, um dann aber beim anschließenden Bier staunend von der Brillanz seines juristischen Intellekts profitieren zu dürfen.

Diese Brillanz seines Intellekts ist – noch mehr als die Qualität seines Tennisspiels – das Beeindruckende an Ulrich Büdenbender. Die Schnelligkeit und die Tiefe seines Geistes übersteigen die Fähigkeiten vieler Menschen deutlich. Auch sein Wegbegleiter Volker Heck, der frühere Leiter Politik und Kommunikation der RWE AG, hat in der sich anschließenden, sprachlich vorzüglich formulierten und daher so lesenswerten Kurzbiographie Ulrich Büdenbenders („Der Grenzenüberwinder“) darauf hingewiesen, dass Dritte gelegentlich hiermit Probleme hatten.

Probleme hat Ulrich Büdenbender mit Festschriften. Bereits vor mehreren Jahren hat er mir ausdrücklich untersagt, zu einem seiner runden Geburtstage eine Festschrift herauszugeben. Aber auch ein Ulrich Büdenbender irrt gelegentlich und dann muss man sich auch als Ziehsohn selbst über eindringlich formulierte Vorgaben hinwegsetzen. Denn eine solche Festschrift gibt vielen Freunden, Kollegen und Schülern sowie Wegbegleitern von Ulrich Büdenbender Gelegenheit, ihm zu danken und Respekt sowie Anerkennung zu zollen. Alle Autoren dieser Festschrift haben viel Zeit in die Erstellung ihrer Beiträge verwendet und da Zeit heutzutage bekanntlich ein sehr knappes Gut darstellt, gibt es eigentlich kein wertvolleres Geburtstagsgeschenk. Die Knappheit dieses Gutes haben mir die zahlreichen verzweifelten Telefonate und wiederholten Bitten um Fristverlängerungen deutlich vor Augen geführt. Bei allen Autoren möchte ich mich, auch im Namen meines Mitherausgebers, Prof. Dr. Arnd Uhle, recht herzlich bedanken. Mein Dank gilt im Übrigen in besonderem Maße meiner Sekretärin Frau Beatrix Rauch, die ebenfalls viele Stunden für die Organisation dieses Werkes aufgebracht hat. Im Übrigen enthält der vorliegende Band eine ganze Reihe von bemerkenswerten Publikationen, die in der interessierten energierechtlichen Öffentlichkeit sicherlich auf vielfache Beachtung stoßen werden. Ich bin gespannt, ob sich darunter ein Aufsatz findet, der so eine Bedeutung erlangen wird, wie Ulrich Büdenbenders grundlegendes Werk zu Wirtschaftsklauseln in der Festschrift für Prof. Dr. Baur, bei dem Ulrich Büdenbender habilitiert hat.[1]

Einzelheiten in Bezug auf Ulrich Büdenbenders berufliches Leben und seine herausragende Karriere erspare ich mir an dieser Stelle. Die Darstellung dieser Aspekte aus Ulrich Büdenbenders Leben ist Volker Heck schon in bemerkenswerter Weise gelungen. Ich möchte (eigentlich) auch keine Anekdoten erzählen, obwohl dies – was angesichts einer 25jährigen gemeinsamen Befassung mit juristischen (und sportlichen) Themen nicht erstaunt – unproblematisch möglich wäre und mich sicherlich reizen würde. Allerdings ist mir auch das Rückschlagspotential zu groß und es ist einer der wenigen nicht so positiven Charaktereigenschaften von Ulrich Büdenbender, dass er diese Möglichkeiten mit ziemlicher Sicherheit bei nächster Gelegenheit ausnutzen würde. Deshalb unterlasse ich dies lieber. Allenfalls sollte an dieser Stelle eine einzige Geschichte nicht unerwähnt bleiben, die ich bei der Anfertigung meines ersten gemeinsamen Buches mit Ulrich Büdenbender erleben durfte und die weitere Charaktereigenschaften des „Büüdi“ oder des „Professors“, wie er in Fachkreisen manchmal genannt wird, verdeutlichen. Ich hatte ein Kapitel aus unserem Lehrbuch Energierecht I abgeschlossen und es Ulrich Büdenbender zur Korrektur gegeben. Üblicherweise waren die vor der Übergabe an Ulrich Büdenbender vormals weißen Blätter, die mit schwarzer Druckerfarbe beschrieben waren, dann, wenn ich sie von Ulrich Büdenbender zurückerhielt, überwiegend rot. Wir hatten uns im Sommer des Jahres 1998 in Essen-Burgaltendorf zu einer Redaktionssitzung verabredet, bei der ich dann wiederrum das durch zahlreiche Korrekturen rot eingefärbte Dokument zurückbekommen und viele hilfreiche Erläuterungen erhalten sollte. Als ich bei Büdenbenders ankam, war er nicht da und seine liebe Ehefrau Traute meinte zu mir, dass er gleichkommen würde, er müsse nur noch etwas aus dem Büro holen. Als er dann erschien, beichtete er Folgendes: „Wir müssen leider die heutige Redaktionssitzung absagen.“ Er hatte meinen Text in seinem Büro in dem damals neuen RWE-Turm am Opernplatz vergessen und wollte es eigentlich holen. Als er die „Cola-Dose“ oder die „Prinzenrolle“,

1 *Büdenbender*, Die Bedeutung von Wirtschaftsklauseln in Energielieferungsverträgen, in: Büdenbender/Kühne, Das neue Energierecht in der Bewährung (2002), S. 415–440.

also den neuen RWE-Turm betreten wollte, waren die Türen verschlossen. In diesem Moment fiel „Büdi“ erst ein, dass er einen Monat vorher als zuständiger Personalvorstand die Anordnung erlassen hatte, dass am Sonntag keine Pförtner mehr vor Ort sein sollten und die Prinzenrolle zu verschließen wäre. Diese kleine Geschichte verdeutlicht, dass selbst bei einem Ulrich Büdenbender gelegentlich (Organisations)Schwächen auftreten. Im Übrigen möchte ich für das Studium weiterer Anekdoten auf die bereits erwähnte Ausarbeitung von Volker Heck verweisen. Allen dort niedergeschrieben oder jemals ausgesprochenen oder zukünftig noch zu formulierenden Anekdoten über Ulrich Büdenbender ist jedoch eines gemein: Der Respekt und die Hochachtung vor der beruflichen Lebensleistung und dem Menschen Ulrich Büdenbender.

In diesem Sinne wünschen Arnd Uhle und ich ein interessiertes und aufmerksames Studium dieser Festschrift, mit der wir uns bei Dir, lieber Ulrich, für die erfahrene Förderung, die gemeinsamen Stunden und die inhaltsvollen Diskussionen in aller Freundschaft herzlich bedanken möchten.

Peter Rosin
Mülheim an der Ruhr, im Mai 2018

Inhaltsverzeichnis

B. Recht der Energieerzeugung und der Erneuerbaren Energien

C. Recht der Leitungsnetze und der Netzregulierung

D. Energiekartellrecht und Arbeitsrecht

E. Varia

Der Grenzenüberwinder

Volker Heck*

Ulrich Büdenbender ist ein von seinen Kollegen hochgeschätzter Jurist, erfolgreicher Unternehmenslenker, Wissenschaftler und Lehrstuhlinhaber. Er verbindet wie kaum ein Zweiter juristische Theorie und Praxis miteinander auf der Basis einer 23-jährigen Tätigkeit in Unternehmen und vielen Jahren an der Universität. Ulrich Büdenbender ging stets weit über die Grenzen seines angestammten Fachgebietes hinaus. Er leistet dies auf hohem wissenschaftlichen Niveau und bleibt dennoch – der Autor dieses Textes dankt dafür sehr – für den Normalbürger verständlich.

Büdenbender bleibt dabei nah an den täglichen Herausforderungen und Problemen des Alltagslebens. Er überträgt praktische und komplexe Anwendungsfälle auf eine rechtlich fundierte Basis. „Er weiß halt, wovon er spricht, und kann glasklar formulieren", beschreibt es ein Weggefährte. Dass er dabei ein ebenso fröhlicher wie angenehmer Vorgesetzter, Kollege und Freund geblieben ist, wie nicht wenige ehemalige und aktuelle Weggefährten gerne bezeugen, kommt „erschwerend" hinzu. Seine Leidenschaft und sein Interesse an seinem Beruf sowie die Fähigkeit, diese Freude zu vermitteln, haben ein Gesamtwerk geprägt, das viele Schüler und Doktoranden sowie weit über 200 namhafte Veröffentlichungen, Kommentare wie auch zu Standardwerken gewordene Bücher und Schriftenreihen hervorgebracht hat.

Vom Siegerland nach Bonn

Als geborener Siegerländer ist Ulrich Büdenbender ein grundsätzlich friedlicher Mensch und damit – gemessen am deutschen Durchschnitt – nur unterdurchschnittlich streitsüchtig. Unbenommen hiervon hat er großen Spaß an der inhaltlichen Auseinandersetzung. Was ihn in Rage bringen kann, sind unfertige, unausgegorene oder widersprüchliche Gesetzesvorhaben aus deutschen Hauptstädten, gerne zur Energiepolitik und vor allem aus Berlin, der Hauptstadt dieser Republik und zugleich, wenn man dem deutschen Streitatlas Glauben schenken kann, dem eigentlichen Zentrum der Krawallnudeln in Deutschland. Aber auch die frühere Bundeshauptstadt Bonn hatte mit den

* Senior Partner bei Deekeling Arndt Advisors in Communications (Düsseldorf).

dort erstellten Gesetzestexten ihren Anteil daran, dass Ulrich Büdenbender mitunter mit der Qualität der Legislative im Energiebereich zu hadern hatte.

1967 zog es den damals 19 Jahre jungen Studenten genau dorthin. Er begann an der Rheinischen Friedrich-Wilhelms-Universität zu Bonn das Studium der Rechtswissenschaften. Vier Jahre später folgte entsprechend den Regelstudienzeiten das erste Staatsexamen, trotz der für einen dortigen Studenten üblichen und das normale Maß wohl nicht übersteigenden Zahl der Besuche in Bonner Gaststätten. Folgt man damaligen Zeitzeugen, geschah dies mit einer gewissen Präferenz für das Bonner Gesindehaus. Weitere gleichgerichtete Aktivitäten werden aus der KDStV Bavaria vermeldet, der ältesten deutschen katholischen Studentenverbindung, in Wurfweite des Bonner Juridicums gelegen.

Dass er die Zeit an der Universität und in der Verbindung dennoch effizient, gut und zügig verbrachte, wirft ein Schlaglicht darauf, dass er schon früh die Fähigkeit entwickelte, intensiv zu arbeiten und hart gegen sich selbst zu sein. Spätere Vorgesetzte und Arbeitskollegen konnten sich ebenfalls von diesem Wesenszug überzeugen, wobei Büdenbender auch die eben Genannten nur selten schonte.

Ab in den „Wattikan"

Es schlossen sich vier Jahre als wissenschaftlicher Mitarbeiter am Institut für Zivilprozessrecht und die Promotion über den „vorläufigen Rechtsschutz durch einstweilige Verfügung und einstweilige Anordnung im Nichtehelichenrecht" an. Nach dem zweiten Staatsexamen 1975 ereilte Ulrich Büdenbender dann der „Ruf" an die heiligste Stätte der damaligen Stromwirtschaft, den „Wattikan". So wurde die Firmenzentrale des Rheinisch-Westfälischen Elektrizitätswerks an der Essener Kruppstrasse genannt. Zu jener Zeit gab es das RWE übrigens noch mit der Langfassung des Namens und den „Wattikan" im Wesentlichen frei von bunten Farben. Das damalige Leben in der Stromwirtschaft war deutlich frugaler als heute. Es wurde eine Karriere von 23 Jahren und sie führte über den Rechtsbereich und den Personalbereich bis in den Vorstand dieses Traditionsunternehmens.

Ulrich Büdenbender begann 1975 als einfacher Justitiar und war u.a. dazu auserkoren, den ein Jahr vorher für den Rechtsbereich bestellten RWE-Vorstand, einen früheren Oberkreisdirektor, dabei zu unterstützen, nicht nur im unternehmerischen Leben, bei den kommunalen Aktionären des Unternehmens, sondern auch im wissenschaftlichen Bereich Meriten zu sammeln. Das RWE der damaligen Zeit hatte traditionell zwei Vertreter der kommunalen Aktionäre im Vorstand, gerne in der klassischen Rechts-Links-Besetzung mit einem „Schwarzen" und einem „Roten". Damit diese Neuankömmlinge im Vorstandsrang für das Unternehmen beherrschbar blieben, war es meist eine starke Abteilung wie der Rechtsbereich, in Mitarbeiterkreisen auch „Backenzahn" genannt, die auf Grund der Leistungsstärke der Mitarbeiter geeignet war, solche Quereinsteiger zu tragen.

Büdenbender half fleißig in der Erstellung der gewünschten Veröffentlichungen, um den Ruf des zuständigen Vorstands zu mehren. Diese Unterstützungsarbeiten erlangten in Teilen späteren Ruhm in einem Buch mit dem atemberaubenden Titel „Vom heiligen Geist der Elektrizitätswirtschaft", in dem mehrfach auch auf Beiträge des in Rede stehenden RWE-Vorstands Bezug genommen wird. Man erkennt in dem Titel die gesicherte Nähe zum „Wattikan". In diesem Buch wird der in den 70er Jahren beginnende Kampf um die Liberalisierung der leitungsgebundenen Energien und die Rolle des RWE beschrieben. Gleichwohl kostete es Büdenbender nur zwei Jahre, bis 1977 erstmals ein energierechtlicher Aufsatz auch unter seinem eigenen Namen in einer Fachzeitung erscheinen konnte. Die Fachöffentlichkeit begann, auf ihn aufmerksam zu werden. Andere Mitarbeiter des Unternehmens benötigten für diesen ersten Schritt schon mal ein paar Jahre mehr.

Ulrich Büdenbender arbeitete an energie- und kartellrechtlichen sowie weiteren öffentlich-rechtlichen Themen. Hierzu zählte zuvorderst das für die Stromerzeuger immer wichtiger werdende Umweltrecht. Büdenbender wirkte von Beginn an über verschiedene Themengrenzen hinweg und entwickelte schnell die Fähigkeit, das juristisch wieder zu ordnen, was in den technischen Bereichen des Hauses für richtig gehalten, entschieden und zur Umsetzung gebracht wurde. Nicht immer aber waren die in den starken RWE-Silos von den Technikern erdachten Konzepte auch solche, die sich mit immer strenger werdenden rechtlichen Vorgaben des Umwelt- und auch des Kartellrechts in Einklang bringen ließen.

Die gesellschaftspolitische Diskussion um Rolle und Bedeutung der Energieversorger nahm in dieser Zeit deutlich zu. Es waren die Anfänge einer Neujustierung der Rolle der Energiewirtschaft zu erkennen. Die EVU bekamen nicht mehr alles so vom Gesetzgeber zugestanden, wie man dies in den ersten Jahrzehnten nach dem Krieg gewohnt war. Die Vergabe von Konzessionsverträgen stand nun unter einer strenger werdenden Beobachtung durch die Kartellbehörden, die Preisgenehmigungen wurden härter und mancher Politiker begann, das Thema Liberalisierung langsam auch für den Bereich der leitungsgebundenen Energieversorgung zu durchdenken. Hinzu kamen umweltrechtliche Bedenken gegen die Kohlenverstromung und eine wachsende Kritik an der friedlichen und stark wachsenden Nutzung der Kernenergie. Mit der Großfeuerungsanlagenverordnung wurde die Kohlenverstromung auf eine auch unter kommerziellen Gesichtspunkten neue Grundlage gestellt, mit milliardenschweren Auswirkungen für die betroffenen Anlagen.

Veränderungen in der Energiewirtschaft

Kurzum: Das Geschäftsmodell eines Konzerns wie RWE sollte sich wandeln und kritischer als früher beobachtet werden. Somit wurden auch die Aufgaben im Rechtsbereich komplexer und verlangten neues Denken und neue Ansätze. Hierzu trug Büdenbender maßgeblich bei durch Überblick, rechtliche Brillanz und seine kaum zu kaschierende Fähigkeit, sein Gegenüber von der „herrschenden Ansicht" – häufig seiner – zu überzeugen. Hinzu kam seine Fähigkeit, auch hochkomplexe Sachverhalte, etwa im kerntechnischen Bereich, schnell zu durchdringen. Sein Vorzug war, dass seine Texte und Empfehlungen nicht abgehoben waren, sondern auf die Probleme des Alltags abgestimmt und dennoch so gestaltet, dass sie eine klare Orientierung gaben. „Nie mit den Nadeln, lieber mit dem Wald, aber er konnte auch Nadeln, wenn es darauf ankam", formuliert es treffend ein langjähriger Weggefährte.

Frühere Arbeitskollegen berichten, dass Ulrich Büdenbender druckreif diktieren konnte und Vermerke so verfasste, dass sie nach Abschrift der Tonbänder so gut wie gar nicht mehr geändert werden mussten. In einer Zeit, die, für heutige Verhältnisse unvorstellbar, noch ohne Computer auskommen musste, war dies nicht nur segensreich für die Sekretärinnen und den Arbeitsprozess als solchen. Es erklärt zugleich die – immer noch anhaltende – Bewunderung der nicht eben wenigen Assistentinnen des damaligen Rechtsbereichs, die ansonsten gewöhnt waren, einfache Vermerke mehrfach neu aufsetzen und Tipp-Ex literweise ordern zu müssen.

Da Ulrich Büdenbender nicht nur mehrere Tonbänder pro Tag füllen konnte, sondern auch effizienter arbeitete als mancher Kollege, übertrug ihm auch der Vorstand weitere Aufgaben, die in Umfang und Schwierigkeitsgrad deutlich größer wurden und ihn vor neue Herausforderungen stellten. In einem Unternehmen wie dem RWE wurden solche zügigen Aufstiege aufmerksam und mitunter auch neidvoll verfolgt. Nicht einfach war dies mitunter für Vorgesetzte, die der Schnelligkeit, Präzision und hohen Qualität von Büdenbenders Arbeit ihre Anerkennung nur gelegentlich – und häufig nur auf Nachfrage – zu geben bereit waren.

Ulrich Büdenbender war sich auch damals schon seiner Qualitäten gewiss und erkannte durchaus, dass sein Aufstieg nicht jeden von Herzen erfreute. Gestört hat es ihn nicht wirklich. Schon früh entwickelte er in diesem Umfeld seinen mittlerweile berüchtigten schwarzen Humor weiter. Dennoch erwarb sich Büdenbender schnell auch über den örtlichen Sprengel des großen RWE hinaus Anerkennung in der Branche und bei den Aufsichtsbehörden. Ende der 80er Jahre folgte eine Kommentierung des Energierechts, die er federführend betreut hatte und die bis heute zu den Standardwerken des Energierechts zählt.

Ein Blick zurück in die – Büdenbender würde den Begriff „alte Zeit" nicht mögen – damalige Zeit: Die Strompreise wurden noch über die Kostenbögen bestimmt, die Wettbewerbslandschaft war überschaubar geordnet und das Wegerecht noch ungespalten. Die Kernenergie sollte ihren Beitrag leisten, Deutschland nach der ersten Ölkrise aus den Risiken der Ölabhängigkeit zu befreien. Es gab im Bundestag noch eine parteienübergreifende Zustimmung zu dieser Technik. Die Konvoi-Bauweise war zur Standardbaureihe geworden und schaffte erhebliche Kostendegressionen und Leistungszuwächse. Für die EVU war die Kernfrage, wie man bei doppelt bis dreifach degressiver Abschreibung mit dem Baubeginn der Kernkraftwerke möglichst schnell das sogenannte Goldene Ende erreichen konnte.

Vor allem: Die Anlagengenehmigung für alle Kraftwerkstypen stand rechtlich noch unter einer starken Investitionskontrolle, also einer Regelung, die erst mit der 1998er Reform des Energiewirtschaftsrechts und der Liberalisierung der Märkte für leitungsgebundene Energien ad acta gelegt wurde. Heute würde man sich an verschiedenen Stellen wünschen, dass es noch eine „politische Investitionskontrolle" dergestalt gäbe, dass über die Ausübung der Eigentumsrechte an einem Kraftwerk der Investor unbeeinflusst von der Politik verfügen kann und nicht in vorauseilendem Gehorsam zu enteignungsgleichen Schritten ermutigt wird.

Anfang der 70er Jahre hatte sich der damalige Bundeskanzler Willy Brandt dafür eingesetzt, dass auch das bislang „zu kurz gekommene" Bundesland Rheinland-Pfalz ein Kernkraftwerk bekommen würde. Mülheim-Kärlich wurde zu einem der ersten milliardenschweren Vorhaben, das die später durchaus lange Liste wenig erfolgreicher Kernkraftprojekte in Deutschland verlängern sollte. Verantwortlich dafür waren von Beginn an bestehende technische Probleme, aber auch von manchen Technikern im vermeintlich wohlmeinenden Interesse vorgenommene Planabweichungen von der ersten und umfassenden Teilerrichtungsgenehmigung.

Für eine später kernenergie kritische Landesregierung, eine mehr und mehr dem „ausstiegsorientierten" Gesetzesvollzug zuneigende Legislative und Judikative sowie eine kritische Öffentlichkeit wurde diese Änderung zur berühmten „1. TG neu" das Einfallstor zur Unterbindung des Regelbetriebs dieser Anlage. Sie ging mit einer nur unterjährigen Laufzeit 1988/89 in die Annalen der Kernergienutzung in Deutschland ein und wurde in den späteren Ausstiegsverhandlungen zu einer Randnotiz. Ulrich Büdenbender hatte gemeinsam mit dem leider viel zu früh verstorbenen Ulrich Mutschler bereits in den 70er Jahren den Gesamtkomplex der Bindungswirkungen von Teilerrichtungsgenehmigungen nach dem Atomgesetz grundlegend bearbeitet und insofern früh erkannt, welches Problemfeld sich im Recht der Anlagengenehmigung bei wachsendem gesellschaftlichen Widerstand zu öffnen begann.

Als in diesem Bauvorhaben in den 70er und 80er Jahren technisch und auch rechtlich bereits viel falsch gelaufen war, bekam Ulrich Büdenbender das Projekt übergeben mit der Bitte, seinen Beitrag zu einem späten Gelingen noch zu leisten. Büdenbender tat sein Bestes, doch auch ihm blieb es verwehrt, die zu Beginn des Projektes aufgetretenen Zeitverzüge und vor allem rechtlichen Defizite in einem schwieriger werdenden politischen Umfeld nachhaltig zu heilen. Zeitzeugen aus der damaligen Genehmigungsbehördeberichten zwar von einem völlig neuen und überzeugenden Auftritt des Unternehmens, als der Fall Büdenbender in die Hände gegeben wurde, aber es war dann schlussendlich doch zu spät, das Projekt noch auf nachhaltig rechtssichere Füße zu stellen.

Weitere erkennbare Auslöser eines klaren Stimmungsumschwungs zu Lasten der Kernenergie waren die Etappen Harrisburg 1979 und Tschernobyl 1986. Zusammen mit dem THTR Hamm und dem Schnellen Brüter in Kalkar wurden diese Kraftwerksnamen zu Synonymen einer zunehmend festgefahrenen Kernenergiepolitik. Der zunächst in Niedersachsen und vor allem Hessen, später auch in Rheinland-Pfalz beginnende „ausstiegsorientierte Gesetzesvollzug“ war im Kern ein klarer Rechtsbruch, der aber politisch toleriert und vor Gerichten nur schwer aufzuhalten war. Ein klares Signal für die Aufgabe der Politik in der Durchsetzung der kernenergiepolitischen Richtlinienkompetenz war die Aussage des damaligen Ministerpräsidenten Ernst Albrecht. Er sagte 1979 im Bundestag, dass aus Sicht der niedersächsischen Landesregierung das Wiederaufarbeitungsprojekt Gorleben „technisch zwar machbar, aber politisch nicht durchsetzbar sei“. Hier ist der frühe politische Treibsand erkennbar, durch den später weitere Großprojekte der deutschen Energiewirtschaft auf einen Abhang gerieten.

Die neue diversifizierte RWE – Büdenbender als Vorstand

Das Unternehmen RWE hatte seine Abhängigkeit von der klassischen Großstromerzeugung eingesehen und begann zu dieser Zeit, sich umfassend zu diversifizieren und neu aufzustellen. Man wollte weg von der Abhängigkeit von großen Kraftwerken und großen Netzen und sah die Zukunft in einer breiten Aufstellung über verschiedene Industriesparten hinweg. Ulrich Büdenbender durfte in einer wesentlichen Transaktion zu dieser Neustrukturierung des Konzerns, dem Erwerb der Deutschen Texaco, der späteren RWE-Dea, an führender Stelle unterstützen und sein Gesellenstück leisten, das ihn für höhere Aufgaben prädestinierte. Mit der Neuordnung des Konzerns durchbrach Friedhelm Gieske die damals bestehende unternehmerische Governance, die durch zwei Vorstandssprecher gekennzeichnet war, und machte sich selbst mit der Rückendeckung des Aufsichtsrats zum Vorstandsvorsitzenden.

Er schuf die RWE AG als Holding mit darunter liegenden Spartengesellschaften wie der RWE Energie AG und der Rheinbraun AG. Hinzu kam als Tochter neben der RWE-Dea auch die neue RWE Entsorgung. Hochtief und die Industriebeteiligungen bildeten weitere Sparten. Ulrich Büdenbender, der zwischendurch mit einem Wechsel zu einem anderen Unternehmen geliebäugelt und dies auch den Vorstand hatte wissen lassen, wurde zum Personalvorstand der neuen Holding ernannt. Dies war 1991 und Büdenbender war damals junge 42 Jahre alt.

Für die starken Spartengesellschaften des neuen Konzerns – im Personalbereich gerne mit Kollegen mit Gewerkschaftszugehörigkeit im Vorstandsrang – war es natürlich nicht einfach, mit einem frisch hinzugekommenen Kollegen der neuen Holding Tarifverhandlungen zu führen. Einem neuen Kollegen, der nicht direkt dem Gewerkschaftslager zuzurechnen war. Und einem neuen Kollegen, der noch nicht jahrelange gemeinsame Tarifschlachten geschlagen und noch nicht Teil der üblichen Kuhhändel gewesen war. Funktioniert hat es dann dennoch und das erstaunlich gut. Aber auch das Gesamtverhältnis von Holding zu Töchtern war noch nicht festgefügt und unterlag vielerlei Veränderungen und Bewegungen. Der Aufbau einer konzernweiten Personalpolitik sowie einer gezielten Nachwuchsförderung über die starken Spartengrenzen des Konzerns hinweg war eine Sisyphos-Arbeit für Büdenbender, der früh erkannte, dass dieser neue Konzern auch im Personalbereich neues Denken brauchen würde. Während sich bei der Konkurrenz Führungskräfte in verschiedenen Unternehmensbereichen bewähren mussten, rauschten bei RWE die neuen Führungskräfte immer noch „durch den Kamin“ nach oben. Hier wollte Büdenbender nachhaltig ansetzen. Hinzu kamen tiefgehende strukturelle Veränderungen auf den Energiemärkten.

Die Energiewirtschaft in den neuen Bundesländern harrte noch der Integration in den Westen. Und die Europäische Union sprach das „W“-Wort, den heraufziehenden Wettbewerb bei den leitungsgebundenen Energien, immer unverhohlener aus. Rechtsgrundlage war der EU-Binnenmarkt und damit etwas, was die deutschen Versorger nicht wirklich mehr auf alten Bonner Wegen beeinflussen konnten. In diesem Umfeld musste Büdenbender zunächst einmal seinen Beitrag zur Kostensenkung im Konzern leisten, erste Sparrunden mitentwickeln und sein Geschick in der Neuverhandlung der RWE-Betriebsrenten beweisen.

Diese zeichneten sich in alter Fassung vor 1990 noch durch eine heute unvorstellbare Vollversorgung der Mitarbeiter aus. 1991 gelang dieser erste Befreiungsschlag, zumindest teilweise. Es wurde ein Versorgungsniveau in prozentualer Hinsicht erreicht, vor dem damals zwar gewarnt wurde – das aber heute wie aus einer anderen Welt anmutet. Darüber hinaus war Büdenbender mit dem Gesamtvorstand in der Pflicht, den Konzern zu einem führenden DAX-Konzern weiterzuentwickeln und das angestaubte Image von „Ruhe, Wärme und Erholung“ zu den Akten zu legen. Folgerichtig beharrte der damalige Vorstandsvorsitzende Gieske darauf, dass sein Nachfolger nur ein erfahrener Industriemann sein könne. Sein Aufsichtsrat sah es 1994 überwiegend anders und installierte den Chef der RWE Energie, Dietmar Kuhnt, ab 1995 zum neuen RWE-Chef. Bereits seit 1992 waren Kuhnt und Büdenbender gemeinsam im RWE-Vorstand vertreten, Kuhnt für den Energiebereich, Büdenbender für den Personalbereich.

Büdenbender nutzte seine neuen Aufgaben wie Einsichten, um auch zu personalpolitischen Themen zu publizieren. Parallel trieb er seine Habilitation mit dem Thema „Die Kartellaufsicht über die Energiewirtschaft“ an der Universität Köln voran. Diese schloss er 1995 erfolgreich ab, erhielt eine sehr umfängliche Lehrbefugnis für Bürgerliches Recht, Wirtschaftsrecht und Zivilprozessrecht und nahm anschließend eine Honorarprofessur an der Universität Essen an.

Im RWE-Konzern dauerte es knappe zwei Jahre, bis der neue Vorstandsvorsitzende Dietmar Kuhnt 1997 seine eigenen Vorstellungen zur Neuordnung des Vorstands zur Umsetzung brachte. Es ging vordergründig um eine Vereinfachung der Entscheidungswege in einem auf elf Köpfe angewachsenen Gremium, de facto aber um eine Neuausrichtung des Konzerns. Hierbei sollten die Gewerkschaften helfen, die schon jahrelang den Posten des Holding-Personalvorstands für sich reklamiert hatten. In einem „übermitbestimmten“ Konzern wie RWE war das Plazet der Gewerkschaften für strategische Neuausrichtungen schon immer ein Wert an sich. So wurde dies die Begründung dafür, dass die Zusammenarbeit zwischen Büdenbender und Kuhnt nach 23 gemeinsamen Jahren im Konzern ein Ende fand.

Neue Wege – und zurück in die Wissenschaft

Für Ulrich Büdenbender war weniger die Trennung als solche schmerzhaft, sondern vielmehr die Art und Weise ihrer Durchführung. Er zog daraus neue Kraft und verstand den kommenden neuen Lebensabschnitt als das, was es war: eine Herausforderung, das berufliche Leben als finanziell unabhängiger und wissenschaftlich freier Mensch neu zu definieren und sich auch selber ein Stück weit neu zu erfinden. Er nutze seine Rolle zwischen Wissenschaft und Praxis, um nun den direkten Weg zurück in die Wissenschaft zu finden. Er wollte die volle Breite seiner Lehrbefugnis auch praktisch belegen. Mit dem sächsischen Landesvater Kurt Biedenkopf handelte er die Konditionen für den Ruf an die TU Dresden aus, wo er 1998 als Professor für Bürgerliches Recht, Energiewirtschaftsrecht und Arbeitsrecht begann – unter Beibehaltung seiner Honorarprofessur an die Universität Essen. Hervorzuheben ist hier zuallererst, dass er mit seinen Vorlesungen alle fünf Bücher des BGB abgedeckt hat. Zudem veröffentlichte er auch in dieser Weite, nicht zuletzt in tief in der universitären Wissenschaft verwurzelten Werken wie dem Archiv für die civilistische Praxis (AcP).

Zusätzlich wirkte Büdenbender am OLG Dresden über Jahre auch als Richter im Nebenamt und begann wenige Jahre später seine Tätigkeit als Off Counsel zunächst bei Clifford Chance und danach bei White and Case. Mehr und mehr fand er nun die Zeit, sich über Veröffentlichungen und Aufsätze mit den unausgegorenen Elementen auseinanderzusetzen, die in zunehmendem Maße das deutsche Energierecht prägten.

Die 90er Jahre hatten – anfangs kaum bemerkt – einen Gezeitenwechsel in der Energiepolitik mit sich gebracht. Hierzu zählte sicher der einsetzende Wettbewerb bei den leitungsgebundenen Energien, wobei die Politik bei Gas eine noch längere Leitung hatte als im Strombereich. Aber wirksamer Wettbewerb setzte de facto auch erst mit der in den 2000er Jahren erfolgten Beendigung der Verbändevereinbarungen durch einen einheitlichen Regulierungsrahmen für die Strom- und Gasnetze ein. Ulrich Büdenbender veröffentlichte in dieser Zeit mit Wolff Heintschel von Heinegg und Peter Rosin ein Standardwerk zum Recht der Energieanlagen. Hierin wurden die verschiedensten Genehmigungsgrundlagen der Stromerzeugung – und zwar auf fossiler, nuklearer und erneuerbarer Basis – abgehandelt. Dieses Werk war notwendig, da der Markt für die gesamte Stromerzeugung massiv in Veränderung begriffen war.

Das StrEG als früher Beginn der Energiewende

Es war vor allem das Stromeinspeisungsgesetz, später zum Erneuerbare Energiengesetz (EEG) weiterentwickelt, das gravierende Veränderungen für die Energiebranche mit sich brachte. In seinen direkten Konsequenzen, einer Abnahmepflicht erneuerbar erzeugten Stroms in das Netz des nächstgelegenen Netzbetreibers zu vorab und – politisch gewollten – generösen wirtschaftlichen Konditionen, schuf der deutsche Gesetzgeber eine Lawine mit enormer Kraft. Diese Lawine sollte später im Einklang mit immer weitergehenden CO_2-Reduktionspflichten in den politischen Programmen und Regierungserklärungen eine enorme Wirkungskraft auf die bestehenden wie auch die frisch investierten konventionellen Kraftwerke entfalten: eine Wirkungskraft, die durchaus zu grundlegenden Auseinandersetzungen mit der Rechtsstaatlichkeit dieses Vorgehens einlud. Dazu später mehr.

Denn die Förderung der regenerativen Energien war konzeptionell eine „eierlegende Wollmilchsau" par excellence. Die grünen Energien sollten wettbewerblich positiv wirken und die Marktmacht der großen Energieversorger beschneiden, die Energiewirtschaft „demokratisieren". Weg von zentralen Erzeugungsstrukturen, hin zu dezentralen war die Losung. Die grünen Energien sollten dem Umwelt- und Klimaschutz durch Verdrängung fossiler Energien sowie der Kernenergie dienen und die Versorgungssicherheit dadurch erhöhen, dass Energieimporte reduziert würden. Sie sollten darüber hinaus helfen, neue Technologien zu fördern und die deutsche Wirtschaft als internationalen Vorreiter grüner Technologien stärken. Last but not least wurde auch die Agrarpolitik bedient, denn es sollten auch aus Landwirten „Energiewirte“ werden.

Wer hier argumentiert, dass man Gesetzen nicht multiple Ziele und Wünsche auferlegen sollte, denkt zwar einfach, aber nicht grundsätzlich falsch. Ungeachtet hiervon bekennt sich eine überwältigende Bevölkerungsmehrheit in Meinungsumfragen und politischen Abstimmungen zum Ausbau der Erneuerbaren Energien. Dieses Ziel hat eine breite Mehrheit in den Parlamenten und auch makroökonomisch einige Argumente für sich. Dass es auch Widerstände gegen diese neuen Technologien gibt, gehört jedoch ebenfalls zu einer vollständigen Situationsbeschreibung.

Romantische Energiepolitik im Widerspruch zu rechtsstaatlichen Interessen

Zur Diskussion steht weniger das „Ob“ eines Ausbaus der Erneuerbaren Energien, vielmehr das „Wie“. Im Kern gibt es gewisse Analogien zu dem, was bereits bei der Förderung der Kernenergie zu beobachten war. Als Deutschland in den 50er und 60er Jahren in die friedliche Nutzung der Kernenergie einstieg, waren die Erwartungen an diese „neue“ Energie nahezu unbegrenzt. Es sollte eine Energieform gestärkt werden, die sowohl Strom als auch Wärme aus herkömmlichen Quellen ersetzen und die technologische Spitzenposition der deutschen Wirtschaft neu begründen konnte. Strom aus Kernenergie, so eine internationale Utopie der 60er Jahre, könnte so günstig werden, dass man die Stromzähler nicht mehr bräuchte. Technische Schwierigkeiten gab es nicht, auch die Entsorgungsfrage wurde schnell als gelöst bezeichnet, weil es über die Wiederaufarbeitung Planungen zu einem nahezu unendlichen Recycling des Brennstoffes gab. Endlagerstandorte wurden ausgesucht und angelegt, bis heute aber nicht genehmigungsreif abgeschlossen. Der Grund hierfür war eine zunehmende gesellschaftspolitische Entfremdung mit dieser Technik, die bald in offenen Widerstand überging.

Deutschland zeichnet sich also in Energiefragen gerne durch zyklische Übertreibungen und eine gewisse Romantik aus. Beides schützt nicht vor gesellschaftlichen Streitigkeiten und Auseinandersetzungen, sobald die ersten Widerstände deutlich werden. Ulrich Büdenbender war und ist in solchen Fragen stets Realist, nicht Romantiker. Auch bei den erneuerbaren Energien gab und gibt es – siehe oben – sehr gute Gründe, sie zu fördern und ihnen im Wettbewerb mit den fossilen Energien eine gute Startchance zu geben. Zur Ehrlichkeit gehört aber auch, dass sie ökonomisch auf Grund ihres fluktuierenden Charakters in der Lage sind, ein komplettes Stromerzeugungssystem auf den Kopf zu stellen und dort investiertes Geld zu entwerten.

Hinzu kamen und kommen natürlich auch die milliardenschweren Umverteilungswirkungen von Stromkunden zu den Anlagenbetreibern. Politisch wurden diese – gerne mit Verweis auf vermeintlich ins Unermessliche steigende Ölpreise – von Beginn an kleiner gerechnet, als sie es tatsächlich waren. Der frühere Bundesumweltminister Jürgen Trittin ließ sich Anfang der 2000er Jahre gerne damit zitieren, dass die monatlichen Mehrkosten der Erneuerbaren Energien mit dem Wert einer Kugel Eis pro Bundesbürger aufgerechnet werden könnten. Mit der Zeit fragte sich mancher Bürger, mit welchen Schaufeln in Berlin das Eis serviert wird. Es war Trittins späterer Nachfolger im Amt, der inzwischen zum Bundeswirtschaftsminister ernannte Peter Altmaier, der als Bundesumweltminister im Jahr 2012 erstmals davon sprach, dass die Energiewende, so wie sie Deutschland organisiert, volkswirtschaftlich die Billionen-Euro-Grenze übersteigen würde.

In dieser Aussage manifestierte sich ein politischer Prozess, der im Kern eines geschafft hatte: Die früher sehr vorsichtige, konservative und vielleicht auch zu bedächtige Energiepolitik war seit Ende der 90er Jahre zunehmend aus der politischen Kontrolle geraten und hatte sich selber durch aktives Handeln oder durch Unterlassen der Politik auf den Kopf gestellt. Politisch gewollt war ja gerade die „Demokratisierung“ und „Erneuerung von unten“, also jede Menge „Umkehrschub“. Fahrlässig war, dass in der bundesdeutschen Energiepolitik ab den 2000er Jahren neben dem Ausstieg aus der Kernenergie überhaupt keine systematische Rahmenplanung mehr zu erkennen war.

Die Zahl der Anlagen nach dem Erneuerbare-Energien-Gesetz nahm rasant zu, die grünen Elektronen gingen begeistert weiter den Weg des geringsten Förderwiderstandes. Je weiter dieser Prozess voranschritt, wobei Deutschland zeitweise auch mehr als die Hälfte aller weltweit installierten Photovoltaikflächen sein Eigen nannte, desto stärker schüttelte insbesondere das europäische Ausland seinen Kopf. Immerhin war man über die europäische Netzinfrastruktur miteinander verbunden und damit auch Leidtragender wie Profiteur mancher Netzzustände in Deutschland, die in Sekundenbruchteilen das Ausland mit elektrischer Ebbe und Flut „versorgen“ konnten. Zudem sollte das als „erfolgreich“ vermarktete EEG-Gesetz auch auf andere Bereiche wie die Kraft-Wärme-Kopplung ausgedehnt werden. Ulrich Büdenbender konnte gar nicht so viel schreiben und kommentieren, wie es aus seiner Sicht anzumerken gab.

Das Energierecht wurde so mehr und mehr überfrachtet. Hinzu kamen immer weitergehende Ausbauwünsche der Erneuerbaren Energien und ein Zuwachs an immer neuen Förderfällen nach EEG. Energiepolitik wurde – gewollt oder ungewollt – zu einem wirtschaftspolitischen Experimentierfeld. Dass der Netzausbau in Deutschland auf Grund fehlender gesellschaftlicher Zustimmung vor Ort nie mit den erreichten Ausbaumengen an erneuerbar erzeugtem Strom Schritt halten konnte, machte die Gesamtaufgabe nur noch komplizierter.

Schnell wurde klar, dass die angestrebten Zuwächse bei den Erneuerbaren Energien in einem stagnierenden oder schrumpfenden Gesamtmarkt erhebliche Verdrängungseffekte auslösen mussten. Richtig deutlich wurde dies in den Jahren nach 2010, als durch die geschaffenen Überkapazitäten die Wohlesale-Preise für Strom dahinschmolzen wie das Eis in der Sonne. Und dies nicht nur in Deutschland, sondern quer durch Europa. Zynisch veranlagte Menschen können sich vor diesem Hintergrund den Hinweis nicht verkneifen, dass die durch die Regierung Merkel erzwungenen Abschaltungen bei Kernkraftwerken 2011 geeignet waren, den sich aufbauenden Berg an Überkapazitäten wieder abzutragen. Rechtsstaatliches Handeln war der Energiepolitik dieser Jahre dennoch nicht kontinuierlich zu bescheinigen, wie das Bundesverfassungsgericht Ende 2016 feststellte.

Man muss den Erfindern des EEG mehreres zu Gute halten: die realen Gefahren einer Klimaänderung. Die enormen Zuwächse, die an Erneuerbaren Energien in Deutschland erreicht wurden, und der daraus resultierende deutliche Anstieg der grünen Energien an der Stromerzeugung auf mittlerweile 35%. Politisch wird für die kommenden zwölf Jahre bereits eine weitere Steigerung auf 65% fest eingeplant. Die Arbeitsplätze, die bei den Erneuerbaren Energien geschaffen wurden, die zudem zukunftsgerichtet sind. Hinzu kommen die durch die Erneuerbaren Energien erreichten positiven Effekte in der Umwelt- und Klimabilanz. Zu einer Gesamtbetrachtung der Kosten eines solchen Umbaus zählen aber sicher auch die gewachsenen Mehrkosten für die energieintensive Industrie, die Belastungen für die normalen Stromverbraucher und die Arbeitsplatzverluste in anderen Bereichen der Wirtschaft. Insofern bleibt die Erfolgsgeschichte der Erneuerbaren Energien in Deutschland bestehen, dennoch sind auch hier keine Pauschalurteile zielführend.

Auch in der neuen Energiewelt muss der Rechtsstaat gelten

Ulrich Büdenbender hatte nie ein Problem mit dem Ersatz bestehender durch neue Technologien. Sein Petitum galt einerseits dem Wunsch, dass man bei der Erledigung solcher Umbaumaßnahmen gut beraten ist, auf wirtschaftliche Effizienz zu achten. Entscheidend aber war und ist für ihn, dass während eines solchen Umbauprozesses nicht die Prinzipien des Rechtsstaats mit den Füßen getreten werden. „Entscheidungen von großer politischer Tragweite mit der Qualität von Eingriffen in Eigentum und rechtlich geschützte Positionen bedingen in verfahrensmäßiger und materiell-rechtlicher Hinsicht ein sachgerechtes Vorgehen von Regierung, Verwaltung und Gesetzgebung.

Dies ist selbstverständliches Postulat des Rechtsstaats und damit zwingender Mindeststandard."[1]

Gewurmt hat Büdenbender stets, mit welcher Leichtigkeit mancher Politiker mit den manifesten Eigentumsansprüchen von Betreibern umsprang. Im Fokus solcher Attacken stehen dann bevorzugt konventionelle Energieerzeugungsanlagen, die gerade orthogonal zum gesellschaftlichen Mainstream stehen – früher Kernenergie, heute Kohle. Es kann und darf nicht sein, dass solche grundgesetzlich geschützten Rechte einfach und aus politischen Launen heraus in Frage gestellt werden. Am besten noch garniert mit dem Hinweis, dass die Abschreibungszeit bereits abgelaufen sei – als wäre es, so Büdenbender, möglich, auf deutschen Straßen alle Fahrzeuge einzukassieren, die älter als fünf Jahre sind und damit ebenfalls bereits ihre Abschreibungen verdient haben. Es sind solche „Fehler mit Anlauf", die ihn erzürnen.

Umgangssprachlich gewendet: Auch Politik darf Fehler machen, darf aber solche nicht einfach wiederholen. Wer vor die Wand fährt, legt einen Bruch hin, wie es so schön im Ruhrgebiet heißt. Im Wiederholungsfall ist man nicht dadurch geschützt, wieder vor die Wand zu fahren, entlastend aber darauf hinzuweisen, dass man vorher ja noch gehupt habe.

Mit anderen Worten: Keine Bundesregierung ist davor gefeit, Fehler im gesetzgeberischen Handeln zu machen, die später vom Bundesverfassungsgericht kritisiert und gegebenenfalls korrigiert werden. „Sicherlich gibt es in der Politik grundsätzliche Themen, die in der rechtlichen Bewertung entscheidungsoffen sind und die daher politisch auch mit dem Risiko einer gerichtlichen, insbesondere verfassungsrechtlichen Prüfung angegangen werden können. Damit nicht zu verwechseln sind jedoch solche politischen Projekte, in denen die Argumente gegen ein bestimmtes Vorgehen naheliegen, z.T. offensichtlich sind."[2] Büdenbender kann 2017 also zu Recht subsumieren, dass nahezu alle Schritte einer 2011 vollzogenen Energiewende weg von der Kernenergie in Deutschland sich als rechtswidrig entpuppt haben. „Als Ergebnis lässt sich feststellen, dass der vorzeitige Ausstieg aus der Kernenergie umfassend mit der bestehenden Rechtslage kollidiert".

Ulrich Büdenbender stellt dieses nicht allein im Rückspiegel fest. Er richtet die klare Mahnung an die Politik, aus den Fehlern der Vergangenheit zu lernen und im konkreten Fall – z.B. bei der Kohlenverstromung – nicht wieder dieselben Fehler zu machen. Interessant ist dies natürlich vor dem Hintergrund, dass viele der Politiker, die das Aus der Kernenergie seit den 80er und 90er Jahren begleitet haben, nun auch in Fragen der fossilen Stromerzeugung ein gewichtiges Wort mitzureden haben. „Da es auch zukünftig durchaus denkbar ist, dass sich eine vergleichbare Thematik auf die politische Agenda

1 DVBl, Deutsches Verwaltungsblatt, Heft 23/2017, Büdenbender: Rechtliche Bilanz der Energiewende 2011 im Hinblick auf den Ausstieg aus der Kernenergie; S. 1457.

2 Ebda.

begibt, im Bereich der Elektrizitätswirtschaft z.B. die vorzeitige Beendigung des Betriebs von Kohlekraftwerken auf administrativer Basis oder/und auf dem Gesetzgebungsweg, ist eine rechtliche Aufarbeitung des Vorgehens der Energiewende 2011 unverzichtbar. Dabei geht es, um diese Klarstellung zu wiederholen, nicht um die Befürwortung oder Ablehnung der Energiewende 2011, sondern allein um die rechtsstaatlichen Anforderungen nicht genügende Art der Umsetzung dieses Politikwechsels."[3]

Was Büdenbender umtreibt ist einfach und grundlegend: Genehmigte Anlagen dürfen nicht durch politische Mainstream-Veränderungen entrechtet und entwertet werden. Wird dies zugelassen, wird nicht nur Hand angelegt an einen veritablen Wirtschaftszweig, sondern auch die Grundlage der europäischen Wertegemeinschaft, deren Basis schlicht und ergreifend der Rechtsstaat ist, in Zweifel gezogen. Dieses festzuhalten ist das Recht eines Ulrich Büdenbender, der über Jahrzehnte wie kaum ein Zweiter in Deutschland das Energierecht beobachtet, studiert, kommentiert, interpretiert, vor Gericht vertreten und inhaltlich vorangebracht hat.

3 Ebda.

A. Energiewirtschaftsrechtliche und -politische Grundsatzüberlegungen

Kommunale Energieversorgung im Spannungsfeld zwischen Energiewirtschaftsgesetz und Kommunalrecht

Joachim Rumstadt*, Nina Hollender*[1]

Die politisch forcierte, in der Umsetzung umstrittene Energiewende bedeutet mit ihrer perspektivischen Abkehr von Kernenergie und fossilen Brennstoffen hin zu einem massiven Ausbau der Erneuerbaren Energien, Fokussierung auf Energieeffizienz, Dezentralisierung und Digitalisierung einen Strukturwandel der Energiebranche. Die Energiegesetzgebung ist zersplittert, im Wettbewerb stehende Bereiche werden immer stärker reguliert, das Prinzip Marktwirtschaft wird beschnitten und die Kostenfolgen für die Volkswirtschaft sind enorm und nicht ausreichend kalkuliert.[2] Die Geschäftsmodelle der Energiewirtschaft befinden sich im Umbruch. Dies trifft auch die kommunale Energiewirtschaft, die im Wettbewerb zu den privaten Energieversorgungsunternehmen steht und neue Geschäftsmodelle entwickeln muss. Genannt seien nur die folgenden Schlagworte: Dezentrale verbrauchernahe Energieerzeugung, virtuelle Kraftwerke, Kopplung mit unterschiedlichen Speichertechnologien, Strom- und Fernwärmeerzeugung aus Erneuerbaren Energien, Integration von Elektromobilität und Aufbau von Ladeinfrastruktur, Systemdienstleistungen zum Erhalt der Netzstabilität, innovative und energieeffiziente Quartierlösungen in „smart cities", intelligente Messsysteme und Datenmanagement für Verteilnetze, Erweiterung des Dienstleistungsangebots für Dritte. Zugleich befindet sich die Branche noch in der Transformation aus ehemals monopol- bzw. oligopolartigen Strukturen in einen liberalisierten, wenn auch teilweise und zunehmend regulierten EU-weiten Wettbewerbsmarkt. Diese Entwicklungen führen nicht nur zu den genannten Strukturbrüchen in der Energielandschaft, sondern prägen

* Herr Rumstadt ist Vorsitzender der Geschäftsführung der STEAG GmbH, Frau Hollender ist Leiterin der Rechtsabteilung bei STEAG GmbH.

1 Die Autoren danken für die wertvolle Mitarbeit an folgenden Passagen: Frau Wiebke Asboe zur Entwicklung des Energierechts auf EU- und nationaler Ebene und Frau Nicole Mühlhaus zum Vergaberecht, beide Justiziarinnen bei STEAG GmbH.

2 *Bundesrechnungshof*, Bericht „nach 88 Abs. 2 BHO über Maßnahmen zur Umsetzung der Energiewende durch das Bundesministerium für Wirtschaft und Energie Schwerpunkt: Kapitel 0903, Energie und Klimafonds" vom 21. Dezember 2016.

auch die Diskussionen um die Fortentwicklung des Gemeindewirtschaftsrechts. Denn mit einem Marktanteil von über 60% befindet sich ein wesentlicher Anteil der deutschen Energieversorgungsunternehmen in kommunalem Eigentum.[3]

Der Jubilar hat sich schon frühzeitig in seiner beruflichen Karriere mit diversen energiewirtschaftsrechtlichen Fragen befasst, bei denen kommunale Aspekte von Relevanz waren. Exemplarisch sei auf seine Ausführungen zum Wegerecht und zum Konzessionsabgabenrecht in seinem grundlegenden Lehrbuch von 1982 verwiesen.[4]

Der nachfolgende Beitrag gibt einen Abriss über die Fortentwicklung des gesetzlichen Umfelds und die rechtlichen Restriktionen für die kommunale Energiewirtschaft. Dazu gehören Begrenzungen aus kommunalrechtlichen Regelungen wie Subsidiaritäts- und Örtlichkeitsprinzip, Aufsichtsrecht und Transparenzgeboten, aber auch Beschränkungen, denen die Kommunen durch das Unionsrecht, namentlich durch Beihilfe- und Vergaberecht, unterworfen sind, die zu erheblichen Wettbewerbsnachteilen und Markteintrittshindernissen gegenüber der privaten Energiewirtschaft führen.

I. Einordnung des Gemeindewirtschaftsrechts und der kommunalen Energieversorgung in das europäische und bundesgesetzliche Umfeld

Das EU-Recht sieht keine europarechtlichen Garantien zugunsten der kommunalen Wirtschaft vor, stellt ihre Berechtigung aber auch nicht in Abrede. Wie kommunalwirtschaftliches Handeln gestaltet wird, ist somit auf nationaler Ebene zu regeln.[5] Auf nationaler Ebene folgt aus Art. 28 Abs. 2 GG die grundgesetzliche Gewährleistung auf kommunale Selbstverwaltung. Das Selbstverwaltungsrecht kann „im Rahmen der Gesetze“ einfachgesetzlich durch Bundes- oder Landesrecht eingeschränkt werden,[6] unterliegt aber selbst auch dem Vorrang des Europäischen Unionsrechts.[7] Nur soweit das

[3] Der Marktanteil kommunaler Unternehmen im Endkundensegment liegt im Bereich Strom bei 60 %, im Bereich Erdgas bei 65 % und bei der Wärmeversorgung bei 69 %, siehe hierzu https://www.vku.de/presse/pressemitteilungen/archiv-2017-pressemitteilungen/neue-erzeugungszahlen-des-vku-stadtwerke-gestalten-die-energiewende/ (zuletzt abgerufen am 22.05.2018).

[4] *Büdenbender*, Energierecht, 1982, S. 166–206.

[5] *Nierhaus/Engels*, in: Sachs (Hrsg.): Grundgesetz Kommentar, 8. Aufl., 2018, Art. 28 Rdnr. 38a; *Kaster*, in: BeckOK GO NRW, 2. Ed. Stand 1. Dezember 2017, § 107 Rdnr. 23.

[6] *Dreier*, in: Dreier (Hrsg.): Grundgesetz Kommentar, Bd. 2, 3. Aufl., 2015, Art. 28 Rdnr. 109.

[7] *Nierhaus/Engels* (o. Fn. 5), Art. 28 Rdnr. 36 m.w.N.; *Pielow*, in: Säcker (Hrsg.): Berliner Kommentar zum Energierecht, Bd. 1 Halbbd. 1, 3. Aufl., 2014, Einl. E. EnWG, Rdnr. 404.

Unionsrecht Umsetzungsspielräume lässt, ist Art. 28 Abs. 2 GG bei deren Ausfüllung durch den nationalen Gesetzgeber und die deutschen Behörden zu beachten.[8] Unbestritten ist vom Grundsatz her, dass die Daseinsvorsorge, die gemeindliche Organisationshoheit und die wirtschaftliche Betätigung der Gemeinden von der Selbstverwaltungsgarantie umfasst sind.[9] Die Selbstverwaltungsgarantie ist als institutionelle Garantie unmittelbare Legitimationsgrundlage für die Errichtung und Unterhaltung kommunaler Unternehmen zur Erfüllung der den Gebietskörperschaften zugewiesenen Aufgaben.

Die Sicherstellung der Energieversorgung hat das Bundesverfassungsgericht frühzeitig als ein „Gemeinschaftsinteresse höchsten Ranges“[10] herausgestellt. Sie sei eine Leistung, derer die Bürger zur Sicherung einer menschenwürdigen Existenz unumgänglich bedürfen und bilde mithin eine „öffentliche Aufgabe“.[11] Dies führt allerdings nicht dazu, dass Aufgaben im Bereich der Daseinsvorsorge allein deshalb zwingend vom Staat zu erledigen sind, weil sie von wesentlicher Bedeutung für das Allgemeinwohl sind. Der Gesetzgeber hat die Gestaltungsfreiheit, wie er sie auch im Energiewirtschaftsgesetz genutzt hat, die Energieversorgung „trägerneutral“ auszugestalten.[12] Damit können, müssen aber nicht,[13] die Gemeinden die Energieversorgung durch kommunale Energieversorgungsunternehmen übernehmen.

In jüngerer Zeit wird die Entwicklung des Gemeindewirtschaftsrechts maßgeblich durch die auf europäischer und Bundesebene verfolgte Liberalisierung und Entwicklung des EU-Energiebinnenmarktes geprägt. Im Energiewirtschaftsgesetz aus dem Jahr 1935 waren geschlossene Versorgungsgebiete über 60 Jahre lang rechtlich festgeschrieben und wurden durch die staatliche Energieaufsicht geschützt. Hintergrund war die Befürchtung, dass die Öffnung des Marktes sich negativ auf die Investitionstätigkeit ausüben und somit letztlich zu Lasten der Kunden gehen würde.[14] Diese Haltung wurde zunehmend in Frage gestellt und durch eine differenzierte Sichtweise ersetzt. Zwar wurde das Leitungsnetz sowohl im Strom- als auch im Gasbereich weiterhin als natürliches Monopol angesehen, da Parallelleitungen regelmäßig zu Kosten- und somit auch zu Preissteigerungen führen würden. Jedoch erkannte man, dass die den Leitungen vor- und nachgelagerten Wertschöpfungsstufen, also die Gewinnung und Erzeugung einerseits sowie der Handel und Vertrieb andererseits, einer wettbewerbsrechtlichen Steuerung

[8] *Hellermann,* in: BeckOK GG, 35. Ed. 15. November 2017, Art. 28 Rdnr. 25.

[9] *Hellermann* (o. Fn. 8), Art. 28 Rdnr. 41.4.; *Nierhaus/Engels* (o. Fn. 5), Art. 28 Rdnr. 1067 f.; *Dreier* (o. Fn. 6), Art. 28 Rdnr. 126.

[10] *BVerfGE* 25, 1 (16).

[11] *BVerfGE* 91, 186 (202); *Pielow* (o. Fn. 7), Einl. E. EnWG Rdnr. 382.

[12] S. dazu ausführlich *Pielow* (o. Fn. 7), Einl. E. EnWG, Rdnr. 382 ff.

[13] Diskutiert werden kann, ob eine Pflicht zur kommunalen Energieversorgung in Notsituationen („blackout“) entsteht, s. *Pielow* (o. Fn. 7), Einl. E. EnWG, Rdnr. 387.

[14] *Büdenbender*, Kommentar zum EnWG, 2003, Einl. Rdnr. 15.

zugänglich sind. Geschlossene Versorgungsgebiete und entlang der gesamten Wertschöpfungskette tätige Energieversorgungsunternehmen waren folglich nicht mehr unausweichlich. Die kartellrechtliche Missbrauchsaufsicht allein reichte jedoch nicht aus, um den bestehenden faktischen Monopolen entgegenzuwirken.[15] Zu diesem Zweck wurden auf europäischer Ebene drei Liberalisierungspakete erlassen. Diese Harmonisierungsrichtlinien (Elektrizitäts-[16] und Gasbinnenmarktrichtlinie[17] 1996/98, Beschleunigungsrichtlinie 2003[18] und das Dritte Energiebinnenmarktpaket 2009[19]) wurden jeweils auf nationaler Ebene insbesondere durch Neufassungen des Energiewirtschaftsgesetzes in den Jahren 1998, 2005 und 2011 umgesetzt.

Am Anfang dieses Prozesses stand die am 19. Dezember 1996 in Kraft getretene Binnenmarktrichtlinie Strom. Bestrebt, den europäischen Binnenmarkt auch im Energiesektor zu realisieren, verpflichtete die Europäische Gemeinschaft die Mitgliedsstaaten zu einer schrittweisen Einführung des Wettbewerbs. Eines der Kernelemente war die Regelung des Übergangs von den monopolistischen zu den wettbewerblichen Teilbereichen durch die Schaffung von Netzzugangsansprüchen.[20] Die Umsetzung der gemeinschaftsrechtlichen Vorgaben erfolgte in Deutschland durch die Energierechtsreform im Jahr 1998. Durch die Änderung der §§ 103 f. GWB a.F. wurden die Bereichsausnahmen für Gebietsschutzverträge abgeschafft.[21] Aufgrund dieser Erweiterung des Anwendungsbereichs des GWB mussten sich fortan alle energiewirtschaftlichen Verträge an den kartellrechtlichen Vorgaben, insbesondere am Kartellverbot des § 1 GWB, messen und messen lassen. Nach anfänglicher Skepsis sahen viele kommunale Unternehmen

[15] *Rosin/Büdenbender*, Energierechtsreform 2005, 2005, S. 36.

[16] Richtlinie 96/92/EG betreffend gemeinsame Vorschriften für den Elektrizitätsbinnenmarkt vom 19. Dezember 1996.

[17] Richtlinie 98/30/EG betreffend gemeinsame Vorschriften für den Erdgasbinnenmarkt vom 22. Juni 1998.

[18] Richtlinie 2003/54/EG über gemeinsame Vorschriften für den Elektrizitätsbinnenmarkt und zur Aufhebung der Richtlinie 96/92/EG – Erklärungen zu Stilllegungen und Abfallbewirtschaftungsmaßnahmen vom 26. Juni 2003.

[19] Richtlinie 2009/72/EG über gemeinsame Vorschriften für den Elektrizitätsbinnenmarkt und zur Aufhebung der Richtlinie 2003/54/EG, Richtlinie 2009/73/EG über gemeinsame Vorschriften für den Erdgasbinnenmarkt und zur Aufhebung der Richtlinie 2003/55/EG; Verordnung Nr. 714/2009 über die Netzzugangsbedingungen für den grenzüberschreitenden Stromhandel; Verordnung Nr. 715/2009 über die Bedingungen für den Zugang zu den Erdgasfernleitungsnetzen sowie die Verordnung Nr. 713/2009 zur Gründung einer Agentur für die Zusammenarbeit der europäischen Energieregulierungsbehörden (ACER), alle vom 13. Juli 2009.

[20] Vgl. Art. 16 ff. Richtlinie 96/92/EG betreffend gemeinsame Vorschriften für den Elektrizitätsbinnenmarkt vom 19. Dezember 1996.

[21] Vgl. *Büdenbender* (o. Fn 14), Einl. Rdnr. 19.

hierin eine Chance, durch die nun mögliche Überwindung der Gemeindegrenzen neue Märkte zu erschließen.[22]

Im Juni 1998 setzte die EG mit den Vorschriften für die Stromwirtschaft vergleichbare Regelungen auch für den Gasmarkt um. Da dieses Ereignis zeitlich nach der deutschen Energierechtsnovelle von 1998 lag, wurde diese Öffnung des Gasmarkts erst in der sogenannten „Gasnovelle" 2003 in nationales Recht umgesetzt. Im selben Jahr trieb die EG durch die Beschleunigungsrichtlinie eine schnellere Umsetzung der Wettbewerbsvorschriften voran. Gleichzeitig wurden diese konkretisiert und erweitert. Insbesondere wurde die Entflechtung von Netz- und Wettbewerbsbereichen intensiviert und eine Pflicht-Netzregulierung geschaffen.

Das dritte Liberalisierungspaket erging schließlich im Jahr 2009. Mit ihm wurden u.a. umfassende Entflechtungs-Vorgaben implementiert, die Bedingungen für den grenzüberschreitenden Stromhandel sowie für den Zugang zu Gasfernleitungsnetzen festgelegt und die Gründung der Agentur für die Zusammenarbeit der europäischen Energieregulierungsbehörden (ACER) forciert. All diese Maßnahmen sollten den Wettbewerb auf europäischer Ebene weiter stärken. Welche Bedeutung die EU diesem Thema beigemessen hat, zeigte sich schließlich im Vertrag von Lissabon. Erstmals wurde mit dem neuen Art. 194 eine explizite energierechtliche Ermächtigungsgrundlage in das europäische Primärrecht der EU aufgenommen.[23] Die Vorschrift formuliert folgende Ziele: a) die Sicherstellung des Funktionierens des Energiemarkts, b) die Gewährleistung der Energieversorgungssicherheit in der Union, c) die Förderung der Energieeffizienz und von Energieeinsparungen sowie Entwicklung neuer und erneuerbarer Energiequellen und schließlich d) die Förderung der Interkonnektion der Energienetze. Entsprechend hat der deutsche Gesetzgeber diese Ziele ebenfalls als Grundlage für die Energieversorgung in § 1 Abs. 1 EnWG aufgenommen. Zur europaweiten Zusammenarbeit heißt es in § 1 Abs. 4 EnWG ausdrücklich: „Um den Zweck des Absatzes 1 auf dem Gebiet der leitungsgebundenen Versorgung der Allgemeinheit mit Elektrizität zu erreichen, verfolgt dieses Gesetz insbesondere die Ziele, (...) den Elektrizitätsbinnenmarkt zu stärken sowie die Zusammenarbeit insbesondere mit den an das Gebiet der Bundesrepublik Deutschland angrenzenden Staaten sowie mit dem Königreich Norwegen und dem Königreich Schweden zu intensivieren."

Zusammenfassend lässt sich festhalten, dass sowohl für den europäischen als auch den deutschen Gesetzgeber Marktöffnung, Wettbewerb, EU-Binnenmarkt und Schaffung gleicher Bedingungen für alle Marktteilnehmer und Wettbewerber in der Energiewirtschaft von hoher Priorität sind. Bemerkens-

[22] *Pielow* (o. Fn. 7), Einl. E. Rdnr. 371.

[23] Siehe hierzu: *Schmidt-Preuß*, in: Baur/Salje/Schmidt-Preuß (Hrsg.), Regulierung in der Energiewirtschaft, 2011, S. 135.

wert ist in diesem Zusammenhang, dass schon Erwägungsgrund Nr. 16 der Elektrizitätsbinnenmarktrichtlinie 1996 klarstellt, dass die enthaltenen Vorschriften auch für öffentliche Unternehmen gelten. Diese wurden also von Anfang an als gleichwertige Marktteilnehmer angesehen. Auch wenn eine Schlechterstellung öffentlicher Unternehmen im Einzelfall unter Art. 106 AEUV zu rechtfertigen sein mag, müssen öffentliche und private Unternehmen doch im Grundsatz den gleichen Regeln unterliegen.[24]

In der Praxis hat die Öffnung der Energiemärkte den kommunalen Energieversorgern die Chance geboten, ihre Geschäftstätigkeit aus der streng ortsgebundenen Versorgung der Endkunden in demarkierten Monopolgebieten zu diversifiziert aufgestellten Unternehmen auszuweiten. Neue Geschäftsfelder, wie dezentrale Erzeugung aus Erneuerbaren Energien oder Dienstleistungen wie Contracting und Betriebsführungen wurden entwickelt, Kunden wurden auf der Basis von Durchleitung auch im Wettbewerb zu der privaten Konkurrenz in und außerhalb des Gemeindegebiets akquiriert. Das mit Beginn der Liberalisierung befürchtete „Stadtwerkesterben“ blieb aus, stattdessen haben die Stadtwerke aufgeschlossen und agieren im Markt auf Augenhöhe mit privaten Energieversorgungsunternehmen. Dass es Stadtwerken und anderen kommunalen Energieversorgern dabei von den gesetzlichen Rahmenbedingungen her erschwert wird und sie in ihrer wirtschaftlichen Betätigung mit den privaten Unternehmen nicht gleichgestellt sind, ergibt sich aus der Rechtshistorie und dem rechtspolitischen Dauerstreit um die rechtliche Zulässigkeit staatlichen Wirtschaftshandelns.

II. Gemeindewirtschaftsrecht

1. Überblick über das Gemeindewirtschaftsrecht der Länder

Die Gemeinden waren schon historisch in der Versorgung ihrer Bürger mit Energie tätig, denn das Eigentum der Gemeinden über das örtliche Straßen- und Wegenetz war von Beginn an Basis für den Bau und Betrieb von Leistungsanlagen. So befanden sich zu Beginn des 20. Jahrhunderts die örtlichen Strom- und Gasversorgungsunternehmen ganz überwiegend, d. h. zu mindestens 75%, in kommunaler Hand.[25] Entsprechend frühzeitig hat sich daher auch das Gemeindewirtschaftsrecht mit der wirtschaftlichen Tätigkeit von Gemeinden beschäftigt. Es ist gewachsenes Recht und geprägt von unterschiedlichen Interessen der kommunalen und der privaten Wirtschaft. Seine erste übergreifende gesetzliche Regelung hat es in der Deutschen Gemeinde-

[24] *Weiss*, in: Baur/Salje/Schmidt-Preuß (Hrsg.), Regulierung in der Energiewirtschaft, S. 11.

[25] *Pielow* (o. Fn. 7), Einl. E. EnWG Rdnr. 366.

ordnung aus dem Jahr 1935 erfahren. Mit ihr wurde für die wirtschaftliche Betätigung der Kommunen die sogenannte Schrankentrias verankert. Nach § 67 Abs. 1 DGO durften Gemeinden wirtschaftliche Unternehmen betreiben. Voraussetzung für deren Errichtung oder wesentliche Erweiterung war erstens die Rechtfertigung durch einen öffentlichen Zweck, zweitens, dass das Unternehmen nach Art und Umfang in einem angemessenen Verhältnis zu der Leistungsfähigkeit der Gemeinde und zum voraussichtlichen Bedarf stand (Angemessenheitsklausel) und drittens das Subsidiaritätsprinzip, wonach kommunale wirtschaftliche Betätigung nur zulässig war, wenn der Zweck nicht besser und wirtschaftlicher durch einen anderen erfüllt werden konnte. Unter Berücksichtigung dieser Schrankentrias durften sich Gemeinden nur an wirtschaftlichen Unternehmen beteiligen, wenn für die Beteiligung eine Form gewählt wurde, die die Haftung der Gemeinde auf einen bestimmten Betrag begrenzte (§ 69 DGO). Wirtschaftliche Unternehmen sollten laut § 72 DGO darüber hinaus einen Ertrag für die Gemeinde abwerfen. Die wirtschaftliche Betätigung der Gemeinden wurde damit dreifach begrenzt: Die Gemeinden sollten sich auf die Erfüllung ihrer eigentlichen Aufgaben als Träger öffentlicher Verwaltung konzentrieren. Sie sollten vor daraus resultierenden wirtschaftlichen Risiken geschützt werden. Nicht zuletzt sollte auch die Privatwirtschaft vor Verzerrungen des Wettbewerbs durch kommunale Konkurrenz bewahrt werden.[26]

Dieser Grundgedanke der Schrankentrias zieht sich so auch durch die weitere Entwicklung des Gemeindewirtschaftsrechts bis in die heutige Zeit. Allen aktuell geltenden Kommunalordnungen der Bundesländer sind zumindest diese drei Kriterien, wenn auch in unterschiedlicher Ausgestaltung, gemein.

Zuvorderst steht auch heute noch, dass für die wirtschaftliche Betätigung der kommunalen Unternehmen die Rechtfertigung durch einen öffentlichen Zweck vorgesehen ist. Hierbei handelt es sich um einen unbestimmten Rechtsbegriff, der nicht legal definiert wird. Während die Frage, ob ein öffentlicher Zweck vorliegt, der vollen gerichtlichen Überprüfung unterliegt, steht der Gemeinde ein Beurteilungsspielraum für die Frage zu, ob die Betätigung durch den öffentlichen Zweck „gerechtfertigt" ist.[27] Ist eine Betätigung dem öffentlichen Zweck zumindest förderlich, so kann in der Regel davon ausgegangen werden, dass der öffentliche Zweck die Betätigung erfordert bzw. rechtfertigt.[28] Die bloße Gewinnerzielung stellt nach den Regelun-

[26] *Kaster* (o. Fn. 5), § 107 Rdnr. 13.

[27] Vgl. *OVG NRW*, NVwZ 2008, S. 1031 (1035); *OVG Schleswig*, Urteil vom 11. Juli 2013, 2 LB 32/12; *Schink*, Wirtschaftliche Betätigung kommunaler Unternehmen, NVwZ 2002, S. 129 (132); *Gern*, Wirtschaftliche Betätigung der Gemeinden außerhalb des Gemeindegebiets, NJW 2002, S. 2593 (2597).

[28] Vgl. *OVG NRW*, NVwZ 2008, S. 1031 (1035); *OVG Schleswig*, Urteil vom 11. Juli 2013, 2 LB 32/12.

gen der Gemeindeordnungen keinen öffentlichen Zweck dar.[29] Daher kann, wie das Bundesministerium für Wirtschaft und Energie im Jahr 2017 festgehalten hat, „die Zulässigkeit kommunalen Wirtschaftens problematisch werden, wenn die Unternehmensgründung oder -beteiligung der Gemeinde *vornehmlich aus Gründen der Gewinnerzielung* erfolgt".[30] Hier sei angemerkt, dass die Gewinnerzielung in der Lebenswirklichkeit erheblich wesentlicher zu sein scheint. Man vergleiche nur die Presseberichterstattung und öffentliche Diskussion der letzten Jahre in kommunalen Gremien über Gewinneinbrüche bei kommunalen Unternehmen der Energiebranche.

Zweitens soll die wirtschaftliche Betätigung in einem angemessenen Verhältnis zur Leistungsfähigkeit der Gemeinde stehen und drittens soll sie subsidiär gegenüber der Privatwirtschaft sein.

Dieses System der Schrankentrias und insbesondere der Subsidiarität der kommunalen gegenüber der privaten Wirtschaft führt zu Markthindernissen und -eintrittsschranken für kommunale Unternehmen in Märkten, die wie die Energiewirtschaft dem Wettbewerb unterliegen. Solange die Energiewirtschaft durch Gebietsmonopole und Demarkationen geprägt war, waren die gesetzlichen Systeme der Kommunalwirtschaft und der Energiewirtschaft insoweit weitestgehend kohärent. Mit den strukturellen Wechseln in der europäischen und deutschen Gesetzgebung für die Energiewirtschaft hat die Entwicklung des Kommunalwirtschaftsrechts nicht Schritt gehalten. So wird seit vielen Jahren intensiv in Gesetzgebung, Wissenschaft und kommunaler Praxis über Lockerungen des Gemeindewirtschaftsrechts diskutiert.[31] Die Diskussionen sind je nach politischer Couleur geprägt von einer Stärkung der kommunalen Wirtschaft in Hinblick auf Chancengleichheit im Wettbewerb oder eine Rückbesinnung und Konzentration auf die örtlichen gemeindlichen Aufgaben unter Schutz der Privatwirtschaft. Folge ist eine immer stärkere Zersplitterung des Gemeindewirtschaftsrechts in den einzelnen Bundesländern, was an den folgenden zwei Beispielen gezeigt wird.

Zum einen spiegelt sich diese Zersplitterung an dem in den einzelnen Gemeindeordnungen sehr unterschiedlich ausgestalteten Subsidiaritätsprinzip wider. So ist zum Teil ein absoluter Vorrang der Privatwirtschaft, zum

[29] *BVerwGE* 39, 329 (334); *OVG NRW*, Beschluss vom 1. September 2004 – 15 B 1709/04 Rdnr. 70, juris; *Wellmann*, in: Rehn/Cronauge/von Lennep/Knirsch (Hrsg.), GO NRW, 43. EGL Juni 2016, § 107, S. 33; *Kotzea/Held*, in: Held/Winkel (Hrsg.), Kommentar zur GO NRW, 4. Aufl., 2018, § 107 Ziff. 3.1.2. S. 453.

[30] *Bundesministerium für Wirtschaft und Energie*, Kommunale Verantwortlichkeiten und Ansatzpunkte im Rahmen der Energiewende, Analyse des nationalen kommunalrechtlichen Rechtsrahmens, im Vorhaben EnGovernance, FKZ 0325764B, Teilbericht – Arbeitspaket 1, S. 38.

[31] *Cronauge/Westermann*, Kommunale Unternehmen, 6. Aufl., 2016, Rdnr. 73; *Burgi*, Neuer Ordnungsrahmen, Vorschlag für eine sektorenspezifische Modernisierung des kommunalen Wirtschaftsrechts am Beispiel Nordrhein-Westfalen, 2010.

Teil aber auch ein Gleichrang geregelt. Für die Energiewirtschaft und die kommunale Daseinsvorsorge ist in einer Reihe von Ländern auf die Subsidiarität wiederum gänzlich oder mit Ausnahmen verzichtet worden. In Baden-Württemberg, Bayern, Rheinland-Pfalz und Thüringen gilt eine strenge Subsidiaritätsklausel,[32] wonach kommunales Wirtschaften dort nur zulässig ist, wenn private Dritte den Zweck nicht ebenso gut und wirtschaftlich erfüllen können. Ausgenommen ist hier die Daseinsvorsorge bzw. Energieversorgung. Im Saarland gilt ebenfalls eine strenge Subsidiaritätsklausel, jedoch gänzlich ohne Ausnahme für die Daseinsvorsorge/Energieversorgung.[33] In allen anderen Bundesländern ist dagegen häufig nur das einfache Subsidiaritätsprinzip vorgesehen, wonach kommunale wirtschaftliche Betätigung aufgenommen werden kann, wenn private Dritte den öffentlichen Zweck nicht besser und wirtschaftlicher erfüllen können. Ausnahmen gibt es auch hier teilweise für Aufgaben der Daseinsvorsorge bzw. der Energiewirtschaft, nicht aber beispielsweise in Mecklenburg-Vorpommern und Sachsen.[34]

Ebenfalls sehr unterschiedlich ausgeprägt ist das Territorialitätsprinzip, das sich grundsätzlich aus Art. 28 Abs. 2 GG ergibt, wonach die Gemeinden alle Angelegenheiten der örtlichen Gemeinschaft zu regeln haben. So lassen einige Länder (z. B. Brandenburg, Mecklenburg-Vorpommern und Sachsen[35]) grundsätzlich die kommunale Energieversorgung außerhalb des Gemeindegebiets zu, und zwar ohne weitere Einschränkungen. Wohl die überwiegende Anzahl an Gemeindeordnungen schafft hier als zusätzliche Zulässigkeitsvoraussetzungen die Beachtung der berechtigten Interessen der betroffenen Gemeinde. Die Regelungen sind Ausdruck des gemeindefreundlichen Verhaltens bzw. der interkommunalen Rücksichtnahme aus Art. 28 Abs. 2 GG.[36] Als berechtigtes Interesse ist insbesondere die eigene, konkurrierende wirtschaftliche Betätigung der betroffenen Kommune anerkannt.[37] Einige wenige Kommunalordnungen gewähren darüber hinaus sogar ausdrücklich auch die Möglichkeit einer energiewirtschaftlichen Tätigkeit der Kommune im Ausland; so. z. B. in Brandenburg[38], wo lediglich eine Unterrichtung der Kommunalaufsichtsbehörde erfolgen muss, oder in Nordrhein-Westfalen[39] und Schleswig Holstein[40], wo eine Genehmigung der Kommunalaufsichts-

[32] § 102 Abs. 1 S. 1 Nr. 3 GO BW; Art. 87 Abs. 1 S. 1 Nr. 4 BayGO; § 85 Abs. 1 S. 1 Nr. 3 GemO RP; § 71 Abs. 2 S. 2 Nr. 4 ThürKO.

[33] § 108 Abs. 1 S. 1 Nr. 3 KSVG.

[34] § 68 Abs. 2 S. 1 Nr. 3 KV M-V; § 94a Abs. 1 S. 1 Nr. 3 SächsGemO.

[35] § 91 Abs. 4 BbgKVerf; § 68 Abs. 2 S. 3 KV M-V; § 94a Abs. 5 SächsGemO.

[36] Vgl. *Dünchheim/Schöne*, Privat vor Staat? – Die Novellierung kommunalen Wirtschaftsrechts in Nordrhein-Westfalen, DVBl. 2009, S. 149 (153); *Dünchheim*, Kommunalrecht Nordrhein-Westfalen, S. 63 f.

[37] Vgl. *Dünchheim/Schöne* (o. Fn. 36), S. 149 (153) zu Fn. 85.

[38] § 91 Abs. 4 S. 2 BbgKVerf.

[39] § 107a Abs. 3 S. 3, 4 GO NRW.

[40] § 101 Abs. 3 GO SH.

behörde notwendig ist. Die überwiegende Anzahl der Gemeindeordnungen verhält sich dagegen gar nicht zum Auslandsgeschäft.

Je nach Landeszugehörigkeit der Kommune gelten demnach unterschiedliche Voraussetzungen für die kommunale Wirtschaft. Bei Ländergrenzen überschreitender Beteiligung mehrerer Kommunen an einem Energieversorger greifen sogar mehrere Gemeindeordnungen, die erheblich voneinander abweichen können, für ein- und dieselben Vorgänge.

Die Entwicklung des Gemeindewirtschaftsrechts ist nicht nur im Vergleich der einzelnen Bundesländer unterschiedlich verlaufen, sondern auch innerhalb der einzelnen Länder von einem Auf und Ab geprägt, wie das nachfolgend an der jüngeren wechselvollen Geschichte des Gemeindewirtschaftsrechts in Nordrhein-Westfalen gezeigt wird.

2. *Der Rahmen des Gemeindewirtschaftsrechts in Nordrhein-Westfalen für die energiewirtschaftliche Betätigung kommunaler Unternehmen*

Auch das Gemeindewirtschaftsrecht in Nordrhein-Westfalen ist davon gekennzeichnet, den Markt für die kommunale Energiewirtschaft zu öffnen und im Rahmen von Rückbesinnung und Konzentration der Gemeinden auf Kernaufgaben der öffentlichen, örtlichen Daseinsvorsorge wieder zu beschränken. So war seit der Neufassung der Gemeindeordnung im Jahr 1994 bis zum Jahr 1999 ein dringender öffentlicher Zweck vorgesehen. Dies wurde für die Zeit bis 2007 gelockert – das Wort „dringend" wurde gestrichen –, um danach wieder aufgenommen zu werden. Nicht viel anders erging es dem Subsidiaritätsprinzip. Bis 1994 galt eine uneingeschränkte Subsidiarität für jede wirtschaftliche gemeindliche Betätigung. 1994 wurde diese gänzlich gestrichen, 1999 für bestimmte Bereiche wieder eingeführt und 2007 nochmals verschärft.[41] Im Jahr 2010 ist sodann die letzte große gesetzliche Änderung erfolgt. Mit dem Gesetz zur Revitalisierung des Gemeindewirtschaftsrechts vom 21. Dezember 2010 wurde dieses modernisiert. Laut der Begründung[42] zu dem Gesetzesentwurf war es das Ziel, die Wettbewerbsfähigkeit der Kommunalwirtschaft in Zeiten von deregulierten Märkten zu erhalten und wieder zu verbessern. Insbesondere sollte dies für die Stadtwerke gelten, die gegenüber den „vier großen Energieunternehmen zum Träger des Wettbewerbs und zum Entwicklungsmotor für regenerative und dezentrale Versorgungsstrategien geworden sind."[43] Daher sollten „die Fes-

[41] *Kaster* (o. Fn. 5), § 107 Rdnr. 16.

[42] Gesetzentwurf der Fraktion der SPD und der Fraktion BÜNDNIS 90/Die GRÜNEN, Gesetz zur Revitalisierung des Gemeindewirtschaftsrechts, LT-Drs. 15/27 vom 7. Juli 2010, S. 1; als Beschlussgrundlage für die Annahme des Gesetzes, LT-Drs. 15/20 vom 16. Dezember 2010, Plenarprotokoll, S. 1729.

[43] LT-Drs. 15/27, S. 1.

seln, die der Kommunalwirtschaft angelegt wurden"[44] durch die Änderungen wieder gelöst werden und die überregionale Wettbewerbsmöglichkeit der kommunalen Energieversorger gesichert werden. Derartige Strukturen seien mit den Zielsetzungen der Europäischen Union nicht vereinbar und schadeten den Verbraucherinnen und Verbrauchern.[45]

Im Wesentlichen wurde daher in § 107 GO NRW wieder das Erfordernis eines „dringenden" öffentlichen Zwecks gestrichen und die strenge Subsidiaritätsklausel durch eine einfache ersetzt. Für die kommunale Energiewirtschaft wurde § 107a in die Gemeindeordnung eingefügt, der den Ordnungsrahmen für die energiewirtschaftliche Betätigung neu definiert und insoweit abschließende Sonderregelungen enthält. Bemerkenswert ist, dass der Gesetzgeber hier die Schrankentrias nicht mehr als zu prüfende Zulässigkeitsvoraussetzungen aufrechterhalten hat. Das Vorliegen eines öffentlichen Zwecks wird für die klassische kommunale Energieversorgung nach § 107a Abs. 1 GO NRW unterstellt, auf die Subsidiaritätsklausel wird verzichtet. Als einziges zu prüfendes Zulässigkeitskriterium verbleibt die Leistungsfähigkeit der Gemeinde. Dazu im Einzelnen:

a) klassische Energieversorgung

§ 107a Abs. 1 GO NRW erfasst die „wirtschaftliche Betätigung in den Bereichen der Strom-, Gas- und Wärmeversorgung". Zur „Versorgung" gehören nach § 3 S. 1 Nr. 36 EnWG die Erzeugung oder Gewinnung von Energie zur Belieferung von Kunden, der Vertrieb von Energie an Kunden und der Betrieb eines Energieversorgungsnetzes. In den Gesetzesmaterialien zum neu eingefügten § 107a GO NRW wird die Zugehörigkeit der Energieerzeugung explizit festgehalten.[46]

aa) öffentlicher Zweck

Sofern sich der kommunale Energieversorger innerhalb der Bereiche der Strom-, Gas- und Wärmeversorgung und damit in dem klassischen Geschäftsfeld Erzeugung, Vertrieb, Netze bewegt, ist der öffentliche Zweck nach § 107a Abs. 1 GO NRW implizit erfüllt. Der Gesetzgeber begründet dies mit der überragenden Bedeutung, die eine zuverlässige Energieversorgung zu angemessenen Entgelten für ein Gemeinwesen habe. Der öffentliche Zweck wird darüber hinaus nicht nur für die Energieversorgung der nordrhein-westfälischen Gemeinden, sondern auch für die überörtliche und sogar die energiewirtschaftliche Betätigung auf ausländischen Märkten vom Gesetzge-

[44] LT-Drs. 15/27, S. 1.
[45] LT-Drs. 15/27, S. 11.
[46] Beschlussempfehlung und Bericht des Ausschusses für Kommunalpolitik, LT-Drs. 15/867 vom 13. Dezember 2010, Begründung S. 11.

ber angenommen, denn auch für die Einwohner der Gemeinden anderer Länder und Staaten sei die gesicherte Versorgung mit Strom, Gas und Wärme zu angemessenen Preisen elementar. So heißt es in der Gesetzesbegründung ausdrücklich: „Insofern ist die besondere Behandlung mittels der gesetzlichen Festlegung des Vorliegens des erforderlichen öffentlichen Zwecks auch für die überörtliche energiewirtschaftliche Betätigung und die energiewirtschaftliche Betätigung auf ausländischen Märkten gerechtfertigt“.[47] Auch wenn es sich insoweit nicht um originäre Aufgaben der Gemeinden handele, könnten nach herrschender Meinung und auch der Meinung des OVG NRW[48] den Gemeinden durch Gesetz über den verfassungsrechtlich garantierten Aufgabenbereich hinaus zusätzliche Handlungsmöglichkeiten eröffnet werden.

Ob dies rechtlich vereinbar ist mit dem Prinzip der Territorialität nach Art. 28 Abs. 2 GG, Art. 27 Abs. 2 LVerf NRW, ist diskussionswürdig. Richtig ist jedoch sicherlich, dass hier eine Angleichung des kommunalgesetzlichen Systems an die auf EU- und Bundesebene gesetzlich gewollte Schaffung eines Energiebinnenmarktes zu begrüßen ist. Eine Auseinandersetzung mit dem unbestimmten Rechtsbegriff des öffentlichen Zwecks muss folglich bei der Aufnahme energiewirtschaftlicher Betätigung, sofern es sich um Versorgungsaufgaben handelt, weder im Inland noch im Ausland mehr erfolgen. Zwar nur als Nebeneffekt, aber dennoch wünschenswert sei ferner, dass mit der energiewirtschaftlichen Betätigung, sei es örtlich, überörtlich oder auf ausländischen Märkten, möglicherweise auch mittels Gewinnabführungen Einnahmen für die kommunalen Haushalte erzielt werden können und auf diesem Wege auch die Finanzierung anderer kommunaler Aufgaben möglich werde, so die Gesetzesbegründung. Auch die Gewinnerzielung zur Deckung von Ausgabebedarfen in anderen öffentlichen Bereichen sei vom öffentlichen Zweck umfasst.[49]

Der Gesetzgeber ist damit schon einen wesentlichen Schritt gegangen, um den kommunalen Energieversorgern mehr Chancengleichheit zu verschaffen, dennoch sind diese hinsichtlich der Aufnahme weiterer Geschäftsfelder über die klassische Energieversorgung hinaus zur Abrundung ihrer Kundenangebote mindestens in einem rechtsunsicheren, wenn nicht sogar unzulässigen, jedenfalls zu hinterfragenden Bereich. Denn wie wäre es beispielsweise zu beurteilen, wenn ein kommunaler Energieversorger im Bereich Elektromobilität seine Angebotspalette ausweiten und folgendes anbieten möchte: Vertrieb von Elektrofahrrädern, Carsharing und Leasing von Elektroautos, Verkauf von Ladestationen und Vermarktung des Bildschirms zu Werbezwecken

[47] LT-Drs. 15/867, Begründung, S. 13.
[48] *OVG NRW*, Beschluss vom 1. April 2008 – 15 B 122/08 –, Rdnr. 89, juris.
[49] LT-Drs. 15/876, Begründung S. 13.

im Auftrag des Kunden, Vertrieb von Versicherungen für Solaranlagen und Rundum-Sorglos-Pakete für ihre Kunden? Privaten Energieversorgungsunternehmen ist dies je nach Unternehmensgegenstand möglich; für kommunale Energieversorger könnte die Grenze zur Energieversorgung zum Teil überschritten sein.

bb) Subsidiaritätsprinzip

Die für einige wirtschaftliche Betätigungsfelder geltende Subsidiaritätsklausel (§ 107 Abs. 1 S. 1 Nr. 3 GO NRW) gilt nach dem gesetzgeberischen Willen nicht für die kommunale Energiewirtschaft.[50] Damit hat der nordrhein-westfälische Gesetzgeber für die kommunale Energiewirtschaft – auch im bundesweiten Vergleich zu anderen Gemeindeordnungen – eine erhebliche Erleichterung geschaffen. Es entfällt die erforderliche Prüfung und der ohnehin faktisch häufig schwierige Nachweis, dass die kommunale im Vergleich zur privaten Leistungserbringung wirtschaftlicher und besser (strenge Subsidiarität) oder zumindest ebenso wirtschaftlich und gut (einfache Subsidiarität) sei.

Mit der Abschaffung des Subsidiaritätsprinzips für die kommunale Energiewirtschaft hat der nordrhein-westfälische Gesetzgeber zugleich auch eine Weiche gestellt im Streit um die Frage des Schutzes privater Konkurrenten. Die Frage, ob die Normen des kommunalen Wirtschaftsrechts objektiv- oder gegebenenfalls auch subjektiv-rechtlich und daher mit Schutzwirkung zu Gunsten privater Dritter ausgestaltet sind, bewegt seit langer Zeit Gerichte und wissenschaftliche Literatur.[51] Sowohl Verwaltungs- als auch Zivilgerichtsbarkeit haben hier Paradigmenwechsel vorgenommen und sind auch unterschiedlicher Meinung. Hatte die Verwaltungsgerichtsbarkeit anfangs hierin nur objektives Recht gesehen, so ist der Verfassungsgerichtshof Rheinland Pfalz im Jahr 2000 im Rahmen einer verfassungsgerichtlichen Normenkontrolle im Zusammenhang mit einer echten Subsidiaritätsklausel umgeschwenkt und hat in dieser einen Schutz der Privatwirtschaft vor der Beeinträchtigung ihrer Interessen gesehen.[52] Umgekehrt hat aber auch eine Wendung in der Rechtsprechung der Zivilgerichtsbarkeit mit dem Urteil des BGH vom 24. April 2002[53] stattgefunden. So haben die Zivilgerichte bis dahin bei unzulässiger wirtschaftlicher Tätigkeit der Kommunen eine Wettbewerbswidrigkeit i. S. d. § 1 UWG (a. F.) gesehen. Dies hatte mit dem genann-

[50] LT-Drs. 15/867, Begründung S. 10.

[51] Ausführlich hierzu *Schoch*, Konkurrentenschutz im kommunalen Wirtschaftsrecht, in: Appel/Hermes/Schönberger (Hrsg.), Öffentliches Recht im offenen Staat. Festschrift für Rainer Wahl, 2011, S. 573 (578 ff.).

[52] *VerfGH Rhl.-Pf.*, NVwZ 2000, S. 801 (803 f.).

[53] *BGHZ* 150, 343.

ten Urteil des BGH ein Ende, wonach im Sinne der Zwei-Stufen-Lehre das „Ob“ zur Zulässigkeit der wirtschaftlichen Betätigung nicht von den Zivilgerichten unter wettbewerbsrechtlichen Aspekten zu prüfen sei, sondern lediglich das „Wie“, also das Marktverhalten.[54] Das „Ob“ der kommunalwirtschaftlichen Betätigung ist danach von der Verwaltungsgerichtsbarkeit zu beurteilen. Erforderlich sind insoweit drittschützende Normen. Es gibt obergerichtliche Rechtsprechung in einzelnen Bundesländern und gewichtige Literaturstimmen, die der Subsidiaritätsklausel[55] oder dem Erfordernis eines öffentlichen Zwecks (so die Rechtsprechung in Nordrhein-Westfalen)[56] einen drittschützenden Charakter zugunsten konkurrierender Wirtschaftsunternehmen zumessen. Anders allerdings wiederum das Oberverwaltungsgericht Niedersachsen und der Hessische Verwaltungsgerichtshof.[57]

Auf Basis des neu gefassten § 107a GO NRW, der den öffentlichen Zweck bei der Energieversorgung unterstellt und das Subsidiaritätsprinzip insoweit hat fallen lassen, dürfte der Meinungsstreit für die kommunale nordrhein-westfälische Energieversorgung nicht mehr relevant sein. Anerkanntermaßen vermittelt die Angemessenheitsklausel keinen Drittschutz, sondern dient alleine dem Schutz der Kommune.[58] Im Ergebnis dürfte es daher keinen Raum für erfolgreiche Konkurrentenklagen gegen klassische Energieversorgung durch nordrhein-westfälische Kommunen geben. Anderes kann gegebenenfalls für mit der Energieversorgung verbundene Dienstleistungen gelten, wie später beleuchtet wird.

cc) Angemessenheit

Als einzige zu prüfende Zulässigkeitsvoraussetzung der Schrankentrias verbleibt, dass Art und Umfang der energiewirtschaftlichen Betätigung in einem angemessenen Verhältnis zu der Leistungsfähigkeit der Gemeinde stehen müssen. Damit soll „sichergestellt werden, dass unnötige und unbeherrschbare Risiken mit dem energiewirtschaftlichen Engagement nach sorgfältiger Prüfung zumindest nach bestem Wissen und Gewissen ausgeschlossen werden können“.[59] Bezweckt wird also ein Schutz der Gemeinde und ihrer Einwohner vor der Übernahme nicht verkraftbarer wirtschaftlicher Risiken.[60] Das Merkmal konkretisiert für die wirtschaftliche kommunale

[54] *Schoch* (o. Fn. 51), S. 573 ff. (582).
[55] So *Schoch* (o. Fn. 51), S. 583 m.w.N.
[56] *OVG Münster*, NVwZ 2003, S. 1520 (1521); *OVG Münster*, NVwZ 2008, S. 1031.
[57] Vgl. *Kaster* (o. Fn. 5), § 107 Rdnr. 50 mit Rechtsprechungsnachweisen.
[58] *Schoch* (o. Fn. 51), S. 537 ff. (586).
[59] LT-Drs. 15/27, S. 11.
[60] LT-Drs. 16/4434, S. 1.

Betätigung die Grundsätze der Sparsamkeit und Wirtschaftlichkeit[61] und ist damit ein Gebot rationalen Verwaltungsverhandelns.[62]

b) Dienstleistungen

Im Rahmen der Energiewende, vor allem der Dezentralisierung und Digitalisierung, erlangt das Dienstleistungsgeschäft der Energieversorger eine immer größere Bedeutung. In der Erzeugung und im Vertrieb von Energie nehmen Bündelprodukte wie Contracting, virtuelle Kraftwerke, smart home eine wachsende Stellung ein. Das investive Geschäft der Energieunternehmen wird zunehmend mit Dienstleistungen gekoppelt oder zum Teil auch von diesen ersetzt. Im Licht der Energieeffizienz, die neben dem Ausbau der Erneuerbaren Energien die entscheidende Säule der Energiewende bildet, entstehen neue Geschäftsfelder. Dazu gehören Monitoring und Optimierung des Stromverbrauchs in großen Einheiten, Beratung bei der Einführung eines Energiemanagements, Betriebsführung von Energieanlangen und -netzen. Für den Verbraucher werden Energiesparberatung und Thermografiechecks angeboten, auch im Zusammenhang mit Hauskauf- oder Sanierungsberatung, kombiniert zum Beispiel mit Wirtschaftlichkeitsprüfung und Fördermittelberatung.

Die Zulässigkeit von Dienstleistungen kommunaler Energieversorgungsunternehmen ist in der Vergangenheit kontrovers diskutiert worden. Die Diskussion war insbesondere geprägt von dem Stichwort Annex- oder Hilfstätigkeiten zur Energieversorgung. Nordrhein-Westfalen ist mit der Gesetzesreform im Jahr 2010 einen entscheidenden Schritt gegangen und hat das Thema Dienstleistungen den Erfordernissen des Wettbewerbsmarktes weiter angeglichen. Nach dem heute geltenden § 107a Abs. 2 GO NRW sind Dienstleistungen zulässig, wenn sie erstens unmittelbar mit dem Bereich der Strom-, Gas- und Wärmeversorgung verbunden sind, zweitens den Hauptzweck fördern und drittens sichergestellt ist, dass die Belange kleinerer Unternehmen, insbesondere des Handwerks berücksichtigt werden. Insbesondere seien laut Gesetzgeber darunter folgende Bereiche zu verstehen: Energiehandel, Erstellung von Energieausweisen, Energieberatung, Energiemanagement und Con-

[61] *Brüning*, (Re-) Kommunalisierung von Aufgaben aus privater Hand – Maßstäbe und Grenzen, VerwArch 2009, S. 468; *Hösch*, Öffentlicher Zweck und wirtschaftliche Betätigung von Kommunen, DÖV 2000, S. 402.

[62] *Oebbecke*, in: Mann/Püttner (Hrsg.), Handbuch der kommunalen Wissenschaft und Praxis, Bd. 2, 2011, § 41 Rdnr. 34 m. w. N.

tracting-Modelle.[63] Voraussetzung laut Gesetzgeber ist aber, dass der Kunde Bezieher von Primärenergie bei dem kommunalen Energieversorger ist oder wird. Wie dies realistisch zu vereinbaren ist mit den im liberalisierten Energiemarkt gewünschten Möglichkeiten eines Versorgerwechsels für Energielieferungen durch Endkunden, ist fraglich, soll hier jedoch nur am Rande angemerkt werden. Die zuvor genannte Aufzählung soll ausdrücklich nicht als vollständig und abschließend zu verstehen sein. Der Gesetzgeber wollte, dass mit Blick auf die technische Entwicklung in der Branche auch weitere Dienstleistungen zulässig sein können.[64]

So dienen beispielsweise smart grid, E-Mobilität und smart home Lösungen rund um Beleuchtung, Heizung, elektrische Geräte dem Hauptzweck Strom-, Gas- und Wärmeversorgung. Aber wie steht es mit smart home Lösungen, die darüber hinaus auch noch Rauchmelder und Alarmanlagen umfassen? Können kommunale Energieversorger bei der Energieberatung auch die Wirtschaftlichkeitsprüfung und Fördermittelberatung übernehmen? Ist Gebäudemanagement zulässig? Dürfen Softwarelösungen für Energieanlagen angeboten werden? Aktuell lässt beispielsweise das baden-württembergische Innenministerium verlauten, dass der Messstellenbetrieb nach MsbG durch kommunale Stadtwerke nicht vom Kommunalrecht gedeckt sei.[65] Eine klare Grenzziehung ist häufig schwierig. Sollte die Dienstleistung nicht unter § 107a Abs. 2 GO NRW fallen, ist sie als wirtschaftliche Betätigung an § 107 Abs. 1 GO NRW und damit an der Schrankentrias: öffentlicher Zweck, Angemessenheit der Leistung und Subsidiarität zu messen.[66]

Mit der Neuregelung in Nordrhein-Westfalen verbindet sich die Absicht, den Stadtwerken weitere Geschäftsbereiche zu eröffnen.[67] Die Gesetzesformulierung knüpft nämlich nicht mehr direkt an die Energieversorgung an, sondern an die Bereiche der Strom-, Gas- und Wärmeversorgung. Der Gesetzgeber hat auf die bisher geltende „im Vergleich zum Hauptzweck untergeordnete Bedeutung“ verzichtet und stattdessen die Förderung des Hauptzwecks aufgenommen.[68] Damit soll die Dienstleistung nicht isoliert neben dem Unternehmensgegenstand des Energieversorgers stehen, sondern weiterhin in einem funktionalen Zusammenhang, kann aber einen neuen eigenständigen Bereich ausmachen. Nach wie vor soll auch sichergestellt werden, dass die bisherige bewährte Zusammenarbeit von Stadtwerken einerseits und Handwerk sowie freien Berufen andererseits nicht zu Lasten des Hand-

[63] LT-Drs. 15/27, Begründung S. 12.

[64] LT-Drs. 15/867, Begründung S. 12.

[65] *ZfK Zeitung für kommunale Wirtschaft*, Wettbewerblicher Messstellenbetrieb: Gegenwind aus Baden-Württemberg, online vom 1. März 2018.

[66] S. dazu jüngst *Gödeke/Jördenig*, Möglichkeiten und Grenzen innovativer Geschäftsmodelle kommunaler Energieversorgungsunternehmen, RdE 2018, S. 109 ff.

[67] *Kotzea/Held* (o. Fn. 29), § 107a, S. 503.

[68] LT-Drs. 15/867, S. 6.

werks und der Freien Berufe verändert werde.[69] Bei der Erbringung von Dienstleistungen müssen daher nach der Rücksichtnahmeklausel des § 107a Abs. 2 S. 2 GO NRW die Belange kleinerer Unternehmen, insbesondere des Handwerks berücksichtigt werden. Die Stadtwerke sollen keine Handwerksleistungen innerhalb der Kundenanlage hinter dem Hausanschluss erbringen; dem Handwerk soll sein traditioneller Tätigkeitsbereich überlassen bleiben.[70]

Auch hat es der Gesetzgeber mit der Neuregelung in § 107a Abs. 4 GO NRW grundsätzlich bei dem Branchendialog belassen, wonach vor der Entscheidung der Gemeinde über die Gründung von bzw. die unmittelbare Beteiligung an Unternehmen der Rat über die Chancen und Risiken des beabsichtigten wirtschaftlichen Engagements zu unterrichten ist. Den örtlichen Selbstverwaltungsorganisationen von Handwerk, Industrie und Handel und der für die Beschäftigten der jeweiligen Branche handelnden Gewerkschaften ist Gelegenheit zur Stellungnahme zu geben. Die Neufassung dieser Regelung beruht auf einem von VKU NRW und Nordrhein-Westfälischem Handwerkskammertag gemeinsam vorgelegten Vorschlag. Damit soll ein vernünftiger Interessensausgleich zwischen den kommunalen Energieversorgern einerseits und dem Handwerk andererseits erreicht werden.[71] Gegenüber dem bis dato geltenden § 107 Abs. 5 GO NRW ist eine Beschleunigung und Erleichterung für die Entscheidung der Gemeinde zur Aufnahme von Dienstleistungen erzielt worden, da auf die bis dahin notwendige Marktanalyse verzichtet wurde und die neue Regelung auch nicht für mittelbare Beteiligungen gilt. Die Befassung des Rates wie auch der Selbstverwaltungsorganisationen und der Gewerkschaften wird bewusst begrenzt.

Die Novellierung rund um Dienstleistungen ist ein wesentlicher Schritt für die kommunale Energiewirtschaft. So dürfte das Dienstleistungsfeld erweitert worden sein: Betriebsführungen und Wartungen von Netzen und Kraftwerken, Entwicklungen von Energiekonzepten für Produktionsbetriebe, Angebot von smart home Lösungen sollten als verbundene Dienstleistungen, die den Hauptzweck fördern, zulässig sein.

Dennoch verbleibt im Vergleich zur privaten Energiewirtschaft eine Rechtsunsicherheit für die kommunalen Energieversorger bei der Aufnahme von Dienstleistungen. Zumal bei Überschreiten der rechtlichen Grenzen drittschützende Wirkung zu Gunsten Privater vorliegen kann, wenn die Dienstleistungen nicht mit der Strom-, Gas- und Wärmeversorgung verbunden wären oder über die Förderung des Hauptzwecks hinausgingen, was angesichts der Unbestimmtheit dieser Rechtsbegriffe, die der vollen verwaltungsgerichtlichen Kontrolle unterliegen, nicht immer klar zu beantworten

69 LT-Drs. 15/867, Begründung S. 12.
70 LT-Drs. 15/867, Begründung S. 12.
71 LT-Drs. 15/867, Begründung S. 16.

sein wird.[72] Diskutiert werden kann auch, ob Verstöße gegen die Rücksichtnahmeklausel des § 107a Abs. 2 S. 2 GO NRW subjektiv-rechtlichen Schutz von Dritten, nämlich kleineren Unternehmen, insbesondere des Handwerks, bewirken. So hat die Rechtsprechung in Nordrhein-Westfalen allerdings noch unter Geltung des nach altem Recht notwendigen, dringenden öffentlichen Zwecks, der drittschützenden Charakter zugunsten konkurrierender Wirtschaftsunternehmen verleihe, auch insoweit eine konkurrentenschützende Wirkung angenommen.[73] Zur Neufassung des § 107a GO NRW, der die Prüfung des öffentlichen Zwecks hat entfallen lassen, wird von einigen Literaturstimmen unter Verweis auf die damalige Rechtsprechung ohne weitere Begründung weiterhin angenommen, dass die Nichtbeachtung der Rücksichtnahmeklausel Drittschutzwirkung verleihe.[74] Während andere konstatieren, dass – ebenfalls zum alten § 107 Abs. 5 S. 1 GO NRW – nicht der einzelne Handwerker oder sonstige Wirtschaftsunternehmen geschützt seien, sondern eher objektive Interessen verfolgt werden.[75] Da § 107a Abs. 2 S. 2 GO NRW nicht hinsichtlich der Zulässigkeit der Dienstleistung („Ob") eine Rücksichtnahme auf die kleineren Unternehmen sicherstellt, sondern nur hinsichtlich der Erbringung der Dienstleistung („Wie"), könnte sich ein Drittschutz allenfalls insoweit ergeben. Es bleibt jedoch die grundsätzliche Frage und der Meinungsstreit, warum private Wettbewerber kommunalrechtliche Vorschriften zum Schutz der Kommunen zur Zurückdrängung von Konkurrenz nutzen sollten. Denn Marktwirtschaft lebt vom Wettbewerb und Marktzutrittschancen sind hier grundsätzlich fremd. Das Wettbewerbsrecht für kommunale Unternehmen ist ebenso wie das für private Unternehmen im Bundesrecht geregelt und nicht im Kommunalrecht der Länder.[76] Soweit ersichtlich gibt es noch keine obergerichtliche Rechtsprechung zu der Frage des Konkurrentenschutzes unter dem neu gefassten § 107a GO NRW. Die Rechtsprechung wird gegebenenfalls dieses Thema mit der Zeit klären, eine Rechtsunsicherheit verbleibt vorerst für die kommunalen Energieversorgungsunternehmen.

c) Projektgeschäft

Investives Projektgeschäft erfolgt in der Energiewirtschaft häufig über Eigenentwicklungen (Bau von Leitungen, dezentralen Erzeugungsanlagen

[72] *Kaster* (o. Fn. 5), § 107a Rdnr. 13.

[73] *OVG Münster*, NVwZ 2003, S. 1520 (1521).

[74] So *Wellmann* (o. Fn. 29), § 107a, S. 15; *Söbbeke*, in: Articus/Schneider (Hrsg.), Kommentar zur GO NRW, 5. Aufl., 2016, § 107a, S. 496 f.; *Kotzea/Held* (o. Fn. 29), § 107a, S. 506; alle allerdings ohne weitere Begründung.

[75] *Schoch* (o. Fn. 51), S. 587 m. w. N.

[76] *Wieland*, Konkurrentenschutz gegen kommunale Wirtschaftsbetätigung, Die Verwaltung 36 (2003), S. 225 ff. (236, 237).

etc.) oder über den Kauf von Unternehmen bzw. Unternehmensbeteiligungen und Assets. Je nach wirtschaftlichem Gewicht und Umfang des Projekts werden zur Realisierung und zum späteren Betrieb Projektgesellschaften gegründet. Dies kann insbesondere aus Gründen der Finanzierung oder Haftungsbegrenzung erfolgen, oder um Kooperationen und Joint Ventures mit Dritten einzugehen, damit das wirtschaftliche Risiko und die notwendige Kapitalausstattung auf mehrere Schultern verteilt werden. In all diesen Fällen, sei es bei der Beteiligung an Unternehmen oder bei der Gründung von (Projekt-) Gesellschaften, sind eine Reihe von kommunalrechtlichen Restriktionen zu beachten.

Dies beginnt mit der Rechtsform der Gesellschaft. Gemäß § 108 Abs. 1 Nr. 3 GO NRW muss – neben der Erfüllung der weiteren unter § 108 GO NRW genannten Voraussetzungen – eine Rechtsform gewählt werden, die die Haftung der Gemeinde auf einen bestimmten Betrag begrenzt. Hierdurch soll verhindert werden, dass die Gemeinde unübersehbare finanzielle Risiken eingeht.[77] Die Voraussetzung ist grundsätzlich erfüllt bei der Wahl einer Aktiengesellschaft, GmbH oder der Beteiligung als Kommanditist an einer KG oder als Kommanditaktionär an einer KGaA. Bei der Wahl der Rechtsform einer Aktiengesellschaft ist § 108 Abs. 4 GO NRW zu berücksichtigen, der vorsieht, dass diese Rechtsform auf Ausnahmefälle beschränkt wird. Die Wahl der Aktiengesellschaft ist nämlich nur dann zulässig, wenn der öffentliche Zweck nicht ebenso gut in einer anderen Rechtsform erfüllt werden kann. Begründet hat der nordrhein-westfälische Gesetzgeber dies damit, dass Vorstand und Aufsichtsrat einer Aktiengesellschaft kraft Bundesrechts eine unabhängige Stellung eingeräumt werde und somit auch keinem Weisungsrecht der Gemeinde unterworfen seien. Dies stehe in Widerspruch zur Gemeindeordnung, die eine aktive Einflussnahme der Gemeinde fordere. Aus diesem Grund solle die Rechtsform der AG grundsätzlich nicht in Betracht kommen.[78] Unzulässig ist nach § 108 Abs. 1 Nr. 3 GO NRW die Beteiligung an Gesellschaftsformen wie der OHG oder der GbR, weil es insoweit zu einer unbeschränkten Haftung kommt.[79] So sehr der Schutz von Gemeinden vor unbeschränkter Haftung nachzuvollziehen ist, so sehr stellt dieses Erfordernis die Praxis vor Probleme. Insbesondere wenn noch nicht gesichert ist, ob das Projekt überhaupt zu Ende geführt werden kann, weil es z. B. an einem Ausschreibungsverfahren, d. h. einer Auktion, in der nur der Meistbietende den Zuschlag erhält, teilnimmt, oder weil Genehmigungen zu beantragen sind, müssen schon Kapitalgesellschaften gegründet werden. D. h. Gesellschaftsverträge müssen geschrieben, Kosten für Einzahlungen in das Kapital und für die Gründung aufgewendet werden, die Gesellschaft

[77] *Wellmann* (o. Fn. 29), § 108, S. 21.
[78] LT-Drs. 12/3730, S. 109.
[79] *Wellmann* (o. Fn. 29), § 108, S. 21 f.

erhält Publizität über Handelsregistereintragungen. Für Arbeitsgemeinschaften und Kooperationen in der wirtschaftlichen Zusammenarbeit ist dagegen die GbR die klassische Kooperationsform. Konsortial- oder Pooling-Verträge[80] werden in der Regel ebenfalls als GbR qualifiziert. Die Mitwirkung an derartigen Kooperationsformen ist der Gemeinde jedoch verwehrt. Privaten Partnern ist dies nur schwerlich zu vermitteln. Und es leuchtet auch dort nicht mehr ein, wo die Projektgesellschaft als Tochtergesellschaft unterhalb einer Kapitalgesellschaft mit begrenzter Haftung geführt wird. Dies dürfte den Regelfall in der Praxis bilden, denn üblicherweise wird ein kommunales Stadtwerk, das die Rechtsform einer Kapitalgesellschaft hat, eine Projektgesellschaft als Tochtergesellschaft gründen. Damit ist nach oben zur Gemeinde die Haftung zumindest auf Ebene des Stadtwerks begrenzt.

Neben der Rechtsformwahl sind für das kommunale Projektgeschäft auch die Befassung von Stadträten sowie die Einbindung der Kommunalaufsicht relevant. Ratsvorbehalte bestehen nach § 41 Abs. 1 S. 2 l), § 108 Abs. 6 S. 1 a) GO NRW für die erstmalige unmittelbare oder mittelbare Beteiligung an Gesellschaften sowie deren Erhöhung. Im mehrstufigen Konzern gilt dies, sofern die Gemeinde Anteile von mehr als 25% an der sich beteiligenden Gesellschaft (mittelbar) hält.[81] Nach Beschluss des Stadtrates erfolgt die gem. § 115 Abs. 1 S. 1 Abs. 2 i. V. m. § 108 Abs. 6 GO NRW notwendige Anzeige bei der Kommunalaufsicht, und zwar spätestens sechs Wochen vor Vollzug des Geschäfts. Die Aufsichtsbehörde hat die Entscheidung der Gemeinde anhand der gesetzlichen Voraussetzungen zu prüfen, d. h. sowohl in rechtlicher wie auch hinsichtlich der Angemessenheit der Einzahlungsverpflichtung der Gemeinde zu deren Leistungsfähigkeit in wirtschaftlicher Hinsicht, bevor sich die Gemeinde rechtlich bindet. Die Aufsicht ist eine Rechtsaufsicht; Zweckmäßigkeits- oder Ermessenskontrolle erfolgt dabei nicht.[82] Die sechs-Wochen-Frist verlängert sich automatisch, wenn die Aufsichtsbehörde ergänzende Angaben benötigt. Bei einem Auslandsprojekt wird gem. § 107a Abs. 3 S. 4 GO darüber hinaus noch die vorherige Genehmigung der Aufsichtsbehörde notwendig, wenn es sich um die Aufnahme einer energiewirtschaftlichen Betätigung auf ausländischen Märkten handelt. Bis zur Genehmigung durch Stadträte und Befassung der Kommunalaufsicht können Monate vergehen. Mit schnelllebigem Projektgeschäft und der Wahrnehmung von Marktchancen im Wettbewerb ist dies häufig nicht vereinbar. Besonders augenfällig wird dies bei Ausschreibungsverfahren, die in ihren zeitlichen Fristen vom Verkäufer oder Ausschreibenden vorgegeben werden.

[80] *Frey/Ohnmacht/Stahl*, Flächenmanagement bei Windkraftentwicklung – Praktische und rechtliche Aspekte von Poolingverträgen, NVwZ 2014, S. 1421.

[81] *Wellmann* (o. Fn. 29), § 108, S. 41.

[82] *Wellmann* (o. Fn. 29), § 115, S. 5.

In M&A-Transaktionen oder für großvolumige Dienstleistungen ist dies häufig der Fall.

Ein weiteres erhebliches Problem ist die strikte Vertraulichkeit, die zumeist von Vertragspartnern gefordert wird. Angesichts der Größe des zu beteiligenden Personenkreises kann diese nicht immer gewahrt werden. Auch handelt es sich bei solchen Transaktionen in aller Regel um komplexe und anspruchsvolle energiewirtschaftliche, kommerzielle, technische Sachverhalte, oft mit tiefgreifenden steuerlichen und rechtlichen Aspekten, für deren adäquate fachliche Beurteilung zumeist die Expertise und Sachkenntnis auf Gemeinderatsebene fehlen dürfte. Inwieweit in der Praxis tatsächlich eine strenge Prüfung der Tätigkeit kommunaler Unternehmen anhand dieser kommunalrechtlichen Vorgaben nachverfolgt und durchgesetzt wird, ist fraglich. Die Kommunalaufsichtsbehörden dürften hierzu, allein aufgrund ihrer geringen personellen Ressourcen und der politischen Steuerungsschwäche, nur eingeschränkt in der Lage sein.[83] Die entscheidenden Stadträte verfolgen je nach politischer Besetzung unterschiedliche Interessen.

d) überörtliche Betätigung und Auslandsgeschäft

Einen großen Schritt ist der nordrhein-westfälische Gesetzgeber zum Örtlichkeitsprinzip gegangen. § 107a Abs. 3 GO NRW durchbricht das ansonsten für die wirtschaftliche Betätigung von Kommunen explizit geltende Territorialitätsprinzip und lässt ausdrücklich die überörtliche energiewirtschaftliche Betätigung zu, wenn die berechtigten Interessen der betroffenen kommunalen Gebietskörperschaften gewahrt sind. Im Strom- und Gasbereich gelten die Interessen als berechtigt, die nach den Vorschriften des EnWG eine Einschränkung des Wettbewerbs zulassen. Die Vorschrift trägt den Konsequenzen der Energierechtsreform, d. h. der Öffnung des Energiemarktes für den Wettbewerb, Rechnung.[84] Aus dem EnWG lassen sich im Einzelfall Interessen ableiten, die der gebietsübergreifenden Tätigkeit eines kommunalen Unternehmens durch eine andere betroffene Kommune entgegengehalten werden können.[85] In der Literatur werden in diesem Zusammenhang beispielhaft die Fälle eines Preisdumpings oder Tatbestände, die die Wirtschaftlichkeit einer Kraft-Wärme-Kopplungsanlage gefährden könnten, genannt.[86]

Auch die Aufnahme einer energiewirtschaftlichen Betätigung im Ausland ist unter den genannten Voraussetzungen zulässig. Wie zuvor schon dargestellt, hat der nordrhein-westfälische Gesetzgeber ausdrücklich die Erfüllung

[83] *Schoch* (o. Fn. 51), S. 594.

[84] Vgl. LT-Drs. 12/3730, S. 108.

[85] Vgl. *Wellmann*, in: Rehn/Cronauge/von Lennep/Knirsch (Hrsg.), GO NRW, 41. EGL März 2015, § 107a, S. 18

[86] Vgl. *Wellmann* (o. Fn. 29), § 107a, S. 18; *Dünchheim* (o. Fn. 36), S. 65.

des öffentlichen Zwecks unterstellt, sofern kommunale Versorger überörtlich oder im Ausland energiewirtschaftlich tätig werden. Eine Beschränkung auf das Gemeindegebiet bzw. eine Bindung an die örtliche Gemeinschaft erfolgt nicht mehr. Inwieweit dies mit dem Territorialitätsprinzip des Art. 28 Abs. 2 GG vereinbar ist, ist umstritten.[87] Umstritten ist allerdings auch, ob das Territorialitätsprinzip nicht selbst europarechtswidrig ist, da es gegen die europäischen Grundfreiheiten und europäisches Wettbewerbsrecht verstoße. Es handele sich um ein Zwangskartell, das zu einer verbotenen räumlichen Aufteilung der Märkte führe. Das Örtlichkeitsprinzip könne daher nur auf eigentlich „hoheitliches", nicht aber „wirtschaftendes" kommunales Handeln angewendet werden.[88] Inwieweit vor dem Hintergrund der Öffnung des europäischen Energiebinnenmarktes § 107a GO NRW als einfaches Gesetz im Rahmen des Gesetzesvorbehalts des Art. 28 Abs. 2 GG das Örtlichkeitsprinzip verlassen kann oder sogar muss, ist spannend. Ob die Diskussion von Relevanz sein wird, ist fraglich. Rechtsprechung der Verfassungsgerichte oder Befassung der Aufsichtsbehörden sind nicht ersichtlich. Eine Rechtsunsicherheit für ausländische Investments bleibt jedoch. Klagen privater Dritter im Rahmen von Konkurrentenschutz dürften allerdings ausgeschlossen sein.

Die Aufnahme einer energiewirtschaftlichen Betätigung im Ausland bedarf einer vorherigen Genehmigung der Kommunalaufsichtsbehörde nach § 107a Abs. 3 S. 3 GO NRW. Damit soll der Ausnahmecharakter des Auslandsgeschäfts verdeutlicht werden, wobei die Kommunalaufsichtsbehörde nur eine ausschließlich rechtliche Prüfung vornehmen darf. Die Genehmigung ist also zu erteilen, wenn die Voraussetzungen vorliegen.[89] Gegen diese Genehmigungspflicht werden teilweise europarechtliche Bedenken geäußert vor dem Hintergrund, dass das Inlandsgeschäft genehmigungsfrei ist.[90] Gerade im schnelllebigen Projektgeschäft eines im Wettbewerb agierenden kommunalen Energieversorgers kann dieses Genehmigungserfordernis zu einem erheblichen Markthindernis, wenn nicht sogar Marktausschluss, führen; nämlich dann, wenn es auf Schnelligkeit ankommt. Denn die Genehmigungsverfahren können Monate in Anspruch nehmen. *Burgi*, der in Vorbereitung der nordrhein-westfälischen Gesetzesnovelle zur Revitalisierung des Gemeinderechts im Jahr 2010 im Auftrag des Ministeriums für Wirtschaft, Mittelstand und Energie ein Rechtsgutachten erstellt hat, hat sich daher auch

[87] *Dreier* (o. Fn. 6), Art. 28 Rdnr. 127; *Kotzea/Held* (o. Fn. 29), § 107a, S. 507; jeweils m. w. N.

[88] S. schon *Hellermann/Wieland*, in: Püttner (Hrsg.): Zur Reform des Gemeindewirtschaftsrechts, 2002, S. 117 (126); *Moraing*, Kommunales Wirtschaftsrecht vor dem Hintergrund der Liberalisierung der Märkte, WiVerw 1998, S. 233 ff. (245); und jüngst umfassend dazu *Dünchheim*, Die Vereinbarkeit des kommunalen Wirtschaftsrechts des Saarlandes mit dem Recht der Europäischen Union, 2018.

[89] Vgl. *Wellmann* (o. Fn. 29), § 107, S. 71.

[90] Dazu *Burgi* (o. Fn. 31), S. 79, m. w. N., der diese Auffassung allerdings kritisch sieht.

für die Genehmigungsfreiheit des Auslandsgeschäfts und lediglich für eine Anzeigepflicht ausgesprochen.[91]

e) Zwischenergebnis

In der Zusammenschau der Weiterentwicklung des Gemeindewirtschaftsrechts in Nordrhein-Westfalen ergibt sich, dass für das klassische Geschäft der Energieversorgung Erleichterungen für die kommunale Energiewirtschaft im Vergleich zur Vergangenheit, und zwar im Hinblick auf die Unterstellung des öffentlichen Zwecks, den Wegfall des Subsidiaritätsprinzips und die Überwindung des Örtlichkeitsprinzips im Inland geschaffen wurden. Das Auslandsgeschäft ist inzwischen zulässig, aber weiterhin – trotz auf EU- und Bundesebene gewolltem EU-Binnenmarkt – aufgrund seiner Genehmigungsbedürftigkeit mit hohen Hürden versehen. Im Dienstleistungssektor sind weitere Geschäftsbereiche eröffnet worden, mit den Angebotsmöglichkeiten von privaten Unternehmen können die kommunalen jedoch nicht mithalten. Rechtsunsicherheiten und unter Umständen auch Rechtsschutzmöglichkeiten Dritter verschärfen die Situation. Projektgeschäft in Form von Projektgesellschaften unterliegt ebenfalls erheblichen Hindernissen, insbesondere bedingt durch die eingeschränkte Rechtsformwahl und die zeitlichen Restriktionen durch Genehmigungsprozesse.

III. Beihilfenrecht

Kommunale Unternehmen können als öffentliche Unternehmen mit bestimmten Rechtsgeschäften dem von der Europäischen Kommission immer intensiver kontrollierten Beihilfenrecht unterliegen. In Art. 107 Abs. 1 des Vertrages über die Arbeitsweise der Europäischen Union („AEUV“) ist ein präventives Beihilfenverbot unter Erlaubnisvorbehalt niedergelegt. Nach dem unmittelbar in den Rechtsordnungen der Mitgliedstaaten anwendbaren Art. 108 Abs. 3 AEUV dürfen staatliche Beihilfen erst gewährt werden, wenn sie von der Europäischen Kommission (in Ausnahmefällen auch dem Rat) für mit dem Binnenmarkt vereinbar erklärt worden sind (sog. Durchführungsverbot oder „Standstill Clause“). Verstöße gegen dieses Durchführungsverbot führen nach der Rechtsprechung der Unionsgerichte zur Rechtswidrigkeit der Beihilfe, aus der die nationalen Gerichte die entsprechenden Schlussfolgerungen nach nationalem Recht zu ziehen haben.[92] In Deutschland führt das nach der Rechtsprechung des BGH regelmäßig zur Nichtigkeit der der

[91] *Burgi* (o. Fn. 31), S. 79.

[92] Ständige Rechtsprechung des EuGH seit dem Urteil vom 21. November 1991 – Rs. C-354/90, Fédération nationale du commerce extérieur des produits alimentaires (FNCE), Slg. 1991, I-5505, Rdnr. 12.

Beihilfengewährung zu Grunde liegenden Verträge bzw. sonstigen Rechtsakte nach § 134 BGB.[93] Wettbewerber können sich auf die Rechtswidrigkeit der Beihilfengewährung vor den nationalen Gerichten berufen, um die Rückabwicklung der zu Grunde liegenden Verträge oder gar Schadensersatz zu verlangen.[94]

Als Teil des Wettbewerbsrechts unterfällt die Prüfung durch die Generaldirektion Wettbewerb („DG Comp") der EU Kommission. Bis zur Jahrtausendwende führte das Beihilfenrecht eher ein Mauerblümchendasein gegenüber den anderen Pfeilern des europäischen Wettbewerbsrechts (Kartellrecht und Fusionskontrolle), wurde seitdem von der Kommission jedoch immer mehr als Werkzeug zur Beeinflussung von Rechtsgebieten entdeckt, in denen die Europäische Union keine oder vermeintlich nur unzureichende Kompetenzen besitzt. Das zeigte sich früh und gerade auch jetzt wieder im Bereich der Unternehmensbesteuerung.[95] Besondere Bedeutung erhielt das Beihilfenrecht zumal während der Finanzkrise (Rettungs- und Umstrukturierungsbeihilfen für Finanzinstitute und Finanzierungserleichterungen für die übrigen Sektoren) und jüngst auch im Energiebereich (EEG!)[96]. Die Entdeckung des Beihilfenrechts als Querschnittsmaterie hat nicht nur zu einer erheblichen Erweiterung des Beihilfentatbestandes geführt, sondern auch dazu, dass die Wettbewerber auf die ihnen von der Rechtsprechung eingeräumten Rechte vermehrt aufmerksam werden und diese immer häufiger und konsequenter ausüben.[97]

Als Teil des Staates können Kommunen potenziell Maßnahmen treffen, die unter das präventive Beihilfenverbot fallen. Dies gilt auch für Maßnahmen kommunaler Unternehmen, sofern diese der Kommune zurechenbar sind (hierzu unten näher). Um nicht das Risiko der Nichtigkeit von Rechtsgeschäften (und nachfolgend deren mögliche Rückabwicklung) einzugehen und sich ggf. sogar schadensersatzpflichtig zu machen, sollten die kommunalen Unternehmen insbesondere bei folgenden Rechtsgeschäften das Beihilfenrecht im Auge behalten: Kapitalanlagen, Grundstücks- oder

[93] Grundlegend: *BGH*, EuZW 2003, S. 444 (445); *BGH*, EuZW 2004, S. 252 (253); *BGHZ* 173, 129.

[94] Siehe hierzu *Arhold*, Beihilfenrechtliche Konkurrentenklagen im Lichte der neuesten höchstrichterlichen Rechtsprechung, EWS 2011, S. 209 ff.

[95] Siehe hierzu die Übersicht auf der Website der Kommission: http://ec.europa.eu/competition/state_aid/tax_rulings/index_en.html (zuletzt abgerufen am 22.05.2018).

[96] Siehe hierzu insbesondere den Beihilfenbeschluss der Kommission in SA.33995, Germany – Support of renewable electricity and reduced EEG surcharge for energy-intensive users, ABl. 2015 L 250/122 sowie die Leitlinien für staatliche Umweltschutz- und Energiebeihilfen 2014–2020, ABl. 2014 C 200/01.

[97] Für Urteile nationaler Gerichte bis inklusive 2009 siehe die Aufstellung unter http://ec.europa.eu/competition/court/state_aid_judgments.html (zuletzt abgerufen am 22.05.2018). Aktuell lässt die Kommission eine neue Untersuchung zu dem Thema durchführen. Es ist davon auszugehen, dass die Fallzahlen weiter merklich gestiegen sind.

Unternehmens(-anteils-)veräußerungen, Forderungsmanagement, Begebung von Darlehen – auch im cash pool – und Bürgschaften oder Kapitalmaßnahmen im Konzern. Es muss vermieden werden, dass die Leistung nicht zum vollen Gegenwert erfolgt und das begünstigte Konzernunternehmen oder der begünstigte Dritte damit einen ungerechtfertigten Wettbewerbsvorteil gegenüber Wettbewerbern erlangt. Ausgeschlossen ist die Gewährung eines wirtschaftlichen Vorteils, wenn nachgewiesen werden kann, dass ein marktwirtschaftlich handelndes privates Unternehmen ebenso gehandelt hätte, wenn also der Vertragspartner der Öffentlichen Hand nichts erhält, das er nicht auch unter normalen Marktumständen von einem Privaten erhalten hätte. Beispielsweise ist im Rahmen von Veräußerungen danach zu fragen, ob auch ein nach marktwirtschaftlichen Kriterien handelnder privater Veräußerer zu demselben Preis und denselben Konditionen veräußert hätte (sog. market economy operator principle, „MEOP").[98] Dieses Prinzip bedeutet in der Unternehmenspraxis eine hohe Komplexität und damit einhergehend einen erheblichen Aufwand, um entsprechende Maßnahmen nachweisbar rechtssicher auszugestalten.

Was staatliche Beihilfen sind, regelt Art. 107 AEUV. Eine Beihilfe liegt danach vor, wenn kumulativ folgende Merkmale erfüllt sind: 1. Durch dem Staat zurechenbare Transfers staatlicher Mittel wird 2. einem bestimmten Unternehmen oder einem bestimmten Wirtschaftszweig (Selektivität) 3. ein wirtschaftlicher Vorteil gewährt, wodurch 4. der Wettbewerb potenziell verfälscht und eine Beeinträchtigung zwischenstaatlichen Handelns droht.[99]

In der Praxis relevant sind insoweit häufig die Frage der staatlichen Zurechenbarkeit beim Transfer staatlicher Mittel wie auch der Nachweis, dass kein wirtschaftlicher Vorteil geflossen ist.

1. Transfer staatlicher Mittel und staatliche Zurechenbarkeit

Entsprechend der gefestigten Praxis der EU-Kommission und der europäischen Gerichte wird der Begriff einer staatlichen Beihilfe weit ausgelegt.[100] Viele staatliche Maßnahmen, die auf den ersten Blick unverdächtig erscheinen, können beihilfenrechtlich relevant sein. Nach der Rechtsprechung sind Mittel öffentlicher Unternehmen als staatliche Mittel anzusehen, unabhängig davon, ob diese Mittel vom Staat bereitgestellt oder von dem betreffenden öffentlichen Unternehmen im Rahmen seiner wirtschaftlichen Tätigkeit

[98] *EuG*, T-129/95, T-2/96 und T-97/96, Slg. 1999, II-17, Rdnr. 104, 105 – Neue Maxhütte Stahlwerke.

[99] Zum Beihilfentatbestand siehe näher *Arhold/Soltesz*, in: Säcker (Hrsg.), Münchener Kommentar, Europäisches und Deutsches Wettbewerbsrecht, Bd. 5 Beihilfenrecht, 2. Aufl., München 2018, Art. 107 AEUV.

[100] Grundlegend dazu insbes. *EuGH* vom 24. Juli 2003, C-280-00, Slg. 2003, 1-7747, Rdnr. 75, 78, 84 – Altmark Trans; *Pielow* (o. Fn. 7), Einl. E. EnWG Rdnr. 474.

erworben worden sind.[101] Wenn ein kommunales Unternehmen Mittel transferiert, liegt darin daher ein Transfer staatlicher Mittel. Denn ein kommunales Unternehmen ist als öffentliches Unternehmen anzusehen, wenn „die öffentliche Hand aufgrund Eigentums, finanzieller Beteiligung, Satzung oder sonstiger Bestimmungen, die die Tätigkeit des Unternehmens regeln, unmittelbar oder mittelbar einen beherrschenden Einfluss ausüben kann".[102]

Staatlich zurechenbar sind diese Transfers allerdings nicht per se. Anhand von in der Rechtsprechung der Unionsgerichte entwickelten Indizien ist zu ermitteln, ob der Staat (hier also die Kommune) tatsächlich auf den konkreten Mitteltransfer Einfluss genommen hat bzw. ob das Fehlen einer solchen Einflussnahme ganz unwahrscheinlich erscheint. Erst dann ist eine staatliche Zurechenbarkeit gegeben. Denn auch, wenn der Staat in der Lage ist, ein öffentliches Unternehmen zu kontrollieren und einen beherrschenden Einfluss auf dessen Tätigkeiten auszuüben, kann nicht ohne weiteres vermutet werden, dass diese Kontrolle im konkreten Fall tatsächlich ausgeübt wird. Vielmehr kann ein öffentliches Unternehmen je nach dem Maß der Selbstständigkeit, das ihm der Staat belässt, mehr oder weniger unabhängig handeln, sodass die bloße Tatsache, dass das öffentliche Unternehmen unter staatlicher Kontrolle steht, nicht genügt, um Maßnahmen dieses Unternehmens dem Staat zuzurechnen. Staatliche Zurechenbarkeit setzt voraus, dass für die Übertragung von Mitteln staatlicherseits ein ursächlicher Einfluss auf die Entscheidung im Unternehmen ausgeübt wurde. Für die Prüfung sind die sog. *Stardust Marine*-Indizien des gleichnamigen EuGH-Urteils heranzuziehen.[103] Wesentliches Indiz ist, dass das öffentliche Unternehmen die Entscheidung nicht treffen konnte, ohne den Anforderungen der öffentlichen Stellen Rechnung zu tragen aufgrund organisationsrechtlicher Faktoren, die das öffentliche Unternehmen mit dem Staat verbinden oder durch Bindung des öffentlichen Unternehmens an konkrete Richtlinien der politischen Ebene. Weitere Indizien sind die Eingliederung des Unternehmens in die Strukturen der öffentlichen Verwaltung, die Art seiner Tätigkeit und deren Ausübung auf dem Markt unter normalen Bedingungen des Wettbewerbs mit privaten Wirtschaftsteilnehmern, Rechtsstatus des Unternehmens (öffentliches Recht oder allgemeines Gesellschaftsrecht), die Intensität der behördlichen Aufsicht über die Unternehmensführung oder jedes andere Indiz, das im konkreten Fall auf eine Beteiligung am Erlass einer Maßnahme

[101] *EuGH*, C-482/99, ECLI:EU:C:2002:294, Rdnr. 37 – Frankreich/Kommission (Stardust); siehe auch *EuGH*, verbundene Rechtssachen C-328/99 und C-399/00, ECLI:EU:C:2003:252, Rdnr. 33, m.w.N. – Italien und SIM 2 Multimedia SpA/Kommission.

[102] Art. 2 b) der Richtlinie 2006/111/EG der Kommission vom 16. November 2006 über die Transparenz der finanziellen Beziehungen zwischen den Mitgliedstaaten und den öffentlichen Unternehmen sowie über die finanzielle Transparenz innerhalb bestimmter Unternehmen, ABl. L 318 vom 17. November 2006, S. 17.

[103] *EuGH*, C-482/99, Frankreich/Kommission, Slg. 2002 I-4397, Rdnr. 55–56.

hinweist, wobei auch deren Umfang, ihr Inhalt oder ihre Bedingungen zu berücksichtigen sind.

Nach diesen Indizien dürfte in aller Regel eine staatliche Zurechenbarkeit in Betracht kommen, wenn über bestimmte Maßnahmen kommunal besetzte Organe oder Aufsichtsgremien entscheiden, wenn also Zustimmungsvorbehalte für mehrheitlich mit Vertretern der Kommunen besetzte Überwachungsorgane (§ 108 Abs. 1 Nr. 6 GO NRW) wie Aufsichtsrat und Gesellschafterversammlung nach den Gesellschaftsregularien bestehen. Aus kommunal- oder gesellschaftsrechtlichen Vorgaben kann sich überdies ergeben, dass die entsprechende Maßnahme den Stadträten vorab zur Entscheidung vorzulegen ist und die konkrete Entscheidung damit unmittelbar von der Kommune gelenkt wird. In einem solchen Fall steht die staatliche Zurechenbarkeit außer Frage. Wenn bei diesen Vorgängen die Kommunalaufsichtsbehörde im Rahmen eines Anzeige- (§ 115 GO NRW) oder Genehmigungsverfahren (bei Auslandstätigkeit nach § 107a GO NRW) konkret Einfluss nimmt, dürfte eine staatliche Zurechenbarkeit ebenfalls zwangsläufig vorliegen. Die Anzeige alleine, ohne dass die Aufsichtsbehörde Einfluss nimmt, dürfte die staatliche Zurechenbarkeit dagegen nicht auslösen.

Bei der Prüfung sind alle Indizien zu bewerten; in einem mehrstufigen Konzern mit verschiedenen Anteilseignern kann dies durchaus einen sehr hohen Prüfungsaufwand bedeuten. Ist die staatliche Zurechenbarkeit zu bejahen, sind die weiteren Tatbestandsmerkmale des Art. 107 AEUV in ihrer Prüfungsintensität häufig von nicht mehr so hoher Bedeutung.

2. *Wirtschaftlicher Vorteil*

Bei der Bewertung der Frage, ob ein wirtschaftlicher Vorteil gewährt wurde, ist stets zu fragen, wie ein privater Marktteilnehmer in der Situation des kommunalen Unternehmens gehandelt hätte, um seinen Profit zu erhöhen (MEOP). Die EU-Kommission hat zur Beurteilung der beihilferechtlichen Relevanz verschiedener Rechtsgeschäfte wie Bürgschaften[104], Finanzierung von Dienstleistungen[105] und Grundstücksveräußerungen[106] Mitteilungen erlassen, um darzulegen, wie diesem MEOP Genüge getan werden kann.

[104] Mitteilung der Kommission über die Anwendung der Art. 87 und 88 des Vertrags zur Gründung der Europäischen Gemeinschaft auf staatliche Beihilfen in Form von Haftungsverpflichtungen und Bürgschaften, ABl. C 155/10 vom 20. Juni 2008, geändert durch die Berichtigung der Mitteilung, ABl. C 274/32 vom 25. September 2008.

[105] Mitteilung der Kommission über die Anwendung der Beihilfevorschriften der EU auf Ausgleichsleistungen für die Erbringung von Dienstleistungen von allgemeinem wirtschaftlichen Interesse, 2012/C 8/02 – Alumnia Paket.

[106] Mitteilung der Kommission betreffend Elemente staatlicher Beihilfe bei Verkäufen von Bauten oder Grundstücken durch die öffentliche Hand, ABl. C 209 vom 10. Juli 1997.

Speziell für Unternehmensveräußerungen hat die Kommission in ihren Privatisierungsleitlinien aus 1993[107] und in der aktuelleren, die Grundsätze der Privatisierungsleitlinien um die neuere Entscheidungspraxis ergänzenden Guidance aus 2012[108] dargelegt, unter welchen Umständen sie davon ausgeht, dass die Veräußerung eines Unternehmens oder einer Beteiligung weder für den Erwerber noch für das veräußerte Unternehmen einen wirtschaftlichen Vorteil darstellt, so dass vermutet werden kann, dass keine Beihilfe vorliegt und die Transaktion daher nicht notifiziert werden muss.[109] Danach muss das Unternehmen entweder über die Börse veräußert werden oder es findet ein offenes, transparentes, diskriminierungs- und bedingungsfreies Bieterverfahren statt und das Unternehmen wird an den Meistbietenden veräußert.[110] An Letzterem soll nachfolgend dargestellt werden, dass das, was in der Theorie so einleuchtend klingt, für die Praxis eine hohe Belastung und ein recht starres Verfahren bedeutet: Das Veräußerungsverfahren muss von Beginn an durchstrukturiert sein, spätere Abweichungen tragen immer ein Risiko der Intransparenz und Diskriminierung in sich. Mit der internationalen Veröffentlichung der Ausschreibung – bei global nachgefragten Unternehmensbeteiligungen auch außerhalb der EU[111] – und der möglichst präzisen Beschreibung des Veräußerungsgegenstandes startet es. Sollte der Veräußerer im Laufe des Verfahrens dazu kommen, dass der Veräußerungsgegenstand, wie beispielsweise zwei in einer Region gelegene Windparks besser aufgeteilt und beide Windparks getrennt veräußert oder um einen weiteren Windpark ergänzt werden sollten, riskiert er eine Neuausschreibung. Das heißt, das Projekt muss abgebrochen und wieder neu aufgesetzt werden.[112] Damit geht ein Reputationsverlust am Markt einher. Vor der Marktansprache und entsprechender Rückmeldung potenzieller Interessenten ist aber häufiger nicht einschätzbar, in welcher Konstellation eine Veräußerung den höchsten wirtschaftlichen Vorteil bringt. Dies gilt umso mehr, wenn der Veräußerungsgegenstand wirtschaftlich nicht so attraktiv und die Nachfrage entsprechend gering ist. Eine unverbindliche Marktansprache vor Beginn des Veräußerungsverfahrens sollte daher immer in Erwägung gezogen werden. Dabei ist darauf zu achten, dass die der Marktansprache folgende Festlegung des Ausschreibungsgegenstandes den gewonnenen kommerziellen

[107] XXIII. Wettbewerbsbericht, Rdnr. 402 ff.

[108] Arbeitspapier Leitfaden zur beihilfenkonformen Finanzierung, Umstrukturierung und Privatisierung staatseigener Unternehmen, COM swd (2012) 14 final.

[109] Zu den beihilfenrechtlichen Aspekten von Privatisierungen s. *Arhold*, in: Säcker (Hrsg.), Münchener Kommentar, Europäisches und Deutsches Wettbewerbsrecht, Beihilfenrecht, Privatisierung.

[110] Nicht weiter betrachtet wird hier die in Ausnahmefällen mögliche Erstellung eines ex ante erstellten Unternehmenswertgutachtens zum Nachweis des Marktpreises.

[111] *Kom.*, ABl. 2008 L 239/32, Tz. 29–31, 141–143 – Bank Burgenland.

[112] *Kom.*, ABl. 1999 L 103/19, S. 25, 26 – Société de Banque Occidentale.

Einsichten folgt und nicht etwa der Bevorzugung eines bestimmten Käufers (Käuferkreises). Letzteres wäre unter dem Gesichtspunkt der Diskriminierungsfreiheit des Verfahrens risikobehaftet. Neben der frühzeitigen Festlegung des Veräußerungsgegenstandes sind auch die Auswahlkriterien für die jeweilige Verkleinerung der Bieterrunden (im strukturierten Bieterverfahren) und die Zuschlagskriterien für die Annahme des besten Angebotes zu Beginn des Verfahrens festzulegen, zu gewichten und bekanntzumachen.[113] Zu den Zuschlagskriterien können nicht nur die Höhe des Kaufpreises, sondern auch eine Bewertung der weiteren vertraglichen Konditionen, die zu Beginn des Verfahrens nicht immer antizipiert werden können, zählen. Die Ausschreibung muss so gestaltet sein, dass grundsätzlich jeder Käufer unabhängig von seinem gewerblichen Tätigkeitsbereich das Unternehmen erwerben und für seinen wirtschaftlichen Zweck nutzen kann.[114] Daher ist es nicht gestattet, die Zulässigkeit von Bietern vom Erfüllen bestimmter Qualitätskriterien abhängig zu machen, es sei denn, besondere Umstände rechtfertigen das, z. B. das Weiterbestehen wirtschaftlicher Beziehungen zwischen Verkäufer und verkauftem Unternehmen.[115] Die Gebote der Transparenz und Diskriminierungsfreiheit gebieten es schlussendlich auch, dass nach Abgabe der bindenden Angebote keine weiteren Preis- oder maßgebliche Vertragsverhandlungen mehr stattfinden dürfen, wie dies sonst recht üblich ist und was häufig zu höheren Kaufpreisen führt (es sei denn, eine weitere Bieterrunde ist von vorneherein transparent angekündigt). Die verbindlichen Angebote müssen – von der Endverhandlung rein technischer Punkte abgesehen – so wie liegend angenommen oder das Verfahren ohne Abschluss beendet werden.

3. *Konsequenzen einer rechtswidrigen Beihilfengewährung*

Die Folgen eines Verfahrensverstoßes und damit einer rechtswidrig gewährten Beihilfe können enorm sein. Es gilt daher, sehr sorgfältig entsprechende Maßnahmen auf das Vorliegen eines Beihilfentatbestandes hin zu prüfen. Im Zweifel bietet es sich an, pro Rechtssicherheit zu entscheiden und einen Verlust an Flexibilität und Schnelligkeit sowie eine finanzielle Belastung des Unternehmens durch den erhöhten Aufwand für den Gesamtprozess in Kauf zu nehmen. Ansonsten riskiert das kommunale Unternehmen nicht nur die Eröffnung eines Beihilfenprüfverfahrens durch die Europäische Kommission, sondern vielmehr, dass Wettbewerber und sonstige Dritte Ver-

[113] *Kom.*, ABl. 2008 L 239/32, Tz. 43 – Bank Burgenland.

[114] *Kom.*, ABl. 1999 L 292/27, Tz. 87 – Gröditzer Stahlwerke; *Kom.*, ABl. 2008 L 239/12, Tz. 58, 60 – Automobile Craiova.

[115] *Kom.* Eröffnungsentscheidung, ABl. 2013 C 84/58, Tz. 243–246 – Beihilfen zu Gunsten der ehemaligen Tirrenia Group und ihre Erwerber; *Kom.*, SA. 36197 – Portugal, Privatisation of ANA – Aeroportos de Portugal, Tz. 12 und 51–52.

fahren vor den nationalen Gerichten anstrengen. Die nationalen Gerichte haben die Pflicht, alle sich aus der Rechtswidrigkeit der Beihilfengewährung ergebenden Rechtsfolgen nach nationalem Recht zu Gunsten der Wettbewerber anzuwenden. Dies führt nach deutschem Recht regelmäßig dazu, dass die entsprechenden Verträge als nichtig gemäß § 134 BGB anzusehen sind und nach den §§ 812 ff. BGB rückabgewickelt werden müssen. Darüber hinaus können Wettbewerber auch Schadensersatzansprüche nach § 823 BGB geltend machen. Art. 108 Abs. 3 AEUV ist als Schutzgesetz im Sinne von § 823 Abs. 2 BGB anerkannt.[116] Wettbewerber können ihre Ansprüche innerhalb von drei Jahren geltend machen. Die Frist beginnt nach § 199 BGB mit dem Schluss des Jahres, in dem der Anspruch entstanden ist und der Gläubiger von den den Anspruch begründenden Umständen und der Person des Schuldners Kenntnis erlangt hat oder ohne grobe Fahrlässigkeit hätte erlangen müssen.[117]

4. Folgerungen für die Praxis

Insbesondere gesellschaftsrechtliche Maßnahmen im kommunalen Unternehmen können dazu führen, dass die staatliche Zurechenbarkeit eines Rechtsgeschäfts entfällt. Werden die Organe des Unternehmens nicht mehrheitlich mit kommunalen Vertretern besetzt und erfolgt auch sonst keine konkrete Einflussnahme durch die Gemeinde oder die Aufsichtsbehörden auf die entscheidungsbefugten Unternehmensgremien dürfte in der Regel keine staatliche Zurechenbarkeit und damit auch kein Beihilfentatbestand vorliegen. Die Indizien für die staatliche Zurechenbarkeit sind beispielsweise in dem Fall schwach ausgeprägt, dass ein kommunales Unternehmen in der Rechtsform einer Aktiengesellschaft geführt wird und weder Vorstand noch Aufsichtsrat mehrheitlich kommunal besetzt und gelenkt sind. Gerade wenn der Aufsichtsrat paritätisch und die Kapitalseite neben kommunalen Vertretern auch noch entsprechend dem Corporate Governance Kodex mit einigen unabhängigen Vertretern besetzt ist, liegt regelmäßig keine kommunale Mehrheit im Aufsichtsrat mehr vor. Ebenfalls liegt keine kommunale Lenkung vor bei gemischt öffentlich-privaten Unternehmen, wenn die kommunale Seite weniger als 50,1% der Beteiligung hält. Aus der Stardust-Marine Rechtsprechung folgt nämlich gerade, dass aus dem Umstand allein, dass die politische Ebene ggf. auf eine konkrete Maßnahme Einfluss nehmen könnte, nicht automatisch gefolgert werden kann, dass in einem konkreten Fall auch tatsächlich Einfluss genommen wurde. Das kommunale Unternehmen kann

[116] *Arhold* (o. Fn. 94), S. 209, m. w. N. aus der Rechtsprechung.

[117] *BGH*, Urteil vom 10. Februar 2011 – I ZR 136/09 – „Flughafen Frankfurt-Hahn", Rdnr. 49–58, juris; *BGH*, Urteil vom 10. Februar 2011 – I ZR 213/08 – „Flughafen Lübeck", Rdnr. 47, juris.

dann im Wettbewerb agieren wie Private, nämlich flexibler, kostengünstiger und effizienter. Im Ergebnis besteht daher nicht nur ein Ungleichgewicht kommunaler Unternehmen zu privaten, sondern auch kommunaler Unternehmen untereinander je nach deren gesellschaftsrechtlicher Struktur.

IV. Vergaberecht

1. Kommunale Unternehmen als öffentliche Auftraggeber

Das zunächst ausschließlich im nationalen Haushaltsrecht verankerte öffentliche Auftragswesen wurde in den letzten zwei Jahrzehnten aufgrund seiner wirtschaftlichen Bedeutung für die Entstehung eines gemeinsamen Marktes in Europa durch Schaffung des EU-Vergaberechts auf eine neue Ebene gehoben.[118] Seitdem besteht eine Zweiteilung des Vergaberechts, wonach oberhalb festgelegter Schwellenwerte das EU-Vergaberecht Anwendung findet, während unterhalb der Schwellenwerte weiterhin das nationale Recht (insbesondere das geltende Haushaltsrecht) zu beachten ist.[119] Diese Zweiteilung führt nicht zuletzt zu einer Vielzahl an verschiedenen Gesetzen, Verordnungen, Richtlinien und Verwaltungsvorschriften, die je nach Beschaffungsgegenstand und Auftragswert von den kommunalen Unternehmen einzuhalten sind. Insoweit ist die Einführung der Unterschwellenvergabeordnung im Jahr 2017 zu begrüßen, die zu einer Vereinheitlichung des Vergaberechts im Unterschwellenbereich bei der Vergabe von Liefer- und Dienstleistungen führt.[120] Insbesondere für kommunale Energieversorgungsunternehmen in NRW ist zudem durch die Änderung des Tariftreue- und Vergabegesetzes NRW[121] eine deutliche Erleichterung eingetreten, da Sektorenauftraggeber durch die Neuregelung aus dem Anwendungsbereich ausgenommen wurden. Insoweit sind kommunale Energieversorgungsunternehmen als Sektorenauftraggeber im Unterschwellenbereich ähnlich den privaten Energieversorgungsunternehmen nicht an vergaberechtliche Verfahrensvorgaben gebunden.

Ob ein Beschaffungsvorgang im Rahmen eines förmlichen Vergabeprozesses durchgeführt werden muss, bedarf einer sorgfältigen Prüfung durch das kommunale Unternehmen. Im Vorfeld einer Beschaffung sind diverse

[118] So zusammenfassend *Dünchheim*, in: Dünchheim (Hrsg.): Tariftreue- und Vergabegesetz des Landes Nordrhein-Westfalen, Kurzkommentar, 2012, Ziffn. 2.1 und 2.3.

[119] *Burgi*, Vergaberecht, 2016, § 2 Rdnr. 5 f.

[120] Die Unterschwellenvergabeverordnung ersetzt die Vergabe- und Vertragsordnung für Leistungen – Teil A (VOL/A). Allerdings bedarf es für die Inkraftsetzung eines konkreten Anwendungsbefehls durch die anwendbaren Haushaltsgesetze (u.a. § 55 der Bundeshaushaltsordnung bzw. für die Länder durch die entsprechenden landesrechtlichen Regelungen).

[121] In Kraft getreten am 1. April 2017.

vergaberechtliche Vorfragen zu klären, so z. B. die Höhe des Auftragswerts, die Einordnung des Beschaffungsvorgangs als Bau-, Liefer- oder Dienstleistung sowie das Eingreifen von gesetzlich normierten Ausnahmetatbeständen. Von besonderer Bedeutung auf Ebene des EU-Vergaberechts ist in diesem Zusammenhang die Implementierung einer einklagbaren Rechtsposition für unterlegene Bieter und die Schaffung eines eigenen Nachprüfungsregimes oberhalb der durch die EU-Kommission festgelegten Schwellenwerte.[122] Diese Möglichkeit der gerichtlichen Nachprüfung durch Bieter führt dazu, dass ein kommunales Unternehmen nicht nur die vergaberechtlichen Anforderungen sorgfältig prüfen, sondern alle Entscheidungen im Vergabeprozess nachvollziehbar begründen und dokumentieren muss. Gerade im Hinblick auf komplexe Beschaffungsvorgänge kann die Klärung dieser Vorfragen sowie deren Dokumentation zu Zeitverzögerungen bei der Beschaffung, zur Bindung personeller Ressourcen, aber auch zu finanziellen Aufwendungen (z. B. durch Aufbau von entsprechenden Organisationseinheiten oder durch die Notwendigkeit der Einholung externer Gutachten) bei einem kommunalen Unternehmen führen.[123]

Darüber hinaus sind diverse Fallgestaltungen denkbar, in denen ein kommunales Unternehmen vor dem Hintergrund der vergaberechtlichen Verfahrensvorgaben vor erhebliche Schwierigkeiten gestellt wird. Beispielhaft sei hier die Vergabe von Bau-, Liefer- und/oder Dienstleistungen im Zusammenhang mit dem durch die Energiewende forcierten Ausbau der erneuerbaren Energien (hier konkret die Errichtung eines Windparks) angeführt. Anders als Vergaben im Zusammenhang mit der Erzeugung aus konventionellen Energiequellen, die von der Anwendung des EU-Vergaberechts mittlerweile freigestellt sind, unterliegen Vergaben im Bereich der Erzeugung aus erneuerbaren Energien weiterhin dem Vergaberecht.[124] Ein kommunales Unternehmen muss daher Leistungen im Rahmen der Errichtung eines Windparks (vorausgesetzt die Schwellenwerte sind überschritten) EU-weit ausschreiben. Im Rahmen eines Genehmigungsverfahrens zur Errichtung eines Windparks, wird verlangt, dass Anlagen und Hersteller typenspezifisch festgelegt werden.[125] Dieses Erfordernis aus dem Genehmigungsverfahren führt im Zusammenspiel mit den vergaberechtlichen Verfahrensvorschriften dazu, dass das kommunale Unternehmen bereits eine EU-weite Ausschreibung für den Kauf/Bau von Windenergieanlagen vornehmen muss, bevor es überhaupt in das Genehmigungsverfahren eintritt. Die ordnungsgemäße Durchführung eines Vergabeverfahrens setzt aber voraus, dass die zu beschaffende Leistung umfangreich und detailliert beschrieben ist. Eine abschließende Beschrei-

122 *Dünchheim* (o. Fn. 118), Ziff. 2.3, S. 11.
123 So auch *Burgi* (o. Fn. 119), § 1 Rdnr. 13.
124 *Kom.*, Durchführungsbeschluss v. 24.04.2012 – 2012/218/EU.
125 *Agatz*, in: Agatz (Hrsg.): Windenergie Handbuch, 14. Ausg., Dezember 2017, S. 44.

bung der Leistung ist ohne Vorliegen der konkreten Anforderungen aus dem Genehmigungsbescheid sehr schwierig. Zudem können im Nachgang des Vergabeverfahrens aufgrund des konkreten Genehmigungsbescheides oder der zeitlichen Verzögerung im Rahmen des Genehmigungsverfahrens Änderungen an dem bestehenden Auftragsverhältnis erforderlich werden, die unter vergaberechtlichen Gesichtspunkten sogar zu einer Neu-Ausschreibungspflicht (gemäß § 132 GWB) führen können.

Zusammengefasst kann festgestellt werden, dass das öffentliche Auftragswesen durch die Komplexität der Verfahrensvorgaben (trotz weitgehender Bemühungen, diese zu harmonisieren) die öffentlichen Auftraggeber und damit die kommunalen Unternehmen vor Herausforderungen stellt, die für Unternehmen der Privatwirtschaft nicht gleichgeartet bestehen.

2. *Kommunale Unternehmen als Auftragnehmer*

Das Vergaberecht regelt grundsätzlich das öffentliche Beschaffungswesen.[126] Es richtet sich insoweit ausschließlich an die öffentliche Hand als Auftraggeber. Allerdings stellt sich die Frage, ob kommunalrechtlich nicht statthafte Betätigungen der Kommunen als Auftragnehmer im Vergabeverfahren gerügt werden können.[127] In diesem Zusammenhang ist umstritten, inwieweit öffentliche Auftraggeber und Nachprüfungsinstanzen außervergaberechtliche Materien als Prüfungsmaßstab heranziehen dürfen.[128]

So hat der Vergabesenat des OLG Düsseldorf festgestellt, dass ein Unternehmen, dass sich kraft einer gesetzlichen Anordnung (z. B. § 107 GO NRW) nicht auf dem betreffenden Markt betätigen darf, massiv den Wettbewerb stört und verfälscht, wenn es gleichwohl in eine Konkurrenz zu anderen Wirtschaftsteilnehmern tritt. Nach Auffassung des OLG Düsseldorf ist die Regelung des § 107 GO NRW im Rahmen des Vergabeverfahrens von den öffentlichen Auftraggebern vollumfänglich zu prüfen. Unternehmen der öffentlichen Hand, die sich als Bieter an einer öffentlichen Ausschreibung entgegen § 107 GO NRW beteiligen, sind danach zwingend von dem Vergabeverfahren auszuschließen.[129] Demgegenüber kommt das OVG Münster zu dem Schluss, dass der effektive Rechtsschutz der durch § 107 GO NRW gewährten Rechte ausschließlich in die Zuständigkeit der Verwaltungsgerichte fällt. Im vergaberechtlichen Nachprüfungsverfahren kann ein Verstoß gegen § 107 GO NRW nach dieser Auffassung nicht gerügt werden, da es

[126] *Burgi* (o. Fn. 119), § 1 Rdnr. 13.

[127] *Pielow* (o. Fn. 7), Einl. E. EnWG, Rdnr. 467.

[128] *Gurlit*, Das Vergaberecht im Spannungsfeld von Kommunalwirtschaft und Wettbewerbsrecht, Vergaberecht 2017, S. 223.

[129] *OLG Düsseldorf*, Beschluss vom 13. August 2008 – VII-Verg 42/07 –, Rdnr. 24, juris; bestätigend zur Prüfungskompetenz kommunalwirtschaftlicher Fragen im Rahmen Vergabeverfahren *OLG Düsseldorf*, NZBau 2014, S. 57 (61).

sich nicht um eine Bestimmung über das Vergabeverfahren handelt. Darüber hinaus führt das OVG aus, dass unter dem Gesichtspunkt des Wettbewerbsrechts jede Belebung des Wettbewerbs, wie sie unter Umständen auch vom Marktzutritt der öffentlichen Hand ausgehen kann, ausdrücklich erwünscht sei.[130]

Zumindest für den Bereich der energiewirtschaftlichen Betätigung durch die Gemeinden in Nordrhein-Westfalen hat sich der vorliegende Streit mittlerweile entschärft, soweit sich diese Betätigung im Rahmen des § 107a GO NRW bewegt. Für Vergaben im Dienstleistungssektor bleibt es bei Überschreiten der Grenzen des § 107a Abs. 2 GO NRW und Beurteilung der Zulässigkeit nach § 107 GO NRW abzuwarten, inwieweit auch in Zukunft die kommunalwirtschaftlichen Bestimmungen Eingang in vergaberechtliche Erwägungen finden werden.

V. Offenlegungspflichten

Für kommunale Unternehmen gelten strenge Informations- und Offenlegungspflichten, die zu einem Nachteil gegenüber den mit ihnen im Wettbewerb stehenden privaten Unternehmen führen. Von Bedeutung sind die Informationsfreiheitsgesetze bzw. Transparenzgesetze der einzelnen Bundesländer, die einen generellen, voraussetzungslosen Zugang zu amtlichen Informationen gewährleisten.[131]

So hat das VG Düsseldorf bereits in einer Entscheidung aus dem Jahr 2012 vertreten, dass Privatpersonen Ansprüche auf Information bzw. Akteneinsicht nach dem IFG NRW gegen die jeweilige Kommune geltend machen können, mit denen sie Einsicht in Unterlagen, die das jeweilige kommunale Unternehmen betreffen, verlangen können.[132] Zwar gilt das IFG NRW nach § 2 Abs. 1 IFG NRW nur für die Verwaltungstätigkeit der Behörden. Doch ist der Begriff nach Ansicht des VG Düsseldorf weit auszulegen. Der Betrieb einer mehrheitlich gehaltenen Stadtwerke-Tochter sei als Verwaltungstätigkeit im Sinne von § 2 Abs. 1 IFG NRW einzustufen, da es sich nach Maßgabe der §§ 107 ff. GO NRW um eine zur Erfüllung gemeindlicher Aufgaben zulässige wirtschaftliche Betätigung handele.[133] Ob im konkreten Fall ein

[130] *OVG für das Land Nordrhein-Westfalen*, Beschluss vom 1. April 2008 – 15 B 122/08 –, Rdnr. 16 f., juris.

[131] *Gödeke/Jördening*, Auskunftspflichten kommunaler Unternehmen im Lichte der aktuellen Rechtsprechung, ZIP 2017, S. 2284 (2285).

[132] *VG Düsseldorf*, Beschluss vom 24. September 2012 – 26 L 1551/12.

[133] *VG Düsseldorf*, Beschluss vom 24. September 2012 – 26 L 1551/12; so auch *OVG Koblenz*, Urteil vom 10. Juni 2016 – 10 A 10878/15 Rdnr. 30 ff., juris; *Dünchheim*, Das transparente Stadtwerk?, KommJur 2016, S. 441 (443); *Gödeke/Jördening* (o. Fn. 131), S. 2284 (2285).

Antrag auf Akteneinsicht besteht, hängt somit nur davon ab, ob ein Ausschlussgrund nach §§ 6–9 IFG NRW vorliegt.

Umstritten ist, ob auch ein direkter Anspruch gegen das jeweilige kommunale Unternehmen besteht. Nach § 2 Abs. 4 IFG NRW findet das IFG NRW auch auf juristische Personen des Privatrechts Anwendung, sofern diese „öffentlich-rechtliche" Aufgaben wahrnehmen. Zum Teil wird vertreten, eine „öffentlich-rechtliche" Aufgabe sei gleichzusetzen mit einer „öffentlichen Aufgabe", so dass in der Konsequenz ein Anspruch auf Information bejaht wird.[134] Demgegenüber wird auch vertreten, dass § 2 Abs. 4 IFG NRW lediglich den Beliehenen erfasse, also den, der in öffentlich-rechtlichen Handlungsformen tätig werde.[135] Schließlich finden sich auch Stimmen in der Literatur, die eine funktionale Betrachtung für erforderlich halten. Danach sind öffentlich-rechtliche Aufgaben solche, die dem Staat bzw. seinen Untergliederungen kraft Rechtsnorm übertragen wurden. Als Folge wären kommunale Unternehmen im Bereich der Energieversorgung nicht Anspruchsverpflichtete im Sinne des IFG NRW.[136] Das OVG Koblenz hat sich nunmehr der weiten Auslegung angeschlossen, die den Begriff der „öffentlich-rechtlichen Aufgabe" mit der „öffentlichen Aufgabe" gleichsetzt.[137] In Zukunft muss daher vermehrt mit Akteneinsichtsansprüchen gerechnet werden.

Weitere Auskunftspflichten können sich für öffentliche Energieversorgungsunternehmen in Nordrhein-Westfalen aus § 4 des Landespressegesetzes des Landes Nordrhein-Westfalen ergeben. Danach sind Behörden verpflichtet, den Vertretern der Presse die der Erfüllung ihrer öffentlichen Aufgabe dienenden Auskünfte zu erteilen. Der BGH hat nunmehr mit Urteil vom 16. März 2017 entschieden, dass der Behördenbegriff auch juristische Personen des Privatrechts, die von der öffentlichen Hand beherrscht und zur Erfüllung öffentlicher Aufgaben, namentlich im Bereich der Daseinsvorsorge, eingesetzt werden, erfasst.[138]

Die Gesamtschau der gesetzlichen Grundlagen zeigt, dass durch die umfassenden Informations- und Offenlegungspflichten Geschäftsgeheimnisse, strategische Pläne und andere vertrauliche Informationen an die Öffentlichkeit geraten können. Private Unternehmen, die in demselben Wettbewerbsmarkt agieren, sind dem Risiko nicht ausgesetzt.

[134] *Schoch*, Informationsfreiheitsgesetz, 2. Aufl. 2016, § 1 Rdnr. 218 ff.

[135] *Haurand/Möhring/Stollmann*, Praxis der Kommunalverwaltung, § 2 IFG NRW Ziff. 4.

[136] *VG Düsseldorf*, Urteil v. 3.2.2006 – 26 K 1585/04; *Dünchheim* (o. Fn. 133), S. 441 (443).

[137] *OVG Koblenz*, Urteil vom 10. Juni 2016 – 10 A 10878/15 Rdnr. 30 ff.; *Gödeke/Jördening* (o. Fn. 131), S. 2284 (2286).

[138] *BGH*, Urteil vom 16. März 2017 – I ZR 13/16.

VI. Ausblick und Lösungen

Die gesetzlichen Rahmenbedingungen für kommunale Energieversorgungsunternehmen knüpfen auch heutzutage noch an die monopolartigen Strukturen der Vergangenheit an. Die Einheit der Rechtsordnung ist aufgegeben worden, denn auf EU- und Bundesebene sind im Energiemarkt Wettbewerb und grenzüberschreitende Tätigkeit eingeführt worden. Das Gemeindewirtschaftsrecht der Länder, das schon je nach Bundesland unterschiedlich restriktiv ausgestaltet ist, wie auch die für die kommunalen Versorgungsunternehmen geltenden gesetzlichen Bestimmungen der öffentlichen Hand, beispielsweise des Beihilfe- und Vergaberechts, haben dieser Entwicklung nicht Rechnung getragen, auch wenn der Gesetzgeber in Nordrhein-Westfalen mit dem Gesetz zur Revitalisierung des Gemeindewirtschaftsrechts einige Weichen hin zu einer Angleichung der Wettbewerbsverhältnisse gestellt hat. Die kommunalen Unternehmen unterliegen je nach Bundesland unterschiedlichen kommunalrechtlichen Rahmenbedingungen und sind vielfach gegenüber der Privatwirtschaft benachteiligt. Der Vorrang des klassischen Geschäfts der Energieversorgung und -erzeugung in NRW, die außerhalb dessen geltende Schrankentrias für das Dienstleistungsgeschäft, das zwar gelockerte, aber dennoch zu Einschränkungen führende Örtlichkeitsprinzip und das eher als Ausnahmetatbestand konzipierte Auslandsgeschäft führen zu teilweise hohen Hürden beim Marktzugang. Mit der notwendigen Einholung von kommunalen Gremienentscheidungen und aufsichtsrechtlichen Anzeige- und Genehmigungsverfahren unterliegen die Unternehmen einem erheblich höheren zeitlichen, organisatorischen und Kostenaufwand als ihre privaten Wettbewerber. Ihr Geschäft ist im Rahmen des geltenden Beihilfe- und Vergaberecht in ein Korsett gezwängt, das Flexibilität und Effizienz nimmt. Geschäftsgeheimnisse sind weniger geschützt, unternehmerische Strategien und Geschäftstätigkeit können transparent und publik werden.

Zugleich sollen die kommunalen Unternehmen unternehmerisch, innovativ und das Rückgrat der Energiewende sein sowie Gewinne erzielen. Mit diesem gewünschten Verhalten stoßen sie aber an Rechtsgrenzen im Vergleich zu privaten Wettbewerbern. So stellt auch das Bundesministerium für Wirtschaft und Energie fest: „Hier zeigt sich, dass Bundes- und Landesrecht in teilweise unterschiedlichem Regelungstempo Wertungswidersprüche aufwerfen und sinnvolles gemeindliches Engagement behindern können“.[139]

Lösungen für Teilbereiche sind jedoch in Sicht: Unter der heute geltenden Gemeindeordnung Nordrhein-Westfalen sind eine Reihe von Instrumenten denkbar, mit denen kommunalen Unternehmen Erleichterungen von belastenden kommunalrechtlichen Vorgaben gewährt werden können, so dass sie

[139] *Bundesministerium für Wirtschaft und Energie* (o. Fn. 30), S. 39.

gleichberechtigter am Markt teilnehmen können. Dazu zählen unter anderem auch folgende:

1. *Rahmenbeschlüsse von Stadträten/Kommunalaufsicht*

Um den langen Zeitläufen von Stadtrats- und kommunalaufsichtlicher Befassung zu begegnen, können schon vor Abschluss eines Rechtsgeschäfts Rahmenbeschlüsse der Stadträte und bei Auslandsgeschäft der Kommunalaufsicht eingeholt bzw. eine entsprechende Anzeige bei der Kommunalaufsicht vorgenommen werden. Dabei sind der Beschlussgegenstand und die Rahmenbedingungen der beabsichtigten Rechtsgeschäfte unter Berücksichtigung der gesetzlichen Voraussetzungen zu beschreiben. Beispielsweise sind bei geplanten Gesellschaftsgründungen oder Kauf von Unternehmensbeteiligungen Unternehmensgegenstand, wirtschaftliches Volumen, (Mindest-) Rendite, Rechtsform, Einzahlungsverpflichtung, Haftungsbegrenzung, Einflussnahme der Gemeinde u.s.w. zu nennen.[140] Dieses Vorgehen bietet sich bei zeitkritischen oder kostenaufwändigen Projekten wie auch bei einer Vielzahl gleichartiger Projekte (beispielsweise Investition in mehrere Windpark- oder dezentrale Erzeugungsanlagen-Gesellschaften) an. Nach den Beschlussfassungen kann das Geschäft zeitlich flexibel im Rahmen der Vorgaben ausgeführt werden. In der Praxis kommt dieses Verfahren durchaus häufiger zur Anwendung. Die kommunalen Gremien und Behörden können unter Wahrung der Rats- und Genehmigungsvorbehalte entlastet werden von beispielsweise Mehrfachbefassungen in ähnlichen Geschäften, während die Unternehmen kurzfristiger Marktchancen wahrnehmen und flexibel agieren können.

2. *Bagatellgrenzen*

Unter Zustimmung der Aufsichtsbehörde oder über ministerielle Erlasse bzw. – im Sinne der Gleichbehandlung empfehlenswerter – gesetzliche Änderungen der Gemeindeordnung könnten gerade für mittelbare Beteiligungen der Gemeinden Bagatellgrenzen eingeführt werden, unterhalb derer Unternehmen Beteiligungsvorgänge nicht mehr den Räten und damit auch nicht der Kommunalaufsicht vorlegen müssten. Die Bagatellgrenze würde nominal oder prozentual einen Beteiligungsanteil der Gemeinde an der Gesellschaft als Schwellenwert festlegen. Über den jährlichen Beteiligungsbericht nach § 117 Abs. 2 GO NRW bliebe der Rat weiter unterrichtet und könnte, wenn es ihm notwendig erschiene, Beschlusszuständigkeiten auch wieder an sich ziehen. Damit würde es den kommunalen Gremien und Behörden ermög-

[140] *Kotzea* (o. Fn. 29), § 108, Ziff. 6, S. 522.

licht, sich auf wesentliche, haftungsrelevante und durch sie steuerbare Vorgänge zu konzentrieren.[141]

3. *Stimmenthaltungen*

Bei gemischt-wirtschaftlichen Unternehmen, an denen eine Kommune keine (mittelbare) Mehrheit hält bzw. nicht über eine entsprechende Stimmrechtsmehrheit in den Gesellschaftsgremien verfügt, wird die Einholung eines Ratsbeschlusses ggf. zu einem rein formalen Akt. Um Geschäftsabschlüsse zeitlich nicht aufzuhalten, können sich die gemeindlichen Vertreter der Stimme enthalten, wenn mit den Stimmen der Mitanteilseigner bzw. weiteren Gremienvertreter der Beschluss zustande kommt. Ein Ratsbeschluss wäre unter diesen Umständen nicht notwendig. Im Schrifttum wird vertreten, dass dieses Stimmverhalten nicht rechts- oder treuwidrig sein dürfte.[142]

4. *Experimentierklausel des § 129 GO NRW*

Im Rahmen der Modernisierung der Kommunalverwaltung und der Diskussionen neuer Steuerungs- und Organisationmodelle hat der nordrhein-westfälische Gesetzgeber schon im Jahr 1994 die sog. Experimentierklausel zur Weiterentwicklung der kommunalen Selbstverwaltung als § 129 in die Gemeindeordnung eingefügt.[143] Um Pilotprojekte, neue Modelle und Reformen, die an die Grenzen des Gemeinderechts stoßen, zu ermöglichen, kann das für Inneres zuständige Ministerium im Einzelfall zeitlich begrenzte Ausnahmen von organisations- und haushaltsrechtlichen Vorschriften der Gemeindeordnung zulassen. Das Ministerium entscheidet auf Antrag der Gemeinde, die die Vorschriften benennen muss, von deren Anwendung sie befreit werden möchte.[144] Für den Antrag ist ein Ratsbeschluss notwendig.[145] Soweit in der rechtswissenschaftlichen Literatur vereinzelt vertreten wird, das Gemeindewirtschaftsrecht gehöre nicht zu den organisationsrechtlichen Vorschriften,[146] trifft dies nicht zu. Die §§ 107 ff. GO NRW sind klassisches gemeindliches Organisationsrecht. Regelungsgegenstand sind die organisatorischen Fragen, unter welchen Voraussetzungen und in welchen Grenzen der Gemeinde die Aufnahme einer wirtschaftlichen Tätigkeit zulässig ist. Über-

[141] Der Verband kommunaler Unternehmen e. V., Landesgruppe Nordrhein-Westfalen, startet zurzeit diese Initiative zum Bürokratieabbau bei geringfügigen Beteiligungen kommunaler Unternehmen im Rahmen des Entfesselungspakets der Landesregierung NRW.

[142] *Kotzea* (o. Fn. 29), § 108, Ziff. 6, S. 521.

[143] *Knirsch*, in: Rehn/Cronauge/von Lennep/Knirsch, GO NRW, 43. EGL Juni 2016, § 129, S. 1; *Schönenbroicher*, in: BeckOK GO NRW, § 129, Rdnr. 2 ff.

[144] *Knirsch* (o. Fn. 143), § 129, S. 7.

[145] *Schönenbroicher* (o. Fn. 143), § 129, Rdnr. 15.

[146] *Knirsch* (o. Fn. 143), § 129, S. 7.

wiegend beschränken sich die Regelungen auf gemeindeinterne Vorgänge und entfalten weder tatsächliche noch rechtliche Außenwirkung gegenüber den Gemeindebürgern. Die vergleichbaren Regelungen auf Bundes- und Landesebene sind dementsprechend auch in den spezifischen haushalts- und organisationsrechtlichen Regelwerken angesiedelt und werden als bloßes Innenrecht qualifiziert.[147] Sollte sich die gegenteilige Auffassung durchsetzen und das Gemeindewirtschaftsrecht nicht als Organisationsrecht qualifiziert werden, kann das Ministerium durch Rechtsverordnung Ausnahmen zulassen, denn § 129 S. 2 GO NRW sieht dies für Ausnahmen von anderen Vorschriften der Gemeindeordnung vor.

Inhaltlich könnten mit Hilfe der Ausnahmegenehmigung Ratsvorbehalte beschränkt werden auf enumerativ aufgezählte Beschlussgegenstände, definierte Schwellenwerte oder es könnten bestimmte Geschäfte ausgenommen werden. Denkbar wäre auch eine gänzliche Aufhebung der Ratsvorbehalte und Umwandlung in eine Berichtspflicht. Die Gemeinden könnten auf Basis der Berichte ggf. auch Entscheidungszuständigkeiten wieder an sich ziehen. Vorbild kann insofern die RWE AG sein, deren kommunale Gesellschafter von den Vorgaben des kommunalen Gemeindewirtschaftsrechts durch das Land NRW freigestellt sind. Denn die Landesregierung Nordrhein-Westfalens sieht laut einer Kleinen Anfrage aus dem Jahr 2007[148] unter Verweis auf die historisch gewachsenen kommunalen Beteiligungen an der RWE AG davon ab, dass die kommunalen Anteilseigner Anzeige- oder Genehmigungsverfahren bei entsprechenden Geschäften der RWE AG durchlaufen müssen. Die Beteiligungen seien häufig in einer Zeit erworben worden, in der das Land NRW noch gar nicht existent gewesen sei. Alt- und Neueigner der RWE AG sollten gleichbehandelt werden. Diese historisch gewachsene Sondersituation sei nicht auf andere Aktiengesellschaften übertragbar. Im Sinne einer Gleichbehandlung spricht aber durchaus einiges für eine Gleichbehandlung von Unternehmen, die sich im selben Wettbewerbsmarkt bewegen.

Mit der Ausnahmegenehmigung könnten auch Ratszuständigkeiten auf andere Gremien verlagert werden, z. B. auf die Gesellschafterversammlungen der entsprechenden Gesellschaften, sofern dort gemeindliche Vertreter mit abstimmen. Für Letzteres könnte auf den Ansatz des § 108 Abs. 6 S. 4 GO NRW zurückgegriffen werden, der bei der Entsendung von gemeindlichen Vertretern durch mehrere Gemeinden die Möglichkeit der Konzentration von Entscheidungen auf ein Organ vorsieht.

147 Vgl. zur Beteiligung des Bundes an Unternehmen § 65 Bundeshaushaltsordnung und zur Beteiligung des Landes § 65 Landeshaushaltsordnung NRW. Diese Vorschriften befinden sich jeweils in dem Abschnitt: Ausführung des Haushaltsplans.

148 LT-Drs. 14/5175, S. 2.

5. Befreiung von der Genehmigungspflicht durch die Aufsichtsbehörde

Nach § 131 kann das für Inneres zuständige Ministerium durch Rechtsverordnung Rechtsgeschäfte, die nach den Vorschriften der Teile 8 bis 11 der Genehmigung der Aufsichtsbehörde bedürfen, von der Genehmigung allgemein freistellen und stattdessen die vorherige Anzeige an die Aufsichtsbehörde vorschreiben. Die gemeindewirtschaftsrechtlichen Regelungen der §§ 107 ff. GO NRW gehören zum 11. Teil und sind damit von dieser Regelung erfasst. Eine Genehmigungspflicht durch die Aufsichtsbehörde ist für das Auslandsgeschäft in § 107a Abs. 3 S. 4 GO NRW vorgesehen. Mit einer entsprechenden Befreiung und ggf. verbleibenden Anzeigepflicht würde unter dem zeitlichen Aspekt eine gewisse Erleichterung erreicht, denn Genehmigungsverfahren bedürfen in aller Regel mehr Zeit als das Anzeigeverfahren, für das eine gesetzliche Frist von sechs Wochen vor Vollzug vorgesehen ist.

VII. Fazit

Unter dem heute geltenden Recht könnten Instrumente eingeführt werden, mit deren Hilfe kommunale Energieversorgungsunternehmen unter Wettbewerbsbedingungen schneller, effizienter und flexibler agieren können, unter Berücksichtigung einer weiterhin bestehenbleibenden Steuerungs- und Kontrollmöglichkeit durch die Gemeinden. Eine gewisse Erleichterung könnte für die kommunalen Unternehmen erzielt werden, dennoch bliebe es bei einer „Flickschusterei".

Die auf europäischer und Bundesebene verfolgten Ziele der effizienten, preisgünstigen Versorgung und der Stärkung des Elektrizitätsbinnenmarktes und grenzübergreifender Zusammenarbeit werden vom Kommunalrecht nicht wirksam umgesetzt. Kommunale Unternehmen können an dem auf Europa- und Bundesebene eingezogenen Wettbewerb nicht gleichberechtigt teilhaben. Sie benötigen bei steigendem Wettbewerbsdruck einen gegenüber der Privatwirtschaft fairen und gleichberechtigten Zugang zu den Energie- und Dienstleistungsmärkten. So hält auch der Koalitionsvertrag zwischen CDU, CSU und SPD von März 2018 folgendes fest: „Kommunale und öffentliche Unternehmen sind wichtige Säulen der Sozialen Marktwirtschaft und der Daseinsvorsorge. Sie bieten sichere und gute Arbeit, stärken die regionale Identität und sind unverzichtbar für die Bereitstellung öffentlicher Güter. Sie sind von großer Bedeutung für die lokale Wertschöpfung. Dabei muss die Wettbewerbsgleichheit zwischen öffentlichen und privaten Unternehmen sichergestellt werden."[149]

[149] Ein neuer Aufbruch für Europa/Eine neue Dynamik für Deutschland/Ein neuer Zusammenhalt für unser Land, Koalitionsvertrag zwischen CDU, CSU und SPD, 19. Legislaturperiode, 12. März 2018, S. 55.

Aus dem Dissens zwischen dem auf EU- und Bundesebene geschaffenen Wettbewerb im Energiemarkt einerseits und dem auf Daseinsvorsorge und damit historisch überwiegend auf inländische Monopol- oder Oligopolmärkte zugeschnittenem Gemeindewirtschaftsrecht andererseits folgt, dass eine weitere Angleichung der Rechtssysteme erfolgen muss. Dies erfordert einen entsprechenden gesellschaftspolitischen Diskurs. Wenn der Staat nicht auf kommunales Wirtschaften verzichten möchte, ist das Gemeindewirtschaftsrecht an die wettbewerblichen Bedingungen anzupassen. Instrumente zur Gestaltung sind vorhanden und sollten zeitnah eingesetzt werden.

Legislativkompetenz und Nukleartransport

Das landesgesetzliche Verbot des Umschlags von Kernbrennstoffen in Seehäfen auf dem Prüfstand der bundesstaatlichen Kompetenzordnung

Arnd Uhle*

I. Einleitung

Im beruflichen Wirken von *Ulrich Büdenbender* nimmt das Energierecht einen herausragenden Platz ein. Das gilt ebenso für die von ihm übernommenen Aufgaben in Industrie und Anwaltschaft wie auch für sein wissenschaftliches Oeuvre. Dessen thematischer Bogen ist auch innerhalb des Energierechts weit gespannt. So reichen die behandelten Frage- und Themenstellungen vom vorläufigen Rechtsschutz im atomrechtlichen Genehmigungsverfahren über Rechtsfragen der Energieversorgung in Krisenzeiten bis zur kartellrechtlichen Beurteilung von Energieerzeugungsverboten in energiewirtschaftlichen Verträgen[1] und von der Stellung des Energierechts im Spannungsfeld von Recht, Technik, Ökonomie und Politik über die Konsequenzen diverser Energierechtsreformen bis zur Rechtsprechung des BGH zu Preisanpassungsklauseln in Energielieferverträgen.[2] Insgesamt umfassen

* Inhaber des Lehrstuhls für Öffentliches Recht, insbesondere für Staatsrecht, Allgemeine Staatslehre und Verfassungstheorie an der Universität Leipzig sowie Richter des Verfassungsgerichtshofes des Freistaates Sachsen.

[1] Siehe dazu *Ulrich Büdenbender*, Energieversorgungsunternehmen und vorläufiger Rechtsschutz im Genehmigungsverfahren nach § 7 AtG, DVBl. 1977, S. 679 ff.; *ders.*, Rechtsfragen der Energieversorgung in Krisenzeiten – Zur Verordnung über die Sicherstellung der Elektrizitätsversorgung (ElektrizitätslastverteilungsVerordnung) und der Gasversorgung (GaslastverteilungsVerordnung), et 1977, S. 51 ff., 146 ff., 216 ff.; *ders.*, Zur kartellrechtlichen Beurteilung von Energieerzeugungsverboten in energiewirtschaftlichen Verträgen, et 1982, S. 43 ff.

[2] Siehe hierzu nur *Ulrich Büdenbender*, Energierecht im Spannungsfeld zwischen Recht, Technik, Ökonomie und Politik, DZWiR 1994, S. 315 ff.; *ders.*, Energierecht nach der Energierechtsreform, JZ 1999, S. 62 ff.; *ders.*, Die Entwicklung des Energierechts seit In-Kraft-Treten der Energierechtsreform von 1998, DVBl. 2001, S. 952 ff.; *ders.*, Das deutsche Energierecht nach der Energierechtsreform, et 2005, S. 642 ff.; *ders.*, Eckpunkte der Energierechtsreform 2011, RdE 2010, S. 197 ff. (gemeinsam mit Peter Rosin); *ders.*, Rechtliche

die energierechtlichen Publikationen eine Zeitspanne von mehr als vierzig Jahren. In ihnen hat nicht nur die praktische Bedeutung der Materie einen stetigen Bedeutungszuwachs erfahren. Vielmehr hat sich das Energierecht auch von einer eher randständigen Spezialmaterie zu einem eigenständigen, wissenschaftlich vielfältig durchdrungenen und systematisch erschlossenen Rechtsgebiet entwickelt. Zu dieser Entwicklung haben die Arbeiten von *Ulrich Büdenbender* maßgeblich beigetragen, vor allem dadurch, dass sie die üblichen intradisziplinären Grenzen zwischen Zivilrecht und Öffentlichem Recht überschritten, hierbei zugleich in interdisziplinärer Weise technische, ökonomische und politische Aspekte der Energiewirtschaft einbezogen und bei alledem stets die Bedürfnisse der Praxis im Blick gehalten haben. Signifikant zum Ausdruck gelangen diese Charakteristika in dem 1982 veröffentlichten „Energierecht",[3] einer Gesamtdarstellung, in der das Recht der öffentlichen Energieversorgung erstmalig vollständig vermessen worden ist und dessen monumentale Neuauflage 1999, nunmehr als Gemeinschaftswerk, unter dem Titel „Energierecht I. Recht der Energieanlagen" publiziert worden ist.[4]

Zu den normativen Grundlagen des von *Ulrich Büdenbender* gleichermaßen wesentlich mitentwickelten wie mitgeprägten Energierechts gehören die einschlägigen Bestimmungen des Grundgesetzes, allen voran die Vorschriften über die Verteilung der Gesetzgebungskompetenzen. Diese reichen vom Recht der Wirtschaft i.S.v. Art. 74 Abs. 1 Nr. 11 GG über das Recht der Enteignung gem. Art. 74 Abs.1 Nr. 14 GG und die Zuständigkeit für das Bodenrecht i.S.v. Art. 74 Abs. 1 Nr. 18 GG bis hin zur Kompetenz für die Abfallbeseitigung, die Luftreinhaltung und die Lärmbekämpfung gem. Art. 74 Abs. 1 Nr. 24 GG. Hieraus ist vor der Föderalismusreform von 2006, seinerzeit zu Recht, die Schlussfolgerung gezogen worden, dass bei der Analyse der für das Energierecht maßgeblichen Kompetenzbestimmungen die ausschließliche Gesetzgebung des Bundes ausgeblendet werden könne.[5] Freilich hat sich seither die Verfassungsrechtslage geändert. Denn durch die Föderalismusreform I ist im Jahre 2006 die bis dahin zur konkurrierenden Gesetzgebungsmaterie zählende Zuständigkeit für die Erzeugung und Nutzung der

Bilanz der Energiewende 2011 im Hinblick auf den Ausstieg aus der Kernenergie, DVBl. 2017, S. 1449 ff.; Die neue Rechtsprechung des BGH zu Preisanpassungsklauseln in Energielieferverträgen, NJW 2009, S. 3125 ff.; *ders.*, Die Rechtsprechung des Bundesgerichtshofs zu Preisanpassungsklauseln in der Elektrizitäts- und Gaswirtschaft, ZIP 2017, S. 1041 ff.

[3] *Ulrich Büdenbender*, Energierecht. Eine systematische Darstellung des gesamten Rechts der öffentlichen Energieversorgung, München/Köln 1982. Siehe bereits zuvor *ders.*, Zur Einführung: Das Recht der öffentlichen Energieversorgung, JuS 1978, S. 150 ff. Siehe ferner *ders./Wilm Tegethoff/Hein Klinger (Hrsg.)*, Kommentar „Das Recht der öffentlichen Energieversorgung", Loseblatt, seit 1982.

[4] *Ulrich Büdenbender/Wolff Heintschel von Heinegg/Peter Rosin*, Energierecht I. Recht der Energieanlagen, Berlin – New York 1999 (Reprint 2014).

[5] *Büdenbender/von Heinegg/Rosin* (o. Fn. 4), Rdnr. 20 a.E.

Kernenergie zu friedlichen Zwecken in die ausschließliche Zuständigkeit des Bundes überführt worden und seither in Art. 73 Abs. 1 Nr. 14 GG loziert.[6] Von dieser Kompetenz, die neben der Nutzung auch den von *Ulrich Büdenbender* zuletzt kritisch bilanzierten[7] Ausstieg aus der friedlichen Kernenergienutzung erfasst,[8] ist in der jüngeren Vergangenheit gesetzgeberisch intensiver Gebrauch gemacht worden.[9] Auch das Bundesverfassungsgericht hat sich mit ihr wiederholt auseinandergesetzt.[10]

[6] Näher dazu *Arnd Uhle*, Die Sachbereiche der ausschließlichen Gesetzgebungskompetenz des Bundes nach der Föderalismusreform. Anmerkungen zur Verfassungsreform von 2006 und zu neueren Entwicklungen im Recht der ausschließlichen Gesetzgebungskompetenz des Bundes, in: Markus Heintzen/Arnd Uhle (Hrsg.), Neuere Entwicklungen im Kompetenzrecht, 2014, S. 189 ff. (196).

[7] *Ulrich Büdenbender*, Rechtliche Bilanz der Energiewende 2011 im Hinblick auf den Ausstieg aus der Kernenergie, DVBl. 2017, S. 1449 f.

[8] Aus der Kommentarliteratur so auch *Christian Seiler*, in: Epping/Hillgruber (Hrsg.), Grundgesetz, 2. Aufl. 2013, Art. 73 Rdnr. 61.1; *Christoph Degenhart*, in: Sachs (Hrsg.), Grundgesetz, 8. Aufl. 2018, Art. 73 Rdnr. 60; *Rüdiger Sannwald*, in: Schmidt-Bleibtreu/Hofmann/Hopfauf (Hrsg.), Kommentar zum Grundgesetz, 14. Aufl. 2018, Art. 73 Rdnr. 179; *Arnd Uhle* in: Maunz/Dürig, Grundgesetz, Stand: 82. Erg.-Lfg. (Januar 2018), Art. 73 Rdnr. 304; *Markus Heintzen*, in: v. Mangoldt/Klein/Starck (Hrsg.), Kommentar zum Grundgesetz, Bd. 2, 7. Aufl. 2018, Art. 73 Rdnr. 136; *Fabian Wittreck*, in: Dreier (Hrsg.), Grundgesetz, Bd. II, 3. Aufl. 2015, Art. 73 Rdnr. 85; *Jörg Gundel*, in: Kahl/Waldhoff/Walter (Hrsg.), Bonner Kommentar zum Grundgesetz, Stand: 190. Aktualisierung (April 2018), Art. 73 Rdnr. 48 a.E.

[9] Vgl. etwa das Gesetz zur geordneten Beendigung der Kernenergienutzung zur gewerblichen Erzeugung von Elektrizität vom 22. April 2002 (BGBl I S. 1351) oder auch die Novellen des seit jeher auf diese Zuständigkeit gestützten Atomgesetzes; siehe dazu exemplarisch das Elfte Gesetz zur Änderung des Atomgesetzes vom 8. Dezember 2010 (BGBl I S. 1814) sowie das Dreizehnte Gesetz zur Änderung des Atomgesetzes vom 31. Juli 2011 (BGBl I S. 1704). Der Gesetzgeber hat sich zudem für das Gesetz zur Suche und Auswahl eines Standortes für ein Endlager für Wärme entwickelnde radioaktive Abfälle und zur Änderung anderer Gesetze (Standortauswahlgesetz – StandAG) vom 23. Juli 2013 (BGBl. I S. 2553) sowie das Gesetz zur Suche und Auswahl eines Standortes für ein Endlager für hochradioaktive Abfälle (Art. 1 des Gesetzes zur Fortentwicklung des Gesetzes zur Suche und Auswahl eines Standortes für ein Endlager für Wärme entwickelnde radioaktive Abfälle und zur Änderung anderer Gesetze) vom 5. Mai 2017 (BGBl I S. 1074) auf die Kompetenz des Art. 73 Abs. 1 Nr. 14 GG gestützt; siehe dazu BT-Drs. 17/13471, S. 16; BT-Drs. 18/11398, S. 44). Auf Art. 73 Abs. 1 Nr. 14 GG gründen kompetenziell zudem die Gesetze zur Neuordnung der Verantwortung der kerntechnischen Entsorgung vom 27. Januar 2017 (BGBl I S. 114) und zur Neuordnung des Rechts zum Schutz vor der schädlichen Wirkung ionisierender Strahlung vom 27. Juni 2017 (BGBl I S. 1966).

[10] *BVerfGK* 14, 402 (411) – Atomzwischenlager; ebenso *BVerfG* (K), Nichtannahmebeschluss vom 12. November 2008 – 1 BvR 2492/06, Rdnr. 8 – Gundremmingen. Zu diesen Entscheidungen *Uhle* (o. Fn 6), S. 189 ff. (218 f.). – Aus dem Befund der unveränderten Kompetenzverlagerung hat das Bundesverfassungsgericht abgeleitet, dass die bundesverfassungsgerichtliche Judikatur zu dem über die Kompetenzzuweisung hinausgehenden Aussagegehalt des Kompetenztitels weiterhin Bestand hat. Auf dieser Grundlage hat sie Art. 73 Abs. 1 Nr. 14 GG unverändert die Aussage entnommen, dass die Verfassung selbst die Nutzung der Kernenergie zu friedlichen Zwecken „im Grundsatz als zulässig gebilligt"

Anlass für eine erneute bundesverfassungsgerichtliche Befassung mit Art. 73 Abs. 1 Nr. 14 GG bietet ein vom 9. Juli 2015 datierender Vorlagebeschluss des VG Bremen, der die Frage aufwirft, ob das seit dem Jahre 2012 in § 2 Abs. 3 des Bremischen Hafenbetriebsgesetzes (im Folgenden: BremHafenbetrG) enthaltene landesgesetzliche Verbot des Umschlags von Kernbrennstoffen in bremischen Häfen mit der bundesstaatlichen Kompetenzordnung vereinbar ist.[11] Die nachfolgenden Ausführungen beleuchten zunächst die Entstehung, den Regelungsgehalt und die Intention dieses landesgesetzlichen Verbotes (hierzu nachfolgend sub II.). Sodann zeichnen sie die Auseinandersetzung um dessen verfassungsrechtliche Statthaftigkeit vor dem Staatsgerichtshof der Freien Hansestadt Bremen und vor dem Verwaltungsgericht Bremen nach (hierzu sub III.). Hernach wenden sie sich der Konturierung des Art. 73 Abs. 1 Nr. 14 GG (hierzu sub IV.) sowie der kompetenzmäßigen Qualifikation des § 2 Abs. 3 BremHafenbetrG zu (hierzu sub V.). Auf dieser Grundlage klären sie im Anschluss die Frage der kompetenzrechtlichen Statthaftigkeit dieser Regelung (hierzu sub VI.). Darüber hinaus erörtern sie im Rahmen eines Exkurses, ob § 2 Abs. 3 BremHafenbetrG mit dem Grundsatz der Bundestreue und dem Gebot der Widerspruchsfreiheit der Rechtsordnung vereinbar ist (hierzu sub VII.). Der Beitrag schließt mit einigen zusammenfassenden Anmerkungen (hierzu sub VIII.).

II. Hintergrund: Das landesgesetzliche Verbot des Umschlags von Kernbrennstoffen in bremischen Häfen

Durch das Gesetz zur Änderung des BremHafenbetrG vom 31. Januar 2012[12] hat die Freie Hansestadt Bremen den Umschlag von Kernbrennstoffen in bremischen Häfen ausgeschlossen. Dazu ist die bisherige Bestimmung

habe und dass zur Grundsatzentscheidung für oder gegen die Nutzung der Kernenergie zu friedlichen Zwecken „allein der Gesetzgeber" berufen sei. Die solchermaßen bestätigte Qualifizierung der friedlichen Kernenergienutzung als „im Grundsatz zulässig" hat die Kammer auch in einem weiteren, vom 10. November 2009 datierenden Nichtannahmebeschluss bekräftigt, siehe dazu BVerfGK 16, 370 (378) – Schacht Konrad. Sie trifft insofern zu, als Art. 73 Abs. 1 Nr. 14 GG in der Tat als Beleg dafür herangezogen werden kann, dass das Grundgesetz eine friedliche Nutzung der Kernenergie und deren gesetzliche Regelung offenkundig jedenfalls nicht als grundsätzlich verboten betrachtet. Allerdings eröffnet der Kompetenztitel, wie andere Kompetenztitel auch, insofern lediglich die Zuständigkeit für entsprechende Gesetzgebungsakte, dispensiert also nicht von der Einhaltung materieller – insbesondere grundrechtlicher – Vorgaben, die das Grundgesetz für entsprechende Regelungen enthält; hierzu näher *Uhle,* in: Maunz/Dürig (o. Fn. 8), Art. 73 Rn. 304. Auch insofern hat sich durch die Föderalismusreform an dem Gehalt des Kompetenztitels nichts geändert.

[11] VG *Bremen* (5. Kammer), Beschluss vom 9. Juli 2015, Az.: 5 K 171/13.

[12] Brem.Gbl. Nr. 2/2012 S. 10.

über das Hafengebiet auf der einen Seite um eine Regelung ergänzt worden, derzufolge die bremischen Häfen „als Universalhäfen gewidmet" sind und als öffentliche Einrichtungen für den Umschlag „aller zulässigen Güter" offenstehen;[13] auf der anderen Seite ist – begründet mit dem „Interesse einer grundsätzlich auf Nachhaltigkeit und erneuerbare Energien ausgerichteten Gesamtwirtschaft" – der Umschlag von Kernbrennstoffen i.S.d. § 2 Abs. 1 AtG ausgeschlossen worden.[14]

Die Ergänzung des BremHafenbetrG geht zurück auf einen von den Fraktionen von SPD und Bündnis 90/Die Grünen am 2. November 2011 in den Landtag eingebrachten[15] und durch einen Änderungsantrag mit Datum vom 24. Januar 2012 modifizierten Antrag.[16] Dieser basierte auf zwei zuvor eingeholten Rechtsgutachten. Eines dieser Gutachten postulierte, dass zwar ein hafenverkehrsrechtliches Verbot des Umschlags von Kernbrennstoffen kompetenzrechtlich unstatthaft sei, da das Atomgesetz davon ausgehe, dass dieser bei Einhaltung der nach dem Stand von Wissenschaft und Technik erforderlichen Vorsorge gegen Schäden grundsätzlich zulässig sei; anderes gelte indes für eine Teilentwidmung des Hafens für den Umschlag von Kernbrennstoffen, die sowohl kompetenzrechtlich als auch materiell statthaft sei:[17] So sei das Land zum einen im Rahmen seines Widmungsrechts zur Verfolgung eigener

[13] § 2 Abs. 2 BremHafenbetrG, zuletzt geändert durch Gesetz vom 1. März 2016 (Brem. Gbl. Nr. 17/2016, S. 85), lautet wörtlich: „Die bremischen Häfen sind als Universalhäfen gewidmet und stehen als öffentliche Einrichtungen für den Umschlag aller zulässigen Güter offen."

[14] § 2 Abs. 3 BremHafenbetrG (o. Fn. 13) lautet: „Im Interesse einer grundsätzlichen auf Nachhaltigkeit und erneuerbare Energien ausgerichteten Gesamtwirtschaft ist der Umschlag von Kernbrennstoffen im Sinne des § 2 Absatz 1 des Atomgesetzes ausgeschlossen. Der Senat kann allgemein oder im Einzelfall Ausnahmen zulassen, insbesondere für Kernbrennstoffe, die unter die Regelung in § 2 Absatz 2 Satz 2 des Atomgesetzes fallen oder nur in geringen Mengen im Umschlagsgut enthalten sind."

[15] Bremische Bürgerschaft – Landtag, Drs. 18/96. Der Antrag basiert auf einem Entschließungsantrag der beiden Fraktionen vom 10. November 2010 (Bremische Bürgerschaft – Landtag, Drs. 17/1536), mit dem die Bürgerschaft (Landtag) den Senat aufgefordert hat, „alle rechtlichen und tatsächlichen Möglichkeiten auszuschöpfen, um Transporte von Kernbrennstoffen und deren Abfallprodukte durch unsere Häfen und andere Transportwege im Land Bremen zu verhindern, insbesondere [...] unverzüglich alle aus der Sicht des Senats rechtlich möglichen Schritte zur Sperrung der bremischen Häfen und anderer Transportwege durch Bremen und Bremerhaven für den Transport von Kernbrennstoffen und deren Abfallprodukten einzuleiten [...]".

[16] Bremische Bürgerschaft (o. Fn. 15).

[17] So das Ergebnis eines zuvor von der Freien Hansestadt Bremen in Auftrag gegebenen Rechtsgutachtens der Rechtsanwaltskanzlei *Gaßner, Groth, Siederer & Coll.* vom 27. Oktober 2011 mit dem Titel „Rechtliche Handlungsoptionen zur partiellen Sperrung der bremischen Häfen für den Umschlag von Kernbrennstoffen", auszugsweise abgedruckt in: Bericht und Antrag des Ausschusses für Angelegenheiten der Häfen im Lande Bremen zum Entwurf eines Gesetzes zur Änderung des BremHafenbetrG (Drs. 18/96) und zum Änderungsantrag der Fraktion DIE LINKE (Drs. 18/108), Bremische Bürgerschaft – Landtag, Drs. 18/197, S. 2 f.

legitimer energie-, umwelt- und nachhaltigkeitspolitischer Ziele berechtigt, zum anderen betreffe die Teilentwidmung lediglich eine den Bund bindende Vorfrage des Transports von Kernbrennstoffen, nicht hingegen den bundesrechtlich erfassten Transport selbst, auch wenn nicht zu verkennen sei, dass mit einer Teilentwidmung des Hafens faktisch ein Verbot des Umschlags von Kernbrennstoffen erreicht werde.[18] Dem stimmte ein zweites Rechtsgutachten im Wesentlichen zu. Auch dieses hielt eine Teilentwidmung der bremischen Häfen mit deutschem Recht für vereinbar, obgleich es die Gefahr von Schadenersatzansprüchen einschlägiger Unternehmen mit Sitz im europäischen Ausland artikulierte sowie ein europäisches Vertragsverletzungsverfahren gegen die Bundesrepublik Deutschland wegen einer Verletzung der Warenverkehrs- bzw. der Dienstleistungsfreiheit für denkbar erachtete.[19]

Auf der Grundlage der Gutachten wurde in dem Antrag der Fraktionen von SPD und Bündnis 90/Die Grünen zur Änderung des BremHafenbetrG hervorgehoben, dass sich das Land und die beiden Stadtgemeinden als Motor der Klimaschutzpolitik im Nordwesten verstünden und sie sich daher zu einer alternativen Energieerzeugung bekennen würden. Der Umschlag von Kernbrennstoffen in bremischen Häfen sei mit diesen landespolitischen Zielsetzungen nicht vereinbar.[20] Bereits gegenwärtig würden Bremen und Bremerhaven regional und überregional als Standorte der erneuerbaren Energien beworben. Die gleichzeitige Nutzung der Hafenanlagen für den Umschlag von Kernbrennstoffen stehe hierzu im Widerspruch. Bremen verfolge mit der Teilentwidmung seiner Häfen, die den Ausschluss des Umschlags von Kernbrennstoffen zum Gegenstand habe, das Ziel einer neuen Energie-, Umwelt-und Wirtschaftspolitik. Die Teilentwidmung sei insofern integraler Bestandteil einer Gesamtpolitik Bremens im Bereich der zukünftigen Energieerzeugung, Umweltschonung und einer auf Nachhaltigkeit basierenden Wirtschafts- und Arbeitsmarktpolitik.[21]

In der 1. Lesung des Gesetzes in der Bürgerschaft wurde am 2. November 2011 u.a. unterstrichen, Ziel des Gesetzes sei „die Verhinderung von

[18] So die Auffassung des vorgenannten Rechtsgutachtens vom 27. Oktober 2011; insoweit abgedruckt in: Bericht und Antrag des Ausschusses für Angelegenheiten der Häfen im Lande Bremen zum Entwurf eines Gesetzes zur Änderung des BremHafenbetrG (Drs. 18/96) und zum Änderungsantrag der Fraktion DIE LINKE (Drs. 18/108), Bremische Bürgerschaft – Landtag, Drs. 18/197, S. 3 und 11.

[19] Vgl. die Darstellung des Rechtsgutachtens der Rechtsanwaltskanzlei *Göhmann* vom 22. Februar 2011 mit dem Titel „Gutachten zu der Frage, ob die Durchführung von Atomtransporten auf dem Gebiet des Landes Bremen in rechtlich zulässiger Weise unterbunden werden kann“, inhaltlich wiedergegeben in: Bericht und Antrag des Ausschusses für Angelegenheiten der Häfen im Lande Bremen zum Entwurf eines Gesetzes zur Änderung des BremHafenbetrG (Drs. 18/96) und zum Änderungsantrag der Fraktion DIE LINKE (Drs. 18/108), Bremische Bürgerschaft – Landtag, Drs. 18/197, S. 4 f.

[20] Bremische Bürgerschaft – Landtag (o. Fn. 15), S. 1.

[21] Bremische Bürgerschaft – Landtag (o. Fn. 15), S. 1 f.

Atomtransporten". Im Vorfeld seien, wie eine Abgeordnete ausführte, diverse Möglichkeiten geprüft worden, „wie wir die Transporte verhindern können." Ein Lösungsansatz hierfür sei die Teilentwidmung der bremischen Häfen durch die Änderung des BremHafenbetrG. Diese Gesetzesänderung solle nicht nur die Sicherheit der Bevölkerung verbessern, sondern auch „den Export von Kernbrennstoffen so weit wie möglich ... verhindern" und zudem eine Lösung der Endlagerung des Atommülls vorantreiben.[22]

Nach der Überweisung des Gesetzentwurfs durch die Bürgerschaft an den federführenden Ausschuss für Angelegenheiten der Häfen im Lande Bremen hörte dieser in seiner 3. Sitzung am 30. November u.a. die beiden zuvor mit der Erstattung der Rechtgutachten betrauten Rechtsanwaltskanzleien an, die ihre rechtlichen Einschätzungen, auch hinsichtlich der Gesetzgebungszuständigkeit Bremens für die in Aussicht genommene Teilentwidmung, nochmals bestätigten.[23] Demgegenüber äußerte die Fraktion der CDU mit Schreiben vom 15. Dezember 2011 weitreichende rechtliche Bedenken an der geplanten Gesetzesänderung. Diese wurden vor allem auf die fehlende Gesetzgebungskompetenz des Landes für das Verbot des Umschlags von Kernbrennstoffen in den bremischen Häfen gestützt; der vorgesehene Gesetzentwurf sei – so die Stellungnahme – mit der ausschließlichen Gesetzgebungskompetenz des Bundes nach Art. 73 Abs. 1 Nummer 14 GG und dem in § 4 AtG abschließend geregelten Transport von Kernbrennstoffen unvereinbar. Darüber hinaus verstoße er gegen höherrangiges Bundesrecht sowie gegen europäisches Recht und behindere zudem die Erfüllung völkerrechtlicher Verpflichtungen.[24]

Am 25. Januar 2012 wurde der Gesetzesantrag in 2. Lesung erneut beraten. In diesem Rahmen wurde aus den Reihen der Opposition erneut der Einwand erhoben, dass dem Bund die ausschließliche Gesetzgebungskompetenz über die Erzeugung und Nutzung von Kernenergie zu friedlichen Zwecken und die Beseitigung radioaktiver Stoffe zustehe; auch habe der Bund die Beförderung radioaktiver Stoffe im Atomgesetz abschließend geregelt. Eine Gesetzgebungskompetenz des Landes Bremen für die Teilentwidmung der bremischen Häfen bestehe daher nicht.[25] Demgegenüber blieb es bei der

[22] So die Abg. Dr. *Anne Schierenbeck*, in: Bremische Bürgerschaft – Landtag, Plenarprotokoll der 7. Sitzung vom 9. November 2011, S. 276.

[23] Siehe dazu die Darstellung des Ausschusses, in: Bericht und Antrag des Ausschusses für Angelegenheiten der Häfen im Lande Bremen zum Entwurf eines Gesetzes zur Änderung des BremHafenbetrG (Drs. 18/96) und zum Änderungsantrag der Fraktion DIE LINKE (Drs. 18/108), Bremische Bürgerschaft (o. Fn. 15), S. 3 f. und S. 5 f.

[24] Siehe dazu die Wiedergabe dieses Schreibens in: Bericht und Antrag des Ausschusses für Angelegenheiten der Häfen im Lande Bremen zum Entwurf eines Gesetzes zur Änderung des BremHafenbetrG (Drs. 18/96) und zum Änderungsantrag der Fraktion DIE LINKE (Drs. 18/108), Bremische Bürgerschaft – Landtag, Drs. 18/197, S. 8 ff.

[25] So der Abg. *Jörg Kastendiek*, in: Bremische Bürgerschaft – Landtag, Plenarprotokoll der 12. Sitzung vom 25. Januar 2012, S. 593.

Ansicht der antragstellenden Fraktionen von SPD und Bündnis 90/die Grünen. Diese wiesen darauf hin, dass der Betrieb von Atomkraftwerken eine Vielzahl von Transporten mit verschiedenen radioaktiven Gütern benötige, die durch das Verbot des Transports von Kernbrennstoffen reduziert werden sollten.[26] Im Anschluss an die Beratungen wurde der Gesetzesantrag, insofern den Empfehlungen der Rechtsgutachten folgend,[27] angenommen.[28] Das Gesetz wurde am 31. Januar 2012 vom Senat verkündet und trat am Tage nach seiner Verkündung in Kraft.[29]

III. Die Verfahren vor dem Staatsgerichtshof der Freien Hansestadt Bremen und dem Verwaltungsgericht Bremen

Bereits im Frühjahr 2012 stellten Abgeordnete der Bürgerschaft beim Staatsgerichtshof der Freien Hansestadt Bremen einen Normenkontrollantrag, der die Prüfung der Verfassungskonformität dieses Änderungsgesetzes zum Gegenstand hatte. Zudem wurden im Frühjahr 2013 mehrere verwaltungsgerichtliche Klagen beim Verwaltungsgericht Bremen erhoben, nachdem zuvor Anträge der Klägerinnen auf Erteilung von Ausnahmegenehmigungen für den Umschlag von Kernbrennstoffen in bremischen Häfen vom Senator für Wirtschaft, Arbeit und Häfen abgelehnt worden waren.

1. *Das Urteil des Staatsgerichtshofs der Freien Hansestadt Bremen vom 12. April 2013*

Der im Frühjahr 2012 beim Staatsgerichtshof der Freien Hansestadt Bremen eingereichte Normenkontrollantrag, der mit der Begründung erhoben wurde, das Änderungsgesetz verstoße vermittelt über die Gliedstaatsklausel des Art. 64 der Bremischen Landesverfassung gegen Art. 73 Abs. 1 Nr. 14 GG, wurde durch Urteil des Staatsgerichtshofs vom 12. April 2013 als unzulässig zurückgewiesen.[30] In den Gründen der mit vier zu drei Stimmen ergangenen Entscheidung wurde ausgeführt, dass der Staatsgerichtshof die Gültigkeit bremischen Landesrechts allein an der Landesverfassung messe; eine Prüf-

[26] So die Abg. Dr. *Anne Schierenbeck*, in: Bremische Bürgerschaft – Landtag, Plenarprotokoll der 12. Sitzung vom 25. Januar 2012, S. 596.

[27] Siehe dazu Bremische Bürgerschaft – Landtag, Drs. 18/197, S. 2 ff., 6 ff. und passim.

[28] Plenarprotokoll der 12. Sitzung vom 25. Januar 2012 S. 602.

[29] Kurzer Überblick über das Gesetzgebungsverfahren bei *Kyrill-Alexander Schwarz*, Das Verbot des Umschlags von Kernbrennstoffen in Seehäfen als bundesstaatliches Problem, DÖV 2012, S. 457 ff. *(458); Christoph Moench*, Nukleartransportrecht und Universalhafenprinzip im Spannungsverhälnis: Das Bremer Hafenrecht, in: Raetzke (ed.), Nuclear Law in the EU and Beyon, 2014 S. 419 ff. (421).

[30] *BremStGHE* 8, 198.

kompetenz in Bezug auf die mit dem Normenkontrollantrag aufgeworfene Frage, ob das Gesetz gegen die Kompetenzordnung des Grundgesetzes und den ungeschriebenen Grundsatz der Bundestreue verstoße, bestehe nicht, da sein alleiniger Prüfungsmaßstab die Landesverfassung sei:[31] Weder seien die Vorschriften des Grundgesetzes über die Verteilung der Gesetzgebungszuständigkeiten ungeschriebene Bestandteile der Landesverfassung[32] noch verpflichte die Gliedstaatsklausel des Art. 64 der Landesverfassung dazu, die Vorschriften des Grundgesetzes über die Abgrenzung der Gesetzgebungskompetenzen nicht nur kraft Bundesverfassungsrechts, sondern zusätzlich auch kraft Landesverfassungsrechts zu beachten.[33]

Demgegenüber ging die abweichende Meinung der unterlegenen Richter davon aus, dass die Bremische Landesverfassung einer Verletzung der in Art. 70 ff. GG enthaltenen bundesstaatlichen Kompetenzregelungen durch den Landesgesetzgeber nicht „neutral" gegenüberstehe. Vielmehr sei das Gegenteil der Fall, weil die Landesverfassung dem Landesgesetzgeber im Lichte ihrer Gliedstaatsklausel verbiete, in den Kompetenzraum des Bundes einzudringen. Die grundgesetzliche Kompetenzordnung sei daher nicht nur kraft Bundesverfassungsrechts, sondern auch kraft Landesverfassungsrechts zu beachten.[34] Gegen dieses Verbot und damit gegen Art. 64 BremLV i.V.m. Art. 73 Abs. Nr. 14 GG verstoße das Gesetz zur Änderung des BremHafenbetrG vom 31. Januar 2012. Der Landesgesetzgeber habe mit ihm der Sache nach eine atomrechtliche Regelung getroffen, für die er keine Gesetzgebungskompetenz besitze. Das Gesetz sei daher gem. Art. 71 GG unwirksam.[35] Daran ändere sich auch dadurch nichts, dass der Landesgesetzgeber seine Regelung über die Unterbindung des Transports von Kernbrennstoffen als Teilentwidmung bezeichne. Zwar sei es Sache des jeweiligen Hafenträgers, ggf. auch des Landesgesetzgebers, den Widmungsumfang eines Hafens festzulegen, doch um eine solche Festlegung handle es sich vorliegend nicht. Vielmehr ziele das Gesetz zur Änderung des BremHafenbetrG darauf ab, eine landesgesetzliche Sonderregelung für ein spezielles Gütersegment, den Umschlag von Kernbrennstoffen, zu treffen, dessen Transport einem speziellen bundesrechtlichen Regime, dem des Atomgesetzes, unterliege.[36]

[31] *BremStGHE* 8, 198 (S. 208 f. = Rdnr. 47 und 49).

[32] Dazu *BremStGHE* 8, 198 (S. 211f. = Rdnr. 56 ff.).

[33] Hierzu *BremStGHE* 8, 198 (S. 212 ff. = Rdnr. 60 ff.); dazu *Marc Ruttloff*, Die Bremischen Häfe als „Bannmeile" für Kernbrennstoffe?, atw 58 (2013), S. 679.

[34] *BremStGHE* 8, 198 (S. 220 ff. = Rdnr. 78 ff., hier Rn. 85 ff.); hierzu *Ruttloff* (o. Anm. 33), S. 679.

[35] *BremStGHE* 8, 198 (S. 228 ff. = Rdnr. 106 ff., hier Rn. 107).

[36] *BremStGHE* 8, 198 (S. 230 ff. = Rdnr. 117 ff.); ebenso *Ruttloff* (o. Fn. 33), S. 679.

2. *Der Vorlagebeschluss des Verwaltungsgerichts Bremen vom 9. Juli 2015*

Diese Sichtweise machte sich im Rahmen verwaltungsgerichtlicher Feststellungsklagen, für die es seiner Überzeugung nach auf die Gültigkeit des § 2 Abs. 3 des BremHafenbetrG ankam, mit Beschluss vom 9. Juli 2015 auch das Verwaltungsgericht Bremen zu eigen. Dieses ging ebenfalls davon aus, dass es sich bei dem Umschlagsverbot für Kernbrennstoffe in bremischen Häfen nicht um eine dem Recht der öffentlichen Sachen unterfallende Bestimmung des Widmungsumfangs der bremischen Häfen handle, sondern um eine Regelung des Transports von Kernbrennstoffen.[37] Das ergebe sich bereits daraus, dass § 2 Abs. 3 Hafenbetriebsgesetz unmittelbar auf ein Transportverbot von Kernbrennstoffen in den bremischen Häfen abziele. Denn daraus folge, dass der hierdurch bewirkte Ausschluss des Transports von Kernbrennstoffen unmittelbarer Regelungsgegenstand der Vorschrift und nicht etwa nur die Nebenfolge oder der Annex einer umfassenden Widmungsentscheidung für die bremischen Häfen sei.[38] Für eine solche Sichtweise spreche auch der Normzweck von § 2 Abs. 3 Hafenbetriebsgesetz, der ersichtlich darauf abziele, der Atompolitik der Bundesregierung eine anderweitige Regelung entgegenzusetzen und zu diesem Zweck den kritisierten Export von in Deutschland hergestellten Kernbrennstoffen erschweren sowie den Druck zur Lösung der Entsorgungsprobleme auf die Bundesregierung erhöhen solle.[39] Angesichts dessen greife § 2 Abs. 3 Hafenbetriebsgesetz in die ausschließliche Gesetzgebungskompetenz des Bundes aus Art. 73 Abs. 1 Nr. 14 GG ein, die sich auf den gesamten Bereich der friedlichen Nutzung der Kernenergie beziehe und sich damit auch auf alle mit der Nutzung der Kernenergie verbundenen Transportvorgänge von Kernbrennstoffen erstrecke. Die Vorschrift sei folglich gem. Art. 71 GG unwirksam.[40]

Das gelte umso mehr, als das Umschlagsverbot für Kernbrennstoffe in den bremischen Häfen nach § 2 Abs. 3 BremHafenbetrG auch gegen den Grundsatz der Bundestreue verstoße, weil der bremische Landesgesetzgeber in Kenntnis der kompetenzrechtlichen Probleme einen Weg beschritten habe, der sich bei Lichte besehen als Umgehung der bundesstaatlichen Kompetenzordnung darstelle. Ihm sei es von Anfang an alleine um rechtliche Handlungsoptionen gegangen, um den Umschlag von Kernbrennstoffen in den bremischen Häfen unter Anknüpfung an eine formal bestehende Landesgesetzgebungskompetenz und in Kenntnis des Spanungsverhältnisses zur Gesetzgebungskompetenz des Bundes für das Atomrecht verbieten zu können. Dies sei als gegen den Grundsatz der Bundestreue verstoßen-

[37] *VG Bremen* (o. Fn. 11), Rdnr. 85.
[38] *VG Bremen* (o. Fn. 11), Rdnr. 102 ff.
[39] *VG Bremen* (o. Fn. 11), Rdnr. 109 ff., v.a. Rdnr. 113.
[40] *VG Bremen* (o. Fn. 11), Rdnr. 126 ff.

der Kompetenzmissbrauch zu bewerten.[41] Überdies erweise sich § 2 Abs. 3 BremHafenbetrG auch mit Blick auf das Gebot der Widerspruchsfreiheit der Rechtsordnung als unzulässig, das die Bundestreue konkretisiere und erweitere. Das landesgesetzliche Umschlagsverbot für Kernbrennstoffe enthalte eine Lenkungswirkung, die mit der Gesamtkonzeption des Atomgesetzes und namentlich der Vorschrift von § 4 AtG unvereinbar sei, weil das Verbot den Transport und insbesondere den Export von Kernbrennstoffen über das Maß von § 4 AtG hinaus zu erschweren beabsichtige.[42]

IV. Die ausschließliche Gesetzgebungskompetenz des Bundes für die friedliche Nutzung der Kernenergie gem. Art. 73 Abs. 1 Nr. 14 GG

Ob ein Gesetz kompetenzrechtlich statthaft ist oder nicht, hängt zunächst von der kompetenzrechtlichen Ausgangslage und hier namentlich von der Interpretation der in Betracht kommenden grundgesetzlichen Bestimmungen über die Verteilung der Gesetzgebungszuständigkeit ab, vorliegend mithin von der Auslegung des Art. 73 Abs. 1 Nr. 14 GG. Dessen Verlagerung von der konkurrierenden in die ausschließliche Gesetzgebung des Bundes durch die Föderalismusreform von 2006 hat, wie das Bundesverfassungsgericht zu Recht festgestellt hat, zu keinen inhaltlichen Änderungen des erfassten Kompetenzbereiches geführt. Vielmehr ist die Kompetenz für die friedliche Nutzung der Kernenergie, wie das Gericht ausdrücklich formuliert, „als solche unverändert" von der bisherigen konkurrierenden in die ausschließliche Gesetzgebungskompetenz des Bundes überführt worden.[43] Demgemäß umfasst sie nach wie vor den gesamten Bereich der Erzeugung und Nutzung der Kernenergie zu friedlichen Zwecken.[44] Die dem Bund überantwortete

[41] *VG Bremen* (o. Fn. 11), Rdnr. 133 ff.

[42] *VG Bremen* (o. Fn. 11), Rdnr. 140 ff.

[43] *BVerfGK* 14, 402 (411) – Atomzwischenlager; ebenso *BVerfG (K)*, Nichtannahmebeschluss vom 12. November 2008 – 1 BvR 2492/06, Rn. 8 – Gundremmingen; vgl. auch BVerfGK 16, 370 (378) – Schacht Konrad. Zu diesen Entscheidungen *Uhle* (o. Fn. 6), S. 189 ff. (218 f.). Zur unveränderten Überführung der Kompetenz in die ausschließliche Gesetzgebung des Bundes *Gundel*, in: Kahl/Waldhoff/Walter (o. Fn. 8), Art. 73 Rdnr. 4; *Uhle*, in: Maunz/Dürig (o. Fn. 8), Art. 73 Rdnr. 34 und 295.

[44] *Schwarz* (o. Fn. 29), S. 457 ff. (458); *ders.*, Landesrechtliche Beschränkungen des Umschlags von Kernbrennstoffen, NordÖR 2012, S. 331(332); *Rainer Lagoni*, Atomtransporte im Hafen, in: NordÖR 2012, S. 335 ff. (336); *Moench* (o. Fn. 29), S. 419 ff. (423 f.); *Uhle* (o. Fn. 6), S. 189 ff. (196 f.). Aus der Kommentarliteratur *Degenhart*, in: Sachs (o. Fn. 8), Art. 73 Rdnr. 59; *Sannwald*, in: Schmidt-Bleibtreu/Hofmann/Hopfauf (o. Fn. 8), Art. 73 Rdnr. 179; *Seiler*, in: Epping/Hillgruber (o. Fn. 8), Art. 73 Rdnr. 59; *Uhle*, in: Maunz/Dürig (o. Fn. 8), Art. 73 Rdnr. 295; *Wittreck*, in: Dreier (o. Fn. 8), Art. 73 Rdnr. 86; *Heintzen*, in: v. Mangoldt/Klein/Starck (o. Fn. 8), Art. 73 Rdnr. 134; *Hans-Werner Rengeling*, Gesetzgebungszuständigkeit, in: Isensee/Kirchhof (Hrsg.), HStR, Bd. VI, 3. Aufl.

Gesetzgebungskompetenz wird im Hinblick auf die Aufteilung der Verwaltungskompetenzen durch Art. 87c GG ergänzt, der die Möglichkeit eröffnet, dass auf Art. 73 Abs. 1 Nr. 14 GG gestützte Gesetze mit Zustimmung des Bundesrates bestimmen können, dass sie von den Ländern im Auftrag des Bundes ausgeführt werden.[45] Von dieser Möglichkeit, die Bundesauftragsverwaltung anzuordnen, hat der Bundesgesetzgeber in § 24 Abs. 1 S. 1 AtG Gebrauch gemacht.[46]

Aufgrund der detaillierten Benennung der vier von Art. 73 Abs. 1 Nr. 14 GG aufgeführten Kompetenzteilbereiche deckt die Bundeskompetenz den Gesamtbereich der friedlichen Nutzung der Kernenergie ab.[47] Zu ihm zählen – mit Ausnahme des Uranerzabbaus, der kompetenziell der konkurrierenden Zuständigkeitszuweisung für den Bergbau unterfällt[48] – sämtliche Stufen der Wertschöpfungskette. Diese reichen von der im Anschluss an die Uranerzbearbeitung[49] erfolgenden Anreicherung des Urans und der Herstellung der Brennstäbe[50] über deren Einsatz im Kernkraftwerk[51] bis zu ihrer Wiederaufbereitung und schließlich der Zwischen- bzw. Endlagerung.[52] Zu dem

2008, § 135 Rn. 144; vgl. auch *Philip Kunig*, in: von Münch/Kunig, Grundgesetz, 6. Auflage 2012, Bd. 2, Art. 73 Rdnr. 55.

45 Hierzu *Sannwald*, in: Schmidt-Bleibtreu/Hofmann/Hopfauf (o. Fn. 8), Art. 73 Rdnr. 179; zur Reichweite der Bundesauftragsverwaltung nach Art. 87c GG zuletzt umfassend *Jörg Gundel*, in: Kahl/Waldhoff/Walter (Hrsg.), Bonner Kommentar zum Grundgesetz, Stand: 190. Aktualisierung (April 2018), Art. 87c Rdnr. 4 ff. – Ob mit Art. 87c GG abschließend über die Verwaltungsbefugnisse des Bundes auf dem Gebiet der Erzeugung und Nutzung der Kernenergie entschieden ist, ist umstritten. Nachweise zum Streitstand bei *Uhle*, in: Maunz/Dürig (o. Fn. 8), Art. 73 Rdnr. 295 a.E.

46 Vgl. zur Bundesauftragsverwaltung in diesem Kontext *Josef Isensee*, Das Instrumentarium des Bundes zur Steuerung der Auftragsverwaltung der Länder. Am Beispiel des Kerntechnischen Regelwerks, in: Detterbeck/Rozek/Coelln (Hrsg.), Recht als Medium der Staatlichkeit, Festschrift für Herbert Bethge, 2009, S. 359 ff.

47 Siehe hierzu den Nachweis in Fn. 44. Ebenso bereits, noch vor der Föderalismusreform von 2006, *Büdenbender/von Heinegg/Rosin* (o. Fn. 4), Rdnr. 24.

48 *Uhle*, in: Maunz/Dürig (o. Fn. 8), Art. 73 Rdnr. 295, Fn. 3 (S. 266).

49 Da sich das abgebaute Uranerz als solches noch nicht zur Verwendung in Kernreaktoren eignet, muss es zunächst so bearbeitet werden, dass das Uran aus dem Gestein gewonnen werden kann. Das Endprodukt dieser Uranerzbearbeitung ist der sog. Yellow Cake, der zu ca. 70–80 % aus Uran besteht.

50 Um diese Anreicherung zu erreichen, wird Uran 235 in der Regel in Uranhexafluorid umgewandelt, eine leicht flüchtige Uranverbindung, die zunächst in gasförmige Gestalt gebracht und dann zentrifugiert wird, um den Anteil des Uranisotops 235 von ursprünglich 0,7 % auf 5–6 %, in der Regel auf 3,5 %, zu vergrößern. Im Anschluss daran wird das Gas zu UO_2 reduziert und zu Pellets gepresst, die hiernach geschliffen in passgenaue gasdichte Röhren eingefüllt werden (Brennstäbe).

51 Im Kernkraftwerk werden die Brennelemente in der Regel über mehrere Jahre hinweg verwendet, bevor sich der Anteil des Uranisotops 235 von rund 3,5 %, auf ca. 2,0 % reduziert hat und deshalb eine weitere Nutzung nicht mehr möglich ist.

52 Die abgebrannten Brennelemente können in einer Wiederaufarbeitungsanlage so bearbeitet werden, dass das verbliebene Uran 235 mitsamt dem anfallenden Plutonium 239

erfassten Zuständigkeitsbereich gehören zentral zudem Regelungen zum Schutz vor den mit der Nutzung der Kernenergie verbundenen Risiken, wie insbesondere der dritte Kompetenzteilbereich verdeutlicht, der den Gefahrenschutz hervorhebt.[53]

Begleitet werden diese einzelnen Stufen der Wertschöpfungskette von Transportvorgängen, die beispielsweise bei der Wiederaufbereitung von Brennelementen erforderlich werden. Sie verdeutlichen, dass eine Nutzung der Kernenergie ohne eine Beförderung von radioaktiven Stoffen i.S.v. § 2 Abs. 1 AtG, also ohne einen Transport von Kernbrennstoffen und sonstigen radioaktiven Stoffen, nicht möglich ist und die Nutzung daher eine solche Beförderung durch die verschiedenen Verkehrsträger zwingend voraussetzt. Dass angesichts dieses Umstands die Regelung sämtlicher Transportvorgänge von der in Art. 73 Abs. 1 Nr. 14 GG normierten ausschließlichen Gesetzgebungskompetenz des Bundes umschlossen wird, ist im Schrifttum seit langem geklärt und ausdrücklich anerkannt.[54] Dafür spricht nicht zuletzt auch der Charakter des Art. 73 Abs. 1 Nr. 14 GG als einer Kompetenz, die den Gesamtbereich der friedlichen Nutzung der Kernenergie umgreift und deren einzelne Kompetenzteilbereiche aus diesem Grunde weit auszulegen sind.[55] Auch Regelungen zum Schutz vor Gefahren, die bei derartigen Transportvorgängen – etwa beim Transport von Kernbrennstoffen zu oder von einer Wiederaufbereitungsanlage – auftreten können, sind Teil dieser Zuständigkeit, wie der dritte Kompetenzteilbereich von Art. 73 Abs. 1 Nr. 14 GG verdeutlicht, der den Schutz gegen Gefahren umfasst, die bei Freiwerden von Kernenergie oder durch ionisierende Strahlen entstehen.[56]

herausgelöst und für die Brennelementeherstellung wiederverwendet, insofern also wieder in den Brennstoffkreislauf eingespeist wird. Allerdings fallen bei diesem Prozess Spaltprodukte an, die der Endlagerung bedürfen („kleine Endlagerung“). Alternativ kommt es nach einer mehrjährigen internen oder externen Zwischenlagerung – also nach einer am Standort des Kernkraftwerks oder außerhalb erfolgenden Zwischenlagerung – zur Endlagerung der abgebrannten Brennelemente („große Endlagerung“). Der Endlagerung bedürfen weiterhin auch vielfältige schwach- bis mittelradioaktive sowie zum Teil hochradioaktive Abfälle, die in den Kernkraftwerken entstehen sowie schließlich stillgelegte Kernkraftwerke im Anschluss an ihre Demontage.

53 Näher zu ihm *Uhle*, in: Maunz/Dürig (o. Fn. 8), Art. 73 Rdnr. 300 ff.

54 Stellvertretend dafür aus dem Schrifttum *Lagoni* (o. Fn. 44), S. 335 ff. (336); *Moench* (o. Fn. 29), S. 419 ff. (424); aus der Kommentarliteratur *Wittreck*, in: Dreier (o. Anm. 8), Art. 73 Rdnr. 85; *Uhle*, in: Maunz/Dürig (o. Fn. 8), Art. 73 Rdnr. 295, Anm. 3 a.E. (S. 266), vgl. auch Rn. 301; aus der Rechtsprechung so etwa auch BremStGHE 8, 198 (S. 228 ff. = Rn. 109 ff. – abw. Meinung).

55 Exemplarisch anhand des ersten und des dritten Kompetenzteilbereichs von Art. 73 Abs. 1 Nr. 14 GG *Uhle*, in: Maunz/Dürig (o. Anm. 8), Art. 73 Rdnr. 297 und 301.

56 Vgl. dazu *Schwarz* (o. Fn. 29), S. 457 ff. (459); *ders.* (o. Fn. 44), S. 331 ff. (332). Zu diesem Kompetenzbereich aus der Kommentarliteratur *Kunig*, in: von Münch/Kunig (o. Fn. 44), Art. 73 Rdnr. 58; *Markus Heintzen*, in: v. Mangoldt/Klein/Starck (o. Fn. 8), Art. 73 Rdnr. 138; *Uhle*, in: Maunz/Dürig (o. Fn. 8), Art. 73 Rdnr. 300 ff.

Angesichts dessen erstreckt sich die aus Art. 73 Abs. 1 Nr. 14 GG folgende Gesetzgebungskompetenz des Bundes auf alle transportrechtlichen Fragen einschließlich der damit verbundenen gefahrenabwehrrechtlichen Aspekte,[57] unabhängig davon, ob der Transport radioaktiver Stoffe auf der Straße, der Schiene oder zu Wasser erfolgt. Insbesondere umfasst sie Regelungen, die von der Risikobewertung über die Voraussetzungen bis zur Form der Gestattung derartiger Transporte reichen können. Vom Kompetenztitel umfasst sind auch Bestimmungen über die Verladevorgänge, weil diese ebenso notwendige wie integrale Bestandteile entsprechender Transporte sind und ohne eine Verladung von Kernbrennstoffen deren Beförderung, ohne entsprechende Nukleartransporte indes die friedliche Nutzung der Kernenergie nicht möglich ist.[58] Das gilt unabhängig davon, ob derartige Ladevorgänge beim Transport auf der Straße, per Bahn oder aber per Schiff anfallen.

Mit diesem Inhalt bildet Art. 73 Abs. 1 Nr. 14 GG eine bundesstaatliche Grenze für anderweitige Zuständigkeitszuweisungen. So unterfallen zwar öffentliche Häfen als öffentliche Sachen der Regelungskompetenz der Länder, weshalb namentlich das Recht zur Widmung bzw. Entwidmung eines derartigen Hafens auf der Hoheitsgewalt eines Bundeslandes gründet; auch kann die Widmung eines Hafens durch Landesgesetz erfolgen.[59] Indes unterliegt die Hoheits- und Widmungsgewalt eines Landes auch insoweit den allgemeinen Grenzen der bundesstaatlichen Kompetenzordnung. Sie ist folglich durch Art. 73 Abs. 1 Nr. 14 GG von vornherein auf Regelungen begrenzt, die nicht Gegenstand dieses Kompetenztitels sind.[60] Das verdeutlicht, dass der Landesgesetzgeber auch bei dem Erlass der Inanspruchnahme seiner Widmungskompetenz keine Regelungen treffen darf, die der ausschließlichen Gesetzgebungskompetenz des Bundes unterfallen.

Von seiner Kompetenz zur Regelung der Nutzung der Kernenergie hat der Bund insbesondere durch das Atomgesetz umfassenden Gebrauch gemacht.[61] Den Transport von Kernbrennstoffen und sonstigem radioaktiven Material hat er in § 4 AtG ebenso hinsichtlich der grundsätzlichen Zulässigkeit („Ob") wie auch hinsichtlich der Einzelheiten einer entsprechenden Beför-

[57] So ausdrücklich *VG Bremen* (o. Fn. 11), Rdnr. 87; vgl. auch *BremStGHE* 8, 198 (S. 228 ff. = Rn. 109 ff. – abw. Meinung). Wie hier auch *Moench* (o. Fn. 29), S. 419 ff. (424).

[58] Ähnlich wie hier *Lagoni* (o. Fn. 44), S. 335 ff. (336); *Moench* (o. Fn. 29), S. 419 ff. (424).

[59] So auch *Lagoni* (o. Fn. 44), S. 335 ff. (336). Ebenso *BremStGHE* 8, 198 (S. 231 f. = Rn. 120 ff.); *VG Bremen* (o. Fn. 11), Rdnr. 97 f.

[60] Ebenda.

[61] Gesetz über die friedliche Verwendung der Kernenergie und den Schutz gegen ihre Gefahren (Atomgesetz) in der Fassung der Bekanntmachung vom 15. Juli 1985, BGBl. I S. 1565, zuletzt geändert durch Art. 2 Abs. 2 des Gesetzes vom 20. Juli 2017, BGBl. I S. 2808. Vgl. zur bundesgesetzgeberischen Ausfüllung der Kompetenz durch § 4 AtG auch *Lagoni* (o. Fn. 44), S. 335 ff. (336). *Schwarz* (o. Anm. 29), S. 457 ff. (459); *ders.* (o. Fn. 44), S. 331 ff. (332); *Moench* (o. Fn. 29), S. 419 ff. (424 ff.).

derung („Wie“) eingehend geregelt.[62] Hiernach bedarf die Beförderung von Kernbrennstoffen außerhalb eines abgeschlossenen Geländes einer Genehmigung, deren Erteilung gem. § 4 Abs. 2 AtG an komplexe Voraussetzungen – u.a. daran, dass überwiegende öffentliche Interessen der Wahl der Art, der Zeit und des Weges der Beförderung nicht entgegenstehen (so § 4 Abs. 2 Nr. 6 AtG) – gebunden ist[63] und die gem. § 4 Abs. 4 Hs. 1 AtG für den einzelnen Beförderungsvorgang erforderlich ist, sofern sie dem Antragsteller nicht nach § 4 Abs. 4 Hs. 2 i.V.m. § 1 Nr. 2 bis 4 AtG allgemein für eine Zeitspanne von bis zu drei Jahren erteilt wird. Aus § 4 Abs. 6 S. 2 AtG, der anordnet, dass jenseits einer Beförderung mit der Eisenbahn die für die jeweiligen Verkehrsträger geltenden Rechtsvorschriften über die Beförderung gefährlicher Güter unberührt bleiben, ergibt sich hierbei mittelbar, dass § 4 AtG keinen der für einen derartigen Transport in Betracht kommenden Verkehrsträger von der Beförderung radioaktiver Stoffe i.S.d. § 2 Abs. 1 AtG ausschließt.[64] Zuständig für die Erteilung einer Genehmigung zur Beförderung von Kernbrennstoffen und radioaktiven Stoffen, deren Aktivität je Beförderungs- oder Versandstück den Aktivitätswert von 1000 Terabecquerel übersteigt (sog. Großquellen[65]) ist gem. § 23 d S. 1 Nr. 6 AtG das Bundesamt für kerntechnische Entsorgungssicherheit. Gem. § 19 Abs. 1 Satz 1 AtG unterliegt zudem die Beförderung radioaktiver Stoffe selbst der staatlichen Aufsicht, die gem. § 19 Abs. 4 AtG die Aufsichtsbefugnisse nach anderen Rechtsvorschriften und die sich namentlich aus landesrechtlichen Bestimmungen ergebenden allgemeinen Befugnisse unberührt lässt.

[62] Vgl. auch *Lagoni* (o. Fn. 44), S. 335 ff. (337).

[63] Gem. § 4 Abs. 2 AtG ist die Genehmigung zu erteilen, „wenn 1. keine Tatsachen vorliegen, aus denen sich Bedenken gegen die Zuverlässigkeit des Antragstellers, des Beförderers und der den Transport ausführenden Personen ergeben, 2. gewährleistet ist, dass die Beförderung durch Personen ausgeführt wird, die die notwendigen Kenntnisse über die mögliche Strahlengefährdung und die anzuwendenden Schutzmaßnahmen für die beabsichtigte Beförderung von Kernbrennstoffen besitzen, 3. gewährleistet ist, dass die Kernbrennstoffe unter Beachtung der für den jeweiligen Verkehrsträger geltenden Rechtsvorschriften über die Beförderung gefährlicher Güter befördert werden oder, soweit solche Vorschriften fehlen, auf andere Weise die nach dem Stand von Wissenschaft und Technik erforderliche Vorsorge gegen Schäden durch die Beförderung der Kernbrennstoffe getroffen ist, 4. die erforderliche Vorsorge für die Erfüllung gesetzlicher Schadensersatzverpflichtungen getroffen ist, 5. der erforderliche Schutz gegen Störmaßnahmen oder sonstige Einwirkungen Dritter gewährleistet ist, 6. überwiegende öffentliche Interessen der Wahl der Art, der Zeit und des Weges der Beförderung nicht entgegenstehen, 7. für die Beförderung bestrahlter Brennelemente von Anlagen zur Spaltung von Kernbrennstoffen zur gewerblichen Erzeugung von Elektrizität zu zentralen Zwischenlagern nach § 6 Abs. 1 nachgewiesen ist, dass eine Lagermöglichkeit in einem nach § 9a Abs. 2 Satz 3 zu errichtenden standortnahen Zwischenlager nicht verfügbar ist.“

[64] Zutreffend *VG Bremen* (o. Fn. 11), Rn. 92.

[65] Legal definiert in § 23 d S. 3 AtG.

V. Die kompetenzrechtliche Zuordnung von § 2 Abs. 3 BremHafenbetrG

Entscheidend für die kompetenzrechtliche Zuordnung von § 2 Abs. 3 des BremHafenbetrG, also für die Feststellung, ob das gesetzliche Verbot des Umschlags von Kernbrennstoffen in bremischen Häfen der vorstehend näher konturierten ausschließlichen Gesetzgebungskompetenz des Bundes aus Art. 73 Abs. 1 Nr. 14 GG unterfällt, sind Regelungsgegenstand, Normzweck, Wirkung, Adressat der zuzuordnenden Bestimmung sowie die Verfassungstradition.[66]

1. Gegenstand des § 2 Abs. 3 S. 1 BremHafenbetrG

Soweit es hiernach zunächst auf den Regelungsgegenstand ankommt, ist für diesen der sachliche Gehalt, also der objektiv bestimmbare Inhalt der betreffenden Regelung maßgeblich, nicht indes die gesetzgeberisch gewählte Bezeichnung.[67] Diesem Maßstab zufolge ist Gegenstand des § 2 Abs. 3 S. 1 BremHafenbetrG eine Regelung über den Transport von Kernbrennstoffen i.S.d. § 2 Abs. 1 AtG, da deren Umschlag über die bremischen Häfen – trotz der in § 2 Abs. 2 BremHafenbetrG vorgenommenen Widmung der bremischen Häfen als „Universalhäfen" – grundsätzlich verboten wird;[68] auch die Begründung des Gesetzesantrags stellt explizit klar, dass die Gesetzesänderung *„den Ausschluss des Umschlags von Kernbrennstoffen zum Gegenstand"*

[66] So die Bestimmung der allgemeinen Kriterien der kompetenzrechtlichen Zuordnung durch das Bundesverfassungsgericht, *BVerfGE* 121, 30 (47); zur Relevanz des Regelungsgegenstands vgl. *BVerfGE* 13, 181 (196 f.); 58, 137 (145); 68, 319 (327 f.); 70, 251 (264); 77, 308 (329); 78, 249 (266); prononciert *BVerfGE* 116, 202 (216); 121, 317 (348); 135, 155 (196 ff. – Rdnr. 102 und 108); zur besonderen Bedeutung des Merkmals des „Traditionellen" bzw. „Herkömmlichen" und dem hieraus folgenden besonderen Gewicht der Entstehungsgeschichte, des historischen Zusammenhangs in der deutschen Verfassungsentwicklung und Gesetzgebung und der Staatspraxis vgl. *BVerfGE* 7, 29 (44); 28, 21 (32); 33, 125 (152 f.); 61, 149 (175); 106, 62 (105); 109, 190 (213). Aus dem Schrifttum zur kompetenzrechtlichen Qualifikation von Gesetzen *Christian Pestalozza*, Thesen zur kompetenzrechtlichen Qualifikation von Gesetzen im Bundesstaat, DÖV 1971, S. 181 ff.; *Rupert Scholz*, Ausschließliche und konkurrierende Gesetzgebungskompetenz von Bund und Ländern in der Rechtsprechung des Bundesverfassungsgerichts, in: Starck (Hrsg.), Bundesverfassungsgericht und Grundgesetz, Festgabe aus Anlass des 25jährigen Bestehens des Bundesverfassungsgerichts, Bd. II, 1976, S. 252 ff. (267 ff.); *Rengeling* (o. Fn. 44), § 135 Rdnr. 41 ff.; aus der Kommentarliteratur *Degenhart*, in: Sachs (o. Fn. 8), Art. 70 Rdnr. 58 ff.; *Rozek*, in: v. Mangoldt/Klein/Starck (Hrsg.), Kommentar zum Grundgesetz, Bd. 2, 7. Aufl. 2018, Art. 70 Rdnr. 58; *Markus Heintzen*, in: Kahl/Waldhoff/Walter (Hrsg.), Bonner Kommentar zum Grundgesetz, Stand: 190. Aktualisierung (April 2018), Art. 70 Rdnr. 132 ff.

[67] Vgl. mit Blick auf Art. 105 und 106 GG bereits *BVerfGE* 8, 260 (269 f.).

[68] Zur Zulassung von Ausnahmen siehe § 2 Abs. 3 S. 2 BremHafenbetrG. Zu den Charakteristika von Universalhäfen *Moench* (o. Fn. 29), S. 419 ff. (420 f.).

hat.[69] Der Umschlag indes stellt die spezifische, in einem Hafen erbrachte Transportleistung dar, eine Leistung, die ebenso notwendiger wie integraler Bestandteil der Beförderung von Kernbrennstoffen ist. Nach dem objektiven Inhalt der Regelung wird daher durch § 2 Abs. 3 S. 1 BremHafenbetrG nicht nur das Be-, Ent- und Umladen von Kernbrennstoffen in bremischen Häfen untersagt, sondern zugleich unmittelbar auch deren Beförderung verhindert, da diese entsprechende Ladevorgänge voraussetzt. Das Verbot des Umschlags von Kernbrennstoffen in bremischen Häfen betrifft daher nicht nur – wie in einem der beiden vom Senat der Freien Hansestadt Bremen vorgelegten Rechtsgutachten ausgeführt wird[70] – eine „Vorfrage" des Transports, sondern notwendigerweise unmittelbar den Transport selbst.[71] Angesichts dessen stellt dieses Verbot der Sache nach ein spezifisch atomrechtliches, weil ausschließlich auf die Beförderung von Kernbrennstoffen i.S.d. § 2 Abs. 1 AtG gerichtetes rechtliches Transporthindernis dar, soweit eine Beförderung über bremische Häfen in Frage steht.[72] Dass dieses Hindernis sowohl in den beiden Rechtsgutachten vom 27. Oktober 2011[73] und vom 22. Februar 2011[74] als auch in dem auf sie rekurrierenden Gesetzgebungsverfahren als „Teilentwidmung" bezeichnet wird,[75] ändert an dieser Beurteilung nichts, weil für die kompetenzrechtliche Zuordnung, wie ausgeführt, nicht die gesetzliche Terminologie, sondern der sachliche Gehalt des § 2 Abs. 3 S. 1 BremHafenbetrG entscheidend ist. Dessen atomrechtliche Prägung tritt vorliegend besonders deutlich im Falle der Verallgemeinerung seiner Auswirkung hervor: Würden nämlich alle norddeutschen Küstenländer ein entsprechendes Umschlagsverbot erlassen, würde der Seeweg als ein bislang geläufiger und etablierter Weg für Nukleartransporte entfallen;[76] dass eine solche Entwicklung nicht gänzlich unrealistisch ist, belegen u.a. politische Bestrebungen, namentlich den Hamburger Hafen für Nukleartransporte zu sperren.[77]

[69] Bremische Bürgerschaft – Landtag, Drs. 18/96, S. 2 (Hervorhebung vom Verf.).

[70] So das Rechtsgutachten der Rechtsanwaltskanzlei *Gaßner, Groth, Siederer & Coll.* (o. Fn. 17), S. 3.

[71] Wie hier auch *BremStGHE* 8, 198 (S. 230 = Rdnr. 116 – abw. Meinung).

[72] *Moench* (o. Fn. 29), S. 419 ff. (428), spricht insofern zu Recht von einer „transportgutspezifischen Regelung für Kernbrennstoffe".

[73] Rechtsgutachten der Rechtsanwaltskanzlei *Gaßner, Groth, Siederer & Coll.* (o. Fn. 17), S. 3.

[74] Rechtsgutachten der Rechtsanwaltskanzlei *Göhmann* vom 22. Februar 2011 (o. Fn. 19), S. 5.

[75] Siehe dazu oben sub II. a.E. sowie Bremische Bürgerschaft – Landtag, Drs. 18/96, S. 2.; Bremische Bürgerschaft – Landtag, Drs. 18/197, passim.

[76] Vgl. dazu *BremStGHE* 8, 198 (S. 230 = Rdnr. 115 – abw. Meinung).

[77] So der seinerzeitige Antrag der Abg. *Heyenn* u.a. (DIE LINKE) zur Sperrung des Hamburger Hafens für Atomtransporte, Drs. 20/383; dazu aus dem Schrifttum *Lagoni* (o. Fn. 44), S. 335 ff.

Vor diesem Hintergrund trifft § 2 Abs. 3 S. 1 BremHafenbetrG seinem objektiven Inhalt nach eine landesgesetzliche Regelung über die Kompetenzmaterie des Atomrechts.[78] Das gilt umso mehr, als sich der sachliche Gehalt der Vorschrift vorliegend in der Statuierung eines Umschlagsverbots für Kernbrennstoffe in bremischen Häfen erschöpft: Denn Gegenstand des § 2 Abs. 3 S. 1 BremHafenbetrG ist nicht etwa eine umfassende (Neu-)Regelung der mit der Widmung der bremischen Häfen zusammenhängenden Fragen, in deren Folge der Transport von Kernbrennstoffen nur als Nebenfolge erfasst und ausgeschlossen würde; vielmehr besteht der alleinige Regelungsinhalt der Vorschrift darin, den Umschlag von Kernbrennstoffen aufgrund deren Beschaffenheit vom allgemeinen Güterumschlag in den bremischen Häfen auszunehmen und einem transportrechtlichen Sonderregime zu unterstellen. Dieses Sonderregime gründet auf einer eigenen Risikoanalyse und einer selbständigen Bewertung des Transports von Kernbrennstoffen durch das Land Bremen,[79] obgleich hierfür – basierend auf Art. 73 Abs. 1 Nr. 14 GG – ebenso umfassende wie abschließende Regelungen des Bundesrechts bestehen und namentlich die Bestimmung des § 4 Abs. 2 Nr. 6 AtG verdeutlicht, dass die Zuständigkeit für die Beurteilung der Frage, ob öffentliche Interessen der Beförderung von Kernbrennstoffen entgegenstehen, nicht beim Land Bremen, sondern beim Bund liegt.[80]

2. *Zweck des § 2 Abs. 3 S. 1 BremHafenbetrG*

Die vorstehend entwickelte Sicht wird gestützt durch eine Analyse des Normzwecks.[81] Diesbezüglich belegen vorliegend bereits die dem förmlichen Gesetzgebungsverfahren vorgeschalteten beiden Rechtsgutachten mit den Titeln „Rechtliche Handlungsoptionen zur partiellen Sperrung der bremischen Häfen für den Umschlag von Kernbrennstoffen“ und „Gut-

[78] Für eine Qualifizierung als „spezifisch kernenergierechtliche Weichenstellung“ zu Recht auch *Gundel*, in: Kahl/Waldhoff/Walter (o. Fn. 8), Art. 73 Abs. 1 Nr. 14 GG Rdnr. 28; wie hier ferner *Schwarz* (o. Fn. 29), S. 457 ff. (459); für eine in Hamburg erwogene Parallelregelung so auch *Lagoni* (o. Fn. 44), S. 335 ff. (337).

[79] Zutreffend so *Schwarz* (o. Fn. 29), S. 457 ff. (460).

[80] Vgl. *Lagoni* (o. Fn. 44), S. 335 ff. (336).

[81] Zur Relevanz des Normzwecks *Scholz* (o. Fn. 66), 266/267 f.: „Unter Ermittlung des (alleinigen oder hauptsächlichen) Zwecks des Gesetzes und dessen unmittelbarer und primärer Subsumtion (Subsumierbarkeit) unter ein spezielles Kompetenzthema erfolgt die kompetenzrechtliche Qualifikation eines Gesetzes“; zusammenfassend und m.w.N. *Rengeling* (o. Fn. 44), § 135 Rdnr. 45. Vgl. zum Normzweck für die kompetenzrechtliche Zuordnung aus der Rechtsprechung *BVerfGE* 8, 104 (116); 8, 143 (148 ff.); 13, 367 (371 f.); aus jüngerer Zeit auch *BVerfGE* 135, 155 (198 – Rdnr. 107 ff.). – Entscheidend für die kompetenzrechtliche Zuordnung einer gesetzlichen Regelung ist hierbei der primäre Normzweck, dem der Gegenstand der Kompetenznorm entsprechen muss; aus der Kommentarliteratur dazu *Degenhart*, in: Sachs (o. Fn. 8), Art. 70 Rdnr. 57; *Rozek* (o. Fn. 66), Art. 70 Rdnr. 55.

achten zu der Frage, ob die Durchführung von Atomtransporten auf dem Gebiet des Landes Bremen in rechtlich zulässiger Weise unterbunden werden kann", dass das Gesetzgebungsvorhaben von vornherein ausschließlich auf die Verhinderung bzw. Reduktion von Nukleartransporten abzielte, die in der Vergangenheit über die bremischen Häfen abgewickelt wurden.[82] Auch der Gesetzesantrag stellte in seiner Begründung lediglich auf den Zweck ab, den Umschlag von Kernbrennstoffen als integralen Bestandteil von Nukleartransporten im Interesse einer Neuausrichtung der Energiepolitik des Landes zu unterbinden.[83]

Folgerichtig bestimmte dieser Gesetzeszweck auch das parlamentarische Gesetzgebungsverfahren. So unterstrich im Rahmen der ersten Lesung für die Regierungsfraktionen und unter deren Beifall eine Abgeordnete u.a. ausdrücklich, Ziel des Gesetzes sei „die Verhinderung von Atomtransporten". Für dieses Ziel sei die „Teilentwidmung" der bremischen Häfen ein geeignetes Instrument. Diese trage nicht nur zur Verbesserung der Sicherheit der bremischen Bevölkerung im Zusammenhang mit Atomtransporten bei, sondern ermögliche zudem, „den Export von Kernbrennstoffen so weit wie möglich [zu] verhindern" und eine Lösung der Endlagerungsfrage voranzutreiben. Auf diese Weise bringe eine „Teilentwidmung" zum Ausdruck, dass Bremen die Atompolitik des Bundes nicht mittrage.[84] In der zweiten Lesung führte die betreffende Abgeordnete, hieran anknüpfend, für die Regierungsfraktionen aus, dass durch die „Teilentwidmung" der Transport von Kernbrennstoffen über bremische Häfen solange verboten werde, wie dem Bund ein Konzept für ein atomares Zwischen- bzw. Endlager fehle.[85] Auch andere Redner begründeten das Umschlagsverbot damit, dass der Betrieb von Atomkraftwerken eine Vielzahl von Transporten mit verschiedenen radioaktiven Gütern benötige, deren Gefahren durch ein Verbot des Transports von Kernbrennstoffen reduziert werden sollten.[86]

Vor diesem Hintergrund lässt sich festhalten, dass von der Vorbereitung des Gesetzesantrags über dessen Einbringung in das Gesetzgebungsverfahren bis hin zum Abschluss der Beratungen in der Bremischen Bürgerschaft der Zweck des § 2 Abs. 3 S. 1 BremHafenbetrG in der Errichtung eines rechtlichen Transporthindernisses für Kernbrennstoffe gesehen und die Teilentwidmung lediglich als „ein Lösungsansatz" betrachtet wurde, um den Zweck

[82] So das Rechtsgutachten der Rechtsanwaltskanzlei *Gaßner, Groth, Siederer & Coll.* vom 27. Oktober 2011 (o. Fn. 17).

[83] Bremische Bürgerschaft – Landtag, Drs. 18/96, S. 1 f.

[84] So die Abg. Dr. *Anne Schierenbeck*, in: Bremische Bürgerschaft – Landtag, Plenarprotokoll der 7. Sitzung vom 9. November 2011, S. 276.

[85] So die Abg. Dr. *Anne Schierenbeck*, in: Bremische Bürgerschaft – Landtag, Plenarprotokoll der 12. Sitzung vom 25. Januar 2012, S. 596.

[86] So der Abg. *Frank Willmann*, in: Bremische Bürgerschaft – Landtag, Plenarprotokoll der 12. Sitzung vom 25. Januar 2012, S. 589.

einer derartigen Transportunterbindung bzw. -minimierung zu erreichen.[87] Durch das Umschlagsverbot sollten die mit dem Transport von Kernbrennstoffen verbundenen Gefahren reduziert, der Export von Kernbrennstoffen erschwert, die Frage eines fehlenden Zwischen- und Endlagers thematisiert und auf diese Weise die Atompolitik der Bundesregierung unter Druck gesetzt werden. Auch der Zweck des § 2 Abs. 3 S. 1 BremHafenbetrG spricht demzufolge dafür, das Umschlagsverbot als eine atomrechtliche Regelung zu qualifizieren.

3. *Wirkung des § 2 Abs. 3 S. 1 BremHafenbetrG*

Die unmittelbare Wirkung, die neben Regelungsgegenstand und -zweck ebenfalls bei der kompetenzrechtlichen Qualifikation einer gesetzlichen Regelung zu berücksichtigen ist, belegt ebenfalls, dass die Teilentwidmung der bremischen Häfen die Beförderung von Kernbrennstoffen betrifft, da die Folge der gesetzlichen Untersagung der notwendigen Be-, Um- und Entladevorgänge in einer Unterbindung von Nukleartransporten besteht. Auf diese Weise führt § 2 Abs. 3 S. 1 BremHafenbetrG dazu, einen in der Vergangenheit etablierten Transportweg für Kernbrennstoffe weitgehend zu versperren, von dessen Bestand das AtG implizit ausgeht, wenn es die verschiedenen jeweiligen Verkehrsträger adressiert.[88]

Diese Konsequenz tritt besonders markant hervor, wenn – wie etwa auch in Hamburg erwogen – alle norddeutschen Küstenländer ein entsprechendes Umschlagsverbot erlassen würden: Denn in diesem Falle würde, wie bereits oben skizziert, der Seeweg als einer der traditionellen Transportwege für radioaktive Stoffe ausscheiden.[89] Das stand den bremischen Parlamentariern bei der Verabschiedung von § 2 Abs. 3 S. 1 BremHafenbetrG auch deutlich vor Augen.[90] So führte einer der Abgeordneten aus, dass es kein Geheimnis sei, „dass auch in anderen Städten wie Cuxhaven, Wilhelmshaven, Emden, Rostock und Lübeck darüber nachgedacht wird oder auch konkrete Ratsbeschlüsse vorliegen, durch welche Möglichkeiten die Verhinderung von Transporten von Kernbrennstoffen über Häfen sichergestellt werden kann. Wir gießen das heute in einen Gesetzestext."[91] Das verdeutlicht, dass das Umschlagsverbot für Kernbrennstoffe (auch) seiner Wirkung

[87] So die Abg. Dr. *Anne Schierenbeck*, in: Bremische Bürgerschaft – Landtag, Plenarprotokoll der 7. Sitzung vom 9. November 2011, S. 276.

[88] Vgl. § 4 Abs. 2 Nr. 3 und Abs. 6 AtG.

[89] Vgl. dazu oben m.w.N. sub V.1.

[90] *Moench* (o. Fn. 29), S. 419 ff. (421), konstatiert insofern zu Recht, dass der Bremischen Bürgerschaft bei der Ergänzung des BremHafenbetrG der „Präzendenzcharakter" ihrer Regelung bewusst gewesen sei.

[91] So der Abg. *Frank Schildt*, in: Bremische Bürgerschaft – Landtag, Plenarprotokoll der 7. Sitzung vom 9. November 2011, S. 275.

nach eine Regelung über den Transport dieser Stoffe darstellt. Dass es bis zu einem Umschlagsverbot sämtlicher Küstenländer bei der Möglichkeit eines Umschlags von Kernbrennstoffen über andere Häfen verbleibt und dass darüber hinaus namentlich ein Transport über die Bundeshäfen in Wilhelmshafen und Kiel vorgenommen werden könnte, ändert an diesem Befund nichts, weil für die kompetenzrechtliche Zuordnung von § 2 Abs. 3 des BremHafenbetrG alleine entscheidend ist, ob die landesgesetzliche Regelung Gegenstand des Kompetenzthemas von Art. 73 Abs. 1 Nr. 14 GG ist, nicht aber, ob der Bund in der Ausübung seiner Gesetzgebungsbefugnis mehr oder weniger intensiv behindert wird.[92]

4. *Zur traditionellen Zuordnung gesetzlicher Regelungen über den Umschlag und Transport von Kernbrennstoffen*

Angesichts des Umstands, dass es ohne eine Verladung von Kernbrennstoffen deren Transport nicht geben kann und dass ohne entsprechende Nukleartransporte die friedliche Nutzung der Kernenergie nicht möglich ist, zählt der Erlass gesetzgeberischer Bestimmungen über entsprechende Be-, Um- und Entladevorgänge und sonstige transportrechtliche Fragen seit der Einführung des heute in Art. 73 Abs. 1 Nr. 14 GG lozierten Kompetenztitels zu der von diesem erfassten Zuständigkeit für die friedliche Nutzung der Kernenergie. Hieran haben sich seither – namentlich durch die Überführung des ursprünglich der konkurrierenden Gesetzgebungsbefugnis unterstellten Kompetenzbereichs in die ausschließliche Gesetzgebungskompetenz des Bundes durch die Föderalismusreform des Jahres 2006 – keine Änderungen ergeben.

Auch in der Rechtsprechung finden sich Belege für die traditionelle Zuordnung entsprechender gesetzlicher Bestimmungen zum Bereich der friedlichen Nutzung der Kernenergie. So ist 1988 namentlich das OVG Lüneburg davon ausgegangen, dass der Umschlag von Kernbrennstoffen – insbesondere das Einbringen von Transportbehältern mit abgebrannten Brennelementen in einen deutschen Seehafen – und die hiervon ausgehenden Gefahren im Rahmen der atomrechtlichen Transportgenehmigung von der zuständigen Stelle abschließend geprüft sowie beurteilt werden und demzufolge die Beförderungsgenehmigung auch den Umschlag von Kernbrennstoffen in deutschen Seehäfen umfasst: Die nach § 4 AtG ergangene Beförderungsgenehmigung und die in ihr zum Ausdruck gelangende Gefahrenbeurteilung, so der zitierte Beschluss des OVG ausdrücklich, seien für die Hafenbehörden verbindlich,

[92] So zu Recht ausdrücklich auch das *VG Bremen* (o. Fn. 11), Rdnr. 117.

weil es angesichts der Zuständigkeitsverteilung außerhalb ihrer Kompetenz liege, eine abweichende Bewertung der Gefahrenlage vorzunehmen.[93]

Gleiches gilt auch für die auf den Umschlag und den Transport von Kernbrennstoffen bezogene Gefahrenbeurteilung durch einen Landesgesetzgeber, dies umso mehr, als es unbestritten ist, dass hinsichtlich der Gefahrenabwehr beim Transport von Kernbrennstoffen den Ländern nicht die Befugnis zusteht, eine von den bundesrechtlichen Bestimmungen abweichende Regelung anzuordnen.[94] Demgemäß ist auch unter dem Aspekt der traditionellen Zuordnung gesetzlicher Regelungen über den Umschlag und Transport von Kernbrennstoffen festzuhalten, dass das Umschlagsverbot des § 2 Abs. 3 des BremHafenbetrG in der Sache eine Regelung enthält, die seit der Aufnahme der Kompetenzmaterie in das Grundgesetz dem Bereich der Nutzung der Kernenergie und den in ihrer Ausfüllung ergangenen atomrechtlichen Regelungen zugeordnet ist.

5. Zwischenergebnis: Die Kompetenzwidrigkeit des Umschlagsverbots von Kernbrennstoffen in bremischen Häfen

Vor dem Hintergrund der Auslegung von Art. 73 Abs. 1 Nr. 14 GG auf der einen Seite und der kompetenzmäßigen Qualifikation von § 2 Abs. 3 BremHafenbetrG auf der anderen Seite lässt sich nach alledem festhalten, dass gesetzliche Regelungen, die wie das in Frage stehende Umschlagsverbot auf den Ausschluss des Transports von Kernbrennstoffen gerichtet sind, bereits ihrem unmittelbaren Regelungsgegenstand nach dem speziellen Kompetenzthema des Atomrechts unterliegen, für das nach Art. 73 Abs. 1 Nr. 14 GG allein der Bund zuständig ist. Vorliegend kommt hinzu, dass der ausschließliche Zweck des landesgesetzgeberischen Gesetzgebungsvorhabens in dem Ziel besteht, den Transport und den Export von Kernbrennstoffen zu erschweren bzw. zu behindern und hierdurch politisch eine Abgrenzung von der Atompolitik der Bundesregierung zu demonstrieren. Das unterstreicht, dass das Umschlagsverbot eine atomrechtliche Regelung darstellt. Auch soweit § 2 Abs. 3 BremHafenbetrG dem Zweck dienen soll, mögliche Gefahren zu minimieren, die von dem Transport von Kernbrennstoffen unter Umständen für die Bevölkerung ausgehen können, gilt nichts anderes. Denn auch die Fragen der Risikobewertung und der Gefahrenabwehr bei derartigen Transporten sind vom Kompetenztitel der friedlichen Nutzung der Kernenergie umfasst. Zudem stellt das Umschlagsverbot für Kernbrennstoffe auch seiner Wirkung nach eine Regelung über den Transport dieser Stoffe dar, weil seine Konsequenz die zukünftige Verhinderung von Be-,

[93] *OVG Lüneburg*, Beschluss vom 11. Januar 1988, Az.: 3 B 4/88, NVwZ 1988, S. 560 f. (560).

[94] Wie hier auch *VG Bremen* (o. Fn. 11), Rdnr. 120.

Um- und Entladevorgängen sind, die für die Beförderung von Kernbrennstoffen unverzichtbare Voraussetzung sind. Schließlich werden Regelungen über die Verladung von Kernbrennstoffen im Allgemeinen und namentlich über deren Umschlag in Seehäfen im Besonderen auch traditionell dem Kompetenzthema der friedlichen Nutzung der Kernenergie zugeordnet. Das gilt auch dann, wenn der vom Umschlag betroffene Hafen in der Sachherrschaft eines Bundeslandes steht und grundsätzlich dessen Widmungskompetenz unterliegt. Denn auch eine solche Widmungskompetenz unterliegt, wie oben näher ausgeführt,[95] den Grenzen der bundesstaatlichen Kompetenzordnung.

Nach alledem enthält § 2 Abs. 3 S. 1 BremHafenbetrG mit dem von ihm statuierten Umschlagsverbot für Kernbrennstoffe in bremischen Häfen nach den einschlägigen Maßstäben der bundesverfassungsgerichtlichen Rechtsprechung eine Regelung, die der ausschließlichen Gesetzgebungszuständigkeit des Bundes unterliegt.[96] Das atomtransportrechtliche Sonderregime Bremens steht folglich im Widerspruch zur Kompetenzzuordnung des Art. 73 Abs. 1 Nr. 14 GG.[97] Für eine eigene Atompolitik der Länder, auch wenn sie sich mittels einer Teilentwidmung über Häfen vollzieht, besteht aufgrund der bundesstaatlichen Kompetenzverteilung kein Raum.

VI. Konsequenzen gem. Art. 71 GG

Eine Aufhebung dieses Widerspruchs durch eine verfassungskonforme Auslegung von § 2 Abs. 3 S. 1 BremHafenbetrG, die es gestatten würde, die in S. 2 vorgesehenen, im Ermessen des Senats stehenden Ausnahmen vom Umschlagsverbot in den Regelfall umzudeuten, scheidet angesichts der eindeutigen Formulierung des Umschlagsverbots von vornherein aus; eine solche Auslegung stünde ersichtlich weder mit dem Wortlaut der Vorschrift noch mit der gesetzgeberischen Regelungsabsicht in Einklang.[98] Da schließlich eine bundesgesetzliche Ermächtigung der Länder i.S.v. Art. 71 Hs. 2 GG vorliegend fehlt,[99] stellt sich der Widerspruch von § 2 Abs. 3 S. 1 BremHafenbetrG zur bundesstaatlichen Kompetenzordnung des Grundgesetzes als

[95] Hierzu oben sub IV.

[96] Zur Exklusivität der Gesetzgebungsbefugnis des Bundes im Falle ausschließlicher Bundeskompetenzen *Uhle*, in: Maunz/Dürig (o. Fn. 8), Art. 71 Rdnr. 32 f., zur Sperrwirkung für den Landesgesetzgeber Rdnr. 34–43.

[97] Ebenso *Schwarz* (o. Fn. 29), S. 457 ff. (459); *ders.* (o. Fn. 44), S. 331 ff. (332); *Gundel*, in: Kahl/Waldhoff/Walter (o. Fn. 8), Art. 73 Abs. 1 Nr. 14 GG Rdnr. 28; vgl. auch *Ruttloff* (o. Fn. 33), S. 679; für eine entsprechende, politisch erwogene Regelung in Hamburg so auch *Lagoni* (o. Fn. 44), S. 335 ff. (337).

[98] Ebenso *VG Bremen* (o. 40), Rdnr. 127.

[99] Zur Möglichkeit einer bundesgesetzlichen Ermächtigung gem. Art 71 GG *Degenhart*, in: Sachs (o. Fn. 8), Art. 71 Rdnr. 7 ff.; *Uhle*, in: Maunz/Dürig (o. Fn. 8), Art. 71 Rdnr. 44 ff.

landesgesetzgeberische Missachtung der aus Art. 71 GG folgenden Sperrwirkung dar.[100] Diese Sperrwirkung hat zur Folge, dass die Länder im Bereich der ausschließlichen Bundesgesetzgebung von Verfassungs wegen von der Gesetzgebung ausgeschlossen sind, ohne dass es – wie bei der konkurrierenden Gesetzgebung – darauf ankommt, ob der Bund seine Gesetzgebungszuständigkeit in Anspruch genommen hat oder nicht.[101] Vorliegend ist daher dem bremischen Landesgesetzgeber eine Gesetzgebung über den Umschlag von Kernbrennstoffen bereits deshalb verschlossen, weil er damit in die von Art. 73 Abs. 1 Nr. 14 GG umfasste Kompetenz des Bundes für die Regelung des Transports von Kernbrennstoffen und aller damit zusammenhängenden Fragen, insbesondere auch hiermit verbundener Gefahrenbeurteilungen, eingreift; dass der Bundesgesetzgeber von seiner Gesetzgebungsbefugnis mit dem Erlass des Atomgesetzes, namentlich mit § 4 AtG, zusätzlich auch tatsächlich Gebrauch gemacht hat, ist demgemäß nicht von ausschlaggebender Bedeutung.

Vor diesem Hintergrund stellt sich der Erlass von § 2 Abs. 3 S. 1 BremHafenbetrG im Ergebnis als landesgesetzgeberischer Verstoß gegen die aus Art. 71 GG resultierende Sperrwirkung dar, ohne dass es vorliegend auf die im Kontext von Art. 71 GG sonst vielfältig erörterte „Ausstrahlungswirkung“ dieser Sperrwirkung auf den Bereich der politischen Meinungsbildung[102] ankäme.[103] Bereits aus diesem Grunde ist die Vorschrift verfassungswidrig und nichtig.[104]

[100] Zu ihr *Sannwald*, in: Schmidt-Bleibtreu/Hofmann/Henneke (o. Fn. 8), Art. 71 Rdnr. 9a; *Uhle*, in: Maunz/Dürig (o. Fn. 8), Art. 71 Rdnr. 34 ff. In Bezug auf § 2 Abs. 3 S. 1 BremHafenbetrG wie hier *Schwarz* (o. Fn. 29), S. 457 ff. (459 f.); *ders.* (o. Fn. 44), S. 331 ff. (332); vgl. auch *Gundel*, in: Kahl/Waldhoff/Walter (o. Fn. 8), Art. 73 Abs. 1 Nr. 14 GG Rdnr. 28.

[101] Im hiesigen Kontext so zutreffend *Moench* (o. Fn. 29), S. 419 ff. (423); aus der Kommentarliteratur *Degenhart*, in: Sachs (o. Fn. 8), Art. 71 Rdnr. 1; *Heintzen*, in: v. Mangoldt/Klein/Starck (o. Fn. 8), Art. 71 Rdnr. 19; *Uhle*, in: Maunz/Dürig (o. Fn. 8), Art. 71 Rdnr. 34.

[102] Zu einer derartigen Ausstrahlungswirkung und ihren Erscheinungsformen *Uhle*, in: Maunz/Dürig (o. Fn. 8), Art. 71 Rdnr. 41.

[103] Wohl anders insoweit *VG Bremen* (o. Fn. 11), Rdnr. 131 f.; vgl. zu dieser Ausstrahlungswirkung im vorliegenden Fall *Moench* (o. Fn. 29), S. 419 ff. (429 f.).

[104] In Bezug auf § 2 Abs. 3 S. 1 BremHafenbetrG wie hier *Schwarz* (o. Fn. 29), S. 457 ff. (459 f.); *ders.* (o. Fn. 44), S. 331 ff. (332); *Moench* (o. Fn. 29), S. 419 ff. (423); vgl. ferner *Ruttloff* (o. Fn. 33), S. 679; *Gundel*, in: Kahl/Waldhoff/Walter (o. Fn. 8), Art. 73 Abs. 1 Nr. 14 GG Rdnr. 28. Hinsichtlich einer in Hamburg in Betracht gezogenen Parallelregelung so auch *Lagoni* (o. Fn. 44), S. 335 ff. (337). Allgemein zu den Rechtsfolgen eines derartigen landesgesetzgeberischen Verstoßes gegen die Sperrwirkung des Art. 71 GG *Uhle*, in: Maunz/Dürig (o. Fn. 8), Art. 71 Rdnr. 43.

VII. Exkurs: § 2 Abs. 3 S. 1 BremHafenbetrG auf dem Prüfstand weiterer Verfassungsgrundsätze

Darüber hinaus verstößt § 2 Abs. 3 S. 1 BremHafenbetrG auch gegen den Grundsatz der Bundestreue und das Gebot der Widerspruchsfreiheit der Rechtsordnung.

1. Verletzung des Grundsatzes der Bundestreue

So verletzt § 2 Abs. 3 S. 1 BremHafenbetrG zunächst den aus dem Bundesstaatsprinzip abzuleitenden[105] Grundsatz der Bundestreue.[106] Dieser verpflichtet alle Glieder des Bundesstaates zu gegenseitiger Rücksichtnahme und reflektiert, dass der Bundesstaat auf ein Zusammenwirken aller Beteiligten im Sinne des Allgemeininteresses angelegt ist.[107] In der Judikatur des Bundesverfassungsgerichts wird zu Recht die Akzessorietät der Bundestreue zu bestehenden Verfassungsrechtsbeziehungen hervorgehoben;[108] praktische Relevanz wird ihr vornehmlich als Kompetenzausübungsschranke beigemessen.[109] Das verdeutlicht, dass sie eine spezifische Ausprägung des allgemeinen Missbrauchsverbotes darstellt.[110] Angesichts der in Art. 70 ff. GG ebenso differenziert wie prinzipiell abschließend vorgenommenen Kompetenzverteilung zwischen Bund und Ländern kann sie sich letztlich auch lediglich auf entsprechende Missbrauchsfälle erstrecken, da ihre Anwendung sonst Gefahr laufen würde, die Bestimmungen namentlich des VII. Abschnitts des Grundgesetzes über die Verteilung der Legislativkompetenzen zu überspielen.[111]

105 So etwa *Josef Isensee*, Idee und Gestalt des Föderalismus im Grundgesetz, in: ders./Kirchhof (Hrsg.), HStR, Bd. VI, 3. Aufl. 2008, § 126 Rdnr. 162; aus der Kommentarliteratur stellvertretend *Bernd Grzeszick*, in: Maunz/Dürig, Grundgesetz, Stand: 81. Erg.-Lfg. (September 2017), Art. 20 IV Rdnr. 121; für ein Verständnis der Bundestreue als staatsrechtlicher Ausprägung des Grundsatzes von Treu und Glauben *Hartmut Bauer*, Die Bundestreue, 1992, S. 274 ff.; *Ralph Alexander Lorz*, Interorganrespekt im Verfassungsrecht, 2001, S. 24 ff.

106 Monografisch dazu *Hermann-Wilfried Bayer*, Die Bundestreue, 1961, passim; *Bauer* (o. Fn. 105), passim; *Patricia Egli*, Die Bundestreue, 2010, passim.

107 *Michael Sachs*, in: ders. (Hrsg.), Grundgesetz, 8. Aufl. 2018, Art. 20 Rdnr. 68; vgl. auch *Grzeszick*, in: Maunz/Dürig (o. Fn. 105), Art. 20 IV Rdnr. 122 ff., 126 ff.

108 *BVerfGE* 13, 54 (75); 21, 312 (326); 42, 103 (117); 95, 250 (266); 103, 81 (88); 104, 238 (247 f.) aus der Literatur stellvertretend so auch *Isensee*, in: ders. /Kirchhof (o. Fn. 105), § 126 Rn. 166; *Grzeszick*, in: Maunz/Dürig (o. Fn. 105), Art. 20 IV Rdnr. 122.

109 *BVerfGE* 4, 115 (LS 4a, 140); 8, 122 (138); 12, 205 (254 f.); 13, 54 (75); 14, 197 (215); 32, 199 (218); 43, 291 (348); 81, 310 (337); 92, 203 (230); 104, 238 (248); 104, 249 (269 f.). Vgl. auch *Isensee*, in: ders. /Kirchhof (o. Fn. 105), § 126 Rdnr. 166.

110 Vgl. *BVerfGE* 61, 149 (205). Im Kontext des Kompetenzrechts so auch *Degenhart*, in: Sachs (o. Fn. 8), Art. 70 Rdnr. 64; *Grzeszick*, in: Maunz/Dürig (o. Fn. 105), Art. 20 IV Rdnr. 120; *Rozek*, in: v. Mangoldt/Klein/Starck (o. Fn. 66), Art. 70 Rdnr. 20.

111 Vgl. auch *Degenhart*, in: Sachs (o. Fn. 8), Art. 70 Rdnr. 64 f.

Folglich ist ein Rückgriff auf sie nur unter engen Voraussetzungen dazu geeignet, zusätzlich zu Art. 70 ff. GG weitere Kompetenzausübungsschranken – und im Einzelfall Kompetenzverstöße – zu begründen.[112] Relevanz für die Bundesländer kann sie insbesondere dort gewinnen, wo sich die Folgen einer landesgesetzlichen Maßnahme nicht auf das Territorium eines Landes beschränken, sondern die gesamtstaatliche Aufgabenwahrnehmung berühren.[113]

Nach diesen Maßstäben verletzt § 2 Abs. 3 S. 1 BremHafenbetrG vorliegend auch den Grundsatz der Bundestreue.[114] So zeichnet sich die vorliegende landesgesetzgeberische Maßnahme dadurch aus, dass sie nicht nur im Ergebnis gegen die grundgesetzliche Kompetenzordnung verstößt, sondern dass der bremische Landesgesetzgeber in Kenntnis der kompetenzrechtlichen Ausgangslage mit ihr von vornherein intendiert hat, der Sache nach eine – ihm durch die bundesstaatliche Kompetenzordnung entzogene – atomrechtliche Regelung zu erlassen. Das wird daran deutlich, dass sein Interesse an dem Umschlagsverbot für Kernbrennstoffe von Anbeginn in dessen Eignung zur „Verhinderung von Atomtransporten" gründete und dieses Verbot demzufolge für ihn einen „Lösungsansatz" darstellte, um den Transport von Kernbrennstoffen zu erschweren und den Export derselben zu behindern.[115] Angesichts dessen hat das Land Bremen mit § 2 Abs. 3 S. 1 BremHafenbetrG unter Umgehung der bundesstaatlichen Kompetenzverteilung eine Regelung treffen wollen und auch getroffen, die zwar formal in den Mantel einer Teilentwidmung gekleidet ist, der Sache nach indes eine nukleartransportbezogene und daher atomrechtliche Bestimmung darstellt.[116] Diese ist, wie gesetzgeberisch intendiert, ihrer Zweckbestimmung nach dazu geeignet, den nationalen wie internationalen Transport von Kernbrennstoffen zu beeinträchtigen und insofern in ihren Auswirkungen nicht auf das Territorium Bremens beschränkt.

2. *Verletzung des Gebotes der Widerspruchsfreiheit der Rechtsordnung*

Über den Verstoß gegen den Grundsatz der Bundestreue hinaus ist § 2 Abs. 3 S. 1 BremHafenbetrG auch mit dem Gebot der Widerspruchsfreiheit der Rechtsordnung unvereinbar, welches das Bundesverfassungsgericht dem Grundgesetz entnimmt. Diesem zufolge werden die Verpflichtungen zur Einhaltung der bundesstaatlichen Kompetenzgrenzen und zur Kompetenz-

[112] Vgl. *Rozek*, in: v. Mangoldt/Klein/Starck (o. Fn. 66), Art. 70 Rdnr. 20 a.E.

[113] Vgl. im hiesigen Kontext dazu *Schwarz* (o. Fn. 29), S. 457 ff. (461 m.w.N.).

[114] In Bezug auf § 2 Abs. 3 S. 1 BremHafenbetrG wie hier *Schwarz* (o. Fn. 29), S. 457 ff. (462 ff.); *ders.* (o. Fn. 44), S. 331 ff. (333); i.E. ebenso *Moench* (o. Fn. 29), S. 419 ff. (434 ff.).

[115] Nachweise aus dem Gesetzgebungsvorhaben oben sub II. und sub V. 2.

[116] Wie hier auch *Ruttloff* (o. Fn. 33), S. 679; *Gundel*, in: Kahl/Waldhoff/Walter (o. Fn. 8), Art. 73 Abs. 1 Nr. 14 GG Rdnr. 28.

ausübung in wechselseitiger bundesstaatlicher Rücksichtnahme durch das Rechtsstaatsprinzip „in ihrem Inhalt verdeutlicht und ihrem Anwendungsbereich erweitert".[117] Insbesondere dürfen hiernach konzeptionelle Entscheidungen des zuständigen Bundesgesetzgebers durch Einzelentscheidungen eines Landesgesetzgebers nicht verfälscht werden und den Normadressaten keine gegenläufigen Regelungen erreichen, die die Rechtsordnung widersprüchlich machen würden.[118] So hat das Bundesverfassungsgericht exemplarisch die landesgesetzgeberische Erhebung von Abfallabgaben und von Steuern auf Verpackungen als verfassungswidrig beurteilt, weil diese eine Lenkungswirkung herbeiführen sollten, denen abfallrechtliche Entscheidungen des zuständigen Bundesgesetzgebers entgegenstanden.[119]

Hiernach verstößt § 2 Abs. 3 S. 1 BremHafenbetrG auch gegen das Gebot der Widerspruchsfreiheit der Rechtsordnung. Denn vorliegend hat der Bundesgesetzgeber unter Inanspruchnahme seiner ausschließlichen Gesetzgebungszuständigkeit für die friedliche Nutzung der Kernenergie nicht nur den Transport von Kernbrennstoffen geregelt und hierbei dem Erfordernis einer von anspruchsvollen Voraussetzungen abhängigen Genehmigung unterstellt, sondern mit seinen diesbezüglichen Regelungen zugleich verdeutlicht, dass bei Erfüllung der Voraussetzungen ein solcher Transport prinzipiell genehmigungsfähig, also statthaft, ist. Eine landesgesetzliche „Teilentwidmung" von Häfen, die ein Umschlagsverbot für Kernbrennstoffe enthält und darauf abzielt, hierdurch zugleich den Transport von Kernbrennstoffen sowie deren Export über die atomrechtlich statuierten Anforderungen hinaus zu verhindern, gerät mit diesen Entscheidungen des Bundesgesetzgebers notwendigerweise in Widerspruch: Während der zuständige Bundesgesetzgeber eine konzeptionelle Entscheidung für eine grundsätzliche, wenngleich voraussetzungsgebundene Durchführbarkeit von Nukleartransporten getroffen hat, geht von § 2 Abs. 3 S. 1 BremHafenbetrG eine entgegengesetzte Lenkungswirkung aus, die auf die Verhinderung derartiger Transporte abzielt.[120]

[117] *BVerfGE* 98, 265 (301) unter Anknüpfung an *BVerfGE* 98, 83 (97 f.); 98, 106 (118 f.). Kritisch zu der damit verbundenen rechtsstaatlichen Aufladung der bundesstaatlichen Kompetenzordnung etwa *Rozek*, in: v. Mangoldt/Klein/Starck (o. Fn. 66), Art. 70 Rdnr. 23; *Heintzen*, in: Kahl/Waldhoff/Walter (o. Fn. 66), Art. 70 Rdnr. 62. Näher aus dem Schrifttum zum Gebot der Widerspruchsfreiheit der Rechtsordnung *Helge Sodan*, Das Prinzip der Widerspruchsfreiheit der Rechtsordnung, JZ 1999, S. 864 ff.; *Walter Frenz*, Das Prinzip widerspruchsfreier Normgebung und seine Folgen, DÖV 1999, S. 41 ff. (43 ff.); monografisch *Dagmar Felix*, Einheit der Rechtsordnung, 1998, S: 168 ff., 189 ff., 235 ff., 266 ff. und passim; *Stefan Haack*, Widersprüchliche Regelungskonzepte im Bundesstaat, 2002, S. 120 ff.

[118] *BVerfGE* 98, 265 (301).

[119] *BVerfGE* 98, 83 (97 f.); 98, 106 (118 f.).

[120] Vgl. auch *Moench* (o. Fn. 29), S. 419 ff. (432 ff.).

VIII. Fazit

Auch wenn sich die rechtlichen Einwände gegen § 2 Abs. 3 S. 1 BremHafenbetrG nicht auf Fragen der bundesstaatlichen Kompetenzordnung beschränken,[121] zeigen die kompetenzrechtlichen Auseinandersetzungen um § 2 Abs. 3 S. 1 BremHafenbetrG sowie der vom 9. Juli 2015 datierende Vorlagebeschluss des VG Bremen zur Einholung einer bundesverfassungsgerichtlichen Entscheidung zur Vereinbarkeit des Umschlagsverbots für Kernbrennstoffe in bremischen Häfen mit Art. 71 Abs. 1 i.V.m. Art. 73 Abs. 1 Nr. 14 GG an, dass die ausschließliche Gesetzgebungskompetenz des Bundes für die Kernenergie nach wie vor das Potenzial für bundesstaatliche Kompetenzkontroversen in sich birgt. Das belegt zum einen, dass das Auftreten neuer Kompetenz- und Rechtsfragen im Bereich der Kernenergie auch nach der Entscheidung für den Ausstieg aus deren Nutzung nicht ausgeschlossen ist, zum anderen, dass die grundgesetzliche Zuständigkeitszuweisung für die Nutzung der Kernenergie nach wie vor nicht gegenstandslos geworden ist.[122] Letzteres bezeugt auch die intensive Kernenergiegesetzgebung der jüngeren Zeit, deren Fokus sich zunehmend auf Aspekte des Strahlenschutzes, der Stilllegung von Kernkraftwerken, der Entsorgung radioaktiver Stoffe und der Endlagersuche richtet[123] und deren integraler Bestandteil auch zukünftig Fragen des Nukleartransports sein werden. Mit einer Bundesgesetzgebung, die vornehmlich diese Schwerpunkte zum Gegenstand haben wird, wird die staatspraktische Relevanz der Kompetenzzuweisung des Art. 73 Abs. 1 Nr. 14 GG noch für Jahrzehnte erhalten bleiben.

[121] Zur Vereinbarkeit von § 2 Abs. 3 S. 1 BremHafenbetrG mit dem Unionsrecht *Schwarz* (o. Fn. 29), S. 457 ff. (463 ff.); *Moench* (o. Fn. 29), S. 419 ff. (437 ff.).

[122] *Gundel*, in: Kahl/Waldhoff/Walter (o. Fn. 8), Art. 73 Abs. 1 Nr. 14 GG Rdnr. 83.

[123] Siehe hierzu die Nachweise oben Fn. 9.

Digitalisierung – Abrissbirne für das deutsche Energierecht

Bernd-Michael Zinow*

Lange Jahre war das deutsche Energierecht ein gefestigtes und sich nur langsam entwickelndes Rechtsgebiet. Geprägt war es durch das Prinzip von Gebietsmonopolen, abgesichert durch Demarkationen und ausschließliche Konzessionsverträge. Zumindest mit der Brillanz von Ulrich Büdenbender ließ es sich in seiner ganzen Breite von Energiewirtschaftsrecht, Kartellrecht, allgemeinem Zivilrecht, Atomrecht, Umweltrecht und vielem mehr noch in einem Buch darstellen.[1]

Davon sind wir heute weit entfernt. Zuerst durch die Liberalisierung der Märkte für Strom und Gas und dann durch den Ausbau der Erneuerbaren Energien hat sich das Energierecht zu einem von spezialistischer Überregulierung geprägten Gebilde entwickelt. Beispielhaft sei nur auf die kaum verständlichen und inhaltlich in Teilen widersprüchlichen Regelungen zu Reservekapazitäten in den §§ 13 b bis 13 k EnWG nebst Ausführungsverordnungen verwiesen.

Dieses Gebilde wird die nächste disruptive Veränderung nicht mehr überstehen. Die Digitalisierung wird – gleich einer Abrissbirne – das Kartenhaus des heutigen Energierechts zum Einsturz bringen. Dies ist Gegenstand des nachfolgenden Textes, der gleichzeitig aufzeigen möchte, dass die Lösung in einem dogmatisch fundierten „Allgemeinen Teil" des Energierechts liegt. Für dessen Strukturierung gibt es – wenig überraschend – eine Person, die dafür prädestiniert ist, nämlich Prof. Dr. Ulrich Büdenbender.

Digitalisierung der Energiewirtschaft

Die Digitalisierung ist so in aller Munde, dass so gut wie nie eine Definition erfolgt. Geschieht dies doch, sind die Versuche wenig erhellend.[2] Bes-

* Rechtsanwalt und General Counsel bei EnBW, Karlsruhe.

[1] *Ulrich Büdenbender*, Energierecht – Eine systematische Darstellung des gesamten Rechts der öffentlichen Energieversorgung, 1982.

[2] Siehe nur *Bundesverband der Energie- und Wasserwirtschaft (BDEW)*, Die digitale Energiewirtschaft, 2016, S. 12, 14.

ser ist es, gewisse Entwicklungslinien zu beschreiben, die aufzeigen, dass alle Wertschöpfungsstufen der Energiewirtschaft massiv betroffen sind.

Der Bereich der **Erzeugung und Speicherung**[3] ist schon seit Jahren durch eine Dezentralisierung geprägt. Waren es über viele Jahrzehnte ein paar Hundert Anlagen, die die für den Stromverbrauch notwendige Energie erzeugt haben, sind es heute – vor allem bedingt durch Windenergie und Photovoltaik – Millionen. Neuerdings nimmt auch im Feld der Speicherung von Energie die Zahl dezentraler Akteure stark zu. Viele sehen mit der noch nicht abgeschlossenen technischen Entwicklung und Kostendegression auch bei der Speicherung einen Boom wie bei den Solaranlagen kommen.

Die Digitalisierung setzt auf der Dezentralisierung auf und ermöglicht die Vernetzung einer Vielzahl von Erzeugungsanlagen in Echtzeit. Damit können sich diese Erzeuger zu virtuellen Kraftwerken zusammenschließen.[4] Schon hierdurch, aber noch mehr in Kombination mit dezentralen Speichern kann die individuelle Volatilität der Einzelproduktion überwunden und stetige Stromlieferungen oder Systemdienstleistungen angeboten werden.

Das **Messwesen**[5] unterliegt ebenfalls, neuen Technologien folgend, einer zunehmend schnellen Entwicklung. Moderne Messeinrichtungen und intelligente Messsysteme ermöglichen sowohl auf der Erzeugungsseite als auch beim Verbrauch eine Abrechnung in Echtzeit. Die „Big Data“ der Vielzahl von Messdaten stellt durch die Digitalisierung kein Problem, sondern eine Chance für viele neue Geschäftsideen von der predictive maintenance bis zu Überwachungs- und Sicherheitsangeboten dar. Hinter der „Tür“ des modernen Zählers befindet sich das Smart Home mit den bekannten neuen Möglichkeiten zu Steuerung und Automatisierung.

Womit man auf der **Kundenseite**[6] angelangt ist. Bedingt durch die beschriebenen Entwicklungen sind viele Kunden schon heute keine reinen Verbraucher mehr, sondern treten als Prosumer auf – also die Verbindung von dezentraler Produktion und einem Mix aus Eigen- und Fremdverbrauch. Überschüssiger Strom wird vom Prosumer in das öffentliche Netz eingespeist und je nach Quelle zu festgesetzten Vergütungen bezahlt. Aktuell entwickeln sich Modelle, die statt der Einspeisung und fixen Vergütung einen Verkauf des Überschussstroms an Dritte zum Ziel hat. Einige lösen sich schon wieder vom Begriff des Prosumers und beziehen sich auf eine Prosumage, wobei zu „Production“ und „Consumer“ noch „Storage“ für die Speicherung hinzugefügt wird.[7]

[3] *BDEW*, (o. Fn. 2), S. 20 f.

[4] Energiewende und Digitalisierung = Virtuelles Kraftwerk https://www.interconnector.de/ (zuletzt abgerufen am 22.05.2018).

[5] *BDEW*, (o. Fn. 2), S. 22.

[6] *BDEW*, (o. Fn. 2), S. 24 f.

[7] *Schill/Zerrahn/Kunz*, Prosumage of Solar Electricity: Pros, Cons, and the System Perspective, in: Economics of Energy and Environmental Policy 6 (2017), 1, S. 7–31 https:

Auf eine Technologie zur Verknüpfung aller beschriebenen Entwicklungen – die **Blockchain –** sei beispielhaft eingegangen. Die Blockchain unterscheidet sich von anderen Techniken durch ihre dezentrale Organisation. Sie ist ein Verfahren zur Speicherung und Validierung von Daten, das transparent und autonom arbeitet und eine große Manipulationssicherheit für sich in Anspruch nimmt.[8] Paradebeispiel ist das auf der Blockchain beruhende Zahlungsmittel Bitcoin. Im Bereich der Energie war das erste prominente Projekt der Brooklyn Microgrid, bei dem ca. 50 Parteien von Privatpersonen über eine Feuerwehrwache bis zu Fabrikanlagen auf der Basis von Photovoltaikanlagen und dezentralen Speichern untereinander kleine Mengen Energie handeln. Die Preise werden dabei in automatisierten Auktionen über eine Blockchain-Plattform abgewickelt.[9] Inzwischen gibt es eine Vielzahl von weiteren (Test-)Anwendungen im Handel und Vertrieb von Energie.[10] Ob sich diese Technologie langfristig durchsetzen wird, ist ungewiss. Sie zeigt aber, dass lange als unersetzlich angesehene zentrale Operations-Funktionen plötzlich entbehrlich werden könnten.

Verbunden mit der Blockchain stellen sich auch außerhalb des Energierechts eine Fülle von Rechtsfragen[11], sei es im allgemeinen Zivilrecht zur Frage der rechtlich verlässlichen Abbildung von Kaufvorgängen (sog. „Smart Contracts") oder sei es im zunehmend bedeutsam werdenden Feld des Datenschutzrechts, namentlich der EU-Datenschutzgrundverordnung. Besonders bemerkenswert erscheint, dass das BGB mit seinen von 1896 stammenden Prinzipien wohl besser mit diesen neuen Fragen zurechtkommt, als es das moderne Energierecht schafft.

Womit wir bei der Adaption des Energierechts auf die Digitalisierung angelangt sind. Ein erster Blick stimmt hoffnungsfroh, ist doch am 2. September 2016 das **„Gesetz zur Digitalisierung der Energiewende"** (GDE) in Kraft getreten. Der Titel hält aber leider nicht, was er verspricht. Besser wäre

//www.diw.de/sixcms/detail.php?id=diw_01.c.553900.de (zuletzt abgerufen am 22.05. 2018).

[8] *Schrey/Thalhofer*, Rechtliche Aspekte der Blockchain, NJW 2017. S. 1431 ff.; *Scholtka/ Martin*, Blockchain – Ein neues Modell für den Strommarkt der Zukunft, RdE 2017, S. 113 ff.; *Berger*, Blockchain – Mythos oder Technologie für die öffentliche Verwaltung, DVBl 2017, S. 1271 ff.

[9] *Mearian/Maier*, Nie mehr Strompreisvergleich dank Blockchain, https://www.computerwoche.de/a/nie-mehr-strompreisvergleich-dank-blockchain,3330627 (zuletzt abgerufen am 22.05.2018).

[10] Als Beispiel aus dem Handelsbereich: Enerchain P2P Trading Project, https: //enerchain.ponton.de/index.php/21-enerchain-p2p-trading-project (zuletzt abgerufen am 22.05.2018).

[11] *Schrey/Thalhofer*, (o. Fn.8), S. 1431 ff.; *Kaulartz/Heckmann*, Smart Contracts – Anwendungen der Blockchain-Technologie, CR 2016, S. 618 ff.

es wohl gewesen, beim ursprünglichen Titel des Normsetzungsvorhabens „Verordnungspaket intelligente Netze“[12] zu bleiben.

Kern des GDE ist das Messstellenbetriebsgesetz – MsbG. Es steuert 77 neue Paragraphen nebst Verordnungsermächtigung zum immer umfangreicheren Energierecht bei. Das Gesetz erkennt die besondere Bedeutung moderner Messeinrichtungen oder intelligenter Messsysteme für die Digitalisierung der Energiewirtschaft. Im Kern steht die Schaffung von zwei neuen Rollen, den Messstellenbetreiber und den sog. Smart Gateway Administrator. Letzterer ist für den technischen Betrieb eines intelligenten Messsystems zuständig. Das Gesetz setzt verschiedene Fristen zum Einbau intelligenter Zähler und enthält schließlich ausführliche Datenschutzregelungen.

Das Messstellenbetriebsgesetz hat erhebliche Kritik ausgelöst. Zum einen wird ganz grundsätzlich der verpflichtende Rollout von Smart Metern als Zwangsdigitalisierung kritisiert.[13] Die Verbraucherzentralen berufen sich auf Umfragen, wonach 70% der Bürger den Tausch von normalen Zählern zu Smart Metern ablehnen, zumeist aus Angst um den Schutz persönlicher Daten und erhöhten Kosten.[14] Es wäre wohl tatsächlich besser gewesen, durch neue Dienstleistungen und Mehrwertangebote den Wunsch des Kunden nach einem Zählertausch zu wecken als ihn normativ anzuordnen.

Die Umsetzung der zeitlichen Vorgaben des MsbG wird in wesentlichen Teilen nicht funktionieren.[15] Ein Grund ist die gemäß § 24 MsbG erforderliche Zertifizierung der Smart Meter Gateways durch das Bundesamt für die Sicherheit in der Informationstechnik. Nach dem Stand von Ende Juli 2018 wurde zwar für neun Produkte ein Zertifizierungsverfahren begonnen, aber mehr als 1,5 Jahre nach Inkrafttreten des Gesetzes noch kein einziges abgeschlossen.[16] Nach § 60 Abs. 2 MsbG müsste am 1. Januar 2020 das sog. Zielmodell einer sternförmigen Kommunikation aus den Gateways umge-

[12] *Bräuchle*, Datenschutzprinzipien in IKT-basierten kritischen Infrastrukturen, 2017, S. 115 f.

[13] *Lüdemann/Ortmann/Prokant*, Das neue Messtellenbetriebsgesetz, EnWZ 2016, S. 339 ff. (344).

[14] Energiewende – Kritik der Verbraucherzentrale, https://www.datenschutz-notizen.de/energiewende-kritik-der-verbraucherzentrale-0513074/ (zuletzt abgerufen am 22.05.2018).

[15] Smart-Meter-Rollout droht weitere Verzögerung, http://www.energate-messenger.de/news/179251/smart-meter-rollout-droht-weitere-verzoegerung (abgerufen am 22.05.2018).

[16] *Bundesamt für die Sicherheit in der Informationstechnik,* Zertifizierte Produkte – Intelligente Messsysteme, https://www.bsi.bund.de/DE/Themen/DigitaleGesellschaft/SmartMeter/SmartMeterGateway/Zertifikate24Msbg/zertifikate24MsbG_node.html;jsessionid=B37542C932AD8037649AE0AD359800A3.2_cid351 (zuletzt abgerufen am 25.07.2018).

setzt sein. Schon heute ist es beinahe unbestritten, dass dies nicht zeitgerecht gelingen wird.[17]

Zudem bestehen eine Reihe von noch ungelösten Einzelfragen. Nach § 3 Abs. 4 S. 2 MsbG ist z.B. die Unabhängigkeit des grundzuständigen Messstellenbetriebs für moderne Messeinrichtungen und intelligente Messsysteme von anderen Tätigkeitsbereichen der Energieversorgung über eine buchhalterische Entflechtung sicherzustellen. Das in vorangegangen Entwürfen enthaltene informatorische Unbundling wurde unter Verweis auf die Datenschutzregelungen des Gesetzes nicht umgesetzt. Kritiker verweisen auf die Abdingbarkeit der datenschutzrechtlichen Vorgaben und befürchten einen Wettbewerbsvorteil von integrierten Unternehmen mit einem Messstellenbetreiber.[18]

Schließlich ist die Ausgestaltung der Marktrollen zwischen Verteilnetz- und Übertragungsnetzbetreiber umstritten.[19] Das MsbG verortet die Bilanzierung von Kunden mit intelligenten Zählern beim Übertragungsnetzbetreiber, diejenige für die Kunden mit herkömmlichen Zählern verbleibt beim Verteilnetzbetreiber. Parallele Strukturen sind die Folge und Anlass für neuerliche Novellierungsforderungen.

Zusammenfassend kann man feststellen, dass das Gesetz zur Digitalisierung der Energiewende beileibe nicht alle Fragen behandelt, die sich aus den oben beschriebenen Digitalisierungsentwicklungen ergeben. Es beschränkt sich im Wesentlichen auf die Regulierung von Smart Metern. Die über alle Wertschöpfungsstufen des Energiegeschäfts gehende Digitalisierung wirft aber wie bereits oben gezeigt, viele weitergehende Fragen auf. Das Gesetz ist der Versuch, wenigstens in einem Teilgebiet durch umfangreiche Gesetzesregelungen den rapide voranschreitenden Digitalisierungsentwicklungen Herr zu werden. Die geschilderten inhaltlichen und tatsächlichen Probleme zeigen aber, dass dies leider ein untauglicher Versuch ist. Der Gesetzgeber wird es nicht schaffen, mit der Geschwindigkeit der Digitalisierung Schritt zu halten. Es fehlen wie eingangs festgesellt abstrakte Regelungen, die zumindest versuchen, für kommende technologische Entwicklung eine Antwort vorzuhalten. Die mangelnde Akzeptanz der Kunden ist zudem der Beleg dafür, dass die Digitalisierung marktgetrieben und nicht regulatorisch verordnet erfolgen sollte.

17 Intelligente Messsysteme – Zeitplan für Zielmodell kaum realisierbar, http://www.energate-messenger.de/news/178361/zeitplan-fuer-zielmodell-kaum-realisierbar (zuletzt abgerufen am 22.05.2018).

18 *Lüdemann/Ortmann/Prokant*, (o. Fn. 13), S. 339 ff. (346).

19 *vom Wege/Wagner*, Digitalisierung der Energiewende, N&R 2016, S. 2 ff. (8); *Lüdemann/Ortmann/Prokant*, (o. Fn. 13), S. 339 ff. (345).

Verfall der etablierten Marktrollen durch die Digitalisierung

Das MsbG hat mit dem Messstellenbetreiber und dem Smart Gateway Administrator zwei neue Marktrollen geschaffen. Es löst aber ein anderes Problem nicht, nämlich die Erosion der etablierten Marktrollen. Um der Einführung von Wettbewerb in der leitungsgebundenen Energieversorgung entsprechen zu können, haben das EnWG und seine Ausführungsnormen eine Reihe solcher Marktrollen definiert.[20]

Zu nennen sind von der Netzseite kommend zunächst die vier Übertragungsnetzbetreiber im Strombereich mit der Zuständigkeit zum Betrieb der europäisch vernetzten Höchstspannungsnetze und der Verantwortung für die Systemsicherheit. Ähnlich sind die durch die Gasfernleitungsnetzbetreiber gebildeten zwei Marktgebietsverantwortlichen im Gasbereich. Ebenfalls netzbezogen ist die Rolle der Verteilnetzbetreiber, an deren Netze der Hoch-, Mittel- und Niederspannung bis auf wenige Ausnahmen alle Endkunden elektrisch angeschlossen sind. Die Verteilnetzbetreiber verantworten die Durchleitung und Verteilung von Strom und Gas sowie den Betrieb, die Wartung und den Ausbau des betreffenden Netzes. In Deutschland gibt es knapp 900 Stromverteilnetze und rund 700 Gasverteilnetze.

Auf der Seite der vertraglichen Belieferung ist der Lieferant als Marktrolle für die Belieferung seiner Kunden verantwortlich. Er ist der Vertragspartner der Endkunden. Lieferanten müssen mit den Verteilnetzbetreibern Verträge abschließen, die die Einspeisung und Entnahme von Strom aus deren Netzen regeln (sog. Lieferantenrahmenverträge). Die wichtige Aufgabe des Ausgleichs zwischen allen Einspeisungen und Entnahmen eines oder mehrerer Lieferanten hat als Marktrolle der Bilanzkreisverantwortliche. Lieferanten sind verpflichtet, ihre Geschäfte einem Bilanzkreis zuzuordnen, der im Gebiet des jeweiligen Übertragungsnetzbetreibers bzw. Marktgebietsverantwortlichen eingerichtet ist. Parallel zu dem physikalischen Ausgleich von Erzeugung und Verbrauch durch die Übertragungsnetzbetreiber obliegt dem Bilanzkreisverantwortlichen der energiewirtschaftliche Ausgleich zwischen allen ihm zugeordneten Einspeisungen und Entnahmen. Dies erfolgt durch die Bilanzkreisabrechnung, bei der in jeder Viertelstunde Abweichungen zwischen Einspeisung und Verbrauch im Bilanzkreis durch positive (bei zu geringer Einspeisung) oder negative (bei zu hoher Einspeisung) Ausgleichsenergie erfolgt, die vom Übertagungsnetzbetreiber in Rechnung gestellt wird.

Da heute die Masse der Haushaltskunden nicht viertelstündlich gemessen werden, erfolgt ihre Abrechnung im Bilanzkreis auf der Basis von Standardlastprofilen. Tatsächliche Abweichungen von diesen Standards laufen im jeweiligen Verteilnetzbereich auf. Der Verteilnetzbetreiber verantwortet

[20] *Energiewirtschaft.blog*, Markdesign der Energiewirtschaft, http://energiewirtschaft.blog/marktdesign-energiewirtschaft/ (zuletzt abgerufen am 22.05.2018).

damit den Differenzbilanzkreis. Für die Standardlastprofilkunden findet nach deren zumeist jährlicher Messung eine Mehr-/Mindermengenabrechnung zwischen dem Lieferanten und dem Verteilnetzbetreiber statt.

Wechselt ein Kunde seinen Lieferanten, löst dies den Lieferantenwechselprozess aus. Der Kunde wird dabei einem anderen Bilanzkreis zugeordnet, was eine Fülle von Schritten von der Abrechnung zwischen Netzbetreiber und bisherigem Lieferanten, Neuzuordnung der Messstelle, Abrechnung der bisherigen Ausgleichsenergie und Endabrechnung mit dem bisherigen Versorger auslöst. Scheitert dieser Prozess, fällt der Kunde in die Ersatzversorgung beim örtlich zuständigen Grundversorger.

Den diversen Marktrollen sind durch das Energiewirtschaftsgesetz umfangreiche Pflichten zugeordnet. Passen diese zum Beispiel zu den geschilderten Sachverhalten im Brooklyn Microgrid Project? Definitiv nicht! Die heutigen Marktrollen gehen für die Masse der Kunden von einem einzigen Vertragsverhältnis der Vollversorgung aus. Das kürzeste Intervall einer Messung sind 15 Minuten, regelmäßig erfolgt diese aber für Haushaltskunden nur einmal im Jahr. Mit zukünftigen Versorgungssachverhalten, in denen unzählige Einzeleinspeisungen aus Kleinstanlagen mit ebenso vielfältigen Entnahmen in Echtzeit über eine Blockchain verknüpft werden, hat diese Organisation nichts mehr zu tun. Dies sei nachfolgend anhand der Bewertung eines neuen Versorgungssachverhalts unter dem geltenden Recht geschildert.

Will der Betreiber einer Photovoltaikanlage oder eines dezentralen Speichers seinem Nachbarn Strom verkaufen, ist er nach geltendem Recht ein Energieversorgungsunternehmen im Sinne des § 3 Nr. 18 EnWG. Danach ist jede natürliche oder juristische Person, die Energie an andere liefert, ein EVU. Eine Ausnahme gilt nur für den Betrieb einer Kundenanlage zur betrieblichen Eigenversorgung. Damit unterliegt der Kleinstlieferant einer Anzeigepflicht gemäß § 5 EnWG, wonach Energieversorgungsunternehmen, die Haushaltskunden mit Energie beliefern, die Aufnahme und Beendigung der Tätigkeit sowie Änderungen ihrer Firma bei der Regulierungsbehörde unverzüglich anzeigen müssen. Ausgenommen ist die Belieferung von Haushaltskunden ausschließlich innerhalb einer Kundenanlage oder eines geschlossenen Verteilnetzes sowie über nicht auf Dauer angelegte Leitungen. Alle diese Ausnahmen wären beim Brooklyn Microgrid nicht gegeben. Aus der Qualifikation als EVU resultiert eine Fülle weiterer Pflichten. § 41 EnWG enthält weitreichende Regelungen für die Ausgestaltung von Verträgen für die Belieferung von Haushaltskunden außerhalb der Grundversorgung. Gemäß § 4 StromNZV muss der Dritte beliefernde Anlagenbetreiber einen Bilanzkreisverantwortlichen benennen, gemäß § 60 EEG unterliegt er der Pflicht zur Zahlung der EEG-Umlage und nach § 5 StromStG der Stromsteuerpflicht. Der § 5 EnWG unterfallende Energieversorger unterliegt der Aufsicht der Regulierungsbehörde, die gem. § 65 ff. EnWG Aufsichtsmaßnahmen festlegen kann. Schließlich sei darauf hingewiesen, dass die Verletzung der Anzeigepflicht des § 5 nach § 95 Abs. 1 Nr. 2 EnWG eine Ordnungswidrigkeit darstellt, die mit erheblichem Bußgeld bewährt ist.

Die Anwendung aller dieser Normen auf einen entsprechenden Sachverhalt passt natürlich überhaupt nicht. Um dieses Problem zu lösen, wird vorgeschlagen die Belieferungssachverhalte über Dritte abzuwickeln.[21] Hierzu gibt es auch bereits erste Angebote.[22] Es ist allerdings sehr zweifelhaft, ob die Beteiligten, denen es häufig besonders um Autarkie und Nähebeziehungen geht, auf diese Angebote zurückgreifen werden, zumal auch der Abwickelnde sicherlich einen Anteil an der Marge für sich in Anspruch nehmen wird.

Die aktuellen Normen würden also des technisch Möglichen deutlich erschweren und häufig verhindern. Zu glauben, dass sich die Beteiligten davon abhalten lassen würden, die neuen Möglichkeiten zu nutzen, wäre wohl sehr blauäugig. Das würde an die Hoffnung der Deutschen Post zu Zeiten ihres Telefonmonopols und des Wählscheibentelefons erinnern, durch Vorschriften die Ausbreitung von Tastentelefonen zu verhindern. Der Kunde hat sich schlicht und ergreifend über die rechtlichen Vorgaben hinweggesetzt und ein im Elektrofachhandel gekauftes modernes Telefon selbst angeschlossen.

Die Belieferung durch kleine Energiemengen passt auch nicht in das geschilderte System von Viertelstundenabrechnungen, Standardlastprofilen, Ausgleichsenergie, Bilanzkreisverantwortlichen etc. Zusätzlich eröffnet die Blockchaintechnologie die Möglichkeit, bislang als unentbehrlich angesehene zentrale Steuerungsfunktionen und Abrechnungsanbieter vollständig zu umgehen. Aus den geänderten technischen Möglichkeiten wird sich eine „normative Kraft des Faktischen" ergeben, die mit dem geltenden Energierecht nicht mehr abbildbar ist. Wären neue Versionen von Gesetzen zur Digitalisierung der Energiewende hierfür eine Lösung? Nach Auffassung des Verfassers definitiv nicht. Es bedarf einer grundsätzlichen Neuorientierung und nicht einer Art gesetzgeberischer Flickschusterei.

[21] *PwC*, Blockchain in der Energiewirtschaft – erste Erfahrungen und rechtliche Fragen, Folie 30, https://www.pwc.de/de/energiewirtschaft/wec-white-paper-blockchain-in-der-energiewirtschaft.html (zuletzt abgerufen am 22.05.2018).

[22] Vgl. z.B. Lichtblick-Spinoff Enyway stellt Marktplatz für Solar- und Windstrom für Endkunden vor, https://www.pv-magazine.de/2017/11/16/lichtblick-spinoff-enyway-stellt-marktplatz-fuer-solar-und-windstrom-fuer-endkunden-vor/ (zuletzt abgerufen am 22.05.2018).

Grundzüge eines neuen Energierechts

Was könnten Leitprinzipien einer solchen Neuorientierung sein? Spätestens die Dezentralisierung und Digitalisierung lassen den Ansatz des § 1 EnWG, im Interesse der Allgemeinheit eine möglichst sichere, preisgünstige, verbraucherfreundliche, effiziente, umweltverträgliche und zunehmend auf Erneuerbaren Energien beruhende leitungsgebundene Versorgung zu sichern und deshalb eine umfangreiche Regulierung vorzunehmen, fraglich erscheinen. Die ehemalige Zieltrias Sicherheit – Preisgünstigkeit – Umweltverträglichkeit wurde, wie sich anhand der vorangehenden Aufzählung zeigt, mit jeder Novellierung ausgeweitet und damit aber auch beinah beliebig gemacht. Ein modernes Energierecht sollte anerkennen, dass es Bereiche gibt, in denen der Kunde eines regulatorischen Schutzes nicht bedarf und diesen auch überhaupt nicht wünscht.

Dem folgend sollte klarer zwischen der monopolistisch strukturierten Netzseite und dem marktlich strukturierten Erzeugungs-, Handels- und Vertriebsbereich differenziert werden. Der Netzbereich wird auch in Zukunft in einem sinnvollen Unbundling von der Markseite zu separieren und einer angemessenen Regulierung zu unterwerfen sein. Auf der Marktseite sollte der Kunde wählen können, ob er sich frei auf dem Markt bewegt oder ob er – aus Gründen der Bequemlichkeit oder weil es ihm aus anderen Gründen nicht möglich ist – eine regulierte Grundversorgung in Anspruch nehmen will.

Wahrscheinlich wäre eine striktere Trennung der Netzkunden- und Energiekundeneigenschaft sinnvoll, also eine Aufgabe des Prinzips integrierter Verträge. Auf der Energiekundenseite könnte wiederum zwischen einem freien Markt und einer regulierten Grundversorgung unterschieden werden. Entscheidet sich ein Kunde für die marktliche Option, sollte es seine Aufgabe sein, seine vollständige Versorgung zu sichern. Dies kann durch den Vertragsabschluss mit einem Vollversorger erfolgen. Der Kunde kann sich aber auch wie im Fall des Brooklyn Microgrid Project für eine Vielzahl kurzfristiger Stromkontrakte entscheiden. Dann wird es aber auch seine Aufgabe sein, eine energiewirtschaftlich unterbrechungsfreie Versorgung zu gewährleisten, d.h. er muss sich eine Residualversorgung sichern, die einspringt, wenn sonstige Strombezüge nicht den aktuellen Bedarf abdecken. Macht der Kunde dies nicht, wird die Digitalisierung auch dem Netzbetreiber neue Möglichkeiten geben, bei einer liefertechnischen Unterdeckung auch in Echtzeit eine Minderbelieferung vorzunehmen um damit das physikalische Gleichgewicht im Netz aufrecht zu erhalten.

Der Schutz des sich im Markt bewegenden Kunden muss nicht durch energierechtliche Sondernormen erfolgen. Das allgemeine Zivilrecht und das moderne Datenschutzrecht ermöglichen hier einen ausreichenden Standard.

Die an diversen Stellen des Energierechts zu findenden Eingriffe in das Marktgeschehen, sei es durch Regelungen zur Systemsicherheit, Kapazitätsvorhaltung, Reserven etc. sollten einem einheitlichen Gerüst unterworfen werden. Ansatzpunkt könnte das sog. Ampelkonzept sein.[23] Der Wildwuchs von Regelungen zu Reservekapazitäten, der sich zum Teil nur politisch erklären lässt,[24] sollte durch eine durchgängige Lösung ersetzt werden.

Überall dort, wo energierechtliche Fördersysteme bestehen, also insbes. beim EEG und KWKG wird es schwierig sein, eine für die bestehenden Fördersachverhalte vereinfachte Neuregelung zu erreichen. Der verfassungsrechtliche Schutz entsprechender Eigentumspositionen macht rückwirkende Regelungen schwierig bis unmöglich. Für kommende Förderungen sollte aber ein Neuansatz erarbeitet werden, der das Regelungsungetüm des EEG mit aktuell tausenden von verschiedenen Einspeisevergütungen (übertrieben gesprochen hat beinahe jede Anlage durch unterschiedliche Betriebsaufnahmezeiten, Windhöffigkeiten, Techniken, Referenzanlagen und Größen eine eigene Vergütung) wirklich zu einem Auslaufmodell werden lässt. Konsequent zu Ende gedacht sollte diskutiert werden, ob nicht einem funktionierenden Emissionshandel mit „echten" Preisen, die eine tatsächliche Steuerungsfunktion haben, der Vorzug gegeben werden sollte und ob nicht zukünftig vollständig auf technologie-spezifische Vergütungsregelungen verzichtet werden kann. Die Digitalisierung gibt hier die Möglichkeit, die emissionsbezogene „Wertigkeit" der Einspeisung aus regenerativen Energien oder KWK zeitgenau und aktuell zu bestimmen.

Fazit

Die Digitalisierung der Energiemärkte bietet eine Fülle von Chancen. Die Kunden werden sich mit völlig neuen Möglichkeiten auf dem Markt bewegen und es werden sich ganz neue Angebote und Dienstleistungen entwickeln. Auch für die Versorger ergeben sich neue Möglichkeiten die Effizienz zu steigern und seine Marktposition durch neue Produkte und einen neuen Marktzugang zu verbessern. Es ergibt sich aber noch eine weitere Chance, nämlich ein neues und modernes Energierecht zu schaffen.

Erstrebenswert wäre ein Energiegesetzbuch, das mit einem Allgemeinen Teil Regelungen „vor die Klammer zieht" und dort, wo Regulierung auch künftig geboten ist, angemessene spezielle Teile enthält. Kritiker werden auf die gescheiterten Bemühungen um ein Umweltgesetzbuch verweisen. Dieses ist vor allem an konkurrierenden Gesetzgebungszuständigkeiten zwischen

[23] Vgl. beispielhaft: *BDEW*, Konkretisierung des Ampelkonzepts im Verteilungsnetz https://www.bdew.de/service/stellungnahmen/konkretisierung-ampelkonzept-verteilungsnetz/ (zuletzt abgerufen am 22.05.2018).

[24] Vgl. nur die Sicherheitsbereitschaft für gewisse Braunkohlekraftwerke gem. § 13 g EnWG

Bund und Ländern gescheitert. Vor dem Hintergrund des Art. 73 Abs. 1 Nr. 14 GG und der Tatsache, dass es im Gegensatz zum Umweltbereich keine Abweichungskompetenz gem. Art. 72 Abs. 3 GG gibt, sollte dies im Energiebereich aber kein Hindernis sein.

Eine Kommission von Wissenschaftlern und Praktikern – am besten unter der Leitung von Ulrich Büdenbender – sollte sich möglichst zeitnah an ein entsprechendes Konzept machen. Die Digitalisierung und deren normative Kraft des Faktischen wird nicht warten!

Der Gesetzgeber als Projektmanager der Energiewende?

Möglichkeiten und normative Grenzen am Beispiel des Smart Meter Rollouts

Andrees Gentzsch*

I. Einführung

Die Energiewirtschaft wurde schon immer von der Gesellschaft und der Politik mit besonderer Aufmerksamkeit bedacht. Eine funktionierende Energieversorgung ist grundlegend für die Wirtschaft und Ausdruck von Wohlstand und Prosperität eines Landes. Seit der Gründung der Bundesrepublik Deutschland hat sich deutsche Politik mit gesetzlichen und regulatorischen Vorgaben zurückgehalten und sich auf die Festlegung grundlegender Rahmenbedingungen und Aufsichtsmechanismen beschränkt. Ein mit 19 Paragrafen schlankes Energiewirtschaftsgesetz, eine Sondervorschrift im Kartellrecht und wenige Verordnungen genügten im Wesentlichen für den erfolgreichen Ausbau der Energieversorgung in der Bundesrepublik Deutschland. Neue Technologien wie die Kernkraft wurden staatlich gefördert, der Bau und der Betrieb aber den Unternehmen überlassen. Erst mit der Umweltgesetzgebung in den 70er Jahren wurden umweltrechtliche Regelungen geschaffen, die insbesondere den Betrieb der Kraftwerke betrafen. Zu nennen ist hier insbesondere das Bundesimmissionsschutzgesetz. Mit der europäisch veranlassten Liberalisierung des Energiemarkts begannen 1996 dagegen erstmals massive staatliche Eingriffe in die Energiewirtschaft. Durch die Entflechtungsvorschriften wurden die Unternehmen gezwungen, sich von ihren Übertragungsnetzen eigentumsrechtlich zu trennen. Bei Verteilnetzen mussten tiefgreifende Umstrukturierungen zur operationellen, buchhalterischen und informationellen Entflechtung vorgenommen werden. Mit der Einführung von Regulierungsbehörden und dazugehörigen gesetzlichen und regulatorischen Vorgaben entstand insbesondere für Netzbetreiber ein zunehmend regulatorisches Mikromanagement, das seinesgleichen sucht. Ausgelöst durch Klimaschutzfragen und die Katas-

* Mitglied der Hauptgeschäftsführung BDEW Bundesverband der Energie- und Wasserwirtschaft e. V.

trophe in Fukushima hat sich die deutsche Politik entschlossen, den Weg der staatlichen Vorgaben und Eingriffe weiter zu gehen. Neben der Förderung der Erneuerbaren Energien (und Finanzierung dieser Förderung über eine Umlage durch den Stromkunden) ist zunächst der Ausstieg aus der Kernenergie als massiver Markteingriff zu verzeichnen. Auch der Ausstieg aus der Kohlekraft wird nach dem Willen der aktuellen Regierung mit einer Kommission für Wachstum, Strukturwandel und Beschäftigung vorbereitet werden. Im folgenden Beitrag soll ein weiterer gesetzlicher Eingriff dargestellt werden, der in der Öffentlichkeit nicht so spektakulär wahrgenommen wird, aber aufgrund seiner Struktur und der Breite der betroffenen Unternehmen dennoch einen erheblichen Eingriff in die Privatautonomie und das freie wirtschaftliche Handeln darstellt: Die verpflichtende Einführung von modernen Messeinrichtungen und intelligenten Messsystemen, sogenannten „smart meter", durch das Gesetz zur Digitalisierung der Energiewende.

II. Die Energiewende

Ausgangspunkt war die Energiewende. Die Energiewende, hier verstanden als die Umstellung der Energieversorgung auf klimafreundliche Erneuerbare Energien, ist ein Vorhaben, das den kompletten Umbau eines sicheren Energieversorgungssystems bedeutet. Das deutsche Versorgungssystem zählt zu den sichersten und verlässlichsten in der Welt und ist damit auch die Grundlage für den Wohlstand und den Industriestandort Deutschland. Zuweilen wird die Energiewende mit einer „Operation am offenen Herzen"[1] oder mit dem Mondlandungsprojekt der Amerikaner[2] verglichen und in der Tat stellen die mit der Energiewende einhergehenden Veränderungen alle Beteiligten vor erhebliche Herausforderungen. Dies betrifft zum einen den Gesetzgeber, der gefordert ist, die richtigen gesetzlichen Rahmenbedingungen bereit zu stellen. Dies betrifft zum anderen aber auch die umsetzenden Behörden, die im Rahmen ihrer Ermessensspielräume adäquates Verwaltungshandeln ausüben. Und last but not least betrifft es die Wirtschaftsunternehmen, die mit den veränderten Rahmenbedingungen und den damit verbundenen Unsicherheiten so umgehen müssen, dass bei Gewährleistung des gesetzlichen Versorgungsauftrags die Wirtschaftlichkeit des Unternehmens gewahrt ist.

Die Ziele der Energiewende sind dabei von allen Beteiligten unbestritten. Die Energiebranche teilt die Ziele der deutschen Bundesregierung, die

[1] *Peter Altmaier*, Grevenbroicher Schlossgespräch 2013, http://www.kas.de/rheinland/de/publications/34066/ (zuletzt abgerufen am 22.05.2018).

[2] *Christian Wulff*, Gewerkschaftstag der IG Metall 2011, http://www.bundespraesident.de/SharedDocs/Reden/DE/Christian-Wulff/Reden/2011/10/111009-Gewerkschaftstag-IG-Metall.html (zuletzt abgerufen am 22.05.2018).

erstmals 2010 im Rahmen einer CDU/CSU und FDP-geführten Regierung ein Energiekonzept für eine umweltschonende, zuverlässige und bezahlbare Energieversorgung[3] verabschiedet hat, das seitdem von den jeweiligen Regierungen in seinen Grundzügen bestätigt wurde. So sollen die CO_2-Emissionen Deutschlands im Jahre 2050 gegenüber 1990 um 80 bis 95% reduziert werden. Die Frage ist nur: Wie kann die Erreichung dieser politischen Ziele sichergestellt werden? Welche Mittel sind sinnvollerweise vom Gesetzgeber zu ergreifen, um den volkswirtschaftlichen Umstellungsprozess zu begleiten? Welcher Detaillierungsgrad ist sinnvoll? Soll eher ein grober Rahmen gesetzt werden, den die Marktteilnehmer im Wettbewerb zueinander ausfüllen und sich so automatisch die beste und wirtschaftlichste Lösung durchsetzt? Sind lediglich kommerzielle Anreize zu setzen oder muss der Entwicklungsrahmen möglichst genau beschrieben und dessen Einhaltung durch eine eigens geschaffene Behörde überwacht werden?

III. Das Gesetz zur Digitalisierung der Energiewende

Die Regeln für das Messwesen im Strom- und Gasbereich haben sich durch das Gesetz zur Digitalisierung der Energiewende grundlegend geändert.[4] Das Gesetz regelt nicht nur das gesamte Messwesen im Strom- und Gasbereich neu, sondern sieht als Artikelgesetz auch die Änderung mehrerer anderer Gesetze und Verordnungen vor. Kern ist das Messstellenbetriebsgesetz (MsbG), das als neues „Stammgesetz"[5] die Vorgaben zur Messung und zum Messstellenbetrieb bündelt. Es regelt die technischen Anforderungen an den Messbetrieb, die Preisstellung, die Datenkommunikation und legt die Grundlagen für die Einführung intelligenter Messsysteme. Die Vorgaben zur Messung von Wasser und Fernwärme ändert das Gesetz nicht. Das MsbG löst die bisher geltenden Vorgaben zur Messung von Strom und Gas im Energiewirtschaftsgesetz (§§ 21b bis i) ab. Es regelt zudem für die Einspeiseseite die Anforderungen an den Messstellenbetrieb zentral. Die entsprechenden Anpassungen im EEG und KWKG werden vorgenommen. Die Änderungen für den Gasbereich sind dabei überschaubar. Insgesamt wirkt sich das Gesetz deutlich stärker auf den Strombereich aus.

Das MsbG trat am 2. September 2016 in Kraft und wurde durch Artikel 15 des Gesetzes zur Änderung der Bestimmungen zur Stromerzeugung

[3] *Bundesregierung*: Energiekonzept für eine umweltschonende, zuverlässige und bezahlbare Energieversorgung von 28. September 2010, https://www.bundesregierung.de/ContentArchiv/DE/Archiv17/_Anlagen/2012/02/energiekonzept-final.pdf;jsessionid=438D93C13CF8DD9323642DE70CBF62E9.s7t2?__blob=publicationFile&v=5 (zuletzt abgerufen am 22.05.2018).

[4] Gesetz zur Digitalisierung der Energiewende vom 29. August 2016, BGBl. I, S. 2034.

[5] Begründung zum Gesetzentwurf der Bundesregierung, BT-Drs 18/7555, S. 3.

aus Kraft-Wärme-Kopplung und zur Eigenversorgung mit Wirkung zum 1. Januar 2017 bereits wieder geändert.[6] An verschiedenen Stellen verweist das Gesetz auf noch zu erlassende Rechtsverordnungen oder Festlegungsbefugnisse der Bundesnetzagentur (BNetzA). Eine Vielzahl von Detailregelungen zur Umsetzung ist noch zu schaffen.

1. *Idee und Entwicklung*

Bereits im Jahr 2005 führte der Gesetzgeber die Möglichkeit ein, dass der Messstellenbetrieb wettbewerblich erfolgen kann. Nach § 21b EnWG a.F. war der Messstellenbetrieb zwar grundsätzlich Aufgabe des Betreibers von Energieversorgungsnetzen, auf Wunsch des betroffenen Anschlussnutzers konnte jedoch von einem Dritten der Messstellenbetrieb durchgeführt werden, sofern der einwandfreie und den eichrechtlichen Vorschriften entsprechende Messstellenbetrieb gewährleistet ist.[7]

Im Jahr 2008 dehnte der Gesetzgeber mit der Novelle des § 21b EnWG a.F. den Wettbewerb im Bereich des Messwesens über den Messstellenbetrieb hinaus auf die Messung aus.[8] Die bezugsseitige Messung war seitdem nicht mehr zwingend durch den Netzbetreiber durchzuführen, der Anschlussnutzer konnte sie genauso wie den Messstellenbetrieb auf einen Dritten übertragen.

Mit der am 4. August 2011 in Kraft getretenen EnWG-Novelle[9] überarbeitete der Gesetzgeber die Regelungen zur Messung noch einmal grundsätzlich und bezeichnete die Einführung von intelligenten Messsystemen als einen wichtigen Beitrag zur Umsetzung von intelligenten Verteilernetzen und damit als Baustein der Energiewende.[10] Intelligente Messsysteme für bestimmte Kundengruppen sollten nach der Vorstellung des Gesetzgebers die Voraussetzung bilden, um Erneuerbare Energien und dezentrale Erzeugungsanlagen noch stärker und effizienter in das energiewirtschaftliche System zu integrieren. Zusätzlich sollten die intelligenten Messsysteme den Verbraucher für den effizienten Umgang mit Energie sensibilisieren. Unter Wahrung der Persönlichkeitsrechte sollten variable Tarife den Verbraucher zu einem umweltbewussten Verbrauchsverhalten anhalten.[11] § 21c EnWG

[6] Gesetz zur Änderung der Bestimmungen zur Stromerzeugung aus Kraft-Wärme-Kopplung und zur Eigenversorgung vom 22.12.2016, BGBl I, S. 3106.

[7] Gesetz vom 07.07.2005, BGBl. I S. 1970.

[8] Gesetz zur Öffnung des Messwesens bei Strom und Gas für Wettbewerb vom 29.08.2008, BGBl. I S. 179.

[9] Begründung zum Gesetzentwurf der Fraktionen der CDU/CSU und FDP, BT-Drs. 17/6072.

[10] Gesetz zur Neuregelung energiewirtschaftsrechtlicher Vorschriften vom 26.07.2011 BGBl. I S. 155.

[11] Begründung zum Gesetzentwurf der Fraktionen der CDU/CSU und FDP, BT-Drs. 17/6072.

a.F. verpflichtete Messstellenbetreiber zum Einbau von Messsystemen für bestimmte Anwendungsfälle. Dies betraf a) Gebäude, die neu an das Energieversorgungsnetz angeschlossen oder einer größeren Renovierung unterzogen werden, b) Letztverbraucher mit einem Jahresverbrauch größer 6.000 Kilowattstunden und c) Neuanlagen mit einer installierten Leistung von mehr als 7 Kilowatt von Anlagenbetreibern nach dem Erneuerbare-Energien-Gesetz oder dem Kraft-Wärme-Koppelungsgesetz. Diese Einbaupflicht stand unter dem Vorbehalt, dass dies technisch möglich ist. Dabei wurde in § 21c EnWG a.F. definiert, dass der Einbau technisch möglich ist, wenn Messsysteme am Markt verfügbar sind, die den gesetzlichen Anforderungen genügen. Wirtschaftlich vertretbar war der Einbau nach § 21c EnWG a.F., wenn dem Anschlussnutzer für Einbau und Betrieb keine Mehrkosten entstehen oder eine wirtschaftliche Bewertung des Bundesministeriums für Wirtschaft und Technologie, die alle langfristigen, gesamtwirtschaftlichen und individuellen Kosten und Vorteile prüft, und eine Rechtsverordnung den Einbau anordnet (§ 21c Absatz 2 EnWG a.F.). Eine entsprechende Rechtsverordnung wurde aber nie erlassen. Die Verordnung über Rahmenbedingungen für den Messstellenbetrieb und die Messung im Bereich der leitungsgebundenen Elektrizitäts- und Gasversorgung – Messzugangsverordnung (MessZV) vom 17. Oktober 2008[12] konkretisierte lediglich die allgemeinen Vorgaben des EnWG a.F. zur Messung und gestaltete die grundsätzliche Öffnung des Messstellenbetriebs und der Messung näher aus.

Im Jahr 2013 ließ das Bundesministerium für Wirtschaft und Energie eine Kosten-Nutzen-Analyse erstellen, inwieweit die flächendeckende Einführung von intelligenten Messsystemen („Rollout") sinnvoll ist. Ausgangspunkt dieser Analyse waren die Binnenmarktrichtlinien Strom und Gas (Richtlinien 2009/72/EG und 2009/73/EG), die in Absatz 2 des Anhangs I (Maßnahmen zum Schutz der Kunden) die Mitgliedsstaaten verpflichteten, intelligente Messsysteme einzuführen, durch die die aktive Beteiligung der Verbraucher am Stromversorgungsmarkt unterstützt wird. Dabei kann die Einführung dieser Messsysteme einer wirtschaftlichen Bewertung unterliegen, bei der alle langfristigen Kosten und Vorteile für den Markt und die einzelnen Verbraucher geprüft werden sowie untersucht wird, welche Art des intelligenten Messens wirtschaftlich vertretbar ist und in welchem zeitlichen Rahmen die Einführung praktisch möglich ist.[13] Die Mitgliedsstaaten oder eine von ihnen benannte zuständige Behörde erstellen anhand dieser Bewertung einen Zeitplan mit einem Planungsziel von zehn Jahren für die

[12] Verordnung über Rahmenbedingungen für den Messstellenbetrieb und die Messung im Bereich der leitungsgebundenen Elektrizitäts- und Gasversorgung (Messzugangsverordnung – MessZV) vom 17. Oktober 2008, BGBl. I S. 2006.

[13] RICHTLINIE 2009/72/EG DES EUROPÄISCHEN PARLAMENTS UND DES RATES vom 13. Juli 2009 über gemeinsame Vorschriften für den Elektrizitätsbinnenmarkt, ABl. L 211/55.

Einführung der intelligenten Messsysteme. Wird die Einführung intelligenter Zähler positiv bewertet, so sollen mindestens 80% der Verbraucher bis 2020 mit intelligenten Messsystemen ausgestattet werden. Des Weiteren sollen die Messsysteme auf europäischer Ebene „interoperabel“ sein, um den gemeinsamen Ausbau des Elektrizitätsbinnenmarktes zu unterstützen. Die Mitgliedsstaaten sollen dabei der Anwendung der entsprechenden Normen und bewährten Verfahren sowie der großen Bedeutung, die dem Ausbau des Elektrizitätsbinnenmarkts zukommt, gebührend Rechnung tragen.

Die Kosten-Nutzen-Analyse[14] empfiehlt einen am individuellen Nutzungspotenzial orientierten Rollout und differenziert nach Jahresstromverbrauch und dabei möglichen Einsparungen. Eine Grundsystematik, die der Gesetzgeber im Messstellenbetriebsgesetz aufnimmt.

2. *Wesentliche Inhalte des Messstellenbetriebsgesetzes*

Das Messstellenbetriebsgesetz hält an der Liberalisierung des Messwesens fest und ermöglicht es Dritten, Messung und Messstellenbetrieb durchzuführen. Zentral sind die differenzierten Regelungen zum flächendeckenden Einbau von modernen Messeinrichtungen und intelligenten Messsystemen („Roll-out“), die Ausprägung der jeweiligen Rollen und die Festlegung der technischen Mindestanforderungen für intelligente Messsysteme.

Ziel des Messstellenbetriebsgesetzes ist es, mit der Einführung von intelligenten Messsystemen eine technische Infrastruktur für die Energiewende zu schaffen. Die Energiewende beeinflusst und beschleunigt den Umbau der Elektrizitätsversorgung in Deutschland erheblich. Während in der Vergangenheit elektrischer Strom nur in eine Richtung floss und Informationen über die Stromflüsse begrenzt waren, ist das dezentrale Stromversorgungssystem der Zukunft durch bidirektionale Informations- und Stromflüsse gekennzeichnet. Dies betrifft ganz wesentlich die Erzeugungsseite. Die Förderung von Onshorewindkraft- und Photovoltaikanlagen führt dazu, dass zunehmend Strom im Verteilnetz eingespeist wird. Auch auf der Lastseite verändern sich die Verhältnisse. Bisher passive Stromkonsumenten entwickeln sich zu „Prosumern“, die aktiv an der Gestaltung des Stromversorgungssystems teilnehmen. Auch das Aufkommen der Elektromobilität wird im Verteilnetz zu Anpassungserfordernissen führen. In der Summe erhöhen diese Veränderungen insbesondere die Anforderungen an die einzusetzenden Mess- und Kommunikationstechnologien und Datenverarbeitungssysteme.

[14] *Ernst & Young GmbH*: Kosten-Nutzen-Analyse für einen flächendeckenden Einsatz intelligenter Zähler Endbericht zur Studie im Auftrag des Bundesministeriums für Wirtschaft und Technologie vom 30.7.2013, https://www.bmwi.de/Redaktion/DE/Publikationen/Studien/kosten-nutzen-analyse-fuer-flaechendeckenden-einsatz-intelligenterzaehler.html (zuletzt abgerufen am 22.05.2018).

Intelligente Messsysteme sollen für Letztverbraucher, Netzbetreiber und Erzeuger die notwendigen Verbrauchs- und Einspeiseinformationen bereitstellen. Mit ihrer Hilfe sollen Netzzustandsdaten übermittelt werden. Außerdem sollen sie sichere und zuverlässige Steuerungsmaßnahmen unterstützen sowie als Kommunikationsplattform im intelligenten Energienetz („smart grid") dienen. Nicht zuletzt sollen intelligente Messsysteme neue Tarifanwendungen ermöglichen, z. B. zur Umsetzung zeit- oder lastvariabler Tarife.

Für den zum Rollout verpflichteten grundzuständigen Messstellenbetreiber gelten für die Entgelte des Messstellenbetriebs gesetzliche Preisobergrenzen, d. h. Maximalentgelte, die unterschritten werden können. Dagegen sind wettbewerbliche Messstellenbetreiber nicht an die Preisobergrenzen gebunden. Grundsätzlich sind aber alle Messstellenbetreiber zur Gewährleistung von Transparenz sowie diskriminierungsfreier Ausgestaltung und Abwicklung des Messstellenbetriebs verpflichtet, § 3 Absatz 4 MsbG.

Insgesamt wird die Rolle des Messstellenbetreibers deutlicher als bisher von der Rolle des Netzbetreibers abgegrenzt und als eigenständig ausformuliert. Das Gesetz legt grundsätzlich für alle Messstellenbetreiber fest, welche Anforderungen intelligente Messsysteme und moderne Messeinrichtungen zukünftig zu erfüllen haben und wie die Erfüllung dieser Anforderungen nachzuweisen ist. Die festgelegten Anforderungen betreffen dabei nicht nur die Geräte selbst, sondern zum Teil auch ihren Betrieb. Darüber hinaus trifft das Gesetz auch detaillierte Regelungen zur Datenkommunikation und legt für die Übermittlung von Daten aus intelligenten Messsystemen ab dem 1. Januar 2020 die sog. sternförmige Kommunikation fest.

a) Begriffe

Der englische Begriff „Smart Meter" wird im Messstellenbetriebsgesetz nicht verwendet. Stattdessen wird zwischen modernen Messeinrichtungen und intelligenten Messsystemen unterschieden. Diese Unterscheidung zieht sich durch das gesamte Gesetz und hat Auswirkungen auf den Umfang der Geräte, deren Funktion und Kosten.[15]

Eine **moderne Messeinrichtung (mME)** ist eine Messeinrichtung, die den tatsächlichen Elektrizitätsverbrauch und die tatsächliche Nutzungszeit widerspiegelt und über ein Smart-Meter-Gateway (SMGW) sicher in ein Kommunikationsnetz eingebunden werden kann (§ 2 Nr. 15 MsbG). Es ist ein digitaler Stromzähler, der den Stromverbrauch innerhalb eines bestimmten Zeitabschnitts (derzeit 15-Minuten-Intervalle) misst und für eine definierte Zeit speichert. Eine moderne Messeinrichtung ist ohne Einbindung in ein Smart-Meter-Gateway nicht fernauslesbar.

[15] Im Folgenden wird der Begriff „smart meter" als Entsprechung zum intelligenten Messsystem gemäß § 2 Nr. 7 MsbG verwendet.

Ein **intelligentes Messsystem (iMS)** ist eine über ein Smart-Meter-Gateway in ein Kommunikationsnetz eingebundene moderne Messeinrichtung zur Erfassung elektrischer Energie (§ 2 Nr. 7 MsbG). Das intelligente Messsystem muss den tatsächlichen Energieverbrauch und die tatsächliche Nutzungszeit widerspiegeln und den besonderen Anforderungen gemäß §§ 21 und 22 MsbG genügen, die zur Gewährleistung des Datenschutzes, der Datensicherheit und Interoperabilität in Schutzprofilen und Technischen Richtlinien festgelegt werden können.[16] Intelligente Messsysteme können aus einer oder mehreren modernen Messeinrichtungen bestehen, die an ein Smart-Meter-Gateway angeschlossen sind.

Das **Smart-Meter-Gateway (SMGW)** ist die Kommunikationseinheit des intelligenten Messsystems (§ 2 Nr. 19 MsbG). Es kann Zugriffsrechte verwalten, Messwerte verarbeiten und automatisch an mehrere Berechtigte übertragen. Wenn an das Gateway eine Steuerbox angeschlossen wird, können Erzeugungs- und Verbrauchsanlagen gesteuert werden. Messsysteme, die diesen Anforderungen nicht genügen oder nicht der Erfassung elektrischer Energie dienen, definiert das Gesetz nicht als intelligente Messsysteme, sondern nur als einfache Messsysteme. Das Smart-Meter-Gateway ist für die Datensicherheit und den Datenschutz von besonderer Bedeutung. Es muss nach den Grundsätzen der „privacy by design" technisch in der Lage sein, die in den Schutzprofilen und Technischen Richtlinien des BSI[17] festgelegten hohen Sicherheitsstandards zu erfüllen.

Als **konventionelle Messtechnik (kME)** werden umgangssprachlich Messeinrichtungen und Messsysteme bezeichnet, die nicht den Anforderungen des MsbG an moderne Messeinrichtungen oder intelligente Messsysteme entsprechen. Dies sind z. B. die in vielen Häusern noch verbauten mechanischen Stromzähler, die den Stromverbrauch messen. Sie sind nicht fernauslesbar.

b) Rollen und Aufgaben

Die Rolle des **Messstellenbetreibers** wird im Messstellenbetriebsgesetz deutlich stärker als bisher ausgeprägt und von der des Netzbetreibers abgegrenzt. Neu ist zum Beispiel, dass bei der Messung die Plausibilisierung und die Ersatzwertbildung nicht mehr zum Aufgabenbereich des Netzbetreibers gehören sollen, sondern im Aufgabenbereich des Messstellenbetreibers liegen. Die bisherige separate Marktrolle des Messdienstleisters entfällt und der Messstellenbetreiber verantwortet den gesamten Messstellenbetrieb. Dabei wird unterschieden zwischen einem grundzuständigen Messstellenbetreiber und einem Dritten, der die Aufgabe des Messstellenbetriebs nach Vertrag gemäß § 9 MsbG wahrnimmt (§ 2 Nr. 12 MsbG).

[16] Siehe unten IV. 3.
[17] Vgl. Anlage 1 zu § 22 Absatz 2 Satz 1 MsbG.

Grundzuständiger Messstellenbetreiber ist nach § 2 Nr. 4 MsbG der Betreiber von Energieversorgungsnetzen, solange und soweit er seine Grundzuständigkeit für den Messstellenbetrieb nicht nach §§ 41, 43 MsbG auf ein anderes Unternehmen übertragen hat, oder jedes Unternehmen, das die Grundzuständigkeit für den Messstellenbetrieb nach § 43 MsbG übernommen hat. Der grundzuständige Messstellenbetreiber ist damit kraft Gesetzes zunächst der Anschlussnetzbetreiber und damit in der Regel der Verteilnetzbetreiber in dessen Netz sich die jeweilige Messstelle befindet. Nahezu alle Netzbetreiber haben der Bundesnetzagentur bis zum 30. Juni 2017 gemäß § 45 MsbG die Wahrnehmung des Messstellenbetriebs angezeigt und nehmen diese Aufgabe wahr. Die Unabhängigkeit des grundzuständigen Messstellenbetriebs für moderne Messeinrichtungen und intelligente Messsysteme ist nach § 3 Absatz 4 MsbG von anderen Tätigkeitsbereichen der Energieversorgung über die buchhalterische Entflechtung (§§ 6b, 6c und 54 EnWG) sicherzustellen.

Der grundzuständige Messstellenbetreiber ist Adressat der gesetzlichen Rollout-Verpflichtungen. Das Messstellenbetriebsgesetz sieht dabei für grundzuständige Messstellenbetreiber nach Letztverbrauchs- bzw. Einspeisekategorien gestaffelte Preisobergrenzen für die Entgelte des Messstellenbetriebs vor und unterscheidet nicht mehr nach Messung und Messstellenbetrieb. Die verschiedenen Pflichteinbaufälle werden nach Zeitpunkt und Preisobergrenze differenziert (§ 31 MsbG).

Mit dem **Smart-Meter-Gateway-Administrator** definiert das Gesetz eine weitere neue Funktion in der Energieversorgung. Der Smart-Meter-Gateway-Administrator ist für den technischen Betrieb des intelligenten Messsystems verantwortlich. Dabei wird diese Funktion des Smart-Meter-Gateway-Administrators dem Messstellenbetreiber grundsätzlich zugeordnet (§ 3 Absatz 1 Satz 2 MsbG). Der Messstellenbetreiber kann einen Smart-Meter-Gateway-Administrator aber auch als Dienstleister beauftragen (§ 2 Nr. 20 MsbG). Der Smart-Meter-Gateway-Administrator muss einen zuverlässigen technischen Betrieb des intelligenten Messsystems gewährleisten und ist für die Installation, Inbetriebnahme, Konfiguration, Administration, Überwachung und Wartung des Smart-Meter-Gateways verantwortlich (§ 25 Absatz 1 MsbG). Er ist Teil des Sicherheitssystems und ihn treffen verschiedene Pflichten, wie die Einrichtung eines Informationssicherheitssystems, die Erarbeitung von IT-Sicherheitskonzeptionen und anderes mehr (§ 25 Absatz 4 MsbG). Er muss nach der Technischen Richtlinie des Bundesamtes für Sicherheit in der Informationstechnik (BSI) zertifiziert sein.[18]

[18] *BSI*: Technische Richtlinie TR-03109-06 Smart-Meter-Gateway-Administration.

c) Festlegungen der Bundesnetzagentur

In § 13 MessZV hatte die Bundesregierung der Bundesnetzagentur verschiedene Festlegungskompetenzen eingeräumt, darunter die konkrete Ausgestaltung der erforderlichen Rahmenverträge, Geschäftsprozesse und sonstigen Bedingungen der Messung und des Messstellenbetriebs. Von dieser Festlegungskompetenz machte die BNetzA mit der Festlegung zur Standardisierung von Verträgen und Geschäftsprozessen im Bereich des Messwesens für die Bereiche Strom und Gas (WiM) in zwei gleichlautenden Beschlüssen vom 9. September 2010 Gebrauch.[19] Bei diesen Festlegungen handelt es sich um bestandskräftige Allgemeinverfügungen, die noch bis zum 30. September 2017 fortgalten.

Die Bundesnetzagentur hat ihre Festlegungskompetenz nach § 75 MsbG mit den Festlegungen vom 20. Dezember 2016 im Verwaltungsverfahren zur Anpassung der Vorgaben zur elektronischen Marktkommunikation an die Erfordernisse des Gesetzes zur Digitalisierung der Energiewende ausgefüllt.[20] Die Festlegungen sollen die Einführung intelligenter Messsysteme und moderner Messeinrichtungen mit den dafür notwendigen Marktprozessen massengeschäftstauglich unterstützen. Die getroffenen Regelungen wurden überwiegend zum 1. Oktober 2017 wirksam und basieren auf Vorarbeiten des BDEW Bundesverband der Energie- und Wasserwirtschaft e.V. und weiterer Verbände.

Die Festlegungen führen ein sogenanntes „Interimsmodell" für die elektronische Marktkommunikation ein. Dabei wird für einen Übergangszeitraum ab dem 1. Oktober 2017 angeordnet, dass die Aufbereitung und Verteilung von Messwerten aus intelligenten Messsystemen nach Messstellenbetriebsgesetz zunächst wie bisher über den Verteilnetzbetreiber organisiert werden. Das Messstellenbetriebsgesetz, das ansonsten den Ansatz künftiger Verteilung von Messwerten direkt aus den jeweiligen Smart Metern vorsieht („sternförmige Verteilung"), gewährt die Möglichkeit der befristeten Ausnahme mittels einer entsprechenden Festlegungsbefugnis in § 60 MsbG, von der Gebrauch gemacht wurde. Nur auf diese Weise ließ sich sicherstellen, dass es kurzfristig (bis Oktober 2017) zu den erforderlichen Mindestanpassungen aller IT-Systeme der Netzbetreiber, Lieferanten und Messstellenbetreiber bundesweit kommen konnte.

Im Bereich Gas hat die Bundesnetzagentur mitgeteilt, dass die Aufbereitung und Übermittlung von Messwerten weiterhin unverändert, d. h. auch im Zielmodell, als berechtigte Stelle, vom Netzbetreiber übernommen wird.

[19] Beschlüsse der Beschlusskammern 6 und 7 zu den Wechselprozessen im Messwesen, Az.: BK6-09-034, BK7-09-001.

[20] Az.: BK6-16-200 und Az.: BK7-16-142 vom 20. Dezember 2016.

Seit dem 1. Oktober 2017 gelten die von der BNetzA festgelegten neuen Vorgaben für die folgenden Festlegungen[21]: Geschäftsprozesse zur Kundenbelieferung mit Elektrizität (GPKE), Geschäftsprozesse Lieferantenwechsel Gas (GeLi Gas), Marktprozesse für erzeugende Marktlokationen Strom (MPES) und Wechselprozesse im Messwesen (WiM). Die mit der WiM festgelegten Messstellenrahmenverträge sind am 23. August 2017 durch die Veröffentlichung der Festlegungen der Beschlusskammern 6 und 7 als sogenannte Messstellenbetreiberrahmenverträge festgelegt worden.

Die Beschlusskammer 6 der Bundesnetzagentur hat am 20. Dezember 2017 ihre Festlegung zur Anpassung des Netznutzungsvertrages/Lieferantenrahmenvertrages an die Erfordernisse des Gesetzes zur Digitalisierung der Energiewende getroffen.[22] Sie trägt damit den gesetzlichen Neuerungen durch das Inkrafttreten des Messstellenbetriebsgesetzes Rechnung. Die getroffenen Regelungen wurden zum 1. April 2018 wirksam.

3. Änderungen für die Messung bei EEG-Anlagen

Seit dem Inkrafttreten des Gesetzes zur Digitalisierung der Energiewende sind die Anforderungen an den Messstellenbetrieb auch für die Einspeiseseite zentral im Messstellenbetriebsgesetz geregelt. Dementsprechend verweist § 10a EEG 2017 für den Messstellenbetrieb bei Anlagen im Sinne des EEG nun vollständig auf das Messstellenbetriebsgesetz.

Nach bisheriger Rechtslage, d. h. vor Inkrafttreten des EEG 2017[23] und des Messstellenbetriebsgesetzes, lag die Grundzuständigkeit für Messstellenbetrieb und Messung bei EEG-Anlagen im Grundsatz regelmäßig beim Anlagenbetreiber.[24] Mit dem in § 10a EEG 2017 geregelten vollständigen Verweis auf das Messstellenbetriebsgesetz ist die Grundzuständigkeit für den Messstellenbetrieb einschließlich der Messung nun auf den grundzuständigen Messstellenbetreiber übergegangen und obliegt nicht mehr dem Anlagenbetreiber. Allerdings ist in § 10a Satz 2 EEG 2017 klargestellt, dass anstelle der Beauftragung eines Dritten nach § 5 Absatz 1 MsbG auch der Anlagenbetreiber selbst den Messstellenbetrieb übernehmen kann. Für den Anlagenbetreiber gelten dann alle gesetzlichen Anforderungen, die das Messstellenbetriebsgesetz an einen Dritten als Messstellenbetreiber stellt.[25]

[21] Festlegungen im Verwaltungsverfahren zur Anpassung der Vorgaben zur elektronischen Marktkommunikation an die Erfordernisse des Gesetzes zur Digitalisierung der Energiewende, Az.: BK6-16-200 und Az.: BK7-16-142 vom 20. Dezember 2016.

[22] Az.: BK6-17-168.

[23] Am 1. Januar 2017.

[24] vgl. Empfehlung der Clearingstelle EEG 2012/7.

[25] vgl. hierzu auch das Empfehlungsverfahren der Clearingstelle EEG 2016/26, abrufbar unter https://www.clearingstelle-eeg.de/empfv/2016/26, sowie die Stellungnahme BDEW, (zuletzt abgerufen am 22.5.2018).

Die Messung ist Aufgabe des Messstellenbetreibers. Eine separate Messdienstleistung gibt es nicht mehr. Der Anlagenbetreiber kann daher nur den Messstellenbetrieb, zu dem auch die Messung gehört, insgesamt übernehmen.[26]

Ausgangspunkt für den Anwendungsbereich des Messstellenbetriebsgesetzes ist die „Messstelle".[27] Dies ergibt sich nicht nur aus § 3 MsbG, der die Zuständigkeit für den „Messstellenbetrieb" regelt, sondern auch aus § 29 MsbG, der die Einbaupflicht von intelligenten Messsystemen auf „Messstellen" an Zählpunkten bezieht. Die Definition der „Messstelle" ist sehr weit gefasst und umfasst alle Mess-, Steuerungs- und Kommunikationseinrichtungen des Anschlussnutzers.[28] Dabei dürften sämtliche Zähler umfasst sein, die zu EEG-Abrechnungszwecken erforderlich sind (z. B. für die Abrechnung der Förderung oder die Abrechnung der EEG-Umlage).[29] Damit können auch (Verbrauchs- und Erzeugungs-)Zähler innerhalb einer Kundenanlage oder eines geschlossenen Verteilernetzes erfasst sein.

Im MsbG finden sich darüber hinaus Definitionen für den „Anlagenbetreiber", den „Anschlussnutzer" sowie die für EEG- und KWK-Anlagen relevanten Einbauverpflichtungen von intelligenten Messsystemen (vgl. §§ 29 MsbG ff.). Die Vorgaben der BNetzA-Festlegung vom 20. Dezember 2016 zu den Wechselprozessen im Messwesen (WiM) gelten nunmehr auch für Einspeiser.

Intelligente Messsysteme und Steuerung von EEG-Anlagen

Das EEG 2017 sieht eine Steuerung von EEG-Anlagen einerseits im Rahmen des Einspeisemanagements durch den Netzbetreiber und andererseits durch den Direktvermarkter im Rahmen der Direktvermarktung vor.

Für die Steuerung im Rahmen des **Einspeisemanagements** bestimmt § 9 Absatz 7 EEG 2017, dass bei der Ausstattung von Anlagen mit technischen Einrichtungen die Pflichten und Anforderungen nach dem Messstellenbetriebsgesetz zur Messung unberührt bleiben und dass die Abrufung der Ist-Einspeisung und die ferngesteuerte Abregelung nach § 9 Absatz 1 und 2 EEG 2017 nicht über ein intelligentes Messsystem erfolgen müssen. Es können also auch andere Technologien, z. B. Funkrundsteuertechnik, genutzt werden.

[26] Dabei kann er aber einen anderen, z.B. den Netzbetreiber, vertraglich mit der Erfüllung von Aufgaben betrauen, die er persönlich nicht leisten kann oder will.

[27] Vgl. § 2 Nr. 11 MsbG.

[28] Anschlussnutzer ist der zur Nutzung des Netzanschlusses berechtigte Letztverbraucher oder der EEG- bzw. KWKG-Anlagenbetreiber, vgl. § 2 Nr. 3 MsbG.

[29] So sieht das MsbG bspw. auch die Berechtigung der Netzbetreiber zur Messwertnutzung zur Erhebung der EEG-Umlage von Letztverbrauchern und Eigenversorgern nach § 61 EEG vor (§ 66 Absatz 1 Nr. 8 MsbG).

Für die Steuerung im Rahmen der **Direktvermarktung** ist in § 20 Absatz 3 EEG 2017 vorgesehen, dass die Abrufung der Ist-Einspeisung und die ferngesteuerte Regelung der Einspeiseleistung nach § 20 Absatz 2 EEG 2017 grundsätzlich über ein intelligentes Messsystem erfolgen müssen. Voraussetzung ist, dass mit dem intelligenten Messsystem kompatible und sichere Fernsteuerungstechnik, die über die zur Direktvermarktung notwendigen Funktionalitäten verfügt, gegen angemessenes Entgelt am Markt verfügbar ist. Das gilt jedoch nur für die in § 20 Absatz 3 Nr. 1 bis 3 EEG 2017 genannten Anlagen, wobei nach dem Zeitpunkt des Einbaus eines intelligenten Messsystems unterschieden wird.

4. Änderungen für die Messung für KWK-Anlagen

a) Übergang der Grundzuständigkeit seit dem 1. Januar 2016 für KWK-Anlagen

Grundzuständig für den Einbau und den Betrieb der Messeinrichtungen und die Messung für Einspeisung und Erzeugung bei KWK-Anlagen ist seit dem 1. Januar 2016, für Einspeisemessungen von Anlagen bis 100 kW seit Juli 2016, der Netzbetreiber. Dementsprechend hat das KWKG 2016 für die Anlagen in seinem Anwendungsbereich bereits den grundsätzlichen Zuständigkeitsübergang für Messstellenbetrieb und Messung auf den Netzbetreiber vorweggenommen, den auch das Messstellenbetriebsgesetz vorsieht. Gemäß § 14 Absatz 1 KWKG 2016 ist der Netzbetreiber verpflichtet, die für den Nachweis des in der KWK-Anlage erzeugten und des in das Netz der allgemeinen Versorgung eingespeisten KWK-Stroms relevanten Messstellen auf Kosten des Betreibers der KWK-Anlage zu betreiben, soweit nicht eine anderweitige Vereinbarung getroffen worden ist. Für den Messstellenbetrieb zur Erfassung der erzeugten und in das Netz eingespeisten Strommengen sind nach § 14 Absatz 1 Satz 2 KWKG 2016 die Vorschriften des Messstellenbetriebsgesetzes anzuwenden. § 14 Absatz 1 Satz 3 KWKG 2016 stellt klar, dass anstelle der Beauftragung eines Dritten nach § 5 Absatz 1 MsbG der Betreiber einer KWK-Anlage den Messstellenbetrieb auch selbst übernehmen kann. Damit hat der Gesetzgeber im KWKG 2016 die Zuständigkeit des Netzbetreibers gegenüber der Regelung im KWKG 2012 deutlich ausgeweitet. Der Netzbetreiber war danach nur für die Einspeisungsmessung bei Anlagen jenseits von 100 kW zuständig.

b) Änderungen des KWKG durch das Gesetz zur Digitalisierung der Energiewende und das MsbG

Durch das Gesetz zur Digitalisierung der Energiewende wurden die Regelungen zum Messstellenbetrieb und zur Messung auch für die Einspeiseseite zentral im Messstellenbetriebsgesetz zusammengefasst. Das Messstellenbetriebsgesetz regelt dabei zum einen ausdrücklich die Anforderungen an die Messung für Strombezug und -einspeisung sowie den Messstellenbetrieb und die Pflichten des Messstellenbetreibers, die bisher im KWKG nicht detailliert geregelt worden waren. Zum anderen legt das Messstellenbetriebsgesetz die Einbauverpflichtungen für intelligente Messsysteme und moderne Messeinrichtungen für KWK-Anlagen fest. Im Ergebnis gelten damit die für Anlagen- und Netzbetreiber nach dem EEG genannten Rechte und Pflichten des Messstellenbetriebsgesetzes in entsprechender Weise auch für Anlagen- und Netzbetreiber nach dem KWKG. Dies gilt insbesondere für die Ausstattungspflicht von Anlagen oberhalb von 7 kW mit intelligenten Messsystemen, für die technischen Anforderungen der Messeinrichtungen und die Fachkunde des Messstellenbetreibers. Darüber hinaus sind Anlagenbetreiber nach dem KWKG „Anlagenbetreiber" nach § 2 Nr. 1 MsbG[30] und auch Anschlussnutzer nach § 2 Nr. 3 MsbG.[31] Die für Anlagenbetreiber wie Anschlussnutzer geltenden Regelungen des MsbG entfalten deshalb Wirkung für Anlagen- und Netzbetreiber im Rahmen des sachlichen Anwendungsbereiches des KWKG.

IV. Die Rollout-Verpflichtung im Messstellenbetriebsgesetz

1. Einbaupflichten der Unternehmen

Betreiber von Energieversorgungsnetzen sind gemäß § 2 Nr. 4 MsbG grundzuständige Messstellenbetreiber und von der Neuregelung besonders betroffen. Grundzuständige Messstellenbetreiber sind verpflichtet, den Rollout von modernen Messeinrichtungen und intelligenten Messsystemen voranzutreiben. Grundzuständige Messstellenbetreiber haben gemäß § 29 MsbG Messstellen an ortsfesten Zählpunkten mit intelligenten Messsystemen auszustatten, wenn es sich entweder um Letztverbraucher mit einem Jahresstromverbrauch über 6 000 Kilowattstunden oder mit einer Vereinbarung nach § 14a EnWG handelt. Gleiches gilt, wenn es sich um Anlagenbetreiber mit einer installierten Leistung über 7 Kilowatt handelt. Der grundzuständige Messstellenbetreiber genügt dabei seinen Einbauverpflichtungen, wenn er mindestens 95 % der betroffenen Messstellen mit intelligenten Messsystemen ausstattet (§ 29 Absatz 5 MsbG).

[30] Definition „Anlagenbetreiber" nach § 2 Nr. 1 MsbG: „Der Betreiber von Erzeugungsanlagen nach dem Erneuerbare-Energien-Gesetz vom 21. Juli 2014 (BGBl. I S. 1066), das durch Artikel 2 des Gesetzes vom 21. Dezember 2015 (BGBl. I S. 2498) geändert worden ist oder dem Kraft-Wärme-Kopplungsgesetz vom 21. Dezember 2015 (BGBl. I S. 2498)".

[31] Definition „Anschlussnutzer" nach § 2 Nr. 3 MsbG: „Der zur Nutzung des Netzanschlusses berechtigte Letztverbraucher oder Betreiber von Erzeugungsanlagen nach dem Erneuerbare-Energien-Gesetz oder dem Kraft-Wärme-Kopplungsgesetz".

Alle anderen Messstellen an ortsfesten Zählpunkten hat der grundzuständige Messstellenbetreiber mindestens mit modernen Messeinrichtungen auszustatten. Die Ausstattung mit modernen Messeinrichtungen hat bis zum Jahr 2032, bei Neubauten und Gebäuden bis zur Fertigstellung des Gebäudes zu erfolgen (§ 29 Absatz 3 Satz 2 MsbG).

Voraussetzung für den Beginn der Einbaupflicht ist, dass die Ausstattung von Messstellen mit einem intelligenten Messsystem technisch möglich (§ 30 MsbG) und wirtschaftlich vertretbar (§ 31 MsbG) ist.

Neben der gesetzlichen Einbaupflicht gemäß § 29 Absatz 1 MsbG hat der Messstellenbetreiber gemäß § 29 Absatz 2 MsbG die Möglichkeit, den Einbau von intelligenten Messsystemen bei Letztverbrauchern mit einem Jahresstromverbrauch bis einschließlich 6 000 Kilowattstunden sowie bei Anlagen mit einer installierten Leistung über 1 bis einschließlich 7 Kilowatt vorzunehmen. Der Einbau muss dabei wie beim Pflichteinbau technisch möglich und wirtschaftlich vertretbar sein. Dieser optionale Einbau ist gemäß § 31 Absatz 3 MsbG wirtschaftlich vertretbar, wenn die je nach Größenklasse gestaffelten Preisobergrenzen von 23 bis 60 Euro brutto pro Jahr eingehalten werden.[32]

Mit der gesetzlichen und der optionalen Einbaupflicht korrespondiert eine **Duldungspflicht** des Anschlussnutzers bzw. des Anschlussnehmers. Ist der Einbau eines intelligenten Messsystems oder einer modernen Messeinrichtung nach § 29 gesetzlich vorgeschrieben, muss der Anschlussnutzer/-nehmer gemäß § 36 Absatz 3 MsbG den Einbau dulden. Gleiches gilt, wenn der Messstellenbetreiber gemäß § 31 Absatz 3 MsbG optional weitere Messstellen in den Rollout einbezieht. Diese Regelung dient dazu, einen flächendeckenden Rollout möglichst zügig und kosteneffizient durchführen zu können.

Soll dagegen schon vor Geltung der Einbaupflicht und der Einbauoption nach § 29 MsbG eine Messstelle mit einem intelligenten Messsystem ausgestattet werden, ist eine vertragliche Verständigung des grundzuständigen Messstellenbetreibers mit dem Anschlussnehmer erforderlich bzw. möglich.

Netzbetreiber, Direktvermarktungsunternehmer und Anlagenbetreiber können zudem – soweit dies gemäß § 30 MsbG technisch möglich ist – auf eigene Kosten gegen angemessenes Entgelt vom grundzuständigen Messstellenbetreiber verlangen, dass die Messstellen mit Smart-Meter-Gateway ausgestattet sind (§ 33 MsbG).

Grundzuständige Messstellenbetreiber müssen gemäß § 37 MsbG spätestens sechs Monate vor dem Beginn des Rollouts Informationen über den Umfang ihrer Einbauverpflichtungen aus § 29 MsbG veröffentlichen. Dazu gehören Informationen über ihre Standardleistungen nach § 35 Absatz 1 MsbG und mögliche Zusatzleistungen im Sinne von § 35 Absatz 2 MsbG. Die Veröffentlichung hat auch Preisblätter mit jährlichen Preisanga-

[32] Vgl. § 29 Absatz 2 Nr. 2 und § 31 Absatz 3 Satz 2 MsbG.

ben für mindestens drei Jahre zu beinhalten und kann z. B. auf der Internetseite der Unternehmen erfolgen. Schon um die reibungslose Abwicklung zu ermöglichen, ist die Vorankündigung des Rollouts unerlässlich. Spätestens drei Monate vor der Ausstattung der Messstelle sind darüber hinaus die betroffenen Anschlussnutzer, Anschlussnehmer, Anlagenbetreiber und Messstellenbetreiber zu informieren und auf die Möglichkeit zur freien Wahl eines Messstellenbetreibers nach den §§ 5 und 6 MsbG hinzuweisen. Das Interimsmodell der BNetzA sieht auch die Information des Lieferanten vor.[33]

2. *Wirtschaftliche Vertretbarkeit des Einbaus*

Wirtschaftlich vertretbar ist der Einbau, wenn der Messstellenbetreiber den Rollout gemäß den in § 31 MsbG festgelegten Zeitspannen und Preisobergrenzen für die jeweilige Größenklasse umsetzt.

Danach ist die Ausstattung einer Messstelle mit einer **modernen Messeinrichtung** gemäß § 29 Absatz 3 MsbG wirtschaftlich vertretbar, wenn für den Messstellenbetrieb für jeden Zählpunkt nicht mehr als 20 Euro brutto jährlich in Rechnung gestellt werden (§ 32 MsbG).

Der verpflichtende Rollout von **intelligenten Messsystemen** erfolgt gestaffelt nach Verbraucher- und Erzeugergruppen über mehrere Jahre. Beginnend ab 2017 ist bei Verbrauchern mit einem Jahresstromverbrauch über 100.000 kWh innerhalb von 16 Jahren und bei Verbrauchern mit einem Jahresstromverbrauch über 10.000 kWh bis 100.000 kWh und Erzeugern mit einer installierten Leistung über 7 kW bis 100 kW innerhalb von acht Jahren der Rollout durchzuführen. Ab 2020 ist bei Verbrauchern mit einem Jahresstromverbrauch von über 6.000 kWh bis 10.000 kWh und Erzeugern mit einer installierten Leistung von über 100 kW innerhalb von acht Jahren der Rollout durchzuführen.

Das Jahr 2017 bezeichnet dabei den frühestmöglichen Zeitpunkt für den Rolloutstart. Da das BSI noch nicht die technische Möglichkeit nach § 30 MsbG festgestellt hat, verschiebt sich der Startzeitpunkt.[34]

a) Rollout-Pfad

Der Rolloutpfad für die einzelnen Gruppen wird in der nachfolgenden Abbildung 1 dargestellt.

Die verpflichtenden Einbaufälle sind auf den dunklen Pfeilen dargestellt. Auf den hellen Pfeilen sind zusätzlich die optionalen Einbaufälle ergänzt, bei denen Messstellenbetreiber ein Wahlrecht für den Einbau von intelligenten Messsystemen haben. Abbildung 1 stellt den frühestmöglichen Rolloutbe-

[33] Siehe WiM-Festlegung, BK6-16-200, Kapitel 5.1, S. 106 ff.
[34] Siehe dazu Näheres unter Punkt V.

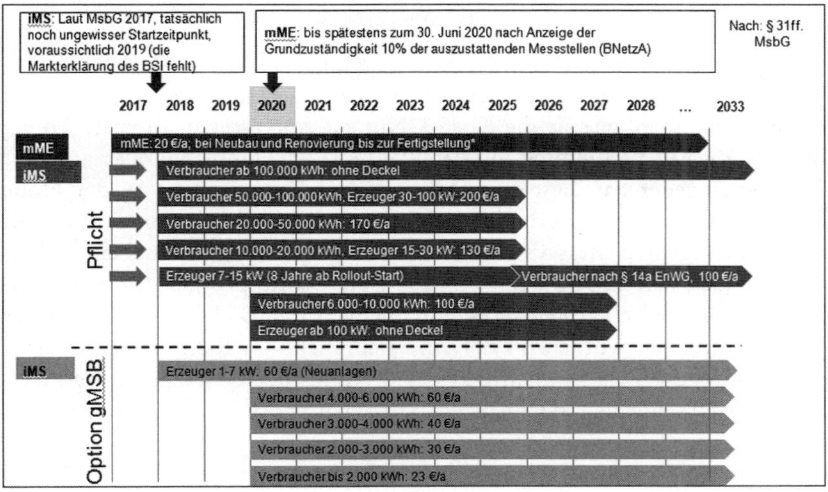

Abbildung 1: Rollout-Pfad und Preisobergrenzen für intelligente Messsysteme (iMS) und moderne Messeinrichtungen (mME)

ginn für die einzelnen Gruppen dar. Das Rollout-Ende könnte jedoch zeitlich hinter dem abgebildeten Pfeilende liegen, da der tatsächliche Rolloutzeitraum von acht bzw. 16 Jahren erst mit der Bestätigung der technischen Möglichkeit nach § 30 MsbG durch das BSI bzw. spätestens dem Start des Einbaus der intelligenten Messsysteme durch den Messstellenbetreiber beginnt.[35]

Das Messstellenbetriebsgesetz räumt den grundzuständigen Messstellenbetreibern beim Rollout weitgehende Freiheiten auch für den Einbau intelligenter Messsysteme ein. Allerdings gibt es verschiedene Einschränkungen: Spätestens drei Jahre nach Verfügbarkeit von intelligenten Messsystemen und der Bestätigung der technischen Möglichkeit nach § 30 MsbG durch das BSI und nach Anzeige oder Übernahme der Grundzuständigkeit müssen mindestens 10 % der auszurüstenden Messstellen mit intelligenten Messsystemen ausgestattet sein. Spätestens drei Jahre nach der Anzeige oder Übernahme der Grundzuständigkeit müssen mindestens 10 % der übrigen Messstellen mit modernen Messeinrichtungen ausgestattet sein.

Abgesehen davon sind die grundzuständigen Messstellenbetreiber frei darin, ihren Umrüstungsverpflichtungen nach individueller Rollout-Planung nachzukommen. Entscheidend ist nur, dass am Ende des für die einzelnen Kundengruppen vorgesehenen Umrüstungszeitraums die Ausstattung mit neuer Technologie erfolgt ist.

[35] Hier ist die Regelung im Gesetz nicht eindeutig hinsichtlich des Beginns der acht bzw. 16-Jahresfrist.

b) Preisobergrenzen

Für die einzelnen Rollout-Gruppen gelten gemäß §§ 31, 32 MsbG unterschiedliche Preisobergrenzen, die sich am jeweiligen Kosteneinsparpotenzial orientieren sollen, wie sie die Kosten-Nutzen-Analyse von Ernst & Young im Jahr 2013 in Verbindung mit detaillierten Variantenrechnungen angibt.[36] Der Gesetzgeber hat diese Berechnung seiner Entscheidung zu der Höhe der Preisobergrenzen zugrunde gelegt.[37] Sie reichen für die Ausstattung mit einem intelligenten Messsystem von 23 Euro brutto pro Jahr bei einem Jahresverbrauch von 2.000 kWh bis zu 200 Euro brutto pro Jahr für einen Jahresverbrauch zwischen 50.000 bis einschließlich 100.000 KWh. Die Höhe der Preisobergrenzen wurde von der Energiebranche im Rahmen des Gesetzgebungsprozesses als zu niedrig kritisiert, zumal der Gesetzgeber die Preisobergrenzen entgegen der Kosten-Nutzen-Analyse als Bruttowert definiert.[38]

Für die gesetzlich festgelegten Preisobergrenzen der §§ 31 und 32 MsbG ist kein Anpassungsmechanismus an die allgemeine Preisentwicklung vorgesehen. Eine Anpassung einzelner oder aller Preisobergrenzen ist frühestens für die Jahre ab 2027 und nur dann möglich, wenn eine Rechtsverordnung nach § 46 Nummer 5 MsbG die Anpassung nach einer wirtschaftlichen Bewertung des Bundesministeriums für Wirtschaft und Energie, die alle langfristigen, gesamtwirtschaftlichen und individuellen Kosten und Vorteile prüft, anordnet (§ 34 MsbG). Die gesetzliche Einführung von Preisobergrenzen wird zurecht als Systembruch kritisiert.[39] Problematisch ist neben einem möglichen faktischen Standardpreis die fehlende Anpassung an die tatsächliche Kostensituation.[40]

3. *Technische Möglichkeit des Einbaus*

Technisch möglich ist der Einbau, wenn mindestens drei voneinander unabhängige Unternehmen intelligente Messsysteme am Markt anbieten, die den am Einsatzbereich des SMGW orientierten Vorgaben des § 24 Absatz 12 MsbG (Zertifizierung) genügen genügen und das Bundesamt für Sicherheit

[36] *Ernst & Young GmbH*, Kosten-Nutzen-Analyse für einen flächendeckenden Einsatz intelligenter Zähler Endbericht zur Studie im Auftrag des Bundesministeriums für Wirtschaft und Technologie vom 30.07.2013, https://www.bmwi.de/Redaktion/DE/Publikationen/Studien/kosten-nutzen-analyse-fuer-flaechendeckenden-einsatz-intelligenterzaehler.html (zuletzt abgerufen am 22.05.2018).

[37] Gesetzentwurf der Bundesregierung, BT- Drs. 18/7555, S.92.

[38] *BDEW Bundesverband der Energie- und Wasserwirtschaft*, Stellungnahme zum Regierungsentwurf eines Gesetzes zur Digitalisierung der Energiewende vom 7. April 2016.

[39] *Lange/Möllnitz*, N&R 2016, S. 258ff. (261).

[40] Siehe auch Punkt VI.

in der Informationstechnik dies feststellt.[41] Die Feststellung sowie erforderliche Marktanalysen stellt das Bundesamt für Sicherheit in der Informationstechnik auf seinen Internetseiten bereit.

Mit Stand Juli 2018 haben neun Unternehmen mit ihren Produkten eine Zertifizierung als Smart Meter Gateway beantragt. Die Zertifizierungen stellen sich als so aufwändig heraus, dass die Zertifizierungstermine immer wieder hinausgeschoben werden. Die Folge ist, dass der gesetzlich vorgesehene Beginn des Rollouts in 2017 nicht möglich war. Ob ein Rollout 2018 beginnen kann, ist höchst fraglich, denn für den Start bedarf es mehrerer Unternehmen, die erfolgreich das Common Criteria-Produktzertifizierungsverfahren zum Nachweis der Sicherheitsfunktionalität der Smart Meter Gateway durchlaufen haben. Zusätzlich werden noch die Umsetzung der Vorgaben für den Smart Meter Gateway Administrator und für die Smart Meter Public Key Infrastructure (PKI) geprüft. Erst wenn diese vorliegen, wird das BSI im Rahmen einer sogenannten Marktanalyse eine Feststellung treffen, ob zu den betrachteten Einbaugruppen und Einsatzbereichen drei voneinander unabhängige Hersteller intelligente Messsysteme am Markt anbieten. Die Rechtsqualität dieser Feststellung ist nicht eindeutig.[42] Vieles spricht aber dafür, dass es sich um einen Verwaltungsakt im Sinne einer Allgemeinverfügung handeln wird, der aufgrund seiner Rechtswirkung (Beginn der Rollout-Verpflichtung) durch die betroffenen Unternehmen rechtlich angegriffen werden kann.

Nach der Clearingstelle EEG soll die Pflicht zum Einbau intelligenter Messsysteme (iMS) nach § 29 Absatz 1 MsbG bei EEG-Anlagen grundsätzlich auch dann schon greifen, wenn noch keine Technik („Steuerbox") verfügbar ist, mit der die EEG-Anlagen über das Smart-Meter-Gateway gesteuert werden können.[43] Grundsätzlich komme es für die Ausstattung von Messstellen mit intelligentem Messsystem bei EEG-Anlagen darauf an, dass die „technische Möglichkeit" ihres Einbaus gegeben ist. Dies entscheide das BSI unter Konkretisierung des jeweiligen „Einsatzbereichs" des intelligenten Messsystems. Sofern das BSI nichts anderes feststelle, greife die Einbaupflicht bei EEG-Anlagen, sobald die Feststellung der technischen Möglichkeit ergangen sei – auch wenn die intelligenten Messsysteme lediglich zur Erfassung von Strommengen und (noch) nicht zur Regelung der Anlagen nach § 9 EEG 2017 (Einspeisemanagement) oder zur Steuerung durch den Direktvermarkter nach § 20 Absätzen 2 und 3 EEG 2017 in der Lage seien. Denn der Pflichteinbau nach dem Messstellenbetriebsgesetz und die Steue-

[41] § 30 iVm § 24 MsbG.
[42] *Lange*, N&R 2017, S. 194 ff. (195).
[43] Empfehlung 2017/27 der Clearingstelle EEG.

rung/Regelung nach dem EEG stellten voneinander unabhängige Vorgänge dar.[44]

V. Zeitverzug und Umsetzungsprobleme

1. *Marktkommunikation – Geschäftsprozesse*

Der Gesetzgeber ging davon aus, dass der Rollout der intelligenten Messsysteme in 2017 beginnen kann. Dementsprechend hat die Bundesnetzagentur auf der Grundlage der Arbeiten der Branche am 20. Dezember 2016 Festlegungen erlassen, die die für die Marktteilnehmer verbindlichen elektronischen Geschäftsprozesse unter Berücksichtigung des Messstellenbetriebsgesetzes beschreiben. Diese Festlegungen setzen dabei noch nicht die gesetzlich vorgegebenen Aufgabenübertragungen vom Netzbetreiber zum Messstellenbetreiber und auch noch nicht die in § 60 MsbG festgelegte sogenannte sternförmige Kommunikation von Messdaten aus intelligenten Messsystemen an die Berechtigten um, sondern schichten dies ab (sog. Interimsmodell). Dies gibt allen Unternehmen die Möglichkeit, zunächst diese Maßnahmen in ihre Prozesse zu übernehmen.

Erst in einem zweiten Schritt soll das sogenannte Zielmodell umgesetzt werden, das die vollständige Umsetzung der MsbG-Regelungen in die marktkommunikatorischen Prozesse beinhaltet. Rechtstechnisch nimmt die Behörde damit die Gestaltungsmöglichkeit in § 60 Absatz 2 Satz 2 MsbG wahr, nachdem bis zum 31. Dezember 2019 die Aufbereitung und Übermittlung von Messdaten nicht vom Smart-Meter-Gateway, sondern von berechtigten Stellen nach § 49 Absatz 2 MsbG vorgenommen werden kann.

Seit dem 1. Oktober 2017 haben alle Unternehmen mit erheblichem Kostenaufwand die Festlegung der BNetzA umgesetzt und die Voraussetzungen für die Umsetzung des Interimsmodells geschaffen. Bedauerlicherweise fehlen aber die dafür erforderlichen intelligenten Messsysteme am Markt, da die erforderlichen Zertifizierungen der Smart-Meter-Gateways durch das BSI nicht vorliegen. Zum Teil fehlt es noch an den Anforderungen für die entsprechende weitergehende Technik (Steuerbox).

[44] Zu Recht wird dabei allerdings auf die funktionale Einschätzungsprärogative des BSI verwiesen. Damit löst nicht jegliches Vorhandensein eines intelligenten Messsystems und auch nicht jegliche Bekanntmachung des BSI die Rechtsfolge der Einbau- und Verwendungspflicht derart nur teilgeeigneter intelligenter Messsysteme aus. Es steht dem BSI durchaus offen festzustellen, dass die für andere Zwecke vorhandenen intelligenten Messsysteme gerade nicht für Einspeiseanlagen geeignet sind, die auch einer Steuerung bedürfen, so dass im Falle einer derart eingeschränkten Bekanntmachung jedenfalls für die Anlagen nach dem EEG weiterhin kein Pflichteinbau folgt, Clearingstelle a.a.O., Leitsatz 1 am Ende „Feststellung [des BSI] für einen bestimmten Einsatzbereich“.

Zum 1. Januar 2020 sollte das Interimsmodell durch das Zielmodell abgelöst werden. Bei der Vorbereitung des Zielmodells durch die Verbände hat sich gezeigt, dass eine marktkommunikatorische Ausgestaltung erst dann erfolgen kann, wenn die technischen Möglichkeiten und Erfordernisse des Smart-Meter-Gateways zur sternförmigen Kommunikation (Smart-Meter-Gateway der 2. Generation) bekannt sind. Da die technischen Anforderungen an das SMGW für die sternförmige Kommunikation noch nicht vorliegen und insbesondere die Frage, wie die Plausibilisierung und die Ersatzwertbildung im Zusammenspiel des Messstellenbetreibers mit dem Smart-Meter-Gateway erfolgt, bedarf es des Abgleichs mit den energiewirtschaftlichen Abläufen und Funktionalitäten. Hierbei sind schwierige Fragen der Datensicherheit und des Eichrechts zu lösen, so dass eine Fertigstellung der Technischen Richtlinien, der marktkommunikatorischen Prozesse und die darauf aufbauende Entwicklung der Smart-Meter-Gateways der 2. Generation einschließlich deren Einbindung in die IT-Systemlandschaft der Energieunternehmen bis zum 1. Januar 2020 nicht realistisch ist.

Die BNetzA wird daher mit einem Festlegungsverfahren für das sogenannte MsbG-Zielmodell beginnen und zum 1. Januar 2020 zunächst die sternförmige Kommunikation für alle Messeinrichtungen aus dem Backend des Messstellenbetreibers einführen (sog. Marktkommunikation 2020). Der BDEW Bundesverband der Energie- und Wasserwirtschaft hat zur Vorbereitung die entsprechenden Textvorschläge für die Anpassung der einschlägigen Prozesse (GPKE, MPES, MaBiS, WiM) erarbeitet. Mit diesem Schritt werden zudem die neuen Verantwortlichkeiten gemäß § 60 Absatz 1 MsbG abgebildet. Das Festlegungsverfahren soll bis Ende 2018 abgeschlossen sein.

Die Geschäftsprozesse für die gesetzlich intendierte sternförmige Kommunikation aus dem Smart-Meter-Gateway sollen erst zu einem späteren Zeitpunkt festgelegt werden. Die Festlegung soll dabei zeitlich mit der tatsächlichen Verfügbarkeit von Smart Meter Gateways der 2. Generation abgestimmt werden. Damit wird die Komplexität der anstehenden Anpassung der Marktkommunikationsregelungen reduziert und der Kritik der Branche entsprochen. Die Erfahrung aus dem MsbG-Interimsmodell soll damit genutzt werden. Es sollen nicht wieder mit viel Aufwand Prozesse implementiert werden, ohne dass entsprechende Smart Meter Gateways verfügbar sind.

2. *Zeitverzug bei der Zertifizierung der Smart Meter Gateways*

Die gesetzlichen Anforderungen an das für ein intelligentes Messsystem entscheidende Smart Meter Gateway sind hoch. Sie sollen höchsten technischen Datenschutzanforderungen genügen.[45] Dementsprechend werden die von dem BSI entwickelten Technischen Richtlinien und Schutzprofile in

[45] Gesetzentwurf Bundesregierung BT-Drs. 18/7555 S. 63.

§ 22 MsbG als Mindestanforderungen definiert. Zum Nachweis der Erfüllung der sicherheitstechnischen Anforderungen müssen Smart-Meter-Gateways gemäß § 24 MsbG durch das Bundesamt für Sicherheit in der Informationstechnik zertifiziert werden.

Es zeigt sich, dass die behördlichen Anforderungen an die neu zu entwickelnden Smart Meter Gateways durch die Hersteller nur schwer zu erfüllen sind. Der Grund ist unklar. Entweder sind die Anforderungen so hoch, dass sie kaum technisch bzw. nicht mit vertretbarem Aufwand umsetzbar sind oder die Anforderungen der Behörde verändern sich fortlaufend mit der eigenen Lernkurve. Das heißt, dass im Laufe des Zertifizierungsverfahrens neu gewonnene Erkenntnisse als Maßstab für die Zertifizierung genommen werden, so dass sich die Hersteller mit immer neuen Nachforderungen, etwa zur Schließung von neu entdeckten Sicherheitslücken, konfrontiert sehen. Faktum ist, dass bereits zum Anfang 2017 Zertifizierungen angekündigt waren. Eineinhalb Jahre später sind seitens des BSI nicht einmal Abschätzungen zu erfahren, wann mit einer Zertifizierung zu rechnen ist. Das hat erhebliche Folgen für die Rollout-Verpflichtungen der grundzuständigen Messstellenbetreiber, die bereits umfangreiche Vorleistungen für den Rollout erbracht haben und diese nun kostenintensiv bis zum ungewissen Beginn des Rollouts vorhalten müssen.

Zudem ist für den grundzuständigen Messstellenbetreiber unklar, welche Funktionen die zertifizierten Smart-Meter-Gateways der 1. Generation letztendlich enthalten und ob die Interoperabilität gemäß § 22 Absatz 1 MsbG gewährleistet ist. Gemäß § 24 i.V.m. § 22 MsbG sind für die Zertifizierung die im Anhang des MsbG aufgeführten Schutzprofile und Technischen Richtlinien des Bundesamtes für Sicherheit in der Informationstechnik in der jeweils geltenden Fassung einzuhalten. Die Technische Richtlinie BSI TR-03109-1 sieht derzeit 13 Tarifanwendungsfälle (TAF) wie z. B. datensparsame oder zeitvariable Tarife vor, die den Letztverbraucher in die Lage versetzen sollen, mithilfe des intelligenten Messsystems seinen Strombedarf zu optimieren. Ausdrücklich wird in der Richtlinie deutlich gemacht, dass die Anwendungsfälle für Tarifierung, Bilanzierung und Netzzustandsdatenerhebung, als Minimalanforderung vom Smart-Meter-Gateway durch Regelwerke umgesetzt werden müssen; es sind Mindestanforderungen an die Messwertverarbeitung.[46] Fest steht aber bereits, dass die sich derzeit in Zertifizierung befindenden Smart-Meter-Gateways der 1. Generation nicht alle Tarifanwendungsfälle abbilden, sondern deutlich weniger.[47] Insofern stellt sich die Frage, ob der Einbau von Intelligenten Messsystemen mit zertifizierten Smart-Meter-Gateway-Geräten der 1. Generation als technisch möglich im Sinne des § 30 MsbG bewertet werden kann. Dies erscheint jedenfalls

[46] *BSI* TR-03109-01, Punkt 4.2.1.
[47] *Lange*, N&R 2018, 73ff. (75).

auf Basis der bestehenden Technischen Richtlinien als fraglich. Sollten diese Zweifel bleiben, besteht für den grundzuständigen Messstellenbetreiber das Risiko, dass er beim Rollout – ggf. auf Basis der Feststellung des BSI – von gesetzeskonformen Geräten ausgeht, während der Verbraucher den Einbau verweigert oder sogar wirtschaftlich schlimmer, erst nach Einbau mit Verweis auf die fehlende Gesetzeskonformität den Ausbau verlangt.[48] Hier sind entweder der Gesetzgeber oder das BSI gefordert, Rechtssicherheit für den grundzuständigen Messstellenbetreiber herzustellen.

VI. Fazit

Die Eingriffe des Gesetzgebers in die Energiewirtschaft haben stetig zugenommen und führen zu immer neuen Herausforderungen. Am prägendsten waren sicherlich die Liberalisierung des Energiemarktes und die Entflechtungsvorgaben für das Netz. Aber auch die Förderung der Erneuerbaren Energien nach dem Erneuerbaren-Energien-Gesetz, die vorrangige Einspeisung von Strom aus erneuerbaren Energiequellen in das Netz und die Entschädigung bei Nichteinspeisung sind erhebliche marktverändernde Eingriffe, die seit dem Anwachsen des Anteils der Erneuerbaren Energien an der deutschen Stromerzeugung auf mittlerweile 36 %[49] nur mühsam wieder korrigiert und in eine wettbewerbliche Struktur überführt werden können. Auch die gesetzgeberische Technik, die mit den Eingriffen in den Markt verbundenen Kosten über Umlagen von dem Endverbraucher bezahlen zu lassen (wie z.B. die EEG-Umlage), kommt erst jetzt langsam an ihr Ende. Einen Beitrag dazu liefern die EU-Kommission und das europäische Beihilfenrecht. Wesentlich ist aber auch die politische Erkenntnis, dass die Finanzierungsmöglichkeiten und die Belastungsbereitschaft des Verbrauchers endlich sind.

Eine einheitliche Linie des Gesetzgebers, die Herausforderungen der Energiewende rechtlich zu gestalten, ist nicht zu erkennen. Festzustellen ist, dass zunehmend Gesetze und Verordnungen verabschiedet werden, die bereits nach kurzer Zeit wieder angepasst werden müssen. Dies hat verschiedene Gründe. So erzielen die gesetzlichen Regelungen häufig nicht oder nicht mehr die gewünschte Lenkungswirkung, da sich tatsächliche Umstände geändert haben. Zudem zwingt die europäische Energiegesetzgebung den nationalen Gesetzgeber zu Regelungen, die nicht immer mit der nationalen Politik kompatibel sind. Die verschiedenen Vertragsverletzungs- und Beihilfeverfahren machen dies deutlich.

Noch nicht eindeutig abschätzbar sind die Auswirkungen des Messstellenbetriebsgesetzes. Eindeutig ist, dass die optimistischen Zeitvorgaben für den

[48] So auch *Lange*, (o. Fn. 47), (75).
[49] *BDEW-Statistik* 2017.

Rollout der intelligenten Messsysteme nicht mehr kompatibel mit den technischen und wirtschaftlichen Anforderungen des Messstellenbetriebsgesetzes an sie sind. Die tatsächliche Geräteentwicklung und der gesetzliche Rollout-Pfad passen nicht zusammen. Es steht auch zu befürchten, dass gesetzlich festgelegten Preisobergrenzen nicht ausreichen, um den Rollout wirtschaftlich zu halten. Bis heute (Juli 2018) liegen keine zertifizierten intelligenten Messsysteme vor. Die Vollzugsbehörden entwickeln weitere Anforderungen an intelligente Messsysteme, die Einbindung in die energiewirtschaftlichen Prozesse wird immer komplexer.

Es gibt dabei keinen rechtlichen Mechanismus, der es ermöglicht, Abwägungsentscheidungen bei unterschiedlichen Behördenmeinungen zu treffen. Derzeit werden Weiterentwicklungen im „Einvernehmen" der Vollzugsbehörden vereinbart (§§ 26, 27 MsbG). Es fehlt ein Projektmanager, der durch klare Zeitpläne und Entscheidungskompetenzen das Projekt „Marktfähige Smart Meter Gateways" vorantreibt.

Hier werden die Grenzen der gesetzgeberischen Gestaltungsmöglichkeiten deutlich. Es steht zu befürchten, dass sich der Messstellenbetrieb ähnlich wie die Netzregulierung zu einer engmaschigen Regulierung mit unzähligen Normierungen in Verordnungen und technischen Regelwerken entwickelt. Es sind gesetzgeberisch neue Techniken erforderlich, die es ermöglichen, gesetzlich erwartete Technologieentwicklungen mit den tatsächlichen Gegebenheiten schneller abzugleichen. Die schlichte Delegation von Detailfestlegungen an die untergeordneten „Partnerbehörden"[50] ohne Zeitvorgaben und Eskalationsmechanismus ist angesichts der Komplexität der zu bewältigenden Aufgabe nicht ausreichend.

Die Energiewirtschaft ist gewillt, den Rollout von Smart Metern umzusetzen und so einen wesentlichen Baustein der Energiewende beizutragen. Die Rahmenbedingungen für den Rollout müssen aber so gesetzt sein, dass sie für die Unternehmen umsetzbar sind. Ein entscheidender Erfolgsfaktor wird die Kundenzufriedenheit sein. Ohne die Akzeptanz des Kunden wird der Massenrollout nicht gelingen. Umso wichtiger ist es, dass alle Beteiligten, d. h. Unternehmen, Behörden, aber auch der Gesetzgeber für das Projekt „Smart Meter Rollout" eintreten und alles tun, um einen kundenfreundlichen Smart Meter zur Verfügung zu stellen. Dies kann auch eine Novellierung des Messstellenbetriebsgesetzes bedeuten. Die Unternehmen brauchen auf der Basis energiewirtschaftlich umsetzbarer Lösungen einen verlässlichen Zeitplan, der Rollout-Pflicht und die vorgelagerten Entwicklungsprozesse für die Geräte und für die Marktkommunikation berücksichtigt und aufeinander abstimmt.

[50] So ausdrücklich die Begründung zum Gesetzentwurf der Bundesregierung zum Gesetz zur Digitalisierung der Energiewende, BT Drs. 18/7555, S. 87.

Das Vernünftige vernünftig tun: Wege zu einer rationalen Energie- und Klimapolitik

Christoph M. Schmidt*[1]

I. Rationale Energie- und Klimapolitik

Energiepolitik war noch nie einfach. Schließlich gilt es, drei übergreifende Ziele miteinander in Einklang zu bringen: Die Energieversorgung soll (i) wirtschaftlich sein, sodass es allen Akteuren – Unternehmen wie Haushalten – möglich ist, ihren Energiebedarf ohne erhebliche Einbußen ihrer wirtschaftlichen Handlungsfähigkeit zu decken. Sie soll (ii) versorgungssicher sein, sodass Produktionsabläufe aller Art nicht durch Engpässe der Energieversorgung unterbrochen werden. Schließlich soll sie (iii) umweltverträglich sein. Die Antwort auf diesen Zielkonflikt war bislang ein weitgehend auf fossilen Energieträgern beruhendes System. Insbesondere im Bereich der Stromversorgung standen große, tendenziell in der Nähe der Verbraucher angesiedelte Anbieter dabei einer Vielzahl von Nachfragern gegenüber.

Doch gerade im Hinblick auf die dritte Zieldimension, die Umweltverträglichkeit, ist die Aufgabe der Energiepolitik in den vergangenen Jahren noch komplexer geworden. Das fossile Energiesystem war zwar eine der Voraussetzungen für die erfolgreiche Befreiung der Menschheit aus der absoluten Armut, die mit dem Ausbruch der Industriellen Revolution begann und die gerade in den vergangenen Jahrzehnten noch an Geschwindigkeit zugenommen hat. Doch gleichzeitig sind die mit dem Einsatz fossiler Energieträger verbundenen Treibhausgasemissionen rasant angestiegen. Aufgrund der zu erwartenden Klimawirkungen stellt die bisherige Organisation der Energieversorgung somit eine Gefahr für die Nachhaltigkeit des Planeten dar. Die Energiepolitik muss daher klimapolitische Erwägungen mit einbeziehen.

Globale Probleme können aber nur global gelöst werden. Das System der Energieversorgung muss sich perspektivisch auf globaler Ebene von der Nutzung fossiler Energieträger lösen, um in der globalen Balance keinerlei zusätzliche Emissionen von Treibhausgasen mehr zu erzeugen. Die nationale

* Präsident des RWI – Leibniz-Institut für Wirtschaftsforschung und Vorsitzender des Sachverständigenrates zur Begutachtung der gesamtwirtschaftlichen Entwicklung.

[1] Ich bedanke mich herzlich für konstruktive Kommentare bei Manuel Frondel und Wolf Reuter.

Energie- und Klimapolitik muss sich daher fragen, wie sie zur Lösung dieser globalen Herausforderung wirksam beitragen kann. Die Antwort darauf ist keineswegs trivial, denn mit eigenen Anstrengungen allein ist es nicht getan, wenngleich es natürlich nicht ohne sie gehen wird. Die einzige Lösung zur Koordination nationaler Bemühungen sind anreizverträgliche und glaubwürdige Verabredungen, die von den einzelnen Teilnehmern dann im praktischen Vollzug auch tatsächlich eingehalten werden.

Das größte Problem bei der Koordination der internationalen Klimapolitik ist nach wie vor die Frage der Lastenverteilung. So sind beispielsweise die Forderungen aus Schwellen- und Entwicklungsländern nachvollziehbar, dass sie die eigene wirtschaftliche Entwicklung nicht dem Klimaschutz hintanstellen wollen. Beim Klimagipfel von Paris im Jahr 2015 haben sich zwar fast 200 Staaten auf ambitionierte Klimaziele verständigt und die Bereitschaft erklärt, bis zum Ende des Jahrhunderts insgesamt, über alle Sektoren und alle Länder hinweg, Netto-Treibhausgasemissionen von Null zu erzeugen. Doch eine glaubwürdige und volkswirtschaftlich effiziente Strategie fehlt, um diese vereinbarten globalen Ziele tatsächlich zu erreichen. Vor allem fehlt ein einheitliches Preissignal für Treibhausgasemissionen, ein CO_2-Preis.

Um eine solche Strategie zu verfolgen, müssten ein globaler Emissionshandel oder eine globale CO_2-Steuer etabliert werden. Diese Strategie wäre glaubwürdig, da die Teilnahme an einem globalen System eine weit größere Bindungswirkung entfalten würde als das bloße Versprechen, nationale Emissionsziele zu erreichen. Sie wäre volkswirtschaftlich effizient, da sie im Gegensatz zu einem Bündel an getrennt verfolgten nationalen Anstrengungen die Vorzüge der internationalen Arbeitsteilung bei der Emissionsvermeidung nutzen könnte. Auf eine solche Arbeitsteilung zu verzichten vergeudet hingegen volkswirtschaftliche Ressourcen. Unabhängig von der Wahl des Systems zur Einführung eines globalen CO_2-Preises müsste das unausweichliche Problem der Lastenverteilung auf dem Verhandlungsweg gelöst werden.

Gleichzeitig zerren vielfältige Interessen an der nationalen Energie- und Klimapolitik. Den engagierten Klimaschützern gehen die heimischen Bemühungen so gut wie nie weit genug, Arbeitnehmer und Unternehmen hingegen fragen sich, warum sie mit ihrer wirtschaftlichen Existenz für die Wünsche und Vorstellungen anderer in die Pflicht genommen werden sollen. Als Konsequenz der etablierten Subventionsmechanismen hat sich darüber hinaus eine Empfängerklientel herausgebildet, die nun aus ganz persönlichen wirtschaftlichen Interessen heraus an den Subventionen festhalten will. Schließlich ist auch der Widerstand gegenüber unbequemen Projekten im lokalen Umfeld gewachsen, um diese ohne Rücksicht auf übergreifende Ziele auf dem Protestweg auszubremsen.

Vor diesem Hintergrund hat die deutsche Energie- und Klimapolitik zu Beginn dieses Jahrhunderts eine nationale Energiewende in Angriff genommen, also die Transformation des Energiesystems, mit dem Ziel eines möglichst vollständigen Verzichts auf den Einsatz fossiler Brennstoffe.[2] Die rechtliche Grundlage für die Subventionierung von regenerativen Energietechnologien ist das im Jahr 2000 eingeführte Erneuerbare-Energien-Gesetz (EEG). Das nach der Reaktorkatastrophe von Fukushima im Jahr 2011 beschlossene Energiewende-Paket formuliert auf unterschiedlichen Ebenen eine Vielzahl an teilweise bis zum Jahr 2050 reichenden Zielvorgaben. Es wurde mittlerweile durch den Klimaschutzplan 2050 ergänzt und konkretisiert. Nach heutigem Stand ist jedoch zu bezweifeln, dass diese Ziele erreicht werden können.

So ist heute bereits absehbar, dass das Ziel der Verringerung der Treibhausgasemissionen um 40 % im Jahr 2020 im Vergleich zum Bezugsjahr 1990 kaum noch zu erreichen ist. Von Beginn an war die planwirtschaftliche Ausrichtung das Kernproblem bei der Umsetzung der Energiewende. Weder das Prinzip arbeitsteiligen Wirtschaftens noch die volkswirtschaftliche Effizienz fanden dabei nennenswerte Beachtung. Sollte die Bundesregierung, wie es sich aktuell abzeichnet, auf die nun absehbaren Zielverfehlungen statt mit einem radikalen Kurswechsel mit weiteren planwirtschaftlichen Einzelmaßnahmen reagieren, wird die Energiewende zwangsläufig immer noch teurer werden. Anstelle einzelner ad-hoc-Korrekturen sollte in den kommenden Jahren ein einheitlicher CO_2-Preis im Mittelpunkt stehen.

Diesen gilt es zumindest auf europäischer Ebene zu etablieren, vorzugsweise durch ein Bekenntnis zum Europäischen Emissionshandelssystem (EU-ETS) als Leitinstrument und durch dessen Erweiterung auf den Verkehrssektor, Privathaushalte und bisher ausgenommene Industrien. Nationale Förderinstrumente würden dadurch weitgehend überflüssig. Damit ließe sich auch die Verengung der deutschen Energiewendepolitik auf den Stromsektor überwinden. Der Anteil der Stromerzeugung aus erneuerbaren Energien ist zwar mittlerweile auf rund ein Drittel angestiegen, das Ziel von 35 % für das Jahr 2020 wird voraussichtlich übererfüllt. Doch trotz aller Reformen des EEG fehlt nach wie vor der entscheidende Schritt zur Eindämmung der Kosten: die Umstellung auf ein technologieneutral ausgestaltetes Förderregime.

Dieser Beitrag beleuchtet diese Aspekte auf Basis der jahrelangen Begleitung der Energiewende aus ökonomischer Sicht und wirft einen kritischen Blick auf den Handlungsbedarf in der aktuellen Legislaturperiode.[3]

[2] Statt des eigentlich angemessenen Begriffs der „De-Fossilisierung“ des Energiesystems hat sich inzwischen der Begriff der „Dekarbonisierung“ eingebürgert.

[3] Der vorliegende Beitrag zehrt insbesondere von *Sachverständigenrat zur Begutachtung der gesamtwirtschaftlichen Entwicklung*, Jahresgutachten 2016/2017, Kapitel 11: Energiewende: Umsteuern zu einer globalen Klimapolitik, Wiesbaden 2016; nimmt aber auch vielfältig Bezug auf *Sachverständigenrat zur Begutachtung der gesamtwirtschaftlichen Entwicklung*, Jahresgutachten 2011/2012, Kapitel 6: Energiepolitik: Erfolgreiche Energiewende nur im europäischen Kontext, Wiesbaden 2011; *Sachverständigenrat zur Begutachtung*

Abschnitt 2 diskutiert die übergreifende klimapolitische Aufgabe und die entscheidende Frage der internationalen Lastenteilung. Die deutsche Energiewende steht im Blickpunkt von Abschnitt 3. Es zeigt sich, dass der aktuelle Entwicklungsstand ein Umsteuern in Richtung volkswirtschaftlicher Effizienz dringend erforderlich macht. Abschnitt 4 zeigt anhand des Strommarkts, wie technische und ökonomische Perspektiven vereint werden müssten, um das gesteckte Ziel zu erreichen. Abschnitt 5 bietet einen abschließenden Ausblick auf die jetzt anstehenden energie- und klimapolitischen Weichenstellungen.

II. Die klimapolitische Aufgabe

Die Tragfähigkeit des Planeten wird seit Jahren kontrovers und mit wachsender Sorge diskutiert. So beziffern unter anderem die im Jahr 2009 von einem interdisziplinären Team von Wissenschaftlern (Rockström et al., 2009) entwickelten „planetaren Leitplanken“ quantitative Belastungsgrenzen für zehn Dimensionen, u.a. Biodiversität, Land- und Bodendegradation und anthropogene Schadstoffe, deren Überschreitung zu irreversiblen und plötzlichen Umweltveränderungen führen könnte. Eine dieser Dimensionen betrifft die CO_2-Konzentration in der Atmosphäre und den damit einhergehenden Klimawandel. Hier ist die ausgewiesene Grenze bereits überschritten. Vor diesem Hintergrund einigten sich im Dezember 2015 fast 200 Staaten beim Klimagipfel von Paris auf ein gemeinsames Abkommen zum Klimaschutz.

Das zentrale klimapolitische Dilemma: die Lastenteilung

Das ehrgeizige Ziel des Pariser Abkommens ist es, bis zum Ende dieses Jahrhunderts die Netto-Treibhausgasemissionen auf Null zu reduzieren und auf diese Weise die Erderwärmung auf deutlich unter zwei Grad Celsius zu begrenzen. Diese angestrebte Emissionsneutralität wäre erreicht, würden nur noch so viele Treibhausgase emittiert, wie durch natürliche oder künstliche Senken, also bspw. Wälder und Ozeane bzw. chemische Verfahren, wieder aus der Atmosphäre herausgenommen werden. Die gemeinsame Zielsetzung von Paris fußt auf der Einsicht, dass es nicht ausreichen wird, wenn die einzelnen Volkswirtschaften sich auf die aus dem Klimawandel aller Voraussicht

der gesamtwirtschaftlichen Entwicklung, Jahresgutachten 2012/2013, Kapitel 10: Energiepolitik: Bei der Energiewende mehr Marktwirtschaft wagen, Wiesbaden 2012; *Sachverständigenrat zur Begutachtung der gesamtwirtschaftlichen Entwicklung*, Jahresgutachten 2013/2014, Kapitel 11: Energiepolitik, Warten auf die dringend notwendigen Weichenstellungen, Wiesbaden 2013.

nach erwachsenden Schäden und Beeinträchtigungen durch Gegenmaßnahmen und Anpassungen einstellen.

Vielmehr soll daher versucht werden, den Klimawandel durch eine drastische Reduktion der global anfallenden Emissionen an Treibhausgasen aufzuhalten.[4] Durch die Kombination dieser Strategien, der Anpassung und der Abwendung, werden erhebliche volkswirtschaftliche Ressourcen in Anspruch genommen, sodass ein klassisches ökonomisches Abwägungsproblem entsteht, bei dem idealerweise die Grenzerträge und Grenzkosten einzelner Maßnahmen sorgfältig gegeneinander abgewogen werden sollten. Allerdings stimmen die Nutzer und Kostenträger lediglich bei Maßnahmen zur Anpassung miteinander überein. Die Ausgestaltung und Intensität dieser Anstrengungen kann demnach weitgehend privatwirtschaftlichen Entscheidungen oder zumindest dezentral organisierten staatlichen Prozessen überlassen werden.[5]

Bei Maßnahmen, welche der Begrenzung der Erderwärmung dienen sollen, klaffen die Gruppen der Nutzer und Kostenträger jedoch typischerweise auseinander. Dies macht nicht nur staatliche Eingriffe erforderlich, sondern auch deren weit schwieriger zu verwirklichende weltweite Koordination. Das Pariser Abkommen geht diese Koordinationsaufgabe in einem „bottom-up"-Ansatz an, nicht im Sinne eines „top-down" durch die Aufteilung übergreifender Zielwerte. Es gründet auf nationalen Klimaplänen, die ab dem Jahr 2023 durch unabhängige Experten alle fünf Jahre überprüft werden sollen. So ist es zwar gelungen für das Abkommen viele Staaten an Bord zu holen, doch umso stärker ergeben sich komplexe Probleme der strategischen Interaktion durch mögliches Trittbrettfahrer-Verhalten.

Beim Einsatz volkswirtschaftlicher Ressourcen ist stets die Frage zu stellen, welche Opportunitätskosten daraus erwachsen, denn die eingesetzten Mittel stehen für andere Zwecke nicht mehr zur Verfügung. Daher ist es erstrebenswert die globale Energiewende volkswirtschaftlich so effizient wie möglich zu realisieren. Dies kann nicht gelingen, indem man nationale Klimaziele in internationalen Abkommen festhält und diese Ziele dann mit nicht weiter international abgestimmten Maßnahmen umzusetzen versucht. Sinnvoller wäre es stattdessen, die Verhandlungen über die volkswirtschaftliche Lastenteilung von der Frage zu trennen, an welchem Ort und in welchem Sektor die

[4] Die politische wie gesellschaftliche Diskussion zur Energiewende wird häufig durch eine Vermischung von Zielen und Instrumenten erschwert. Es geht – so die durchgehend vertretene These dieses Beitrags – mit absoluter Priorität um das übergreifende Ziel der Rückführung von Treibhausgasemissionen aus der Nutzung fossiler Energieträger bei der Energieversorgung. Die Steigerung des Anteils von erneuerbaren Ressourcen bei der Versorgung und der effiziente Umgang mit Energie sind zwar Instrumente auf dem Weg dahin, stellen aber keine eigenständigen Ziele dar. Sie als solche zu behandeln, wirft erhebliche Probleme und Kosten auf (Bradshaw et al., 2015).

[5] Siehe stellvertretend Wissenschaftlicher Beirat beim BMF (2010).

Emissionen wie stark zurückgeführt werden. Es gibt überzeugende Lösungskonzepte um diese Trennung auch tatsächlich zu verwirklichen.

So könnte die Einigung auf die Einführung eines globalen CO_2-Preises, verwirklicht durch die Ausweitung des Emissionshandels oder alternativ durch eine globale Steuer auf Emissionen (eine „CO_2-Steuer"), dazu beitragen, den Ausstoß an Treibhausgasen genau dort zu senken, wo dadurch die geringsten volkswirtschaftlichen Kosten entstehen. Denn der einheitliche Preis würde der Vermeidung der Emission von Treibhausgasen unabhängig von deren Entstehungsort den gleichen Wert zuweisen. Die auf diese Weise eingesparten volkswirtschaftlichen Ressourcen stünden dann für andere Verwendungszwecke zur Verfügung. Internationale Verhandlungen könnten sich dann statt auf nationale Klimaziele auf die Lastenteilung, also die Vereinbarung der nationalen Anteile an den Gesamtkosten konzentrieren.

Die Wirkungsweise marktorientierter klimapolitischer Instrumente

Eine Möglichkeit, die Emission von Treibhausgasen zu begrenzen, sind direkte umweltbezogene Verhaltensvorschriften für deren Emittenten, bspw. im Hinblick auf die CO_2-Emissionen von Kraftwagen. Derartige Auflagen vernachlässigen konstruktionsbedingt unterschiedliche Zahlungsbereitschaften und Kosten dieser Emittenten und können aufgrund dieser unvollständigen Information kein kosteneffizientes klimapolitisches Instrument sein. Dieses Defizit überwinden marktorientierte Instrumente wie der Handel mit Emissionsrechten oder eine CO_2-Steuer, indem sie die Lösung des Informationsproblems an einen dezentralen Mechanismus delegieren, der sich eines einheitlichen Preissignals bedient. Aus der Sicht der Klimapolitik liegt der Unterschied bei diesen Instrumenten vor allem beim jeweiligen Ansatzpunkt.

Ein Zertifikatehandel beruht auf eigens definierten Eigentumsrechten, die mit der Ausgabe von handelbaren Emissionsrechten als Ausdruck eines politischen Willensakts geschaffen werden. Würden diese Eigentumsrechte nicht ausdrücklich definiert, so würde die Atmosphäre allen Akteuren unbegrenzt zur Lagerung von CO_2 zur Verfügung stehen. Da dann niemand gezwungen wäre, die Begrenztheit der CO_2-Senken zu berücksichtigen, würden diese übernutzt. Der Handel mit diesen Emissionsrechten lässt es nun zu, dass Treibhausgase zu den geringstmöglichen Kosten reduziert werden. Ein hoher Marktpreis für Zertifikate schafft Anreize, in Vermeidungstechnologien und technologischen Fortschritt zu investieren. Er wird tendenziell umso höher ausfallen, je knapper die Eigentumsrechte in Summe bemessen sind.

Beim Zertifikatehandel wird die Emissionsmenge direkt begrenzt, während der Zertifikatspreis sich als eine Ergebnisgröße einstellt. Die angestrebte Senkung der Treibhausgasemissionen wird unabhängig von der Entwicklung der Zertifikatspreise erreicht. Im Gegensatz zu diesem indirekten Weg zu einem CO_2-Preis, ordnet eine CO_2-Steuer der Emission von Treibhausgasen einen einheitlichen Preis direkt zu, sodass die Menge der Emissionen eine nicht direkt zu steuernde Ergebnisgröße darstellt. Dabei werden in der Praxis jedoch nicht die CO_2-Emissionen selbst erfasst und besteuert, sondern vielmehr werden andere Bemessungsgrundlagen genutzt, bspw. der Verbrauch an Energieträgern. Die Erhebung einer CO_2-Steuer und die mögliche Versteigerung von Emissionszertifikaten führen zu öffentlichen Einnahmen.

Die Wirkung dieser marktorientierten Instrumente der Klimapolitik auf die Entwicklung der globalen Treibhausgasemissionen steht und fällt allerdings mit ihrem Abdeckungsgrad. Bleibt es bei ihrer regionalen Anwendung, wie beim Emissionshandel in der Europäischen Union (EU-ETS), so entstehen zum einen erhebliche Anreize, dem CO_2-Preis auszuweichen. Emissionsintensive Produktionsprozesse lassen sich außerhalb des Geltungsbereichs des Instruments organisieren und emissionsintensive Konsummuster lassen sich in dessen Geltungsbereich auf dem Wege des internationalen Güterverkehrs fortführen. Zum anderen haben die Eigentümer der fossilen Ressourcen einen Anreiz, ihre Reserven rasch auszubeuten, bevor eine wirksame Klimapolitik das Geschehen noch stärker beeinflusst.[6]

Darüber hinaus besteht eine enge Wechselwirkung zwischen dem Einsatz marktorientierter Instrumente und der intensiven Förderung bestimmter Technologien. So hat insbesondere die Förderung erneuerbarer Energien bei der Stromerzeugung, in Deutschland durch das EEG, die privaten Entscheidungen über mögliche Vermeidungsanstrengungen verzerrt, da es Technologien fördert, die nicht mit den geringsten Grenzvermeidungskosten einhergehen.[7] Zudem nimmt diese Förderung direkten Einfluss auf den im Zertifikatehandel entstehenden CO_2-Preis, da der vom EEG geförderte Strom den Einsatz fossiler Energieträger vermindert. Statt einer Strategie des „viel hilft viel" zu folgen, wäre es weitsichtiger, wenn die Klimapolitik diese Wechselwirkungen berücksichtigte.[8]

Insgesamt sind die bisherigen Erfahrungen mit dem Instrument des Emissionshandels ermutigend. Das EU-ETS erfasst Energie- und Industrieanla-

[6] Den Einblick in dieses „grüne Paradoxon" verdanken wir vor allem *Sinn*, Das grüne Paradoxon: Warum man das Angebot bei der Klimapolitik nicht vergessen darf, 2008, S. 109–142.

[7] Die Widersprüche zwischen dem EU-ETS und dem EEG haben u.a. der Wissenschaftliche Beirat beim *BMWA*, 2004, *Expertenkommission Forschung und Innovation (EFI)*, Gutachten zu Forschung, Innovation und technologischer Leistungsfähigkeit Deutschlands, 2013 und *Frondel/Schmidt*, Photovoltaik: Wo viel Licht ist, ist auch viel Schatten, 2007 herausgearbeitet. In der öffentlichen und politischen Diskussion wird eine kritische Aufarbeitung dieser Widersprüche jedoch typischerweise unter Verweis auf die im Zeitablauf erreichte Reduktion bei den Stromgestehungskosten auf Basis erneuerbarer Energien verweigert. Den Nachweis über die ursächliche technologiepolitische Wirkung des EEG müsste man aber erst noch führen.

[8] So könnte die Bundesregierung bspw. die entsprechende Menge an Emissionszertifikaten aufkaufen und aus dem Markt nehmen, um den Widerspruch aufzulösen.

gen, die zusammen etwas weniger als der Hälfte der gesamten Treibhausgasemissionen in der EU verursachen: größere Anlagen zur Stromerzeugung und Unternehmen der Zement- und Kalkindustrie, der chemischen Industrie und der Metallherstellung sowie der Flugverkehr. Die erfassten Unternehmen müssen für jede Tonne emittiertes Treibhausgas ein handelbares und in die Folgejahre übertragbares Zertifikat erwerben. Jedes Jahr wird eine vorab festgelegte Anzahl an neuen Zertifikaten ausgegeben. Diese Anzahl wird systematisch von Jahr zu Jahr abgesenkt, bis zum Jahr 2020 um 1,74 % pro Jahr, danach jährlich sogar um jeweils 2,1 %.

Empfindliche Strafen sorgen in der Praxis dafür, dass die durch die ausgegebenen Zertifikate gesetzte Obergrenze der Emissionen nicht überschritten wird. Der sich beim Emissionshandel herausbildende Preis erhöht die Energiekosten. Das gibt den Akteuren des Energiesystems den Anreiz, ihre Produktionsprozesse und Verhaltensweisen anzupassen. Tendenziell werden dabei immer dort die größten Anpassungen zu beobachten sein, wo die Kosten der Anpassung am geringsten sind, die kostengünstigsten Vermeidungsoptionen würden demnach zuerst umgesetzt. Die Anreize ließen sich bei der Versteigerung von Zertifikaten durch eine Festlegung eines Mindestpreises für CO_2 oder die nachträgliche Verschärfung des vorgegebenen Pfads des Emissionsrückgangs erhöhen.[9]

Zwischenfazit: Klimaschutz ist nicht umsonst zu haben

Wer eine (globale) Energiewende will, muss sich der Realität stellen. Angesichts der hohen Verfügbarkeit fossiler Energieträger werden sich Volkswirtschaften nicht automatisch von einem fossilen System auf ein de-fossilisiertes System umstellen. Es wird vielmehr starker Anstöße durch die Energie- und Klimapolitik bedürfen. Es ist dabei anzuraten, durch möglichst arbeitsteiliges Vorgehen, soweit dies international organisiert werden kann, die Kosten der Transformation zu begrenzen. Die geeigneten Instrumente, um angesichts der Komplexität des Systems und der Fülle der einzubeziehenden Akteure ein solches Vorgehen zu realisieren, sind die oben skizzierten marktorientierten Koordinationsmechanismen, die allesamt auf der Grundidee eines einheitlichen Preissignals für Treibhausgasemissionen beruhen.

Es ist aber selbst bei sehr effizienter Organisation des Transformationsprozesses unausweichlich, dass dieser Umstieg erhebliche Kosten aufwerfen wird. Schließlich bewirken diese marktorientierten Mechanismen genau dadurch erst die Umstellung des Energiesystems, dass sie die Nutzung fos-

[9] Mögliche Vorgehensweisen werden u.a. in *acatech et al.*, Die Energiewende europäisch integrieren: Neue Gestaltungsmöglichkeiten für die gemeinsame Energie- und Klimapolitik, 2015 und *Andor/Frondel/Guseva/Sommer*, Zahlungsbereitschaft für grünen Strom: Zunehmende Kluft zwischen Wunsch und Wirklichkeit, ZfE 2016, 199 diskutiert.

siler Energieträger verteuern. Der Umstieg in ein de-fossilisiertes System erfordert aber Investitionen, die dafür eingesetzten Mittel stehen nicht mehr für andere Zwecke zur Verfügung. Würde der Endlichkeit der CO_2-Senken hingegen weiterhin keine Beachtung geschenkt, dann wären die Systemkosten der Energieversorgung – fürs erste – geringer.[10] Politisch mag die transparente Belastung durch CO_2-Preise unangenehm sein, da sie offenbart, dass Klimaschutz nennenswerte volkswirtschaftliche Kosten mit sich bringt.

Mit Blick auf das erfolgreiche politische Werben für eine Transformation des Energiesystems mag es daher attraktiver erscheinen, die Kosten des Umstiegs nicht so deutlich zu Tage treten zu lassen. Dies dürfte erklären, warum die öffentliche und politische Diskussion zur Energiewende häufig so stark von Wunschvorstellungen geprägt wird. Klar ist: Wenn es sich bei der Energiewende nicht um eine große Investition, sondern bereits heute um einen Wertschöpfungsmotor handelte, würden keine starken Anstöße mehr gebraucht. Doch so ist es nicht. Ebenfalls dürfte sich daraus die häufig zu spürende Abneigung gegen marktorientierte klimapolitische Instrumente erklären. Setzt man auf eine Vielzahl planwirtschaftlicher Eingriffe, so geraten die Kosten des Klimaschutzes aus dem Blick der Öffentlichkeit.

Doch nicht nur ist es für die Politik ethisch schwer zu vertreten, den Bürgern bei der Umsetzung eines wichtigen gesamtgesellschaftlichen Projekts eine hohe Transparenz über die Kosten zu verweigern. Sondern der Verzicht auf marktorientierte Koordinationsmechanismen führt in der Konsequenz auch zu weit höheren Belastungen für alle Beteiligten. Der Verzicht auf arbeitsteiliges Vorgehen ist nicht umsonst zu haben. Dies gilt nicht zuletzt auf der globalen Ebene. So werden bei national unkoordiniertem Vorgehen in besonderem Maße die Bürger derjenigen Industriestaaten belastet, die sich zu besonders hohen Minderungszielen verpflichten, da für sie die Grenzkosten der Vermeidung, also die Kosten der letzten vermiedenen Tonne CO_2, aufgrund der bisher schon geleisteten Anstrengungen besonders hoch sind.

Aber lässt sich die Frage der Effizienz – wie und wo kann die nächste Tonne an Treibhausgasemissionen am günstigsten eingespart werden – wirksam von der Frage der Verteilung der dabei entstehenden finanziellen Lasten trennen? Denn nur dann könnte man sich einer aus globaler Sicht volkswirtschaftlich effizienten Lösung annähern. In der Tat besteht Hoffnung, denn die Entscheidung für globale marktorientierte Mechanismen nähme keineswegs die Verteilung der aus den Anstrengungen zur Emissionsvermeidung entstehenden Lasten vorweg. Insbesondere könnten sich die reicheren Volkswirtschaften dazu verpflichten, einen disproportional hohen Anteil dieser Kosten zu

[10] So geht eine aktuelle Studie (*acatech et al.*, Sektorkopplung – Optionen für die nächste Phase der Energiewende, Schriftenreihe zur wissenschaftsbasierten Politikberatung, 2017) von Kosten des Umstiegs – im Kontrast zur Fortführung des weitgehend fossilen Systems – von zwei bis drei Billionen Euro bis zum Jahr 2050 aus.

tragen – und damit insgesamt ihren Bürgern dennoch vermutlich deutlich niedrige Lasten aufbürden als ohne diese globale Abrede.

Würde bspw. ein globaler Emissionshandel verwirklicht, so könnten die reichen Volkswirtschaften dadurch mehr von den Kosten der globalen Energiewende übernehmen, dass sie vergleichsweise geringe Anteile an der Anfangsausstattung mit Treibhausgaszertifikaten akzeptierten. Die globale Verhandlung zur Lastenteilung würde dadurch von der Frage getrennt, wo und wie Emissionen vermieden werden. Würde hingegen eine globale CO_2-Steuer verwirklicht, dann ginge es bei dieser Verhandlung um die Beteiligung an deren Einnahmen. Die größte klimapolitische Aufgabe der kommenden Jahre ist es daher, auf Basis dieser Idee der Trennung von Effizienz und Verteilung darauf hinzuwirken, alle Länder dazu zu bewegen, durch einen geeigneten Mechanismus einen global einheitlichen CO_2-Preis zu etablieren.

Um diesem Anspruch zu genügen, müsste die deutsche Energie- und Klimapolitik sich (i) ausdrücklich dazu bekennen, dass der globale Klimaschutz – und nicht etwa die nationale Industriepolitik – im Kontext der Energiewende ihr prioritäres Ziel darstellt. Sie müsste (ii) ausdrücklich nach einer politischen Umsetzung der Energiewende streben, welche die internationale Arbeitsteilung als Instrument zur Eindämmung der globalen Gesamtkosten volkswirtschaftlich effizient nutzt und, damit eng verbunden, (iii) offen dazu bereit sein, durch eine Diskussion über die globale Lastenteilung die Kosten des Klimaschutzes im politischen Diskurs transparent zu machen. Stattdessen wurde die deutsche Energiewende bislang als nationales Projekt verstanden und dadurch klima- und industriepolitische Ziele vermischt.[11]

III. Eine kritische Zwischenbilanz der Energiewende

Vor dem Hintergrund dieser klimapolitischen Diskussion lohnt sich daher eine kritische Zwischenbilanz der deutschen Energiewende. Sie definiert sich durch die Festlegung einer Vielzahl klimapolitischer Ziele im „Energiekonzept 2010“ der Bundesregierung und deren fortschreitender Überarbeitung. Die Gesamtheit dieser Ziele erfordert bis zur Jahrhundertmitte eine weitgehende De-Fossilisierung des Systems der Energieversorgung. Nach dem Atomunfall im japanischen Fukushima im Jahr 2011 wurde diese Umstellung noch weiter beschleunigt, indem der Ausstieg aus der Stromerzeugung durch

[11] Die mit der Umsetzung als Projekt nationaler Industriepolitik verbundene planwirtschaftliche – und damit volkswirtschaftlich ineffiziente – Ausgestaltung der deutschen Energiewende wird seit Jahren in der ökonomischen Literatur stark kritisiert: Siehe bspw. *Sachverständigenrat zur Begutachtung der gesamtwirtschaftlichen Entwicklung*, Jahresgutachten 2009/2010, Kapitel 6: Industriepolitik: Marktprozesse wirken lassen und Innovationen ermöglichen, 2009 oder *acatech*, Die Energiewende finanzierbarer gestalten: Effiziente Ordnungspolitik für das Energiesystem der Zukunft, 2012.

Kernenergie erneut vorgezogen wurde. Schließlich wurde in der vergangenen Legislaturperiode ein radikales Maßnahmenpaket zum Umbau der deutschen (Industrie-)Gesellschaft diskutiert, der Klimaschutzplan 2050.

Ziele des Energiekonzepts 2010: langfristig miteinander kompatibel

Im September 2010 beschloss die damals amtierende Bundesregierung aus CDU/CSU und FDP das „Energiekonzept 2010". Es besteht aus einer Reihe von klimapolitischen Zielvorgaben und Ausbauzielen für die erneuerbaren Energien. Ein Kernbestandteil dieses Konzepts war ursprünglich die Verlängerung der Laufzeiten der Atomkraftwerke, um die Kernenergie als Brückentechnologie zu nutzen. Jedoch änderte sich die Situation im Frühjahr 2011 infolge des Reaktorunglücks in Fukushima abrupt. Die Bundesregierung beschloss unter dem Eindruck dieses Ereignisses, die Verlängerung der Nutzung der Kernkraftwerke aus dem Jahr 2010 wieder rückgängig zu machen und den im Jahr 2002 bereits beschlossenen Atomausstieg sogar zu beschleunigen, aber dabei die Zielvorgaben des Energiekonzepts beizubehalten.

Das Energiekonzept unterscheidet zwischen mehreren Zielebenen.[12] Auf der obersten Ebene stehen die (i) politischen Ziele. Sie umfassen die Klimaziele, einschließlich der Senkung der Treibhausgasemissionen, den Ausstieg aus der Nutzung der Kernenergie zur Stromerzeugung sowie die Sicherstellung von Wettbewerbsfähigkeit und Versorgungssicherheit. Auf der zweiten Zielebene des Energiekonzepts stehen die (ii) Kernziele, welche die zentralen Strategien definieren sollen, um die Energiewende voranzubringen. Insbesondere handelt es dabei sich um den Ausbau der erneuerbaren Energien und die Senkung des Primärenergieverbrauchs. Beide Ziele dienen wiederum dem übergeordneten Ziel der Senkung der Treibhausgasemissionen. Mögliche Zielkonflikte werden nicht problematisiert.

Auf der dritten und letzten Stufe stehen schließlich die (iii) Steuerungsziele. Ein Großteil dieser Steuerungsziele entfällt auf den Stromsektor. Die mit ihnen verbundenen Maßnahmen sollen dazu beitragen, dass die übergeordneten Ziele zuverlässig und kostengünstig erreicht werden. So soll bspw. mit einer technologiespezifischen Förderung im Rahmen des EEG der Anteil der erneuerbaren Energien am Bruttostromverbrauch bis zum Jahr 2020 auf 35 % angehoben werden, ein Ziel, das bereits im Jahr 2017 erreicht wurde. Neben den Steuerungszielen für den Stromsektor enthält der Zielkatalog weitere konkrete Zielvorgaben für die Bereiche Verkehr und Wärme. So soll

[12] Diese Beschreibung folgt *Bundesministerium für Wirtschaft und Energie,* Ein gutes Stück Arbeit: Die Energie der Zukunft – Vierter Monitoring-Bericht zur Energiewende, 2015.

bspw. im Verkehrssektor der Endenergieverbrauch im Jahr 2020 um 10 % niedriger ausfallen als im Jahr 2008.

Doch folgt die Zielsetzung einem Prinzip des „viel hilft viel“, dann wird es naturgemäß sehr schwer, einen optimalen Transformationspfad zu finden. So stehen im Endzustand des transformierten deutschen Energiesystems, wenn der Umbau tatsächlich gelingen sollte, alle Ziele – eine emissionsarme Wirtschaft, die Energie effizient einsetzt und durch einen hohen Anteil von erneuerbaren Energietechnologien geprägt ist – grundsätzlich miteinander im Einklang. Das eigentliche Problem liegt allerdings in der Gestaltung der Transformation des Systems. Leider hat die Politik bislang die möglichen Zielkonflikte entlang dieses Wegs ausgeblendet.[13] Diese Konflikte negierend hat sich die Umsetzung weitestgehend in der massiven Förderung der erneuerbaren Energien bei der Stromerzeugung erschöpft.

Der Praxistest: Großteil der Ziele nicht erreicht

Trotz erheblicher Fortschritte zeichnet sich heute schon ab, dass ein Großteil der vom „Energiekonzept 2010“ vorgegebenen Ziele für das Jahr 2020 nicht zu erreichen sein wird. Dies trifft insbesondere auf das Hauptziel zu, die Verringerung der Treibhausgasemissionen um 40 % im Vergleich zum Bezugsjahr 1990. Bei Licht besehen waren die Fortschritte der frühen Jahre vor allem ein Nebeneffekt einer ganz anderen Entwicklung, nämlich der Integration der ostdeutschen Volkswirtschaft. Bis zur Jahrhundertwende führte dieser wirtschaftliche Umbruch zu einem massiven Umstieg von Kohle auf emissionsärmere Energieträger. Zudem wurden viele alte Anlagen stillgelegt. Danach brachte nur die tiefe Rezession des Jahres 2009, die allerdings bald überwunden wurde, die Emissionen in die Nähe des Zielpfads.

Der größte Teil der Treibhausgasemissionen im Jahr 2015 wurde mit etwa 38 % vom Energiesektor verursacht, an zweiter Stelle folgt mit 18 % der Verkehrssektor. Der Beitrag des Energiesektors zum insgesamt zu verzeichnenden Rückgang der Treibhausgase seit dem Jahr 1990 um rund 27 % betrug in etwa 7 Prozentpunkte. Trotz großer Steuerbelastungen und Abgasvorschriften für Autohersteller konnte hingegen im Verkehrssektor seit dem Jahr 1990 kein Rückgang verzeichnet werden. Spürbare Emissionsminderungen lieferten dagegen das Verarbeitende Gewerbe sowie die Sektoren Haushalte und Gewerbe, Handel und Dienstleistungen. Das Verarbeitende Gewerbe und die beiden übrigen Sektoren sind jeweils noch für rund 14 % der Emissionen verantwortlich.

[13] Dies wird in *Bradshaw/Erdmann/Münch/Pittel/Rehtanz/Sedlbauer/Umbach/Wagner*, Priorisierung der Ziele – Zur Lösung des Konflikts zwischen Zielen und Maßnahmen der Energiewende in Schriftenreihe Energiesysteme der Zukunft, 2015, ausführlich diskutiert.

Das Energiekonzept setzt zudem für den Verbrauch von Primärenergie das ambitionierte Kernziel, diesen bis zum Jahr 2020 um 20 % im Vergleich zum Bezugsjahr 2008 zu senken. Dabei werden neben dem Endenergieverbrauch die Verluste bei der Energieumwandlung und der nichtenergetische Verbrauch von Primärenergieträgern berücksichtigt. Das angestrebte Ziel liegt allerdings in weiter Ferne. So betrug der Rückgang im Jahr 2014 nur etwas weniger als 9 %. Den größten Primärenergieverbrauch wies in diesem Jahr der zusammengefasste Sektor Haushalte, Gewerbe, Handel und Dienstleistungen mit 27 % auf. Danach folgen der Stromsektor mit 24 %, der die nennenswertesten Einsparungen verzeichnete, der Verkehrssektor mit 20 % und das Verarbeitende Gewerbe mit 19 %.

Das zweite Kernziel des Energiekonzepts, die Erhöhung des Anteils der erneuerbaren Energien am Bruttoenergieverbrauch auf 18 % im Jahr 2020, dürfte zwar im Strom- sowie im Wärmesektor erreicht werden. Jedoch war der Anteil der erneuerbaren Energien im Verkehrsbereich in den vergangenen Jahren rückläufig. Dies zeigt sich insbesondere beim Anteil an Biokraftstoffen am Kraftstoffverbrauch. Das untergeordnete Ziel der Erhöhung des Anteils der Stromerzeugung aus erneuerbaren Energien am Bruttostromverbrauch wird hingegen übererfüllt, zum Preis eines starken Anstiegs der Stromkosten. Dies ist besonders bedauerlich, geben die hohen Strompreise doch bestenfalls äußerst geringe Anreize, in den Bereichen Verkehr und Wärme fossile Energieträger durch Strom zu ersetzen.[14]

Zwischenfazit: Klimapolitische Einordnung der deutschen Energiewende

Wenngleich die konkreten Zielvorgaben des Energiekonzepts lediglich als eine langfristige Orientierung für die Wirtschaft dienen sollten, ist ein solch komplexer Zielkatalog mit der Gefahr verbunden, dass sich die Politik zu einem planwirtschaftlichen Vorgehen verleiten lässt. Es verwundert daher nicht, dass die Umsetzung der deutschen Energiewende deutliche Züge einer Planwirtschaft aufweist. Es wird in politischer Feinsteuerung versucht, mit vornehmlich technologiespezifischen Maßnahmen eine Vielzahl an Einzelzielen zu erreichen, so als ob sich das Verhalten der Marktakteure sehr genau planen ließe. Man kann also sowohl für die Verringerung des Treibhausgasausstoßes, als auch den Ausstieg aus der Kernenergie einstehen und kommt dennoch nicht umhin, die Umsetzung der Energiewende zu bemängeln.

Wer einmal die aus dem Prinzip der Arbeitsteilung erwachsenden Effizienzpotenziale erkannt hat, dem kann sich vor allem der Sinn der auf der dritten Ebene angesiedelten Steuerungsziele nicht erschließen. Denn sie befrach-

[14] Dieses künstlich geschaffene Hemmnis für eine für die Energiewende an sich unabdingbare Verzahnung der Sektoren Strom, Wärme und Mobilität diskutiert *acatech et al.* (o. Fn. 10) ausführlich.

ten die Energiewende mit zusätzlichen Nebenbedingungen und verteuern sie unnötig, ohne damit dem übergreifenden Ziel der Emissionsreduktion zu dienen. Das birgt nachteilige Konsequenzen: Zum einen dürften die Vielzahl an Maßnahmen und der mit ihnen einhergehende starke Kostenanstieg der gesellschaftlichen Akzeptanz dieses Projekts schaden.[15] Zum anderen dürften sich die Maßnahmen negativ auf die Investitionstätigkeit energieintensiver Unternehmen ausgewirkt haben, nicht zuletzt aufgrund der mit der Zielvielfalt und ihrer Feinsteuerung verbundenen unternehmerischen Unsicherheit.[16]

Mindestens genauso schwer wiegen die allfälligen Erkenntnisprobleme auf Seiten der staatlichen Akteure. Denn die Vielzahl an Instrumenten zur Erreichung der Steuerungsziele in ihrem Zusammenspiel beherrschen zu wollen, setzt ein enormes Wissen voraus. Die Politik müsste nicht nur zu jedem Zeitpunkt wissen, in welchen Sektoren nach dem aktuellen Stand der Technik die geringsten Kosten zur Treibhausgasvermeidung anfallen. Sie müsste zudem für unterschiedliche Politikpfade langfristige Entwicklungen prognostizieren und dabei die Ausweichreaktionen der privaten Akteure auf mögliche Maßnahmen berücksichtigen. Doch es ist nun einmal der Fluch des praktischen politischen Handelns, dass Haushalte wie Unternehmen nur selten einen Anreiz dazu haben, ihre privaten Informationen zu offenbaren.

Es ist daher dringend anzuraten, die Umsetzung der Energiewende auf ganz neue Füße zu stellen. Dabei gilt es, den privaten Akteuren die Freiheit zu lassen, ihre jeweiligen Informationsvorsprünge zu nutzen sowie ihre Vorstellungen und Wünsche zu verwirklichen, und gleichzeitig einen Rahmen zu schaffen, der diese vielfältigen Einzelentscheidungen in die richtige Richtung lenkt – die De-Fossilisierung des Energiesystems. Der Vorteil sowohl eines Emissionshandels wie des EU-ETS als auch einer CO_2-Steuer besteht darin, dass mit diesen Instrumenten die übergreifenden Ziele ohne staatliches Wissen und Subventionen erreicht werden können. Vielmehr überlässt der Staat den Haushalten und Unternehmen die Entscheidung, in welchen Bereichen sie Energie oder Treibhausgase einsparen wollen.

Welchen konkreten Beitrag zur De-Fossilisierung des Energiesystems bestimmte Sektoren letztendlich leisten werden und welche Technologien dabei zum Zug kommen werden, wird dann vor allem von der technischen

[15] Dieses Ergebnis legt bspw. die empirische Studie von *Andor/Frondel/Guseva* (o. Fn. 9) nahe.

[16] Der Einfluss der Energiekosten auf die deutsche Wirtschaft wird in Öffentlichkeit, Politik und Wissenschaft kontrovers diskutiert, etwa in *Aichele/Felbermayr,* Kyoto and carbon leakage: an empirical analysis of the carbpn content of bilateral trade, Review of Economics an Staics 2015, S. 104–115 oder *Sachverständigenrat für Umweltfragen,* Umweltgutachten 2016: Impulse für eine integrative Umweltpolitik (Kurzfassung), 2016.

Entwicklung und den Vorlieben und Bedürfnissen der privaten Akteure bestimmt. Zudem würde ein konsequenter Verzicht auf sektor- und technologiespezifische Maßnahmen der Klimapolitik verhindern, dass deren unmittelbare Wirkung auf den Rückgang der Emissionen durch eine Emissionssteigerung an anderer Stelle des Energiesystems gleich wieder zunichtegemacht wird. Denn die durch das EU-ETS gesetzte übergreifende Obergrenze für Emissionen ist letztlich die verbindliche Größe. Eine bloße Emissionsverlagerung in andere Sektoren ist aber alles andere als ein klimapolitischer Erfolg.

IV. Lehren aus dem Strommarkt

Die Umsetzung der deutschen Energiewende weist bis zum heutigen Tag allerdings allenfalls Spuren einer derart rational formulierten, volkswirtschaftliche Einsichten berücksichtigenden und ganzheitlichen Diskussion der Energiewendepolitik auf. Vielmehr war sie bislang nahezu ausschließlich auf die Förderung von erneuerbaren Energien bei der Stromerzeugung durch das EEG verengt. Isoliert für sich betrachtet war dieses Förderinstrument in der Tat sehr effektiv: Es hat zu einem ungeahnten Ausbau der regenerativen Stromerzeugungskapazitäten geführt. Zugleich war es spektakulär ineffizient: Die mit dieser Förderung verbundenen Kosten sind förmlich explodiert, ohne dass der Stromsektor damit einen großen Beitrag zur Einsparung der Treibhausgasemissionen geleistet hätte.

Kernproblem: Vermischung klima- und industriepolitischer Ziele

Die Betrachtung der Entwicklungen am Strommarkt zeigt deutlich, wie falsch es wäre, die Umsetzung der großen politischen Gestaltungsaufgabe „Energiewende" in eine „Stromwende", eine „Mobilitätswende" und eine „Wärmewende" aufzuteilen und diese jeweils mit getrennten Anstrengungen unter Einsatz kleinteiliger sektor- und technologiespezifischer Maßnahmen zu verfolgen. Der Schwerpunkt des Energiekonzepts der Bundesregierung bezieht sich auf den Strommarkt und hier insbesondere auf den Ausbau der Stromerzeugung aus erneuerbaren Energien. Deren Anteil am Bruttostromverbrauch ist inzwischen auf über 35 % angestiegen; das im Energiekonzept formulierte Ziel von 35 % bis zum Jahr 2020 wird somit übererfüllt werden. Das klingt jedoch besser, als es in Wirklichkeit ist.

Denn mittlerweile treten die Probleme der Überfrachtung der Förderung der Stromerzeugungskapazitäten mit industriepolitischen Zielen deutlich zutage. Die direkte Förderung einzelner erneuerbarer Technologien in Deutschland, insbesondere der Photovoltaik, lässt sich zwar möglicherweise in deren technologischer Frühphase ökonomisch als Förderung des technischen Fortschritts begründen, wenngleich der überzeugende Nachweis nennenswerter Lernkurveneffekte noch zu führen wäre.[17] Sicher ist jedoch: Wenn bereits über ein Drittel der Stromerzeugung durch erneuerbare Energien getragen wird, kann man bei den dabei eingesetzten Technologien wahrlich nicht mehr von einer Frühphase sprechen. Sie müssten sich vielmehr ohne technologiespezifische Förderung dem Wettbewerb stellen können.

Von einer nachhaltig leistungsfähigen deutschen Solarindustrie kann jedoch keine Rede sein. Sie konnte nur durch die starke Subventionierung durch das EEG, die sie vor allem in ihrer Aufbauphase erfahren hatte, überleben. Eine sinnvolle deutsche Industriepolitik hätte die besonderen Eigenschaften der deutschen Volkswirtschaft besser berücksichtigen müssen. Der Aufbau industrieller Kapazität für die Massenfertigung günstiger Industrieprodukte wäre hierzulande nach rationalen Gesichtspunkten niemals in Erwägung gezogen worden. Die deutsche Volkswirtschaft weist als Besonderheit erfolgreiche industrielle Mittelständler auf, die weltweit in spezialisierten Nischen der Hochtechnologie operieren, und ein entsprechend hohes Niveau der Löhne für qualifizierte Facharbeiter. Industriepolitik sollte dazu passen.

Der Integration der steigenden Stromerzeugung auf Basis erneuerbarer Energien wurde zudem eine viel zu geringe Beachtung geschenkt. Die Fortschritte bei der Netz- und Speicherinfrastruktur, die benötigt würden, um diese Integration zu verwirklichen, sind bislang völlig unzureichend. So ist insbesondere der Transport von Windstrom aus Nord- nach Süddeutschland noch nicht gewährleistet. Doch gerade im Süden wird das Stromangebot durch das Abschalten der Atomkraftwerke signifikant abnehmen. Der Ausbau der Netze verzögert sich jedoch aufgrund komplexer Genehmigungsverfahren und des lokalen Widerstands der Bevölkerung. Auf eine Erdverkabelung auszuweichen, ist wiederum sehr kostspielig, verteuert die Netzentgelte zusätzlich und erhöht nicht unbedingt die Akzeptanz des Netzausbaus.

Da Strom bislang noch nicht in großem Umfang gespeichert werden kann, gilt nach wie vor, dass die Stromproduktion zu jedem Zeitpunkt auf eine entsprechende Stromnachfrage treffen muss. Nun ist die Stromerzeugung aus Wind- und Sonnenenergie naturbedingt volatil und fällt daher nur selten mit den Nachfragespitzen zusammen. Dieses Problem nimmt mit der wachsenden Marktdurchdringung der erneuerbaren Energien zu. Die physikalisch notwendige Balance von Stromerzeugung und -verbrauch wird daher immer komplexer. Intelligente Netze, sogenannte „Smart Grids“, dürften zwar einen Teil der Lösung dieses Problems darstellen, doch die Umrüstung von

[17] Kritische Diskussionen der Innovationswirkung der Förderung durch Einspeisevergütungen wie beim EEG führen u.a. *Böhringer/Cuntz/Harhoff/Otoo*, The impacts of feed-on tariffs on innovation: Empirical evidence from Germany, CESifo Working Paper 4680, 2014 und *Wangler*, Renewables and innovation: Did policy induced structural change in the energy sector effect innovation in green technologies?, Journal of Enviromental Planning and Management, 2013, S. 211–237.

Haushalten und Unternehmen auf geeignete Anlagen wird ebenfalls erhebliche Kosten aufwerfen.[18]

Wenn es nicht gelingen wird, die Stromnachfrage flexibler zu gestalten und die Speicherkapazitäten massiv auszubauen, werden in den kommenden Jahren die Phasen der Überschussproduktion an Strom vermehrt auftreten – und zu einer höheren EEG-Umlage führen. Parallel zum Anstieg des Anteils der erneuerbaren Energien an der Bruttostromerzeugung sind die Anteile von Kernenergie und Erdgas deutlich gefallen. Der Anteil von Braun- und Steinkohle blieb jedoch mit zusammen etwas über 40 % ungefähr gleich, vor allem deshalb, weil Kohle derzeit die günstigste Technologie ist. Statt nun den Kohleausstieg planwirtschaftlich zu verordnen, wäre die Bundesregierung gut beraten, zur Bereinigung dieser Schieflage beizutragen, indem sie die Idee eines einheitlichen CO_2-Preises zu ihrer Sache macht.

Kosten des EEG trotz Reformen ungebrochen hoch

Ihren sichtbarsten Ausdruck findet die mangelnde ökonomische Rationalität der bisherigen Energiewendepolitik in den exorbitant gestiegenen Vergütungszahlungen aus dem EEG. Die Stromerzeuger auf Basis erneuerbarer Energien erhalten mittlerweile eine jährliche Gesamtvergütung, die 25 Mrd. Euro deutlich übersteigt. Nach Abzug des Marktwerts des eingespeisten Stroms bleiben Differenzkosten von jährlich weit über 20 Mrd. Euro, welche durch die Stromversorger an die zahlungspflichtigen Verbraucher und Unternehmen in Form der EEG-Umlage weitergegeben werden. Der größte Preistreiber war der sehr starke Ausbau der Photovoltaik, die mit hohen garantierten Vergütungssätzen gefördert wurde.

Die Strompreise für Privathaushalte und die Industrie sind seit dem Jahr 2013 nicht mehr nennenswert angestiegen. Einem weiteren Strompreisanstieg stand der Verfall der Rohstoffpreise ebenso entgegen wie die steigende Menge an erneuerbarem Strom, die auf dem Markt zu geringen Grenzkosten angeboten wird. Zudem konnten die Strompreise für die Verbraucher nicht weiter sinken, da die EEG-Umlage den gesunkenen Börsenpreis für Strom kompensieren musste. In den kommenden Jahren dürften die Strompreise weiter steigen, da die Stromnetzbetreiber die Netzentgelte anheben dürften. Dies spiegelt nicht zuletzt die steigenden Probleme der Netzbetreiber wider, die volatile Stromproduktion der erneuerbaren Energien zu beherrschen, die naturgemäß nicht durchgängig auf eine gleich hohe Nachfrage treffen kann.

Am Fall der Photovoltaik zeigt sich deutlich die konzeptionelle Schwäche technologiespezifisch ausgestalteter Förderinstrumente. Eine faire För-

[18] Der Netzausbau und der Ausbau der Speicherkapazitäten werden in vielen Beiträgen ausführlich als elementare Bestandteile einer gelungenen Energiewende diskutiert, u.a. in *acatech et al.* (o. Fn. 9).

derpolitik, die diesem kleinteiligen Ansatz folgt, muss sich vornehmen, den aktuellen Stand der technologischen Entwicklung zeitnah in Änderungen der garantierten Einspeisevergütung zu übersetzen. Nur dann würden alle Technologien entsprechend dem jeweiligen Stand ihrer Entwicklung durch das Förderinstrument einen vergleichbaren Rückenwind erfahren. In der abstrakten theoretischen Betrachtung mag diese Differenzierung, also das diametrale Gegenmodell zu einem einheitlichen CO_2-Preis, als ein Geniestreich erscheinen. Doch der Anspruch dieser Förderstrategie wird in der praktischen Umsetzung schnell als technokratische Hybris enttarnt.

Angesichts der hohen Dynamik der technologischen Entwicklungen in diesem Bereich muss es sich die Politik kaum vorwerfen lassen, dass sie die unterschiedlichen Vergütungen im Regelwerk nur mit großer Verzögerung und oft unzureichend anpassen konnte. Sie muss sich aber den Vorwurf gefallen lassen, dass sie sich entgegen der Warnungen aus der Ökonomik angemaßt hatte, die allfälligen Informationsprobleme befriedigend lösen zu können. Letztlich sind viele Aspekte des aktuellen technologischen Stands private Information. Wettbewerb zwischen privaten Akteuren ist häufig geeignet, diese Information offenzulegen. Das EEG hat aber den Wettbewerb effektiv ausgeschaltet. Es überrascht daher nicht, dass die Anpassungen des EEG unzureichend waren und dessen Kosten förmlich explodierten.

Diesem Versäumnis sollte im Jahr 2017 die EEG-Novelle abhelfen. So wurden Ausschreibungen und Versteigerungen für die geförderten Mengen von Wind an Land und See sowie Photovoltaik und Biomasse eingeführt. In seinem Kern bleibt das EEG daher ein technologiespezifisches Förderinstrument. Die Ausschreibungsmengen sind im EEG 2017 im Vorhinein festgelegt. Um diesen Pfad einzuhalten, werden die Ausschreibungsmengen jährlich so angepasst, dass bei Übererfüllung des Ausbauplans im Vorjahr die Menge des aktuellen Jahres verringert wird – und umgekehrt. Zudem differenziert das reformierte EEG weiterhin die Höhe der Einspeisevergütung für Wind an Land, um in ganz Deutschland vergleichbare Wettbewerbsbedingungen zu schaffen und die bisher unzureichende Netzinfrastruktur zu entlasten.

Vor allem sollen die nun eingeführten Ausschreibungen die Kosten der Förderung der erneuerbaren Energien merklich reduzieren. Tatsächlich zeigen die Erfahrungen mit dem reformierten Instrument, dass die von den Anbietern geforderten Einspeisevergütungen signifikant gesunken sind, bis hin zum Verzicht auf Einspeisevergütungen. Die Einführung der Ausschreibungen war somit zwar ein richtiger Schritt hin zu höherer Kosteneffizienz. Jedoch wäre es weit besser gewesen, auf die mit dem EEG seit Jahren verbundene Kostenexplosion mit einer besseren Abstimmung des Ausbaus der erneuerbaren Energien mit demjenigen der Netze und Speicher zu reagieren und diese Förderung technologieneutral auszugestalten. Noch besser wäre allerdings ein Umstieg hin zum EU-ETS als Leitinstrument der Energiewende.

Zwischenfazit: Potenziale der Sektorkopplung nutzen

Langfristig wird die Energiewende nicht funktionieren, ohne dass Strom aus erneuerbaren Energien massiv zur Deckung des Energiebedarfs in anderen Sektoren – wie der Industrie, dem Verkehr oder bei den Haushalten – eingesetzt wird. Denn das ehrgeizige Ziel einer Reduktion der Treibhausgasemissionen um 80 % bis 95 % bis zum Jahr 2050 macht es erforderlich, andere Sektoren miteinzubeziehen. Schließlich ist die Energiewirtschaft aktuell für weniger als die Hälfte aller Treibhausgasemissionen in Deutschland verantwortlich. Eine wirksame Sektorkopplung könnte zum einen dazu beitragen, der zunehmend volatilen Stromerzeugung zu begegnen. Zum anderen kann Strom aus erneuerbaren Energien die aus fossilen Energieträgern gewonnene Leistung bei der Bereitstellung von Wärme und Mobilität ersetzen.

Die Energiepolitik in Deutschland hat bisher jedoch die einzelnen Sektoren Strom, Wärme und Verkehr unabhängig voneinander betrachtet und jeweils eine Vielzahl an separaten Maßnahmen, insbesondere Auflagen, beschlossen. Zusätzlich gibt es aktuell wenige ökonomische Anreize im Wärme- und Verkehrssektor, von fossilen Brennstoffen auf Strom umzusteigen. Da der Strompreis aufgrund der Logik der sektorspezifischen Förderung durch die EEG-Umlage und gestiegene Netzentgelte erhöht wird, ist die Wärmeproduktion mit Erdgas und Heizöl, die nicht durch diese Kostenbestandteile belastet werden, vergleichsweise attraktiv. Nach wie vor ist zudem die Nutzung eines Elektroautos wesentlich kostspieliger als die Verwendung eines mit herkömmlichem Treibstoff betriebenen Autos.

Eine effiziente Förderung der neuen Technologien, die der vertieften Sektorkopplung dient, sollte nicht so sehr auf Subventionslösungen zurückgreifen, wie bspw. mit der ausgelobten Kaufprämie für Hybrid- und Elektro-Autos. Vielmehr wäre vor allem eine direkte Forschungsförderung anzuraten. So können bei einer Subventionslösung leicht ähnliche politökonomische Probleme auftreten wie bei der Förderung der erneuerbaren Energien durch das EEG: Einen einmal etablierten industriepolitisch motivierten Fördermechanismus zu beenden, ist äußerst schwer. Vor allem stellt sich das Problem, dass die Politik nicht verlässlich voraussehen kann, welche Technologien am meisten zur Treibhausgasreduktion beitragen können. Die Lösung dieses Informationsproblems sollte man besser dem Markt überlassen.

V. Fazit: Mehr Arbeitsteilung anstreben

Der Klimagipfel von Paris mit seinem Sammelsurium an nationalen Selbstverpflichtungen zu Klimaschutzanstrengungen war zwar ein politischer Erfolg. Doch nun muss eine Vereinbarung über einen effizienten Umsetzungsmechanismus folgen. Mehrere Lösungsansätze würden erlauben, diese Minderung mit möglichst geringen globalen Wertschöpfungsverlusten umzusetzen: ein globaler Emissionshandel, eine globale CO_2-Steuer oder aber deren Kombination. Ein global einheitlicher CO_2-Preis lässt sich durch die Erhebung nationaler CO_2-Steuern oder durch die Erhebung von Mindestpreisen für CO_2 im Emissionshandel verwirklichen. Die Klimapolitik sollte auf internationale Arbeitsteilung und die Lösung von Informationsproblemen durch Marktsignale setzen, nicht auf kleinteiligere nationale oder gar regionale Ansätze.

Das Ziel, eine globale Allianz für die Einführung eines derartigen globalen Lösungsansatzes zu schmieden, konkurriert mit dem Wunsch nach wirtschaftlicher Entwicklung in den Schwellen- und Entwicklungsländern. Es wird sich daher nur dann erreichen lassen, wenn gleichzeitig eine Vereinbarung zur globalen Lastenteilung getroffen wird, die für diese Länder hinreichend attraktiv ist. Der globale Emissionshandel oder die globale CO_2-Steuer ließen sich in diesem Sinne ausgestalten, bspw. durch eine entsprechende disproportionale Zuteilung bei der Anfangsausstattung an Emissionszertifikaten. Die Probleme der Effizienz bei der Emissionsminderung und der Verteilung der daraus entstehenden Lasten können also gedanklich voneinander getrennt gelöst und auf diese Weise der gordische Knoten zerschlagen werden.

Die derzeit von der deutschen Politik gestaltete nationale Energiewende ist hingegen teuer und ineffizient, da sie primär auf Subventionen und Auflagen und nicht auf Marktmechanismen setzt. Zudem ist nicht erkennbar, wie sie in einen global koordinierten Ansatz der Klimapolitik aufgehen soll. Wenn tatsächlich der deutsche Beitrag zum globalen Klimaschutz das primäre Ziel der Energiewende sein soll und nicht vor allem der Umbau der deutschen (Industrie-) Gesellschaft als eigenständiges Ziel verfolgt werden soll, dann gibt es gegenüber dem bisherigen Vorgehen deutlich überlegene Umsetzungswege. Vor allem sollte eine volkswirtschaftlich effiziente nationale Klimapolitik auf die Vorzüge der Arbeitsteilung und auf die Lösung von Informationsproblemen durch Marktsignale setzen.

Die beste Lösung wäre es, neben der Energiewirtschaft alle Sektoren in das EU-ETS einzubeziehen und dessen Funktionsfähigkeit auf Basis der bisherigen Erfahrungen zu verbessern. Dies würde sicherstellen, dass zumindest in Europa die Emissionen dort reduziert würden, wo die Kosten der Treibhausgasvermeidung am geringsten ausfallen. Zudem sollten im Idealfall alle technologie- und sektorspezifischen sowie regional abgegrenzten Fördermaßnahmen auslaufen. Dies dürfte sich zwar aufgrund massiver Widerstände der Begünstigten des jetzigen Systems in Deutschland als schwer erweisen. Daher sollte zumindest eine technologie- und sektorneutrale sowie regionenübergreifende Förderung der erneuerbaren Energien an die Stelle der aktuellen Förderpolitik treten.

Ist die Zukunft des Energierechts europäisch?

Zur Reichweite der Regelungsbefugnisse der EU in der Energiepolitik

Charlotte Kreuter-Kirchhof*

A. Bedeutung des europäischen Energierechts

I. Grundlagen des europäischen Energierechts

Ulrich Büdenbender zählt zu den herausragenden Experten des Energierechts in Deutschland. Engagiert tritt er für seine Rechtstaatlichkeit und Gediegenheit ein. Er fordert, dass energiewirtschaftliche und technologische Sachkenntnis die Grundlage des Energierechts sein müssen. Es ist Aufgabe der Politik, grundlegende Transformationsprozesse wie die Energiewende einzuleiten. Diese Entscheidungen aber – so *Büdenbender* – müssen sachlich fundiert, in einem rechtsstaatlichen Verfahren, nach Recht und Gesetz getroffen und vom Deutschen Bundestag verantwortet werden. Deshalb fordert *Büdenbender* „Sorgfalt in Verfahren und Inhalten“[1], er erwartet die Verlässlichkeit des Rechts.[2] *Büdenbender* betont die Chancen liberalisierter Energiemärkte, wendet sich gegen Überregulierungen und verlangt einen wettbewerblichen Rahmen für die Stromerzeugung.[3] Er entwickelt das Energierecht als Wissenschaftler und in der Praxis fort, hat deshalb die Auswirkungen energierechtlicher Entscheidungen in Deutschland auf unsere Nachbarstaaten und die EU im Blick.[4] Er ist ein Anwalt systematischer, widerspruchsfreier und verständlicher gesetzlicher Regelungen, macht bewusst, dass nur europarechtskonforme Regelungen Rechts- und Investitionssicherheit schaffen können.[5]

* Inhaberin des Lehrstuhls für Deutsches und Ausländisches Öffentliches Recht, Völkerrecht und Europarecht an der Juristischen Fakultät der Heinrich-Heine-Universität Düsseldorf.

[1] *Büdenbender*, Rechtliche Bilanz der Energiewende 2011 im Hinblick auf den Ausstieg aus der Kernenergie, DVBl. 2017, 1449 ff. (1456).

[2] *Büdenbender*, Die Analyse höchstrichterlicher Entscheidungen, JA 2013, 161 ff. (164).

[3] *Büdenbender*, Die Rechtsstellung der Individuen in der Elektrizitätswirtschaft nach der Energiewende 2011, DÖV 2016, 712 ff. (713).

[4] *Büdenbender*, Rechtliche Bilanz der Energiewende 2011 im Hinblick auf den Ausstieg aus der Kernenergie (o. Fn. 1).

[5] *Büdenbender*, Das Kraft-Wärme-Kopplungsgesetz 2016, REE 2016, 1 ff. (6 f.).

Diese europäische Perspektive gewinnt für die künftige Entwicklung des Energierechts wachsende Bedeutung. So sind die Ziele moderner Energiepolitik – Umweltfreundlichkeit, Wirtschaftlichkeit und Versorgungssicherheit – europäische und internationale Ziele. Beim Schutz der Erdatmosphäre handelt es sich um ein globales Umweltgut. Das Klimasystem der Erde kann nur bewahrt werden, wenn alle Staaten der Welt international zusammenarbeiten. Die Energiemärkte sind europäische und internationale Märkte. Ein sicheres Energieversorgungssystem wird in Zusammenarbeit mit unseren Nachbarstaaten gewährleistet. Um diese Ziele zu erreichen, wird das Energierecht zunehmend durch Vorgaben des Europarechts bestimmt. Gleichwohl bestand bis zum Vertrag von Lissabon keine eigenständige Kompetenz der Europäischen Union für die Energiepolitik. Die Mitgliedstaaten zögerten, diesen Wirtschaftssektor zu vergemeinschaften. Als Ausdruck ihrer staatlichen Souveränität wollen sie die grundlegenden Entscheidungen über ihre Energieversorgungssysteme in ihrer Hand behalten.

Der Vertrag von Lissabon begründet zum ersten Mal eine eigenständige Regelungsbefugnis der EU für die Energiepolitik, sucht gleichzeitig die Souveränitätsinteressen der Mitgliedstaaten in einem Souveränitätsvorbehalt zu wahren. Auf dieser Grundlage legte die Europäische Kommission im November 2016 einen umfangreichen Vorschlag zur Reform des europäischen Energierechts vor. Die Europäisierung des Energierechts gewinnt dadurch eine neue Dynamik. Gleichzeitig rückt die Frage nach der Reichweite europäischer Entscheidungsbefugnisse in den Vordergrund. Zu klären ist, welche Befugnisse zur Regelung des Energierechts der EU übertragen und welche Kompetenzen den Mitgliedstaaten vorbehalten sind. Angestrebt wird eine europäische Energiewende, die europaweite Energiemärkte schaffen, eine saubere Energieversorgung für alle Europäer verlässlich gewährleisten will. Dieser grundlegende Transformationsprozess wird nur gelingen, wenn er rechtlich fundiert auf einer breiten Zustimmung beruht.

II. Gegenstand des europäischen Energierechts

Seit Beginn der europäischen Integration ist die Energiepolitik Gegenstand europäischer Verträge und Rechtsakte. Auf der Grundlage insbesondere der Binnenmarktkompetenz und der Kompetenz für den Umweltschutz entwickelt sich ein umfangreiches europäisches Energiewirtschafts- und Energieumweltrecht.

1. Entwicklung des europäischen Energierechts

Bereits am Beginn der europäischen Integration stand mit der Gründung der Europäischen Gemeinschaft für Kohle und Stahl aus dem Jahr 1951 ein energierechtlicher Vertrag.[6] Auf Initiative *Robert Schumanns* sollten diese Schlüsselindustrien Frankreichs und Deutschlands sowie weiterer europäischer Staaten einem supranationalen, von den Nationalstaaten unabhängigen Organ unterstehen.[7] Mit den römischen Verträgen wurde sodann die Europäische Atomgemeinschaft als eigenständige europäische Institution für den Bereich der Kernenergie gegründet, die bis heute fortbesteht.[8] In dem für die weitere Integration grundlegenden Vertrag zur Gründung der Europäischen Wirtschaftsgemeinschaft hingegen findet sich kein Abschnitt zum Energierecht, obwohl es sich um einen der wichtigsten Wirtschaftssektoren handelt. In der Folgezeit wurden zwar die europäischen Verträge wiederholt reformiert, gleichwohl aber kaum ausdrückliche Regelungen zum Energierecht aufgenommen. So scheiterte der Versuch, eine eigenständige energierechtliche Rechtsgrundlage in den Vertrag von Maastricht aufzunehmen.[9] Der Grund für diese Zurückhaltung liegt im Souveränitätsinteresse der Mitgliedstaaten. Die Mitgliedstaaten wollten grundlegende Entscheidungen über ihre Energieversorgungssysteme nicht vergemeinschaften.[10] Der Energieversorgung wird eine besondere strategische Bedeutung beigemessen. Sie ist grundlegend für die Funktionsfähigkeit der Wirtschaft und als Teil der Daseinsvorsorge elementar für die Bürger. Viele Mitgliedstaaten sind auf Energieimporte aus Drittstaaten angewiesen. Außerdem bestehen im Energiesektor unterschiedliche Ordnungs- und Unternehmensstrukturen in den Mitgliedstaaten. Nicht zuletzt verfolgen die Staaten unterschiedliche Ziele bei der Wahl ihrer Energiequellen.[11] Gleichwohl entstand in der Folgezeit – beginnend mit der Einheitlichen Europäischen Akte[12] – ein umfangreiches europäisches Energierecht mit energiewirtschaftsrechtlichen, energieumweltrechtlichen und energiesteuerrechtlichen Regelungen.

[6] Einen Überblick über die Entwicklung des europäischen Energierechts bieten *Gundel*, in: Danner/Theobald (Hrsg.), Energierecht, 79. EL Oktober 2013, Europäisches Energierecht Rdnr. 1 ff.; *Pielow*, in: Ehlers/Fehling/Pünder (Hrsg.), Besonderes Verwaltungsrecht, Band I Öffentliches Wirtschaftsrecht, 3. Aufl. 2012, § 22 Energierecht Rdnr. 16 ff.

[7] *Streinz*, Europarecht, 10. Aufl. 2016, Rdnr. 17.

[8] *Oppermann/Classen/Nettesheim*, Europarecht, 7. Aufl. 2016, § 23 Rdnr. 15 ff.; *Bings*, in: Streinz (Hrsg.), EUV/AEUV, 2. Aufl. 2012, Art. 194 AEUV Rdnr. 5 m.w.N.

[9] *Calliess*, Die Europäische Union nach dem Vertrag von Lissabon, 2010, 478 ff. m.w.N. Siehe auch *Grunwald*, Das Energierecht der Europäischen Gemeinschaften, EGKS-EURATOM-EG, 2003, 54 ff. (54 f).

[10] *Pielow*, in: Ehlers/Fehling/Pünder (o. Fn. 6), Rdnr. 17.

[11] Vgl. *Nettesheim*, in: Grabitz/Hilf/Nettesheim (Hrsg.), Das Recht der Europäischen Union, 44. EL 2011, Art. 194 Rdnr. 4. Nach *Schmidt-Preuß*, Europäische Energiepolitik, in: Pitschas/Uhle (Hrsg.), FS Scholz: Wege gelebter Verfassung in Politik und Recht, 2007, 903 ff. (908) handelt es sich bei der Entscheidung über den Energiemix um ein „Herzstück moderner Staatlichkeit".

[12] *Pielow*, in: Ehlers/Fehling/Pünder (o. Fn. 6), Rdnr. 22.

2. Europäisches Energiewirtschaftsrecht

Die ersten Binnenmarkt-Richtlinien zu Strom und Gas aus den neunziger Jahren wurden durch die Beschleunigungsrichtlinien im Jahr 2003 mit dem Ziel der Liberalisierung der Energiemärkte abgelöst.[13] Auf diese gehen die Entflechtung der Netze, die staatliche Regulierung von Netzbetrieb und Netzzugang sowie die freie Wahl des Versorgers durch die Verbraucher zurück.[14] Im Zuge des dritten Binnenmarktpakets traten im Jahr 2009 die bis heute maßgeblichen Richtlinien für den Energiebinnenmarkt in Kraft.[15] Diese fordern grundsätzlich die eigentumsrechtliche Entflechtung der Transportnetzbetreiber („Ownership Unbundling"). Als Reaktion auf kritische Anfragen insbesondere zur Kompetenz der EU und zum Grundrechtsschutz wurden Wahlmöglichkeiten für ein System unabhängiger Netzbetreiber („Independent System Operators", ISO) oder unabhängiger Übertragungsnetzbetreiber („Independent Transmission Operators", ITO) geschaffen.[16] Gegründet wurde die „Agentur für die Zusammenarbeit der einzelstaatlichen Regulierungsbehörden" (ACER), die freilich mit nur wenigen Entscheidungsbefugnissen ausgestattet wurde.[17] Geschaffen wurde ein europäischer Verbund der Übertragungsnetzbetreiber für Strom („European Networks of Transmission Operators for Electricity", ENTSO-E) und Gas („European Networks of Transmission Operators for Gas", ENTSO-G). Diese erarbeiten Netzkodizes für grenzüberschreitende Netze.[18] Der Verbraucherschutz wurde ausgeweitet; die nationalen Regulierungsbehörden in ihrer Unabhängigkeit gestärkt.[19] Weitere Rechtsakte wie etwa die Verordnung über die Integrität und Transparenz des Energiemarktes (REMIT-VO) folgten mit dem Ziel, missbräuchliches Verhalten auf den Großhandelsmärkten für Strom und Gas zu unterbinden.[20]

[13] *Gundel*, in: Danner/Theobald (o. Fn. 6), Rdnr. 9ff.

[14] Richtlinie 2003/54/EG vom 26.6.2003 über gemeinsame Vorschriften für den Elektrizitätsbinnenmarkt, ABl. L 176/37 sowie die Richtlinie 203/55/EG vom 26.6.2003 über gemeinsame Vorschriften für den Erdgasbinnenmarkt, ABl. L 176/57 (Beschleunigungsrichtlinien).

[15] Richtlinie 2009/72/EG vom 13.7.2009 über gemeinsame Vorschriften für den Elektrizitätsbinnenmarkt, ABl. L 211/55 und Richtlinie 2009/73/EG vom 13.7.2009 über gemeinsame Vorschriften für den Erdgasbinnenmarkt, ABl. L 211/94.

[16] *Gundel*, in: Danner/Theobald (o. Fn. 6), Rdnr. 46 ff. und 50 f.

[17] Verordnung (EG) Nr. 713/2009 vom 13.7.2009 zur Gründung einer Agentur für die Zusammenarbeit der Energieregulierungsbehörden, ABl. L 211/1.

[18] Verordnung (EG) Nr. 714/2009 vom 13.7.2009 über die Netzzugangsbedingungen für den grenzüberschreitenden Stromhandel, ABl. L 211/15 und Verordnung (EG) Nr. 715/2009 vom 13.7.2009 über die Bedingungen für den Zugang zu den Erdgasfernleitungsnetzen, ABl. L 211/36, Art. 4 ff.

[19] Siehe *Pielow*, in: Ehlers/Fehling/Pünder (o. Fn. 6), Rdnr. 25.

[20] Verordnung (EU) Nr. 1227/2011 vom 25.10.2011 über die Integrität und Transparenz des Energiegroßhandelsmarkts, ABl. L 326/71.

3. Europäisches Umweltenergierecht

Im Jahr 2007 legte der Europäische Rat die so genannten 20-20-20 Ziele für das europäische Umweltenergierecht fest: Die Treibhausgasemissionen sollen gegenüber den Werten des Jahres 1990 um 20 Prozent gesenkt werden, der Anteil der erneuerbaren Energien auf 20 Prozent erhöht und die Energieeffizienz um 20 Prozent gesteigert werden.[21] Bis zum Jahr 2050 sollen die Treibhausgasemissionen um 80 Prozent gegenüber den Werten des Jahres 1990 gesenkt werden.[22] Damit ist der Schutz des Klimasystems der Erde ein grundlegendes Ziel europäischer Energiepolitik.

Um diese Ziele zu erreichen, wird der Ausbau der erneuerbaren Energien gefördert. Nach der Erneuerbare-Energien Richtlinie[23] soll der EU-weite Anteil erneuerbarer Energien am Endenergieverbrauch auf mindestens 20 Prozent im Jahr 2020 steigen. Festgelegt werden verbindliche nationale Ausbauziele für die Mitgliedstaaten. So muss Deutschland seinen Anteil an erneuerbaren Energien bis zum Jahr 2020 auf 18 Prozent steigern. Außerdem sollen bis 2020 mindestens 10 Prozent aller Kraftstoffe für den Verkehr in der EU aus erneuerbaren Energien nachhaltig gewonnen werden. Nicht vereinheitlicht wurden die nationalen Förderinstrumente der Mitgliedstaaten für erneuerbare Energien.

Vor allem im Gebäude- und im Verkehrssektor soll Energie effizient genutzt werden. Ein sparsamer Energieverbrauch dient dem Klimaschutz, der Versorgungssicherheit und der Wirtschaftlichkeit der Energieversorgung. Ein wichtiger Schritt zur Steigerung der Energieeffizienz waren die „Ökodesign"-Richtlinie[24] und insbesondere die Richtlinie über Endenergieeffizienz und Energiedienstleistungen.[25] Hinzu kamen spezielle Regelungen zur Steigerung der Energieeffizienz in Gebäuden.[26]

Um die Emissionen von Treibhausgasen zu senken und so das Klimasystem der Erde zu schützen, wurde im Jahr 2003 ein europäisches Emissi-

[21] Vgl. *Europäischer Rat*, Schlussfolgerungen des Vorsitzes, Tagung vom 8./9. März 2007, 9.3.2007, 7224/07, Nr. 32 sowie Anlage I, Aktionsplan (2007–2009) des Europäischen Rates, Eine Energiepolitik für Europa, Nr. 6 und 7.

[22] Vgl. *Europäischer Rat*, Schlussfolgerungen des Vorsitzes, Tagung des Europäischen Rates vom 8./9. März 2007, 7224/07, 9.3.2007, Nr. 30. Siehe auch *Europäische Kommission*, Fahrplan für den Übergang zu einer wettbewerbsfähigen CO_2-armen Wirtschaft bis 2050, 8.3.2011, COM (2011) 112 entg.

[23] Richtlinie 2009/28/EG vom 23.4.2009 zur Förderung der Nutzung von Energie aus erneuerbaren Quellen, ABl. L 140/16.

[24] Richtlinie 2005/32/EG vom 6.7.2005 zur Schaffung eines Rahmens für die Festlegung von Anforderungen an die umweltgerechte Gestaltung energiebetriebener Produkte, ABl. L 191/29.

[25] Diese wurde im Jahr 2012 reformiert. Richtlinie 2012/27/EU vom 25.10.2012 zur Energieeffizienz, ABl. L 315/1.

[26] Richtlinie 2010/31/EU vom 19.10.2010 über die Gesamtenergieeffizienz von Gebäuden, ABl. L 153/13.

onshandelssystem geschaffen.[27] Errichtet wurde der weltweit größte Markt für den Handel mit Treibhausgasemissionszertifikaten.[28] Im Rahmen dieses Handelssystems wird die Gesamtmenge zulässiger Treibhausgasemissionen festgelegt („cap"). Die beteiligten handelspflichtigen Anlagen erhalten Emissionszertifikate in Form handelbarer Rechte. Für die von ihnen verursachten Treibhausgasemissionen müssen die Unternehmen entsprechende Mengen an Zertifikaten abgeben. Mit nicht benötigten Zertifikaten können die Unternehmen handeln. Nachdem in den ersten beiden Handelsperioden die Zertifikate über nationale Zuteilungspläne vergeben wurden, bestehen seit der dritten Handelsperiode bis 2020 EU-weit einheitliche Zuteilungsregeln. Grundsätzlich soll der überwiegende Teil der Zertifikate versteigert werden.[29] Allerdings erhalten die Industriebranchen kostenlos Zertifikate, bei denen eine Produktionsverlagerung in Staaten außerhalb der EU droht („carbon leakage"). Infolgedessen werden in der dritten Handelsperiode voraussichtlich 41 Prozent der verfügbaren Zertifikate kostenlos zugeteilt.[30] Insgesamt entfaltet das europäische Emissionshandelssystem bislang nicht die erhoffte Wirkung. Dies liegt insbesondere an einem erheblichen Überschuss an Zertifikaten auf dem Markt, der zu einem Verfall der Preise führte.[31]

4. Europäisches Energiesteuerrecht

Die Energiesteuer-Richtlinie schließlich harmonisiert die Mindeststeuersätze für Energieerzeugnisse, die als Kraftstoff oder Heizstoff verwendet werden.[32] Die Richtlinie dient primär dem Funktionieren des Binnenmarktes. Sie anerkennt, dass die Energiepreise „Schlüsselelemente der Energie-, Verkehrs- und Umweltpolitik" in der Union sind.[33]

[27] Richtlinie 2003/87/EG vom 13.10.2003 über ein System für den Handel mit Treibhausgasemissionsberechtigungen in der Gemeinschaft, ABl. L 275/32.

[28] *Europäische Kommission,* Bericht über das Funktionieren des CO_2-Marktes in der EU, 1.2.2017, COM (2017) 48 final, 5.

[29] Richtlinie 2009/29/EG vom 23.4.2009 zur Änderung der Richtlinie 2003/87/EG zwecks Verbesserung und Ausweitung des Gemeinschaftssystems für den Handel mit Treibhausgasemissionszertifikaten, ABl. L 140/63, Art. 9, 10. Siehe auch Beschluss 2010/634/EU der Kommission vom 22.10.2010 zur Anpassung der gemeinschaftsweiten Menge der im Rahmen des EU-Emissionshandelssystems für 2013 zu vergebenden Zertifikate, ABl. L 279/34.

[30] *Europäische Kommission,* Bericht über das Funktionieren des CO_2-Marktes in der EU, 1.2.2017, COM (2017) 48 final, 12.

[31] *Europäische Kommission,* Die Lage des CO_2-Marktes in der EU im Jahr 2012, 14.11.2012, COM (2016) 652, 4. Hierzu auch Europäische Kommission, Bericht über das Funktionieren des CO_2-Marktes in der EU, 1.2.2017, COM (2017) 48 final, 5.

[32] Richtlinie 2003/96/EG vom 27.10.2003 zur Restrukturierung der gemeinschaftlichen Rahmenvorschriften zur Besteuerung von Energieerzeugnissen und elektrischem Strom, ABl. L 283/51.

[33] Erwägungsgrund 12 der Richtlinie 2003/96/EG vom 27.10.2003 zur Restrukturierung der gemeinschaftlichen Rahmenvorschriften zur Besteuerung von Energieerzeugnissen und elektrischem Strom, ABl. L 283/51.

5. Europäisches Beihilferecht

Wesentlich beeinflusst wird das nationale Energierecht nicht nur durch diese spezifisch energierechtlichen Vorgaben des Europarechts, sondern auch durch das europäische Beihilferecht.[34] So gehen wesentliche Reformen des Gesetzes über den Ausbau der erneuerbaren Energien in Deutschland auf beihilferechtliche Vorgaben der Kommission zurück.[35] Während die Erneuerbare-Energien-Richtlinie nicht regelt, wie die Mitgliedstaaten ihre nationalen Förderinstrumente für den Ausbau erneuerbarer Energien auszugestalten haben, bestimmt die Kommission über ihre Leitlinien für die Gewährung von Umweltbeihilfen zentrale Elemente der nationalen Förderprogramme.[36] Grundlegende Neuerungen im EEG wie die Ausgestaltung der besonderen Ausgleichsregelung und die Ausschreibungen gehen auf diese Leitlinien der Kommission zurück, die nicht in einem parlamentarischen Verfahren verabschiedet wurden. Nicht das Europäische Parlament und der Rat, sondern die Kommission als Exekutivorgan verantwortet in einem intransparenten Verfahren weitreichende Vorgaben des europäischen Energierechts.

III. Gegenwärtige Reform des europäischen Energierecht

Das europäische Energiewirtschaftsrecht, das europäische Umweltenergierecht sowie das europäische Emissionshandelssystem sollen nach dem Willen der Kommission reformiert und weiterentwickelt werden. Nachdem bereits im Jahr 2015 eine Reform des Emissionshandels eingeleitet wurde, legte die Kommission im November 2016 ein umfangreiches Legislativpaket vor. Diese Vorschläge skizzieren die Linien für die weitere Entwicklung des europäischen Umweltenergie- und Energiewirtschaftsrechts bis zum Jahr 2030. Die bisherigen 20-20-20 Ziele werden fortgeschrieben. Der Titel dieses Winterpakets ist zugleich sein Programm: „Saubere Energie für alle Europäer". Gegenwärtig beraten der Rat und das Europäische Parlament über den Erlass der vorgeschlagenen Rechtsakte.

Insgesamt umfasst das Winterpaket Vorschläge für vier Richtlinien und vier Verordnungen, die teilweise bestehende Regelungen ändern, teilweise neu fassen. Die Reformen stehen im Zeichen der im Pariser Abkommen vereinbarten Klimaschutzverpflichtungen der Staaten. Die Versorgungssicher-

[34] *Büdenbender*, Das Kraft-Wärme-Kopplungsgesetz (o. Fn. 5), 1 ff. (5).

[35] *Ludwigs*, Demokratieferne Gestaltung der Europäischen Beihilfeaufsicht, EuZW 2017, 41 f.; *Fuchs/Peters*, Die Europäische Kommission und die Förderung erneuerbarer Energien in Deutschland, RdE 2014, 409; *Wustlich*, Das Erneuerbare-Energien-Gesetz 2014, NVwZ 2014, 1113.

[36] *Europäische Kommission,* Leitlinien für staatliche Umweltschutz- und Energiebeihilfen 2014–2020, 28.6.2014, ABl. C 200/1.

heit soll gewährleistet und ein funktionierender europäischer Energiebinnenmarkt geschaffen werden. Die EU soll eine Vorreiterrolle beim Übergang zu einer sauberen Energieversorgung einnehmen; gleichzeitig soll die Wettbewerbsfähigkeit der EU erhalten bleiben.[37]

1. Reform der Erneuerbare Energien Richtlinie

Mit dem moderaten Ziel, den Anteil der erneuerbaren Energien am Energieverbrauch der EU von 20 Prozent im Jahr 2020 auf 27 Prozent im Jahr 2030 zu erhöhen, schlägt die Kommission eine Neufassung der Erneuerbare-Energien Richtlinie vor.[38] Dieses EU-weite Ausbauziel wird verbindlich festgeschrieben. Anders als bisher werden künftig keine verpflichtenden nationalen Ausbauziele der Mitgliedstaaten festgesetzt. Die Kommission folgt insoweit den Vorgaben des Europäischen Rates, der die Souveränität der Mitgliedstaaten, über die Wahl ihrer Energiequellen zu entscheiden, betont und verbindliche nationale Ziele ausdrücklich ausschloss.[39] Um das gemeinsame Ausbauziel zu erreichen, sollen die Mitgliedstaaten der Kommission nationale Energie- und Klimapläne zunächst für den Zeitraum von 2021 bis 2030 vorlegen. Sollte auf diesem Weg das EU-weite Ausbauziel nicht erreicht werden, sollen ergänzende Maßnahmen die Lücke rechtzeitig schließen („gapfiller“). Deren Wirksamkeit bleibt abzuwarten.

Die neue Richtlinie wird die nationalen Fördersysteme nicht grundlegend vereinheitlichen. Wie bereits in der Vergangenheit wird auch künftig das Beihilferecht den maßgeblichen Rechtsrahmen für die nationalen Förderinstrumente der Mitgliedstaaten für den Ausbau erneuerbarer Energien setzen. Der Reformvorschlag der Kommission legt primär markt- und wettbewerbsorientierte Ziele und Grundstrukturen für die nationalen Fördermaßnahmen fest. Diese müssen offen, transparent, wettbewerbsfördernd, nichtdiskriminierend und kosteneffizient sein. Um Investitionssicherheit zu schaffen, soll ein Rückwirkungsverbot gelten. Verstärkt werden soll die grenzüberschreitende Zusammenarbeit der Mitgliedstaaten bei der Förderung erneuerbarer Energien. Erneuerbare Energien sollen künftig grundsätzlich keinen Einspei-

[37] *Europäische Kommission*, Saubere Energie für alle Europäer – Wachstumspotenziale Europas erschließen, IP/16/4009 (abrufbar unter http://europa.eu/rapid/press-release_IP-16-4009_de.htm, zuletzt abgerufen am 28.7.2018).

[38] *Europäische Kommission*, Vorschlag für eine Richtlinie zur Förderung der Nutzung von Energien aus erneuerbaren Quellen (Neufassung), vom 23.02.2017, COM (2016) 767 final (im Folgenden: Vorschlag EE-RL). Am 14.06.2018 einigten sich das Europäische Parlament und der Rat darauf, dass der Anteil der erneuerbaren Energien bis zum Jahr 2030 auf 32 Prozent steigen soll. Hierzu *Kreuter-Kirchhof*, Der Ausbau der erneuerbaren Energien in der EU, EuZW 2017, 829; *Schulz/Losch*, Die geplante Neufassung der Erneuerbare-Energien-Richtlinie, EnWZ 2017, 107.

[39] *Europäischer Rat*, Schlussfolgerungen zum Rahmen für die Klima- und Energiepolitik bis 2030, Tagung vom 23./24. Oktober 2014, 23.10.2014, SN 79/14, Punkt 3.

sevorrang mehr genießen, wohl aber im Falle von Netzengpässen begünstigt werden. Die bestehenden EU-Kriterien für die Nachhaltigkeit von Bioenergie sollen beibehalten und auf Biomasse und Biogas für die Wärme- und Stromerzeugung ausgedehnt werden. Schließlich sollen die Verwaltungs- und Genehmigungsverfahren in den Mitgliedstaaten vereinfacht und beschleunigt werden. Insgesamt achtet der Vorschlag für eine Neufassung der Erneuerbaren-Energien Richtlinie die Souveränität der Mitgliedstaaten. Dies ist auf die eindeutigen, nachdrücklichen Vorgaben des Europäischen Rates zurückzuführen.

2. Reform der Energieeffizienz- und der Gebäudeeffizienz-Richtlinie

Als vorrangiges Ziel soll nach dem Willen der Kommission die Energieeffizienz in der EU bis zum Jahr 2030 um 30 Prozent gesteigert werden.[40] Damit liegt das 2030-Ziel nur wenig über demjenigen für das Jahr 2020. Um dieses für die EU verbindliche Ziel zu erreichen, sollen insbesondere die Energieeffizienz-Richtlinie[41] und die Richtlinie über die Gesamtenergieeffizienz von Gebäuden[42] reformiert werden. Ebenso wie beim Ausbau der erneuerbaren Energien werden auch für die Energieeffizienz keine verbindlichen nationalen Ziele festgeschrieben. Auch hier drangen die Mitgliedstaaten auf die Wahrung ihrer Souveränität.

Die bisherige Verpflichtung für Energielieferanten und -verteiler, ihre Energieeinsparungen jährlich um 1,5 Prozent zu erhöhen, sollen bis zum Jahr 2030 verlängert werden. Die Energieverbrauchserfassung und -abrechnung soll im Interesse der Verbraucher verbessert werden. So sollen die Endkunden Zähler erhalten, die ihren tatsächlichen Energieverbrauch präzise wiedergeben. Bei Mehrfamilienhäusern oder Mehrzweckgebäuden werden individuelle Verbrauchszähler installiert. Künftig müssen neu installierte Zähler fernablesbar sein. Gebäude sollen künftig durch den Einsatz von Informationstechnologien und anderen intelligenten Technologien energieeffizienter genutzt werden. Die Renovierung von Gebäuden soll gefördert, die Ladeinfrastruktur für Elektrofahrzeuge ausgebaut werden.

[40] *Europäische Kommission*, Saubere Energie für alle Europäer, COM (2016) 860, 5. Im Juni 2018 einigten sich Vertreter des Europäischen Parlaments und des Rates in Verhandlungen auf ein Energieeffizienzziel von 32,5 Prozent.

[41] *Europäische Kommission*, Vorschlag für eine Richtlinie zur Änderung der Richtlinie 2012/27/EU zur Energieeffizienz, 30.11.2016, COM (2016) 761 final.

[42] *Europäische Kommission,* Vorschlag für eine Richtlinie zur Änderung der Richtlinie 2010/31/EU über die Gesamtenergieeffizienz von Gebäuden, 30.11.2016, COM (2016) 765 final. Siehe jetzt die Richtlinie EU 2018/844 des Europäischen Parlaments und des Rates zur Änderung der Richtlinie 2010/31/EU über die Gesamtenergieeffizienz von Gebäuden und der Richtlinie 2012/27/EU über Energieeffizienz, ABl. L 156/75.

3. Neues Strommarktdesign

Neu gefasst werden sollen außerdem die Richtlinie über gemeinsame Vorschriften für den Elektrizitätsbinnenmarkt[43], die Verordnung zum Elektrizitätsbinnenmarkt[44] sowie die Verordnung über die Agentur für die Zusammenarbeit der Energieregulierungsbehörden (ACER).[45] Die Risikovorsorgeverordnung soll die Richtlinie 2005/89/EG aufheben.[46] Ziel der Regelungen ist es, einen funktionierenden Energiemarkt zu errichten, auf dem zu erschwinglichen Energiepreisen eine sichere Energieversorgung gewährleistet wird. Die Märkte sollen flexibler werden. Unverfälschte Preissignale sollen die aktive Teilnahme von Verbrauchern auf den Märkten ermöglichen. Nach Auffassung der Kommission sind dazu funktionierende Kurzfrist-Strommärkte unerlässlich.

Verbraucher sollen künftig als „Prosumenten" Energie verbrauchen, speichern, erzeugen und allein oder durch einen Aggregator verkaufen.[47] Ermöglicht werden soll diese Teilnahme am Markt durch „intelligente" Messsysteme und Netze. Auch die Laststeuerung soll durch die Märkte geregelt werden. Festgelegt werden nach dem Vorschlag der Kommission die Bedingungen, unter denen Mitgliedstaaten Kapazitätsmechanismen einführen können. Dabei wird eine grenzüberschreitende Beteiligung ermöglicht.

Nach dem neuen Strommarktdesign der Kommission sollen grundlegende Entscheidungsbefugnisse zum Strommarkt auf regionale Betriebszentren, die Agentur für die Zusammenarbeit der Energieregulierungsbehörden (ACER) sowie die Kommission selbst übertragen werden. Aufgrund gemeinsamer transeuropäischer Energienetze wirken sich in Europa Maßnahmen nationaler Regulierungsbehörden oder Netzbetreiber auch auf andere Mitgliedstaaten aus. Um die Regulierungsbehörden und die Netzbetreiber enger abzustimmen, sollen deshalb regionale Betriebszentren („Regional Operations Centers", ROCs) eingerichtet werden. Ihnen sollen Entscheidungsbefugnisse unter anderem zum Kapazitäts- und Risikomanagement übertragen werden. Die Beschlüsse sollen für die Übertragungsnetzbetreiber bindend sein.

[43] *Europäische Kommission*, Vorschlag für eine Richtlinie mit gemeinsamen Vorschriften für den Elektrizitätsbinnenmarkt (Neufassung), 23.2.2017, COM (2016) 864 final. (im Folgenden: Vorschlag Elektrizitätsbinnenmarkt-RL).

[44] *Europäische Kommission*, Vorschlag für eine Verordnung über den Elektrizitätsbinnenmarkt (Neufassung), 23.2.2017, COM (2016) 861 final.

[45] *Europäische Kommission*, Vorschlag für eine Verordnung zur Gründung einer Agentur der Europäischen Union für die Zusammenarbeit der Energieregulierungsbehörden (Neufassung), 23.2.2017, COM (2016) 863 final/2.

[46] *Europäische Kommission*, Vorschlag für eine Verordnung über die Risikoversorgung im Elektrizitätssektor und zur Aufhebung der Richtlinie 2005/89/EG, 30.11.2016, COM (2016) 862 final.

[47] Begründung, S. 6 Vorschlag Elektrizitätsbinnenmarkt-RL.

Innerhalb einer Strompreiszone gilt in der EU ein einheitlicher Großhandelspreis. Für die Bundesrepublik besteht gegenwärtig eine einheitliche Gebotszone.[48] Künftig will die Kommission die Strompreiszonen in der EU überprüfen und über ihre Änderung oder ihre Beibehaltung entscheiden. Hierin liegt eine weitreichende Eingriffsermächtigung. Schließlich soll ACER mit zusätzlichen Befugnissen ausgestattet werden und sich damit zu einer europäischen Energieregulierungsbehörde weiterentwickeln.

Gegen diese Übertragung von Hoheitsbefugnissen auf regionale Betriebszentren, auf die Kommission zur Festlegung von Gebotszonen und auf ACER erhob der Rat grundlegende Einwände. Zur Wahrung der mitgliedstaatlichen Souveränität legte der Deutsche Bundestag gegen die Vorschläge der Kommission eine Subsidiaritäts- und Verhältnismäßigkeitsrüge ein.[49] Für unvereinbar mit den Grundsätzen der Subsidiarität und Verhältnismäßigkeit hält der Bundestag die neuen Entscheidungsbefugnisse der Kommission über den Zuschnitt von Gebotszonen innerhalb eines Landes, die Übertragung wesentlicher Entscheidungsbefugnisse auf die Kommission in delegierten Rechtsakten, die Errichtung nationaler Betriebszentren (ROCs), die Ausweitung der Entscheidungsbefugnisse und Zuständigkeiten von ACER sowie die Änderung des ACER-Abstimmungsverfahrens. Damit steht die Reichweite der Kompetenzen der EU in der Energiepolitik in Frage.

4. Europäische Governance-Struktur

Die Governance-Verordnung soll die nationalen Energiepolitiken der Mitgliedstaaten besser koordinieren.[50] Auch hier betonte der Europäische Rat, dass die Souveränität der Mitgliedstaaten, ihren Energiemix festzulegen, zu achten ist.[51] Nach dem Vorschlag der Kommission sollen die Planungs-, Berichterstattungs- und Überwachungspflichten der Mitgliedstaaten zu Klimaschutz und Energie gestrafft und zusammengeführt werden. Grundpfeiler des Systems sind die integrierten Energie- und Klimapläne der Mitgliedstaaten. Diese haben eine Laufzeit von jeweils 10 Jahren, wobei der erste Planungszeitraum im Jahr 2021 beginnt und bis 2030 dauert.

[48] Zur Trennung der einheitlichen Strompreiszone zwischen Deutschland und Österreich siehe *Scholtka/Martin*, Das Winterpaket der Europäischen Kommission – „Saubere Energie für alle Europäer“, Teil II, ER 2017, 240 ff. (244) m.w.N.

[49] *BT-Drs.* 18/11229 und 18/11777 (neu).

[50] *Europäische Kommission*, Vorschlag über eine Verordnung über das Governance-System der Energieunion, 30.11.2016, COM (2016) 759 final/2 (im Folgenden: Vorschlag Governance-VO).

[51] *Europäischer Rat*, Schlussfolgerungen zum Rahmen für die Klima- und Energiepolitik bis 2030, Tagung des Europäischen Rates vom 23./24. Oktober 2014, 23.10.2014, SN 79/14, Punkt 6.

5. Reformen des Emissionshandelssystems

Nach dem Willen des Europäischen Rates soll das europäische System für den Handel mit Treibhausgasemissionen das zentrale Instrument für den Klimaschutz in der EU werden. Derzeit allerdings erfüllt der europäische Emissionshandel dieses Ziel nur unzureichend. Um dies zu ändern, verabschiedeten das Europäische Parlament und der Rat am 14. März 2018 eine Richtlinie für eine weitere strukturelle Reform des Emissionshandelssystems. Gestützt ist diese Richtlinie auf die Umweltkompetenz des Art. 192 AEUV.[52] Sie ist ein wesentlicher Baustein für das künftige europäische Energierecht.

Ab dem Jahr 2021 wird die Gesamtmenge an Emissionszertifikaten jährlich um 2,2 Prozent (statt wie bisher um 1,74 Prozent) verringert werden. Diese Maßnahme ergänzt das so genannte „backloading", in dessen Rahmen bereits 900 Mio. Zertifikate vom Markt genommen wurden. Außerdem wird eine Marktstabilitätsreserve zu einem Funktionieren des Emissionshandels beitragen. Diese passt künftig die Menge der Emissionsberechtigungen automatisch an, die für die Versteigerung zur Verfügung stehen.[53] Polen erhob gegen diese Maßnahmen Klage zum EuGH unter Berufung auf die die Souveränität der Mitgliedstaaten sichernden Verfahrensregeln des Art. 192 Abs. 2 lit. c AEUV. Die Markstabilitätsreserve habe erhebliche Auswirkungen auf die Wahl der Energiequellen und die allgemeine Struktur der Energieversorgung. Sie könne deshalb gemäß Art. 192 Abs. 2 lit. c AEUV nur im besonderen Gesetzgebungsverfahren mit Einstimmigkeit im Rat beschlossen werden. Der EuGH wies die Klage ab.[54] In seinem Urteil stellt der EuGH klar, dass Art. 192 Abs. 2 UAbs. 1 lit. c AEUV nur dann Anwendung findet, wenn sich aus Ziel und Inhalt des Unionsrechtsaktes ergibt, „dass das in erster Linie mit ihm angestrebte Ergebnis darin besteht, die Wahl eines Mitgliedstaats zwischen verschiedenen Energiequellen und die allgemeine Struktur seiner Energieversorgung erheblich zu berühren." Bei der Marktstabilitätsreserve handle es sich nur um einen punktuellen Eingriff, der eine strukturelle Schwäche des Emissionshandelssystems korrigiere und dadurch zur Wirksamkeit des Emissionshandelssystems beitrage. Die Funktionsfähigkeit des Handels sei Voraussetzung dafür, dass das System die notwendigen CO_2-Preissignale aussende, die es der EU erlauben, ihre Emissionsminderungsziele zu erreichen. Der EuGH betont, dass eine schrittweise Erhöhung der Preise in der

[52] Richtlinie (EU) 2018/410 des Europäischen Parlaments und des Rates zur Änderung der Richtlinie 2003/87/EG zwecks Unterstützung konsteneffizienter Emissionsreduktionen und zur Förderung von Investitionen mit geringem CO_2-Ausstoß und des Beschlusses (EU) 2015/1814 vom 14.03.2018, ABl. L 76/3.

[53] Hierzu *Ehrmann*, Aktuelle Entwicklungen im Emissionshandel, I+E 2018, 37 (40f.); *Kreuter-Kirchhof*, Klimaschutz durch Emissionshandel? Die jüngste Reform des europäischen Emissionshandelssystems, EuZW 2017, 412 ff. (415).

[54] *EuGH*, Urt. v. 21.6.2018, Rs. C-5/16 - Polen/Europäisches Parlament und Rat.

Logik dieses Systems liege. Zu Recht verweist der EuGH darauf, dass Klimaschutzmaßnahmen zwangsläufig Auswirkungen auf den Energiesektor haben, indem sie mittelbar die Wahl zwischen verschiedenen Energiequellen zu Gunsten erneuerbarer Energien beeinflussen.[55]

B. Reichweite der Regelungskompetenz der EU für eine europäische Energiepolitik

Durch alle Bereiche des europäischen Energierechts zieht sich damit wie ein roter Faden die Frage, welche Regelungen auf der Ebene des Unionsrechts getroffen werden können und welche Bereiche den Mitgliedstaaten vorbehalten sind. Die Reichweite der Regelungskompetenz der EU für die europäische Energiepolitik bestimmt damit die Zukunft des europäischen Energierechts.

Nach dem Prinzip der begrenzten Einzelermächtigung (Art. 5 Abs. 2 EUV) hat die Europäische Union eine Regelungskompetenz nur, wenn und soweit die Mitgliedstaaten ihr diese Zuständigkeit übertragen haben. Im Bereich des Energierechts finden Rechtsakte der Union ihre Kompetenzgrundlage insbesondere in Art. 194 Abs. 2 AEUV für die Energiepolitik sowie in Art. 192 AEUV für den Umweltschutz. So stützt die Kommission ihre umfangreichen Vorschläge im Winterpaket auf diese beiden Ermächtigungsgrundlagen.[56]

I. Art. 194 AEUV als Kompetenzgrundlage für die europäische Energiepolitik

Erst durch den Vertrag von Lissabon erhielt die Europäische Union mit Art. 194 AEUV eine ausdrückliche Kompetenz für den Bereich der Energiepolitik.[57] Art. 194 Abs. 1 AEUV beschreibt die Ziele europäischer Energiepolitik. Art. 194 Abs. 2 UAbs. 1 AEUV ermächtigt die Union, die erforderlichen Maßnahmen zu ergreifen, um diese Ziele zu verwirklichen. Grundlegende Entscheidungen über die Bedingungen für die Nutzung der

[55] *EuGH*, Urt. v. 21.6.2018, Rs. C-5/16, Rn. 46 und 60ff.

[56] Auf Art. 194 Abs. 2 AEUV beruhen folgende Vorschläge der Kommission: Richtlinie zur Förderung der Nutzung von erneuerbaren Energien, Richtlinie über die Gesamtenergieeffizienz von Gebäuden, Verordnung über den Elektrizitätsbinnenmarkt, Verordnung über die Risikoversorgung im Elektrizitätssektor, Verordnung zur Gründung einer Agentur der Europäischen Union für die Zusammenarbeit der Energieregulierungsbehörden und Richtlinie mit gemeinsamen Vorschriften für den Elektrizitätsbinnenmarkt. Auf Art. 192 Abs. 1 AEUV und Art. 194 Abs. 2 AEUV beruht der Vorschlag für eine Verordnung über das Governance-System der Energieunion.

[57] *EuGH*, Urteil vom 6.9.2012, Rs. C-490/10, Rdnr. 66 – Europäisches Parlament/Rat; *Calliess*, in: Calliess/Ruffert (Hrsg.), EUV/AEUV, 5. Auflage 2016, Art. 194 AEUV Rdnr. 1; *Nettesheim*, in: Grabitz/Hilf/Nettesheim (o. Fn. 11) Rdnr. 1 ff.

Energieressourcen, die Wahl der Energiequellen und die allgemeine Struktur der Energieversorgung sind gemäß Art. 194 Abs. 2 UAbs. 2 AEUV den Mitgliedstaaten vorbehalten. Steuerrechtliche Energiemaßnahmen werden gemäß Art. 194 Abs. 3 AEUV im besonderen Gesetzgebungsverfahren mit Einstimmigkeit im Rat erlassen.

1. Bündelung der EU-Kompetenz

Ziel der neuen Kompetenzgrundlage des Art. 194 AEUV ist es, die Zuständigkeiten der EU in der Energiepolitik zu bündeln.[58] Die Mitgliedstaaten wollen „im Geiste der Solidarität" zusammenarbeiten (Art. 194 Abs. 1 AEUV). Damit anerkennen sie die Notwendigkeit, einen gemeinsamen europäischen Rechtsrahmen für den Energiesektor zu entwickeln.[59] Klargestellt wird die Kompetenz der Union, eine kohärente europäische Energiepolitik zu entwickeln.[60] Innerhalb der Organe der EU werden die spezifisch energierechtlichen Abteilungen und Gremien gestärkt. So festigt Art. 194 AEUV die Stellung der Generaldirektion Energie. Für Rechtsakte auf der Grundlage von Art. 194 Abs. 2 AEUV ist im Rat der Rat der Energieminister zuständig.[61]

Die Unionskompetenz für die Energiepolitik ist eine zwischen den Mitgliedstaaten und der Union geteilte Kompetenz (Art. 4 Abs. 2 lit. i AEUV). Das bedeutet, dass die Mitgliedstaaten und die Union in diesem Bereich Rechtsakte erlassen können, die Mitgliedstaaten ihre Kompetenz aber nur wahrnehmen, sofern und soweit die Union ihre Zuständigkeit nicht ausgeübt hat (Art. 2 Abs. 2 AEUV). Begrenzt wird diese konkurrierende Rechtsetzungskompetenz der Union durch den Grundsatz der Verhältnismäßigkeit und das Subsidiaritätsprinzip als Kompetenzausübungsschranken (Art. 5 Abs. 3 und 4 EUV). Rechtsakte auf der Grundlage des Art. 194 Abs. 2 AEUV werden im ordentlichen Gesetzgebungsverfahren gemäß Art. 289 i.V.m. Art. 294 AEUV erlassen.

2. Ziele europäischer Energiepolitik

Art. 194 Abs. 1 AEUV setzt gleichrangig mehrere Ziele für die europäische Energiepolitik.[62] Ebenso wie in anderen Kompetenzvorschriften des Uni-

[58] Vgl. *Hamer*, in: von der Groeben/Schwarze/Hatje (Hrsg.), Europäisches Unionsrecht, 7. Aufl. 2015, Art. 194 Rdnr. 5.

[59] *Europäischer Konvent*, Textentwurf für Abschnitte des Teils III mit Kommentaren, 27.5.2003, CONV 727/03, Anl. VII, 110.

[60] *Nettesheim*, in: Grabitz/Hilf/Nettesheim (o. Fn. 11) Rdnr. 8.

[61] Sie tagen unter dem Dach des Rates „Verkehr, Telekommunikation und Energie" etwa drei bis viermal im Jahr; *Calliess*, in: Calliess/Ruffert (Hrsg.), (o. Fn. 57), Rdnr. 2.

[62] *Ludwigs*, in: Ruffert (Hrsg.), Enzyklopädie Europarecht, Europäisches sektorales Wirtschaftsrecht, 2013, § 5 Energierecht, Rdnr. 49 f.; *Bings*, in: Streinz (o. Fn. 8) Rn. 31;

onsrechts werden nicht konkrete Sachmaterien der Zuständigkeit der Union übertragen, sondern Regelungsziele beschrieben. Solche finalen Kompetenznormen bergen die Tendenz einer erweiternden Auslegung, da das Erreichen eines abstrakten Zieles eine Vielzahl von Maßnahmen rechtfertigt.

Gemäß Art. 194 Abs. 1 AEUV soll die Energiepolitik der Union das Funktionieren der Energiemärkte (Art. 194 Abs. 1 lit. a AEUV) und eine verlässliche Energieversorgung (Art. 194 Abs. 1 lit. b AEUV) gewährleisten. Energieeffizienz, Energieeinsparungen und die Entwicklung neuer und erneuerbarer Energiequellen sollen europaweit gefördert werden. (Art. 194 Abs. 1 lit. c AEUV). Schließlich soll die europäische Energiepolitik die Interkonnektion der europäischen Energienetze fördern (Art. 194 Abs. 1 lit. d AEUV).

Das weit gefasste Ziel, funktionsfähige Energiemärkte zu schaffen, dient dem Abbau von Handelshindernissen und Wettbewerbsverzerrungen auf den Energiemärkten.[63] Bislang wurden energierechtliche Maßnahmen mit diesem Ziel auf die allgemeine Binnenmarktkompetenz gestützt, die insoweit nun durch Art. 194 AEUV verdrängt wird.[64] Der Vertrag von Lissabon stellt daneben das eigenständige, grundlegende Ziel der Versorgungssicherheit.[65] Energieeffizienz und Energieeinsparungen dienen dem Klimaschutz, zugleich einer Reduktion des Energieverbrauchs und damit der Wirtschaftlichkeit der Energieversorgung. Art. 194 Abs. 1 lit. c AEUV umfasst nicht nur die technologische Entwicklung,[66] sondern auch die wirtschaftliche Förderung erneuerbarer Energien in der EU.[67] Diese Auslegung legen die anderen authentischen Sprachfassungen nahe.[68] Dementsprechend beruht der Vorschlag der Kommission zur Reform der Erneuerbaren-Energie Richtlinie,

Nettesheim, in: Grabitz/Hilf/Nettesheim (o. Fn. 11) Rn. 26; *Gundel*, in: Pechstein/Nowak/Häde (Hrsg.), Frankfurter Kommentar zu EUV, GRC und AEUV, Band III, 2017, Art. 194 AEUV Rn. 6.

[63] *Ludwigs*, in: Ruffert (o. Fn. 62), Rdnr. 58; *Hamer*, in: von der Groeben/Schwarze/Hatje (o. Fn. 58), Rdnr. 14; *Nettesheim*, in: Grabitz/Hilf/Nettesheim (o. Fn. 11) Rn. 15.

[64] So wurde die Verordnung (EU) Nr. 1227/2011 vom 25.10.2011 über die Integrität und Transparenz des Energiemarktes, ABl. L 326/1 auf Art. 194 Abs. 2 AEUV gestützt. *Gundel*, in: Pechstein/Nowak/Häde (o. Fn. 62) Rn. 7 m.w.N.

[65] *EuGH*, Urteil vom 7.9.2016, Rs. C-121/15, Rn. 48 – Anode. Siehe auch *EuG*, Beschluss vom 26.9.2016, Rs. T-382/15, Rn. 120 – Greenpeace Energy; *EuGH*, Beschluss vom 10.10.2017, Rs. C-640/16 P – Greenpeace Energy. Auf Art. 194 Abs. 2 AEUV wurde die Verordnung (EU) Nr. 994/2010 vom 20.10.2010 über Maßnahmen zur Gewährleistung der sicheren Erdgasversorgung, ABl. L 295/1 gestützt.

[66] *Frenz*, in: Handbuch Europarecht, Band 6 – Institutionen und Politiken, 2011, Kapitel 30 Energie, Rdnr. 4693; *Calliess*, in: Calliess/Ruffert (o. Fn. 57), Rdnr. 15.

[67] *Gundel*, in: Pechstein/Nowak/Häde (o. Fn. 62), Rdnr. 15; *Ludwigs*, in: Ruffert (o. Fn. 63), Rdnr. 63; *Bings*, in: Streinz (o. Fn. 8) Rn. 28; *Heselhaus*, Europäisches Energie- und Umweltrecht als Rahmen der Energiewende in Deutschland, EurUP 2013, 137 ff. (148). Zum Ziel, die Nutzung erneuerbarer Energien zu fördern, siehe *EuGH*, Urteil vom 1.7.2014, Rs. C-573/12, Rdnr. 77 ff. (78) – Ålands Vindkraft.

[68] *Ludwigs*, in: Ruffert (o. Fn. 62), Rdnr. 63.

der Ziele und Grundstrukturen einer finanziellen Förderung durch die Mitgliedstaaten bestimmt, allein auf Art. 194 Abs. 2 AEUV.[69] Europäische Energienetze schließlich tragen zur Versorgungssicherheit bei; sie sind Grundvoraussetzung für einen grenzüberschreitenden Handel mit Strom und Gas.[70]

Gemäß Art. 194 Abs. 1 AEUV ist die Energiepolitik der EU insgesamt darauf ausgerichtet, in Solidarität der Mitgliedstaaten[71] den europäischen Binnenmarkt zu verwirklichen und die Umwelt zu erhalten.[72] Der Umweltschutz ist damit nicht nur ein allgemeines Ziel der EU (Art. 11 AEUV und Art. 3 Abs. 3 S. 3 EUV), sondern ein spezifisches Ziel europäischer Energiepolitik.[73] Diese soll zugleich funktionsfähige Märkte gewährleisten. Art. 194 AEUV ist als einheitliche Rechtsgrundlage den umweltpolitischen und energiewirtschaftlichen Zielen europäischer Energiepolitik verpflichtet.[74] Wettbewerbsfähigkeit und Umweltschutz stehen im europäischen Energierecht nicht mehr in verschiedenen Kompetenzgrundlagen einander gegenüber. Insgesamt ist Art. 194 AEUV darauf ausgerichtet, einen Ausgleich im Zielkonflikt von Versorgungssicherheit, Umweltschutz und Binnenmarkt zu schaffen.

Diese grundlegenden Ziele europäischer Energiepolitik begründen eine weit gefasste Zuständigkeit der Union, energierechtliche Maßnahmen zu treffen.[75] So sind vielfältige Maßnahmen geeignet, das Funktionieren der Energiemärkte zu gewährleisten. Der EuGH hat in der Vergangenheit jedenfalls das Ziel, einen funktionierenden Binnenmarkt zu errichten, sehr weit ausgelegt.[76] Auch die grundlegenden Ziele der Versorgungssicherheit, der Energieeffizienz und Energieeinsparung öffnen die Tür für eine Fülle von Maßnahmen.

[69] Siehe Art. 4 Vorschlag EE-RL.

[70] Vgl. *Gundel*, Die energiepolitischen Kompetenzen der EU nach dem Vertrag von Lissabon, EWS 2011, 25 (26); *Hamer*, in: von der Groeben/Schwarze/Hatje (o. Fn. 58), Rdnr. 19; *Schmidt-Preuß*, Das Europäische Energierecht, in: Kment (Hrsg.), Das Zusammenwirken von deutschem und europäischem Öffentlichen Recht, FS Jarass, 2015, 115 (117).

[71] Der ausdrückliche Hinweis auf die Solidarität der Mitgliedstaaten wurde mit Blick auf die Abhängigkeit einiger ost- und mittelosteuropäischer Staaten von Energieimporten aus Russland eingefügt. So *Kahl*, Die Kompetenzen der EU in der Energiepolitik nach Lissabon, EuR 2009, 601 (607).

[72] *Ludwigs*, in: Ruffert (o. Fn. 62), Rdnr. 65 ff.

[73] *EuGH*, Urteil vom 21.7.2011, Rs. C-2/10, Rn. 56 – Azienda Agro-Zootecnica Franchini Sarl.

[74] *Gundel*, Die energiepolitischen Kompetenzen der EU nach dem Vertrag von Lissabon, (o. Fn. 70).

[75] *Schmidt-Preuß*, Das Europäische Energierecht, in: Kment (o. Fn. 70), 115 (116).

[76] Nach *Leible/Schröder*, in: Streinz (o. Fn. 8) Art. 114 AEUV Rdnr. 47 bringt es „die Weite des Binnenmarktbegriffs […] mit sich, dass nahezu jede Maßnahme der Union irgendeinen (Rand-) Bezug zum Binnenmarkt hat".

3. Souveränitätsvorbehalt der Mitgliedstaaten

Angesichts dieser weit gefassten Ziele europäischer Energiepolitik in Art. 194 Abs. 1 AEUV gewinnt der Souveränitätsvorbehalt des Art. 194 Abs. 2 UAbs. 2 AEUV eine besondere Bedeutung. Die Mitgliedstaaten haben der Union wichtige Befugnisse im Bereich der Energiepolitik übertragen, sich aber gleichzeitig grundlegende Regelungskompetenzen vorbehalten.[77] Art. 194 Abs. 2 UAbs. 2 AEUV bestimmt, dass die energiepolitischen Maßnahmen der EU „unbeschadet des Art. 192 Abs. 2 Buchstabe c nicht das Recht eines Mitgliedstaats [berühren], die Bedingungen für die Nutzung seiner Energieressourcen, seine Wahl zwischen verschiedenen Energiequellen und die allgemeine Struktur seiner Energieversorgung zu bestimmen.“ Die Erklärung Nr. 35 zu Art. 194 AEUV regelt ergänzend, dass Art. 194 AEUV „das Recht der Mitgliedstaaten unberührt lässt, Bestimmungen zu erlassen, die für die Gewährleistung der Energieversorgung unter den Bedingungen des Art. 347 [AEUV] erforderlich sind“.[78] In Notstandszeiten greift dieser Regelungsvorbehalt.[79] Grundlegende energiepolitische Entscheidungen verbleiben damit in der Hand der Mitgliedstaaten.

Art. 194 Abs. 2 UAbs. 2 AEUV begründet einen materiell-rechtlichen Kompetenzvorbehalt der Mitgliedstaaten.[80] Über die Nutzung ihrer Energieressourcen, die Wahl zwischen verschiedenen Energiequellen und die Struktur ihrer Energieversorgung entscheiden die Mitgliedstaaten. Die Union besitzt insoweit keine Regelungskompetenz. Bei dem Verweis auf Art. 192 Abs. 2 lit. c AEUV handelt es sich nicht um einen Rechtsfolgenverweis, der eine Zuständigkeit der Union für diese Bereiche begründet würde, Rechtsakte aber der Einstimmigkeit im Rat bedürfen.[81] Ebenso wenig wird ein Rechtsgrundverweis begründet mit der Folge, dass es der Einstimmigkeit im Rat bedürfte, wenn die energiepolitische Regelung einen sachlichen Bezug zum Umweltschutz hat.[82] Für einen echten Souveränitätsvorbehalt der Mit-

[77] *Calliess*, in: Calliess/Ruffert (o. Fn. 57), Rdnr. 29.

[78] Siehe konsolidierte Fassung des Vertrages über die Europäische Union und des Vertrages über die Arbeitsweise der Europäischen Union, ABl. C 83/1, (349).

[79] *Hamer*, in: von der Groeben/Schwarze/Hatje (o. Fn. 58), Rdnr. 28.

[80] *Bings*, in: Streinz (o. Fn. 8) Rn. 17; *Calliess*, in: Calliess/Ruffert (o. Fn. 57), Rdnr. 29; *Ludwigs*, in: Ruffert (o. Fn. 62), Rdnr. 71; im Ergebnis auch *Hamer*, in: von der Groeben/Schwarze/Hatje (o. Fn. 58), Rdnr. 27; *Ehricke/Hackländer*, Europäische Energiepolitik auf der Grundlage der neuen Bestimmungen des Vertrags von Lissabon, ZEuS 2008, 579 (598f.). Siehe auch *Hobe*, Energiepolitik, EuR-Beiheft 1/2009, 219 ff. (229).

[81] *Gundel*, Die energiepolitischen Kompetenzen der EU nach dem Vertrag von Lissabon, EWS 2011, 25 (28). Eine restriktive Auslegung der Vorbehaltsklausel befürwortet *Pielow*, in: Ehlers/Fehling/Pünder (o. Fn. 6) Rn. 20.

[82] *Schmidt-Preuß*, Das Europäische Energierecht, in: Kment (o. Fn. 70), 115 ff. (119) sieht in Art. 194 Abs. 2 UAbs. 2 AEUV eine Rechtsgrundverweisung. Die verschiedenen Auffassungen zusammenfassend und zum Verständnis des Art. 194 Abs. 2 UAbs. 2 AEUV als „Einstimmigkeitsvorbehalt“ *Gundel*, in: Pechstein/Nowak/Häde (o. Fn. 62) Rn. 27ff.

gliedstaaten spricht bereits der Wortlaut des Art. 194 Abs. 2 UAbs. 2 AEUV, wonach bestimmte Rechte der Mitgliedstaaten unberührt bleiben, mithin nicht auf die Europäische Union übertragen werden. Anders als Art. 194 Abs. 3 AEUV begründet Art. 194 Abs. 2 UAbs. 2 AEUV keine Kompetenz der Union mit Einstimmigkeitsvorbehalt, sondern behält den Mitgliedstaaten bestimmte Entscheidungsräume vor. Auch die Entstehungsgeschichte spricht für diese Auslegung.[83]

Für die weitere Entwicklung der europäischen Energiepolitik ist maßgeblich, welche Regelungskompetenzen die EU besitzt und welche energierechtlichen Entscheidungen die Mitgliedstaaten treffen. Zu klären ist deshalb, was unter den Bedingungen für die Nutzung eigener Energieressourcen, die Wahl zwischen verschiedenen Energiequellen und die allgemeine Struktur der eigenen Energieversorgung zu verstehen ist, wie weit mithin der Souveränitätsvorbehalt des Art. 194 Abs. 2 UAbs. 2 AEUV reicht.

a) Vorbehalt grundlegender Entscheidungen über die Energieversorgung

Mit den Bedingungen für die Nutzung ihrer Energieressourcen, der Wahl ihrer Energiequellen sowie der allgemeinen Struktur ihrer Energieversorgung behalten sich die Mitgliedstaaten grundlegende Entscheidungen über ihre Energieversorgung vor. Insoweit bleiben sie Herren der Grundstrukturen ihrer Energieversorgungssysteme. Hierin liegt der Zweck des Souveränitätsvorbehalts. Zu den Bedingungen für die Nutzung eigener Energieressourcen gehört jedenfalls die Entscheidung darüber, wem knappe Energiereserven zustehen. Auch in Krisenfällen kann die Union Mitgliedstaaten nicht dazu verpflichten, eigene Energieressourcen anderen Mitgliedstaaten zur Verfügung zu stellen.[84] Die Mitgliedstaaten entscheiden auch darüber, auf welche Energiequellen sie ihre Energieversorgung stützen. Hierzu gehört die Entscheidungshoheit über den Einsatz der Kernenergie. Die Union kann weder einen Ausstieg aus der Atomenergie noch ein Festhalten an der Kernenergie in einem Mitgliedstaat erzwingen.[85] Schließlich sind Entscheidungen über die allgemeine Struktur der Energieversorgung den Mitgliedstaaten vorbehalten. Insgesamt ist der Souveränitätsvorbehalt des Art. 194 Abs. 2 UAbs. 2 AEUV darauf ausgerichtet, grundlegende Entscheidungen über das Energieversorgungssystem – die Bedingungen für die Nutzung der Energieressourcen, die

[83] Hierzu *Calliess*, Die Europäische Union nach dem Vertrag von Lissabon, 2010, 491f.

[84] *Nettesheim*, Das Energiekapitel im Vertrag von Lissabon, JZ 2010, 19 (23); *Hamer*, in: von der Groeben/Schwarze/Hatje (o. Fn. 58), Rdnr. 27. Siehe auch *Schmidt-Preuß*, Das Europäische Energierecht, in: Kment (o. Fn. 70), 115 ff. (117).

[85] *Nettesheim*, Das Energiekapitel im Vertrag von Lissabon, JZ 2010, 19 (23). Insoweit findet vorrangig der EURATOM-Vertrag Anwendung. So *Schmidt-Preuß*, Das Europäische Energierecht, in: Kment (o. Fn. 70), 115 (120).

Wahl der Energiequellen und die Struktur der Energieversorgung – in der Hand der Mitgliedstaaten zu belassen.

b) Überlagerung des Souveränitätsvorbehalts durch die energiepolitischen Ziele der EU

Allerdings sind die Grenzen dieses Souveränitätsvorbehalts nicht klar definiert, die Tatbestandsvoraussetzungen des Art. 194 Abs. 2 UAbs. 2 AEUV nicht klar umrissen. Rechtsakte der EU dürfen nicht unmittelbar die Bedingungen für die Nutzung der Energieressourcen, die Wahl der Energiequellen und die allgemeine Struktur der Energieversorgung bestimmen. Gleichwohl kann das europäische Energierecht mittelbar den Energiemix in den Mitgliedstaaten beeinflussen. Die Regelungskompetenz der EU gründet auf energiepolitischen Zielen, die die in Art. 194 Abs. 2 UAbs. 2 den Mitgliedstaaten vorbehaltenen, grundlegenden Entscheidungsbefugnisse überlagern.

Deutlich wird dies beim Einsatz fossiler Energieträger. Die EU hat sich das Ziel gesetzt, die erneuerbaren Energien auszubauen und die EU-weiten Treibhausgasemissionen kontinuierlich zu reduzieren. Schreitet die EU weiter auf ihrem Weg voran, diese Ziele zu verwirklichen, hat dies Auswirkungen auf die Wahl der Energiequellen in den Mitgliedstaaten. Ein verstärkter Ausbau der erneuerbaren Energien wird zu einem Rückgang anderer Energiequellen führen. Eine deutliche Reduktion der Treibhausgasemissionen erfordert jedenfalls mittelfristig eine Abkehr von fossilen Brennträgern. Zumindest das vom Europäischen Rat beschlossene Ziel, die CO_2-Emissionen in der EU bis zum Jahr 2050 um mindestens 80 Prozent zu senken,[86] kann nur durch eine Dekarbonisierung der Wirtschaft erreicht werden. Will die Union dieses Klimaschutzziel erreichen, kann die Energieversorgung in den Mitgliedstaaten künftig nicht vorrangig auf fossile Brennträger gestützt werden. Während die Entscheidung über die Wahl der Energiequellen gemäß Art. 194 Abs. 2 UAbs. 2 AEUV den Mitgliedstaaten vorbehalten ist, wird die Option für die Mitgliedstaaten, die eigene Energieversorgung primär durch fossile Energieträger zu gewährleisten, durch die Klimaschutzziele der Union in der Sache ausgeschlossen. Es stellt sich die Frage, wie die EU ihre in Art. 194 Abs. 1 AEUV festgelegten energiepolitischen Ziele erreichen kann, ohne den Souveränitätsvorbehalt des Art. 194 Abs. 2 UAbs. 2 AEUV auszuhöhlen.

c) Konsens der Mitgliedstaaten als Grundlage gemeinsamer Energiepolitik

Dieser Konflikt zwischen dem Souveränitätsvorbehalt der Mitgliedstaaten und den energiepolitischen Zielen der Union wird auf der Ebene des Völkerrechts entschärft. Als Beitrag zum weltweiten Klimaschutzziel, den Anstieg

[86] *Europäischer Rat*, Tagung des Europäischen Rates vom 29./30. Oktober 2009, Schlussfolgerungen des Vorsitzes, 15265/09, Punkt 7.

der durchschnittlichen Erdtemperatur auf 1,5°C zu begrenzen, jedenfalls aber deutlich unter 2°C gegenüber dem vorindustriellen Niveau zu halten,[87] sagten die EU und ihre Mitgliedstaaten im Rahmen des Pariser Klimaschutzabkommens zu, gemeinsam ihre Treibhausgasemissionen bis zum Jahr 2030 um mindestens 40 Prozent gegenüber den Werten des Jahres 1990 zu reduzieren.[88] Die Vertragsstaaten des Pariser Abkommens verpflichteten sich, über ihre Treibhausgasemissionen und die Maßnahmen zur Umsetzung dieses Klimaschutzziels regelmäßig zu berichten und ihre Selbstverpflichtung alle fünf Jahre zu verschärfen.[89]

Da das Pariser Abkommen Zuständigkeiten der Mitgliedstaaten und der EU berührt, wurde es als gemischtes Abkommen geschlossen.[90] Vertragsparteien sind die Mitgliedstaaten und die EU. Nach dem Abkommen ist völkerrechtlich jeder Mitgliedstaat einzeln sowie zusammen mit der EU für das Emissionsniveau verantwortlich, das dem Klimasekretariat notifiziert wurde (Art. 4 Abs. 18 Pariser Abkommen).

Nach den EU-Verträgen haben die Mitgliedstaaten das souveräne Recht, über die Wahl der Energiequellen in ihrem Land zu entscheiden. Sie haben im Europäischen Rat vereinbart[91] und sind völkerrechtlich im Pariser Klimaschutzabkommen übereingekommen, dieses Recht so auszuüben, dass die gemeinsam mit der EU völkerrechtlich erklärte Klimaschutzverpflichtung erfüllt wird. In der Sache haben alle Mitgliedstaaten damit dem Abschied von fossilen Energieträgern und dem Ausbau der erneuerbaren Energien zugestimmt. Der Souveränitätsvorbehalt, über die Wahl ihrer Energiequellen zu entscheiden, hindert die Mitgliedstaaten nicht daran gemeinsam zu vereinbaren, künftig ihre Energieversorgung zum Schutz des Klimasystems der Erde nicht mehr vorrangig auf fossile Energieträger zu stützen. Indem die Mit-

[87] Art. 2 Abs. 1 lit. a Übereinkommen von Paris vom 12. Dezember 2015.

[88] Latvian Presidency of the Council of the European Union, Submission by Latvia and the European Commission on behalf of the European Union and its Member States – Intended Nationally Determined Contribution of the EU and its Member States, 06.3.2015, Nr. 3.

[89] Hierzu *Kreuter-Kirchhof*, Das Pariser Klimaschutzübereinkommen und die Grenzen des Rechts, DVBl. 2017, 97.

[90] Zur Ratifikation durch die BRD siehe BGBl. II 2016, 1082. Zur Unterzeichnung durch die EU siehe Beschluss (EU) 2016/590 des Rates vom 11.4.2016, ABl. L 103/2. Zur Ratifikation durch die EU siehe Beschluss (EU) 2016/1841 des Rates vom 5.10.2016, ABl. L 282/1. Zu gemischten Abkommen siehe *EuGH*, Gutachten 1/78 vom 4.10.1978, Slg. 1979, 2871 – Internationales Naturkautschukübereinkommen; Gutachten 2/92 vom 24.3.1995, Slg. 1995, I-521, Rn. 34 – OECD; Gutachten 1/94 vom 25.1.1994, Slg. 1994, I-5267, Rn. 98 – WTO; Gutachten 2/15 vom 16.5.2017, Rn. 19ff. – Freihandelsabkommen mit Singapur. Vgl. *Mögele,* in: Streinz (o. Fn. 8) Art. 216 AEUV Rn. 39ff.; *Grzeszick/Hettche,* Zur Beteiligung des Bundestages an gemischten völkerrechtlichen Abkommen, AöR 141 (2016), 227 ff. (229).

[91] *Europäischer Rat*, Schlussfolgerungen zum Pariser Klimaschutzabkommen, Tagung vom 22./23. Juni 2017, 23.6.2017, EUCO 8/17, Nr. 11.

gliedstaaten im Rahmen des Pariser Abkommens ambitionierten Klimaschutzzielen zustimmen, handeln sie nicht supranational, sondern auf der Ebene des Völkerrechts. Sie übertragen nicht ihre Kompetenz auf die EU, sondern üben sie gemeinsam mit dem Ziel aus, die Erdatmosphäre zu schützen.

Dieses Vorgehen könnte als Modell für die Weiterentwicklung des Energierechts in Europa dienen. Gemäß Art. 194 Abs. 1 AEUV bestimmt der „Geist der Solidarität zwischen den Mitgliedstaaten" die europäische Energiepolitik. Auch die anderen Sprachfassungen verwenden diesen Begriff der Solidarität („solidarity", „solidarité", „solidaridad", „solidarietà"). Die Mitgliedstaaten behalten sich die grundlegenden Entscheidungen über ihre Energieversorgungssysteme vor, anerkennen aber gleichzeitig die Notwendigkeit, einen gemeinsamen europäischen Rechtsrahmen für die Energiepolitik zu entwickeln. Supranationale Maßnahmen der EU, die im ordentlichen Gesetzgebungsverfahren mit einer qualifizierten Mehrheit im Rat erlassen werden, sind nicht der einzige Weg, dieses Ziel zu erreichen. Treffen die Mitgliedstaaten grundlegende Entscheidungen zur Energiepolitik im Konsens, wahrt dies die Souveränität der Mitgliedstaaten. Einstimmige Entscheidungen können Ausdruck einer solidarischen Zusammenarbeit der Mitgliedstaaten sein. Dabei ist Solidarität in einzelnen Bereichen auch zwischen Gruppen von Mitgliedstaaten denkbar.[92] Die europäische Energiewende fordert eine grundlegende und weitreichende Transformation der Energieversorgungssysteme in den Mitgliedstaaten der EU. Es dient der Akzeptanz, wenn dieser Transformationsprozess auf einer breiten Zustimmung beruht.

4. Steuerliche Maßnahmen europäischer Energiepolitik

Dieses Konsensprinzip gilt gemäß Art. 194 Abs. 3 AEUV jedenfalls für steuerliche Maßnahmen der EU im Bereich der Energiepolitik. Diese bedürfen der Einstimmigkeit im Rat. Sie werden im besonderen Gesetzgebungsverfahren nach Anhörung des Europäischen Parlaments erlassen. Diese Regelung entspricht im Wesentlichen Art. 192 Abs. 2 lit. a AEUV für den Bereich der Umweltpolitik. Die Steuerhoheit gehört zu den Bereichen, die die Mitgliedstaaten selbst regeln und nicht auf die Union übertragen haben.

5. Außenkompetenz der EU

Art. 194 AEUV begründet in Verbindung mit Art. 216 AEUV eine Außenkompetenz der EU für die Energiepolitik, soweit der Abschluss von Abkommen erforderlich ist, um die in Art. 194 Abs. 1 AEUV bestimmten Ziele der europäischen Energiepolitik zu erreichen.[93] Auf dieser Rechtsgrundlage trat

[92] Möglich wäre etwa eine verstärkte Zusammenarbeit (Art. 20 EUV, Art. 326ff. AEUV).
[93] Hierzu *Gundel*, in: Pechstein/Nowak/Häde (o. Fn. 62) Rn. 34ff.

die EU unter anderem der neu gegründeten Internationalen Organisation für erneuerbare Energien (IRENA) bei.[94]

II. Umweltkompetenz der EU (Art. 192 AEUV)

Europäisches Energierecht findet seine Rechtsgrundlage nicht nur in der spezifisch energiepolitischen Regelungskompetenz des Art. 194 AEUV, sondern auch in der Umweltkompetenz des Art. 192 AEUV i.V.m. Art. 191 AEUV. So stützt die Kommission ihren Vorschlag für ein Governance-System für die europäische Energieunion auf Art. 192 und Art. 194 AEUV.[95] Dabei zählt eine nachhaltige Umweltpolitik zu den wesentlichen Zielen der Europäischen Union (siehe Art. 3 Abs. 3 UAbs. 1 S. 2 EUV und Art. 11 AEUV).

Dem materiell-rechtlichen Souveränitätsvorbehalt der Mitgliedstaaten in Art. 194 Abs. 2 UAbs. 2 AEUV entspricht im Bereich der umweltpolitischen Kompetenz der EU die verfahrensrechtliche Regelung des Art. 192 Abs. 2 UAbs. 1 lit. c AEUV. Stützt die EU einen Rechtsakt auf ihre Umweltkompetenz, gewährleistet Art. 192 Abs. 2 UAbs. 1 lit. c AEUV, dass die Union nicht gegen den Willen eines Mitgliedstaates Regelungen treffen kann, die die Wahl der Energiequellen oder die Struktur der Energieversorgung in einem Mitgliedstaat erheblich berühren. Die Union hat im Bereich der Umweltpolitik eine Regelungskompetenz, kann diese aber nur im besonderen Gesetzgebungsverfahren mit Einstimmigkeit im Rat ausüben, wenn die Regelung den Energiemix oder die Struktur der Energieversorgung wesentlich betrifft.

III. Verhältnis der Kompetenzgrundlagen zueinander

Die spezifische Kompetenz der EU für die Energiepolitik steht neben anderen Kompetenzgrundlagen, auf die energierechtliche Rechtsakte der Union gestützt werden können. Dies folgt bereits aus dem Wortlaut des Art. 194 Abs. 2 UAbs. 1 S. 1 AEUV, wonach europäische Rechtsakte auf der Grundlage dieser Vorschrift „unbeschadet der Anwendung anderer Bestimmungen" erlassen werden. Nach der Rechtsprechung des EuGH ist Art. 194 AEUV die Rechtsgrundlage für alle von der Union im Energiebereich erlassenen Rechtsakte, mit denen die genannten energiepolitischen Ziele verwirklicht werden können, sofern nicht speziellere Bestimmungen im AEUV bestehen.[96] In Betracht kommen neben der Umweltkompetenz insbesondere

[94] Beschluss des Rates vom 24.6.2010 über den Abschluss der Satzung der Internationalen Organisation für erneuerbare Energien (IRENA) durch die Europäische Union, ABl. L 178/17.

[95] Vorschlag Governance-VO.

[96] *EuGH*, Urteil vom 6.9.2012, Rs. C-490/10, Rn. 67 – Europäisches Parlament/Rat.

die allgemeine Harmonisierungskompetenz gemäß Art. 114ff. AEUV, wettbewerbsrechtliche Vorschriften (Art. 101 und 102 AEUV), beihilferechtliche Vorschriften (Art. 107ff. AEUV) und der Aufbau transeuropäischer Netze gemäß Art. 170ff. AEUV.[97]

Die Regelungsmaterien dieser Kompetenzgrundlagen überschneiden sich.[98] Für jeden energierechtlichen Rechtsakt der Union ist zu klären, auf welche Rechtsgrundlage er zu stützen ist. Die maßgebliche Rechtsgrundlage ist zu nennen.[99] Es ist nicht nur nach einer, sondern nach der „richtigen Kompetenzgrundlage zu suchen."[100] Die Wahl der Rechtsgrundlage hat Folgen für das Rechtssetzungsverfahren sowie für die anzuwendenden Regelungsvorbehalte.[101] So besitzt die Union eine Umweltkompetenz, kann diese aber nur im besonderen Gesetzgebungsverfahren mit Einstimmigkeit im Rat ausüben, wenn die Maßnahme die Wahl eines Mitgliedstaats zwischen verschiedenen Energiequellen und die allgemeine Struktur seiner Energieversorgung erheblich berührt (Art. 192 Abs. 2 UAbs. 1 lit. c AEUV). Beruht die Maßnahme hingegen auf Art. 194 AEUV, hat die Union von vorneherein keine Regelungsbefugnis, wenn die Maßnahme die Bedingungen für die Nutzung der Energieressourcen, die Wahl zwischen verschiedenen Energiequellen und die allgemeine Struktur der Energieversorgung eines Mitgliedstaats bestimmt (Art. 194 Abs. 2 UAbs. 2 AEUV).

Es ist daher zu klären, auf welche Rechtsgrundlage ein energierechtlicher Rechtsakt der Union zu gründen ist. Nach der Rechtsprechung des EuGH ist Art. 194 Abs. 2 AEUV die Rechtsgrundlage für alle von der Union im Bereich der Energiepolitik erlassenen Rechtsakte, sofern nicht speziellere Bestimmungen im AEUV bestehen.[102] Jedenfalls für Maßnahmen zur Förderung der Energieeffizienz, der Energieeinsparung und der Entwicklung neuer und erneuerbarer Energiequellen ist Art. 194 AEUV die speziellere Regelung gegenüber Art. 192 AEUV und damit vorrangig heranzuziehen.[103] Hierfür spricht bereits der Wortlaut von Art. 194 Abs. 1 lit. c AEUV. Dementsprechend beruhen die Richtlinie zur Energieeffizienz aus dem Jahr 2012[104], der

[97] Siehe *Bings*, in: Streinz (o. Fn. 8) Rn. 38; *Gundel*, in: Pechstein/Nowak/Häde (o. Fn. 62) Rn. 21f.

[98] *Nettesheim*, Das Energiekapitel im Vertrag von Lissabon, JZ 2010, 19 (24).

[99] Dies ist Teil der Begründungspflicht gemäß Art. 296 AEUV.

[100] *Streinz*, in: Streinz (o. Fn. 8) Art. 5 EUV Rn. 8.

[101] Vgl. *EuGH*, Urteil vom 7.3.2013, Rs. T-370/11, Rn. 13, 17 – Republik Polen/Europäische Kommission. Siehe auch *Calliess*, in: Calliess/Ruffert (o. Fn. 57), Art. 192 AEUV Rn. 23.

[102] So *EuGH*, Urteil vom 6.9.2012, Rs. C-490/10, Rn. 67 – Europäisches Parlament/Rat.

[103] So *Calliess*, in: Calliess/Ruffert (o. Fn. 57), Art. 194 AEUV Rdnr. 14; *Kahl*, in: Streinz (o. Fn. 8), Art. 192 AEUV Rn. 91; *Gundel*, in: Danner/Theobald (o. Fn. 6), Rdnr. 22.

[104] Richtlinie 2012/27/EU vom 25.10.2012 zur Energieeffizienz, ABl. L 315/1.

Vorschlag für eine Reform dieser Richtlinie[105] sowie der Vorschlag für eine Reform der Erneuerbare Energien Richtlinie[106] allein auf Art. 194 Abs. 2 AEUV.

Im Übrigen verdrängt die energiepolitische Kompetenz des Art. 194 Abs. 2 AEUV die Kompetenz für den Umweltschutz gemäß Art. 192 AEUV nicht in jedem Fall.[107] So stützt die Kommission ihren Vorschlag für eine Reform der Emissionshandelsrichtlinie auf Art. 192 Abs. 2 AEUV.[108] Energiepolitische Maßnahmen können Auswirkungen auf den Klima- und Umweltschutz haben. So können die im Pariser Klimaschutzabkommen formulierten Klimaschutzziele letztlich nur durch eine Dekarbonisierung der Weltwirtschaft erreicht werden; es bedarf einer grundlegenden Transformation der Energieversorgung, um die Erdatmosphäre zu schützen.[109] Es stellt sich daher die Frage, auf welche Rechtsgrundlage eine Maßnahme zu stützen ist, die sowohl der Energiepolitik als auch dem Umweltschutz dient.[110]

Nach der Rechtsprechung des EuGH beruht die Wahl der Rechtsgrundlage der Union auf objektiven, gerichtlich nachprüfbaren Umständen, zu denen insbesondere das Ziel und der Inhalt des Rechtsakts gehören.[111] Dabei ist auf den Schwerpunkt der Maßnahme abzustellen. Es ist zu fragen, zu welchem Politikbereich die Maßnahme die größere Sachnähe aufweist, ob sie wesentlich oder überwiegend einem Politikbereich zuzuordnen ist, sich auf andere Politikbereiche nur mittelbar auswirkt.[112] Ein Rechtsakt kann nur auf Art. 194 Abs. 2 AEUV gestützt werden, wenn er „nach seinem Ziel und sei-

[105] *Europäische Kommission*, Vorschlag für eine Richtlinie über die Gesamtenergieeffizienz von Gebäuden, 30.11.2016, COM (2016) 765 final, 4.

[106] Vorschlag EE-RL.

[107] Siehe *Gundel*, in: Pechstein/Nowak/Häde (o. Fn. 62), Rn. 16f.*; Hirsbrunner*, in: Schwarze/Becker/Hatje/Schoo (Hrsg.), EU-Kommentar, 3. Aufl. 2012, Art. 194 AEUV Rn. 24; *Heselhaus*, Europäisches Energie- und Umweltrecht als Rahmen der Energiewende in Deutschland, EurUP 2013, 137 (147f.). Vgl. auch *Frenz/Kane*, Die europäische Energiepolitik, NuR 2010, 464 (469).

[108] *Europäische Kommission*, Vorschlag für eine Richtlinie zwecks Verbesserung der Kosteneffizienz von Emissionsminderungsmaßnahmen und zur Förderungen von Investitionen in CO_2-effiziente Technologien vom 15.7.2015, COM (2015) 337.

[109] Hierzu *Kreuter-Kirchhof*, Das Pariser Klimaschutzabkommen und die Grenzen des Rechts, DVBl 2017, 97.

[110] Hierzu *Frenz*, in: Handbuch Europarecht (o. Fn. 66) Rdnr. 4688 ff.

[111] So *EuGH*, Urteil vom 12.12.2002, Rs. C-281/01, Rn. 33 – Energy Star Abkommen. Siehe EuGH Urteil vom 12.12.2002, Rs. C-281/01, Rn. 33 – Energy Star-Abkommen; Urteil vom 28.6.1994, Rs. C-187/93, Rn. 17 – Europäisches Parlament/Rat; Urteil vom 27.9.1988, Rs. 165/87, Rn. 12, 13 – Kommission/Rat; Gutachten 2/00, Rn. 23 – Cartagena-Protokoll; Urteil vom 12.2.2015, Rs. C-48/14, Rn. 29 – Europäisches Parlament/Rat.

[112] Hierzu *EuGH,* Urteil vom 8.9.2009, Rs. C-411/06, Rn. 46 – Kommission/Europäisches Parlament und Rat; Urteil vom 19.7.2012, Rs. C-130/10, Rn. 43 – Europäisches Parlament/Rat; Urteil vom 22.10.2013, Rs. C-137/12, Rn. 53 – Kommission und Europäisches Parlament/Rat; Urteil vom 6.5.2014, Rs. C-43/12, Rn. 29 – Kommission/Europäisches Parlament und Rat.

nem Inhalt für die Verwirklichung der speziellen Ziele der Energiepolitik der Union gemäß Art. 194 Abs. 1 AEUV erforderlich ist."[113]

Die Reformvorschläge im Winterpaket stützt die Kommission auf Art. 194 Abs. 2 AEUV. Jedenfalls nach Einschätzung der Kommission dienen diese ihrem Ziel und ihrem Inhalt nach den spezifisch energiepolitischen Zielen der Union. Etwas anderes gilt nur für die Governance-Verordnung, die ihre Rechtsgrundlage in Art. 192 AEUV und Art. 194 Abs. 2 AEUV findet.[114] Verfolgt ein Rechtsakt mehrere Ziele gleichzeitig und sind diese von gleich geordneter Bedeutung, ist mithin kein Schwerpunkt feststellbar, können nach der Rechtsprechung des EuGH ausnahmsweise mehrere Kompetenzgrundlagen nebeneinander zur Anwendung kommen.[115]

C. Zustimmung der Mitgliedstaaten als Grundlage europäischen Energierechts

Die umfangreichen europäischen Regelungen zum Energierecht belegen, dass bereits die Gegenwart des Energierechts europäisch ist. Die jüngsten Reformvorschläge der Kommission verleihen dieser Europäisierung des Energierechts eine besondere Dynamik. Im Zentrum der Beratungen über diese Vorschläge steht die Frage nach der Reichweite der Kompetenzen der Union in der Energiepolitik. Grundlegende Entscheidungen über ihre Energieversorgungssysteme haben sich die Mitgliedstaaten vorbehalten und nicht auf die Union übertragen. Deshalb müssen in der Energiepolitik die Regelungsbefugnisse der Union klar von denjenigen der Mitgliedstaaten abgegrenzt werden. Die Rechtsgrundlage des Art. 194 AEUV formuliert dieses Ziel, weniger eine eindeutige Antwort. Die zielorientierte Kompetenz der EU und der Souveränitätsvorbehalt der Mitgliedstaaten sind in dieser Norm nicht ein klar voneinander abgegrenzt.

Das Energierecht muss auf diesen Befund reagieren. Es gilt die europäischen und internationalen Ziele moderner Energiepolitik zu verfolgen, dabei gleichzeitig die Souveränitätsinteressen der Mitgliedstaaten zu wahren. Dies ist möglich, wenn die grundlegenden Entscheidungen zur Transformation unserer Energiesysteme von einem Konsens der Mitgliedstaaten getragen sind. Eine solche breite Zustimmung bietet die Grundlage für ein zukunftsfähiges Energierecht in Europa.

[113] *EuGH*, Urteil vom 6.9.2012, Rs. C-490/10, Rn. 68 – Europäisches Parlament/Rat.

[114] Vorschlag Governance-VO beruht auf Art. 191, 192 und 194 AEUV.

[115] *EuGH*, Urteil vom 6.9.2012, Rs. C-490/10, Rn. 46 – Parlament/Rat. Vgl. *Gundel*, in: Pechstein/Nowak/Häde (o. Fn. 62) Rn. 18.

Dynamik des Energierechts versus stabiler Rechtsrahmen – Ein Überblick über die Entwicklung des Energierechts

Kerstin Semmler*

In vielfältiger Weise bezog der Jubilar, Herr Prof. Dr. Ulrich Büdenbender, zur Entwicklung und Dynamik der Gesetzgebung im Energierecht Stellung, wonach es passend erscheint, ihm zu Ehren dieses Thema im Rahmen der Festschrift zu vertiefen.

Die 1998 mit der Liberalisierung begonnene Dynamisierung des Energierechts hat sich mit dem Start der Energiewende infolge der Entscheidungen nach den Ereignissen von Fukushima nochmals erheblich verstärkt. War das Energierecht bis 1998 von Statik und Konstanz geprägt, so unterliegt der gesetzliche Rahmen sowohl hinsichtlich der Regelungstiefe als auch der Geschwindigkeit von Neuregelungen und Korrekturen einer ständigen Beschleunigung in allen Bereichen.

I. Statik des Energierechts bis 1998

Das Energiewirtschaftsgesetz von 1935[1] (EnWG) war ein verwaltungsorientiertes und technisch geprägtes Gesetz. Es sollte jederzeit eine ausreichende technisch sichere und möglichst günstige Strom- und Gasversorgung gewährleisten. Von den weiteren in der heutigen Fassung des § 1 EnWG definierten Zielen, wie z. B. der Umweltverträglichkeit, Effizienz und Sparsamkeit, war damals noch keine Rede. Die Gesetzespräambel fasste das Ziel im Kern wie folgt zusammen:

> „… *im Interesse des Gemeinwohls die Energiearten wirtschaftlich einzusetzen, den notwendigen öffentlichen Einfluss in allen Angelegenheiten der Energieversorgung zu sichern, volkswirtschaftlich schädliche Auswirkungen des Wettbewerbs (wie z. B. Doppel- bzw. Parallelinvestitionen) zu verhindern …*“

Das Gesetz beschränkte sich dabei auf 19 Paragraphen sowie einzelne, zu bestimmten Regelungen ergangene Durchführungsverordnungen. Über eine

* Rechtsanwältin in Düsseldorf.

1 Gesetz v. 13.12.1935 (RGBl. I, 1451).

Reform des EnWG 1935 gab es – u.a. auch wegen der Umstände der Entstehung – nach Inkrafttreten des Grundgesetzes eine lange Diskussion, auch über die Verfassungsmäßigkeit. Bund, Länder und Wirtschaft hatten schon in den frühen Fünfzigerjahren das Bedürfnis identifiziert, das Gesetz an die neuen verfassungs- und verwaltungsrechtlichen Anforderungen anzupassen.[2] Dies wurde aber erst 1957 anlässlich der Verabschiedung des Kartellgesetzes klar artikuliert. Dabei war deutlich geworden, dass das Nebeneinander von Preisaufsicht im Versorgungsbereich auf der einen Seite sowie der kartellrechtlichen Missbrauchsaufsicht auf der anderen Seite nicht unproblematisch ist. Dieses grundsätzliche Problem bzw. die Auflösung der Konkurrenz beider Regelungsstränge wirkt auch in der heutigen Zeit noch fort.

Der Deutsche Bundestag forderte daher 1957 die Bundesregierung auf, den Entwurf eines neuen Energiewirtschaftsgesetzes mit größtmöglicher Beschleunigung vorzulegen.[3] Diese umfassende Beschleunigung der Neukonzeptionierung und Novellierung des Energiewirtschaftsgesetzes führte dann bereits 40 Jahre später zu einer wahrnehmbaren Anpassung mit der EnWG-Novelle 1998. Zuvor wurde aber ein im Frühjahr 1973 vom Bundeswirtschaftsministerium vorgelegter Referentenentwurf für ein neues Energiewirtschaftsgesetz nach umfassenden politischen Diskussionen wieder verworfen. Der wohl entscheidende politische Hintergrund der Ablehnung war, dass die Elektrizitätswirtschaft gedroht hatte, die Verstromung deutscher Steinkohle zu drosseln, falls der energiewirtschaftsrechtliche Ordnungsrahmen verändert werde.[4]

Gleichwohl war die Diskussion über eine grundlegende Neuordnung des Energiewirtschaftsrechts auch nach der Ablehnung des Referentenentwurfs nicht mehr abschließend verstummt. Im Vordergrund standen dabei politische Diskussionen über das neuerdings zur Profilierung und Diversifizierung geeignete Thema Umweltschutz, diskutiert u.a. am Beispiel der Einbeziehung der Fernwärme in das Energiewirtschaftsgesetz. Des Weiteren haben auch die Ausführungen der Monopolkommission, die sich für Veränderungen in Richtung Wettbewerb mehrfach einsetzte, die Diskussion über Novellierung und Ausrichtung aufrechterhalten.

Zwischen dem oben genannten Referentenentwurf von 1973 und dem nächsten umfassenden Referentenentwurf im Jahr 1994 lagen wiederum rund 20 Jahre. Zu erwähnen ist hierbei jedoch der erfolgreiche Zwischenschritt der Vierten Kartellgesetznovelle von 1980. Sie war das Ergebnis einer zunehmend kritischen Diskussion in Wissenschaft und Politik über die ord-

[2] *Danner,* EnWZ 2013, S. 259 f.

[3] Umdruck 1290 zur BT-Drs. II, 3644 und 1158.

[4] Vgl. dazu umfassend *Büsch,* „Der Wettbewerbsgedanke im Energierecht. Die Diskussion um die Reform des Energiewirtschaftsgesetzes zwischen 1948 und 1973".

nungspolitische Vertretbarkeit von Versorgungsmonopolen.[5] So wurden in diesem Rahmen im Wesentlichen die kartellrechtliche Freistellung von Versorgungsverträgen auf 20 Jahre begrenzt, der Wettbewerb im Versorgungsgebiet intensiviert und die Missbrauchsaufsicht durch Beispiele, die auch die Durchleitung erfassten, konkretisiert und verschärft.[6]

Bis zum Gesetz zur Neuregelung des Energiewirtschaftsrechts von April 1998, mit dem das EnWG 1935 endgültig aufgehoben wurde, vergingen dann jedoch nochmals 18 Jahre.[7]

Der entscheidende gesetzgeberische Impuls für die Reform kam dabei im Zusammenhang mit der Verwirklichung des Europäischen Binnenmarktes aus den europäischen Rahmenvorgaben. Zu Beginn der Neunzigerjahre wurde eine Reihe von Richtlinien erlassen, von denen nachhaltige Impulse auf die Strom- und Gaswirtschaft mit dem Ziel wettbewerbsorientierter Marktverhältnisse ausgingen. Entscheidende Bedeutung kam dabei schließlich der Elektrizitätsbinnenmarktrichtlinie von 1996 sowie der sich zu diesem Zeitpunkt abzeichnenden Gasbinnenmarktrichtlinie von 1998 zu.[8]

Das Neuordnungsgesetz des EnWG 1998[9] beseitigte die kartellrechtliche Freistellung der Gebietsschutzverträge mit ihren Ausschließlichkeitsbindungen und ermöglichte damit brancheninternen Wettbewerb und die Liberalisierung des Strommarktes. Ein weiterer wesentlicher Bestandteil war auch die Einführung des verhandelten Netzzugangs, wobei die entsprechenden wirtschaftlichen und technischen Einzelheiten auf der Grundlage sogenannter Verbändevereinbarungen erfolgten. Im Rahmen der von der europäischen Richtlinie aufgezeigten Alternativen des regulierten und des verhandelten Netzzugangs hatte sich das Wirtschaftsministerium im Gegensatz zu den anderen Mitgliedsstaaten für das Modell des verhandelten Netzzugangs entschieden. Dies beruhte auf der damals vorherrschenden traditionellen Auffassung des Bundeswirtschaftsministeriums, wonach von ins Detail gehenden technisch-wirtschaftlichen Vorschriften möglichst abzusehen war – diametral entgegengesetzt zur heutigen Detail- und Regelungstiefe! Vielmehr vertraute man darauf, dass die beteiligten Wirtschaftszweige aufgrund ihres praxisbezogenen Sachverstandes sachgerechte Ergebnisse erzielen.

Nach den Brüsseler Beschleunigungsrichtlinien Strom und Gas aus dem Jahr 2003[10] konnte das EnWG 1998 mit dem Prinzip des verhandelten Netz-

[5] *Danner/Theobald*, in: Danner/Theobald, Energierecht, Einführung, 2017, Rdnr. 45 mwN.

[6] *Danner*, EnWZ 2013, S. 259.

[7] Zur Entwicklung des Gesetzes s. *Börner/Evers* et.al., VEnergR, Bd. 57 (Vorträge am Institut für Energierecht der Universität Köln v. 1./2.6.1987).

[8] Stromrichtlinie 1996, ABlEG 1996, Nr. L 27, 20, Gasrichtlinie 1998, ABlEG 1998 Nr. L 204, 1.

[9] Gesetz v. 24.4.1998 (BGBl. I, 730).

[10] Richtlinien v. 26.6.2003, ABlEG Nr. L 176, 37 ff. bzw. 57 ff. v. 15.7.2003.

zugangs keinen dauerhaften Bestand haben. Verglichen mit der Geltungsdauer des EnWG 1935 wurde es durch das heute dem Grunde nach noch gültige EnWG 2005[11] und der umfassenden Einführung einer Regulierung bereits nach sieben Jahren abgelöst.

Im Vergleich zu der über sehr lange Zeit geltenden einzigen rechtlichen Grundlage der Energieversorgung, des EnWG 1935 mit 19 Paragraphen (im Wesentlichen unverändert bis 1998), zuzüglich des einen entsprechenden Paragraphen im Gesetz gegen Wettbewerbsbeschränkungen (GWB), sind heute alleine in den wesentlichen energierechtlichen Gesetzen und Verordnungen über 800 Paragraphen zu beachten. Die vom Bundesministerium für Wirtschaft und Energie herausgegebene Gesetzeskarte für das Energieversorgungssystem[12] unter Darstellung der zentralen Gesetze und Verordnungen listet dabei auf europäischer Ebene 23 Verordnungen und Richtlinien, auf nationaler Ebene 26 Gesetze sowie 33 Verordnungen auf. Dabei handelt es sich nur um die zentralen unmittelbaren Gesetze und Verordnungen, viele weitere Regelungen haben zumindest mittelbare Ausstrahlungswirkung auf die Energieversorgung.

Die mittlerweile vorliegende, auch umfassend spezialgesetzlich kodifizierte Regelungstiefe verdeutlicht das gesetzgeberische Bedürfnis des notwendigen öffentlichen Einflusses in allen Angelegenheiten der Energieversorgung, wie im EnWG 1935 in der Gesetzespräambel kodifiziert (s.o.). Der Grundsatz der Reform von 1998, der die wettbewerblichen und marktlichen Regelungen ohne starre staatliche Vorgaben in die Hand der Versorger gab, wurde somit aus gesetzgeberischer Sicht als gescheitert betrachtet und durch Einführung der Regulierung umgekehrt.

Vielmehr stellt sich in Einzelbereichen der heutigen Energieversorgung mittlerweile die Frage, welche Bereiche überhaupt noch einer marktlichen und wettbewerblichen Ausgestaltung unterliegen und nicht zumindest mittelbar staatlich und behördlich reguliert sind. Die entsprechende staatliche Steuerung vollzieht sich mehr und mehr auf normativer Basis. Die korrigierenden Eingriffe in das wirtschaftliche und technische Netzgeschehen unterscheiden sich von Maßnahmen der herkömmlichen Wirtschaftsüberwachung durch ihre ausgeprägte Normenintensität. Dass all dies unerfreuliche Folgen für den im Gang befindlichen Energieumbau und die entsprechende Investitionsbereitschaft der Wirtschaft hat, und dass die teilweise fehlende Konsistenz des über das Energiewirtschaftsgesetz hinausgehenden maßgeblichen Rechtsrahmens zu Planungsunsicherheit und Attentismus führen kann[13], ist nicht abzustreiten.

[11] Gesetz v. 7.7.2005 (BGBl. I, 1970).

[12] Gesetzeskarte für das Energieversorgungssystem – Karte zentraler Strategien, Gesetze und Verordnungen, abrufbar über die Internetseiten des BMWi.

[13] *Danner*, EnWZ 2013, S. 259, 262.

Als Beispiel sei hier der mittelbare regulatorische Durchgriff auf die Erzeugung genannt. So ist die Vergütung für Redispatch-Einsätze auf Anforderung der Netzbetreiber dem Grunde nach gesetzlich geregelt. Auch ist eine vorläufige oder endgültige Stilllegung von Erzeugungsanlagen von der Feststellung der Systemrelevanz der Anlage für das Übertragungsnetz durch die Übertragungsnetzbetreiber abhängig. Ferner bedarf es einer Entscheidung der Regulierungsbehörde. Ebenso wurden durch die Schaffung vielfältiger Reserven (Netzreserve, Kapazitätsreserve, Sicherheitsbereitschaft) regulatorische Durchgriffe zur Absicherung gegen ein Marktversagen geschaffen.

II. Aktuelle Dynamik des Regulierungsrahmens

Derzeit lässt sich darüber hinaus eine generelle Tendenz zur Destabilisierung des Regulierungsrahmens beobachten. Dies zeigt sich vor allem in der fehlenden Stabilität des Rechtsrahmens, der von der Statik und Bestandskraft des EnWG 1935 weit entfernt ist. Viele heutige Regelungen stehen unter beihilferechtlichem Genehmigungsvorbehalt oder unterliegen Änderungen in einer erheblichen Geschwindigkeit. Die welt-, europaweit und natürlich auch in Deutschland mit atemberaubender Geschwindigkeit ablaufenden politischen Prozesse wirken sich selbstverständlich auch auf die energierechtliche Gesetzgebung aus. Sie unterliegt in ihrer ganzen Breite einer immer schnelleren Taktfolge mit tendenziell negativen Folgen für ihre Qualität.[14]

So ist u.a. der rechtliche und regulatorische Rahmen ständigen Anpassungen und Ergänzungen unterworfen. Die Halbwertszeit der gesetzlichen Rahmenregelungen wird immer kürzer, ein stabiler Handlungsrahmen mit Rechtssicherheit für alle Beteiligten aufgrund behördlicher oder gerichtlicher Klärung offener Rechtsfragen kann sich regelmäßig nicht mehr bilden, da vor Erreichen eines eingeschwungenen Zustands in der Rechtsanwendung durch Marktparteien und Behörden oftmals maßgebliche Änderungen an den systematischen Grundlagen vorgenommen werden. Die Gesetzgebung und auch die Exekutive befinden sich dabei in einem regelmäßigen Anpassungs- und Korrekturmodus, der sich von der Grundlage für die Anreizregulierung, einem eingeschwungenen System, immer weiter entfernt. Beispielsweise hat das Bundesministerium für Wirtschaft und Energie bereits sechs Wochen nach dem Inkrafttreten des Strommarktgesetzes am 16.09.2016 das Impulspapier „Strom 2030“ veröffentlicht[15]. Die darin genannten zwölf Aufgaben – u.a. das Stromsystem weiter zu flexibilisieren, Maßnahmen und Prozesse zur Systemstabilisierung weiterzuentwickeln und zu koordinieren sowie

[14] *Danner*, EnWZ 2013, S. 259.

[15] Strom 2030, Langfristige Trends – Aufgaben für die kommenden Jahre, September 2016, verfügbar auf den Internetseiten des BMWi.

Netzentgeltregulierung weiterzuentwickeln – klingen bereits vertraut aus der Diskussion um das Strommarktgesetz. Das Strommarktgesetz stellt damit allenfalls einen Zwischenschritt dar, weitere Reformen des EnWG sind daher zu erwarten[16]. Der erste Schritt dazu ist mit dem Gesetz zur Modernisierung der Netzentgeltstruktur (NEMoG)[17] erfolgt, weitere Schritte – z.B. zur Novellierung der Netzentgeltsystematik – sind ebenfalls bereits angekündigt.

Ebenso stehen mittlerweile regelmäßig gesetzliche Regelungen unter beihilferechtlichem Genehmigungsvorbehalt: Hier sind oftmals langwierige Klärungsprozesse zu durchlaufen[18], währenddessen die gesetzliche Regelung unter einem beihilferechtlichen Durchführungsverbot steht (z.B. Kapazitätsreserve, EEG, KWKG), ggf. ist sogar eine rückwirkende Anpassung zur Erfüllung beihilferechtlicher Vorgaben erforderlich (siehe KWK-Novelle 2016)[19]. So unterliegen z.B. die Regelungen im Gesetz für den Ausbau erneuerbarer Energien (EEG) sowohl förderseitig als auch hinsichtlich der Privilegierung bei der EEG-Umlage einer beihilferechtlichen Prüfung[20] und sind zum Teil auch Gegenstand von Prozessen vor dem EuG[21] und EuGH[22] (Notifizierung des EEG 2014). Ergänzend dazu sind die beihilferechtlichen Freigaben oftmals zeitlich befristet und bedürfen dann einer erneuten Notifizierung.[23] Der Mechanismus der Kapazitätsreserve aus dem Strommarktgesetz 2016[24] wurde erst im Februar 2018 grundsätzlich freigegeben[25], bedarf jedoch noch Anpassungen im Gesetz und einer konkretisierenden Umsetzungsverordnung (Kapazitätsreserveverordnung). Auch das 2016 novellierte KWKG[26] bedurfte aus beihilferechtlichen Gründen einer erneuten

[16] *Stelter/Ipsen*, EnWZ 2016, S. 483, 489.

[17] BGBl. I 2017, 2503.

[18] *Schwalge/Faßbender*, IR 2017, S. 266.

[19] *Faßbender/Riggert*, IR 2017, S. 50f.

[20] *Kahles/Merkel/Pause*, ER 2014, S. 21; *Hauser*, ER 2017, S. 9; zum EEG 2017: *Kahl/Kahles/Müller*, ER 2016, S. 187.

[21] *EuG*, EnWZ 2016, S. 409 Bundesrepublik Deutschland ./. Europäische Kommission; zust. *Ludwigs*, EurUP 2016, S. 238.

[22] Rechtsmittel der Bundesrepublik Deutschland gegen das Urteil des *EuG* v. 10.5.2016 in der Rs. T-47/15 – Bundesrepublik Deutschland ./. Europäische Kommission, eingelegt am 19.7.2016 (Az. C-405/16 P).

[23] Vgl. z.B. für die Förderseite des EEG 2017: State Aid SA.45461 (2016/N) – Germany – EEG 2017 – Reform of the Renewable Energy Law; State Aid SA.44679 (2016/N) – Germany – Modification of the method used to define electro-intensity under the EEG; *Scholtka/Martin*, NJW 2017, S. 932, 934.

[24] Gesetz zur Weiterentwicklung des Strommarktes v. 26.7.2016, BGBl. I 2016, 1786.

[25] State Aid SA.45852 – German capacity reserve (derzeit noch nicht veröffentlicht).

[26] Gesetz zur Neuregelung des Kraft-Wärme-Kopplungsgesetzes v. 21.12.2015, BGBl. I 2015, 2498; vgl. hierzu *Scholtka/Martin*, NJW 2016, S. 918 (919).

Novellierung[27] mit Rückwirkung, z.B. hinsichtlich der Umlageprivilegierungen.[28]

Ein bekanntes und auch plastisches Beispiel für die Änderungsgeschwindigkeit energierechtlicher Gesetze findet sich im EEG.[29] Das Gesetz befindet sich in ständigem Novellierungslauf mit zum Teil erheblichen systematischen Änderungen in der Vergütung und der operativen Abwicklung. Aufgrund des gesetzlichen Vergütungszeitraumes von 20 Jahren sind mit jedem Novellierungslauf neue Übergangsregelungen zum Bestandsschutz sowie zur Anwendbarkeit neuer Regelungen auf Bestandsanlagen erforderlich. Allein die Übergangsregelungen im aktuellen EEG 2017 umfassen nur mit Bezug auf das EEG 2014 bereits vier Paragraphen mit insgesamt 23 Absätzen (über 5.000 Wörter und mehr als 28.000 Zeichen – im Vergleich dazu das gesamte EnWG 1935 mit ca. 2.400 Wörtern und knapp 16.000 Zeichen). Hinzu kommt für die Planung, Ausschreibung und Zulassung von Windenergieanlagen auf See ein eigenes Gesetz, das Windenergie-auf-See-Gesetz.[30]

Ergänzend erfolgen begleitend regelmäßige Nachkorrekturen (zum Teil auch mit Rückwirkung) von gesetzgeberischen Fehlern und ungewollten Auswirkungen in der Praxis. Beispielsweise ist das EEG 2017 bereits vor dem Inkrafttreten am 01.01.2017 noch in 2016 im Rahmen des KWK-Änderungsgesetzes[31] umfassend angepasst worden. Aktuell ist auch der Entfall der Privilegierung der Eigenversorgung aus KWK-Anlagen mit einer Reduzierung der EEG-Umlage anzuführen[32]. Auch ohne ausdrücklichen gesetzlichen Vorbehalt einer beihilferechtlichen Prüfung wird diese Regelung aufgrund einer dahingehenden Befristung der beihilferechtlichen Genehmigung der EU für Eigenversorgungssachverhalte[33] seit dem 01.01.2018 nicht mehr angewandt.

Die gesetzgeberischen Entscheidungen zur Erdverkabelung[34] stellen ein weiteres Beispiel für die Instabilität und vor allem Kurzlebigkeit der rechtlichen Rahmenbedingungen dar. Dies insbesondere für das Netzgeschäft, das gerade auf langfristige Investitionen und Planungen ausgerichtet ist. Aus Gründen der Akzeptanzsteigerung wird durch einen politisch gewünschten Kompromiss in laufende Planungsprozesse eingegriffen. Dass dadurch einerseits neue Betroffenheiten geschaffen und andererseits auch behördliche Pro-

[27] State Aid SA.42393 (2016/C) (ex 2015/N) – Germany – Reform of support for cogeneration in Germany, ABl. 2016 C 406, 21.

[28] Gesetz zur Änderung der Bestimmungen zur Stromerzeugung aus Kraft-Wärme-Kopplung und zur Eigenversorgung v. 22.12.2016 (BGBl. I 2016, 3106).

[29] Vgl. dazu *Franzius,* JuS 2018, S. 28.

[30] Zum WindSeeG *Schulz/Appel,* ER 2016, S. 231.

[31] Gesetz zur Änderung der Bestimmungen zur Stromerzeugung aus Kraft-Wärme-Kopplung und zur Eigenversorgung v. 22.12.2016 (BGBl. I 2016, 3106).

[32] Pressemitteilung des BMWi vom 19.12.2017.

[33] State Aid SA.38632 (2014/N) – Germany – EEG 2014 – Reform of the Renewable Energy Law, ABl. 2015 C 325, 4.

[34] Vgl. zusammenfassend *Jornitz,* NVwZ 2017, S. 669.

zesse neu aufgesetzt werden müssen,[35] ist naheliegend. Kurzfristige Eingriffe in den Gesetzesrahmen sind daher für einen beschleunigten Netzausbau eher nicht förderlich.

Abschließend sei nur genannt, dass nach der derzeitigen Rechtslage Erdkabel sowohl auf Grundlage des EnWG, des Gesetzes zum Ausbau von Energieleitungen (Energieleitungsausbaugesetz, EnLAG), des Netzausbaubeschleunigungsgesetzes Übertragungsnetz (NABEG) als auch des Gesetzes über den Bundesbedarfsplan (Bundesbedarfsplangesetz, BBPlG) durch Planfeststellungsverfahren zugelassen werden können und außerhalb dieser Gesetze durch Einzelgenehmigungen.[36] In diesem Zusammenhang sind bereits jetzt wieder umfassende Novellierungen im gesetzlichen Bestand zur Beschleunigung des Netzausbaus angekündigt worden.

Als weitere Herausforderung ist vielfach eine Aufweichung der Gewaltenteilung des Wesentlichkeitsgrundsatzes zu beobachten. Oftmals werden Themenkomplexe nicht mehr in Parlamentsgesetzen geregelt, sondern über Verordnungsermächtigungen (Art. 80 GG) an die Exekutive delegiert (z.B. Netzentgeltmodernisierung, Konkretisierung Vergütung Redispatch). Die Gestaltungskompetenz in wesentlichen operativen Kernbereichen wird dabei auf die Exekutive verlagert. Im Bereich der allgemeinen Netzentgeltregulierung wird durch die Beschlüsse des Bundesgerichtshofes vom 21.01.2014[37] zum Effizienzvergleich und vom 22.07.2014 zur Methodik der Qualitätsregulierung[38] erstmals angenommen, dass in besonderen Bereichen den Regulierungsbehörden nach den verordnungsrechtlichen Vorgaben ein Entscheidungsspielraum zustehe, der in einzelnen Aspekten einem Beurteilungsspielraum, in anderen Aspekten einem Regulierungsermessen gleichkomme. Bisher hatte der Bundesgerichtshof stets solche Spielräume der Regulierungsbehörden abgelehnt.[39]

In diversen Fällen ist auch zu beobachten, dass die Regulierungsbehörde zum mittelbaren Verordnungsgeber wird. Dabei werden Fragen aus der Regulierungspraxis bzw. aus Sicht der Behörde unpassende Regulierungsergebnisse beim Gesetzgeber platziert oder gerichtlich aufgehobene Festlegungen oder streitige Leitfäden werden auf dem Verordnungsweg rechtsverbindlich eingeführt (z.B. Xgen, Pooling, Redispatch). So wurde z.B. die nach Urteilen des Bundesgerichtshofes fehlerhafte Grundlage des Xgen[40] rückwirkend durch den Gesetz- und Verordnungsgeber korrigiert.[41]

[35] *Fest/Nebel*, NVwZ 2016, S. 177f.

[36] *Fest/Nebel*, NVwZ 2016, S. 177, 180.

[37] BGH, EnWZ 2014, S. 378.

[38] BGH, RdE 2014, S. 495.

[39] Vgl. zuvor zuletzt BGH, EnWZ 2014, S. 129 – Festlegung Tagesneuwerte.

[40] U.a. BGH EnVR 48/10.

[41] Zweites Gesetz zur Neuregelung energiewirtschaftsrechtlicher Vorschriften, BGBl. I 2011, 3034.

Auch die im Wege einer Festlegung der Bundesnetzagentur vorgegebenen Regelungen zum sog. Pooling wurden während laufender Beschwerdeverfahren von dem Verordnungsgeber in der Stromnetzentgeltverordnung (StromNEV, dort § 17 Abs. 2a) kodifiziert.[42] Der Neuregelung war ein Verfahren um die Pooling-Festlegung der Bundesnetzagentur vorausgegangen. Die zuständige Beschlusskammer 8 hatte die gepoolte Abrechnung mittels Festlegung stark eingeschränkt.[43] Nachdem das Oberlandesgericht Düsseldorf mit deutlichen Worten die Rechtswidrigkeit der Festlegung angenommen hatte,[44] schloss die Bundesnetzagentur mit den Beschwerdeführern Vergleiche zum Ausgleich finanzieller Nachteile und zur Vermeidung der Rückabwicklung und Neukalkulation von fehlerhaft berechneten Netzentgelten. Insgesamt zeigte das Verfahren erhebliche Defizite im rechtsstaatlichen Vollzug von Verordnungen und im Umgang mit den „unterworfenen" Rechtsubjekten und Verfahrensbeteiligten durch die Bundesnetzagentur auf.[45] Aber auch die Auslegung und Anwendung der neuen Regelung in § 17 Abs. 2a StromNEV ist ergänzend Gegenstand umfassender Leitfäden der Landesregulierungsbehörden und der Bundesnetzagentur.[46]

Darüber hinaus regelte der Verordnungsgeber die Indexreihen zur Ermittlung der Tagesneuwerte neu. Auch diese Neuregelung geht auf mehrere Entscheidungen des Oberlandesgerichts Düsseldorf zurück, das eine entsprechende Festlegung der Bundesnetzagentur aufgehoben hatte.[47] Mit der Neuregelung des § 15 ARegV fasste der Normgeber die Vorschrift deutlich enger[48] und widersprach damit der Auslegung der (alten) Regelung durch den Bundesgerichtshof.[49]

Gleiches gilt für die operativen Vorgaben und Regelungen zur Vergütung des Redispatch. Nach gerichtlicher Aufhebung der entsprechenden Festlegungen der Bundesnetzagentur[50] fand eine gesetzlich konkretisierende Regelung zum zuvor allgemeinen Tatbestand über das Strommarktgesetz Eingang in das EnWG.[51] Doch auch diese Rahmenregelung ist seit Inkrafttreten des Strommarktgesetzes weiter nicht in der Anwendung, da die Auslegung und

[42] Verordnung zur Änderung von Verordnungen auf dem Gebiet des Energiewirtschaftsrechts, BGBl. I 2013, 3250.

[43] BNetzA, Beschl. v. 26.9.2011 – BK 8-11/015.

[44] OLG Düsseldorf, Hinweisbeschl. v. 5.6.2013 – VI-3 Kart 61/11 (V).

[45] *Scholtka/Baumbach/Pietrowicz,* NJW 2014, S. 898 f.

[46] Pooling – Gemeinsames Positionspapier der BNetzA und der Landesregulierungsbehörden, abrufbar auf den Internetseiten der BNetzA.

[47] OLG Düsseldorf, Beschl. v. 6.6.2012 – VI-3 Kart 318/07 (V) u.a.

[48] *Scholtka/Baumbach/Pietrowicz*, NJW 2014, S. 898, 900.

[49] BGH, EnWZ 2013, S. 36.

[50] OLG Düsseldorf, Beschl. v. 28.4.2015 – VI-3 Kart 331/12 (V), BeckRS 2015, 11708; VI-3 Kart 332/12 (V), BeckRS 2015, 13249.

[51] Vgl. § 13a EnWG.

Konkretisierung der gesetzlichen Vorgaben weiter Gegenstand einer Abstimmung zwischen Behörden, Verbänden und allen beteiligten Parteien (Netzbetreiber, Erzeuger) ist.

Regelmäßig ist in letzter Zeit auch die rückwirkende Anordnung von gesetzgeberischen Vorgaben durchgeführt worden. So wurde z.B. § 19 StromNEV vom Oberlandesgericht Düsseldorf als auch vom Bundesgerichtshof[52] als verfassungswidrig und nichtig wegen nicht ausreichender bzw. fehlender Ermächtigungsgrundlage im EnWG angesehen. Um den Umlagemechanismus beizubehalten und eine Rückabwicklung zu verhindern, musste eine rückwirkende Legalisierung durch rückwirkende Schaffung einer ausreichenden Ermächtigungsgrundlage im EnWG für die Regelung in der StromNEV geschaffen werden (gesetzliche Regelung Mitte 2016 mit Rückwirkung zum 01.01.2012).[53] Hier ist der Gesetzgeber erst nach dem entsprechenden BGH-Urteil tätig geworden, dann jedoch mit erheblichem Zeitdruck. Die im Ergebnis identische Rechtsprechung des Oberlandesgerichts Düsseldorf[54] zur Verfassungswidrigkeit blieb zunächst gesetzgeberisch ohne Konsequenzen, es erfolgten lediglich Korrekturen an der Ermittlungssystematik[55] aufgrund beihilferechtlicher Bedenken gegen den Umfang der seit 2011 gewährten 100%-Befreiung.[56]

Im gesamten Regelungskomplex erwarten die Politik und die Behörden jedoch regelmäßig bereits die Vorbereitung der Umsetzung erster Gesetzesentwürfe, teilweise sogar den operativen Vollzug, obwohl der parlamentarische Prozess, die beihilferechtliche Prüfung, etc. noch nicht abgeschlossen sind bzw. noch gar nicht begonnen haben. Prägnante Beispiele hierfür sind die Ausschreibung der Kapazitätsreserve, die Novellierung der Verordnung über Vereinbarungen zu abschaltbaren Lasten (Verordnung zu abschaltbaren Lasten, AbLaV), wobei der beihilferechtliche Vorbehalt kurzfristig entfiel, um die Umsetzung zu ermöglichen[57], sowie das KWKG. Im KWKG musste dabei eine Kalkulation und Veröffentlichung der Umlage auf Basis eines Referentenentwurfs erfolgen, wobei dieses Vorgehen nachträglich durch eine Übergangsregelung im KWKG 2016[58] legalisiert wurde. Auch wurde trotz ausstehender beihilferechtlicher Genehmigung auf eine Gewährung

[52] BGH, Urteil vom 12.4.2016, EnVR 25/13.

[53] Gesetz zur Weiterentwicklung des Strommarktes v. 26.7.2016, BGBl. I 2016, 1786.

[54] OLG Düsseldorf, Beschl. v. 8.5.2013 – 3 Kart 178/12, BeckRS 2014, 08605.

[55] In der Fassung von Art. 1 Nr. 8 der am 22.8.2013 in Kraft getretenen Verordnung zur Änderung von Verordnungen auf dem Gebiet des Energiewirtschaftsrechts v. 14.8.2013, BGBl. I 2013, 3250.

[56] State Aid SA.34045 – Exemption from network charges for large electricity consumers (§19 StromNEV) in Germany – bislang noch nicht abgeschlossen.

[57] Erste Verordnung zur Änderung der Verordnung zu abschaltbaren Lasten, BGBl. I 2016, 2241.

[58] Vgl. § 35 Abs. 10 KWKG 2016, in der Fassung des Artikels 1 des Gesetzes zur Neuregelung des Kraft-Wärme-Kopplungsgesetzes vom 21. Dezember 2015 (BGBl. I 2498).

der Umlageprivilegierungen in 2017 gedrängt, die auch heute noch nicht in Gänze genehmigt worden sind.

III. Ausblick

Ob die gesetzlichen Neuerungen die richtige Antwort auf die Herausforderungen der Energiewende bieten, muss sich erst noch zeigen. Mit Blick auf die europäische Ebene ist bereits sicher, dass in den nächsten Jahren weitere Änderungen des Rechtsrahmens anstehen. Insbesondere das „Clean Energy Package“[59] wird zunächst weitere Diskussionen auf europäischer und nationaler Ebene mit sich bringen.[60]

[59] “Clean Energy for All Europeans”, abrufbar unter https://ec.europa.eu/energy/en/topics/energy-strategy-and-energy-union/clean-energy-all-europeans

[60] *Scholtka/Martin*, NJW 2017, S. 932, 936.

Institutionelle Herausforderungen der Digitalisierung

Thomas Fetzer*[1]

I. Einleitung

1. Wachstumspotenziale der Digitalisierung

Die digitale Revolution erfasst nahezu alle Lebensbereiche und führt zu teilweise fundamentalen Veränderungen in der Art und Weise wie Individuen und Unternehmen kommunizieren, interagieren und wirtschaften. Dies schafft große Herausforderungen gerade auch für den wirtschaftlichen Ordnungsrahmen. Einerseits werden der Digitalisierung und Vernetzung der Wirtschaft immense Wachstums- und Innovationspotenziale für einzelne Unternehmen, aber auch für die Wirtschaft insgesamt zugeschrieben. Allein im Bereich der industriellen Produktion wird durch Industrie 4.0 ein Wachstumspotenzial von 200 bis 425 Milliarden Euro bis 2025 erwartet.[2] Bezogen auf die gesamte Wirtschaft wird teilweise damit gerechnet, dass allein die Digitalisierung und Vernetzung der Wirtschaft ein zusätzliches Wirtschaftswachstum von 2,5% jährlich generieren kann.[3] Andererseits ist festzustellen,

* Der Autor ist Inhaber des Lehrstuhls für Öffentliches Recht, Regulierungsrecht und Steuerrecht sowie Direktor des Mannheim Center for Competition and Innovation (MaCCI) an der Universität Mannheim.

[1] Der Beitrag ist Ergebnis einer Studie des *Ordnungsrahmens für die Digitale Wirtschaft*, die der Autor gemeinsam mit dem *Bundesministerium für Wirtschaft und Energie (BMWi)* durchgeführt hat. Es handelt sich um eine gekürzte und aktualisierte Fassung der Stellungnahme „Bausteine für einen sektorspezifischen institutionellen Ordnungsrahmen für die Digitale Wirtschaft", die als ZEW-Working Paper erschienen ist und auf der Webseite des Zentrums für Europäische Wirtschaftsforschung (ZEW) online abrufbar ist: https://www.zew.de/publikationen/bausteine-fuer-einen-sektorenuebergreifenden-institutionellen-ordnungsrahmen-fuer-die-digitale-wirtschaft/?twt=1, zuletzt abgerufen am 4. Juni 2018. Der Verf. dankt *Ulrich Büdenbender* insbesondere für die enge Kooperation in Forschung und Lehre während der gemeinsamen Zeit an der TU Dresden über die „Säulengrenzen" hinweg.

[2] *BMWi*, Industrie 4.0 und Digitale Wirtschaft – Impulse für Wachstum, Beschäftigung und Innovation, 2015, S. 4.

[3] *Accenture*, Digital Disruption – The Growth Mulitplier, 2016, S. 7.

dass Deutschland bei der Digitalisierung und Vernetzung der Wirtschaft im internationalen Vergleich allenfalls im Mittelfeld zu finden ist.[4]

Sucht man nach den Ursachen für das durchschnittliche Abschneiden Deutschlands bei der Digitalisierung und Vernetzung der Wirtschaft, so wird teilweise die nicht flächendeckende Verfügbarkeit von hochgeschwindigkeitsfähigen Breitbandanschlüssen als Haupthemmnis genannt.[5] Teilweise wird darauf verwiesen, dass insbesondere in klein- und mittelständischen Unternehmen, die einen signifikanten Anteil an der Wirtschaftsleistung Deutschlands haben, das Interesse an Digitalisierung und Vernetzung noch zu gering ist, weil es entweder am Bewusstsein der strategischen Bedeutung der Digitalisierung für das eigene Geschäftsmodell fehlt oder nicht ausreichend Ressourcen vorhanden sind, um die Herausforderungen von Digitalisierung und Vernetzung zu meistern.[6] Insbesondere für die langsame Digitalisierung und Vernetzung klein- und mittelständischer Unternehmen wird als eine Ursache die fehlende Information über Digitalisierungs- und Vernetzungspotenziale sowie die mangelnde Koordination staatlicher Fördermöglichkeiten ins Feld geführt.[7] Digitalisierung und Vernetzung der Wirtschaft sind also trotz immenser Wachstumspotenziale keine Selbstläufer. Digitalisierung und Vernetzung der Wirtschaft weisen vielmehr offenbar erhebliche externe Effekte auf, die dazu führen, dass die Kosten von Digitalisierung und Vernetzung für den Einzelnen nicht immer seinem individuellen Nutzen entsprechen. Zugleich aber sind Digitalisierung und Vernetzung für die gesamte Wirtschaft erfolgskritisch im internationalen Vergleich. Paradigmatisch hierfür ist der Breitbandausbau: Obwohl ein breiter Konsens über die gesamtwohlfahrtssteigernden Effekte flächendeckender Breitbandnetze besteht,[8] ist die individuelle Zahlungsbereitschaft für Hochgeschwindigkeitsnetzzugänge oftmals gering.[9] Selbst wenn Wettbewerb daher ein zentraler Treiber für die Digitalisierung und Vernetzung der Wirtschaft ist, sind flankierende staatliche Maßnahmen für eine erfolgreiche Gestaltung von Digitalisierung und

[4] *Acatech*, Innovationsindikator 2017 – Schwerpunkt Digitale Transformation, 2017, S. 35.

[5] *Acatech*, Innovationsindikator 2017 – Schwerpunkt Digitale Transformation, 2017, S. 41.

[6] *Irene Bertschek/Wolfgang Briglauer/Kai Hüschelrath/Jan Krämer/Stefan Frübing/Reinhold Kesler/Marianne Saam*, Metastudie zum Fachdialog Ordnungsrahmen für die digitale Wirtschaft, 2016, S. 148; *Acatech*, Innovationsindikator 2017 – Schwerpunkt Digitale Transformation, 2017, S. 39.

[7] *ZVEI*, Die Elektroindustrie als Leitbranche der Digitalisierung, 2016, S. 7.

[8] Vgl. jüngst nur *Acatech*, Innovationsindikator 2017 – Schwerpunkt Digitale Transformation, 2017, S. 41.

[9] *BNetzA*, Wie viel wären Sie bereit, für eine größere Bandbreite (mehr als 16.000 Kbit/s) zusätzlich zu zahlen?, Statista, https://de.statista.com/statistik/daten/studie/175623/umfrage/zahlungsbereitschaft-fuer-zusaetzliche-bandbreite/, zuletzt abgerufen am 4. Juni 2018.

Vernetzung sowie für die Nutzung der damit verbundenen gesamtwirtschaftlichen Wachstumspotenziale unerlässlich.

2. *Ubiquität und Dynamik der Digitalisierung*

Digitalisierung und Vernetzung stellen den Staat aufgrund der Dynamik und Ubiquität der Entwicklungen vor ganz neue Herausforderungen. Die Dynamik zeigt sich beispielhaft in ganz verschiedenen Entwicklungen: Das erste *iPhone*, mit dem der Wandel zur mobilen Plattform- und insbesondere zur Appökonomie eingeleitet worden ist, ist im Jahr 2007 auf den Markt gebracht worden und kaum 10 Jahre später standen für das *iPhone* im *Apple* App Store rund 2,2 Millionen Apps zur Verfügung.[10] *Facebook* wurde im Jahr 2004 gegründet und hat es in den weniger als 15 Jahren seiner Existenz auf eine Zahl von mehr als 2 Milliarden aktiver Nutzer weltweit gebracht.[11] Die vier Unternehmen mit der weltweit höchsten Marktkapitalisierung sind derzeit amerikanische Internetunternehmen.[12] Ihre Marktkapitalisierung ist höher als die aller DAX30-Unternehmen zusammen.[13] Die ungeheure Entwicklungsdynamik der Digitalisierung zeigt sich aber nicht nur daran, dass digitale Geschäftsmodelle und Unternehmen mit immenser Geschwindigkeit entstehen und wirtschaftliche Größe erreichen, sondern auch daran, dass sie teilweise traditionelle Geschäftsmodelle und ihre Anbieter innerhalb kürzester Zeit marginalisieren und selbst digitale Anbieter in kurzen Abständen am Markt auftreten und wieder verschwinden.

Digitalisierung und Vernetzung weisen aber nicht nur eine hohe Entwicklungsdynamik auf, sie durchdringen auch allumfassend alle Wirtschaftsbereiche. Wie die ehemalige Vorstandsvorsitzende von Hewlett-Packard *Carly Fiorina* schon 2000 sagte: „Alles was digitalisiert werden kann, wird digitalisiert werden."[14] Ergänzt werden kann dies inzwischen mit Sicherheit um die

[10] *AppBrain & TechCrunch,* Anzahl der angebotenen Apps in den Top App-Stores bis Oktober 2017, Statista, https://de.statista.com/statistik/daten/studie/208599/umfrage/anzahl-der-apps-in-den-top-app-stores/, zuletzt abgerufen am 4. Juni 2018.

[11] *Facebook*, Anzahl der monatlich aktiven Facebook Nutzer weltweit vom 3. Quartal 2008 bis zum 3. Quartal 2017 (in Millionen), Statista, https://de.statista.com/statistik/daten/studie/37545/umfrage/anzahl-der-aktiven-nutzer-von-facebook/, zuletzt abgerufen am 4. Juni 2018.

[12] Apple, Alphabet, Microsoft, Amazon, vgl. *Forbes*, *Größte Unternehmen der Welt nach ihrem Marktwert im Jahr 2017 (in Milliarden US-Dollar; Stand: 07. April)*, Statista, https://de.statista.com/statistik/daten/studie/12108/umfrage/top-unternehmen-der-welt-nach-marktwert/, zuletzt abgerufen am 4. Juni 2018.

[13] Abrufbar unter*: boerse.de*, Marktkapitalisierung der DAX-Unternehmen in Deutschland (Stand: Oktober 2017; in Millionen Euro), Statista, https://de.statista.com/statistik/daten/studie/322374/umfrage/die-groessten-deutschen-dax-unternehmen-nach-marktkapitalisierung/, zuletzt abgerufen am 4. Juni 2018.

[14] Abrufbar unter: http://www.hp.com/hpinfo/execteam/speeches/fiorina/ceo_ctea_00.html, zuletzt abgerufen am 4. Juni 2018.

Aussage: „Alles was vernetzt werden kann, wird vernetzt werden." So gehen derzeit Schätzungen von *Gartner* davon aus, dass schon im Jahr 2020 mehr als 20 Milliarden Geräte weltweit vernetzt sein werden; davon über 7 Milliarden Geräte im unternehmerischen – unternehmensinternen sowie B2B – Bereich.[15]

3. Institutioneller Handlungsbedarf

Vor dem Hintergrund dieser weitreichenden und mit hoher Geschwindigkeit vonstattengehenden Veränderungen durch die Digitalisierung und Vernetzung der Wirtschaft muss der Staat in der Lage sein, auf Grundlage fundierten Wissens schnell auch neue Phänomene untersuchen und bewerten zu können, um dann ggf. entsprechend handeln zu können, wenn Fehlentwicklungen erkennbar bzw. aufgrund der skizzierten externen Effekte Wachstumspotenziale nicht umfassend genutzt werden. Es bedarf neben möglicher Anpassungen und Fortentwicklungen des materiellen Rechtsrahmens eines institutionellen Arrangements, das dem allumfassenden Charakter, der Vielfalt und der Entwicklungsdynamik der Digitalisierung gewachsen ist. Ein zentrales Ziel muss dabei die Etablierung eines kohärenten Systems sein, mit dem die aus der Digitalisierung und Vernetzung der Wirtschaft folgenden Herausforderungen angemessen bewältigt werden können. So existieren bereits staatliche Institutionen, deren Tätigkeit sich einerseits durch die Digitalisierung und Vernetzung der Wirtschaft wandelt und die andererseits für die Digitalisierung und Vernetzung der Wirtschaft von erheblicher Bedeutung sind. Hier muss sichergestellt werden, dass die Tätigkeitsbereiche und Kompetenzen bestehender Institutionen und möglicher neuer Einrichtungen aufeinander abgestimmt werden, um Kompetenzkonflikte sowie ineffiziente Kompetenzlücken oder Doppelregulierung zu vermeiden. Zu denken ist insbesondere an die Bundesnetzagentur (BNetzA), das Bundeskartellamt (BKartA), aber auch das Bundesamt für Sicherheit in der Informationstechnik (BSI). Die BNetzA hat den sich aus der Digitalisierung folgenden Herausforderungen für diese Aufgaben materiell und organisatorisch unter anderem durch die Schaffung eines „Aufbaustab Digitalisierung/Vernetzung und Internetplattformen" Rechnung getragen, der insbesondere Informationen über digitale Geschäftsmodelle und Anbieter aufbereiten und so Handlungsoptionen analysieren soll.[16] Das BKartA hat im Jahr 2015 mit

[15] *Gartner*, Prognose zur Anzahl der vernetzten Geräte im Internet der Dinge (IoT) weltweit in den Jahren 2016 bis 2020 (in Millionen Einheiten), Statista, https://de.statista.com/statistik/daten/studie/537093/umfrage/anzahl-der-vernetzten-geraete-im-internet-der-dinge-iot-weltweit/, zuletzt abgerufen am 4. Juni 2018.

[16] *BNetzA*, VerNETZt 1/2016, S. 9.

der Einrichtung einer „Task Force Internetplattformen“ reagiert.[17] Zudem veröffentlicht die Behörde regelmäßig Schriften zur Wettbewerbspolitik in der digitalen Wirtschaft.[18] So hat sie sich etwa zu der Bedeutung von Daten im Wettbewerb[19] sowie Innovationen[20] in der Kartellrechtspraxis geäußert. Die Behörde hat aber auch schon eine Reihe von konkreten Verfahren geführt, die sich mit Internetplattformen beschäftigt haben. Darunter waren sowohl Missbrauchs- bzw. Kartellverbotsverfahren[21] als auch Fusionskontrollverfahren.[22] Grundlegende Bedeutung im Hinblick auf die Rolle des Wettbewerbsrechts in digitalen Märkten wird dem derzeit laufenden Verfahren gegen *Facebook* zukommen, in dem der Sache nach das Vorliegen eines Konditionenmissbrauchs durch das soziale Netzwerk untersucht wird, der darin bestehen soll, die Offenbarung von – zu vielen – personenbezogenen Daten zur Voraussetzung für die Nutzung von *Facebook* zu machen.[23]

Die existierenden staatlichen Institutionen werden auch künftig bei der Digitalisierung und Vernetzung der Wirtschaft wichtige Rollen einnehmen, wenn es darum geht, diese erfolgreich zu gestalten. Eine erfolgreiche Gestaltung setzt aber auch die Erfüllung neuer Aufgaben voraus, die keiner der existierenden Institutionen zugeordnet sind. Ursache hierfür sind insbesondere die eingangs skizzierten externen Effekte von Digitalisierung und Vernetzung der Wirtschaft.[24] Sie schaffen ein mögliches Bedürfnis nach neuen und teilweise auch neuartigen staatlichen Maßnahmen, wenn die gesamtwirtschaftlichen Wachstumspotenziale von Digitalisierung und Vernetzung vollständig genutzt werden sollen: Erstens besteht ein bisher nicht eindeutig einer Institution zugeordneter Handlungsbedarf auf der Nachfrageseite im zentralen Bereich des Infrastrukturausbaus (dazu II. 1.). Zweitens geht es darum, die Digitalisierung und Vernetzung der Wirtschaft über den IKT-Sektor hinaus durch Förderung, Information und Koordination so zu gestalten, dass Innovations- und Wachstumspotenziale sektorenübergreifend für die gesamte Wirtschaft möglichst umfassend ausgeschöpft und Ineffizienzen

[17] Abrufbar unter: http://www.bundeskartellamt.de/SharedDocs/Meldung/DE/Meldungen%20News%20Karussell/2015/21_12_2015_Jahresrückblick.html, zuletzt abgerufen am 4. Juni 2018.

[18] Abrufbar unter: http://www.bundeskartellamt.de/DE/UeberUns/Publikationen/Schriftenreihe_Digitales/Schriftenreihe_node.html, zuletzt abgerufen am 4. Juni 2018.

[19] *BKartA*, Big Data und Wettbewerb, 2017.

[20] *BKartA*, Innovationen – Herausforderungen für das Kartellrecht, 2017.

[21] Vgl. nur *BKartA*, Beschluss B 9-121/13 – *booking.com*; B 9-66/10 – *HRS*.

[22] Vgl. nur *BKartA*, Beschluss, B 6-57/15 – *Online-Dating-Plattformen*; B 6-39/16 – *Immobilienplattformen*.

[23] Abrufar unter: http://www.bundeskartellamt.de/SharedDocs/Meldung/DE/Pressemitteilungen/ 2016/02_03_2016_Facebook.html?nn=359156,8, zuletzt abgerufen am 4. Juni 2018; dazu auch *Heike Schweitzer/Thomas Fetzer/Martin Peitz*, Digitale Plattformen: Bausteine für einen künftigen Ordnungsrahmen, 2016, S. 52 ff.

[24] Dazu oben I. 2.

vermieden werden (dazu II. 2.). Drittens muss auch geprüft werden, an welchen Stellen bestehende Regelungen Wachstum und Innovationen behindern, um hier ggf. durch hoheitlichem Monitoring unterliegende Digitalexperimentierräume Freiräume für innovative Produkte und Geschäftsmodelle zu schaffen (dazu II. 3.). Schließlich ist festzustellen, dass im Hinblick auf die Digitalisierung und Vernetzung der Wirtschaft in weiten Teilen ein Defizit an Verfügungs- und damit zwangsläufig auch an Orientierungswissen besteht, dem durch eine strukturell abgesicherte Datenerhebung und fundierte Analysen begegnet werden muss (dazu II. 4.). Weiterhin ist im Blick zu behalten, an welchen Stellen es möglicherweise systematische Rechtsdurchsetzungsdefizite gibt, denen durch eine stärkere hoheitliche Rechtsdurchsetzung begegnet werden könnte – namentlich im Bereich des Verbraucherschutzes (dazu II. 5.).

Die Frage nach der kohärenten Ausgestaltung des institutionellen Ordnungsrahmens ist dabei nicht identisch mit der Diskussion um die Notwendigkeit der Einrichtung eines „Digitalministeriums" bzw. einer stärkeren Koordination der Digitalisierungspolitik auf Kabinettsebene.[25] Sie hat sich auch nicht durch die Schaffung einer Staatsministerin für Digitalisierung bei der Bundeskanzlerin im Jahr 2018 erledigt. Während Letztere die Notwendigkeit einer Koordination von Digitalisierungspolitik adressiert, geht es bei der Frage nach den institutionellen Herausforderungen der Digitalisierung um die institutionelle Zuordnung administrativer und gesetzvollziehender (exekutiver) Tätigkeiten. Selbst wenn sich exekutive und politische Dimension der Verwaltung nicht immer trennscharf voneinander unterscheiden lassen,[26] stehen die nunmehr durch die Einrichtung einer Staatsministerin für Digitalisierung angestrebte stärkere politische Koordination der Digitalpolitik einerseits und die Einrichtung einer administrativ-exekutiven Einrichtung andererseits daher nicht in einem Exklusivitätsverhältnis, sondern sind in einem Komplementaritätsverhältnis zu denken und zu lösen.

[25] Vgl. dazu Handelsblatt v. 5.9.2017 „Deutsche wollen ein Internet-Ministerium"; FAZ v. 5.9.2017 „Alleingänge sind aussichtslos". *FDP*, Wahlprogramm zur Bundestagswahl, S. 143 „Digitalministerium"; *CDU/CSU*, Regierungsprogramm 2017–2021, S. 43 „Staatsminister für Digitalpolitik".

[26] Vgl. zu den Abgrenzungsschwierigkeiten von Exekutive und politischer Regierung *M. Schröder*, Die Bereiche der Regierung und Verwaltung, in: Handbuch des Staatsrechts Band V, 3. Aufl. 2007, § 100 Rdnr. 30.

II. Neue Aufgaben durch die Digitalisierung

1. *Breitbandausbau*

a) Nachfragestimulation

Ein entscheidender Faktor für die Rentabilität von privaten Investitionen in den Breitbandausbau ist die Nachfrage nach Netzen mit sehr hoher Kapazität.[27] Bisher lässt sich feststellen, dass jedenfalls im Verbraucherbereich selbst bei Verfügbarkeit von Netzzugängen mit sehr hoher Kapazität die Inanspruchnahme nur zögerlich erfolgt, der Take-Up also langsamer als möglich vonstattengeht.[28] Oftmals ist kaum eine ausreichende Zahlungsbereitschaft vorhanden.[29] Im unternehmerischen Umfeld ist die Nachfrage nach solchen Netzzugängen zwar höher. Allerdings ist auch hier festzustellen, dass Gigabit-Netze nicht ohne Weiteres nachgefragt werden.[30] Dabei ist zudem nach wie vor ein großer Unterschied zwischen kleinen und mittleren Unternehmen einerseits und großen Unternehmen andererseits feststellbar.[31] Oftmals ist die mangelnde Nachfrage durch Unkenntnis über den praktischen Nutzen breitbandiger Netzzugänge verursacht,[32] vielfach mag ein solch individueller Nutzen aber auch objektiv derzeit noch nicht gegeben sein und erst in der Zukunft eintreten.[33]

Die Stimulation eines flächendeckenden Breitbandausbaus darf daher nicht nur an der Angebotsseite ansetzen, sondern muss auch die Nachfrageseite im Blick haben.[34] Ganz in diesem Sinn sieht auch der Kodexentwurf der Europä-

[27] *Irene Bertschek et al.*, (o. FN 6), S. 2.

[28] *Europäische Kommission*, Digital Scoreboard 2016: 38,2%. http://digital-agenda-data.eu/charts/analyse-one-indicator-and-compare-countries/embedded#chart={„indicator-group“:“broadband“,“indicator“:“bb_penet“,“breakdown“:“TOTAL_FBB“,“unit-measure“:“subs_per_100_pop“,“ref-area“:[„DE“]} , zuletzt abgerufen am 4. Juni 2018.

[29] *BNetzA*, *Wie viel wären Sie bereit, für eine größere Bandbreite mehr als 16.000 Kbit/s zusätzlich zu zahlen?*, Statista, https://de.statista.com/statistik/daten/studie/175623/umfrage/zahlungsbereitschaft-fuer-zusaetzliche-bandbreite/, zuletzt abgerufen am 4. Juni 2018.

[30] *Europäische Kommission*, Digital Scoreboard 2016: 35,4%. http://digital-agenda-data.eu/charts/see-the-evolution-of-an-indicator-and-compare-breakdowns/embedded#chart={„indicator-group“:“broadband“,“indicator“:“e_ispdf_ge30“,“breakdown-group“:“total“,“unit-measure“:“pc_ent“,“ref-area“:“DE“} , zuletzt abgerufen am 4. Juni 2018.

[31] *Europäische Kommission*, Digital Scoreboard 2016, http://digital-agenda-data.eu/charts/see-the-evolution-of-an-indicator-and-compare-breakdowns/embedded#chart={„indicator-group“:“broadband“,“indicator“:“e_ispdf_ge30“,“breakdown-group“:“byENTsize“,“unit-measure“:“pc_ent“,“ref-area“:“DE“} , zuletzt abgerufen am 4. Juni 2018.

[32] *BMWi*, Digitale Strategie 2025, 2016, S. 30.

[33] *WIK*, Die Privatkundennachfrage nach hochbitratigem Breitbandinternet im Jahr 2025, 2017, Abbildung 3-1.

[34] In diesem Sinne auch *Monopolkommission*, Telekommunikation 2017: Auf Wettbewerb bauen! Sondergutachten 78, 2017, Tz. 208 ff.

ischen Kommission für einen neuen Rechtsrahmen für den Telekommunikationssektor in Art. 1 Abs. 2 vor, dass auch die Nutzung von Netzen mit sehr hoher Kapazität und nicht nur deren Ausbau Ziel der Regulierung sein soll.[35] Der Kodexentwurf strebt also nicht nur eine Stimulation der Angebotsseite für Hochgeschwindigkeitsnetze an, sondern auch eine Verbesserung der Nachfrageseite.[36] Die Stimulation der Nachfrage nach Hochgeschwindigkeitsnetzzugängen kann dabei zum einen durch direkte finanzielle Subventionen von Nachfragern erfolgen.[37] Ein Beispiel hierfür sind die vom BMWi im Weißbuch Digitale Plattformen vorgeschlagenen „Gigabit-Voucher" für kleine und mittelständische Unternehmen sowie sozioökonomisch wichtige Einrichtungen in ländlichen und strukturschwachen Gebieten.[38] Eine Anregung der Nachfrage kann aber vielfach auch schon dadurch erfolgen, dass durch Information und Beratung mögliche Vorteile eines Hochgeschwindigkeitsnetzzugangs für potenzielle Nutzer deutlicher werden und dadurch eine entsprechende Zahlungsbereitschaft hervorgerufen wird.[39] Dies betrifft Privatanwender; noch größere Bedeutung kommt aber einer entsprechenden Informationstätigkeit bei unternehmerischen Anwendern zu, insbesondere bei den bisher unterdurchschnittlich engagierten klein- und mittelständischen Unternehmen.[40]

b) Koordination staatlicher Ausbauförderung

Die BNetzA setzt durch ihre Regulierungstätigkeit wichtige Rahmenbedingungen für den Breitbandausbau durch private Investitionen. Nach nahezu allen derzeit verfügbaren Prognosen wird ein flächendeckender Breitbandausbau allerdings kaum ohne staatliche Subventionen zumindest in ländlichen Räumen auskommen.[41] Die staatliche Subventionierung ist aus volkswirtschaftlicher, aber auch aus rechtlicher Sicht dabei als Ultima Ratio zu sehen.[42] Aus volkswirtschaftlicher Sicht verhindert eine zu frühzeitige

[35] *Europäische Kommission*, Vorschlag für eine Richtlinie des Europäischen Parlaments und des Rates über den europäischen Kodex für die elektronische Kommunikation, COM (2016) 590 final/2 v. 12.10.2016, mit dem die Fassung v. 14.9.2016, COM (2016) 590 final berichtigt wird (in der Folge „Kodexentwurf").

[36] Zum Konnektivitätsziel im Kodexentwurf *Thomas Fetzer*, Telekommunikationsregulierung 4.0, S. 9 ff.

[37] *Monopolkommission*, Telekommunikation 2017: Auf Wettbewerb bauen! Sondergutachten 78, 2017, Tz. 211 f.

[38] *BMWi*, Weißbuch Digitale Plattformen, 2017, S. 85.

[39] Vgl. auch *Bernd Beckert*, Ausbaustrategien für Breitbandnetze in Europa – Studie im Auftrag der Bertelsmann-Stiftung 2017, S. 68 f., abrufbar unter https://www.bertelsmann-stiftung.de/fileadmin/files/Projekte/Smart_Country/Breitband_2017_Druck_150530.pdf, zuletzt abgerufen am 4. Juni 2018.

[40] *Bernd Beckert*, (o. FN 39), S. 68 f.

[41] *Irene Bertschek et al.*, (o. FN 6), S. 62 ff.

[42] *Irene Bertschek et al.*, (o. FN 6), S. 66 ff.

Subventionierung möglicherweise private Investitionen und löst gesamtwohlfahrtssenkende Mitnahmeeffekte aus. Aus rechtlicher Sicht ist zum einen zu bedenken, dass Art. 87f GG vom Prinzip der privatwirtschaftlichen, wettbewerblichen Erbringung von Telekommunikation ausgeht.[43] Die öffentliche Subventionierung von Telekommunikationsinfrastrukturen, die gerade ein Abweichen von einer Erbringung im Wettbewerb bedingt, wird damit zur rechtfertigungsbedürftigen Ausnahme. Zum anderen sind staatliche Fördermaßnahmen am europäischen Beihilfeverbot des Art. 107 AEUV zu messen.[44] Rechtliche und ökonomische Gesichtspunkte gebieten es daher, die Breitbandförderung möglichst effektiv und effizient auszugestalten, so dass möglichst wenig öffentliche Subventionen eingesetzt werden müssen, zugleich aber der Breitbandausbau zügig voranschreitet.

Bereits heute gibt es zahlreiche Breitbandförderprogramme auf Bundes-, Landes- sowie kommunaler Ebene. Auf Bundesebene übernimmt bei der Förderungskoordination bisher das Breitbandbüro des Bundes eine wichtige Rolle.[45] Seine Aufgabe ist es, die Breitbandstrategie der Bundesregierung zu unterstützen. Gleichwohl ist festzustellen, dass von Fördermöglichkeiten regional sehr unterschiedlich Gebrauch gemacht wird.[46] Hier könnte möglicherweise eine stärkere Koordination der Förderung helfen, um insbesondere über die verschiedenen Ebenen des föderalen Mehrebenensystems die Effektivität, aber auch die Effizienz der Breitbandförderung zu erhöhen.[47]

2. *Sektorenübergreifende Information und Koordination*

Digitalisierung und Vernetzung lassen die IKT-Branche und die Anwenderbranchen näher zusammenrücken.[48] Digitalisierung und Vernetzung versprechen dabei gerade für die Anwenderbranchen erhebliche Wachstums- und Innovationspotenziale.[49] Zugleich sind die Anwenderbranchen wesentliche Nachfragetreiber nach Hochgeschwindigkeitsnetzen. Die Bundesregierung hat mit ihrer „Strategie Intelligente Vernetzung" für die fünf ausgewählten Branchen Bildung, Energie, Gesundheit, Verkehr und Verwal-

[43] Dazu *Barbara Remmert*, in: Epping/Hillgruber, BeckOK Grundgesetz, 36. Aufl. Stand 15. Februar 2018, Art. 87f GG Rdnr. 5 f.

[44] *Europäische Kommission*, Leitlinien für die Anwendung der Beihilfevorschriften im Zusammenhang mit dem schnellen Breitbandausbau, ABl. 2013 Nr. C 25/1, Rn. 11. Dazu auch m.w.N. *Ernst-Joachim Mestmäcker/Heike Schweitzer*, in: Immenga/Mestmäcker, Wettbewerbsrecht, 5. Aufl. 2016, Art. 107 Rdnr. 26.

[45] Abrufbar unter: http://breitbandbuero.de, zuletzt abgerufen am 4. Juni 2018.

[46] *Irene Bertschek et al.*, (o. FN 6), S. 63 ff.; *Monopolkommission*, Telekommunikation 2017: Auf Wettbewerb bauen!, Sondergutachten 78, 2017, Tz. 146 ff.

[47] Vgl. *Bernd Beckert*, (o. FN 39), S. 63 ff.

[48] *Bertschek/Briglauer/Hüschelrath/Krämer/Frübing/Kesler/Saam*, Metastudie zum Fachdialog Ordnungsrahmen für die digitale Wirtschaft, 2016, S. 144.

[49] *Irene Bertschek et al.*, (o. FN 6), S. 141 ff.

tung eine modellhafte Initiative ins Leben gerufen, um Digitalisierung und Vernetzung in diesen Sektoren voranzutreiben.[50]

Hier könnte durch eine noch stärkere und koordinierte Informationstätigkeit über die Sektorengrenzen hinweg ein wesentlicher Beitrag zum Gelingen der Digitalisierung geleistet werden. Gerade für die Digitalisierung und Vernetzung klein- und mittelständischer Unternehmen ist es von großer Bedeutung, dass ihnen der mögliche Mehrwert von Investitionen in Digitalisierung und Vernetzung sowie Best-Practice-Beispiele aufgezeigt werden können.[51] Zudem ist es für eine erfolgreiche Gestaltung der digitalen Revolution wichtig, dass Förderinitiativen nicht nur im Hinblick auf den Breitbandausbau, sondern auch bezogen auf die Digitalisierung und Vernetzung der Anwenderbranchen koordiniert werden. Hinzu kommt die Notwendigkeit einer transparenten Darstellung und Kommunikation, die Ziele und Zielgruppen verschiedener Initiativen für interessierte Unternehmen aufbereitet.[52] Eine zentrale Institution, die Digitalisierungsinformationen über die gesamte Wirtschaft hinweg und über alle Ebenen des föderalen Mehrebenensystems bereitstellt und Fördermöglichkeiten initiiert bzw. vorhandene Programme Dritter transparent macht und koordiniert, könnte hier wertvolle Dienste bei der Digitalisierung und Vernetzung von IKT-Branche und Anwenderbranchen leisten.

3. Monitoring und Koordination von Digitalexperimentierräumen

In vielen Rechtsgebieten folgen das deutsche und auch das europäische Recht dem so genannten Vorsorgeprinzip.[53] Dieses im Umwelt- und Technikrecht entwickelte Prinzip besagt, dass bei nicht endgültig ausräumbarer Ungewissheit über mögliche Schäden für Individualrechtsgüter, die durch die Nutzung einer (neuen) Technologie entstehen können, die Schadensgefahr soweit wie möglich zu minimieren ist.[54] Dies kann dazu führen, dass bereits potenziell schädigende Produkte vorsorglich verboten werden. Mit einer ähnlichen Stoßrichtung sieht das Unionsrecht in Art. 114 Abs. 3 AEUV ein hohes Schutzniveau für Harmonisierungsmaßnahmen der Europäischen Union für die Bereiche Gesundheit, Sicherheit, Umweltschutz und Verbraucherschutz als Harmonisierungsziel vor; Art. 169 AEUV erklärt ein hohes Verbraucherschutzniveau ausdrücklich zu einem Ziel der Europäischen Union; ein hohes

[50] Abrufbar unter: https://www.bmwi.de/Redaktion/DE/Dossier/intelligente-vernetzung.html, zuletzt abgerufen am 4. Juni 2018.

[51] *Irene Bertschek et al.*, (o. FN 6), S. 148.

[52] *Irene Bertschek et al.*, (o. FN 6), S. 148.

[53] Vgl. *Ivo Appel*, Europas Sorge um die Vorsorge – Zur Mitteilung der Europäischen Kommission über die Anwendbarkeit des Vorsorgeprinzips, NVwZ 2001, 359 ff.

[54] Grundlegend *Fritz Ossenbühl*, Vorsorge als Rechtsprinzip im Gesundheits-, Arbeits-, Umweltschutz, NVwZ 1986, 161 ff.

Verbraucherschutzniveau als fundamentalrechtliche Gewährleistung findet sich nunmehr auch in Art. 38 Grundrechte-Charta.[55] Das Unionsrecht – und damit zwangsläufig auch das nationale Recht – sehen damit ein hohes Schutzniveau für Verbraucherinnen und Verbraucher als fundamental für das Gelingen des Binnenmarktes an. Zugleich wirkt sich dieses grundsätzlich anerkennenswerte Ziel aber auf der Anbieterseite gerade bei der Digitalisierung und Vernetzung der Wirtschaft auf Innovationen – jedenfalls im B2C-Bereich – potenziell negativ aus, da es zu (Compliance-) Kosten führt, die insbesondere Start-Up-Unternehmen mitunter nicht tragen können. Das Ziel eines hohen Verbraucherschutzniveaus verhindert dabei mitunter die Vermarktung von innovativen Produkten, unter Umständen sogar ganz, wenn der potenzielle Schaden eines neuen Produktes für Verbraucherschutzrechte nicht klar erkennbar ist oder jedenfalls ein solcher Schaden nicht ganz ausschließbar ist.

Eine vergleichbare Ausgangssituation findet sich neben dem Verbraucherschutzrecht auch im Datenschutzrecht. Auch hier wird dem Persönlichkeitsrecht des Einzelnen ein hoher Stellenwert eingeräumt, der insbesondere dazu führt, dass eine Erhebung und Verarbeitung von Daten ohne spezifische gesetzliche Grundlage bzw. eine Einwilligung des Betroffenen in die genauen Modalitäten der Datenverarbeitung nicht zulässig ist.[56] Dieses Prinzip eines Verbots mit Erlaubnisvorbehalt findet seine Verankerung zwar nicht im Vorsorgeprinzip, sondern in der Begründung des Datenschutzrechts in der Menschenwürde,[57] führt aber gerade in der datenbasierten Digitalökonomie potenziell ebenfalls dazu, dass innovative Geschäftsmodelle sich nicht entwickeln können, weil sich vielfach erst nach der Erhebung personenbezogener Daten zeigt, welche Anwendungen darauf aufgebaut werden können.[58] Der Betroffene kann in diesem Fall also bei der Erhebung der Daten nach geltendem Recht noch gar nicht wirksam in die entsprechende Datenverarbeitung einwilligen.

Eine Möglichkeit, die schutzwürdigen Interessen von Verbraucherinnen und Verbrauchern einerseits und Innovationspotenziale andererseits miteinander in Einklang zu bringen, sind so genannte „Experimentierräume" bzw. „regulatory sandboxes".[59] Die ihnen zugrundeliegende Idee ist, dass Verbraucherschutzregelungen – Gleiches lässt sich auch für datenschutzrechtli-

[55] Vgl. zur Bedeutung des Vorsorgeprinzips jenseits des Gesundheitsbereichs schon *Europäische Kommission*, Mitteilung der Kommission über die Anwendbarkeit des Vorsorgeprinzips, KOM (2000) 1 endg.

[56] § 4 BDSG; Art. 6 DSGVO.

[57] Zur Bedeutung des Rechts auf informationelle Selbstbestimmung im Verhältnis zwischen Privaten im Internet *Udo Di Fabio*, in: Maunz/Dürig, Grundgesetz-Kommentar, 80. Ergänzungslieferung Stand Juni 2017, Art. 2 Rdnr. 190.

[58] *Heike Schweitzer/Martin Peitz*, Datenmärkte, 2017, S. 33 ff.

[59] *BMWi*, Weißbuch Digitale Plattformen – Digitale Ordnungspolitik für Wachstum, Innovation, Wettbewerb und Teilhabe, 2017, S. 79.

che Bestimmungen erwägen – nicht generell für alle Verbraucherinnen und Verbraucher abgesenkt werden, um die Compliancekosten bei der Einführung und Erprobung innovativer Produkte zu minimieren, sondern nur für eine bestimmte Gruppe und für einen bestimmten Zeitraum die Anwendung von Regelungen ausgesetzt wird, sofern die Betroffenen vorab umfassend informiert werden und sie darin einwilligen. Auf diese Weise können innovative Produkte oder Geschäftsmodelle unter realen Bedingungen getestet werden, ohne dass die Anbieter die volle Last von – beispielsweise verbraucherschützenden – Regelungen zu erfüllen hätten.[60] Zugleich werden Verbraucherinnen und Verbraucher dadurch geschützt, dass das Produkt oder Geschäftsmodell unter hoheitlichem Monitoring nur von denjenigen genutzt werden kann, die zuvor umfassend über potenzielle Risiken bzw. Ungewissheiten informiert worden sind.

Das Konzept wird prominent in Großbritannien von der Finanzaufsicht „Financial Conduct Authority (FCA)“ bei FinTechs, also innovativen Finanzprodukten erprobt.[61] Die Behörde richtet für Finanzinnovationen, die einen Nutzen für Verbraucherinnen und Verbraucher versprechen, für einen bestimmten Zeitraum solche Experimentierräume ein, sofern die betroffenen Verbraucherinnen und Verbraucher umfassend vor Erwerb bzw. Nutzung eines entsprechenden Finanzprodukts darüber informiert werden, dass es sich um ein innovatives Produkt handelt, das sich in einem Teststadium befindet und bei dessen Nutzung daher nicht alle finanzmarktregulierungsrechtlichen Schutzvorkehrungen angewendet werden. Die FCA kann insbesondere vorläufige Zulassungen für Finanzprodukte erteilen oder finanzproduktbezogene Regelungen aussetzen oder modifizieren.[62] Voraussetzung dafür ist, dass vorab von einem FinTech-Anbieter ein Antrag bei der Behörde gestellt wird und während der Testphase sowie nach Abschluss derselben Berichte über den Verlauf des Tests abgeliefert werden. Auf diese Weise können nicht nur innovative Produkte durch Unternehmen getestet werden. Zugleich kann hierdurch die Aufsichtsbehörde ihrerseits Erfahrungen mit solchen Produkten sammeln und ggf. auf eine Aufhebung oder Modifikation bestehender Regulierung hinwirken. Eine erste Evaluation dieses Modellverfahrens durch die FCA ist positiv verlaufen; insbesondere scheint ein positiver Einfluss auf (Finanz-) Innovationen feststellbar zu sein.[63]

Die Einrichtung von solchen Experimentierräumen, innerhalb derer finanzmarktrechtliche, aber beispielsweise auch verbraucherschutzrechtli-

[60] Dazu *Mark Fenwick/Wulf A. Kaal/Erik P.M.*, Regulation tomorrow: What happens when technology is faster than the law?, TILEC Discussion Paper DP 2016-024, S. 25, abrufbar unter: http://ssrn.com/abstract=2834531, zuletzt abgerufen am 4. Juni 2018.

[61] https://www.fca.org.uk/firms/regulatory-sandbox, zuletzt abgerufen am 4. Juni 2018.

[62] Abrufbar unter: https://www.fca.org.uk/firms/regulatory-sandbox, zuletzt abgerufen am 4. Juni 2018.

[63] *FCA*, Regulatory Sandbox Lessons Learned Report, October 2017.

che oder datenschutzrechtliche Regelungen für einen begrenzten Zeitraum und gegenüber einem begrenzten Personenkreis nicht vollumfänglich erfüllt werden müssen, setzt zum einen die Anpassung der entsprechenden materiellen Regelungen, etwa in Gestalt von Experimentier- bzw. Öffnungsklauseln im Datenschutz- oder Lauterkeitsrecht voraus. Darüber hinaus ist es jedoch empfehlenswert, die Überwachung der Experimentierräume, zumindest aber deren Einrichtung zentral einer Stelle zuzuweisen. Als Modell könnte hierbei der durch die europäische Dienstleistungs-RL eingeführte Einheitliche Ansprechpartner dienen.[64] Dieser fungiert als Koordinationsstelle und Lotse durch Verwaltungsverfahren und etabliert damit ein One-Stop-Shop für ausländische Dienstleistungserbringer, die im Inland tätig werden wollen. Der Einheitliche Ansprechpartner verändert also nicht das Kompetenzgefüge zwischen mehreren Aufsichts- bzw. Genehmigungsbehörden, sondern befreit einen Dienstleistungserbringer von der mitunter schwierigen Aufgabe, Genehmigungserfordernisse für seine Tätigkeit und die dafür zuständigen Behörden selbst in Erfahrung zu bringen, um dann jeweils direkt mit den Genehmigungsbehörden in Kontakt zu treten.

Auf ähnliche Weise könnte eine zentrale Einrichtung geschaffen werden, die für die Einrichtung von Digitalexperimentierräumen insoweit zuständig ist, dass Unternehmen bei dieser Stelle die Einrichtung eines konkreten Digitalexperimentierraums beantragen können und diese Stelle dann mit den nach dem jeweiligen Fachrecht zuständigen Behörden den Experimentierraum einrichten kann. Dies ist insbesondere sinnvoll, wenn ein Experimentierraum im Hinblick auf mehrere Regelungsmaterien – beispielsweise telekommunikationsrechtliche Kundenschutzvorschriften und Datenschutzregelungen – eingerichtet werden soll. Selbst wenn es jedoch nur um eine Regelungsmaterie geht, für die ein Digitalexperimentierraum eingerichtet werden soll, wäre es bürokratiekostensenkend, wenn Unternehmen nicht aufwändige Recherchen über die zu beachtenden Rechtsvorschriften und die hierfür zuständigen Stellen vornehmen müssten, sondern ein Ansprechpartner zur Verfügung stehen würde. Zugleich wäre so sichergestellt, dass Informationen über den Erfolg (oder Misserfolg) von Digitalexperimentierräumen bei einer Stelle zusammenlaufen, die daraus Best-Practice-Modelle ableiten kann.

4. Empirie und Analyse von Digitalisierung und Vernetzung der Wirtschaft

Der wissenschaftliche Beirat beim BMWi hat 2013 in einem Gutachten auf das bisher nicht vollständig ausgeschöpfte Potenzial wirtschaftspolitischer Evaluationsforschung in der Evaluation wirtschaftspolitischer Maßnahmen hingewiesen und auf die positiven Effekte evidenzbasierter Wirtschaftspoli-

[64] Richtlinie 2006/123/EG des Europäischen Parlaments und des Rates v. 12.12.2006 über Dienstleistungen im Binnenmarkt, ABl. L 376 v. 27.12.2006, S. 36.

tik hingewiesen.[65] In diesem Sinne hat auch die OECD 2015 eine Untersuchung zur evidenzbasierten Politikberatung, namentlich zur Gesetzesfolgenabschätzung (GFA) durchgeführt und dabei auf die grundsätzlich positiven Wirkungen einer stärker evidenzbasierten Politikberatung verwiesen: „Es handelt sich um ein wirkungsvolles Instrument, das den Politikgestaltungsprozess durch die Bereitstellung wertvoller empirischer Daten unterstützt. GFA untermauern Politikentscheidungen, indem sie einen rationalen Entscheidungsrahmen bieten, der die Auswirkungen potenzieller Regelungsoptionen untersucht. (...) Moderne Volkswirtschaften und Gesellschaften brauchen effektive Regelungen für Wachstum, Investitionen, Innovation und Marktöffnung, um die Rechtstaatlichkeit zu stützen und zum gesellschaftlichen Wohlergehen beizutragen. Ein unzureichendes Regulierungsumfeld beeinträchtigt die Wettbewerbsfähigkeit der Unternehmen und das Vertrauen der Bürger in den Staat, und es fördert die Korruption in der öffentlichen Governance. Um Märkte angemessen zu stützen, die Rechte und Sicherheit der Bürger zu schützen und die Bereitstellung öffentlicher Güter und Dienstleistungen zu gewährleisten, müssen Rechtsvorschriften mittels eines umfassenden Rahmens ausgearbeitet werden, in dem die Politikoptionen unter Verwendung belastbarer empirischer Daten beurteilt werden (...).“[66]

Angesichts der durch Digitalisierung und Vernetzung hervorgerufenen grundlegenden Veränderungen in Wirtschaft und Gesellschaft sowie der hohen Entwicklungsdynamik dieser Veränderungen, aber auch aufgrund der Ambivalenz zahlreicher Entwicklungen, die vielfach große Hoffnungen, aber auch manche Befürchtungen hervorrufen,[67] ist der Ruf nach einer stärker evidenzbasierten Politik und Regulierung gerade für die Digitalisierungspolitik zu erneuern. Dem steht in vielen Bereichen ein erhebliches Wissens- und Verständnisdefizit entgegen. Mit anderen Worten: Es fehlt vielfach an den Grundlagen für eine evidenzbasierte Politikberatung und Entscheidungsfindung. Das Wissensdefizit lässt sich sowohl auf der Ebene des Verfügungswissens als auch des Orientierungswissens konstatieren:[68] Vielfach stehen staatlichen Akteuren keine

[65] *BMWi*, Evaluierung wirtschaftspolitischer Fördermaßnahmen als Element einer evidenzbasierten Wirtschaftspolitik – Gutachten des Wissenschaftlichen Beirats beim Bundesministerium für Wirtschaft und Energie, 2013, S. 24. In diesem Sinn auch *Klaus F. Zimmermann*, Evidence-Based Scientific Policy Advice, Working Paper Series of the German Data Forum (RatSWD) 2014, Nr. 243.

[66] *OECD*, OECD-Ausblick zur Regulierungspolitik 2015, 2016, S. 104 ff., abrufbar unter http://dx.doi.org/10.1787/9789264252325-9-de, zuletzt abgerufen am 4. Juni 2018.

[67] Vgl. zur Ambivalenz von Big Data und Big Data Analytics *Alessandro Acquisti*, From the economics of privacy to the economics of big data, in: Bender/Lane/Nissenbaum/Stodden, Privacy, Big Data and the Public Good: Frameworks for Engagement, 2014, abrufbar unter http://repository.cmu.edu/cgi/viewcontent.cgi?article=1340&context=heinzworks, zuletzt abgerufen am 4. Juni 2018.

[68] Zum Wissen als Voraussetzung staatlichen Handelns sowie zur Differenzierung von Verfügungs- und Orientierungswissen *Bodo Fassbender*, Wissen als Grundlage staatli-

ausreichenden empirischen Daten über Digitalisierungs- und Vernetzungsprozesse zur Verfügung, die ein Verständnis dieser Prozesse ermöglichen würden. Daraus folgt nahezu zwangsläufig, dass auch eine Bewertung von möglichen Handlungsoptionen kaum möglich ist. Zur Verbesserung dieser Ausgangslage könnte vorrangig an drei Punkten angesetzt werden:

1) Aus wissenschaftlicher Sicht lässt sich festhalten, dass das Wissen über und das Verständnis von Digitalisierungs- und Vernetzungsprozessen auf allen wirtschaftlichen und gesellschaftlichen Ebenen unvollständig ist: Auf der Mikroebene etwa sind die sozioökonomischen Wirkungen der durch die digitale Vernetzung potenziellen Allverfügbarkeit von Informationen kaum untersucht.[69] Auf der Mesoebene beobachten wir neue Organisationsformen wie Crowd-Working und Sharing-Plattformen, aber auch hier gibt es bisher nur punktuelle empirische Untersuchungen und Analysen über die Auswirkungen auf Unternehmen.[70] Auf der Makroebene besteht Einigkeit, dass Digitalisierung und Vernetzung erhebliche volkswirtschaftliche Wachstumspotenziale schaffen, eine strukturierte und periodische Untersuchung dieser Effekte fehlt aber bisher.[71] Hier könnte durch eine gezielte Datenerhebung und -analyse Abhilfe geschaffen werden.[72]
2) Selbst wenn empirische Daten vorhanden sind, sind diese teilweise nur unstrukturiert verfügbar bzw. werden von verschiedenen – privaten und öffentlichen – Akteuren erhoben und verwaltet. Eine strukturierte Aufbereitung und Zusammenführung solcher Daten könnte zum einen das beschriebene Wissens- und Verständnisdefizit bekämpfen helfen. Zum anderen könnten diese Daten universitären und außeruniversitären Forschungseinrichtungen für deren Forschung zur Verfügung gestellt werden.[73] Damit könnte ein großes Problem empirischer sozial- und wirtschaftswissenschaftlicher Forschung angegangen werden: Die Verfügbarkeit und Nutzbarkeit von Daten.[74]

chen Handelns, in: Handbuch des Staatsrechts Band IV, 3. Aufl. 2006, § 76 Rdnr. 14 sowie 16 ff.

[69] Für eine aktuelle Bestandsaufnahme *Peter Vorderer et al.*, Permanently Online, Permanently Connected: Living and Communicating in a POPC world, 2017.

[70] *Irene Bertschek et al.*, (o. FN 6), S. 7.

[71] *Irene Bertschek et al.*, (o. FN 6), S. 154.

[72] So auch eine der Empfehlungen des Wissenschaftlichen Beirats beim BMWi: *BMWi*, Evaluierung wirtschaftspolitischer Fördermaßnahmen als Element einer evidenzbasierten Wirtschaftspolitik – Gutachten des Wissenschaftlichen Beirats beim Bundesministerium für Wirtschaft und Energie, 2013, S. 19 ff.

[73] *BMWi*, Evaluierung wirtschaftspolitischer Fördermaßnahmen als Element einer evidenzbasierten Wirtschaftspolitik – Gutachten des Wissenschaftlichen Beirats beim Bundesministerium für Wirtschaft und Ernergie, 2013, S. 20.

[74] Dazu instruktiv *Lilli Japec et al*, Big Data in Survey Research, *Public Opinion Quarterly*, Volume 79, 2015, 839 ff., abrufbar unter https://doi.org/10.1093/poq/nfv039, zuletzt abgerufen am 4. Juni 2018.

3) Selbst wenn regulatorische Maßnahmen evidenzbasiert eingeführt werden, fehlt vielfach eine ex-post-Evaluation der Maßnahmen im Hinblick auf ihre Wirkungen und den Erfolg gemessen am Regulierungsziel. Vergleichbares lässt sich für den Bereich der Digitalisierungs- und Breitbandförderung durch Subventionen sagen, deren Wirksamkeit und gesamtwirtschaftlichen Auswirkungen nur ansatzweise erforscht sind.[75] Eine Wirkanalyse von gesetzlichen und exekutiven Regulierungs- und Fördermaßnahmen könnte dazu beitragen, dass Gesetzgeber und Exekutive künftig bessere – im Sinne von effektiveren und effizienteren – Entscheidungen treffen können.[76] Ein Ansatz hierzu findet sich auch im Kodexentwurf der Europäischen Kommission für einen neuen Telekommunikationsrechtsrahmen, der in Art. 59 Abs. 4 vorsieht, dass die nationalen Regulierungsbehörden die Wirkungen von Verpflichtungen, die sie nicht marktmächtigen Unternehmen auferlegen, nach Erlass einer Maßnahme untersuchen und das Ergebnis dieser Untersuchung bekanntgeben müssen. Die nationalen Regulierungsbehörden müssen also nicht nur überprüfen, ob sie entsprechende Verpflichtungen auferlegen bzw. aufrechterhalten, sie müssen vielmehr auch ausdrücklich zu den Wirkungen der Verpflichtungen Stellung nehmen und eine Wirkanalyse durchführen.[77]

Eine Ausweitung einer solchen Maßnahmenevaluation könnte sowohl bei Regulierungs- als auch bei Fördermaßnahmen sinnvoll sein. Dabei ist es zum einen wichtig, dass vorab – durch den Gesetzgeber oder die Exekutive – Erfolgsmaßstäbe definiert werden, anhand derer die Evaluation einer Maßnahme erfolgt.[78] Zum anderen muss sichergestellt werden, dass die Evaluation durch eine unabhängige Stelle vorgenommen wird, die nicht davon abhängig ist, im Sinne der zu evaluierenden Maßnahmen ein positives Votum abzugeben.[79] Dies spricht dafür, dass nicht dieselbe Einrichtung, die für den Vollzug von Regulierungs- bzw. Fördermaßnahmen zuständig ist, auch deren Evaluation vornimmt. In diesem Sinne ist es denkbar, die Maßnahmenevaluation im Zuge öffentlicher Ausschreibungen auf Private zu übertragen. Hier besteht freilich die Gefahr, im Sinne des Auftraggebers zu evaluieren, um auch künf-

[75] *Irene Bertschek et al.*, (o. FN 6), S. 77 f.

[76] *BMWi*, Evaluierung wirtschaftspolitischer Fördermaßnahmen als Element einer evidenzbasierten Wirtschaftspolitik – Gutachten des Wissenschaftlichen Beirats beim Bundesministerium für Wirtschaft und Energie, 2013, S. 24.

[77] *Thomas Fetzer*, Telekommunikationsregulierung 4.0, 2017, S. 23.

[78] *BMWi*, Evaluierung wirtschaftspolitischer Fördermaßnahmen als Element einer evidenzbasierten Wirtschaftspolitik – Gutachten des Wissenschaftlichen Beirats beim Bundesministerium für Wirtschaft und Energie, 2013, S. 21.

[79] *BMWi*, Evaluierung wirtschaftspolitischer Fördermaßnahmen als Element einer evidenzbasierten Wirtschaftspolitik – Gutachten des Wissenschaftlichen Beirats beim Bundesministerium für Wirtschaft und Energie, 2013, S. 24.

tige Aufträge zu erhalten.[80] Diese Anreize sind bei einer dauerhaften Übertragung von Evaluationsaufgaben auf eine öffentliche Stelle geringer; hier muss jedoch darauf geachtet werden, dass das wissenschaftliche Evaluationsniveau immer wieder auch durch Impulse von außen gesichert wird.[81]

5. Rechtsdurchsetzung

Im Weißbuch Digitale Plattformen des BMWi wird zutreffend darauf hingewiesen, dass selbstverständlich auch in Internetmärkten eine effektive Durchsetzung verbraucherschutzrechtlicher Vorschriften sowie die Lauterkeit des Wettbewerbs gewährleistet werden müssen.[82] Es wurde bereits ausgeführt, dass bei der hoheitlichen Rechtsdurchsetzung den bestehenden Institutionen, insbesondere BKartA und BNetzA weiterhin eine wichtige Rolle zukommen wird.

Gerade im Verbraucherschutzrecht gilt allerdings bisher der Grundsatz der privaten Rechtsdurchsetzung. Es ist vorstellbar, dass die private Rechtsdurchsetzung in digitalen Märkten, insbesondere angesichts von oftmals nicht im Inland ansässigen Anbietern sowie der schnellen Marktentwicklung, an Grenzen gerät, so dass zur Effektivierung auch auf eine hoheitliche Rechtsdurchsetzung gesetzt werden muss.[83] Die hoheitliche Durchsetzung von Verbraucherrechten ist beispielsweise traditionell in den Vereinigten Staaten stärker verankert, wo die Federal Trade Commission (FTC) neben ihren wettbewerbsbezogenen Aufgaben auch verbraucherschützende Eingriffsbefugnisse besitzt.[84]

Ein Systemwechsel zu einer stärkeren hoheitlichen Rechtsdurchsetzung auch in Deutschland, der mit Wechselkosten verbunden wäre, sollte allerdings nur dann erwogen werden, wenn es im Internet tatsächlich zu systematischen Rechtsdurchsetzungsdefiziten kommt, die im geltenden System privater Rechtsdurchsetzung nicht behoben werden können. Zur Feststellung solch systematischer Versagen könnte die bereits erwähnte Schaffung empirischer

[80] *BMWi*, Evaluierung wirtschaftspolitischer Fördermaßnahmen als Element einer evidenzbasierten Wirtschaftspolitik – Gutachten des Wissenschaftlichen Beirats beim Bundesministerium für Wirtschaft und Energie, 2013, S. 21, Fn. 59.

[81] *BMWi*, Evaluierung wirtschaftspolitischer Fördermaßnahmen als Element einer evidenzbasierten Wirtschaftspolitik – Gutachten des Wissenschaftlichen Beirats beim Bundesministerium für Wirtschaft und Energie, 2013, S. 22 f.

[82] *BMWi*, Weißbuch Digitale Plattformen – Digitale Ordnungspolitik für Wachstum, Innovation, Wettbewerb und Teilhabe, 2017, S. 64 f.

[83] *Heike Schweitzer/Thomas Fetzer/Martin Peitz*, Digitale Plattformen: Bausteine für einen künftigen Ordnungsrahmen, 2016, S. 14 f.

[84] FTC Bureau of Consumer protection. Weitere Informationen abrufbar unter: https://www.ftc.gov/about-ftc/bureaus-offices/bureau-consumer-protection, zuletzt abgerufen am 4. Juni 2018.

Datengrundlagen einen wichtigen Beitrag leisten.[85] Erste Anhaltspunkte werden möglicherweise auch die Sektorenuntersuchungen des BKartA nach § 32e Abs. 5 GWB liefern. Weitere Informationen könnten sich auch aus der Tätigkeit des Marktwächters Digitale Welt beim vzbv ergeben.[86]

Bei alledem ist auch im Blick zu behalten, dass die Zuordnung digitalspezifischer wettbewerbsrechtlicher und verbraucherschutzrechtlicher Zuständigkeiten an eine weitere Behörde komplexe Abgrenzungsfragen aufwerfen würde. Auch aus diesem Grund sollte hier eine breite empirische Entscheidungsgrundlage geschaffen werden, die eine bessere Beurteilung erlaubt, ob es zu dauerhaften systematischen Rechtsdurchsetzungsdefiziten kommt, die zu irreversiblen Schäden für Verbraucherinnen und Verbraucher führen und daher mit hoheitlichen Mitteln angegangen werden müssen.[87]

Sollten dabei allerdings systematische Rechtsdurchsetzungsdefizite zutage treten, ist zu prüfen, wie zur Effektivierung der Rechtsdurchsetzung eine stärker hoheitliche Rechtsdurchsetzung institutionell und verfahrensmäßig eingesetzt werden könnte. Angesichts des Querschnittscharakters dieser Fragestellung sollte im Falle einer stärker hoheitlichen Durchsetzung eine Zuweisung entsprechender Befugnisse an eine unabhängige staatliche Institution – etwa eine Digitalagentur – erwogen werden.[88]

III. Ergebnis

Bundesnetzagentur und Bundeskartellamt werden bei der Digitalisierung und Vernetzung der Wirtschaft auch künftig wichtige Aufgaben übernehmen. Die sektorspezifische Telekommunikationsregulierung der Bundesnetzagentur setzt zentrale Rahmenbedingungen für den Breitbandausbau und den funktionsfähigen Wettbewerb im Telekommunikationssektor. Die Sicherstellung des Wettbewerbs durch das Bundeskartellamt ist in der digitalen Ökonomie mit ihren oftmals monopolistischen oder oligopolistischen Plattformmärkten ebenfalls von zentraler Bedeutung, um die Wachstums- und Innovationspotenziale von Digitalisierung und Vernetzung der Wirtschaft ausschöpfen zu können. Digitalisierung und Vernetzung der Wirtschaft schaffen aber auch neue Aufgaben und Aufgabenkategorien, die keiner der existierenden Behörden zugeordnet sind und daher ein Bedürf-

[85] *Heike Schweitzer/Thomas Fetzer/Martin Peitz*, (o. FN 83), S. 15.

[86] Abrufbar unter: https://ssl.marktwaechter.de/digitalewelt, zuletzt abgerufen am 4. Juni 2018.

[87] *Heike Schweitzer/Thomas Fetzer/Martin Peitz*, (o. FN 83), S. 56.

[88] Zur Beratungs- und Kontrollfunktion unabhängiger Stellen bei Querschnittsmaterien *Stephanie Schiedermair*, Selbstkontrollen der Verwaltung, in: Hoffmann-Riem/Schmidt-Aßmann/Voßkuhle (Hrsg.), Grundlagen des Verwaltungsrechts Band III, 2. Aufl. 2013, § 48 Rdnr. 55.

nis nach einem neuen institutionellen Arrangement begründen. Dies betrifft insbesondere die Bereiche Breitbandnachfragestimulation, sektorenübergreifende Information und Koordination, Monitoring und Koordination von Digitalexperimentierräumen sowie evidenzbasierte Digitalisierungspolitik und Regulierung. Inwieweit darüber hinaus ein Handlungsbedarf bei der hoheitlichen Durchsetzung von Regelungen zum Schutz von Verbraucherinnen und Verbrauchern sowie der Lauterkeit des Wettbewerbs besteht, sollte zunächst weiter daraufhin untersucht werden, ob es zu dauerhaften systematischen Rechtsdurchsetzungsdefiziten in digitalen Märkten kommt, die zu irreversiblen Schäden für Verbraucherinnen und Verbraucher führen, die nicht innerhalb des bestehenden Systems vorrangig privater Rechtsdurchsetzung angemessen verhindert werden können. Sollte dies nicht der Fall sein, ist über eine stärker behördliche Rechtsdurchsetzung nachzudenken, deren Zuordnung an eine neue Digitalagentur angesichts des Querschnittscharakters der Materie besonders erwägenswert wäre.

Den Herausforderungen der Digitalisierung und Vernetzung für den materiellen und institutionellen Ordnungsrahmen kann jedenfalls nur durch intra- und interdisziplinäre Zusammenarbeit unter Beteiligung von Wissenschaft und Praxis angemessen Rechnung getragen werden. Digitalisierung und Vernetzung von Wirtschaft und Gesellschaft verlangen daher nach dem, was das gesamte Wirken von *Ulrich Büdenbender* geradezu idealtypisch ausmacht: Die Offenheit für wissenschaftlich fundierte, zugleich aber auch praxis- und lösungsorientierte Diskurse über Disziplingrenzen hinweg.

Unternehmen, Staat und Grundrechte

Matthias Schmidt-Preuß*

I. Problem und Umfeld

Unmittelbar einklagbare Grundrechte zeichnen das Grundgesetz in charakteristische Weise aus. Sie gewährleisten den Individuen in eminenter Weise ein Leben in Freiheit und Gleichheit. Aber auch juristische Personen des Privatrechts können Grundrechte wie z.B. die Verbürgungen der Art. 14, 12 GG in Anspruch nehmen, wenn sie sich auf Märkten im ökonomischen Konkurrenzkampf betätigen. Dies ergibt sich aus Art. 19 III GG. Die Besonderheit einer mehrheitlichen oder 100%igen Beteiligung der öffentlichen Hand – von Bund, Ländern bzw. Gemeinden – ist dort allerdings nicht thematisiert. Die Grundrechtsfähigkeit solcher (inländischen) Unternehmen wird allerdings in einer langen Rechtsprechungslinie vom BVerfG beharrlich abgelehnt. Im Schrifttum ist diese Thematik demgegenüber unverändert aktuell, ja hochkontrovers. Virulent ist diese Problematik nicht zuletzt auch im Energiesektor, dessen rechtlicher Durchdringung das Interesse des Jubilars in besonderer Weise gilt. Dies belegen eindrucksvoll seine Arbeiten auf dem Gebiet des Energie- bzw. Energiewirtschaftsrechts,[1] aber auch in den komplementären Bereichen des Zivil-, Kartell-, Unternehmens- und Arbeitsrechts.[2] Betrachtet man diese normativen Felder, wird deutlich, dass die Fachgesetze nicht danach differenzieren, ob die öffentliche Hand an einer juristischen Person

* Der Autor ist Inhaber des Lehrstuhls für öffentliches Recht an der Friedrich-Wilhelm-Universität Bonn.

[1] *Büdenbender*, Energierecht, 1982; *Büdenbender/Heintschel von Heinegg/Rosin*, Energierecht I Recht der Energieanlagen, 1999; *Büdenbender*, in: Schulte/Schröder (Hrsg.), Handbuch des Technikrechts, 2. Aufl., 2011, S. 601–666; *ders.*, in: Steger/Büdenbender/Feess/Nelles, Die Regulierung elektrischer Netze, 2008, S. 64 ff., 87 ff.; *ders.*, DVBl. 2017, 1449 ff. (zu Energiewende und Kernenergieausstieg); *ders.*, REE 2016, 1 ff. (zum KWKG); *ders.*, RdE 2011, 201 ff. (zur Abgrenzung von Grundversorgungs- und Sonderverträgen); *Büdenbender/Rosin*, EnWG, 2003.

[2] *Büdenbender*, Kommentierung der §§ 444–480 BGB, in: Dauner-Lieb/Langen, Nomos-Kommentar, BGB Schuldrecht, Band 2/1, 2. Aufl., 2012; *ders.*, in: FS f. Sellner, 2010, S. 439 ff. (zur kartellrechtlichen Aspekten der Netzentgelte); *ders.*, Die Kartellaufsicht über die Energiewirtschaft, 1995; *ders.*, JA 1999, 813 ff. (zur Kontrolle des Vorstandes durch den Aufsichtsrat); *ders.*, RdA 2015, S. 16 ff. (zu arbeitsrechtlichen Aspekten des Energierechts); *Büdenbender/Strutz*, Gabler/Kompaktlexikon Personal, 3. Aufl., 2011.

des Privatrechts in bestimmter Höhe beteiligt ist oder nicht. Sie gelten allgemein und einheitlich. Ob dies auch und gerade im Hinblick auf die Inanspruchnahme von Grundrechten der Fall ist, sei in den folgenden – dem Jubilar gewidmeten – Überlegungen näher analysiert.

II. Das klassische Argumentationstableau

1. Rspr. des BVerfG

Das BVerfG hat seit jeher die Grundrechtsfähigkeit juristischer Personen des Privatrechts mit mehrheitlicher bzw. ausschließlicher Beteiligung der öffentlichen Hand abgelehnt. Dabei hat sich als Hauptbegründungsstrang die Konfusionsthese erwiesen, nach der ein – durch materielle[3] Grundrechte – Verpflichteter nicht gleichzeitig Berechtigter, d.h. derjenige sein kann, der sich auf sie beruft. Für die Zurechnung zum Staat hat das Gericht das Kriterium der Beherrschung gewählt, wobei es darunter die Mehrheit der Anteile versteht und dabei von stimmberechtigten Anteilen (Aktien, Stammanteilen) ausgeht. Dies hat das BVerfG[4] erstmals im Fraport-Urteil vom 22.2.2011 explizit ausgesprochen, wobei es sich auf die §§ 16, 17 AktG[5] und auf Art. 2 I lit. f) der Transparenz-Richtlinie 2014[6] bezogen hat. Damit kommt es auf die Mehrheit des stimmenberechtigten Kapitals an. Liegt eine solche Beteiligung der öffentlichen Hand vor, ist – so das BVerfG[7] – ipso iure die Grundrechtsfähigkeit ausgeschlossen. Dass es dabei nicht auf „konkrete Einwirkungsbefugnisse hinsichtlich der Geschäftsführung" ankommen solle, sondern auf eine „Gesamtverantwortung für das Unternehmen", wurde vom BVerfG[8] jüngst im DB-Beschluss vom 7.11.2017 unterstrichen.

Für den Energiesektor hat das BVerfG diese Sichtweise bereits im HEW-Beschluss[9] vom 16.5.1989 prägend entwickelt. Die Freie und Hansestadt Hamburg hielt seinerzeit 72% der stimmberechtigten Aktien an der im Energiesektor tätigen HEW. Auf Grund der Beherrschung durch die öffentliche Hand wurde das Unternehmen dem Staat zugeordnet mit der Folge, dass ihm die Grundrechtsfähigkeit vorenthalten wurde. Das Beherrschungskriterium wurde sodann in dem ebenfalls die Energiewirtschaft betreffenden Mainova-

[3] Davon ist im Folgenden die Rede, nicht von Verfahrensgrundrechten.

[4] *BVerfGE* 128, 226, Urteil vom 22. Februar 2011 – 1 BvR 699/06 Rdnr. 53 sowie Rdnr. 55 f., 58 – Fraport.

[5] Dazu *Koch*, in: Hüffer/Koch, AktG, 13. Aufl., 2018, § 17 Rdnr. 4 ff.

[6] Richtlinie 2014/109/EG des Europäischen Parlaments und des Rates vom 15.12.2004, ABl. L Nr. 190 (vom 1.12.2004), S. 38.

[7] *BVerfGE* 128, 226, Urteil vom 22. Februar 2011 – 1 BvR 699/06 Rn. 56, 58 – Fraport

[8] *BVerfG*, Beschluss vom 7. November 2017, 2 BvE 2/11, Rn. 241 ff. – Deutsche Bahn.

[9] *BVerfG*, 3. Kammer des 1. Senats, NJW 1990, 1783 = JZ 1990, 335 – HEW m. abl. Anm. *Kühne* (S. 335 f.).

Beschluss des BVerfG[10] vom 18.5.2009 explizit bestätigt. Hier ging es um die Verfassungsbeschwerde der – durchgerechnet – zu 75,2% der Stadt Frankfurt am Main gehörenden Mainova AG gegen ein Urteil des BGH. Dieses bestätigte eine Entscheidung des OLG Düsseldorf, mit der die Beschwerde gegen eine Missbrauchsverfügung des BKartA wegen ungerechtfertigter Verweigerung des Netzzugangs von zwei Arealnetzbetreibern zurückgewiesen wurde.

Die Frage der Grundrechtsfähigkeit einer juristischen Person, die von einer EU-Auslandsmutter beherrscht wird, deren Anteile von einem EU-Mitgliedstaat gehalten werden, hat das BVerfG[11] bekanntlich im Atomausstiegs-Urteil vom 6. Dezember 2016 bejaht und dies vor allem mit der Niederlassungsfreiheit begründet. Der Erwartung, dass hiermit ein erster Anfang für eine Neuorientierung gemacht wurde, war das BVerfG allerdings selbst sogleich entgegengetreten. Zu nachdrücklich bezeichnet das Gericht seine Entscheidung in diesem Punkt als unionsrechtlich motivierten Ausnahmefall. Diese Restriktion der Grundrechtsgeltung kann nicht überzeugen. Entweder schließt die Beherrschungsthese samt Erfordernis eines personalen Bezugs die Grundrechtsfähigkeit aus oder nicht. Dass die auf einen Ausnahmefall restringierte Anerkennung der Grundrechtsfähigkeit für den Fall der Beherrschung durch eine EU-Auslandsmutter dann noch mit dem Hinweis auf politische Möglichkeiten der Interessendurchsetzung von staatlich beherrschten Inlandsunternehmen begründet wird, muss Widerspruch hervorrufen: Von der politischen Durchsetzungsfähigkeit kann die Geltung von – höchstrangigen – Grundrechten nicht abhängen.[12]

Im Vattenfall-Beschluss hatte das BVerfG[13] die Frage noch offen gelassen, weil nach seiner Auffassung eine Grundrechtsverletzung – konkret ein Verstoß gegen den von ihm geprüften Art. 12 GG – nicht vorgelegen habe. Der BGH[14] hatte – unter Verzicht auf die Erörtertung der Grundrechtsfähigkeit – sogleich ohne weiteres Art. 14 GG geprüft, diesen aber nicht als verletzt angesehen.

In beiden vorgenannten – den Energiesektor betreffenden – Entscheidungen HEW und Mainova wurde als zusätzliches Kriterium die öffentliche Aufgabe der Energiewirtschaft ausdrücklich hervorgehoben.[15] Zu überzeugen vermag diese Argumentation nicht. Zwar handelt es sich bei der Energie-

[10] *BVerfG*, 1. Kammer des 1. Senats, RdE 2009, 252 (253) Rdnr. 15 ff. – Mainova.

[11] *BVerfGE* 143, 246, 1 BvR 2821/11 u.a., Rn. 184–206 – Atomausstieg.

[12] *Adenauer*, Betriebsführungsverträge und Unbundling im Energiesektor 2018, S. 110–113 (im Erscheinen).

[13] *BVerfG*, Beschluss vom 21. Dezember 2009, 1 BvR 2738/08, RdE 2010, 92 (94 ff.) Rdnr. 18 f. – Vattenfall/Mehrerlösabschöpfung.

[14] *BGH*, Beschluss vom 14. August 2008, KVR 39/07, RdE 2008, 323 (328 f.) Rn. 60 f. – Vattenfall/Mehrerlösabschöpfung – m. Anm. *Weyer*.

[15] *BVerfG*, 3. Kammer des 1. Senats, NJW 1990, 1783 = JZ 1990, 335 f. – HEW m. abl. Anm. *Kühne*; BVerfG, 1. Kammer des 1. Senats, RdE 2009, 252 (253) Rn. 17 a.E. – Mainova.

versorgungssicherheit zweifellos um ein überragendes Gemeinwohlgut. Das heißt aber keineswegs, dass diese Aufgabe nur durch staatlich kontrollierte Unternehmen hinreichend verlässlich erfüllt werden könnte. Nach der Liberalisierung der Strom- und Gasmärkte durch die Liberalisierungs-Pakete der EU[16] und deren Umsetzung in den Mitgliedstaaten – in Deutschland zuletzt durch das EnWG 2011 – lässt sich eine solche Vorstellung definitiv nicht mehr aufrechterhalten.[17] Darüber hinaus bringt das Strommarktgesetz von 2012 explizit zum Ausdruck, dass die Sicherstellung der Energieversorgung im Rahmen der Energiewende auf marktwirtschaftlicher Basis erfolgen soll. Im Übrigen sind zahlreiche bedeutsame Sektoren der Volkswirtschaft – wie die Chemie-, die Stahl- oder etwa die Automobilwirtschaft – rein privatwirtschaftlich organisiert. Damit vermag das Argument der Wahrnehmung einer öffentlichen Aufgabe weder für sich allein noch bekräftigend zu überzeugen. Da im Fraport-Urteil dieses Kriterium nicht aufgegriffen wurde, spricht einiges dafür, dass es künftig vom BVerfG nicht mehr herangezogen wird.

2. *Kontroverse in der Literatur*

Im Schrifttum wird die Frage der Grundrechtsfähigkeit staatlich beherrschter Unternehmen unverändert lebhaft und kontrovers diskutiert.[18] Zu einem beträchtlichen Teil wird sie – mit im Einzelnen unterschiedlichen Begründungen – positiv beantwortet.[19] Dabei wird neben der Rechtsform der juristischen Person des Privatrechts[20] vor allem auf das Kriterium der „grundrechtstypischen Gefährdungslage“ abgehoben.[21] Art. 19 III GG bietet hierfür aber keinen textlichen Anhaltspunkt und bietet kaum die gewünschte Anwendungsschärfe.

[16] Vgl. Richtlinie 2009/72/EG des Europäischen Parlaments und des Rates vom 13. Juli 2009 über gemeinsame Vorschriften für den Elektrizitätsbinnenmarkt und zur Aufhebung der Richtlinie 200/54/EG, ABl. L Nr. 211 (vom 14. August 2009), S. 55.

[17] *Schmidt-Preuß*, Kollidierende Privatinteressen im Verwaltungsrecht, 2. Aufl., 2005, S. 718.

[18] Vgl. zum Überblick *Selmer*, in: Papier/Merten (Hrsg.), Handbuch der Grundrechte, Band II, 2006, § 53 Rdnr. 14 ff.

[19] *Schmidt-Preuß,* Kollidierende Privatinteressen im Verwaltungsrecht, 2. Aufl., 2005, S. 68 f., 717 ff.; *ders.*, in: Säcker (Hrsg.), Berliner Kommentar zum Energierecht, Band 1, 4. Aufl., 2018, Einl. C Rn. 30; *Kingreen*, JöR 65 (2017), 1 (39); *Pieroth*, NWVBL 1992, 85 (86 ff.); *Ludwigs*, NVwZ 2018, 22 (27 f.); *Heintzen*, VVDStRL 62 (2003), S. 220 (248 ff.); *Grün*, Kosten in der Regulierung von Stromnetzen, 2018, S. 63 ff., 67 f. (im Erscheinen); *Adenauer*, Betriebsführungsverträge und Unbundling im Energiesektor 2018, S. 110–113 (im Erscheinen).

[20] *Schmidt-Aßmann*, BB 1990, Beilage 4, 1 (10 ff.); *Pieroth*, NWVBl. 1992, 85 (86 ff.).

[21] Z.B. *von Mutius*, BK Art. 19 III Rdnr. 114; Kingreen JöR 2017, S. 1–39; Dreier, in: Ders. (Hrsg.), Grundgesetz Kommentar, Band I, 3. Aufl., 2018, Art. 19 III Rdnr. 34; BVerfGE 45, 63 (79) – Stadtwerke Hameln; jetzt *Ludwigs*, NVwZ 2018, 22 (27 f.).

Demgegenüber stützt ein ebenfalls gewichtiger Teil der Lit. das BVerfG in seiner die Grundrechtsfähigkeit ablehnenden Haltung, wobei auch hier verschiedene Akzentuierungen sichtbar werden. Als vornehmlicher Begründungsstrang kann die Konfusionsthese bezeichnet werden können.[22] Danach entfällt mit der Feststellung der Beherrschung durch den Staat bereits *ipso iure* die Grundrechtsberechtigung der Gesellschaft. Eine wirkliche Konfusion würde allerdings – wollte man von diesem Ansatz einmal hypothetisch ausgehen – entgegen der bisherigen Handhabung erst vorliegen, wenn der Beherrscher und die grundrechtsgewährende Körperschaft ein und dieselbe Person wären. Das aber würde zu unvertretbaren Diskrepanzen führen, weil z.B. ein von der Kommune beherrschtes Energieversorgungsunternehmen grundrechtsberechtigt ist, die zu 100% vom Bund gehaltene Deutsche Bahn AG aber nicht. Als zweites Hauptargument ließe sich ein Erfordernis des personalen Elements nennen, das für die Bejahung der Grundrechtsfähigkeit notwendig sei und bei einer (mehrheitlichen oder ausschließlichen) Beherrschung durch den Staat ausscheide.[23] Im Folgenden wird ein neuer Begründungsansatz vorgeschlagen, mit dem die Grundrechtsfähigkeit von juristischen Personen des Privatrechts, deren (stimmberechtigte) Anteile ganz oder mehrheitlich im Eigentum der öffentlichen Hand stehen, untermauert wird.

III. Neuansatz zugunsten der Grundrechtsfähigkeit von gemischtwirtschaftlichen Unternehmen und Eigengesellschaften

1. *Wettbewerbsgleichheit als Element der Wirtschaftsverfassung*

In einer marktwirtschaftlichen Ordnung agieren Unternehmen auf Märkten, auf denen die Preisbildung nach Angebot und Nachfrage erfolgt. Dabei werden Güter und Dienstleistungen mit dem Ziel angeboten, Gewinn als Prämie für Leistungsfähigkeit und Risikobereitschaft zu erzielen. Insoweit kann sich ein Anbieter dauerhaft am Markt nur dann behaupten, wenn er mittel- und langfristig einen Umsatz erzielt, der die Kosten übersteigt. Dies setzt – ceteris paribus – voraus, dass er effizient wirtschaftet, d.h. einen bestimmten Output mit den geringstmöglichen Kosten bzw. bei einem bestimmten Kosteneinsatz einen größtmöglichen Output erzielt.[24] Um zu gewährleisten, dass

[22] Vgl. z.B. *Huber*, in: von Mangoldt/Klein/Starck/Huber/Voßkuhle (Hrsg.); Kommentar zum Grundgesetz, Band 1, 7. Aufl., 2018, Art. 19 Abs. 3 Rdnr. 276 ff., 245 ff.; *Kater*, Grundrechtsbindung und Grundrechtsberechtigung, 2017, S. 59 ff.

[23] S. dazu *Kreuter-Kirchhof*, Personales Eigentum im Wandel, 2017, S. 291 ff.; vgl. auch *Jarass/Pieroth*, GG, 15. Aufl., 2018, Art. 19 Rdnr. 16; krit. Ludwigs/Friedmann, NVwZ 2018, 22 (23f.).

[24] Vgl. *Ludwigs*, Unternehmensbezogene Effizienzanforderungen im Öffentlichen Recht, 2013, S. 35 ff.

in diesem Sinne die jeweilige Leistungsfähigkeit eines Unternehmens den Ausschlag für den Markterfolg gibt, bedarf es eines Ordnungsrahmens, der für Wettbewerbsgleichheit und faire Konkurrenzbedingungen sorgt. Hierbei handelt es sich nicht nur um ordnungspolitische Postulate, sondern um geltendes Wirtschaftsverfassungsrecht. Dies ergibt sich aus Folgendem. Nach Art. 3 III 2 EUV wirkt die Union auf „eine in hohem Maße wettbewerbsfähige soziale Marktwirtschaft hin." Damit ist in eigenständiger unionsrechtlicher Inhaltsdeutung und unter Berücksichtigung der Normgenese vom Verfassungskonvent bis zum Vertrag von Lissabon dem vertraglich vorgesehen notwendigen Zusammenhalt von wettbewerblicher Effizienz und sozialer Ausgewogenheit verbindlich Ausdruck zu verleihen.[25] Im Sinne einer solchen kohärenten Zielformulierung war in den Beratungen des seinerzeitigen Verfassungskonvents eine klare Entscheidung für den Markt gewollt, die notwendig mit dem sozialen Ausgleich verbunden ist. Hierfür wurde – auch in Bewusstsein unterschiedler konzeptioneller Vorstellungen in den Mitgliedstaaten – der Begriff „soziale Marktwirtschaft" gewählt. Nach dem Scheitern des Verfassungsvertrags wurde diese Formulierung unverändert in den heutigen Art. 3 III 2 EUV aufgenommen. Was im Einzelnen – auch instrumentell – unter diesem Konzeptbegriff zu verstehen ist, bedarf der Konkretisierung, wobei z.B. die traditionellen französischen Ordnungsvorstellungen im Sinne des *service public* ebenso zu berücksichtigen sind wie tendenziell eher marktwirtschaftliche Orientierungen etwa deutscher Provenienz. Einen wertvollen inhaltlichen Beitrag kann hierbei der Vertrag zur Währungs-, Wirtschafts- und Sozialunion (StV) leisten, der (einfachrechtlich) mit bis heute eindrucksvoller Prägnanz die soziale Marktwirtschaft leitsatzartig definiert.[26] Danach ist sie eine Wirtschaftsordnung, die „durch Privateigentum, Leistungswettbewerb, freie Preisbildung und grundsätzlich volle Freizügigkeit von Arbeit, Kapital und Gütern und Dienstleistungen bestimmt" ist (Art. 1 III 2 StV). Das zentrale Wettbewerbselement wird durch das aufrechterhaltene Protokoll Nr. 27 unterstrichen, das gem. Art. 51 EUV ebenso verbindlich wie Primärrecht ist.

Mit der Normierung der sozialen Marktwirtschaft als Wirtschaftsordnung der Europäischen Union gem. Art. 3 III 2 EUV ergeben sich markante Konsequenzen für die Mitgliedstaaten und damit auch für das deutsche Verfassungsrecht. Schien die Frage einer Wirtschaftsverfassung und ihres Inhalts bislang durch die sog. Neutralitätsthese im Anschluss an das Investitionshilfe-Urteils des BVerfG[27] im negativen Sinne ausgestanden,[28] ist ein solches

[25] Hierzu und zum Folgenden *Schmidt-Preuß*, in: FS f. Säcker, 2011, S. 969 (970 ff.).

[26] Dazu *Schmidt-Preuß*, DVBl. 1993, 26 ff.

[27] *BVerfGE* 4, 7 (17 f.) – Investitionshilfe.

[28] S. bereits den Vorschlag für ein „Verfassungsprinzip freiheitlich-sozialer Wirtschaftsordnung" bei *Schmidt-Preuß*, DVBl. 1993, 236 ff.

Verständnis nunmehr überholt. Der Transfer der sozialen Marktwirtschaft von der an die Union gerichteten Zielnorm des Art. 3 III 2 EUV auf die Ebene der Mitgliedstaaten erfolgt über Art. 4 III EUV. Danach unterstützen die Mitgliedstaaten die Union bei der Erfüllung ihrer Ziele (positiv) und unterlassen alle Maßnahmen, welche die Verwirklichung der Ziele gefährden können (negativ). Es wäre inkonsistent, ja sinnwidrig, wenn Art. 3 III 2 EUV – der als Ziel der Union die soziale Marktwirtschaft verbindlich vorgibt – von den Mitgliedstaaten missachtet werden könnte. Genau dies verbietet die Loyalitätsklausel des Art. 4 III 3 EUV. Damit ist die Verwirklichung der sozialen Marktwirtschaft Pflichtprogramm der Mitgliedstaaten. Darüber hinaus verpflichtet auch Art. 120 Satz 1 AEUV mit seiner Verweisung auf Art. 3 EUV die Mitgliedstaaten auf die soziale Marktwirtschaft. Mit der aufrechterhaltenen Norm des Art. 120 Satz 2 AEUV gewinnt die „offene Marktwirtschaft" konkretisierende Bedeutung, indem sie als Kernpostulate „Wettbewerb, Effizienz und pretiale Lenkung" demonstrativ akzentuiert.[29] Trotz des verbliebenen Ausgestaltungsspielraums *en detail* ist damit die soziale Marktwirtschaft rechtlich verbindliches Leitbild auf europäischer Ebene und in den Mitgliedstaaten geworden. Unverzichtbar für das Ordnungsmodell der sozialen Marktwirtschaft ist, dass die Unternehmen als unter gleichen Bedingungen konkurrieren. Nur Effizienz und Qualität sollen für den Markterfolg ausschlaggebend sein. Zu dieser konstitutiven Wettbewerbsgleichheit gehört auch die unterschiedslose Fähigkeit zur Rechtsverteidigung. Hiermit wäre es nicht vereinbar, wenn bestimmten Unternehmen allein deshalb die Inanspruchnahme von Grundrechten und damit die Anrufung des Bundesverfassungsgerichts verschlossen bliebe, weil an ihnen der Staat mehrheitlich oder zu 100% beteiligt ist. So würde es den Grundbedingungen des Wettbewerbs und der ihm eigenen Chancengleichheit und Neutralität wiedersprechen, wenn sich z.B. ein als juristische Person des Privatrechts organisierter Stromlieferant mit ausschließlich privaten Gesellschaftern gegen einen belastenden staatlichen Akt vor dem BVerfG unter Berufung auf Grundrechte wehren könnte, einem Konkurrenten aber bei sonst identischen Bedingungen dies deshalb verwehrt wäre, weil die öffentliche Hand eine Mehrheitsbeteiligung oder 100% der Anteile innehat. Ein chancengleicher Wettbewerb wäre damit unterbunden, das Fundamentalerfordernis der Wettbewerbsgleichheit verletzt und das Ziel der sozialen Marktwirtschaft missachtet. Notabene entspricht diesem Ergebnis – im Sinne der europarechtsfreundlichen Auslegung – auch die Bejahung der Grundrechtsfähigkeit öffentlich kontrollierter juristischer Personen des Privatrechts durch den EGMR.[30]

[29] *Schmidt-Preuß*, in: FS f. Säcker, 2011, S. 969 (983).

[30] EGMR, Urteil vom 13. Dezember 2007, Az. 40998/98 Rn. 78 ff. – Iran Shipping; dazu *Ludwigs*, NVwZ 2018, 22 (26 f.). Die Entscheidung des EuG, T-494/10 Rn. 40 – Sade-

2. *Gleichheit als Element des Rechtstaatsprinzips*

Zu den Kernelementen des in Art. 20 III GG verankerten Rechtsstaatsprinzips gehört auch, dass staatliches Handeln nachvollziehbar, konsistent und sachlich begründet ist.[31] Das verbietet es – in Parallele zum subjektivrechtlichen Gleichheitssatz des Art. 3 GG –, dass der Gesetzgeber in vergleichbaren Fallgestaltungen unterschiedliche Maßstäbe anlegt. Die Gleichheit muss auch in einer anderen Relation gewahrt sein. So ist es völlig richtig, wenn das BVerfG[32] im Atomausstiegs-Urteil vom 6.12.2016 die letztlich vom schwedischen Staat beherrschte Vattenfall Europe Nuclear Energy GmbH als grundrechtsfähig anerkannt hat. Was dagegen fehlte ist die Konsequenz, dies auch für die von der öffentlichen Hand kontrollierte Unternehmen mit Sitz in Deutschland auszusprechen. Für eine Ungleichbehandlung besteht keinerlei einleuchtender Sachgrund.

Aus der rechtsstaatlichen objektiv-rechtlichen Verpflichtung zur Gleichbehandlung[33] kann sich die Notwendigkeit ergeben, die Grundrechtsfähigkeit privater juristischer Personen in mehrheitlich oder ausschließlicher Beteiligung der öffentlichen Hand anzuerkennen. Insofern widerspricht es auch dem Gleichheitsgebot, juristische Personen des Privatrechts mit EU-ausländischer Kontrollbeteiligung als grundrechtsfähig anzuerkennen, ohne dies nicht ebenso für die entsprechenden Gesellschaften mit Sitz in der Bundesrepublik zu tun.

3. *Eigenständigkeit, Verselbständigung und Handlungsfähigkeit juristischer Personen des Privatrechts*

Ein weiterer Begründungsstrang für die Grundrechtsfähigkeit juristischer Personen des Privatrechts unter Dominanz der öffentlichen Hand ist ihre Fähigkeit, auf Grund eigener Willensbildung rechtswirksam als autonomer Akteur aufzutreten.[34] Sie sind auf Grund gesellschaftsrechtlicher Regeln zur internen Willensbildung ebenso wie zum entsprechenden rechtswirksamen Handeln nach außen durch ihre Organe befähigt. Dabei besteht keinerlei Unterschied zu juristischen Personen des Privatrechts ohne staatliche Beteiligung bzw. mit einer staatlichen Minderheitsbeteiligung. So können z.B. die Deutsche Bahn AG oder die Mainova AG Kauf- bzw. Firmentarifver-

rat, betraf dagegen (nur) eine staatliche Minderheitsbeteiligung; vgl. Ludwigs/Friedmann, NVwZ 2018, 22 (27).

[31] *Schmidt-Aßmann*, in: Isensee/Kirchhof (Hrsg.), Handbuch des Staatsrechts der Bundesrepublik Deutschland, Bd. 3, II. Aufl. 2004, § 26 Rn. 21 ff.

[32] (o. Fn. 11).

[33] *Jarass/Pieroth*, GG, 15. Aufl., 2018, Art. 20 Rdnr. 38, 40, 44.

[34] *Schmidt-Preuß,* Kollidierende Privatinteressen im Verwaltungsrecht, 2. Aufl., 2005, S. 68 f., 717 f.; *ders.*, in: Säcker (Hrsg.), Berliner Kommentar zum Energierecht, Band 1, 4. Aufl., 2018, Einl. C Rdnr. 30.

träge abschließen oder z.B. Kredite aufnehmen, aber auch etwa Kartellverfügungen unterliegen wie jede andere juristische Person des Privatrechts. Die Rechtsordnung unterscheidet nicht zwischen juristischen Personen des Privatrechts mit kontrollauslösender öffentlicher Beteiligung oder ohne eine solche. Dies zeigt sich – um nur einige Beispiele zu nennen – an § 185 I GWB, wonach die Vorschriften des GWB auch auf Unternehmen anwendbar sind, die „ganz oder teilweise im Eigentum der öffentlichen Hand stehen". Ferner gelten die Vorschriften des Energiewirtschaftsgesetzes ohne weiteres unabhängig von der Gesellschaftereigenschaft. Gleiches gilt z.B. für § 2 I TVG. Danach können Arbeitgeber – also Unternehmen ohne Maßgeblichkeit der Anteilseignereigenschaft – Firmentarife mit einer Gewerkschaft abschließen. Antragsteller nach dem Bundesimmissionsschutzgesetz sind Unternehmen ohne Rücksicht auf private oder öffentliche Gesellschafter. Die Pflicht, einen Abhängigkeitsbericht nach § 312 AktG aufzustellen, besteht z.B. auch dann, wenn das herrschende Unternehmen die Bundesrepublik Deutschland ist.[35] Dem entspricht es auch, dass der Deutsche Corporate Governance Kodex alle kapitalmarktorientierten Gesellschaften adressiert, ohne dass es darauf ankäme, ob diese vom Staat kontrolliert werden oder nicht.[36] Ebenso richtet sich das selbstregulative Compliance-Konzept an alle juristischen Personen des Privatrechts.[37] Insgesamt hat sich die konzeptionelle Einsicht in die Eigenständigkeit, Verselbständigung und Aktionsfähigkeit juristischer Personen des Privatrechts mit oder ohne Beteiligung der öffentlicher Hand längst in der Rechtsordnung Bahn gebrochen. Ausgangspunkt ist die Tatsache, dass es sich bei ihnen um handlungsfähige Wirtschaftseinheiten handelt, die von der Rechtsordnung aus guten Gründen respektiert werden. Ohne Frage handelt es sich um einfachgesetzliche Nomen. Hinter ihnen steht aber der allgemeingültige Gedanke, dass die Fachgesetze einheitlich handlungsautonome Unternehmen anerkennen, ohne dass nach dem Kriterium der Kontrollbeteiligung der öffentlicheren Hand differenziert wird. Dann verlangt die Konsistenz der Rechtsordnung,[38] diesem Gedanken auch im Verfassungsrecht Raum zu geben. Dem entspricht, dass es – wie soeben zu 2 dargelegt – mit der rechtsstaatlichen Gleichheit nicht vereinbar wäre, hier die grundrechtliche Verteidigungsfähigkeit unterschiedlich zu bemessen. Auch gemischtwirtschaftlichen Unternehmen und Eigengesellschaften steht damit der volle Rechtsstatus zu.

[35] *BGHZ* 69, 334 (347) – VEBA/Gelsenberg.

[36] Kodex Präambel Abs. 13; vgl. näher von Werder, in: *Kremer/Lutter/Bachmann/von Werder*, Deutscher Corporate Governance Kodex, 7. Aufl., 2018, Präambel, Rn. 159 ff.

[37] *Seidel/Wendt*, Compliance in öffentlichen Unternehmen, 2017, S. 3 ff., 9 ff.; Terwiesche Kommunalwirtschaft 2015, 6ff.

[38] *BVerfGE* 98, 83 (97); *Jarass/Pieroth*, GG, 15. Aufl., 2018, Art. 20 Rdnr. 89.

4. *Minderheitsbeteiligung Privater und Fungibilität*

Verschiedentlich wird die Grundrechtsfähigkeit juristischer Personen des Privatrechts mit Beteiligung der öffentlichen Hand dann anerkannt, wenn private Minderheitsgesellschafter vorhanden sind und auf diese Weise ein – für erforderlich gehaltenes – hinreichendes personales Substrat repräsentieren.[39] Das vermag nicht zu überzeugen. Die Existenz privater Minderheitsbeteiligung verdient ohne Frage Beachtung. Diese wird ihr auch zuteil. Dies ergibt sich daraus, dass nach ständige und beifallswürdiger Rspr. des BVerfG[40] Anteile an Unternehmen – wie z.B. Aktien oder Stammanteile – den Schutz durch das Eigentumsgrundrecht des Art. 14 GG genießen.[41] Dieser Schutz kommt – voll, aber auch ausschließlich – dem privaten Aktionär oder GmbH-Gesellschafter zugute. Insoweit sind die verschiedenen Schutzebenen – der Gesellschaft und der Gesellschafter – zu unterscheiden. Auswirkungen auf den Grundrechtsschutz der Gesellschaft können sich aus Geltung und Umfang des Eigentumsschutzes zugunsten der Gesellschafter nicht ergeben.

Im Gegenteil lässt sich aus der – hier hypothetisch unterstellten – Anerkennung der Grundrechtsfähigkeit juristischer Personen des Privatrechts mit privaten Minderheitsgesellschaftern sogar ein Argument für die hier vertretene Auffassung gewinnen. Dies wird deutlich, wenn man sich die Fungibilität von Gesellschaftsanteilen vergegenwärtigt.[42] So kann ein Aktienpaket oder aber auch im Extremfall eine einzelne Aktie im Privatbesitz in Sekundenschnelle an der Börse an den öffentlichen Mehrheitsgesellschafter verkauft werden.[43] Dass von einer solchen Zufälligkeit und Sachfremdheit die Grundrechtsfähigkeit der juristischen Person abhängen soll, ist nicht begründbar. Auch die Rechtssicherheit als Element des Rechtsstaatsprinzips steht dem entgegen. Daher ist es ein ebenso kurzer wie zwingender Schritt von der Bejahung der Grundrechtsfähigkeit juristischer Personen mit privaten Minderheitsgesellschaftern zur – im Lichte der Fungibilität von Gesell-

[39] *Jarass/Pieroth*, GG, 14. Aufl., 2016, Art. 19 Rdnr. 19a; s. auch *Rüfner*, in: Isensee/Kirchhof (Hrsg.), HdbStR, Bd. IX, 3. Aufl. 2011 § 196 Rn. 139; a.A. *Huber*, in: von Mangoldt/Klein/Starck/Huber/Voßkuhle, Kommentar zum Grundgesetz, Band 1, 7. Aufl., 2018, Art. 19 Rdnr. 289 ff.

[40] BVerfGE 100, 289 (301 f.) – Altana; BVerfG, B.v. 5.12.2012, 1 BvR 1577/11 Rn. 8 – Squeeze-out.

[41] Aus der Lit. *Hüffer/Schmidt-Aßmann/Weber*, Anteilseigentum; Unternehmenswert und Börsenkurs, 2005, S. 47 ff.; *Schoppe*, Aktieneigentum, 2011, S. 68 ff.; *Schmidt-Preuß*, NJW 2016, 1269 (1272).

[42] *Schmidt-Preuß*, Kollidierende Privatinteressen im Verwaltungsrecht, 2. Auf., 2005, S. 68 f., 718.

[43] *Schmidt-Preuß*, Kollidierende Privatinteressen im Verwaltungsrecht, 2. Auf., 2005, S. 68 f., 718; *ders.*, in: Säcker (Hrsg.), Berliner Kommentar zum Energierecht, Band 1, 4. Aufl., 2018, Einl. C Rdnr. 30.

schaftsanteilen folgerichtigen – Bejahung der Grundrechtsfähigkeit auch von Eigengesellschaften.[44]

IV. Ausblick

Die Grundrechtsfähigkeit juristischer Personen des Privatrechts mit mehrheitlicher oder ausschließlicher Beteiligung der öffentlichen Hand ist zu bejahen. Dies erfordert die Wettbewerbsgleichheit als Kernelement der Wirtschaftsverfassung der Bundesrepublik Deutschland. Maßgeblich dafür ist, dass Art. 3 III 2 EUV die soziale Marktwirtschaft als Wirtschaftsordnung der Europäischen Union und damit auch Deutschlands verbindlich normiert hat. Zu der damit verbürgten Wettbewerbsgleichheit gehört nicht zuletzt, dass alle auf einem Markt tätigen Unternehmen über dieselbe rechtliche Verteidigungsfähigkeit verfügen. Dem entspricht es, dass der einfachgesetzliche Rechtsrahmen – zu Recht – nicht zwischen Unternehmen mit bzw. ohne Beteiligung des Staates differenziert. Dies muss auch für die mit dem Höchstrang ausgestatteten Berechtigungen – die Grundrechte – gelten.

[44] *Schmidt-Preuß*, Kollidierende Privatinteressen im Verwaltungsrecht, 2. Auf., 2005, S. 68 f., 718; ebenso im Ergebnis *Dreier*, in: Ders. (Hrsg.), Grundgesetz Kommentar, Band I, 3. Aufl., 2017, Art. 19 Rdnr. 77.

B. Recht der Energieerzeugung und der Erneuerbaren Energien

Neue Steuerungsinstrumente für den Windkraftausbau?

Peter Franke*

I. Windkraftausbau im Spannungsfeld von Klimapolitik, Netzausbau und Akzeptanzproblemen

Der hauptsächliche Beitrag zur Erreichung der Klimaschutzziele (§ 1 Abs. 2 EEG 2017)[1] wird von der Stromerzeugung aus Windkraft, insbesondere an Land, erwartet. Zum Jahresende 2016 lag die installierte Leistung der Windkraftanlagen an Land in Deutschland bei 46,2 GW, also deutlich höher als die der Photovoltaikanlagen mit 40,5 GW. Die Differenz zwischen den Leistungsanteilen der beiden größten Anlagengruppen zur Stromerzeugung aus Erneuerbaren Energien wird sich aller Voraussicht nach tendenziell noch erhöhen. Der Entwurf des im Genehmigungsverfahren befindlichen Szenariorahmens für den Netzentwicklungsplan Strom 2030 (Version 2019) geht für das Jahr 2030 je nach Szenario für Windkraftanlagen an Land von einer installierten Leistung zwischen 60,2 und 73,8 GW aus. Für den Zubau an Photovoltaikanlagen bestehen hingegen erhebliche Unsicherheiten. Zwar sieht § 4 Nr. 3 EEG 2017 einen jährlichen Zubau von 2500 MW vor. Die Ausschreibungsmenge für Photovoltaikanlagen beträgt jedoch nur 600 MW jährlich und gilt nur für Anlagen mit einer Leistung ab 750 kW (§ 22 Abs. 3, § 28 Abs. 2 und 2a EEG 2017). Kleinere Anlagen haben zwar zunächst einen Vergütungsanspruch nach §§ 19, 48 EEG 2017, der jedoch einer monatlichen Degression unterliegt (§ 49 Abs. 1 EEG 2017) und bei Erreichen einer Gesamtleistung aller registrierten Photovoltaikanlagen von 52 GW mit Ablauf des Folgemonats ganz entfällt (§ 49 Abs. 5 EEG 2017). Die Anreize zum Zubau von Photovoltaikanlagen hängen daher stark von schwer prognostizierbaren Entwicklungen ab, vor allem der Strompreise und der Kosten

* Vizepräsident der Bundesnetzagentur. Der Beitrag gibt die persönliche Auffassung des Verfassers wieder.

1 Der Koalitionsvertrag zwischen CDU, CSU und SPD 19. Legislaturperiode v. 12.3.2018 (Z. 3183 ff.) sieht vor, dass bis 2030 ein Anteil von etwa 65 Prozent Erneuerbarer Energien an der Stromerzeugung erreicht werden soll; entsprechende Anpassungen der derzeitigen Zwischenziele für 2025 und 2035 (§ 1 Abs. 2 Satz 1 Nr. 1 und 2 EEG 2017) sollen vorgenommen werden (Z. 3186 f.).

für Errichtung und Betrieb der Anlagen; hinzu kommt, dass der Zubau zur Deckung des Eigenbedarfs wesentlich durch eine mögliche Fortentwicklung der Netzentgeltsystematik (Erhöhung des fixen Entgeltanteils bei der Deckung des Zusatzbedarfs über das Netz) beeinflusst werden könnte. Einen deutlich erhöhten Anteil an der Stromerzeugung aus Erneuerbaren Energien soll nach dem Willen des Gesetzgebers schließlich die Offshore-Windkraft übernehmen; § 4 Nr. 2 EEG 2017 gibt als Ausbaupfad vor, dass – bei einer zum Jahresende 2016 installierten Leistung von 4,1 GW – bis 2030 im Offshore-Bereich eine installierte Leistung von 15 GW erreicht werden soll. Weil mit Offshore-Anlagen eine deutlich höhere Zahl von Volllaststunden erreicht werden kann als mit Windkraftanlagen an Land,[2] läge der mit ihnen tatsächlich erreichbare Anteil an der Stromerzeugung aus Erneuerbaren Energien zwar wesentlich über ihrem Anteil an der installierten Gesamtleistung, würde aber an den Beitrag der Onshore-Windkraft auch bei Einhaltung des Ausbaupfades nicht heranreichen.

Insgesamt wird damit deutlich, dass für die Erreichung der mittelfristigen klimapolitischen Ziele im Mix der Technologien zur Stromerzeugung aus Erneuerbaren Energien Windkraftanlagen an Land die zentrale Rolle zukommt. Das erklärt die Besorgnis, die sich vor allem aus zwei nachteiligen Auswirkungen eines verstärkten Windkraftausbaus ergibt:

– Zunächst führt ein forcierter Anlagenzubau zu einer (auf den norddeutschen Raum konzentrierten) Einspeisung von Strom aus Windkraftanlagen, die vom vorhandenen Netz nicht mehr aufgenommen werden kann. Auf Dauer können die hierdurch verursachten Engpasssituationen nur durch Netzausbau wirksam verhindert werden. Wegen der für seine Realisierung erforderlichen Vorlaufzeiten muss übergangsweise mit anderen Mitteln Vorsorge zur Gewährleistung der Sicherheit des Netzbetriebs getroffen werden. Hierzu gehören zunächst netzbezogene Maßnahmen (Netzschaltungen), die von den Netzbetreibern ständig in großer Zahl ergriffen werden. Wenn dies zur Gewährleistung eines sicheren Netzbetriebs nicht ausreicht, sind Maßnahmen erforderlich, die Zugriffsmöglichkeiten auf den Kraftwerkssektor voraussetzen.[3] Wegen der erheblichen Kosten und der mit ständigen Eingriffen in den Netz- und Kraftwerksbetrieb zunehmenden Sicherheitsrisiken stoßen solche Maßnahmen an Grenzen. Damit wird die Frage aufgeworfen, wie mit anderen Mitteln eine Synchronisierung von Anlagenzubau und Netzausbau erreicht werden kann. Politisch wird ein

[2] Szenariorahmen für den Netzentwicklungsplan Strom 2030 (Version 2019) (ÜNB-Entwurf), 31 Tabelle 6.

[3] *König*, Engpassmanagement in der deutschen und europäischen Elektrizitätsversorgung (2013), 415 ff.; *Riewe*, Versorgungssicherheit durch Kapazitätsmechanismen (2016), 347 ff.

„netzsynchroner“ Ausbau der Erneuerbaren Energien als Voraussetzung für eine erfolgreiche Energiewende und Klimaschutzpolitik angesehen.[4]

– Zunehmend als Hemmnis für den Ausbau werden die Akzeptanzprobleme der Windkraft erkannt.[5] Die Gründe reichen von der Betroffenheit durch die Umweltauswirkungen von Windkraftanlagen über den Wertverlust der betroffenen Grundstücke bis hin zu verbreitetem Unmut darüber, dass bei den Anlagenbetreibern und den Eigentümern der Betriebsflächen sachlich nicht gerechtfertigte Mitnahmeeffekte entstehen. Die Akzeptanzprobleme werden inzwischen als so gewichtig eingeschätzt, dass beim weiteren Ausbau der Windenergie an Land Regelungen mit dem Ziel eines besseren Interessenausgleichs zwischen der Erneuerbaren-Branche einerseits und Naturschutz- und Anwohneranliegen als erforderlich angesehen werden.[6]

Die Hemmnisse beim Windkraftausbau beruhen damit letztlich auf einem doppelten Akzeptanzproblem: Die Vorhabenplanung stößt sowohl bei der Erzeugung als auch beim Transport des aus Windkraft erzeugten Stroms durch das Netz auf so viel Widerstand, dass Sorge bestehen muss, ob die Ausbauziele erreicht werden können. Dabei steht die Lösung der Akzeptanzprobleme auf der Erzeugungs- und der Transportstufe in einem Abhängigkeitsverhältnis: Nicht in dem Sinne, dass eine gleichförmige Lösung gefunden werden müsste; dagegen spricht schon, dass Standorte und Trassen ganz unterschiedliche Betroffenheit auslösen. Die Abhängigkeit ergibt sich vielmehr daraus, dass die Akzeptanzprobleme im Ergebnis auf beiden Stufen gelöst werden müssen, angesichts des bisher asynchron verlaufenen Ausbaus eine gleichzeitige Forcierung auf beiden Stufen aber derzeit dazu führen müsste, dass sich die finanzielle Belastung aller Stromkunden durch die Kosten des netzbedingten Zugriffs auf Kraftwerke und die Risiken für die Netzstabilität weiter erhöhen würden. Zur Fortentwicklung der Rahmenbedingungen für den Windkraftausbau gehört daher auch die Entscheidung über eine Aufholphase für den Netzausbau.

[4] Koalitionsvertrag zwischen CDU, CSU und SPD 19. Legislaturperiode v. 12.3.2018, Z. 3183 ff., 3197 f.

[5] *Köck* JbUTR 2017, 129 (129–136); *Rodi*, ZUR 2017, 658 (658 f.); *Hendler*, in: Geis u. a. (Hrsg.), FS Hufen (2015), 501 (502 f.).

[6] Koalitionsvertrag zwischen CDU, CSU und SPD 19. Legislaturperiode v. 12.3.2018, Z. 3241 ff.

II. Derzeitige Rahmenbedingungen für den Windkraftausbau

1. Genehmigungs- und Planungsrecht

Windkraftanlagen bedürfen, wenn sie eine Gesamthöhe von mehr als 50 m haben, einer immissionsschutzrechtlichen Genehmigung (§ 4 Abs. 1 BImSchG, § 1 Abs. 1 4. BImSchV i. V. m. Nr. 1.6 Anhang 1). Wird der Schwellenwert für die Anlagenhöhe nicht erreicht, ist in der Regel eine Baugenehmigung erforderlich; weil diese keine Konzentrationswirkung entfaltet, können daneben weitere Gestattungs- oder Anzeigeerfordernisse bestehen.[7] Im immissionsschutzrechtlichen wie im baurechtlichen Verfahren ist zu berücksichtigen, dass die örtliche Bauleitplanung oder die Regionalplanung Konzentrationsflächen für den Windkraftausbau ausweisen und diese positive Standortzuweisung mit dem Ausschluss von Windkraftanlagen für den übrigen Planungsraum verknüpfen kann (§ 35 Abs. 3 Satz 2 und 3 BauGB, § 7 Abs. 3 Satz 2 Nr. 1 und 3 ROG). Diese planerischen Handlungsmöglichkeiten sind das zentrale Steuerungsinstrument im derzeitigen Planungs- und Genehmigungsrecht, deren Anwendung in den Ländern allerdings unterschiedlich ist.[8] Das betrifft insbesondere die Rollenverteilung zwischen örtlicher und regionaler Planung: Teilweise enthält die Regionalplanung abschließende Vorgaben zum Windkraftausbau, so dass wegen der Anpassungspflicht nach § 1 Abs. 4 BauGB mögliche abweichende Steuerungsziele auf örtlicher Ebene nicht zum Zuge kommen.[9] Hierbei können die Vorgaben der Regionalplanung auch landesweite Ausbauziele – als politische Ausbauziele oder in Form von Vorgaben der hochstufigen Landesplanung (etwa von Landesentwicklungsplänen) – mit Bindungswirkung für die örtliche Planung umsetzen. Teilweise verzichtet die Regionalplanung auf eine abschließende Steuerung, so dass die Standortentscheidungen auf der Ebene der örtlichen Planung getroffen werden.[10]

Auf Bundesebene werden die Ergebnisse dieser Steuerung des Windkraftausbaus durch die örtliche und regionale Planung im Rahmen der Bedarfsplanung für den Übertragungsnetzausbau (§§ 12a ff. EnWG) berücksichtigt. In den dem jeweiligen Netzentwicklungsplan zugrunde liegenden Szenariorahmen, der als Grundlage für die Ermittlung des Netzausbaube-

[7] *Gatz*, Windenergieanlagen in der Verwaltungs- und Gerichtspraxis (2009); *Hendler*, in: Geis u. a. (Hrsg.), FS Hufen (2015), 501 (504 ff.); *Kloepfer*, Umweltrecht (4. Aufl. 2016) § 18 Rn. 320 ff.; *Müggenborg*, in: Frenz/Müggenborg/Cosack/Hennig/Schomerus (Hrsg.), EEG (5. Aufl. 2018) vor §§ 36 ff. Rn. 4 ff.

[8] BNetzA, Genehmigung des Szenariorahmens für die Netzentwicklungspläne Strom 2017–2030 v. 30.6.2016, 172 ff.

[9] *Rodi* ZUR 2017, 658 (661 f.).

[10] *Rodi,* ZUR 2017, 658 (660).

darfs in mehreren, auf unterschiedlichen Annahmen beruhenden Szenarien die mögliche Entwicklung der Erzeugungskapazitäten bis zum Zieljahr darstellt (§ 12a EnWG), liefern die von den Ländern übermittelten Daten zu den Flächenausweisungen für die Windkraftnutzung wichtige Informationen für die Einschätzung, wie sich die Stromerzeugung aus Erneuerbaren Energien insgesamt und insbesondere in welcher regionalen Verteilung entwickeln wird.[11] Steuerungswirkung entfaltet der Szenariorahmen als Grundlagenentscheidung für den nachfolgenden Netzentwicklungsplan aber nur im Netzbereich; für den Erzeugungsbereich bietet er nur eine auf tatsächlichen Entwicklungen und gesetzlichen Ausbauzielen beruhende Einschätzung der künftigen Erzeugungsstruktur.[12] Damit wird deutlich, dass die „Bedarfsfrage" – also ob Flächenausweisungen zur Erreichung der bundesrechtlich vorgesehenen Ausbauziele und -pfade (§ 1 Abs. 2, § 4 EEG 2017) erforderlich sind – weder zum verbindlichen Abwägungsprogramm für die örtliche oder regionale Planung noch zum Prüfungsspektrum in den Genehmigungsverfahren für Windkraftanlagen gehören.[13]

2. *Fördersystem*

Derzeit ergeben sich sowohl die Ausbauziele und -pfade für die Windkraft als auch die Instrumente zu ihrer Erreichung allein aus dem Erneuerbare-Energien-Gesetz. Bisher wurden Über- oder Unterschreitungen des zur Einhaltung des Ausbaupfads (§ 3 EEG 2014) festgelegten Zielkorridors (§ 29 Abs. 1 EEG 2014) durch eine Verstärkung oder Verringerung der generellen regelmäßigen Absenkung des Förderanspruchs sanktioniert („atmender Deckel" [§ 29 Abs. 3 und 4 EEG 2014]). Mit dem grundsätzlichen Übergang zu einer Ermittlung des Zahlungsanspruchs durch ein marktorientiertes Verfahren (§ 2 Abs. 3 Satz 1 EEG 2017) besteht für neue Windkraftanlagen an Land mit einer installierten Leistung von mehr als 750 kW ein Förderanspruch nur, solange und soweit ein von der Bundesnetzagentur erteilter Zuschlag für die Anlage wirksam ist (§ 22 Abs. 2 Satz 1 EEG 2017). Dadurch, dass Ausschreibungstermine und -volumen gesetzlich so festgelegt sind (§ 28 Abs. 1 EEG 2017), dass die jährliche Ausschreibungsmenge dem gesetzlichen Ausbaupfad (§ 4 Nr. 1 EEG 2017) entspricht,[14] wird der Windkraftaus-

[11] BNetzA, Genehmigung des Szenariorahmens für die Netzentwicklungspläne Strom 2017–2030 v. 30.6.2016, 161, 177 f.
[12] *Franke*, in: Frenz/Preuße (Hrsg.), Herausforderungen für den Braunkohlenbergbau (2016), 9 (11 f.).
[13] *Rodi*, ZUR 2017, 658 (660 f.); *Franzius*, ZUR 2018, 11 (13).
[14] *Herms/Leutritz/Richter*, in: Frenz/Müggenborg/Cosack/Hennig/Schomerus, EEG § 28 Rn. 2, 5.

bau unmittelbar durch den Ausschreibungsmechanismus gesteuert.[15] Dabei wird – bisher mit einer Ausnahmeregelung für Bürgerenergiegesellschaften (§ 36g EEG 2017) – vorausgesetzt, dass der Bieter sich vor Abgabe seines Gebots einen Anlagenstandort gesichert hat und im Ausschreibungsverfahren eine immissionsschutzrechtliche Genehmigung vorlegen kann (§ 36 Abs. 1 Nr. 1 EEG 2017).

3. Synchronisierung von Netz- und Windkraftausbau

Für eine Steuerung durch das Fördersystem hat sich der Gesetzgeber auch beim Ziel der Synchronisierung des Anlagenzubaus und des Netzausbaus entschieden.[16] Angesichts der Risiken für die Sicherheit des Netzbetriebs durch die Überlastung des vorhandenen Netzes wird der weitere Zubau von Windenergieanlagen an Land in dem Gebiet, in dem die Übertragungsnetze besonders stark überlastet sind (Netzausbaugebiet), durch eine Drosselung des Anlagenneubaus hoheitlich gesteuert (§ 36c EEG 2017).[17] Hierzu wird für das Netzausbaugebiet eine Obergrenze für den Anlagenzubau festgelegt; diese beträgt ab 2017 pro Jahr 58 % der installierten Leistung, die im Jahresdurchschnitt in den Jahren 2013 bis 2015 in diesem Gebiet in Betrieb genommen worden ist.[18] Gebote für Anlagen, die in diesem Gebiet errichtet werden sollen, werden im Umfang ihres Gebots nur berücksichtigt, bis die für das Netzausbaugebiet festgelegte installierte Leistung erstmals durch den Zuschlag zu einem Gebot erreicht oder überschritten wird (§ 36c Abs. 5 Satz 1 EEG 2017). Weitere Gebote für Windenergieanlagen an Land, die in dem Netzausbaugebiet errichtet werden sollen, werden nicht berücksichtigt.

Das Netz hat im Elektrizitätsversorgungssystem grundsätzlich eine dienende Funktion; es muss von den Standorten der Erzeugungsanlagen aus eine bedarfsgerechte Versorgung der Abnehmer ermöglichen. Diese Funktionsverteilung findet ihren gesetzlichen Niederschlag vor allem in der Verpflichtung der Netzbetreiber zu einem bedarfsgerechten Netzausbau (§ 11 Abs. 1 Satz 1, § 12 Abs. 3 EnWG), der sich für die Stromerzeugung aus erneuerbaren Energien zu einem Ausbauanspruch des Betreibers der Erzeugungsanlage verdichtet (§ 12 EEG 2017). Vor diesem Hintergrund wird der Ausnahmecharakter der gesetzgeberischen Entscheidung zur Festlegung von Netzausbaugebieten deutlich: Der Grundsatz, dass der Zubau an Erzeu-

[15] *Herms/Leutritz/Richter*, in: Frenz/Müggenborg/Cosack/Hennig/Schomerus, EEG § 28 Rn. 2.

[16] Kritisch zur regionalen Zubausteuerung mit Regulierungsinstrumenten *Rodi*, ZUR 2017, 658.

[17] *Franzius*, ZUR 2018, 11 (13).

[18] *Frenz*, in: Frenz/Müggenborg/Cosack/Hennig/Schomerus, EEG § 36c Rn. 10 ff.

gungsanlagen den Umfang des Netzausbaus bestimmt, wird angesichts des hohen Rangs der Gemeinwohlbelange, die durch den asynchronen Verlauf von Anlagenzubau und Netzausbau gefährdet werden, partiell umgekehrt.[19] Durch die von der Bundesnetzagentur erlassene Erneuerbare-Energien-Ausführungsverordnung (EEAV) sind inzwischen Teile der Länder Schleswig-Holstein, Niedersachsen und Mecklenburg-Vorpommern sowie Bremen und Hamburg als Netzausbaugebiet festgelegt worden (§ 10 EEAV).[20]

4. *Akteursvielfalt*

Die Erhaltung der Akteursvielfalt bei der Stromerzeugung aus Erneuerbaren Energien gehört zu den Grundsätzen des Erneuerbare-Energien-Gesetzes (§ 2 Abs. 3 EEG 2017), was vor allem in der Privilegierung von Bürgerenergiegesellschaften bei den Voraussetzungen für die Teilnahme an Ausschreibungen seinen Niederschlag gefunden hat (§ 36g EEG 2017). Insbesondere müssen danach Bürgergesellschaften vor der Ausschreibung nicht die Erteilung einer immissionsschutzrechtlichen Genehmigung nachweisen (§ 36g Abs. 1 EEG 2017). Damit werden Bürgerenergiegesellschaften von dem erheblichen Aufwand für die Einholung einer Genehmigung entlastet, zugleich erhöht sich aber das Risiko, dass ein bezuschlagtes Projekt nicht realisiert wird. Nachdem in den ersten Ausschreibungen überwiegend Bürgerenergiegesellschaften zum Zuge gekommen waren, so dass die als Ausnahmeregelung vorgesehene Privilegierung in der Praxis zur Regel wurde, ist die Anwendung des § 36g Abs. 1 EEG 2017 für die ersten beiden Ausschreibungsrunden im Jahr 2018 für Windenergieanlagen an Land ausgesetzt worden (§ 104 Abs. 8 EEG 2017), um die Möglichkeit zu eröffnen, in der Zwischenzeit die Ausschreibungsrunden aus dem Jahr 2017 zu evaluieren und zu entscheiden, ob anschließend die Regelung angepasst wird.[21] Inzwischen hat der Gesetzgeber sich für eine weitere Aussetzung der Privilegierung von Bürgerenergiegesellschaften entschieden.[22]

[19] Zu parallelen Entwicklungen im Offshore-Bereich *Franzius*, ZUR 2018, 11 (17 Fn. 57).

[20] *Bourwieg*, ER 2018, 91 (95 f.).

[21] BT-Drs. 18/12988, S. 40; *Frenz*, ER 2018, 109 (113).

[22] § 104 Abs. 8 EEG 2017 ist durch Art. 1 des Dritten Gesetzes zur Änderung des Erneuerbare-Energien-Gesetzes v. 21.6.2018 (BGBl. I S. 862) entsprechend neu gefasst worden.

III. Fortentwicklung des Instrumentariums

1. Planungsrechtliche Ansätze

a) Bedarfsplanung

Eine zentrale Rolle in der Diskussion über eine Fortentwicklung der Instrumente des Windkraftausbaus spielt die Forderung nach Einführung einer Bedarfsplanung für die Stromerzeugung aus Erneuerbaren Energien.[23] Mit ihr soll sowohl die Verbindlichkeit der Ausbauziele als auch die Akzeptanz für den Windkraftausbau erhöht werden, indem die Gründe für die Erforderlichkeit von Windausbauprojekten im Planungsprozess transparent gemacht werden. Bei einer auf die Stromerzeugung aus Erneuerbaren Energien beschränkten Bedarfsplanung ginge es – weil eine solche Steuerung durch die gesetzlichen Ausbauziele und -pfade und ihre Umsetzung durch die Ausgestaltung der Ausschreibungen bereits erfolgt – nicht um das Ob einer hoheitlichen Steuerung des Anlagenzubaus, sondern um die Frage, ob eine Ausbau- und Akzeptanzförderung durch eine Bedarfsplanung besser erreicht werden könnte als durch die Instrumente des Finanzierungssystems. Zumindest mit Blick auf das Ziel einer Förderung des Anlagenzubaus gibt es sicher gute Gründe, diese Frage zu bejahen. Sie ergeben sich vor allem daraus, dass sich Interessenten, die an einer Ausschreibung teilnehmen wollen, vielfach einer restriktiven Ausweisungspraxis auf örtlicher Ebene gegenübersehen. Die Ausschreibungsteilnahme hängt dann davon ab, ob es gelingt, das Nutzungsrecht für einen der knappen ausgewiesenen Standorte zu erlangen.[24] Eine an den gesetzlichen Ausbauvorgaben orientierte raumbezogene Bedarfsplanung hätte die Instrumente zur bedarfsgerechten Steuerung der Ausweisungspraxis auf den nachgeordneten Planungsstufen zur Verfügung; der Charakter der Standortplanung als Angebotsplanung würde damit unterstrichen und die Marktorientierung der Ausschreibungsverfahren gestärkt. Das gilt vor allem mit Blick auf die Absicht, eine regionale Steuerung des Ausbaus der Erneuerbaren Energien einzuführen und für die Ausschreibungen einen Mindestanteil für Anlagen im süddeutschen Raum über alle Erzeugungsarten festzulegen.[25] Die Steuerungsvorteile einer solchen (fachlichen) Bedarfsplanung führen – vor allem dann, wenn diese mit Regionalisierungsvorgaben für den Windkraftausbau verbunden werden soll – zu erheblichen

[23] *Franzius*, ZUR 2018, 11 (13 f.); *Hermes*, ZUR 2017, 677 (682); *Rodi*, ZUR 2017, 658 (658 f., 660 ff.); zum zugrundeliegenden Modell einer den Erzeugungssektor einbeziehenden Energiebedarfsplanung *Hermes*, in: Faßbender/Köck (Hrsg.), Versorgungssicherheit in der Energiewende – Anforderungen des Energie-, Umwelt- und Planungsrechts (2014), 71 (76 ff., 82 ff.) (=ZUR 2014, 259 [261, 264 f.]).

[24] *Rodi*, ZUR 2017, 658 (660 f.); *Köck*, ZUR 2017, 684 (687 f.).

[25] Koalitionsvertrag zwischen CDU, CSU und SPD 19. Legislaturperiode v. 12.3.2018, Z. 3199 ff.

Einschränkungen der Standortplanung auf Landesebene.[26] Damit sind bei der Einführung und bei der Anwendung der Instrumente einer bundesweiten Bedarfsplanung föderative Konflikte vorgezeichnet. Es spricht vieles dafür, dass die Entscheidung über die Einführung einer Bedarfsplanung für den Windkraftausbau vor allem von der politischen Bewertung der Lösbarkeit dieser Konflikte abhängen wird.

Die bisherigen Überlegungen, wie eine solche Bedarfsplanung ausgestaltet sein könnte, orientieren sich an der Bedarfsplanung für den Netzausbau (§§ 12a ff. EnWG), wobei die Entscheidung über den Szenariorahmen eine Gelenkfunktion zwischen den beiden Planungssträngen übernimmt.[27] Die Ausgestaltung dieser Ausgangsstufe einer Bedarfsplanung wirft die grundsätzliche Frage auf, ob die Steuerungswirkungen einer Bedarfsplanung sich auf den gesamten Erzeugungssektor beziehen oder auf die Stromerzeugung aus Erneuerbaren Energien begrenzt bleiben sollen. Für letzteres spricht, dass es um die Verbesserung bereits vorhandener Steuerungsinstrumente geht, während eine umfassende Bedarfsplanung die grundsätzliche ordnungspolitische Frage nach der Marktorientierung des Erzeugungssektors und nach der Vereinbarkeit mit bereits getroffenen gesetzgeberischen Entscheidungen, etwa zur Einführung eines Kapazitätsmechanismus, aufwerfen müsste.[28]

Von diesen politisch zu entscheidenden Ausgangsfragen abgesehen sind die bisherigen Erfahrungen mit der Bedarfsplanung für den Netzausbau sicher auch für die Ausgestaltung einer möglichen Bedarfsplanung für den Windkraftausbau aufschlussreich. So kann festgestellt werden, dass die eigentliche Bedarfsplanung mit ihrer durch mehrfache Öffentlichkeitsbeteiligung erhöhten Transparenz der Entscheidungsfindung zur Akzeptanz der Bedarfsentscheidung wesentlich beiträgt, wobei alle Beteiligten angesichts des hohen Verfahrensaufwands allerdings durch den zunächst vorgesehenen Jahresrhythmus überfordert waren.[29] In dem Maße, in dem sich energiewirtschaftliche Bedarfsentscheidungen zu Standortentscheidungen räumlich konkretisieren, lässt jedoch bei den durch Standortentscheidungen Betroffenen die akzeptanzschaffende Wirkung des Planungssystems erkennbar nach. Bedenkliche Verzögerungen auf den raumbezogenen Planungsstufen (Bundesfachplanung, Planfeststellungsverfahren) konnten beim Netzausbau

[26] *Hermes*, in: Faßbender/Köck (Hrsg.), Versorgungssicherheit in der Energiewende – Anforderungen des Energie-, Umwelt- und Planungsrechts (2014), 71 (88 ff.) (= ZUR 2014, 259 [267 f.]).

[27] *Hermes*, in: Faßbender/Köck (Hrsg.), Versorgungssicherheit in der Energiewende – Anforderungen des Energie-, Umwelt- und Planungsrechts (2014), 71 (84 ff., 91 f.) (= ZUR 2014, 259 [265 f., 269]).

[28] Klar herausgearbeitet von *Hermes*, ZUR 2017, 677 (683).

[29] *Franke*, in: Holznagel (Hrsg.), 20 Jahre Verantwortung für Netze (2018), 105 (120).

erst durch die gesetzgeberische Entscheidung für eine Erdverkabelung der Gleichstromübertragungsleitungen überwunden werden.[30]

Ein für die Bedarfsplanung entscheidender Unterschied zwischen Netz- und Erzeugungsbereich muss allerdings hervorgehoben werden: Die Planung des Ausbaus der Übertragungsnetze betrifft natürliche Monopole, so dass die Zahl der Akteure von vornherein begrenzt ist. Der Gesetzgeber kann daher die Übertragungsnetzbetreiber zur Vorlage gemeinsamer Entwürfe für den Szenariorahmen und den Netzentwicklungsplan verpflichten. Die öffentliche Konsultation schon dieser Entwürfe durch die Vorhabenträger ist ein wesentliches Element der vom Gesetzgeber angestrebten frühzeitigen Öffentlichkeitsbeteiligung. Für den Erzeugungssektor mit einer – vom Gesetzgeber gewollten (§ 2 Abs. 3 EEG 2017) – Vielzahl von Marktakteuren kommt eine solche Ausgestaltung naturgemäß nicht in Betracht, so dass die Einbeziehung der Anlagenbetreiber in die planerischen Entscheidungen auf andere Weise geregelt werden muss. Eine weitere Konsequenz der unterschiedlichen Akteursstruktur ist, dass eine Bedarfsplanung für den Erzeugungssektor nur Angebotsplanung sein kann. Während die Netzausbauplanung sich – weil die Träger der konkreten Vorhaben einvernehmlich oder durch die Bundesnetzagentur bestimmt sind – sich räumlich zu projektbezogenen planerischen Entscheidungen konkretisiert, deren letzte Stufe den Vorhabenträger durch die Planfeststellung unmittelbar zur Ausführung des Vorhabens berechtigt, müsste bei einer Bedarfsplanung für den Erzeugungssektor eine Ausgestaltung gefunden werden, die den Charakter der Planung als Angebotsplanung für mehrere Interessenten wahrt. Das Recht zur Errichtung der Windkraftanlage ergäbe sich erst aus einer Zulassungsentscheidung, die – auf der Grundlage einer planerischen Standortsicherung – vom Vorhabenträger umzusetzen wäre; weil mit diesem letzten Verfahrensschritt eine mehrstufige Fachplanung in eine außenrechtswirksame Zulassungsentscheidung umgesetzt wird, sprechen gute Gründe für eine Ausgestaltung als fachplanerische Entscheidung.[31]

b) Abstandsregelungen

Da eine Bedarfsplanung nach den Erfahrungen beim Netzausbau mit fortschreitender räumlicher Konkretisierung vor allem als Instrument zur Förderung des Windkraftausbaus wahrgenommen würde, bleibt die Frage nach Instrumenten zur Förderung der Akzeptanz. Auch hier zeigt ein Blick auf die Netzausbauplanung, dass in erster Linie an eine Änderung der materiellen Zulassungsvoraussetzungen zu denken ist, die dazu beitragen, nachteilige Auswirkungen des Vorhabens auf Betroffene zu vermindern. Beim

[30] *Franke*, in: Holznagel (Hrsg.), 20 Jahre Verantwortung für Netze (2018), 105 (120); *Köck*, JbUTR 2017, 129 (145).

[31] *Rodi*, ZUR 2017, 658 (661 f.).

Netzausbau hat die Entscheidung für die Verkabelung von Gleichstromübertragungsleitungen die Akzeptanz für Leitungsbauprojekte merklich erhöht. Allerdings führt das Verkabelungsgebot zwar zu Mehrkosten, bei Gleichstromübertragungsleitungen aber nicht zu Erschwernissen beim Netzausbau.[32] Bei einer Bedarfsplanung für Windkraftanlagen hingegen kämen Änderungen der materiell-rechtlichen Anforderungen zugunsten Betroffener wohl nur bei den Abstandsregelungen in Betracht. Sie können dazu beitragen, die Auswirkungen von Windkraftanlagen erheblich zu vermindern, damit aber auch die Möglichkeiten des Windkraftausbaus drastisch reduzieren.[33] Die Regelungsaufgabe ist also komplexer als beim Netzausbau. Vor dem Hintergrund der Bestrebungen zu einer verpflichtenden Regionalisierung beim Netzausbau einerseits und unterschiedlicher Abstandsregelungen in den Ländern andererseits könnte sie wohl vor allem durch einheitliche Gewichtungsvorgaben für einen sachgerechten Ausgleich erfüllt werden.

2. *Recht auf Windkraftnutzung*

Als Instrument sowohl zur wirksamen Steuerung des Windkraftausbaus als auch zur akzeptanzfördernden Vermeidung von Mitnahmeeffekten bei Grundeigentümern wird eine rechtliche Trennung des Rechts zur Windkraftnutzung vom Grundeigentum vorgeschlagen.[34] Die Ausgangsüberlegung, dass dem Grundeigentümer nicht das Eigentum an Wind und Luft zustehe[35], ist für sich genommen sicher zutreffend; ein Interesse Dritter besteht aber nicht an einer abstrakten Verfügungsmöglichkeit über Wind und Luft, sondern an der Möglichkeit zur Windkraftnutzung an möglichst günstigen Standort mittels Anlagen, für die das fremde Grundeigentum in einer Weise in Anspruch genommen wird, die jede andere Nutzung durch den Grundeigentümer ausschließt. Die Begründung eines eigentumsgleichen Rechts zugunsten Dritter in derartigen Konstellationen ist zwar nicht ohne Vorbild. So wird die Erdwärme zur Förderung der Tiefengeothermienutzung bergfreien Bodenschätzen gleichgestellt (§ 3 Abs. 2 Satz 2 BBergG), so dass die Berechtigung zu ihrer Nutzung (Bergbauberechtigung, §§ 6 ff. BBergG) Dritten verliehen werden kann.[36] Müssen hierfür Anlagen auf fremdem Grundeigentum errichtet werden, ergibt sich aber kein unmittelbares Nutzungsrecht aus der

[32] *Franke*, in: Steinbach/Franke (Hrsg.), Netzausbau (2. Aufl. 2017) § 3 BBPlG Rn. 1, 4 f.

[33] BNetzA, Genehmigung des Szenariorahmens für die Netzentwicklungspläne Strom 2017–2030 v. 30.6.2016, 163 f.; *Köck*, JbUTR 2017, 129 (139 ff.); *Ders.*, ZUR 2017, 684 (687 f.).

[34] *Bäumler*, ZUR 2017, 667 ff.; hierzu kritisch *Hermes*, ZUR 2017, 677 (678 ff.).

[35] *Bäumler*, ZUR 2017, 667 (667 f., 669 f.).

[36] *Franke*, in: Baur u. a. (Hrsg.), FS Kühne (2009), 507 (514 f.); *Ders.*, in: Frenz/Müggenborg/Cosack/Hennig/Schomerus (Hrsg.), EEG § 45 Rn. 3 ff.

Bergbauberechtigung, sondern nur unter den Voraussetzungen für eine in einem besonderen Verfahren zu betreibende Enteignung (§§ 77 ff. BBergG).[37] Der Unterschied zur Windkraftnutzung durch einen Dritten besteht vor allem darin, dass fremdes Grundeigentum für die Erdwärmgewinnung in der Regel nur begrenzt, insbesondere für übertägig angesetzte Bohrungen, in Anspruch genommen werden muss, während die Windkraftnutzung auf fremden Grundstücken die vollständige und großflächige Inanspruchnahme des Grundeigentums erfordert. Hieraus ergeben sich schon Zweifel, ob der Gesetzgeber bei Beachtung des Verhältnismäßigkeitsgrundsatzes auf das Instrument eines vom Grundeigentum getrennten Nutzungsrechts mit (grundsätzlicher) Enteignungsmöglichkeit zurückgreifen dürfte, weil die Sperrposition des Grundeigentümers und die durch die Bodenwertsteigerung entstehenden Mitnahmeeffekte durch mildere Instrumente (etwa durch einen schuldrechtlichen Kontrahierungszwang und Abschöpfungsregelungen) vermieden werden könnten. Jedenfalls wäre der Regelungsvorschlag mit Blick auf das Ziel einer Förderung des Windkraftausbaus wenig praktikabel.[38]

3. Netz- und Windkraftausbau

Auch bei einer Fortentwicklung der Instrumente des Windkraftausbaus muss die Frage beantwortet werden, wie mit den Folgen des bisher asynchron verlaufenen Windkraft- und Netzausbaus umzugehen ist. Da am Ziel eines „netzsynchronen" Windkraftausbaus festgehalten werden soll,[39] gibt es keinen Anlass, die gesetzgeberische Entscheidung zu revidieren, dass sowohl der Netz- als auch der Windkraftausbau Ziele von hoher Priorität sind, angesichts des bisher unterschiedlichen Ausbautempos eine „Aufholphase" im Netzausbau notwendig ist. Käme es zu einer Verlagerung der Steuerungsinstrumente aus dem Finanzierungssystem in eine Bedarfsplanung für die Stromerzeugung aus Erneuerbaren Energien, wäre es aber folgerichtig, die Regelungen über Netzausbaugebiete inhaltlich in eine Bedarfsplanung zu integrieren.

4. Akteursvielfalt

Auch das Ziel, die Akteursvielfalt zu gewährleisten, soll weiterverfolgt werden, wobei aber das Erfordernis einer immissionsschutzrechtlichen Genehmigung auch bei Bürgerenergiegesellschaften weiterhin bestehen soll

[37] *Franke*, in: Boldt/Weller/Kühne/v. Mäßenhausen (Hrsg.), BBergG (2. Aufl. 2016) § 8 Rn. 12.

[38] Andere Wege empfiehlt auch *Hermes*, ZUR 2017, 677 (681 ff.).

[39] Koalitionsvertrag zwischen CDU, CSU und SPD 19. Legislaturperiode v. 12.3.2018, Z. 3183 f., 3197 f.

und insgesamt Kostensteigerungen beim Ausbau der Erneuerbaren Energien vermieden werden sollen.[40] Der Spielraum für neue Regelungen zur Förderung von Bürgerenergiegesellschaften ist daher eng. Bisher nicht in Betracht gezogen worden sind Regelungen, mit denen die Kapitalbeschaffung für Bürgerenergiegesellschaften erleichtert werden könnte. Für den Fall, dass der Gesetzgeber sich – trotz der gewichtigen Nachteile eines solchen Modells – für eine Trennung des Rechts zur Windkraftnutzung vom Grundeigentum entscheiden sollte, käme etwa in Betracht, dass die vom Grundeigentum getrennte Befugnis zur Windkraftnutzung in der Hand des Grundeigentümers verbleibt.[41] Um einen Anreiz für grundstücksübergreifende Projekte unter Beteiligung Dritter zu schaffen, könnte eine Ausgestaltung als übertragbares und beleihungsfähiges Recht erwogen werden; der Grundeigentümer könnte sich entscheiden, selbst die Befugnis zur Windkraftnutzung (auch für Teile seiner Grundstücksflächen) auszuüben und in ein grundstücksübergreifendes Projekt einzubringen oder (vergleichbar mit der Bestellung eines Erbbaurechts) ohne dauerhafte Aufgabe des Eigentums an Dritte zu übertragen.[42]

IV. Fazit

Die Steuerungsinstrumente für den Windkraftausbau sollten überprüft werden, um zu gewährleisten, dass die Stromerzeugung aus Windkraft die ihr vom Gesetzgeber zugedachte Schlüsselrolle im künftigen Energiemix übernehmen kann. Bedenkenswert erscheint insbesondere der Vorschlag zur Einführung einer Bedarfsplanung, um die Steuerungsinstrumente des Finanzierungssystems – bisher durch Absenkung oder Erhöhung des Förderanspruchs („atmender Deckel"), inzwischen durch die Ausgestaltung der Ausschreibungen – durch eine bedarfsgerechte planerische Standortausweisung zu unterlegen. Bei einer Angebotsplanung für Windkraftstandorte könnte so auch die Markorientierung des Windkraftausbaus unterstrichen werden.

Bei einer Entscheidung für das Instrument der Bedarfsplanung hängt allerdings viel von der konkreten Ausgestaltung ab. Dabei stellen sich auch Fragen von ordnungspolitischem Gewicht. Insbesondere muss entschieden werden, ob Gegenstand der Bedarfsplanung nur die Stromerzeugung aus Windkraft oder Erneuerbaren Energien sein soll – dann würden die Instrumente des Finanzierungssystems nur verlagert und effektiver ausgestaltet – oder ob es

[40] Koalitionsvertrag zwischen CDU, CSU und SPD 19. Legislaturperiode v. 12.3.2018, Z. 3201 ff., 3246 ff.

[41] *Hermes*, ZUR 2017, 677 (679).

[42] Zu älteren bergrechtlichen Regelungen mit ähnlicher Zielsetzung *Franke*, in: Kühne/Ehricke (Hrsg.), Bergrecht zwischen Tradition und Moderne (2010), 99 (117).

um eine Bedarfsplanung für den gesamten Erzeugungssektor gehen soll. Das zweite Modell würde die grundsätzliche Frage aufwerfen, ob am ordnungspolitischen Leitbild einer wettbewerbsorientierten Entwicklung der Stromerzeugung festgehalten werden könnte.

Marktabgrenzung bei Stromerzeugung und Stromgroßhandel: Die Bedeutung von Redispatch-Märkten

Justus Haucap* und André Pfannenschmidt

I. Einleitung

Die deutsche Energiewirtschaft befindet sich in einer Phase fundamentaler Transformation. Um die Ziele der Energiewende zu erreichen, werden zahlreiche konventionelle Kraftwerke insbesondere in Süddeutschland abgeschaltet, während im Gegenzug Kapazitäten bei Erneuerbaren Energien (EE) ausgebaut werden. Diese EE-Anlagen umfassen vor allem Windparks (On- wie Offshore) in Nord- und Ostdeutschland. Im Jahr 2016 lag der Anteil der EE-Anlagen bei 31,7 Prozent am deutschen Bruttostromverbrauch.[1] Bis zum Jahr 2050 soll dieser auf 80 Prozent anwachsen. Mit der Veränderung der Stromerzeugung ergeben sich bereits heute zunehmend regionale Ungleichgewichte bei der Ein- und Ausspeisung in das Stromnetz. Die Stromproduktion in Nord- und Ostdeutschland übersteigt regelmäßig die dortige Nachfrage, während die stromnachfragenden Wirtschaftszentren in Süd- und Westdeutschland durch die Stilllegung konventioneller Kraftwerke regional auf ein zu geringes Angebot treffen. Es ist Aufgabe der vier Übertragungsnetzbetreiber (ÜNB) Amprion, Tennet, 50Hertz und TransnetBW, den Stromfluss in Deutschland mithilfe ihrer Netzkapazitäten dennoch so zu koordinieren, dass sich Angebot und Nachfrage bei Gewährleistung der Versorgungssicherheit ausgleichen.

Die dazu notwendige Planung wird durch den Einspeisevorrang der EE-Anlagen nach § 11 Abs. 1 Erneuerbare-Energien-Gesetz (EEG) und deren witterungsabhängige Leistung erschwert. Besonders in den Wintermonaten sind die regionalen Ungleichgewichte im Stromnetz erheblich. Die nachgefragte Strommenge ist am Markt zwar stets vorhanden, jedoch regional

* Justus Haucap war an einem Gutachten für einen süddeutschen Energieversorger zum Thema des Beitrages beteiligt. Teile des vorliegenden Beitrags beruhen auf den Erkenntnissen aus diesem Gutachten.

[1] *Bundesministerium für Wirtschaft und Energie,* Zeitreihen zur Entwicklung der erneuerbaren Energien unter Verwendung von Daten der Arbeitsgruppe Erneuerbare Energien-Statistik, 2017, Berlin, S. 5.

unpassend im Netz verteilt. Aufgrund des regionalen Auseinanderfallens von Stromerzeugung und Stromnachfrage und des nur langsam voranschreitenden Ausbaus der Übertragungsnetzkapazitäten kommt es zunehmend zu Netzengpässen. Insgesamt reichen die gegenwärtigen Netzkapazitäten immer häufiger nicht aus, um den Strommarkt der deutsch-österreichischen Gebotszone ohne Eingriffe im Gleichgewicht zu halten, d.h. die Versorgungssicherheit wäre in diesen Situationen ohne korrigierende Eingriffe gefährdet.[2] Um Netzüberlastungen und einen Kollaps der Stromversorgung zu verhindern, haben die ÜNB laut § 13 Abs. 1 Energiewirtschaftsgesetz (EnWG) im Rahmen des Engpassmanagements das Recht in die Einsatzpläne der konventionellen Kraftwerke in ihrem Gebiet, der sogenannten Regelzone, einzugreifen. In der Praxis werden somit Anlagen vor dem Netzengpass heruntergeregelt und hinter dem Netzengpass hochgefahren. Dieser Eingriff wird unter dem Begriff *Redispatch* zusammengefasst.

Mit der steigenden Nord-Süd-Diskrepanz bei Angebot und Nachfrage hat sich das Redispatch-Volumen stark erhöht. Zwischen 2010 und 2017 ist dieses von 306 auf 20.585 Gigawattstunden (GWh) angestiegen.[3] Die ausgewiesenen Kosten hierfür lagen 2017 bei fast 400 Millionen Euro.[4] Diese werden von den ÜNB auf die Netzentgelte und damit letztendlich auf die Stromkunden umgelegt.

Trotz des gestiegenen Redispatch-Volumens und der geographischen Besonderheit gehen bisher weder Bundeskartellamt (BKartA) noch andere Institutionen explizit von einem eigenen Redispatch-Markt aus. Zwar weist etwa die Bundesnetzagentur[5] in ihrem Beschluss zur Vergütung der Kraftwerksbetreiber bei angewiesenem Redispatch auf die lokale Besonderheit der Maßnahme hin.[6] Dennoch gehen sowohl das Bundeskartellamt in den gemeinsamen Monitoringberichten mit der Bundesnetzagentur[7] als auch die

[2] Die gemeinsame Gebotszone wird zum 1. Oktober 2018 getrennt und soll *„eine spürbare Entlastung beim Redispatch"* (o. Fn. 1) bedeuten. Inwieweit dies zutrifft, ist noch nicht abzusehen.

[3] *Bundesnetzagentur* (2018), Quartalsbericht zu Netz- und System Sicherheitsmaßnahmen – Gesamtjahr und Viertes Quartal 2017, 2018 Bonn.

[4] *Bundesnetzagentur* (2018), Quartalsbericht zu Netz- und System Sicherheitsmaßnahmen – Gesamtjahr und Viertes Quartal 2017, 2018 Bonn.

[5] *Bundesnetzagentur*, Beschluss BK6-11-098 vom 30.10.2012 zur Standardisierung vertraglicher Rahmenbedingungen für Eingriffsmöglichkeiten der Übertragungsnetzbetreiber in die Fahrweise von Erzeugungsanlagen, Bonn.

[6] Das OLG Düsseldorf (AZ VI-3 Kart 313/12 (V)) hat am 28. April 2015 das beschlossene Vergütungsmodell der Bundesnetzagentur von 2012 zwar aufgehoben, dem Redispatch jedoch im schriftlichen Urteil ebenfalls geographische Besonderheiten attestiert.

[7] *Bundesnetzagentur*, Monitoringbericht gemäß § 63 Abs. 3 i. V. m. § 35 EnWG und § 48 Abs. 3 i. V. m. § 53 Abs. 3 GWB, 2015, Bonn; *Bundesnetzagentur*, Monitoringbericht gemäß § 63 Abs. 3 i. V. m. § 35 EnWG und § 48 Abs. 3 i. V. m. § 53 Abs. 3 GWB, 2016, Bonn; o. Fn. 4.

Monopolkommission in ihren Sondergutachten Energie[8] bisher nicht von einem eigenen Redispatch-Markt aus. Die Berichte und Gutachten gehen weiter von der in der Sektoruntersuchung des Bundeskartellamtes[9] vorgenommenen Marktabgrenzung eines Stromerstabsatzmarktes (ohne EEG-Strom und Regelenergie) auf mindestens nationaler Ebene aus.

Eine kartellrechtliche Relevanz attestierte das Bundeskartellamt[10] dem Redispatch-Markt jedoch bereits in dem Kartellverfahren gegen Eon im Jahr 2015. Die „Irsching-Verträge" mit speziellen Entgelt-Bestimmungen für Redipatch-Leistungen der Kraftwerke Irsching 4 und Irsching 5 waren laut Bundeskartellamt nicht vereinbar mit Art. 101 AEUV. Diese Auffassung hat das OLG Düsseldorf bestätigt.[11]

Der vorliegende Beitrag widmet sich speziell der Beurteilung des Redispatch und spricht sich für die Abgrenzung eines eigenen Marktes in sachlicher, räumlicher und zeitlicher Dimension aus. Zunächst wird dazu im Folgenden der Redispatch-Mechanismus im Markt erläutert und der steigende Bedarf sowie seine geographische Besonderheit mit Zahlen belegt. Nach der Betrachtung der gegenwärtig vorherrschenden Auffassung auf behördlicher Seite erfolgt die Marktabgrenzung für Redispatch. Zudem wird auf gegenwärtige Transparenzdefizite hingewiesen. Ausgehend vom definierten Redispatch-Markt erfolgt eine kurze Marktanteils-Untersuchung für den positiven Redispatch in Süddeutschland. Abschließend werden Herausforderungen für Wettbewerbsbehörden aufgezeigt und die Ergebnisse zusammengefasst.

II. Redispatch im Strommarkt

1. *Redispatch als kurzfristiges Engpassmanagement*

Redispatch als kurzfristiges Engpassmanagement bei Netzüberlastung durch die ungleiche Verteilung von Elektrizitätsangebot und -nachfrage erfolgt durch den Eingriff der ÜNB in die Fahrpläne der Kraftwerksbetreiber. Im Folgenden wird der praktische Ablauf der Maßnahme detailliert vor-

[8] *Monopolkommission,* Energie 2015: Ein wettbewerbliches Marktdesign für die Energiewende – Sondergutachten der Monopolkommission gemäß § 62 EnWG, Bonn. *Monopolkommission,* Energie 2017: Gezielt vorgehen, Stückwerk vermeiden – Sondergutachten der Monopolkommission gemäß § 62 EnWG, Bonn.

[9] *Bundeskartellamt*, Sektoruntersuchung Stromerzeugung und -großhandel Abschlussbericht gemäß § 32e GWB, Bonn.

[10] *Bundeskartellamt*, Bericht des Bundeskartellamtes über seine Tätigkeit in den Jahren 2015/2016 sowie über die Lage und Entwicklung auf seinem Aufgabengebiet, Bonn, S. 109f.

[11] Vgl. *Bundeskartellamt,* Fallbericht vom 29.05.2015 B8-78/13 – Oberlandesgericht Düsseldorf bestätigt Kartellrechtswidrigkeit der Entgeltregelung der „Irsching-Verträge", Bonn.

gestellt, die Gründe und juristischen Grundlagen für den Redispatch-Einsatz betrachtet und das Konzept der Kraftwerksauswahl diskutiert.

Im Mittelpunkt steht zunächst der bundesdeutsche Dispatch. Dieser setzt sich aus den Einspeisemengen und Kraftwerksfahrplänen der Stromproduzenten in allen vier deutschen Regelzonen zusammen. Die verbindlichen Dispatch-Angaben müssen bis 14.30 Uhr des Vortages dem verantwortlichen ÜNB, in dessen Regelzone das jeweilige Kraftwerk steht, mitgeteilt werden. Dies ermöglicht den ÜNB eine möglichst präzise Lastflussberechnung für den Folgetag.[12] Ergeben sich bereits in der Simulation Engpässe, so können die ÜNB frühzeitig in die Fahrpläne einzelner Kraftwerke eingreifen und die Produktionsmengen ändern (*präventiver Redispatch*). Netzüberlastungen können jedoch aufgrund von Prognosefehlern auch nach Fixierung des marktbasierten Kraftwerkseinsatzes auftreten, sodass eine sehr kurzfristige Umdisponierung der Fahrpläne durch die ÜNB notwendig wird (*kurativer Redispatch*).[13] Eine formale, zeitliche Übersicht über den Redispatch-Ablauf gibt Abbildung 1.

Aus technischer Perspektive kann zwischen strom- und spannungsbedingtem Redispatch sowie Maßnahmen zum gezielten Ausgleich von Einspeisemanagement unterschieden werden.[14] Strombedingter Redispatch wird eingesetzt, um kurzfristige Überlastungen der Netzbetriebsmittel wie Umspannwerke und Leitungen zu verhindern. Etwa 92 Prozent des Redispatch-Volumens im Jahr 2016 entfielen auf diese Kategorie.[15] Spannungsbedingter Redispatch dient der Haltung der Spannung im jeweiligen Netzgebiet (rund 7 Prozent in 2016). Redispatch im Rahmen des Einspeisemanagement-Ausgleichs (§ 14 EEG) lag 2016 deutlich unter einem Prozent.

Um ihrer Systemverantwortung gerecht zu werden, sind die ÜNB nach § 13 Abs. 1 EnWG verpflichtet bei (vorhersehbaren) Netzüberlastungen steuernd in die Erzeugung der Kraftwerke in ihrer Regelzone einzugreifen. Laut § 13a Abs. 1 EnWG muss das elektrische Leistungsvolumen der Anlagen dafür die Grenze von 10 Megawatt (MW) übersteigen.

Die Implementierung der Redispatch-Maßnahmen erfolgt über Kraftwerkspaare. Dies kann regelzonenintern, regelzonenübergreifend oder grenzübergreifend geschehen. Beispielsweise wird ein Kraftwerksbetreiber vor dem Engpass aufgefordert, die Stromerzeugung seines konventionellen Kraftwerks zu reduzieren (*negativer Redispatch*), während ein Kraftwerksbetreiber hinter dem Engpass die Stromerzeugung seines konventionellen Kraftwerks um die gleiche Menge steigert (*positiver Redispatch*). Somit bleibt

[12] *Next Kraftwerk* , Was sind Dispatch & Redispatch?, abrufbar unter: https://www.next-kraftwerke.de/wissen/strommarkt/dispatch-redispatch (Zuletzt abgerufen am 14.12.2017).

[13] o. Fn. 12.

[14] *Bundesverband der Energie-und Wasserwirtschaft,* Redispatch in Deutschland – Auswertung der Transparenzdaten, Berlin, S.4.

[15] Eigene Berechnungen, Daten abrufbar unter *www.netztransparenz.de*

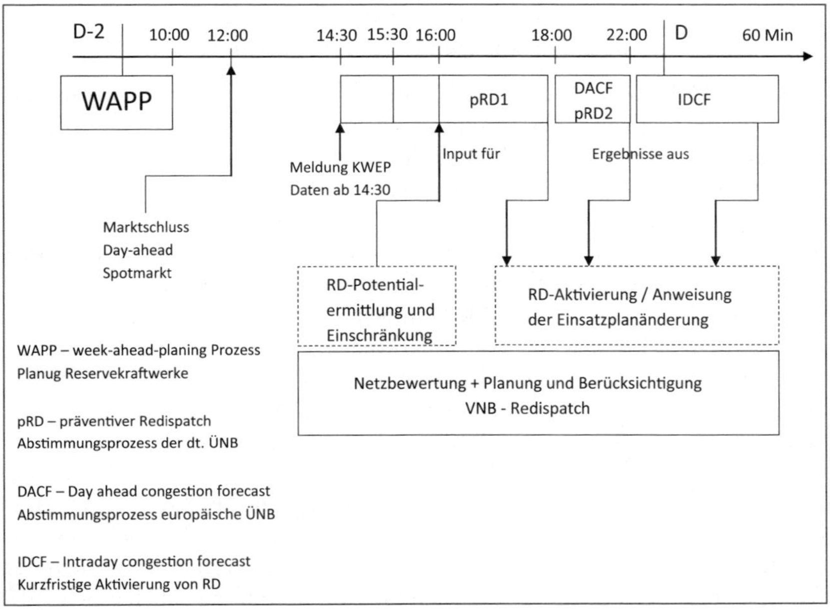

Abbildung 1: Zeitliche Anforderungen bei Engpassmanagement und Redispatch mit Anlagen im Verteilnetz; *Quelle:* Mitnetz Strom, Präsentation – Engpassmanagement und Redispatch mit Anlagen im Verteilnetz, 2017, Folie 6, abrufbar unter: https://www.mitnetz-strom.de/Media/docs/default-source/datei-ablage/fachtagung-arge-ost-2017/016-mns-engelbrecht-engpassmanagement-redispatch.pdf (Stand: 30.07.2018).

die eingespeiste Strommenge insgesamt unverändert, ein bilanzieller Ausgleich ist gewährleistet. Jedoch wird die örtliche Verteilung der Erzeugung so angepasst, dass die Netzüberlastung beseitigt.[16]

Bei jedem Redispatch-Eingriff gibt es einen anweisenden und einen anfordernden ÜNB. Der anfordernde ÜNB ist derjenige, der den netztechnischen Grund für die Redispatch-Maßnahme bei der Lastflussberechnung in seiner Regelzone diagnostiziert hat. Der anweisende ÜNB wiederum ist derjenige, in dessen Regelzone der Netzengpass auftritt. Dieser weist dann einen Stromerzeuger in seiner Regelzone an den Kraftwerksfahrplan so zu ändern, dass die Netzüberlastung beseitigt wird. Kann der Netzengpass regelzonenintern gelöst werden, so sind anfordernder ÜNB und anweisender ÜNB identisch. Geschieht dies regelzonen- oder grenzüberschreitend fungiert ein anderer Betreiber als anweisender ÜNB.[17]

[16] o. Fn. 4, S. 105.

[17] *Übertragungsnetzbetreiber,* Redispatch-Maßnahmen, 2017, abrufbar unter: https://www.netztransparenz.de/EnWG/Redispatch (Stand 14.12.2017)

Hintergrund: Maßnahmenkatalog der ÜNB beim kurzfristigen Engpassmanagement

Nach § 13 EnWG haben die ÜNB unterschiedliche Eingriffsmöglichkeiten, um kurzfristigen Überlastungen und Engpässen im Netz vorzubeugen und diese zu verhindern. Sie können in netz- und marktbezogene Maßnahmen sowie Notfallmaßnahmen unterteilt werden.

Als netzbezogene Maßnahmen (§ 13 Abs. 1 Nr. 1 EnWG) gelten neben topologischen Maßnahmen wie dem Einsatz zusätzlicher Transformatoren auch die Ausnutzung der Toleranzbänder für Strom und Spannung.[18]

Reichen die netzbezogenen Maßnahmen nicht aus, so können die ÜNB nach § 13 Abs. 1 Nr. 2 und Nr. 3 marktbezogene Maßnahmen ergreifen.[19] Explizit werden unter anderem der Einsatz von Regelenergie sowie die Nutzung zusätzlicher Reserven wie Netzreserve (§ 13d EnWG) und Kapazitätsreserve (§ 13e EnWG) genannt. Redispatch und Countertrading werden trotz ihrer praktischen Relevanz nicht explizit im EnWG erwähnt. Im Gegensatz zum tatsächlichen Eingriff in die Kraftwerksfahrpläne beschreibt das Countertrading den kurzfristigen Handel mit Strommengen in den Gebotszonen um den Netzengpass zu lösen. Seine Bedeutung ist, verglichen mit dem des Redispatch, äußerst gering. Die Kosten für Countertrading beliefen sich 2017 auf rund 26 Mio. Euro, die für Redispatch auf 396,5 Mio. Euro.[20]

Erst wenn netz- und marktbezogene Maßnahmen nicht ausreichen, dann dürfen und müssen die ÜNB nach § 13 Abs. 2 EnWG Notfallmaßnahmen ergreifen um die Systemstabilität zu gewährleisten sowie lokale Netzausfälle und Engpässe zu vermeiden.

Allgemein gilt, dass ein Netzengpass nicht selten durchaus an unterschiedlichen Punkten im Netz behoben werden kann. Stehen dem anweisenden ÜNB in seiner Regelzone mehrere Kraftwerke zur Behebung des Netzengpasses zur Verfügung sah die Bundesnetzagentur[21] die Auswahl via Merit-Order vor. Diese Anweisung hat die Bundesnetzagentur[22] jedoch als Folge der Rechtsprechung des OLG Düsseldorf zurückgezogen.[23] Die Anwendung

[18] Verband der Netzbetreiber, TransmissionCode 2007 – Anhang A: Formularblätter zur Umsetzung der Systemverantwortung, Berlin.

[19] vgl. Beschluss des OLG Düsseldorf vom 28. April 2015, Az. VI-3 Kart 363/12 (V).

[20] *Bundesnetzagentur* (2018), Quartalsbericht zu Netz- und System Sicherheitsmaßnahmen – Gesamtjahr und Viertes Quartal 2017, 2018 Bonn.

[21] o. Fn. 5.

[22] *Bundesnetzagentur*, Hinweise zur Durchführung von Redispatchmaßnahmen vor dem Hintergrund der Urteile des OLG Düsseldorf vom 28.04.2015, 2015, Bonn.

[23] Am 28. April 2015 hat das OLG Düsseldorf (Az. VI-3 Kart 332/12 (V)) den Beschluss der BNetzA und damit die Regeln zur Kostenerstattung bei Kraftwerkseinsätzen zur Stromnetzstabilisierung aufgehoben. Statt einer reinen Aufwendungsentschädigung stehen den Kraftwerksbetreibern weitere Kosten in Verbindung mit dem Redispatch wie etwa entgangene Gewinne zu. Jedoch hat die BNetzA in ihren Hinweisen zum Urteil bekräftigt,

der Merit-Order weist damit fakultativen Charakter auf. Vereinfacht ergibt sich die Kraftwerks-Reihenfolge aus dem Quotienten der netzstützenden Wirkung und der für die Anpassung der Leistungseinspeisung zu entrichtenden Vergütung. Die eingesetzten Anlagen zum Redispatch sollen somit effizient hinsichtlich ihrer Kosten und effektiv hinsichtlich der Behebung des Netzengpasses sein. Die dabei vorliegenden Transparenzdefizite bei der praktischen Umsetzung werden in Sektion 3.3 erläutert.

Wichtig ist, dass aufgrund der lokalen Komponente des Redispatch regelmäßig die gleichen Kraftwerke von den Wirkleistungsanpassungen erfasst werden. Diese Auffassung bestätigte das OLG Düsseldorf in seinem Beschluss zur Vergütung der Kraftwerksbetreiber bei Redispatch: *„So werden im Redispatch-Fall aufgrund der netztopologischen lokalen Gegebenheiten regelmäßig immer dieselben Kraftwerke in Anspruch genommen. Durch die Merit Order, durch die das jeweils relativ günstigste Kraftwerk ausgewählt wird, wird dieser Effekt weiter verstärkt. Regelmäßig tragen also dieselben Kraftwerke die Belastungen"*.[24] Die regionale Besonderheit des positiven und negativen Redispatch erkennt auch der Bundesverband der Energie- und Wasserwirtschaft an.[25]

Zusammenfassend lässt sich folgende ökonomische Wettbewerbssituation beobachten: Die ÜNB können bei einem lokalen Netzengpass je nach Intensität der vorherigen Koordination regelzonenübergreifend (mehrere ÜNB) oder regelzonenscharf (ein ÜNB) als einzige(r) Nachfrager nach Redispatch-Leistung angesehen werden. Ihnen stehen die lokalen konventionellen Stromerzeuger rund um den Netzengpass als Anbieter gegenüber. Je nach geographischer Lage des Netzengpasses ist die Marktkonzentration daher unterschiedlich zu betrachten. Beispielsweise kann die Marktstruktur für positiven Redispatch in der Südzone (siehe Sektionen 3.2 und 4) mindestens als oligopolistisch-beschränktes Oligopson angesehen werden, in der TransnetBW-Regelzone ggf. sogar als oligopolistisch-beschränktes Monopson.

2. *Entwicklung in Zahlen*

Die zunehmende Bedeutung des Redispatch als Ausgleichsmaßnahme zur Behebung von Netzengpässen zeigt sich in den öffentlich zugänglichen

dass das ursprüngliche Merit-Order-Verfahren zur Redispatch-Kraftwerksauswahl weiterhin „voraussichtlich nicht beanstandet wird [sic!]" (BNetzA, 2015b, S. 2).

[24] OLG Düsseldorf, Beschluss vom 28. April 2015, Az. VI-3 Kart 332/12 (V), Tz. 243

[25] *Bundesverband der Energie- und Wasserwirtschaft,* Stellungnahme zum Entwurf einer Richtlinie zur Förderung der Nutzung von Energien aus erneuerbaren Quellen, 2017, Berlin, S. 12.

Daten.[26] Mit dem Voranschreiten der Energiewende steigt die Zahl der Eingriffe der ÜNB in die Kraftwerksfahrpläne und die damit einhergehenden Kosten stark an. Zudem lässt sich eine klare geographische Verteilung erkennen. Während in der nördlichen Hälfte Deutschlands der negative Redispatch dominiert, überwiegt im südlichen Teil der positive Redispatch. Auf den folgenden Seiten werden die verfügbaren Daten umfassend ausgewertet.

Abbildung 2 zeigt das Redispatch-Volumen im zeitlichen Trend anhand der Daten der BNetzA und des Informationsportals der ÜNB *netztransparenz.de*. Auf der Internetplattform müssen die Netzbetreiber ihre Redispatch-Maßnahmen täglich veröffentlichen.[27] Im Gegensatz zu den Daten der BNetzA, welche nationalen und grenzüberschreitenden Redispatch umfassen,[28] beschränken sich die ausgewiesenen Daten von *netztransparenz.de* auf Redispatch-Leistungen, die die deutschen ÜNB zur Gewährleistung der deutschen Netzstabilität in der gemeinsamen Gebotszone von Deutschland und Österreich angewiesen haben. Daten für Anlagen aus anderen Ländern, die für Redispatch-Leistung herangezogen wurden, werden nicht veröffentlicht. Daraus ergeben sich die zu erkennenden Diskrepanzen im zeitlichen Trend.

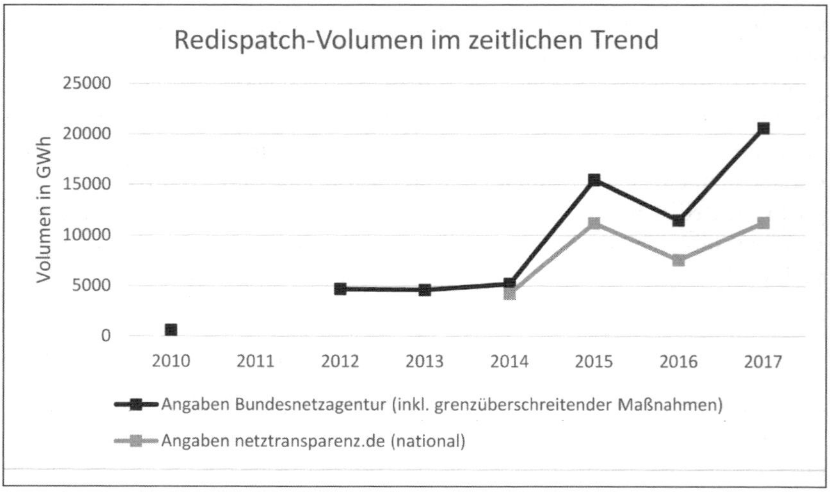

Abbildung 2: Quelle: Eigene Berechnungen basierend auf netztransparenz.de und den Monitoringberichten der BNetzA

[26] Eigene Berechnungen, Daten abrufbar unter *www.netztransparenz.de* und in den Monitoringberichten der BNetzA (2011, 2013, 2015a, 2016, 2017b, 2018). Für das Jahr 2011 hat die BNetzA keine Volumina-Zahlen ausgewiesen.

[27] Die Daten von netztransparenz.de sind ab April 2013 tagesscharf verfügbar, Zuletzt abgerufen am 14.03.2018 (vgl. o. Fn 17).

[28] o. Fn. 4, S. 107 und 148.

Die Redispatch-Eingriffe der ÜNB in die Kraftwerksfahrpläne haben laut Auswertung der Daten von *netztransparenz.de* im Jahr 2017 ihren vorläufigen Höchststand erreicht und das bisherige Rekordjahr 2015 deutlich übertroffen. Dies belegen die aktuellen Zahlen der BNetzA(2018)[29]. Bereits im ersten Quartal 2017 wurden laut Bundesnetzagentur rund 48 Prozent des gesamten Vorjahresvolumens „redispatcht".[30] Das hohe Volumen vom Jahr 2015 war auf die Abschaltung des AKW Grafenrheinfeld in Franken, verzögerten Netzausbau, Stromexporte nach Österreich sowie hohe Einspeisemengen der Windenergie zurückzuführen.[31] Auch im Jahr 2017 für die BNetzA die hohen Redispatch-Volumina auf die volatilen Stromeinspeisungen aus Windenergie zurück.[32]

Weiter ist festzustellen, dass die Daten der Bundesnetzagentur[33] auf den ersten Blick vom theoretischen Konzept des bilanziellen Redispatch-Ausgleichs (Summe Wirkleistungserhöhung = Summe Wirkleistungssenkung) abweichen. Im Jahr 2016 lag der Anteil des negativen Redispatch am Gesamtvolumen bei 54,5 Prozent. Die Bundesnetzagentur erklärt dies damit, dass

Abbildung 3: Quelle: o. Fn. 4, 28, sowie Bundesnetzagentur, Quartalsbericht zu Netz- und System Sicherheitsmaßnahmen – 2.–3. Quartal 2017, 2018 Bonn.

29 *Bundesnetzagentur* (2018), Quartalsbericht zu Netz- und System Sicherheitsmaßnahmen – Gesamtjahr und Viertes Quartal 2017, 2018 Bonn.

30 o. Fn. 4, S. 106; Bundesnetzagentur, Quartalsbericht zu Netz- und Systemsicherheitsmaßnahmen – Erstes Quartal 2017, 2017, Bonn, S. 6.

31 o. Fn. 4, 2016, S. 198.

32 *Bundesnetzagentur* (2018), Quartalsbericht zu Netz- und System Sicherheitsmaßnahmen – Gesamtjahr und Viertes Quartal 2017, 2018 Bonn.

33 o. Fn. 4, S. 106f.

die beim Redispatch ausgewiesenen Leistungen vorrangig von Marktkraftwerken erbracht wurden. Die Leistung von Reservekraftwerken (1.209 GWh im Jahr 2016) wurde nur teilweise berücksichtigt. Warum diese nur teilweise erfasst wurden und inwieweit die ausgewiesenen Redispatch-Gesamtvolumina der Bundesnetzagentur somit vollständig sind, kann nicht abschließend geklärt werden.

Wie das Eingriffsvolumen steigen auch die Kosten für Redispatch. Diese betrugen, wie in Abbildung 3 dargestellt ist, im Rekordjahr 2015 411,9 Mio. Euro für den Einsatz von Marktkraftwerken. Diese Kosten werden über die Netzentgelte auf die Stromverbraucher umgelegt.[34] Im Jahr 2017 betrugen die Kosten für Marktkraftwerke 396,5 Mio. Euro.[35]

Es fällt auf, dass zwischen 2015 und 2016 das Redispatch-Volumen um etwa ein Viertel gefallen ist, die Kosten jedoch um circa 46 Prozent. Dies ist laut BDEW[36] auf den verstärkten Einsatz von Kraftwerken der Netzreserve zurückzuführen. Die Kosten der Netzreservekraftwerke in In- und Ausland stiegen in diesem Zeitraum von 65,5 auf 107,4 Mio. Euro an.[37] Aus den Daten geht jedoch nicht hervor, in welchem Umfang die Redispatch-Maßnahmen für den Kostenanstieg verantwortlich sind.

Eine mögliche Erklärung für die Diskrepanz der Entwicklung von Redispatch-Volumen und -Kosten könnte zudem der geographisch günstige Standort der Netzreserve-Kraftwerke sein. Liegen diese im Gegensatz zu Marktkraftwerken nah an Netzengpassstellen, so sind sie hinsichtlich des Reispatch effektiver einzusetzen und verursachen damit geringere Kosten. Eine Karte der BNetzA[38] zeigt, dass die Kraftwerke der Netzreserve vorrangig in Süddeutschland liegen.

Wie bereits oben erläutert ist der Redispatch-Bedarf stark von Umwelteinflüssen und den Jahreszeiten abhängig. Abbildung 4 zeigt das monatliche Redispatch-Volumen von Januar 2016 bis einschließlich Dezember 2017. Die Volatilität in den Wintermonaten lässt sich mit den großen regionalen Ungleichgewichten bei Elektrizitätsangebot und -nachfrage in Verbindung mit dem EE-Einspeisevorrang erklären. Im Januar 2017 war etwa die Windenergie-Einspeisung besonders hoch. Zudem ist sie mit dem Redispatch-Volumen stark korreliert.[39] Die Eingriffe der ÜNB im Januar 2017 entsprachen rund 40 Prozent der ausgewiesenen Redispatch-Gesamtjahresmenge 2016 von *netztransparenz.de*.

[34] Vgl. o. Fn. 4, 2017, S. 107; Bundesnetzagentur, Quartalsbericht zu Netz- und Systemsicherheitsmaßnahmen – Erstes Quartal 2017, 2017, Bonn, S. 6.

[35] *Bundesnetzagentur* (2018), Quartalsbericht zu Netz- und System Sicherheitsmaßnahmen – Gesamtjahr und Viertes Quartal 2017, 2018 Bonn.

[36] Fn. 3, S. 12.

[37] Fn. 4, 2017, S. 148.

[38] Fn. 4, 2017, S. 59.

[39] Fn. 3, 2017, S. 9.

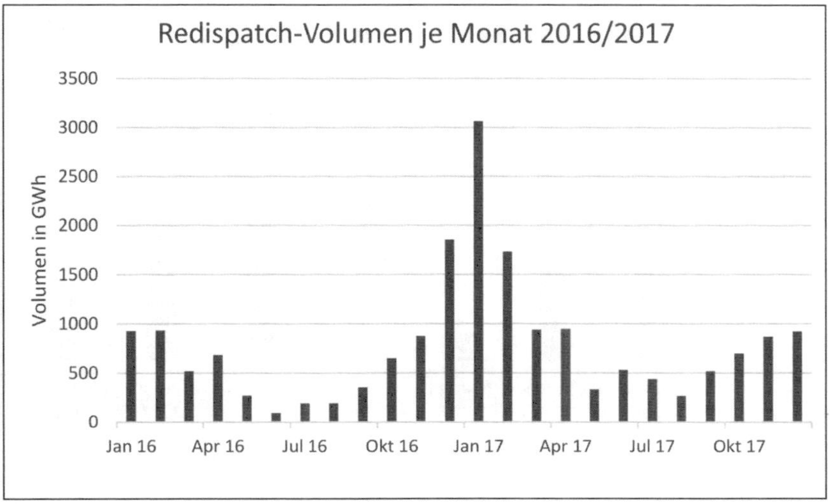

Abbildung 4: Quelle: Eigene Berechnungen basierend auf *netztransparenz.de*

Dass die Netzengpässe vorrangig entlang der Nord-Süd-Achse auftreten, zeigt der Monitoringbericht 2017 der BNetzA. Regelmäßig sind die gleichen Netzelemente betroffen. Im Jahr 2016 haben die fünf am stärksten betroffenen Strecken des strombedingten Redispatch über 40 Prozent des jährlichen Gesamtvolumens ausgemacht. Am häufigsten war die Strecke zwischen Remptendorf in Thüringen und Redwitz in Bayern betroffen.[40]

Die geographische Redispatch-Verteilung zeigt Abbildung 5 genauer. Teilt man das Netz in zwei Zonen auf, so ergeben sich erhebliche regionale Differenzen. Die Südzone in Abbildung 5 umfasst Bayern, Baden-Württemberg, Saarland, Rheinland-Pfalz, Südhessen (inkl. Rhein-Main-Region) und Österreich. Die Nordzone beinhaltet Nordrhein-Westfalen, Nordhessen, Niedersachsen, Thüringen, Sachsen, Sachsen-Anhalt, Brandenburg, Mecklenburg-Vorpommern, Berlin, Hamburg und Bremen. Wie zuvor erläutert, umfassen die ausgewerteten Daten von *netztransparenz.de* nur das von deutschen ÜNB angewiesene Redispatch-Volumen für Anlagen in Deutschland und Österreich zur Sicherstellung der deutschen Netzsstabilität. Sie haben damit vorrangig nationalen Charakter.

Im Jahr 2016 wurde knapp 97 Prozent des negativen Redispatch-Volumens in der Nordzone angewiesen. 2017 lag der Anteil bei knapp 96 Prozent. Bei der Unterteilung des negativen Redispatch-Volumens der Nordzone je anweisendem ÜNB ergeben sich gerundet folgende Anteile im Jahr 2017:

[40] Fn. 4, 2017, S. 109f.

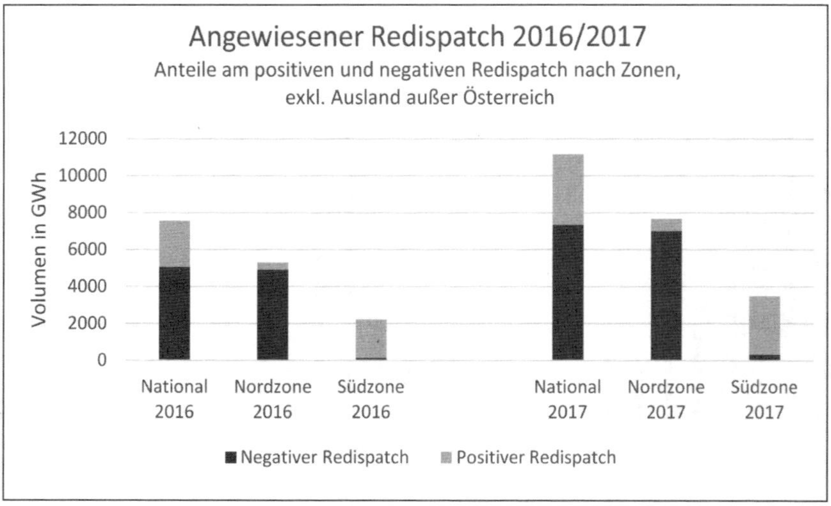

Abbildung 5: Quelle: Eigene Berechnungen basierend auf *netztransparenz.de*

58 Prozent 50Hertz, 21 Prozent Amprion und 21 Prozent Tennet. Auf die Südzone entfielen im Jahr 2016 84 Prozent des positiven Redispatch-Volumens, im Jahr 2017 waren es etwa 83 Prozent. Bei der Unterteilung des positiven Redispatch-Volumens der Südzone je anweisendem ÜNB ergeben sich gerundet folgende Anteile in 2017: 57 Prozent TransnetBW, 30 Prozent Tennet und 12 Prozent Amprion.[41]

Insgesamt macht der negative Redispatch in Abbildung 5 auf Grundlage der nationalen Daten von *netztransparenz.de* etwa zwei Drittel des Gesamtvolumens in beiden Jahren aus. Das vermeintliche Ungleichgewicht zwischen Erhöhung und Reduktion der Wirkleistungsanpassung kann auf die Nutzung ausländischer (Netzreserve-)Kraftwerke zurückgeführt werden.[42] Verglichen mit den grenzübergreifenden Zahlen der Bundesnetzagentur von 2016 in Abbildung 2 muss auf Basis des bilanziellen Redispatch-Ausgleichs insgesamt etwa ein Drittel der positiven Redispatch-Arbeit von ausländischen Kraftwerken außerhalb Österreichs erbracht worden sein.[43] Diese Daten werden nicht veröffentlicht. Der Anteil der positiven Redispatch-Leistung in der Südzone von über 83 Prozent im Jahr 2016 und 2017 kann so als untere Grenze betrachtet werden. Für den Winter 2017/2018 geht die Bundesnetzagentur insgesamt von einer positiven Redispatch-Leistung von 13,9 Giga-

[41] Eigene Berechnungen, Daten abrufbar unter *netztransparenz.de*.

[42] o. Fn. 4, S. 106f.

[43] Unter der Annahme der Vollständigkeit der Daten der BNetzA sowie des Prinzips des bilanziellen Ausgleichs von positivem und negativem Redispatch.

watt (GW) aus. Davon soll ebenfalls rund ein Drittel im Ausland (hier inkl. Österreich) erbracht werden. Neben innerdeutschen Markt- (3,3 GW) und Reservekraftwerken (5,7 GW) leisten ausländische Reservekraftwerke im BNetzA-Szenario 3,1 GW. Die verbleibenden rund 1,6 GW wurden über ein Interessenbekundungsverfahren (IBV) von den ÜNB für ausländische Kraftwerksbetreiber ausgeschrieben.[44]

Trotz der Defizite der Daten (siehe Sektion III.3) gibt Abbildung 5 einen ersten Einblick in die sachliche und räumliche Aufteilung des Redispatch in Deutschland. Die zuvor thematisierten regionalen Unterschiede zwischen Angebot und Nachfrage können mit den Daten bestätigt werden.

Die ÜNB sind sich der zunehmenden Nord-Süd-Problematik bewusst. Sie gehen davon aus, dass das Redispatch-Volumen mit der weiteren Stilllegung von gesicherter Leistung (AKWs, Kohlekraftwerke) und dem EE-Ausbau weiter steigen wird: „*Im süddeutschen Raum geht die verfügbare gesicherte Erzeugungsleistung mit Abschaltung der Kernkraftwerke erheblich zurück, der damit noch mehr als heute zur Stromimportregion wird. Gleichzeitig besteht gerade dort der Bedarf an Hochfahrleistung für den positiven Redispatch*“[45]. Sie erwarten in den Jahren von 2021 bis 2023 das höchste Redispatch-Volumen.[46] Insgesamt gehen die ÜNB von einem notwendigen Zubau an Netzstabilitätsanlagen von 2 GW aus. Die Bundesnetzagentur kalkuliert mit 1,2 GW (vgl. Bundesnetzagentur, 2017e, S. 18).

Zusammenfassend zeigt sich, dass Redispatch-Maßnahmen zur Behebung von Netzengpässen stetig an Bedeutung gewinnen. Auch in den kommenden Jahren ist ein steigendes Redispatch-Volumen, bedingt durch den hohen Netzausbaubedarf, zu erwarten. Die Teilung des Übertragungsnetzes in Nord- und Südzone zeigt die Engpässe entlang der Nord-Süd-Netztrassen auf und belegt die regionalen Marktungleichgewichte die Redispatch erst nötig machen.

In Abschnitt 3 folgt nun die wettbewerbsökonomische Betrachtung des Redispatch. Neben der Diskussion der gegenwärtigen behördlichen Auffassung wird ein Vorschlag zur Marktabgrenzung für Redispatch unterbreitet und zudem auf aktuell bestehende Transparenzdefizite hingewiesen.

[44] *Bundesnetzagentur*, Feststellung des Bedarfs an Netzreserve für den Winter 2017/2018 sowie das Jahr 2018/2019 und zugleich Bericht über die Ergebnisse der Prüfung der Systemanalysen, 2017, Bonn, S. 57.

[45] *Übertragungsnetzbetreiber*, Bedarf an Netzstabilitätsanlagen nach § 13k Energiewirtschaftsgesetz – Bericht der Übertragungsnetzbetreiber, 2017, abrufbar unter: https://www.bundesnetzagentur.de/SharedDocs/Downloads/DE/Sachgebiete/Energie/Unternehmen_Institutionen/Versorgungssicherheit/Berichte_Fallanalysen/UeNB_Netzstabilitaetsanlagen13k.pdf?__blob=publicationFile&v=1 (Zuletzt abgerufen am 14.12.2017) S. 9.

[46] o. Fn. 42, S. 6 ff.

III. Marktabgrenzung für Redispatch

1. *Auffassung der Behörden*

Obwohl vermehrt Untersuchungen von Kartellamt, Netzagentur und auch Monopolkommission den steigenden Redispatch-Bedarf thematisieren, fehlt eine grundsätzliche Einordnung. Das Bundeskartellamt geht bisher nicht explizit von einem eigenen Markt für Redispatch-Leistung aus. Gleichwohl attestiert das Kartellamt dem Redispatch mit dem Verwaltungsverfahren rund um die „Irsching-Verträge" von 2015 kartellrechtliche Relevanz. Dies wird auf den folgenden Seiten dargelegt.

Im Januar 2011 hat das Bundeskartellamt die sogenannte *Sektoruntersuchung* für Stromerzeugung und Stromgroßhandel publiziert. Sie stellt bis heute die umfassendste Untersuchung des Bundeskartellamts zur Wettbewerbsstruktur auf dem Strommarkt dar. Die darin vorgenommenen Marktabgrenzungen sind bis heute Grundlage für die Prüfung von Fusionsverfahren wie beim Zusammenschluss RWE AG/Stadtwerke Unna GmbH[47] die gemeinsamen Monitoringberichte mit der BNetzA[48] und die Sondergutachten der Monopolkommission.[49]

Konkret definierte das Bundeskartellamt in sachlicher Dimension eigene Märkte für den Erstabsatz von Strom (konventionell erzeugte Strommenge und Stromimporte), EEG-Strom sowie Regelenergie. In räumlicher Dimension grenzt das Bundeskartellamt den Stromerstabsatzmarkt mit der gemeinsamen Strompreiszone Deutschland und Österreich supranational ab. Die weiteren Teilmärkte sind national definiert.[50]

Die verwendeten Daten in der Sektoruntersuchung stammen zu großen Teilen aus den Jahren 2007 und 2008.[51] Etwa ein halbes Jahr nach Veröffentlichung der Sektoruntersuchung beschloss der Bundestag als Reaktion auf die Reaktorkatastrophe von Fukushima den Ausstieg aus der Atomenergie und forcierte die Energiewende mit dezentralen EE-Anlagen. Die fundamentale Transformation der deutschen Energiewirtschaft seit 2011 deckt die Sektorenuntersuchung somit nicht ab. Ob die vorgenommenen Marktabgrenzungen im dynamischen Wettbewerbsfeld der Energiebranche noch zutreffend sind, muss jedoch hinterfragt werden.

Der Redispatch wird in der Sektoruntersuchung von 2011 nicht erwähnt. Die überwiegend gesicherte Leistung aus den gleichmäßig über Deutschland verteilten, konventionellen Großkraftwerken verursachte bei den ÜNB kaum

[47] Bundeskartellamt, Beschluss B8-94/11 vom 8. Dezember 2011 im Fusionskontrollverfahren RWE AG/Stadtwerke Unna GmbH, Bonn.

[48] o. Fn. 4.

[49] o. Fn. 8.

[50] o. Fn. 9, S. 16 ff.

[51] o. Fn. 9, S. 13.

Netzengpässe. Eine eigene Marktabgrenzung erschien somit nicht nötig. Wie in den Abbildungen 2 und 3 gezeigt, nehmen seit 2014/2015 Volumen und Kosten des Redispatch stark zu. Dennoch hat das BKartA weiterhin explizit keinen eigenen Redispatch-Markt definiert – wenngleich dieser aufgrund seiner sachlichen und räumlichen Besonderheiten keinem der bestehenden Märkte zugeordnet werden kann.

Wie zu Beginn erwähnt attestierte das BKartA dem Redispatch die kartellrechtliche Relevanz bereits mit dem Verfahren gegen die „Irsching-Verträge" von Eon, Gemeinschaftskraftwerk Irsching (GKI) und Tennet im Jahr 2015. Vereinfacht erhielt Eon eine Prämie für die Vorhaltung von Redispatch-Leistung. Diese fiel umso höher aus, je weniger Strom das GKI marktbasiert erzeugte. Es bestand somit der finanzielle Anreiz das GKI einzig für Redispatch-Leistung vorzuhalten. Dies wertete das BKartA (2015) als Verletzung des Art. 101 AEUV. Das OLG Düsseldorf bestätigte diese Auffassung.[52]

In den gemeinsamen jährlichen Monitoringberichten des BKartA und der BNetzA gewinnt der Redispatch zunehmend an Bedeutung. Die Betrachtung des Redispatch-Marktes erfolgt jedoch vorrangig durch die Aufbereitung der von den ÜNB übermittelten Daten.[53] Indirekt wird mit der geographischen Verteilung des Redispatch-Volumens nach ÜNB und der konkreten Nennung überlasteter Netzelemente auf die räumliche Besonderheit des Redispatch hingewiesen. Eine ordnungspolitische und wettbewerbsökonomische Einordnung fehlt jedoch.

Ähnlich verhält es sich mit den Sondergutachten der Monopolkommission[54] die ebenfalls die Nord-Süd-Problematik des Redispatch thematisieren,[55] sich jedoch noch nicht dezidiert für eine neue Marktabgrenzung aussprechen.

Zusammenfassend ist davon auszugehen, dass sich das Bundeskartellamt der dynamischen Entwicklung im Energiemarkt und der Entwicklung eines eigenen Redispatch-Marktes bewusst ist. Unklar bleibt, warum die Behörde bisher keine neue Einordnung vorgenommen hat. Die Marktstruktur des Redispatch ist damit unzureichend analysiert. Auf den folgenden Seiten wird ein Vorschlag zur erstmaligen Marktabgrenzung für Redispatch in sachlicher, räumlicher und zeitlicher Dimension unterbreitet.

2. *Vorschlag zur neuen Marktabgrenzung für Redispatch*

Die folgende Marktabgrenzung erfolgt in sachlicher, räumlicher und zeitlicher Dimension. Aufgrund gegenwärtiger Transparenzdefizite (siehe

[52] OLG Düsseldorf, Beschluss vom 28.4.2015, VI-3 Kart 332/12 (V).
[53] o. Fn. 4, 2017, S. 105.
[54] o. Fn. 8.
[55] o. Fn. 8 2017, S. 17.

Abschnitt III.3) in den öffentlichen Unterlagen ist eine abschließende Klärung des Sachverhalts nicht immer möglich.

a) Sachlich relevanter Markt

aa) Positiver und negativer Redispatch

In sachlicher Dimension sprechen gute Gründe dafür, zwischen beiden Redispatch-Arten zu unterscheiden. Die beiden Maßnahmen erfüllen jeweils unterschiedliche Aufgaben beim Engpassmanagement der ÜNB und sind nicht substituierbar. Vor dem Netzengpass muss etwa die überlastete Seite negativen Redispatch anweisen – hinter dem Netzengpass die unterlastete Seite wiederum positiven Redispatch. Beim Netzengpass kann ein spezifisches Kraftwerk somit nur für eine Variante eingesetzt werden – abhängig davon, ob die Anlage sich vor oder hinter dem Netzengpass befindet.[56] Diese Einschätzung beim Redispatch teilt auch der Bundesverband der Energie- und Wasserwirtschaft (BDEW): *„Daher sollten aus Sicht des BDEW die wettbewerblichen Voraussetzungen von Leistungserhöhung und -reduktion getrennt voneinander betrachtet werden"*[57]

Aufgrund der fehlenden Substituierbarkeit für die nachfragenden ÜNB im Sinne des Bedarfsmarktkonzepts sind positiver und negativer Redispatch damit als getrennte sachliche Märkte zu behandeln.

bb) Spannungs- und strombedingter Redispatch

Die physikalische Trennung zwischen spannungs- und strombedingtem Redispatch als Motivation für den Eingriff der ÜNB in die Kraftwerksfahrpläne ist aus ökonomischer Perspektive für die sachliche Marktabgrenzung nicht relevant. Der Redispatch-Planungsprozess der ÜNB unterscheidet in den öffentlich zugänglichen Unterlagen nicht zwischen beiden Varianten[58]. Zudem gibt es keine Unterschiede in Bezug auf die ökonomische Beschaffenheit oder die Produkteigenschaften. Spannungs- und strombedingter Redispatch sind daher als ein sachlicher Markt zu behandeln.

cc) Markt- und Reservekraftwerke

Eine sachliche Trennung der Redispatch-Leistungen zwischen Markt- und Reservekraftwerken ist nicht notwendig. Beide Typen werden regelmäßig für den Redispatch herangezogen und können substituiert werden. Entscheidend

[56] Diese Betrachtung ist auch dann gültig, wenn vor oder hinter dem Netzengpass mehrere Kraftwerke für die jeweiligen Aufgaben eingesetzt werden. Zudem können die ÜNB nur ein Kraftwerk insgesamt anweisen – nicht jedoch einzelne Kraftwerksblöcke der betroffenen Anlage.

[57] o. Fn. 25, S. 12.

[58] o. Abb. 1.

sind Effizienz und Effektivität um den Netzengpass zu beheben und nicht die formale Eingruppierung der Anlagen in Markt- oder Reservekraftwerke. Markt- und Reservekraftwerke können somit in einem sachlichen Markt betrachtet werden. Der sachlich relevante Markt ist somit einzig für positiven und negativen Redispatch zu trennen.

b) Räumlich relevanter Markt

aa) Mindestens bundesweite Abgrenzung oder Nord-Süd-Trennung

In räumlicher Dimension scheint mindestens eine Trennung von Nordzone und Südzone geboten. Wie Abbildung 5 zeigt wurden über 90 Prozent des negativen Redispatch-Volumens in den Jahren 2016 und 2017 in der Nordzone angewiesen. Im gleichen Zeitraum waren es in der Südzone mindestens 83 Prozent des positiven Redispatch-Volumens.

Die hier definierte Nordzone umfasst Nordrhein-Westfalen, Nordhessen, Niedersachsen, Thüringen, Sachsen, Sachsen-Anhalt, Brandenburg, Mecklenburg-Vorpommern, Berlin, Hamburg und Bremen. Die Südzone besteht aus Bayern, Baden-Württemberg, Saarland, Rheinland-Pfalz, Südhessen (inkl. Rhein-Main-Region) und dem südlichen Ausland (inkl. Österreich und weiteren Ländern).[59]

Wie beschrieben entstehen die Kapazitätsengpässe größtenteils entlang der Nord-Süd-Trassen. Für das Wettbewerbsverhältnis bedeutet dies, dass nur Kraftwerke für positiven Redispatch im Wettbewerb stehen, die sich auf der unterspeisten Netzseite befinden – im überragenden Maße ist dies die Südzone. Im Wettbewerb für positiven Redispatch stehen nicht jedoch jene Kraftwerke, deren geographischer Standort auf der überspeisten Seite liegt. Andersherum verhält es sich mit Anlagen für negativen Redispatch. Eine mindestens bundesweite Abgrenzung ist daher zu verwerfen. Diese Einschätzung teilt das OLG Düsseldorf bei seinem Beschluss zur Redispatch-Vergütung vom 28. April 2015: „*Die für jede Engpasssseite gesondert zu bildende Merit-Order betrachtet jeweils nur die Kosten der einen Engpassseite. Das zur Wirkleistungsreduzierung anzuweisende Kraftwerk hat daher nur im Vergleich zu den anderen Anlagen auf derselben Engpassseite die höchsten Grenzkosten. Entsprechendes gilt für das herauffahrende Kraftwerk*“ (OLG Düsseldorf, Beschluss vom 28. April 2015, Az. VI-3 Kart 332/12 (V), Tz. 228).

Der räumlich relevante Markt für positiven und negativen Redispatch ist daher mindestens in Nord- und Südzone zu trennen.

[59] Die Rolle ausländischer Kraftwerke wird bei der zeitlichen Marktabgrenzung genauer beleuchtet.

bb) Nord-Süd-Abgrenzung oder nach Regelzone

Der räumlich relevante Markt ist gegenwärtig nicht unbedingt überall regelzonenscharf abzugrenzen. Mit dem steigenden Redispatch-Volumen haben die ÜNB ihren Kooperationsumfang bei der täglichen Simulation der Netzlastflüsse und der Redispatch-Planung deutlich erhöht. Eine Abgrenzung in Nord- und Südzone erscheint geboten. In der Regelzone von TransnetBW muss jedoch eine regelzonenscharfe Abgrenzung erwogen werden. Gegenwärtige Transparenzdefizite verhindern eine abschließende Klärung. Die Gründe werden auf den folgenden Seiten erläutert.

In welchem Umfang die Netzbetreiber ihr Ziel, den *„Redispatch überregional und europaweit zwischen den ÜNB zu koordinieren“*[60] tatsächlich erfüllen, kann mit den öffentlich zugänglichen Dokumenten nur teilweise geklärt werden. Um die Netzstabilität zu gewährleisten, führen die ÜNB unter anderem einen sogenannten „Week Ahead Planning Process“ (WAPP) für präventiven Redispatch durch. Wie dieser Plan genau erstellt wird und was dieser beinhaltet ist nicht öffentlich bekannt. Ziel ist es mithilfe gemeinsamer nationaler Absprachen und Einbeziehung ausländischer Partner frühzeitig den präventiven Redispatch infolge von simulierten Netzengpässen zu koordinieren,[61] da häufig ein Netzengpass nicht nur an einer speziellen Stelle behoben werden kann. Die Planungen werden weiter präzisiert, etwa über das D2CF-Netzmodell (2 Day Ahead Congestion Forecast). Dies simuliert die mögliche Einsatzplanung für Kraftwerke, EE-Einspeisemengen, Lastsituationen und die Betriebssicherheit des Netzelements im Sinne des (n-1)-Prinzips.[62]

Wie intensiv die Kooperation der ÜNB im täglichen Betrieb tatsächlich ist und wie genau die Kraftwerke für Redispatch ausgewählt werden, das ist aufgrund der gegenwärtigen Transparenzdefizite (Abschnitt III.3) nicht abschließend zu klären.

Aus wettbewerbsökonomischer Sicht vergrößert eine mögliche intensive Koordination während der Lastflusssimulation und vor der praktischen

[60] *Übertragungsnetzbetreiber,* Aktuelles und zukünftiges Rollenverständnis der Übertragungsnetzbetreiber insbesondere hinsichtlich der Zusammenarbeit mit Verteilnetzbetreibern, 2017,abrufbar unter: https://www.tennet.eu/fileadmin/user_upload/Company/Publications/Position_Papers/German/2017_08_30_positionspapier_tsodso.pdf (Zuletzt abgerufen am 14.12.2017), S. 8.

[61] *Übertragungsnetzbetreiber,* Umsetzung der „Generation and Load Data Provision Methodology“ in Deutschland, 2017, abrufbar unter: https://www.netztransparenz.de/Portals/1/Content/EU-Network-Codes/CACM/GLDPM/2017_02_10_GLDPM_DE_konsultationsdokument.pdf (Zuletzt abgerufen am 14.12.2017), S. 8.

[62] *Übertragungsnetzbetreiber,* Umsetzung der „Generation and Load Data Provision Methodology“ in Deutschland, 2017, abrufbar unter: https://www.netztransparenz.de/Portals/1/Content/EU-Network-Codes/CACM/GLDPM/2017_02_10_GLDPM_DE_konsultationsdokument.pdf (Zuletzt abgerufen am 14.12.2017), S. 8.

Redispatch-Anweisung des einzelnen ÜNB den räumlich relevanten Markt. Kooperieren beispielsweise die ÜNB infolge einer drohenden Überlastung der Nord-Süd-Trassen umfassend beim Lösungsverfahren (etwa gemeinsame Merit-Order) für positive kurative Redispatch-Maßnahmen in der Südzone, so können sie als gemeinsame Nachfrager betrachtet werden – wenngleich nur einer von ihnen letztendlich als anweisender ÜNB fungiert. Als Anbieter stehen den ÜNB auf der unterspeisten Seite dann die Kraftwerksbetreiber der regelzonenübergreifenden Südzone gegenüber, die den Netzengpass beheben können. Das Resultat ist ein Wettbewerbsverhältnis, welches im Extremfall die gesamte Südzone (inkl. ausländischer Anlagen) umfassen könnte. Wahrscheinlicher ist jedoch, dass sich der Wettbewerb je nach topologischer Lokalisierung des Netzengpasses regional (ggf. in Grenzgebieten der ÜNB dennoch regelzonenübergreifend) beschränkt. Da diese umfassende Prüfung mit öffentlichen Dokumenten nicht möglich ist, kann die Nord-Süd-Abgrenzung als konservatives Szenario betrachtet werden. Ähnliche Überlegungen sind für die Nordzone gültig.

Die Regelzone von TransnetBW stellt aufgrund ihrer betriebswirtschaftlichen Zugehörigkeit zum EnBW-Konzern eine Besonderheit dar und muss vertieft betrachtet werden. TransnetBW ist als 100-prozentiges Tochterunternehmen in den EnBW-Konzern vertikal integriert.[63] Daraus ergeben sich andere Anreize beim Redispatch im Vergleich zu den anderen drei ÜNB.[64] Da die Kosten für Redispatch-Maßnahmen über die Netzentgelte auf den Stromverbraucher umgelegt werden können, existiert der Anreiz für TransnetBW vorrangig konzernzugehörige EnBW-Kraftwerke anzuweisen – auch wenn diese teurer sind als die Anlagen unabhängiger Dritter. Ist es für TransnetBW möglich diesen Anreiz auch bei der gemeinsamen Planung und Koordintion mit den anderen ÜNB (WAPP- oder D2CF-Absprachen) für präventiven Redispatch oder beim kurzfristigen kurativen Redispatch durchzusetzen, so muss eine regelzonenscharfe Abgrenzung für diesen ÜNB erwogen werden. Im Jahr 2017 machten Kraftwerke, die mehrheitlich in Besitz des EnBW-Konzerns sind oder bei denen der EnBW-Konzern die Einsatzleitung führt (Vorarlberger Illwerke), knapp 95 Prozent des postiven Redispatch in der TransnetBW-Regelzone aus (siehe Sektion IV).

Insgesamt ist der räumliche Markt für positiven wie negativen Redispatch mindestens nach Nord- und Südzone abzugrenzen. Für TransnetBW muss

[63] EnBW AG, Jahresabschluss des EnBW-Konzerns 2016, 2017, Karlsruhe, S. 85.

[64] Im Zuge der Novellierung des EnWG als Resultat des dritten EU-Binnenmarktpakets haben Eon, RWE und Vattenfall ihre Übertragungsnetze verkauft. Einzig EnBW hatte sich für das Modell des *Unabhängigen Transportnetzbetreibers* entschieden und betreibt das Übertragungsnetz über die Tochtergesellschaft TransnetBW weiter, vgl. *Transnet BW GmbH,* Die EnBW Transportnetze AG firmiert ab 2. März 2012 unter dem Namen Transnet BW GmbH, 2012, abrufbar unter: https://www.transnetbw.de/de/presse/presseinformationen/presseinformation?id=18 (Zuletzt abgerufen am 14.12.2017).

zusätzlich eine regelzonenscharfe Abgrenzung erwogen werden. Die genaue Trennung der räumlichen Märkte wird durch die Transparenzdefizite deutlich erschwert. Es muss genauer evaluiert werden, inwieweit die vorgenommene geographische Markttrennung für positiven und negativen Redispatch immer zutreffend ist.

c) Zeitlich relevanter Markt

Zuletzt kann in zeitlicher Hinsicht eine Trennung des Marktes für präventiven und kurativen Redispatch erwogen werden. Als präventiv gilt eine Redispatch-Maßnahme laut BNetzA,[65] wenn sie mit mehr als einer Stunde Vorlaufzeit erfolgt.

Allgemein können die ÜNB erst nach Meldung der Fahrpläne durch die Kraftwerksbetreiber bis 14.30 Uhr exakte Lastflusssimulationen durchführen und den Redispatch-Bedarf des Folgetages präzisieren.[66] Redispatch-Anforderungen an ausländische Marktkraftwerke müssen jedoch bereits um 10 Uhr des Vortages gestellt werden.[67] Sie stehen damit nur eingeschränkt für präventiven – und überhaupt nicht für kurativen – Redispatch (Cross-border Redispatch) zur Verfügung. Die ausländischen Anlagen stehen damit höchstens als Teil des zeitlich relevanten Marktes für präventiven Redispatch im Wettbewerbsverhältnis zu innerdeutschen Anlagen.

Inwieweit auch nationale Markt- bzw. Reservekraftwerke für kurativen Redispatch aufgrund ihrer Vorlaufzeiten oder des bereits geplanten Einsatzes für präventiven Redispatch nicht zur Verfügung stehen, kann aufgrund gegenwärtiger Transparenzdefizite nicht beurteilt werden.

Gegenwärtig sind keine Daten zum Verhältnis von präventivem und kurativem Redispatch öffentlich zugänglich. Insbesondere für die mögliche räumliche Marktabgrenzung der TransnetBW-Regelzone sind diese jedoch von höchstem Interesse.

Eine Abgrenzung des zeitlich relevanten Marktes zwischen präventivem und kurativem Redispatch kann aufgrund der Transparenzdefizite nicht vorgenommen werden und bedarf weiterer Untersuchung.

Insgesamt ergibt sich folgende Marktabgrenzung für Redispatch: In sachlicher Dimension ist eine Trennung des relevanten Marktes in positive und negative Redispatch-Leistung vorzunehmen. In räumlicher Dimension ist der Markt mindestens in Nord- und Südzone zu separieren. In der TransnetBW-Zone muss zudem eine regelzonescharfe Abgrenzung erwogen werden. Bei Beseitigung der Transparenzdefizite kann neben der regionalen Komponente des räumlich relevanten Marktes auch weiter die Unterscheidung eines zeit-

[65] Bundesnetzagentur, Bericht zur Ermittlung des Bedarfs an Netzstabilitätsanlagen gemäß §13 k EnWG, 2017, Bonn, S. 10.

[66] o. Abb. 1.

[67] o. Fn. 17, S. 12.

lich relevanten Marktes in präventiven und kurativen Redispatch in Betracht gezogen werden.

3. Gegenwärtige Transparenzdefizite

Die Analyse des Redispatch-Marktes wird erheblich durch gegenwärtige Transparenzdefizite erschwert. Die zuvor angesprochenen Mängel werden im Folgenden präzisiert und um neue Punkte ergänzt.

Erhebliche Transparenzdefizite weisen zunächst die öffentlich zugänglichen Daten, sowohl vonseiten der BNetzA wie auch von *netztransparenz.de*, auf.

Bilanziert man die Summe aus positivem wie negativem Redispatch, den die BNetzA im Monitoringbericht 2017 je Netzbetreiber ausweist, so ergibt sich ein Überschuss von rund 4,5 Prozent des negativen Redispatch aufgrund der nur teilweisen Berücksichtigung von Redispatch-Leistung von Reservekraftwerken.[68] Die unvollständig ausgewiesenen Daten stehen damit auf den ersten Blick indirekt im Widerspruch zur Definition der Redispatch-Eingriffe im Bericht eine Seite zuvor: „*Auf die Ausgeglichenheit von Erzeugung und Last im Ganzen haben diese Eingriffe damit keine Auswirkungen, da stets sichergestellt wird, dass abgeregelte Mengen durch gleichzeitiges Hochregeln physikalisch und bilanziell ausgeglichen werden.*“[69] Es ist wünschenswert, dass die BNetzA in zukünftigen Berichten auf die bilanzielle Ausgeglichenheit des präsentierten Redispatch-Volumens achtet und auch den gesamten von Reservekraftwerken erbrachten Redispatch darin ausweist, da Markt- und Reservekraftwerke, wie zuvor gezeigt, einem sachlich relevanten Markt angehören. Nur so kann die Korrektheit der Definition und der Daten angenommen werden.

Ein ähnliches Problem ergibt sich bei den ausgewiesenen Kosten. So ist nicht klar wie hoch die letztendlichen Kosten für Redispatch insgesamt sind. Zwar nennt die BNetzA die Redispatch-Kosten für Marktkraftwerke, jedoch werden vermehrt auch die Reservekraftwerke für Redispatch herangezogen. Die Kosten dieser Anlagen werden allerdings nur allgemein in den Kosten der Netzreserve erfasst und für Redispatch nicht seperat ausgewiesen.[70] Die fehlende Unterteilung der Redispatch-Daten in präventiven und kurativen Redispatch erschwert die Marktabgrenzung zusätzlich. Weiter sind die Daten der BNetzA nur auf Jahresniveau aggregiert verfügbar und verhindern so eine detaillierte Betrachtung der Wettbewerbssituation.

Die Daten der Plattform *netztransparenz.de* der ÜNB sind zwar auf Viertelstundenbasis täglich verfügbar; sie weisen jedoch gegenwärtig ebenfalls

[68] o. Fn. 4, 2017, S. 106f.
[69] o. Fn. 4, 2017, S. 106f.
[70] o. Fn. 4, 2017, S. 148.

erhebliche Defizite auf. Vor allem die Begrenzung der Daten auf die Anweisungen deutscher ÜNB zur Sicherstellung der deutschen Netzstabilität mit Anlagen aus Deutschand und Österreich mindert die Aussagekraft. Durch den Vergleich mit den grenzübergreifenden Daten der BNetzA lassen sich nur Vermutungen über das Volumen des positiven Redispatch außerhalb Deutschlands und Österreichs anstellen.[71] Die genaue Verteilung und Menge der Redispatch-Anweisungen der ÜNB in anderen Ländern (Frankreich, Schweiz, Italien, Polen etc.) kann überhaupt nicht betrachtet werden. Dies erschwert eine räumliche und zeitliche Marktabgrenzung hinsichtlich der Inklusion oder Exklusion ausländischer Kraftwerke deutlich. Warum die Daten auf der Plattform nur national und nicht grenzüberschreitend veröffentlicht werden ist unklar. Wie auch bei den Erhebungen der BNetzA wird hier keine Unterscheidung zwischen präventivem und kurativem Redispatch getroffen.

Erhebliche Transparenzdefizite weisen zudem die öffentlich bereitgestellten Informationen zur exakten Kraftwerksauswahl und des Kooperationsniveaus der ÜNB auf.

Dies kann teilweise auf die juristischen Auseinandersetzungen bei der Redispatch-Vergütung zurückgeführt werden. Aufgrund des Beschlusses des OLG Düsseldorf zur Vergütung der Kraftwerksbetreiber bei Redispatch-Maßnahmen, hat die BNetzA ihren bis dato existierenden Regulierungsrahmen formal aufgehoben.[72] Dennoch weist die BNetzA darauf hin, dass das darin enthaltene Merit-Order-Verfahren weiterhin *„voraussichtlich nicht beanstandet wird* [sic!]".[73] Die Anwendung des Merit-Order-Prinzips durch die Auswahl des bestmöglichen Kraftwerks hinsichtlich Effektivität und Effizienz (Quotient aus netzstüzender Wirkung und entstehenden Kosten) weist somit lediglich fakultativen Charakter auf. Das tatsächlich angewendete Prozedere zur Redispatch-Anlagenauswahl kann nicht final geklärt werden.

Insbesondere im Fall der vertikalen Integration von TransnetBW im EnBW-Konzern gibt es somit den Fehlanreiz konzerneigene Kraftwerke bevorzugt einzusetzen. Der Missbrauch des gegenwärtigen Handlungsrahmens durch ÜNB, inbesondere im Fall von TransnetBW, kann nicht ausgeschlossen werden. Umso schwerer wiegt: Es ist unklar, inwieweit die BNetzA die Kraftwerksauswahl der ÜNB überprüft, etwa über ein Redispatch-Referenzmodell.

Das tatsächliche Kooperationsniveau der ÜNB ist ebenfalls nur ungenügend offiziell bekannt. Ob die ÜNB als gemeinsame Nachfrager in Nord- und Südzone für positiven wie negativen (präventiven) Redispatch agieren kann nur erahnt werden. Die Mechanismen der Kooperation (WAPP, D2CF,

71 o. Fn. 25, S. 6.
72 OLG Düsseldorf, Beschluss vom 28.4.2015, VI-3 Kart 332/12 (V); o. Fn. 5.
73 o. Fn. 22, S. 2.

etc.) sind zwar formal einsehbar, die praktische Umsetzung der Absprachen kann nicht beurteilt werden.[74] Die Intensität der Kooperation ist jedoch entscheidend für eine regionale bzw. regelzonenscharfe Abgrenzung.

Insgesamt zeigt sich besonders im Hinblick auf die räumliche und zeitliche Marktabgrenzung bisher eine unzureichende Datenqualität, die die Betrachtung des Redispatch-Marktes erheblich erschwert. Gleiches trifft auf die öffentlich zugänglichen Informationen zur Kraftwerksauswahl und das Kooperationsniveau zu. Insbesondere die Auswahl der Anlagen vonseiten der ÜNB bleibt eine „Blackbox“ die missbräuchliches Verhalten, insbesondere in der Regelzone von TransnetBW, begünstigt. Der Umfang der Kooperation der ÜNB ist zudem kaum öffentlich bekannt.

Die Bestimmung des relevanten Marktes für Redispatch und die Überprüfung des wettbewerbskonformen Verhaltens der Marktteilnehmer wird durch die Transparenzdefizite enorm erschwert. Es ist wünschenswert, dass die BNetzA wie das BKartA zeitnah genaue und umfassende Daten von den ÜNB anfordern und den Regulierungsrahmen, etwa hinsichtlich der Kraftwerksauswahl und eines Referenzmodells, transparent und präzise definieren. Ein hohes Maß an Daten- und Regulierungstransparenz ist im Interesse der Marktteilnehmer, der Wettbewerbs- und Regulierungsbehörden wie auch der Öffentlichkeit. Nur so kann eine korrekte Erfassung der Wettbewerbsverhältnisse gewährleistet werden.

IV. Marktstruktur im positiven Redispatch-Markt

Abschließend erfolgt eine kurze Untersuchung der Marktstruktur im positiven Redispatch-Markt der Südzone auf Basis der vorgenommenen Marktabgrenzung mit Schwerpunkt auf den ÜNB TransnetBW. Diese gibt einen ersten Einblick in die Verhältnisse auf dem positiven Redispatch-Markt in Süddeutschland. Sie kann jedoch aufgrund der gegenwärtigen Transparenzdefizite nicht als abschließende Klärung verstanden werden.

Abbildung 6 zeigt zunächst die Anteile am positiven Redispatch-Volumen der Südzone je ÜNB im Jahr 2017 inklusive der Regelzone von TransnetBW.[75] Es wird ersichtlich, dass mehrheitlich die nachgefragten Wirkleistungserhöhungen von Kraftwerksbetreibern in der TransnetBW-Regelzone erbracht wurden.

Wird aufgrund der diskutierten Fehlanreize von TransnetBW im Konzernverbund von EnBW eine eigene räumliche Marktabgrenzung für posi-

[74] Vgl. o. Fn. 55, S. 8f; o. Abb. 1.

[75] Eigene Berechnungen, Daten abrufbar unter *netztransparenz.de*. Wie hinreichend beschrieben sind die nationalen Daten der Internetplattform nicht vollständig. Die tatsächlichen Marktanteile können abweichen.

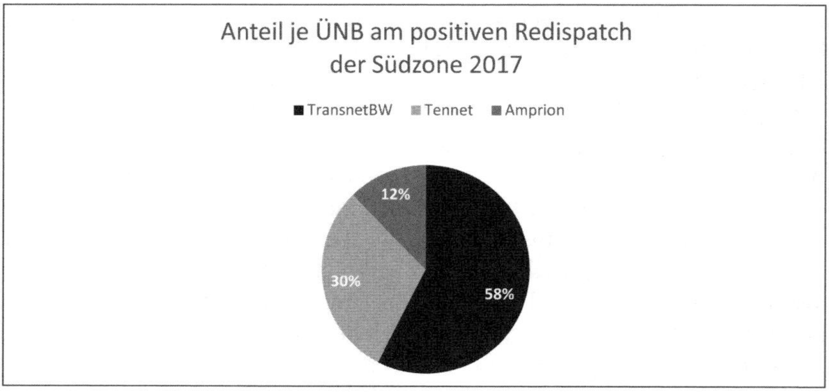

Abbildung 6: Quelle: Eigene Berechnungen basierend auf *netztransparenz.de*

tiven Redispatch der TransnetBW-Regelzone erwogen, so erhöhen sich die ÜNB-Anteile für Tennet und Amprion auf 70 beziehungsweise 30 Prozent in der verbleibenden Südzone exklusive TransnetBW.

Um die möglichen Fehlanreize von TransnetBW bei den Redispatch-Anweisungen für konzernzugehörige EnBW-Kraftwerke genauer zu untersuchen, muss die Eigentümerstruktur der angewiesenen Anlagen in der TransnetBW-Regelzone betrachtet werden. Tabelle 1 gibt einen Überblick.

Insgesamt wurde laut den nationalen Daten von *netztransparenz.de* bisher kein Kraftwerk in der TransnetBW-Regelzone 2017 angewiesen, an welchem der EnBW-Konzern nicht beteiligt ist. Allerdings ist zu beachten, dass das nicht unerhebliche Redispatch-Volumen aus dem Ausland in den Daten nicht ausgewiesen wird (siehe Sektion III.2). Es ist jedoch anzunehmen, dass TransnetBW auch als anweisender ÜNB für ausländische Kraftwerke jenseits Österreichs fungiert. Die tatsächlichen Marktanteile der EnBW-Kraftwerke am angewiesenen positiven Redispatch von TransnetBW weichen voraussichtlich aufgrund der diskutierten Transparenzdefizite ab.

Insgesamt beläuft sich der Anteil der EnBW-Anlagen (Beteiligung > 50 Prozent) auf etwa 70 Prozent. Eine Sonderrolle kommt den Vorarlberger Illwerken (Österreich) zu. Sie machten im Jahr 2017 knapp ein Viertel des positiven Redispatch aus. Es existiert eine enge Verbindung zum EnBW-Konzern auf Grundlage des „Illwerke-Vertrags" von 1920. Die Vertragspartnerschaft wurde im Jahr 2012 bis 2041 weiter verlängert. Die EnBW hat unter anderem die Einsatzleitung der österreichischen Anlagen inne und kann je nach Bedarf Strommengen (Regel- und Spitzenenergie) anfordern.[76] Addiert

[76] Vgl. *EnBW AG,* Beteiligung im Bereich Wasserkraft, 2017, abrufbar unter: https://www.enbw.com/erneuerbare-energien/wasser/beteiligungen.html (Zuletzt abgerufen am 14.12.2017)

Anteile je Kraftwerk am positiven Redispatch in der Transnetbw-Regelzone 2017

Kraftwerk	**Prozent. Anteil am pos. Redispatch-Volumen**	**EnBW-Zugehörigkeit**
Heizkraftwerk Heilbronn	27,7 %	100 %
Rheinhafen-Dampfkraftwerk Karlsruhe	26,6 %	100 %
Heizkraftwerk Altbach/Deizisau	8,7 %	100 %
Reservekraftwerk Heilbronn	3,0 %	100 %
Reservekraftwerk Walheim	1,8 %	100 %
Kraftwerk Walheim	1,2 %	100 %
Heizkraftwerk Stuttgart-Münster	< 1,0 %	100 %
Kernkraftwerk Neckarwestheim	< 1,0 %	100 %
Reservekraftwerk Marbach	< 1,0 %	100 %
Kernkraftwerk Philippsburg	< 1,0 %	100 %
Pumpspeicherwerk Glems	< 1,0 %	100 %
Kraftwerke mit EnBW-Beteiligung		
Vorarlberger Illwerke AG (Österreich)	24,2 %	Einsatzleitung EnBW über sog. „Illwerke-Vertrag“
Schluchseewerke AG	< 1,0 %	37,5 % direkt, 12,5 % indirekt
Großkraftwerk Mannheim AG	5,8 %	32 % direkt, rund 8 % indirekt[19]
Gesamt	**100 % (gerundet)**	

Tabelle 1: Quelle: Eigene Berechnungen basierend auf netztransparenz.de

man die Anteile der Vorarlberger Illwerke hinzu, so sind 2017 knapp 95 Prozent des positiven Redispatch in der TransnetBW-Regelzone für mehrheitlich dem EnBW-Konzern zugehörige Kraftwerke angewiesen worden. Einzig an dem für positiven Redispatch eingesetzten Großkraftwerk Mannheim ist die EnBW mit unter 50 Prozent beteiligt.[77] In Verbindung mit dem finanziellen

[77] Am 14. Dezember hat das *BKartA*, Pressemitteilung – Aufstockung der Anteile an der MVV durch die EnBW kartellrechtlich unbedenklich, 2017, abrufbar unter: http://www.bundeskartellamt.de/SharedDocs/Meldung/DE/Pressemitteilungen/2017/14_12_2017_EnBW_MVV.html (Zuletzt abgerufen am 14.12.2017) eine Anteilserhöhung der EnBW in Höhe von 6,28 Prozent auf insgesamt 28,76 Prozent an der MVV AG genehmigt. Damit hält der EnBW-Konzern 32 Prozent der Anteile des Kraftwerks Mannheim direkt und rund 8 Prozent indirekt über die Beteiligung an der MVV AG, vgl. *Großkraftwerk Mannheim,*

Anreiz des EnBW-Konzerns durch die Wälzung der Redispatch-Kosten auf die Netzentgelte muss diese Marktstruktur daher weiter beobachtet und bei Beseitigung der Transparenzdefizite präzisiert werden. Es ist an BKartA und BNetzA den Redispatch-Markt genauer zu untersuchen und ggf. regulatorisch einzugreifen.

Verwirft man trotz der finanziellen Anreize für TransnetBW und EnBW eine regelzonenscharfe Abgrenzung und definiert den räumlich relevanten Markt für positiven Redispatch nur gemäß einer Südzone ergeben sich für mehrheitlich dem EnBW-Konzern zugehörige Kraftwerke exklusive der Vorarlberger Illwerke Marktanteile von gerundet 40 Prozent (inklusive: rund 54 Prozent).

Zusammenfassend zeigt sich, dass der größte Teil der positiven Redispatch-Leistung in der Südzone von TransnetBW angewiesen wird. Geht man aufgrund der Anreizstruktur für TransnetBW von einer regelzonenscharfen Marktabgrenzung aus, betreffen die Eingriffe in höchstem Maße Anlagen, die mehrheitlich zum EnBW-Konzern gehören. Dies kann auf eine missbräuchliche Nutzung des Handlungsspielraums bei der Kraftwerksauswahl durch die vorherrschenden Transparenzdefizite hindeuten. Eine genauere Untersuchung ist nötig. Es muss jedoch beachtet werden, dass die gegenwärtigen Daten unvollständig sind und somit einem erheblichen Transparenzdefizit unterliegen. Dies schränkt die Interpretationsfähigkeit ein.

V. Fazit

Die Energiewende stellt die Energiewirtschaft vor große Herausforderungen. Dezentrale EE-Anlagen, allen voran Windparks in Norddeutschland, lösen zentrale konventionelle Kraftwerke, insbesondere im industriestarken Süden, ab. Doch die fundamentale Transformation des Energiesektors erfasst nicht nur Kraftwerks- und Netzbetreiber. Auch die Wettbewerbs- und Regulierungsbehörden müssen ihr Vorgehen an den Wandel der Marktstrukturen anpassen, um den Wettbewerb im Energiebereich langfristig sicherzustellen. Verharren die Behörden zu lange in alten Strukturen besteht die Gefahr, dass Unternehmen den regulatorischen Freiraum zu ihren Gunsten nutzen und das Wettbewerbsverhältnis nachhaltig negativ beeinflussen.

Der Redispatch-Markt ist ein gutes Beispiel für neue kartellrechtlich relevante Märkte, die durch die Energiewende entstehen. Erst durch die steigende ungleiche Verteilung von Elektrizitätsangebot und -nachfrage in Kombination mit zu geringen Netzkapazitäten ist dieser in den vergangenen Jahren entstanden und kontinuierlich gewachsen. Noch in der 304 Seiten

Starke Partner – unsere Aktionäre, 2017, abrufbar unter: http://www.gkm.de/unternehmen/aktionaere/ (Zuletzt abgerufen am 14.12.2017).

umfassenden *Sektoruntersuchung* für Stromerzeugung und Stromgroßhandel aus dem Jahr 2011, kurz vor dem Atomausstieg, wird der Begriff *Redispatch* nicht einmal genannt.[78]

Es ist nun die Aufgabe der BNetzA und des BKartA die neuen Wettbewerbsverhältnisse auf dem Energiemarkt detailliert zu untersuchen, gegenwärtige Transparenzdefizite zu beseitigen und bei Bedarf passende Regulierungsinstrumente zu implementieren. Als wichtige Märkte, die im Zuge der Energiewende an Bedeutung gewonnen und vertieft ordnungspolitisch analysiert werden müssen, sind neben dem Redispatch auch die Märkte für Regelenergie und Netzreserve zu nennen. Da auch der allgemeine Stromerstabsatz einem radikalen Wandel durch dezentrale EE-Anlagen mit ausgelaufener Förderung unterliegt, muss dessen nationale bzw. supranationale Abgrenzung durch die noch bis Herbst 2018 existente gemeinsame Gebotszone mit Österreich infrage gestellt werden. Um die sich wandelnden Wettbewerbsverhältnisse des Energiesektors präzise zu analysieren, sollte das BKartA daher eine neue umfassende Untersuchung vornehmen. Und im Zuge dessen gemeinsam mit der BNetzA bestehende Transparenzdefizite beheben. Dies könnte etwa im Rahmen einer neuen Sektoruntersuchung auf dem Markt für Stromerstabsatz und Stromgroßhandel auf Grundlage von §32e GWB erfolgen.

Der vorliegende Beitrag hat sich der ordnungspolitischen Lücke im Redispatch-Markt angenommen und erstmalig einen relevanten Markt in sachlicher, räumlicher und zeitlicher Dimension definiert. Zunächst wurde die Rolle des Redispatch im Rahmen des Engpassmanagements definiert und seine praktische Funktionsweise wie die geographische Besonderheit des Marktes erklärt. Aufgrund der lokal auftretenden Netzengpässe kommen nur bestimmte Kraftwerke für die Redispatch-Maßnahme infrage – je nachdem, ob sie auf der über- oder unterspeisten Seite des Netzengpasses liegen.

Weiter hat die Auswertung der Daten den steigenden Bedarf für Redispatch aufgezeigt und durch die Aktualität bis zum Jahresende 2017 eine Übersicht über die gegenwärtige Marktlage gegeben. So zeigt sich, dass in der Nordzone nahezu ausschließlich eine Leistungsreduktion angewiesen wird, während in der Südzone der überwiegende Teil zur Leistungserhöhung genutzt wird.

Die Zusammenfassung der gegenwärtigen ordnungspolitischen Auffassung der Behörden zeigt, dass das Bundeskartellamt die kartellrechtliche Relevanz erkannt, jedoch von einer eigenen Marktabgrenzung bisher Abstand genommen hat.

Den Kern des vorliegenden Beitrags bildet die erstmalige Abgrenzung des sachlich, räumlich und zeitlich relevanten Marktes für Redispatch. In sachlicher Dimension ist der relevante Markt in positiven wie negativen Redispatch

[78] o. Fn. 9.

zu trennen. In räumlicher Dimension ist der relevante Markt mindestens in Nord- und Südzone zu trennen. Eine regelzonenscharfe Abgrenzung für die Regelzone TransnetBW muss zudem erwogen werden. Dies ist auf die Konzernzugehörigkeit von TransnetBW zu EnBW zurückzuführen, wodurch sich Fehlanreize hinsichtlich der Effizienz und Effektivität der Kraftwerksauswahl ergeben. Inwieweit EnBW den regulatorischen Handlungsspielraum missbräuchlich nutzt, kann bei den gegenwärtigen Transparenzdefiziten nicht abschließend geklärt werden. In zeitlicher Dimension kann eine Trennung des relevanten Marktes für präventiven und kurativen Redispatch erwogen werden. Eine abschließende Klärung ist mit den gegenwärtig öffentlich verfügbaren Dokumenten nicht möglich.

Insgesamt ergeben sich bisher im Redispatch-Markt erhebliche Transparenzdefizite. Diese betreffen einerseits die unzureichende Datenverfügbarkeit vonseiten der BNetzA und *netztransparenz.de* und andererseits die Informationsdefizite beim praktischen Prozess zur Kraftwerksauswahl der ÜNB. Diese Punkte erschweren eine exakte ordunungspolitische Einordnung erheblich.

Abschließend gibt die praktische Untersuchung der Anteile im positiven Redispatch-Markt der Südzone im laufenden Kalenderjahr einen Überblick zur Markstruktur, insbesondere bei der möglichen regelzonenscharfen Abgrenzung der TransnetBW-Regelzone. Es zeigt sich, dass der von TransnetBW angewiesene positive Redispatch in sehr hohem Umfang EnBW-Kraftwerke betrifft. In Verbindung mit dem zuvor diskutierten Fehlanreiz und dem möglichen Missbrauch des regulatorischen Handlungsspielraums für den EnBW-Konzern muss diese Entwicklung vertieft betrachtet werden.

Der vorliegende Beitrag spricht sich für die Abgrenzung eines eigenen Redispatch-Marktes aus und kann als erster Impuls verstanden werden. Die gegenwärtige Untersuchung zeigt die wettbewerbsökonomische Relevanz des Redispatch als eigener Markt. Bei Beseitigung der Transparenzdefizite kann die vorgeschlagene Marktabgrenzung für Redispatch finalisiert und für exakte empirische Marktanteils-Untersuchungen verwendet werden.

Zudem können nun, je nach Datenlage, weitere Aspekte des Redispatch auf Grundlage dieses Beitrags empirisch analysiert werden. Etwa scheint eine Untersuchung lohnenswert, inwieweit die Einspeisung der EE-Energien ein kausaler Grund für die Redispatch-Anweisungen der ÜNB ist.

Die Zukunft der konventionellen Stromerzeugung zwischen Rechtsstaatsgebot, gesetzgeberischer Gestaltung und politischem Dirigismus

Ulrich Rust*

I. Einleitung

Die konventionelle Stromerzeugung durch Großkraftwerke war noch bis vor kurzem fester DNA-Bestandteil der Industriestaaten und spielt auch heute noch weltweit eine maßgebliche Rolle in den volkswirtschaftlichen Aufholprozessen vieler Schwellenländer und -regionen. Dieses Verständnis ist in den letzten zehn Jahren durch die „Megatrends" Dekarbonisierung, Digitalisierung und Dezentralisierung zunehmend hinterfragt worden, wie in Deutschland etwa durch den rasanten, durch staatliche Förderprogramme finanzierten Ausbau der Erneuerbaren Energien und die „Energiewende" belegt.

Die konventionelle Stromerzeugung aus Braunkohle, Steinkohle und Gas sieht sich in diesem Zusammenhang einer mit Nachdruck geführten Klimaschutzdebatte ausgesetzt. In immer kürzer werdenden Abständen wird insbesondere die Existenzberechtigung der Kohleverstromung in Frage gestellt. Ganz konkret will sich die Bundesregierung in der aktuellen 19. Legislaturperiode des Deutschen Bundestags im Rahmen ihrer ambitionierten, über die europäischen Zielsetzungen hinausgehenden Klimaschutzziele mit einem *„Plan zur schrittweisen Reduzierung und Beendigung der Kohleverstromung, einschließlich eines Abschlussdatums"*[1] befassen. Hierzu wurde eine Kommission mit dem Namen „Wachstum, Strukturwandel und Beschäftigung" eingesetzt, die bis Ende 2018 ein Aktionsprogramm erarbeiten soll. Dem ging in der vorangegangenen Legislaturperiode bereits die sog. Sicherheitsbereitschaft gem. § 13g EnWG voraus, mit der klimaschutzbedingte Kraftwerks-

* Der Verfasser ist Chefjustiziar der RWE AG, Essen. Die Ausführungen in diesem Beitrag geben ausschließlich seine persönliche Meinung wieder.

[1] Koalitionsvertrag zwischen CDU, CSU und SPD zur 19. Legislaturperiode vom 18. März 2018, abrufbar unter: https://www.bundestag.de/blob/543200/9f9f21a92a618c77aa330f00ed21e308/kw49_koalition_koalitionsvertrag-data.pdf (zuletzt abgerufen am 16.05.2018), S. 142, Rdnr. 6753 ff.

stilllegungen mit einem Umfang von 2,7 GW Braunkohlekapazität angeordnet wurden.

Während also die Zukunft der Kohleverstromung (und letztlich wohl auch der Gasverstromung) noch zu regeln sein wird, sind für die Kernenergieverstromung die Würfel gefallen: Sie wird in Deutschland im Jahr 2022 beendet werden, nachdem im Jahr 2011 nach der Fukushima-Katastrophe übereilt und an vielen Stellen unter Verstoß gegen geltendes Recht die „Energiewende“ ausgerufen worden war. Ferner wurde im Jahr 2017 die Finanzierung des Kernenergieausstiegs im Konsens mit den Betreibern neu geregelt, indem die in den Bilanzen der Kernkraftbetreiber gebildeten Rückstellungen für End- und Zwischenlagerung nebst stattlichem Risikoaufschlag an einen staatlichen Fonds übertragen und die weitere Aufgabenerfüllung dem Staat zugewiesen wurde.

Somit befindet sich die Energiewirtschaft und vor allem die Stromerzeugung in Deutschland in einem signifikanten transformatorischen Prozess in bisher unbekannter Größenordnung. Dieser ist im Wesentlichen politisch induziert und von hoheitlichen Eingriffen bzw. Umgestaltungsmaßnahmen geprägt. Ihm steht der berechtigte Anspruch der betroffenen Unternehmen nach Planungssicherheit, Vertrauens- und Investitionsschutz gegenüber.

Ferner sind viele volkswirtschaftliche Fragen in diesem Zusammenhang ungeklärt. Die drängendste Frage lautet wohl, wie denn mittel- und langfristig Preiswürdigkeit und Versorgungssicherheit am Industriestandort Deutschland gewährleistet bleiben sollen, wenn die gesicherte Leistung der konventionellen Stromerzeugung aus dem Markt gedrängt wird bzw. abgeschaltet werden soll, ohne dass adäquate Speichertechnologien für Erneuerbare Energien existieren.

Diesen Fragen soll in dem nachfolgenden Beitrag allerdings genauso wenig nachgegangen werden wie dem Ringen der betroffenen Unternehmen um neue Strategien und Geschäftsmodelle als Reaktion auf die oben beschriebenen Herausforderungen. Hier sei lediglich der Hinweis gestattet, dass die zwischen RWE und E.ON Anfang 2018 vereinbarte transformatorische Transaktion zur kompletten strategischen Neuausrichtung der beiden Unternehmen genauso in diesem Zusammenhang zu sehen ist wie die vorangegangenen Börsengänge von innogy und Uniper als notwendige Zwischenschritte.

In dem nachfolgenden Beitrag soll vielmehr der rechtliche Rahmen abgesteckt werden, den die an Recht und Gesetz gebundenen Staatsorgane zu beachten und einzuhalten haben, wenn und soweit die konventionelle Stromerzeugung „neu geordnet“ oder gar ein Kohleausstieg vorbereitet werden soll. Vor diesem Hintergrund gilt es einerseits, die mannigfaltigen juristischen Lehrsätze aus der überstürzten Energiewende aus dem Jahr 2011 aufzurufen[2]

[2] Dazu bereits *Büdenbender*, Rechtliche Bilanz der Energiewende 2011 im Hinblick auf den Ausstieg aus der Kernenergie, DVBl. 2017, 1449 ff.

und andererseits die bereits vorhandenen rechtlichen Erfahrungswerte der Dekarbonisierungsdiskussion fortzuschreiben.

II. Gesetzmäßigkeit des Verwaltungshandelns

Kohlekraftwerke werden auf der Basis bestandskräftiger Genehmigungen betrieben. Eingriffe der Verwaltungsbehörden in den Betrieb der Anlagen sind ausschließlich auf Basis einschlägiger Ermächtigungsgrundlagen im Rahmen der konkreten Tatbestandmerkmale und unter Wahrung der relevanten Verfahrensrechte zulässig. Die Rechtsprechung, nämlich der VGH Kassel und das BVerwG, haben diese rechtsstaatlichen Selbstverständlichkeiten anlässlich der „Energiewende" 2011 und der zunächst behördlich angeordneten Stilllegungen der ältesten acht deutschen Kernkraftwerke in wünschenswerter Klarheit herausgearbeitet.[3] Die Behörden stützten ihre damaligen Stilllegungsverfügungen auf § 19 Abs. 3 S. 1 AtG in der damals gültigen Fassung, wonach mit der Stilllegungsverfügung ein Zustand beseitigt werden sollte, der *„den Vorschriften des AtG,* [...], *des Genehmigungsbescheids oder nachträglichen Anordnungen widerspricht oder dass sich aus der Wirkung ionisierender Strahlen Gefahren für Leben, Gesundheit oder Sachgüter ergeben können."* Diese Voraussetzungen lagen bei den betroffenen Anlagen nicht vor. Eine wegen der Fukushima-Katastrophe geänderte politische Risikoeinschätzung ohne Identifizierung tatsächlicher neuer Risiken begründete *de lege lata* weder eine Gefahr für Leben, Gesundheit oder Sachgüter, noch war damit ein Widerspruch zur Genehmigungslage verbunden. Gleichwohl wurde die Norm zur Begründung der sog. Moratorien herangezogen, wobei die hessische Atomaufsichtsbehörde den Betreiber nicht einmal vorab zu der geplanten Verfügung angehört hatte. Des Weiteren blieb es zwischen Bundesregierung und Landesbehörden auch nach Abschluss der Verwaltungsverfahren offen und kontrovers, ob die Stilllegungsverfügungen auf Basis einer Bundesweisung gem. § 24 Abs. 1 AtG iVm Art. 85 GG ausgesprochen wurden oder ob es sich um autonome Entscheidungen der Landesbehörden nach weisungsfreier Konsultation durch das Bundesumweltministerium handelte. Der in dieser Festschrift zu ehrende Jubilar hat den gesamten Vorgang bereits wie folgt bewertet: *„Insoweit hat die Rechtsprechung keineswegs überraschend, sondern für Kenner des Atomrechts erwartbar entschieden. Die Stilllegungsverfügungen waren erkennbar und nicht etwa nachträglich überraschend rechtswidrig."*[4] Ferner formuliert er zur ungeklärten Weisungsthematik, *„dass es ein unhaltbarer Zustand ist, zu einer so zentralen Frage*

[3] *VGH* Kassel, NVwZ 2013, 888 und BVerwG DVBl. 2014, 303.
[4] *Büdenbender* (o. Fn. 2), S. 1453.

überhaupt eine Kontroverse entstehen zu lassen. Es war Aufgabe des Bundes, die Qualität seines Handelns klarzustellen."[5] Dem ist nichts hinzuzufügen.

Für die rechtspolitische Diskussion um die Kohleverstromung sollte die *causa* „Kernenergie-Moratorium" somit Mahnung genug sein, dass jegliches Verwaltungshandeln streng an die geltende Gesetzeslage gebunden ist und nicht für rein politische Neubewertungen instrumentalisiert werden darf.

III. Verfassungsrechtliche Vorgaben an den Gesetzgeber

Lenkungsmaßnahmen zur oder Beschränkung der Kohleverstromung bedürfen einer gesetzlichen Grundlage und somit parlamentarischer Legitimation. Nachfolgend ist herauszuarbeiten, welche verfassungsrechtlichen Grenzen dabei einzuhalten sind bzw. inwieweit das Bundesverfassungsgericht mit seinem vielbeachteten Urteil aus Dezember 2016 zum verschärften Kernenergieausstieg 2011 Grenzen gezogen oder politische Gestaltungsspielräume eröffnet hat, die auch für die Zukunft der Kohleverstromung relevant sind.[6]

1. *Eigentumsschutz nach Art. 14 GG*

a) Leitbildfunktion des BVerfG-Urteils zum beschleunigten Kernenergieausstieg?

aa) In der aktuellen politischen Diskussion wird das juristische Argument bemüht, dass die verfassungs- und eigentumsrechtliche Legitimität eines Kohleausstiegs ohne weiteres aus dem Urteil des Bundesverfassungsgerichts zur 13. AtG-Novelle abgeleitet werden kann und das Urteil somit quasi einen Baukasten für „Ausstiegsmodelle" aus politisch nicht mehr opportunen Industriezweigen zur Verfügung stelle.[7]

Dieser Auffassung ist entschieden zu widersprechen. Denn das BVerfG hat sich in seinem Urteil zur 13. AtG-Novelle mit der Verfassungsmäßigkeit des *Atomausstiegs als solchem* gar nicht befasst. Gegenstand der Entscheidung war ausschließlich diejenige Änderung des Atomgesetzes, die 2011 in Reaktion auf die Reaktorkatastrophe von Fukushima verabschiedet wurde und eine zuvor beschlossene, begrenzte Laufzeitverlängerung der deutschen

[5] *Büdenbender* (o. Fn. 2) S. 1456.

[6] BVerfGE 143, 246 und in Reaktion darauf der Entwurf der 16. AtG-Novelle (BT-Drs. 19/2508), mit der der Gesetzgeber auf die vom BVerfG festgestellten Grundrechtsverletzungen der 13. AtG-Novelle reagiert und eine Kompensation der Betreiber anordnet.

[7] *Becker Büttner Held,* Ein Kohleausstieg nach dem Vorbild des Atomausstiegs, 2017, S. 5, abrufbar unter www.agora-energiewende.de. („BBH-Gutachten") (zuletzt abgerufen am 16.05.2018).

Kernkraftwerke nicht nur rückgängig machte, sondern gleichzeitig noch hinter dem konsensualen Atomausstieg aus dem Jahr 2000/2001 zurückfiel.[8] In dem Urteil des BVerfG ging es somit nicht um den Ausstieg an sich, sondern lediglich um eine Ausstiegsmodifikation.

bb) Aus dem BVerfG-Urteil lässt sich auch nicht entnehmen, dass ein gesetzlich angeordneter Kohleausstieg mit den Anforderungen des Grundgesetzes vereinbar wäre. Ganz im Gegenteil: Gerade dort, wo die 13. AtG-Novelle zu Lasten der Kraftwerksbetreiber hinter den seinerzeitigen Konsens zurückfällt, d.h. nicht lediglich die zwischenzeitliche Laufzeitverlängerung rückgängig macht, sondern die Nutzbarkeit der zunächst vereinbarten Reststrommengen beeinträchtigt, hat das Gericht den beschleunigten Ausstieg für verfassungswidrig erklärt.[9] Bereits hier zeigt sich die große Bedeutung der konsensualen Verständigung aus 2000/2001 als Maßstab für die verfassungsgerichtliche Prüfung. Denn damit ist auch aus verfassungsrechtlicher Sicht ein wesentlicher Unterschied zu einseitigen Ausstiegsszenarien markiert, denen es an einer konsensualen Unterlegung fehlt.

Das BVerfG betont zudem den Investitionsschutzgedanken als besondere Ausprägung des Vertrauensschutzes. So wird die 13. AtG-Novelle für insoweit unvereinbar mit Art. 14 Abs. 1 Grundgesetz erklärt, *„als es keine Regelung zum Ausgleich für Investitionen vorsieht, die im berechtigten Vertrauen auf die im Jahr 2010 zusätzlich gewährten Zusatzstrommengen vorgenommen, durch dieses aber entwertet wurden.“*[10] Auch dies wird angesichts des jahrzehntelang auf vielfältige Weise betätigten Vertrauens der Betreiber konventioneller Kraftwerke in die – politisch gewollte und gesetzlich bzw. genehmigungsrechtlich abgesicherte – Kohleverstromung eine entscheidende Rolle für die verfassungsgerichtliche Prüfung etwaiger Kohleausstiegspläne spielen.[11]

Die 13. AtG-Novelle hat sich damit unter zwei Aspekten, nämlich hinsichtlich einer unzulässigen Verkürzung der Restlaufzeiten und einem fehlenden Ausgleich für entwertete Investitionen, als verfassungswidrig erwiesen und kann schon deshalb kein Vorbild oder gar verfassungsrechtliche Rechtfertigung für ein Ausstiegsmodell aus anderen Industriezweigen sein.

[8] 13. Gesetz zur Änderung des Atomgesetzes vom 31. Juli 2011 (BGBl. I 1704).

[9] *BVerfGE* 143, 246 (357 ff., 382 ff.).

[10] *BVerfGE* 143, 246 (248).

[11] Zuletzt Leitentscheidung der Landesregierung von Nordrhein-Westfalen zur Zukunft des Rheinischen Braunkohlereviers/Garzweiler II – Eine inhaltliche Perspektive für das Rheinische Revier vom 05.07.2016, mit Verweisen auf die vorangegangenen Leitentscheidungen in 1987 und 1991 (bemerkenswerter Weise jeweils unter der Ägide „rot-grüner“ Landesregierungen); abrufbar unter der Internetseite des Wirtschaftsministeriums NRW: www.wirtschaft.nrw/landesplanung.

cc) Letztlich ist das Urteil des BVerfG zur 13. AtG-Novelle auch deshalb nicht verallgemeinerungsfähig, weil es auf die Besonderheiten der Kernenergie abstellt: „*Es handelt sich vielmehr um unternehmerisches Eigentum mit einem besonders ausgeprägten sozialen Bezug. Einerseits diente und dient die friedliche Nutzung der Kernenergie der Energieversorgung der Bevölkerung; andererseits handelt es sich um eine Hochrisikotechnologie, die unter anderem mit extremen Schadensfallrisiken aber auch mit bisher noch nicht geklärten Endlagerproblemen belastet ist* [...]. *Im Hinblick auf diese Besonderheiten der Kernenergienutzung hat das BVerfG bereits in seiner Kalkar-Entscheidung betont,* [...] *dass dem Atomrecht eine Sonderstellung zukommt, die es rechtfertigt, von verfassungsrechtlichen Grundsätzen abzuweichen, die auf anderen Rechtsgebieten anerkannt sind.* [...] *Eine völlige Freistellung von ansonsten gebotenen Ausgleichsregelungen ist damit jedoch nicht verbunden.*“[12]

Eine Übertragung des Urteils auf andere Rechtsgebiete ist somit – wenn überhaupt – nur sehr eingeschränkt möglich und kann allenfalls dann in Betracht kommen, wenn eine vergleichbare Sonderstellung begründet werden kann. Fehlt es demgegenüber an „*extremen Schadensfallrisiken*“ und „*nicht geklärten Endlagerproblemen*“, bleibt es bei folgender Aussage des Gerichts: „*Soweit hierdurch bestehende Vertrauensschutzpositionen, namentlich bestandsgeschützte Investitionen, entwertet werden, wird allein der politische Wunsch, auf geänderte Wertungen in der Bevölkerung zu reagieren, jedenfalls kurzfristige Politikwechsel oft nicht tragen.*“[13]

Dies gilt auch für einen Kohleausstieg. So gehen von der Braunkohlegewinnung und -verstromung weder extreme Schadensfallrisiken noch eine der Endlagerungsproblematik vergleichbare ungeklärte Folgenbewältigung aus; ganz im Gegenteil gibt es in der Braunkohlegewinnung langjährige Erfahrungen mit bewährten Rekultivierungsplanungen. Die mit der Kohleverstromung verbundenen Gefahren für andere verfassungsrechtlich geschützte Rechtsgüter sind mit denjenigen der Kernkraft schlechthin nicht vergleichbar, so dass sich eine Einordnung als „Hochrisikotechnologie“ i.S.d. BVerfG-Urteils schon im Ansatz verbietet.[14] Im Übrigen sei vorsorglich daran erinnert, dass ein juristisch belastbarer Kausalitätsnachweis zwischen den Schäden des Klimawandels und den einzelnen deutschen Kohlekraftwerken kaum möglich sein wird.

[12] *BVerfGE* 143, 246 (351).

[13] *BVerfGE* 143, 246 (356).

[14] Auch das BBH-Gutachten erkennt an, dass es sich bei dem Betrieb von Kohlekraftwerken nicht um Hochrisikotechnologie handelt, *Becker Büttner Held*, (o. Fn. 7). S. 13.

b) Tagebaue als besonders zu berücksichtigende Eigentumsposition

In der Braunkohleverstromung verstärken sowohl das Zusammenspiel der Kraftwerke und Tagebaue als auch die Besonderheiten des Bergrechts nochmals deutlich das Gewicht, das den Belangen der Betreiber in der Abwägung zukommt. Denn die Systeme aus Tagebauplanung und Kraftwerksbetrieb sind derart aneinander gekoppelt, dass sie nur zusammen betrieben und betrachtet werden können. Die Abschaltung eines Braunkohlekraftwerks hat zwingend die Aufgabe des zugehörigen Tagebaus zur Folge. In die verfassungsrechtliche Bewertung eines möglichen Kohleausstiegs sind aus diesem Grund auch die Eigentumsrechte an den Tagebauen und das allgemeine Interesse an deren geordnetem Fortbetrieb einzustellen. Insoweit ist vor allem deren besondere öffentlich-rechtliche Überformung durch das Bergrecht zu berücksichtigen. Dem Braunkohleabbau liegen langfristige, öffentlich-rechtliche Planungen in Form von Braunkohleplänen (nach Landesplanungsrecht) und Rahmenbetriebsplänen (nach Bergrecht) sowie ein komplexes System von operativen Betriebsplänen zugrunde. Dieses System darf und kann bei der verfassungsrechtlichen Bewertung der Eigentumsrechte an den Tagebauen nicht ausgeblendet werden. Die langfristig angelegten bergrechtlichen Planungen und die im Vertrauen auf ihren Bestand getätigten Investitionen vermitteln dem Eigentum an den Tagebauanlagen dementsprechend einen besonderen, verfassungsrechtlich relevanten Bestandsschutz.

c) Entschädigungspflicht beim Eigentumseingriff

Hielte man argumentationshalber die zur Rechtfertigung eines Kohleausstiegs angeführten Gemeinwohlbelange für ausreichend und bewertete man das Abwarten angemessener Restlaufzeiten aus der Sicht des Gesetzgebers für unzumutbar, bestünde für den Gesetzgeber schließlich – ausnahmsweise – die Möglichkeit, die Verfassungsmäßigkeit eines Kohleausstiegs durch Entschädigungszahlungen herzustellen und/oder eine Kombination aus Restlaufzeit und Entschädigung vorzusehen.[15] Folgende Rahmenbedingungen wären dann einzuhalten:

Für die Höhe der Entschädigung gelten bei der ausgleichspflichtigen Inhalts- und Schrankenbestimmung grundsätzlich die gleichen Maßstäbe wie bei der Enteignung. Die Höhe ist daher entsprechend Art. 14 Abs. 3 S. 3 GG unter gerechter Abwägung der Interessen der Allgemeinheit und der Beteiligten festzulegen. Geboten wäre eine Entschädigung der Kraftwerks- und

[15] Ständige Rechtsprechung des BVerfG zur ausgleichspflichtigen Inhalts- und Schrankenbestimmung, vgl. *BVerfGE* 58, 137 (149 f.); 79, 174 (192); 83, 201 (212 f.); 100, 226 (244); 143, 246 (338). Zur Entschädigungsregelung wegen der Grundrechtsverletzungen der 13. AtG-Novelle siehe den Entwurf der 16. AtG-Novelle, BT-Drs. 19/2508, die eine Entschädigung sowohl für frustrierte Investitionen als auch für nicht verstrombare Restmengen vorsieht.

Tagebaubetreiber in Höhe des Verkehrswerts der Anlagen vor der Ausstiegsentscheidung.[16]

So nimmt der Bundesgerichtshof in Entschädigungsverfahren im Falle der staatlich veranlassten, endgültigen Schließung eines Gewerbes dessen Verkehrswert als Maßstab der Entschädigungshöhe.[17] Auch das BVerfG hat verschiedentlich Entschädigungsregelungen bei ausgleichspflichtigen Inhalts- und Schrankenbestimmungen für verfassungswidrig erklärt, weil diese den Verkehrswert nicht erreichten, so etwa in mehreren Entscheidungen zu aktienrechtlichen Verschmelzungsvorgängen hinsichtlich des aktuellen Börsenwertes der betreffenden Aktien.[18] Ferner hat das BVerfG in einer der wegweisenden Entscheidungen zur ausgleichspflichtigen Inhalts- und Schrankenbestimmung – dem Denkmalschutz-Beschluss vom 2. März 1999 – den Verkehrswert ausdrücklich als Maßstab benannt.[19] Hieraus wird in der Literatur abgeleitet, dass bei einer ausgleichspflichtigen Inhalts- und Schrankenbestimmung – *weitergehend* als bei der Enteignung – sogar zwingend stets der Verkehrswert zugunsten des Betroffenen als Entschädigung geleistet werden müsse.[20]

Diese Anknüpfung an den Verkehrswert und nicht an die Amortisation i.V.m. einem vermeintlich zulässigen Gewinn ist auch sachgerecht: Nur weil sich Investitionen in das Eigentum amortisiert haben, ist dieses keineswegs wertlos geworden – es hat vielmehr weiterhin einen erheblichen Verkehrswert, den der Eigentümer in voller Höhe verliert, wenn seine Nutzungsmöglichkeit für die Zukunft vollständig unterbunden wird.[21] Dieser Grundsatz gilt insbesondere dann, wenn es zu einem initialen Eigentumseingriff kommt und nicht „lediglich" – wie bei der 13. AtG-Novelle – eine bereits konsentierte Ausstiegsvereinbarung nochmals zu Lasten der Betreiber verschärft wird.

Soweit das Eigentum der Kraftwerksbetreiber erstmals, einseitig und erheblich beschränkt würde und bei den Kraftwerksbetreibern mit Eintreten des Abschaltdatums nur noch eine *„entleerte Rechtshülse"*[22] verbliebe, wäre eine Entschädigung wegen des vollständigen Nutzungsentzugs nach dem

[16] Vgl. zur Entschädigung nach dem Verkehrswert: *Roller*, NJW 2001, 1003 (1007) in Bezug auf den wegweisenden Denkmalschutz-Beschluss des BVerfGE 100, 226 ff.

[17] *BGHZ* 57, 359 (369).

[18] Grundlegend das Feldmühle-Urteil, BVerfGE 14, 263 ff.; bestätigt und erweitert durch BVerfGE 100, 289 (305 ff.). In jüngerer Zeit bestätigt durch BVerfGK 9, 453.

[19] *BVerfGE* 100, 226 (245 f.).

[20] *Roller*, Enteignung, ausgleichpflichtige Inhaltsbestimmung und salvatorische Klausel, NJW 2001, 1003 (1007).

[21] Vgl. dazu ausführlich *Di Fabio*, Beschleunigter Kernenergieausstieg und Eigentumsgarantie, in: Di Fabio/Dürner/Wagner, Kernenergieausstieg 2011, Die 13. AtG-Novelle aus verfassungsrechtlicher Sicht, 2013.

[22] Vgl. ausführlich *Depenheuer*, in: v. Mangoldt/Klein/Starck, Grundgesetz, 6. Aufl., Art. 14 Rdnr. 249 sowie *Becker*, in: Stern/Becker, Grundgesetz, 2. Aufl., Art. 14 Rdnr. 207.

Verkehrswert zu richten. Eine Entschädigung ist damit auch für diejenigen Kraftwerke zwingend vorzusehen, deren Investitionen sich bereits amortisiert haben und mit denen Gewinne erzielt wurden. So fragt der oben zitierte Denkmalschutz-Beschluss des BVerfG nicht danach, ob der Eigentümer sein Haus bereits abbezahlt hat und ausreichend lange darin wohnen konnte – es wird allein auf den Verkehrswert abgestellt. Gleiches stünde den Kraftwerksbetreibern im Falle eines Kohleausstiegs zu, zumal der Gesetzgeber auch in der 16. AtG-Novelle – also in Reaktion auf die Grundrechtsverletzungen der 13. AtG-Novelle – für die Entschädigung der nicht verstrombaren Restmengen zutreffend auf den Marktwert als Ausgangsbasis abstellt, nämlich auf Strom-Großhandelspreise.

Weiter unten wird noch separat herauszuarbeiten sein, dass dieses Verkehrswertprinzip auch europarechtlich nicht zu beanstanden ist, da eine reine Kompensation für hoheitliche Eingriffe bereits tatbestandlich nicht in den Anwendungsbereich des Beihilferechts nach Art. 107 AEUV fällt.[23]

d) Konsensuale Lösungen als verfassungskonforme Gestaltungsoptionen

Ein einseitig angeordneter Kohleausstieg wäre nach dem oben gesagten verfassungswidrig, insbesondere wegen der Verletzung des Eigentumsgrundrechts nach Art. 14 GG. Eine verfassungskonforme Gestaltungsoption und gleichzeitig zwingende Rechtmäßigkeitsvoraussetzung wäre demgegenüber eine Konsenslösung im Einvernehmen mit den Betreibern. Nur auf diesem Wege wäre ein politisch gewollter Kohleausstieg verfassungsgemäß und rechtssicher umsetzbar.

Mit der Vereinbarung zwischen der Bundesregierung und den Energieversorgungsunternehmen zum Ausstieg aus der Kernenergienutzung vom 14. Juni 2000[24] gibt es ein Beispiel für eine verfassungsrechtlich gangbare Lösung. Gleichzeitig bestätigt das Urteil des BVerfG aus Dezember 2016 eindrucksvoll die rechtliche Relevanz dieser Vereinbarung, indem das Gericht sie sowohl als rahmensetzenden Ausgangspunkt und zugleich als Maßstab für die verfassungsrechtliche Überprüfung der 13. AtG-Novelle heranzieht. Dem Gesetzgeber ist somit dringend zu raten, zunächst konsensuale Möglichkeiten auszuloten, bevor er sich durch einseitige Maßnahmen dem Verdikt der Verfassungswidrigkeit aussetzt.

Demgegenüber ist es weder legitim noch sachgerecht, aus der Konsenslösung 2000 zum Kernenergieausstieg verallgemeinerungsfähige Rechtssätze zu Übergangsfristen, Amortisationszeiträumen oder Kompensationshöhen für Kohlekraftwerke ableiten zu wollen.[25] Dies ist schon wegen der Dispositionsbefugnis der beteiligten Grundrechtsträger methodisch verfehlt und

[23] S.u., IV. 2. a).

[24] Abgedruckt bei *Posser/Schmans/Müller-Dehn*, Atomgesetz, 2003, Anhang Nr. 2.

[25] So aber, *Becker Büttner Held*, (o. Fn. 7), S. 22 f.

würde im Übrigen aufgrund der abweichenden Sachmaterie zu unzutreffenden Ergebnissen führen.

Auf Seiten der Kraftwerkbetreiber finden konsensuale Lösungsmodelle allerdings ihre Schranken im Unternehmensinteresse, dem die Geschäftsleitung verpflichtet ist. Da Geschäftsführung bzw. Vorstand gerade nicht als Gutsherr, sondern als Gutsverwalter agieren, sind sie gut beraten, die gesellschaftsrechtlichen Grenzen ihres Handelns einzuhalten, insbesondere die Sorgfalt eines ordentlichen und gewissenhaften Geschäftsleiters anzuwenden; § 93 Abs. 1 S. 1 AktG. So schließen die Vorgaben an die aktienrechtliche *Business Judgement Rule* Pflichtverletzungen der Geschäftsleitung (nur) aus, wenn *„das Vorstandsmitglied bei einer unternehmerischen Entscheidung vernünftigerweise annehmen durfte, auf der Grundlage angemessener Informationen zum Wohle der Gesellschaft*[26] *zu handeln*"; § 93 Abs. 1 S. 2 AktG. Folglich werden Konsensmodelle zwischen Staat und Energieversorgungsunternehmen auch zukünftig von sachgerechten und ausgewogenen Leistung-Gegenleistung-Verhältnissen geprägt sein müssen, will sich die Geschäftsleitung nicht im Innenverhältnis Schadenersatz- oder Regressrisiken aussetzen.

2. *Finanzverfassungsrechtliche Grenzen*

Politik und Gesetzgeber können ferner versucht sein, klimapolitische Ziele bzw. Veränderungen im deutschen Stromerzeugungsportfolio durch indirekt wirkende Maßnahmen und Eingriffe zu erreichen, nämlich durch finanzielle Förderungen einerseits (so für die Erneuerbaren Energien in den letzten Jahrzehnten) oder Belastungen in Gestalt von Steuern, Abgaben oder Beiträgen gegenüber nicht mehr erwünschten Technologien andererseits. Hier kommen die Vorgaben und Grenzen der bundesdeutschen Finanzverfassung in den Artt. 104a–115 GG ins Spiel, deren Relevanz nachfolgend anhand relevanter Praxisfälle zur konventionellen Stromerzeugung konkretisiert und zusammengefasst werden soll.

a) Kein Steuererfindungsrecht des Gesetzgebers – die Entscheidung des Bundesverfassungsgerichts zur Kernbrennstoffsteuer

Eine der wesentlichen finanzverfassungsrechtlichen Entscheidungen des Bundesverfassungsgerichts in der jüngeren Vergangenheit war der am 07.06.2017 veröffentlichte Beschluss vom 13.04.2017 zur rückwirkenden Nichtigkeit der sog. Kernbrennstoffsteuer („KbSt").[27]

Im Jahr 2010 führte der Bundesgesetzgeber in zeitlichem Zusammenhang mit der damaligen, nach der Fukushima-Katastrophe wieder revidierten

[26] Gemeint ist das Unternehmen, nicht die Gesellschaft im sozialen oder politischen Sinn.

[27] *BVerfG* NJW 2017, 2249.

Laufzeitverlängerung der deutschen Kernkraftwerke eine neue Steuer auf Kernbrennstoff (Uran und Plutonium) ein, soweit dieser zur gewerblichen Erzeugung von elektrischem Strom verwendet wurde. Der Steuertatbestand wurde ausgelöst, sobald das einzelne Brennelement erstmalig in einem Kernreaktor eingesetzt wurde und eine selbsttragende Kettenreaktion auslöste (§ 5 Abs. 1 KernbrStG) Die Steuereinnahmen waren ausschließlich für den Bundeshaushalt bestimmt.

Schon früh entbrannte Kritik an der Rechtmäßigkeit dieser Steuer, nämlich einerseits europarechtlicher und andererseits finanzverfassungsrechtlicher Natur. Nach zwei Vorlageentscheidungen des FG Hamburg bestätigte zunächst der EuGH vom 04.06.2015 (C-5/14) die Europarechtskonformität der Steuer. Weder sei ein Verstoß gegen den EURATOM-Vertrag, noch gegen die europäische Energiesteuer-Richtlinie bzw. die Systemsteuer-Richtlinie, noch gegen europäisches Beihilferecht anzunehmen.[28] Allerdings nahm der EuGH eine für das deutsche Finanzverfassungsrecht nicht unwesentliche Wertung vor, indem er feststellte, dass *„die durch das KernbrStG eingeführte Steuer nicht vollständig auf den Stromendverbraucher abgewälzt werden kann.“*[29]

Das Bundesverfassungsgericht leitete die Nichtigkeit der Steuer aus Verstößen gegen die bundesdeutsche Finanzverfassung ab, die das Gericht ausdrücklich als *„Eckpfeiler der bundesstaatlichen Ordnung“* bezeichnet. Die Finanzverfassung etabliere eine geschlossene Rahmen- und Verfahrensordnung, der überragende Bedeutung für die Stabilität der bundesstaatlichen Verfassung zukomme und auch im Verhältnis zum Bürger eine Schutz- und Begrenzungsfunktion entfalte. Dabei versteht das Gericht den Charakter der einzelnen Steuern und Steuerarten in den Artt. 105 und 106 GG als Typusbegriffe, innerhalb derer es dem Gesetzgeber offenstehe, neue Steuern zu erfinden oder bestehende Steuern zu verändern. Ein darüberhinausgehendes, freies Steuererfindungsrecht lehnt das Gericht demgegenüber ab. Unter dieser Voraussetzung hätte der Bund eine ausschließlich ihm zustehende Kernbrennstoffsteuer nur dann verfassungskonform etablieren können und dürfen, wenn es sich um eine Verbrauchsteuer i.S.d. Art. 106 Abs. 1 Nr. 2 GG gehandelt hätte. Für eine nur dem Bund zustehende Gewinnbesteuerung fehlt es demgegenüber in den Artt. 105, 106 GG an einem geeigneten Typus und somit an der Gesetzgebungskompetenz.

Der zweite wesentliche Prüfungsschritt des Gerichts besteht darin herauszuarbeiten, ob die Kernbrennstoffeuer im Sinne einer Verbrauchsteuer gem. Art. 106 Abs. 1 Nr. 2 GG die Einkommensverwendung durch den Endverbraucher erfasst, oder ob sie – im Sinne eines anderen Typus – Unternehmensgewinne besteuert. Da die Kernbrennstoffsteuer i) sowohl nach den

[28] *EuGH* NVwZ 2015, 1122.
[29] *EuGH* NVwZ 2015, 1122, Rdnr. 55 ff., 64, 68.

Realitäten des Strommarkts als auch nach der ausdrücklichen Erkenntnis der Gesetzesbegründung nicht auf Überwälzung auf den Endkunden angelegt ist, sondern als Gewinn- oder Produktionsmittelbesteuerung beim Unternehmen bleibt[30], sie ii) nicht den Verbrauch eines Gutes des ständigen Bedarfs erfasst und iii) nicht auf einen Übergang des Verbrauchsguts an den Konsumenten abstellt, sieht das Gericht den Typus der Verbrauchsteuer als nicht gegeben an.

Konsequenz ist, dass die Steuer für rückwirkend nichtig erklärt wurde. Eine bloße Wirkung *pro futuro* im Interesse verlässlicher Haushaltsführung lehnt das Gericht demgegenüber ausdrücklich ab, insbesondere, weil der Gesetzgeber das finanzverfassungsrechtliche Risiko dieser Steuer kannte.

Als Fazit ist *J. Hay* in ihrer Wertung zuzustimmen: *„Das BVerfG ist seiner Schutzfunktion im gewaltengeteilten Rechtsstaat in vollem Umfang gerecht geworden. Zugleich trägt die Entscheidung ganz wesentlich zur Klärung finanzverfassungsrechtlicher Grundsatzfragen bei.“*[31] Oder mit anderen Worten: Der Beschluss ist ein *„Sieg des Rechtsstaats“*.[32] Für zukünftige energiepolitische Entscheidungen des Gesetzgebers sind somit klare Vorgaben und Grenzen der Finanzverfassung an zulässige Besteuerungen definiert, die von der Legislative und Exekutive einzuhalten sein werden. Umso bemerkenswerter ist, wenn in diesem Zusammenhang Klarstellungen notwendig scheinen, dass *„das Grundgesetz nicht nur den einzelnen Bürger, sondern auch Unternehmen vor steuerlichem Wildwuchs schützt“* und dass das *„Grundgesetz nicht in erster Linie Instrument zum Schutz der kleinen Leute* [ist, sondern dass] *Unternehmen dem Steuergesetzgeber genauso schutzbedürftig gegenüber*[stehen] *wie Bürger.“*[33]

b) Finanzverfassungsrechtliche Grenzen an nichtsteuerliche Abgaben

Nach der ständigen Rechtsprechung des Bundesverfassungsgerichts ergeben sich aus der Begrenzungs- und Schutzfunktion der bundesstaatlichen Finanzverfassung auch Grenzen für nichtsteuerliche Abgaben, die der Gesetzgeber in Wahrnehmung einer ihm zustehenden Sachkompetenz auferlegt. Denn die grundgesetzliche Finanzverfassung verlöre Sinn und Funktion, wenn unter Rückgriff auf die Sachgesetzgebungskompetenz von Bund und Ländern beliebig nichtsteuerliche Abgaben unter Umgehung der finanzverfassungsrechtlichen Verteilungsregelungen begründet werden könnten und damit zugleich ein weiterer Zugriff auf die Ressourcen der Bürger eröffnet würde. Nichtsteuerliche Abgaben bedürfen daher einer besonderen sach-

[30] Dazu anschaulich *Ludwigs*, Die Kernbrennstoffsteuer vor dem BVerfG – Rückschlag der Energiewende oder Sieg des Rechtsstaats?, NVwZ 2017, S. 1509 f.

[31] *Hey*, Schutz vor Steuerwildwuchs auch für Unternehmen, DB 2017 Heft 25, M4.

[32] *Ludwigs*, (o. Fn. 30), S. 1513.

[33] *Hey* (o. Fn. 31), M5.

lichen Rechtfertigung. Sie müssen sich ihrer Art nach von der Steuer deutlich unterscheiden, der Belastungsgleichheit der Abgabepflichtigen Rechnung tragen und dem Grundsatz der Vollständigkeit des Haushaltsplans entsprechen. Als sachliche Rechtfertigungsgründe kommen dabei die Abschöpfung eines individuellen Vorteils, Lenkungszwecke, Kostendeckung einer individuell zurechenbaren öffentlichen Leistung und soziale Zwecke in Betracht.[34]

Die praktischen Grenzen dieser Vorgaben sollen nachfolgend anhand von zwei Beispielen mit Bezug zur konventionellen Stromerzeugung verdeutlicht werden, nämlich einerseits mit der Umlagefinanzierung des Standortauswahlgesetzes zur Endlagersuche für radioaktive Abfälle und andererseits mit dem im Jahr 2015 intensiv diskutierten, aber letztlich nicht eingeführten Klimabeitrag zu Lasten der Braunkohleverstromung.

aa) Das Standortauswahlgesetz (StandAG) vom 23. Juli 2013 zur (erneuten) Endlagersuche für radioaktive Abfälle[35] sah noch vor Inkrafttreten des Gesetzes zur Neuordnung der Verantwortung in der kerntechnischen Entsorgung vor, dass die Kosten – einschließlich der Kosten der umfangreichen Öffentlichkeitsbeteiligung, Erkundungsmaßnahmen bzgl. weiterer Standorte und Offenhaltung des bereits erkundeten Standorts Gorleben – von den Betreibern zu tragen seien. Die Regelungen zur Kostentragungspflicht nach § 21 StandAG waren jedoch rechtswidrig. Denn der Gesetzgeber hat durch die Einführung einer Umlage anstelle der bisherigen Beitragspflicht gemäß § 21 b AtG von einer Finanzierungsform Gebrauch gemacht, die finanzverfassungsrechtlich als Instrument des Finanzausgleichs zwischen öffentlichen Aufgabenträgern dient, nicht aber als öffentlich-rechtliche Abgabe zwischen Staat und privatem Rechtssubjekt erhoben werden kann. Im Übrigen haben auch die materiellen Voraussetzungen für eine Beitragspflicht nicht vorgelegen, da in § 21 StandAG Abgaben für Leistungen erhoben wurden, die keine konkrete Gegenleistung zu Gunsten der Ablieferungspflichtigen als individuellen Vorteil beinhaltet haben. Denn die alternative Standortsuche diente ausschließlich der Herstellung eines politischen und gesellschaftlichen Konsenses, nicht aber dem Nutzen der ablieferungspflichtigen Betreiber. Eine erneute Standortsuche über den nach allen bisherigen Erkenntnissen sicherheitstechnisch geeigneten Standort Gorleben hinaus hätte für die Betreiber keinen abgabenrechtlich relevanten Vorteil begründet.[36]

Mit dem Gesetz zur Neuordnung der Verantwortung in der kerntechnischen Entsorgung aus dem Jahr 2017 und dem öffentlich-rechtlichen Vertrag

[34] *BVerfGE* 93, 319 (342); BVerfGE 108, 1 (17); BVerfGE 132, 334 (349).

[35] BGBl. Teil I 2013, 2553.

[36] Ausführlich *Moench*, Die Umlagefähigkeit der Kosten für die alternative Suche nach einem Endlager, DVBl. 2015, 213 ff.; *Posser*, FS Dolde, 2014, S. 251 (278 ff.); a.A. *Däuper/Bosch/Ringwald*, Zur Finanzierung des Standortauswahlverfahrens für ein atomares Endlager durch Beiträge der Abfallverursacher, ZUR 2013, 329 ff.

zwischen der Bundesregierung und den Betreibern der Kernkraftwerke vom 26. Juni 2017 hat sich diese rechtliche Streitfrage allerdings erledigt, da mit Dotierung des öffentlich-rechtlichen Fonds zur Finanzierung der kerntechnischen Entsorgung die Aufgaben der Zwischenlagerung und der Endlagerung auf die öffentliche Hand übergegangen sind und die Betreiber ihre bis dahin eingelegten Rechtsbehelfe gegen die Umlagepflicht des Standortauswahlgesetzes als Gegenleistung für die dauerhafte Enthaftung von den Risiken der Zwischen- und Endlagerung zurückgenommen haben.[37]

bb) Bei nichtsteuerlichen Abgaben ohne klassisches Gegenleistungsverhältnis (typisch für Gebühren und Abgaben), jedoch mit Finanzierungsfunktion, hat das Bundesverfassungsgericht die finanzverfassungsrechtlichen Begrenzungen in besonders strenger Form präzisiert. Denn wegen der damit verbundenen Gefährdungen der bundesstaatlichen Kompetenzverteilung, der Belastungsgleichheit der Abgabepflichtigen sowie des parlamentarischen Budgetrechts müssen Sonderabgaben gegenüber den Steuern seltene Ausnahmen bleiben.[38] Die Grenzen lassen sich wie folgt zusammenfassen:

- Die Abgabe muss der Verfolgung eines Sachzwecks dienen, der über die bloße Mittelbeschaffung hinausgeht.
- Mit der Sonderabgabe darf nur eine homogene Gruppe belegt werden, die in einer spezifischen Beziehung (Sachnähe) zu dem mit der Abgabenerhebung verfolgten Zweck steht und der deshalb eine besondere Finanzierungsverantwortung zugerechnet werden kann.
- Das Abgabenaufkommen muss gruppennützig verwendet werden, d.h. die zweckentsprechende Verwendung des Abgabenaufkommens entlastet die Gesamtgruppe der Abgabenschuldner von einer ihrem Verantwortungsbereich zuzurechnenden Aufgaben.
- Zusätzlich muss der Gesetzgeber im Interesse wirksamer parlamentarisch-demokratischer Legitimation und Kontrolle die erhobenen Sonderabgaben haushaltsrechtlich vollständig dokumentieren und ihre sachliche Rechtfertigung in angemessenen Zeitabständen überprüfen.

Ein jüngeres Beispiel für eine geplante Belastung mittels nicht-steuerlicher Abgaben war der Vorschlag des Bundeswirtschaftsministeriums aus dem Jahr 2015 für einen sog. Klimabeitrag, mit dem die Kohleverstromung mit finanziellen Zusatzlasten belegt werden sollte, um die nationalen Klimaziele zu erreichen. Das Konzept sah vor, dass jeder Kraftwerksblock nach Überschreitung eines Freibetrags für darüber hinausgehende CO_2-Emissionen eine Zusatzabgabe in Form von weiteren CO_2-Zertifikaten hätte entrichten

[37] Der öffentlich-rechtliche Vertrag ist abrufbar unter www.bmwi.de.

[38] Ständige Rechtsprechung, vgl. nur BVerfGE 55, 272 (308); 108, 186 (217); 113, 128 (149); BVerfG NJOZ 2010,1468 (1472).

müssen.[39] Der Betreiber hätte diese Zertifikate – zusätzlich zu den ohnehin nach den Regelungen des europäischen Emissionshandels benötigten Zertifikaten – am Markt zukaufen und dann dem Staat überschreiben müssen, der sie anschließend gelöscht hätte. Der o.g. Freibetrag sollte mit zunehmendem Alter des Kraftwerkblocks abschmelzen. Zwar sollte die Abgabe nicht auf einzelne Kraftwerkstypen oder Brennstoffe beschränkt sein, sondern jedenfalls formal technologieneutral angelegt sein. Allerdings hätte sie de facto nur Kohlekraftwerke, insbesondere Braunkohlekraftwerke getroffen, die durch die Abgabe in die Unwirtschaftlichkeit getrieben worden wären. Den Betreibern wäre aus unternehmerischer Sicht nur noch die Stilllegung geblieben, ohne dass eine solche gesetzgeberisch oder regulatorisch konkret angeordnet worden wäre. Nach massiver industriepolitischer Kritik von Gewerkschaftsseite und substantiellen juristischen Bedenken gegen ein solches Konzept wurde dieses Modell nicht weiterverfolgt. Stattdessen wurde in § 13g EnWG die bereits oben erwähnte Sicherheitsbereitschaft eingeführt, mit der 2,7 GW Braunkohlekapazität gegen Kompensationszahlung stillgelegt werden.

Aus juristischer Sicht wäre der Klimabeitrag mit den eingangs definierten Grenzen nicht-steuerlicher Abgaben unvereinbar gewesen. So hätte er insbesondere nicht den erforderlichen Sachzweck, nämlich einen Lenkungszweck zur Emissionsminderung erfüllt. Die Emissionen wären lediglich aus Deutschland hinaus im Sinne des sog. „Wasserbetteffekts" verlagert, nicht aber reduziert worden. Der eigentliche politische Lenkungszweck der Abgabe, nämlich den Kohleausstieg ohne sachgerechte Rücksicht auf sonstige Rechtspositionen zu forcieren, wäre im Übrigen weder legitim noch verhältnismäßig. Des Weiteren wäre keine homogene Gruppe mit spezifischer Sachnähe zum verfolgten Zweck betroffen, da die Belastungsgleichheit der Abgabenpflichtigen gleichheitswidrig verletzt worden wäre. Die Betreiber von Braunkohlekraftwerken wären einseitig über die Maßen belastet worden. Letztlich hätte auch keine gruppennützige Verwendung der Finanzmittel vorgelegen, da der Klimabeitrag dem Staatshaushalt zu Gute gekommen wäre.

Das Grundgesetz bietet Unternehmen somit nicht nur grundrechtlichen Schutz gegen rechtswidrige Eingriffe, insbesondere in das geschützte Eigentum, die Berufsfreiheit und den Gleichheitsgrundsatz. Auch die Finanzverfassung beinhaltet wichtige rechtsstaatliche Grenzen für hoheitliches Handeln, die durch das Bundesverfassungsgericht in der Entscheidung zur Kernbrennstoffsteuer jüngst deutlich gestärkt wurden. Darüber hinaus existieren auch bei nichtsteuerlichen Abgaben klar definierte Kriterien und Grenzen, die ein politisch intervenierender Gesetzgeber zu beachten hat.

[39] Vgl. *Spieth*, Europarechtliche Unzulässigkeit des „nationalen Klimabeitrags" für die Braunkohleverstromung, NVwZ 2015, 1173 m.w.N., mit weiteren Einzelheiten.

IV. Europarechtliche Vorgaben

1. Europäische Emissionshandelsrichtlinie

Maßnahmen zur Regulierung oder Begrenzung der konventionellen Stromerzeugung müssen sich an der jüngst modifizierten Europäischen Emissionshandelsrichtlinie messen lassen, soweit sie direkt oder indirekt auf die CO_2-Emissionen als relevante Messgröße abstellen. Denn die europäische Emissionshandelsrichtlinie (ETS-RL) schafft den rechtlichen Rahmen für eine europaweite Obergrenze von Treibhausgasemissionen bestimmter Anlagentypen. So werden die für den CO_2-Ausstoß erforderlichen Zertifikate mengenmäßig beschränkt und jährlich weiter verknappt. Zusätzlich ist jüngst im Rahmen einer Reform der ETS-RL die sog. Marktstabilitätsreserve zur weiteren Reduzierung der CO_2-Zertifikate sowie eine Kompetenz der Mitgliedstaaten klargestellt bzw. etabliert worden, CO_2-Zertifikate bei Kraftwerksstilllegungen zu löschen.[40] Im Übrigen werden die für die konventionelle Stromerzeugung benötigten Zertifikate nicht unentgeltlich zugeteilt, sondern entgeltlich verauktioniert.

In diesem europarechtlich klar definierten und streng regulierten System ist es Mitgliedstaaten nur sehr begrenzt und im Rahmen enger Ausnahmetatbestände möglich, eigene Regelungen zu schaffen, die das Regime des Emissionshandels tangieren. Verknappungen des Zertifikatvolumens obliegen etwa – wie im Falle der jüngst zur Stärkung des europäischen Emissionshandelssystems etablierten Marktstabilitätsreserve – einer Entscheidung der hierzu berufenen EU-Institutionen. Lediglich bei Kraftwerkstilllegungen sieht Art. 12 Abs. 4 ETS-RL seit der 2018 in Kraft getretenen Reform vor, dass nationale Behörden eine korrespondierende Anzahl von Zertifikaten löschen dürfen.

Darüber hinausgehende Maßnahmen oder mittelbar verschärfende Eingriffe auf nationaler Ebene dürften regelmäßig gegen das europäische Primärrecht der ETS-RL verstoßen bzw. unvereinbar mit der Schutzverstärkungsklausel des Art. 192 AEUV sein. Beispiel für einen (theoretischen) Verstoß waren die bereits oben genannten Überlegungen des Bundeswirtschaftsministeriums aus dem Jahr 2015 zur Einführung eines sog. Klimabeitrags, mit dem die Betreiber von Braunkohlekraftwerken über die Vorgaben des europäischen Emissionshandels hinaus weitere CO_2-Zertifikate hätten entgeltlich erwerben und an die zuständigen staatlichen Stellen abführen müssen. Auch nach der jüngsten Reform der ETS-RL wäre eine solche Regelung evident europarechtswidrig, da sie den europarechtlich festgelegten und für die Funktionsweise des Cap-Mechanismus wesentlichen Wechselkurs zwischen

[40] Vgl. ETS-RL 2003/87/EG vom 13.10.2003 und Richtlinie 2018/1410 vom 14. März 2018 zur Änderung der ETS-RL (EU) 2003/87 EG; EU ABl L 76/3 vom 19.03.2018.

einem CO_2-Zertifikat und der Berechtigung zur Emission *einer* Tonne Kohlendioxidäquivalent aushebeln würde. Kein Mitgliedstaat darf zur Umgehung dieses festen Wechselkurses scheinbar vom ETS unabhängige Parallelregime schaffen.[41]

2. *Europäisches Beihilferecht*

Politische Eingriffe in das Design der Strommärkte sind regelmäßig auch an den Vorgaben des europäischen Beihilferechts zu messen. Dies mag zwar auf den ersten Blick angesichts der in diesem Beitrag diskutierten Szenarien (hoheitlich bewirkte Außerbetriebnahmen von Kohlestromkapazitäten) kontraintuitiv sein, da man zunächst nach der *„Begünstigung"* einzelner Marktteilnehmer i.S.d. Art. 107 Abs. 1 AEUV sucht, die den Handel zwischen Mitgliedstaaten europarechtswidrig beeinträchtigt und ohne Rechtfertigung sogar zur Nichtigkeit führen kann. Auf den zweiten Blick wird ein Gesetzgeber hier mehrere beihilferechtliche Themenblöcke zu beachten haben, die in der energiewirtschaftlichen Praxis bereits relevant geworden sind: So stellt sich insbesondere die Frage, ob der Beihilfetatbestand überhaupt erfüllt sein kann, wenn die öffentliche Hand lediglich einen Eingriff kompensiert. Ferner können Neuordnungen eines ganzen Sektors mit einem Risiko- oder Lastentransfer auf die öffentliche Hand einhergehen. Auch dies kann beihilferechtlich relevant sein. Des Weiteren wird sich bei finanziellen Belastungen einzelner Branchenteilnehmer die Frage stellen, ob von der Belastung nicht betroffene Dritte eine Beihilfe erhalten, da und soweit sie von einer Belastung ausgenommen werden. Die vorgenannten Fallgruppen sollen nachfolgend vertiefend erörtert werden. Im Einzelnen:[42]

a) Keine Beihilfe bei bloßer Eingriffskompensation

Die EU-Kommission hat sich in ihrer Beihilfeentscheidung zur Braunkohle-Sicherheitsbereitschaft nach § 13g EnWG ausführlich mit der Thematik befasst, dass ein bloßer finanzieller Ausgleich für hoheitlich veranlasste Schäden keinen selektiven Vorteil begründet und in diesem Fall bereits tatbe-

[41] Überzeugend *Spieth* (o. Fn. 39).

[42] Nur der Vollständigkeit sei hier noch ein weiteres Konzept angesprochen, das allerdings an anderer Stelle weiter auszudifferenzieren wäre: Bekanntlich liegt nach den sogenannten *Altmark*-Kriterien mangels Begünstigung keine Beihilfe vor, wenn ein Unternehmen mit der Übernahme einer gemeinwirtschaftlichen Aufgabe betraut wird und dafür eine angemessene Kompensation erhält; vgl. EuGH, Urt. V. 24.07.2003, Rs. C-280/00, Leitsatz 2. Unter Berücksichtigung der strengen EuGH-Kriterien an die Ausgestaltung kann hier für den Gesetzgeber möglicherweise eine Option bestehen, die Kraftwerksbetreiber dergestalt in die Umsetzung der Klimaschutzziele einzubeziehen, dass sie mit der Reduktion der CO_2-Emissionen im Sinne einer gesamtwirtschaftlichen Verpflichtung betraut werden.

standlich keine Beihilfe i.S.d. Art. 107 Abs. 1 AEUV vorliegt.[43] Insofern ist es beihilferechtlich von wesentlicher Bedeutung, zwischen der Vergütung von Kapazitätsmarktmodellen einerseits (s.u. d)) und einem Schadensausgleich andererseits zu differenzieren.

In dem zu Grunde liegenden Sachverhalt ging es bekanntlich darum, dass § 13g EnWG zur Erreichung nationaler Klimaziele die Stilllegung von insg. 2,7 GW Braunkohlekapazität bei gegebener Wirtschaftlichkeit des Kraftwerksbetriebs anordnet. Ab 2016 werden die Kraftwerke – zeitlich gestaffelt – zunächst für jeweils vier Jahre vorläufig stillgelegt und stehen nur in Notsituationen zur Verfügung. Nach Ablauf der vier Jahre sind die betroffenen Blöcke endgültig stillzulegen, davon der letzte Block im Jahr 2019 vorläufig und in 2023 endgültig. Für die Dauer der vierjährigen vorläufigen Stilllegung erhalten die Betreiber eine Vergütung, die sich an den entgangenen Gewinnen abzüglich ersparter Aufwendungen orientiert. Ferner beinhaltet die Vergütung die Kosten für die Vorbereitung der vorläufigen Stilllegung und die Fixkosten für die vierjährige Betriebsbereitschaft.

In der Begründung bestätigt die Kommission unter Bezugnahme auf ihre bisherige Entscheidungspraxis die Position der Bundesregierung, dass ein Ausgleich für Schäden, die sich aus rechtmäßigem staatlichen Handeln ergeben, keinen selektiven Vorteil i.S.d. Beihilfetatbestands des Art. 107 Abs. 1 AEUV darstellt. Dies ergibt sich u.a. bereits aus der Beihilfesache Akzo, in der es heißt: *„Ein vom Staat gewährter Ausgleich von Schäden wird in der Regel nicht als staatliche Beihilfe eingestuft, soweit er ausschließlich dazu dient, Schäden auszugleichen, die infolge des Eingriffs des Staates entstanden sind, und der Ausgleich die direkte Folge des Eingriffs ist und auf der Grundlage der geltenden Gesetzgebung hinsichtlich des Eigentums festgesetzt wird.“*[44] Für den konkreten Fall der Sicherheitsbereitschaft erkennt die EU-Kommission den im deutschen Recht verankerten Grundsatz des Sonderopfers an, wobei der Ausgleichsanspruch gerichtlich durchzusetzen sei, wenn keine gesetzliche Kompensation vorgesehen sei. Ferner konzidiert die Behörde ausdrücklich, dass den Betreibern in § 13g WnWG ein Sonderopfer auferlegt wird.[45]

Allerdings vermag die EU-Kommission mangels eines einschlägigen nationalen Gerichtsurteils nicht *„mit Sicherheit“* festzustellen, dass der Eingriff tatsächlich einen Anspruch der Betreiber in exakt der Höhe begründet, der in der gesetzlichen Entschädigungsregelung vorgesehen ist.[46] Daher lässt sie letztlich offen, ob eine Begünstigung i.S.d. Art. 107 Abs. 1 AEUV vorliegt

[43] *EU KOM*, Entscheidung vom 27.05.2016 (SA.42536), sowie Pressemitteilung EU KOM vom 27.05.2016 (IP/16/1911).
[44] *EU KOM* (o. Fn. 43), Rdnr. 37.
[45] *EU KOM* (o. Fn. 43), Rdnr. 44.
[46] *EU KOM* (o. Fn. 43), Rdnr. 42.

oder nicht. Dies müsse nicht abschließend festgestellt werden, da jedenfalls der Rechtfertigungsgrund des Art. 107 Abs. 3 lit. c) AEUV vorliegt, der im Wesentlichen mit den erreichten Verbesserungen des Umweltschutzniveaus begründet wird.

Hervorzuheben bleibt, dass die EU-Kommission die Anwendung der Leitlinien für Umweltschutz- und Energiebeihilfen im Rahmen der Rechtfertigung ausdrücklich ablehnt, *„da es keine Vorschriften für Beihilfen gibt, die als Ausgleich für die Stilllegung von Stromerzeugungsanlagen gewährt werden“*.[47] Ferner äußert die EU-Kommission ernsthafte Zweifel, dass die Sicherheitsbereitschaft mit dem Aspekt der Versorgungssicherheit begründet werden kann. Gleichwohl hält sie den Umweltschutzgedanken in vollem Umfang für gerechtfertigt.[48]

Die Entscheidung beinhaltet somit eine wichtige Klarstellung, dass Kompensationen für Stilllegungsmaßnahmen auch nach europäischem Recht geboten und beihilferechtlich zulässig bleiben. Sie scheitern nicht an der (insoweit nicht passenden) beihilferechtlichen Dogmatik der EU-Kommission für Umweltbeihilfen bzw. zur Vergütung von Kapazitätsmarktmechanismen.

b) Risiko- oder Lastentransfer auf die öffentliche Hand

Neuordnungen im Energiebereich können auch dazu führen, dass der Staat in letzter Instanz Risiken oder Lasten übernimmt, die bisher der Privatwirtschaft oblagen. Es stellt sich dann die Frage, unter welchen Kautelen ein solcher Risikotransfer beihilferechtlich relevant bzw. unbedenklich ist.

Jüngstes Praxisbeispiel ist die Neuordnung zur Verantwortung der kerntechnischen Entsorgung. Mit Gesetz vom 27. Januar 2017 hat der Bundesgesetzgeber die Verantwortlichkeiten im Bereich der kerntechnischen Entsorgung neu geordnet.[49] Dabei hat er in allen Bereichen der kerntechnischen Entsorgung die Handlungsverantwortung und die Pflicht zur Finanzierungssicherung sachgerecht zusammengeführt, so dass denjenigen die finanzielle Sicherungspflicht trifft, dem in der Kette der kerntechnischen Entsorgung die konkrete Handlungspflicht obliegt.

Konkret bedeutet dies, dass die Betreiber der Kernkraftwerke auch zukünftig für die gesamte Abwicklung und Finanzierung der Stilllegung, des Rückbaus und der fachgerechten Verpackung der radioaktiven Abfälle zuständig bleiben. Für die Durchführung und Finanzierung der Zwischen- und Endlagerung wird hingegen zukünftig der Bund in der Verantwortung stehen. Die finanziellen Mittel für die Zwischen- und Endlagerung werden dem Bund von den Betreibern zur Verfügung gestellt. Dazu wurden die

[47] *EU KOM* (o. Fn. 43), Rdnr. 53.
[48] *EU KOM* (o. Fn. 43), Rdnr. 60.
[49] BGBl. Teil I 2017, 114 ff.

Betreiber in dem Gesetz verpflichtet, einen Betrag von 17,4 Mrd. € in den per Gesetz errichteten Fonds zur Finanzierung der kerntechnischen Entsorgung einzuzahlen. Durch die Zahlung eines optionalen Risikoaufschlags von 35,5 % an den Fonds haben die Betreiber ferner von der gesetzlichen Gestaltungsmöglichkeit Gebrauch gemacht, ihre Verpflichtung zu etwaigen Nachschusszahlungen an den Fonds zu beenden. Der Gesetzgeber geht davon aus, dass mit der vollständigen Einzahlung des Grundbetrags und des Risikoaufschlags die bislang erwarteten Kosten der kerntechnischen Entsorgung vollständig finanziert werden können und eine hinreichende Vorsorge für darüber hinausgehende Kosten- und Zinsrisiken für den Bund bzw. für den Fonds getroffen worden ist.[50] Sollte sich diese Erwartung in der Zukunft nicht erfüllen, träfe den Bund die volle Finanzierungslast für etwaige Mehrkosten oder Unterdeckungen. Die bisher finanzierungsverantwortlichen Betreiber der Kernkraftwerke können demgegenüber nicht mehr in Anspruch genommen werden, was sich auch aus dem öffentlich-rechtlichen Vertrag zwischen der Bundesregierung und den Betreibern der Kernkraftwerke ergibt.[51]

Die EU Kommission hat mit ihrer Freigabeentscheidung vom 16.06.2017 wichtige Aussagen zur beihilferechtlichen Bewertung von Risikotransfermaßnahmen getätigt.[52] So bejaht die Behörde zunächst – entgegen der Rechtsauffassung der notifizierenden Bundesregierung – den Tatbestand einer Beihilfe, da der Risikotransfer einen selektiven Vorteil für die Kraftwerksbetreiber darstellen soll. Sie begründet dies im Wesentlichen damit, dass für die langfristige Aufgabe der End- und Zwischenlagerung von radioaktiven Abfällen keine hinreichend verlässliche Kostenkalkulation möglich sei und daher – nach dem beihilferechtlich relevanten *Private Investor Test* – kein privater Marktteilnehmer anstelle des Staates bereit gewesen wäre, ein vergleichbares Risiko zu übernehmen, nämlich bei unerwarteten Mehrkosten der End- bzw. Zwischenlagerung oder bei einer Unterdeckung des Fondsvermögens die volle Finanzierungslast zu übernehmen. Selbst der üppige Risikoaufschlag in Höhe von 35,5 % rechtfertige keine andere Bewertung.[53]

[50] So ausdrücklich die Gesetzesbegründung der Bundesregierung vom 17.11.2016, BT-Drs. 18/10353.

[51] Siehe dazu oben, III. 2. b/ aa) und Fn. 37.

[52] *EU KOM* SA.45296 (2017/N).

[53] Siehe demgegenüber EU KOM (SA.24642 (N 708/2007)) vom 07.12.2011 i.S. deutscher Steinkohlenbergbau: Die Behörde hatte hier u.a. über die Finanzierung sog. Ewigkeitslasten zu befinden. Danach hatten die Bundesländer NRW und Saarland zugesagt, die sog. Ewigkeitslasten des Steinkohlenbergbaus, nämlich im Wesentlichen die Wasserhaltung, zu übernehmen, falls die Eigenmittel der RAG-Stiftung nicht ausreichen, um die Verbindlichkeiten zu decken. Da der Staat hier erst dann einschreiten soll, wenn die Eigenmittel der RAG-Stiftung völlig erschöpft sind, ist die Finanzierung der Ewigkeitslasten nicht als staatliche Beihilfe, sondern als Intervention des Staates aus Gründen der öffentlichen Sicherheit und Ordnung zu betrachten. Dies entspricht der bisherigen Entscheidungspraxis, dass eine

Gleichwohl genehmigt die EU-Kommission den vermeintlichen Beihilfecharakter des Risikotransfers mit der Ausnahmevorschrift des Art. 107 Abs. 3 lit. c) AEUV (Förderung der Entwicklung gewisser Wirtschaftszweige in der Europäischen Union). Besonderes Augenmerk in der Prüfung der Ausnahmevoraussetzungen gilt dabei dem insoweit notwendigen Anreizeffekt des Risikotransfers: Die Beihilfe (hier also der Risikotransfer) muss das Verhalten der betroffenen Unternehmen in einer Weise ändern, dass es Tätigkeiten durchführt, die es ohne die Beihilfe nicht oder lediglich in eingeschränkter oder anderer Weise durchgeführt hätte. Die EU-Kommission schlussfolgert in diesem Zusammenhang, dass gerade die im Gesetz vorgesehene Option zur Zahlung eines Risikozuschlags gegen vollständige Haftungsfreistellung einen ganz wesentlichen Anreizeffekt dafür gesetzt hat, dass die Unternehmen überhaupt bereit waren, die gesetzlich auferlegte Ausfinanzierungspflicht ihrer Rückstellungen für die Zwischen- und Endlagerung sowie die Dotierung des hoheitlich verwalteten Fonds zu akzeptieren. So wird in der Entscheidung ausdrücklich anerkannt, dass eine entsprechende Willensbildung der Unternehmen nicht dadurch hätte erreicht werden können, dass lediglich die Handlungsverantwortung für die Zwischen- und Endlagerung auf die öffentliche Hand übergegangen wäre.[54]

Damit greift die EU-Kommission letztlich indirekt die intensive juristische Diskussion auf, die auf nationaler Ebene vor Inkrafttreten des Gesetzes um die Rahmenbedingungen der Neuordnung geführt wurde. So wurde von den Kraftwerksbetreibern mit Nachdruck bezweifelt, dass das bisher bestehende und vielfach bestätigte Finanzierungssystem für die Zwischen- und Endlagerung von Kernenergieabfällen (geprüfte und testierte Rückstellungen in den Bilanzen der Betreiber) einseitig durch staatliche Anordnung beendet und mittels einer unmittelbaren Finanzierungs- und Dotierungspflicht verstaatlicht werden dürfte, ohne dabei substantielle Rechtspositionen der Betreiber (Eigentumsgrundrecht gem. Art. 14 GG, Rechtsstaatsgebot gem. Art. 20 Abs. 3 GG) zu verletzen. Insoweit mögen die Fragen berechtigt sein, ob i) angesichts der gesetzlich angeordneten Belastung der Betreiber (verpflichtende Dotierung des Kernenergiefonds i.H.d. bilanzierten Rückstellungen von 17,4 Mrd. €), ii) der gewollten Zusammenführung von finanzieller Haftung und operativer Verantwortung und iii) der rechtlichen Zweifel an jeglicher einseitig, nicht im Konsens angeordneten Maßnahme noch tatbestandlich eine beihilferechtlich relevante Vergünstigung identifiziert werden kann, wenn die Betreiber erst gegen weitere Zahlung eines 35 %-igen Risikozuschlags vollständig enthaftet werden. Auch in dieser Fallkonstellation wäre es nicht fernliegend, das bereits oben beschriebene Konzept der

staatliche Einstandspflicht, die erst nach Insolvenz und Liquidation eines Unternehmens für dessen Verbindlichkeiten greift, dem betreffenden Unternehmen keinen Vorteil verschafft.

[54] *EU KOM* SA.45296 (2017/N), Rdnr. 58.

Eingriffskompensation[55] zu bemühen: Die Option der vollständigen Enthaftung gegen Zahlung eines substantiellen Risikoaufschlags stellt eine gesetzgeberische Kompensationsmaßnahme für die Eingriffe dar, die mit der Ausfinanzierungspflicht der Rückstellungen verbunden sind. Eine Beihilfe würde daher bereits tatbestandlich ausscheiden. Leider hat die EU-Kommission diesen Aspekt in ihrer Beihilfeprüfung nicht weiter vertieft.

Ein weiterer Diskussionspunkt in der Beihilfeentscheidung ist die Tragweite des sog. *Private Investor Tests*: Die EU-Kommission bejaht das tatbestandliche Vorliegen einer Beihilfe (konkreter: einer Begünstigung) mit dem Argument, dass ein Privatinvestor an Stelle der öffentlichen Hand in einer vergleichbaren Situation das verbleibende Finanzierungs- und Haftungsrisiko bei Kostenüberschreitungen oder Fonds-Unterdeckungen nicht übernommen hätte. Richtigerweise wäre näher zu untersuchen, ob und inwieweit der *Private Investor Test* einzuschränken oder zu modifizieren ist, wenn die öffentliche Hand bereits aktuell einem Risiko ausgesetzt ist, das sie mit der gesetzgeberischen Maßnahme mitigieren will. Denn im konkreten Fall will der Gesetzgeber mit der *„Neuordnung der Verantwortung in der kerntechnischen Entsorgung“* auch das Ausfallrisiko abwenden, das sich bei Insolvenz eines der Kraftwerksbetreiber ergibt.[56] Dieses Risiko trägt die öffentliche Hand bereits derzeit, wenn auch indirekt und nachgelagert. Denn soweit eine Bedienung der Verbindlichkeiten für die Zwischen- und Endlagerung der Kernenergieabfälle (letztlich aus der Insolvenzmasse) nicht möglich wäre, würde die öffentliche Hand in die Letztverantwortung für die offenen bzw. noch entstehenden Verbindlichkeiten eintreten müssen. Insofern kann der Risikoappetit der öffentlichen Hand nicht vergleichbar mit einem Privatinvestor sein. Die EU-Kommission hätte daher auch mit diesem Argument eine Beihilfe tatbestandlich ausschließen können. Weitergehend mag noch die Frage aufgeworfen werden (aber hier unbeantwortet bleiben), ob und inwieweit der Umstand der Residualhaftung beihilferechtlich auch bemüht werden kann, um die beihilferechtliche Notwendigkeit eines Risikoaufschlags in Frage stellen. Von der EU-Kommission wird das Argument der staatlichen Residualhaftung im Insolvenzfall jedoch ausschließlich im Rahmen der Rechtfertigung der Beihilfe nach Art. 107 Abs. 3 lit. c) AEUV herangezogen, nämlich bei der Angemessenheitsprüfung.[57]

Ungeachtet dieser Nuancen sind mit der o.g. Entscheidung wichtige Rahmenbedingungen dafür abgesteckt, dass Risikotransfers von der Unternehmensseite auf die öffentliche Hand beihilferechtlich darstellbar sind.

[55] S.o., a).

[56] Deutscher Bundestag, Drucksache 18/10353, S. 29 ff. (Gesetzesbegründung zum Entwurf eines Gesetzes zur Neuordnung der Verantwortung in der kerntechnischen Entsorgung).

[57] EU KOM, (o. Fn. 53), Rdnr. 64.

c) Verschonung von Belastungen als Beihilfe zu Gunsten Dritter

Hoheitlich auferlegte Belastungen der Kohleverstromung sind dahingehend am europäischen Beihilferecht zu messen, ob und inwieweit sie zu wettbewerbsverzerrenden Begünstigungen zu Gunsten Dritter führen. Dabei ist der Beihilfebegriff weiter zu verstehen als der Begriff der Subvention. Denn er umfasst nicht nur positive Leistungen, sondern auch solche staatlichen Maßnahmen, die in verschiedener Form die Belastungen vermindern, die ein Unternehmen regelmäßig zu tragen hat und die somit nach Art und Wirkung einer Subvention gleichstehen.[58] Somit kann eine Beihilfe im Sinne von Art. 107 Abs. 1 AEUV vorliegen, wenn eine steuerliche Vergünstigung gewährt wird, durch die eine Besserstellung gegenüber den übrigen Abgabepflichtigen bewirkt wird.[59] Hierunter kann denklogisch auch die vollständige Verschonung von einer Besteuerung oder finanziellen Belastung fallen. Entscheidend ist in diesem Zusammenhang, ob das Tatbestandsmerkmal der Selektivität erfüllt ist. Danach muss die in Frage stehende Maßnahme geeignet sein, bestimmte Unternehmen oder Produktionszweige gegenüber anderen Unternehmen oder Produktionszweigen zu begünstigen, die sich im Hinblick auf das verfolgte Ziel in einer vergleichbaren tatsächlichen Situation befinden.[60]

In der konventionellen Stromerzeugung stand diese Thematik zuletzt anlässlich der gerichtlichen Auseinandersetzung um die Kernbrennstoffsteuer zur Diskussion. So warf das Finanzgericht Hamburg in seiner Vorlageentscheidung an den EuGH die Frage auf, inwieweit das relevante Gesetz eine staatliche Beihilfemaßnahme nach Art. 107 Abs. 1 AEUV erfüllt, da die Steuereinnahmen nur von solchen Unternehmen erhoben werden, die Strom unter Verwendung von Kernbrennstoffen erzeugen, nicht aber auf andere (CO_2-freie) Energiequellen zurückgreifen.[61] Der europäische Gerichtshof verneinte letztlich das Vorliegen einer Beihilfe, da die Kernbrennstoffsteuer keine selektive Maßnahme im Sinne des Art. 107 Abs. 1 AEUV darstelle. Denn nur bei der Stromerzeugung aus Kernenergie fielen radioaktive Abfälle an. Andere Stromerzeugungsarten seien damit weder tatsächlich noch rechtlich vergleichbar.

Im Falle finanzieller Belastungen der Kohleverstromung wäre die Frage zu stellen, ob damit eine selektive Begünstigung anderer, insoweit vergleichbarer CO_2-Emittenten verbunden wäre. Hätte die Bundesregierung etwa im Jahr 2015 den ursprünglich geplanten Klimabeitrag gegenüber der Kohleverstro-

[58] Ständige Rechtsprechung und Entscheidungspraxis, vgl. nur EuGH, Urt. v. 04.06.2015 (C-5/14 „deutsche Kernbrennstoffsteuer“), Rdnr. 71 m.w.N.

[59] *EuGH* (o. Fn. 58), Rdnr. 73.

[60] *EuGH* (o. Fn. 58), Rdnr. 74.

[61] *EuGH* (o. Fn. 58), Rdnr. 28.

mung weiter verfolgt und installiert[62], hätte die EU-Kommission sehr gründlich prüfen müssen, wie die finanzielle Belastung einer einzigen Branche (bis hin zur Stilllegung wegen Unwirtschaftlichkeit der Anlagen) im Verhältnis zur gleichzeitigen Verschonung anderer CO_2-intensiver Industrien zu würdigen gewesen und ob damit eine selektive Beihilfe begründet worden wäre.

Festzustellen bleibt, dass der Beihilfetatbestand in Gestalt selektiver Begünstigungen ein wichtiges europarechtliches Korrekturinstrument ist, um ungleiche Lastenverteilungen bei vergleichbaren Sachverhalten zu vermeiden. Bei Maßnahmen zur Reduzierung der CO_2-Emissionen und zur Erreichung nationaler Klimaziele wird daher zu beachten sein, inwieweit die Gruppe der Lastenträger gleichmäßig oder disproportional in Anspruch genommen wird. In letzterem Fall bestünden hohe Hürden an eine beihilferechtliche Rechtfertigung.

d) Kapazitätsmechanismen und Umweltbeihilfe-Leitlinien

Der Vollständigkeit halber soll hier auch die beihilferechtliche Relevanz von Kapazitätsmechanismen kurz aufgegriffen werden. Bekanntlich geht es dabei um staatlich angeordnete, aber durchaus marktwirtschaftlich strukturierbare Vergütungsmodelle, mit denen die Versorgungssicherheit gewährleistet bleiben soll, wenn und soweit sich ein Betrieb gesicherter Leistung (häufig, aber nicht ausschließlich aus konventionellen Energiequellen) im sog. Energy Only-Markt nicht mehr rentiert. Mit Kapazitätsmechanismen kann also das Spannungsverhältnis zwischen unternehmerisch rationaler Entscheidung (Stilllegung) und dem Bedürfnis nach Versorgungssicherheit (hinreichendes Maß an gesicherter Leistung) aufgelöst werden, indem nicht wie bisher ausschließlich die produzierte Arbeit (kWh) sondern die Vorhaltung von Leistung (KW) vergütet wird.[63]

In Deutschland werden „klassische" Kapazitätsmärkte nach wie vor politisch abgelehnt und statt dessen unterschiedliche Reservemechanismen vorgegeben[64], während erstere in vielen anderen Mitgliedstaaten bereits etabliert sind. Allerdings wird die Diskussion um Versorgungssicherheit und die Vorhaltung gesicherter Leistung in Deutschland relevant bleiben, je strikter die politischen Vorgaben und Wünsche an einen zügigen Kohleausstieg ausfallen. Mit anderen Worten: Umso rascher der Ausstieg aus der Kohleverstromung, umso größer die drohende Lücke gesicherter Leistung, die es zur Aufrechthaltung der Versorgungssicherheit zu schließen gilt.

[62] Dazu s.o., III. 2. b) bb).

[63] Siehe insg. *Grotelüschen*, Art. 106 Abs. 1 AEUV und die Einführung von Kapazitätsmechanismen im deutschen Strommarkt, 2017, S. 242.

[64] So etwa eine Kapazitätsreserve in § 13e EnWG und eine Netzreserve in § 13d EnWG, die ihrerseits aber auch beihilferechtliche Relevanz aufweisen.

Da Kapazitätsmodelle letztlich die Vorhaltung gesicherter Leistung vergüten sollen, liegt es nahe, die Frage nach beihilferechtlichen Vorgaben und Grenzen zu stellen. So ist es wenig überraschend, dass sich die EU-Kommission sehr intensiv mit der Thematik befasst[65], wohl auch um über das Beihilferecht weitergehende Einflussnahmemöglichkeiten auf die Energiepolitik und das Energiemix der Mitgliedstaaten zu sichern. Denn die Kompetenzen über die Struktur der Energieversorgung und die jeweiligen Energiequellen gem. Art. 194 Abs. 2 UA 2 AEUV liegen weiterhin nicht bei der EU-Kommission, sondern bei den Mitgliedstaaten.

So definieren die Leitlinien für staatliche Umweltschutz- und Energiebeihilfen 2014–2020 grundsätzliche Anforderungen an Kapazitätsmechanismen, die zwangsläufig auch von konventionellen Kraftwerken einzuhalten sein werden, wenn sie denn in den beihilferechtlich akzeptablen Anwendungsbereich derartiger Vergütungsmodelle gelangen wollen.[66]

Entlang der klassischen Kriterien des Ziels von gemeinsamem Interesse, der Erforderlichkeit, der Geeignetheit, dem notwenigen Anreizeffekt und der Angemessenheit der staatlichen Maßnahme stellt die EU-Kommission strenge Anforderungen an den Nachweis eines Kapazitätsproblems, die Technologieoffenheit des Kapazitätsmechanismus, an die Angemessenheit der gewährten Rendite und an die Vermeidung negativer Auswirkungen auf den Binnenmarkt. Als Beispiel für die Entscheidungs- und Anwendungspraxis der EU-Kommission sei hier auf die in Deutschland gemäß § 13e EnWG geplante Kapazitätsreserve verwiesen, bei der der deutsche Netzbetreiber mit der Beschaffung von bis zu 2 GW für eine außerhalb des Marktes vorgehaltene Reserve beauftragt wird. Die Reserve soll ab Oktober 2019 während drei aufeinander folgender Zwei-Jahreszeiträume bis zum Jahr 2025 vorgehalten werden. Die EU-Kommission hat diesen Kapazitätsmechanismus nunmehr unter Anwendung der Leitlinien für staatliche Umweltschutz- und Energiebeihilfen von 2014 gebilligt. In ihrer Freigabeentscheidung stellt die EU-Kommission insbesondere darauf ab, dass der Kapazitätsmechanismus bereitgestellt werde, um einem eindeutig identifizierten und quantifizierten Risiko für die Versorgungssicherheit zu begegnen. Wichtig sei in diesem Zusammenhang auch, dass der Kapazitätsmechanismus verschiedenen potentiellen Kapazitätsanbietern offenstehe und dabei Wettbewerb zwischen Kraftwerksbetreibern und Anbietern regelbarer Lasten bestehe. Entscheidungsrelevant war auch, dass die Kosten der Stromkunden durch regelmäßige wettbewerbliche Ausschreibungen unter Kontrolle gehalten werden und mögliche Wettbewerbsverzerrungen begrenzt seien. Denn die strategi-

[65] Siehe etwa das Factsheet der EU-Kommission vom 30. November 2016 zur beihilferechtlichen Sektoruntersuchung zu Stromkapazitätsmechanismen in der EU (MEMO/16/4023).

[66] *EU KOM*-Mitteilung 2014/C, EU ABl. v. 28.06.2014, C 200/1.

sche Reserve werde erst dann genutzt, wenn alle marktbasierten Lösungen für Knappheitsprobleme voll ausgeschöpft seien und die Kraftwerke, die an der Reserve teilgenommen haben, nicht in den freien Wholesale-Markt zurückkehren dürfen. Damit werde sichergestellt, dass die Reserve keine Marktverfälschungen bewirke.[67]

Neben den beihilferechtlichen Vorgaben an Kapazitätsmechanismen ist auch das laufende europäische Gesetzgebungsvorhaben zum „Clean Energy Package" zu beachten, in dem aktuell weitere strenge Emissionsgrenzwerte für Kapazitätsmechanismen vorgeschlagen werden. So sollen nur solche Kraftwerke an Kapazitätsmärkten teilnehmen, die weniger als 550g CO_2/kWh emittieren. Kohlekraftwerke wären dadurch de facto von Kapazitätsmärkten ausgeschlossen, wobei die genauen Übergangsvorschriften für Neu- bzw. Bestandsanlagen noch nicht final geklärt sind. Offen ist auch noch, inwieweit strategische Reserven in Abgrenzung zu Kapazitätsmechanismen hiervon auszunehmen sind bzw. andere Grenzwerte einzuhalten haben.[68]

Der Dekarbonisierungstrend tritt somit nicht nur durch unmittelbare (Kohle-)Ausstiegspläne zu Tage, sondern soll offensichtlich auch mittelbar umgesetzt werden, etwa über „geeignete" Grenzwerte bei neuen Markt- und Vergütungsmodellen im Zusammenhang mit Kapazitätsmechanismen. Diese Tendenz ist ordnungspolitisch und volkswirtschaftlich fragwürdig. Vorhandene, bereits finanzierte und für eine Übergangszeit noch zur Verfügung stehende Kohlekraftwerke würden so aus dem Markt gedrängt, während zusätzliche Investitionen mit fraglicher ökonomischer Rentabilität erforderlich würden, um die Versorgungssicherheit zu gewährleisten.

Folglich seien für die weitere gesetzgeberische Umsetzung zumindest angemessene Übergangsfristen und Ausnahmetatbestände angemahnt, um die nicht gerechtfertigte Schlechterstellung der Kohleverstromung wenn nicht rückgängig zu machen, so doch zumindest teilweise zu entschärfen. Eine intensivere Diskussion um europarechtswidriges Sekundärrecht scheint in diesem Zusammenhang geboten, muss aber an anderer Stelle geführt werden.

[67] Vgl. insgesamt Pressemitteilung der EU-Kommission vom 7. Februar 2018, „Staatliche Beihilfen: Kommission genehmigt sechs Kapazitätsmechanismen zur Gewährleistung der Stromversorgungssicherheit in Belgien, Deutschland, Frankreich, Griechenland, Italien und Polen (IP/18/682)".

[68] Vgl. dazu Rat der Europäischen Union, Interinstitutionelles Dossier 2016/0379 (COD) vom 20. Dezember 2017, 15879/17 sowie Europäisches Parlament, Plenarsitzungsdokument vom 27.02.2018, Bericht über den Vorschlag für eine Verordnung über den Elektrizitätsbinnenmarkt, A8-0042/2018.

V. Zusammenfassung

Die wesentlichen Ergebnisse dieser Abhandlung sind wie folgt zusammenzufassen:

- Die Energiewirtschaft und die Stromerzeugung in Deutschland befinden sich in einem signifikanten transformatorischen Prozess in bisher unbekannter Größenordnung. Dieser ist durch die Klimaschutzdebatte im Wesentlichen politisch induziert und von hoheitlichen Eingriffen bzw. Umgestaltungsmaßnahmen geprägt. Dem steht der berechtigte Anspruch der betroffenen Unternehmen nach Planungssicherheit, Vertrauens- und Investitionsschutz gegenüber.
- Kohlekraftwerke werden auf der Basis bestandskräftiger Genehmigungen betrieben. Eingriffe der Verwaltungsbehörden in den Betrieb sind ausschließlich auf Basis einschlägiger Ermächtigungsgrundlagen und unter Wahrung der relevanten Verfahrensrechte zulässig. Die Rechtsprechung, nämlich der VGH Kassel und das BVerwG, haben diese rechtsstaatlichen Selbstverständlichkeiten anlässlich der „Energiewende" 2011 in wünschenswerter Klarheit herausgearbeitet. Für die rechtspolitische Diskussion um die Kohleverstromung sollte dies Mahnung genug sein, dass jegliches Verwaltungshandeln streng an die geltende Gesetzeslage gebunden ist und nicht für rein politische Neubewertungen instrumentalisiert werden darf.
- Das Urteil des Bundesverfassungsgerichts aus 2016 zur 13. Novelle des AtG ist keine Blaupause für einen Kohleausstieg. Denn das Gericht hatte nicht über die verfassungsrechtlichen Maßstäbe eines „ob" des Ausstiegs, sondern über ein modifizierendes „wie" zu entscheiden. Ferner ist die Kohleverstromung unter keinem Gesichtspunkt mit der Kernenergie als Hochrisikotechnologie vergleichbar. Die Kraftwerksbetreiber können sich also in deutlich stärkerem Umfang als die Betreiber von Kernkraftwerken auf das Eigentumsgrundrecht des Art. 14 GG berufen, das bei der Braunkohleverstromung auch das Eigentum an den Tagebauen mit umfasst.
- Konsenslösungen im Einvernehmen mit den Betreibern sind im Hinblick auf das Eigentumsgrundrecht nach Art. 14 GG eine bedeutsame Rechtmäßigkeitsvoraussetzung für politisch gewollte Dekarbonisierungsziele. Die handelnden Unternehmensorgane sind dabei an die aktienrechtlichen Grenzen der *Business Judgement Rule* gebunden, wonach sie zum Wohle des Unternehmens handeln müssen.
- Finanzielle Belastungen der konventionellen Stromerzeugung sind an den finanzverfasungsrechtlichen Grenzen des Grundgesetzes zu messen. Nach der Entscheidung des Bundesverfassungsgerichts zur Kernbrennstoffsteuer aus dem Jahr 2017 steht fest, dass es für den Bundesgesetzgeber jenseits der Typusbegriffe der Artt. 105 und 106 GG kein freies Steuererfindungsrecht gibt.

- Des Weiteren sind die strengen Grenzen an nichtsteuerliche Abgaben einzuhalten. Denn die grundgesetzliche Finanzverfassung verlöre Sinn und Funktion, wenn unter Rückgriff auf die Sachgesetzgebungskompetenz von Bund und Ländern beliebig nichtsteuerliche Abgaben unter Umgehung der finanzverfassungsrechtlichen Verteilungsregelungen eingeführt werden könnten und damit zugleich ein weiterer Zugriff auf die Ressourcen der Bürger und Unternehmen eröffnet würde.
- In dem europarechtlich klar definierten und somit überlagerten CO_2-Emissionshandel ist es Mitgliedstaaten allenfalls im Rahmen engster Ausnahmetatbestände möglich, die Zukunft der Kohleverstromung über den CO_2-Ausstoß zu reglementieren. Es bestünde ein evidentes Risiko, dass Eingriffe auf nationaler Ebene gegen das europäische Primärrecht der ETS-RL verstießen bzw. unvereinbar mit der Schutzverstärkungsklausel des Art. 192 AEUV wären.
- Kompensationen für Stilllegungsmaßnahmen oder andere Eingriffe sind beihilferechtlich ohne weiteres zulässig. So hat sich die EU-Kommission in ihrer Beihilfeentscheidung zur Braunkohle-Sicherheitsbereitschaft nach § 13g EnWG ausführlich mit der Thematik befasst, dass bzw. unter welchen Voraussetzungen ein finanzieller Ausgleich für hoheitlich veranlasste Schäden keinen selektiven Vorteil begründet und in diesem Fall bereits tatbestandlich keine Beihilfe i.S.d. Art. 107 Abs. 1 AEUV vorliegt. Kompensationen scheitern aus europarechtlicher Sicht somit nicht an der (insoweit nicht passenden) beihilferechtlichen Dogmatik der EU-Kommission für Umweltbeihilfen bzw. zur Vergütung von Kapazitätsmarktmechanismen.
- Neuordnungen im Energiebereich können auch dazu führen, dass der Staat in letzter Instanz Risiken oder Lasten übernimmt, die bisher der Privatwirtschaft oblagen. Mit der Beihilfeentscheidung vom 16.06.2017 zur Neuordnung der kerntechnischen Entsorgung in Deutschland hat die EU-Kommission erneut den Grundsatz bestätigt, dass Risikotransfers beihilferechtlich zulässig sein können. Besondere Bedeutung kommt bei der beihilferechtlichen Rechtfertigung dem Anreizeffekt eines Risikotransfers zu, ohne den die betroffenen Unternehmen – auch unter Berufung auf ihre verbürgten Rechtspositionen im *status quo* – nicht bereit wären, sich auf die politisch gewünschte Neuordnung einzulassen. Darüber hinaus wird in der beihilferechtlichen Dogmatik weiter auszudiskutieren sein, inwieweit i) Risikotransfers bei größeren Neuordnungen eine gesetzgeberische Kompensationsmaßnahme für Eingriffe darstellen, die bereits tatbestandlich nicht unter den Beihilfebegriff fallen, und ii) der sog. *Private Investor Test* für die tatbestandliche Ermittlung einer Beihilfe wirklich passt, da die öffentliche Hand bei den in Rede stehenden transformatorischen Neuordnungen regelmäßig eine nicht zu unterschätzende Residualhaftung trifft: Überfordert der Staat mit seinem politischen Dirigismus die wirtschaftliche Leistungsfähigkeit der Unternehmen, müsste er ohnehin die

wirtschaftlichen Ausfall-Risiken der betroffenen Branche übernehmen. Auch dies mag im Einzelfall bereits gegen das tatbestandliche Vorliegen einer Beihilfe sprechen.

- Hoheitlich auferlegte Belastungen der Kohleverstromung sind am europäischen Beihilferecht zu messen, da sie zu wettbewerbsverzerrenden Begünstigungen zu Gunsten Dritter führen können. Denn der Beihilfebegriff ist weiter zu verstehen als der Begriff der Subvention. Er umfasst nicht nur positive Leistungen, sondern auch solche staatlichen Maßnahmen, die in verschiedener Form die Belastungen vermindern, die ein Unternehmen regelmäßig zu tragen hat und die somit nach Art und Wirkung einer Subvention gleichstehen. Der Beihilfetatbestand in Gestalt selektiver Begünstigungen ist daher ein wichtiges europarechtliches Korrekturinstrument, um ungleiche Lastenverteilungen bei vergleichbaren Sachverhalten zu vermeiden. Bei Maßnahmen zur Reduzierung der CO_2-Emissionen und zur Erreichung nationaler Klimaziele wird daher genau zu prüfen sein, inwieweit die Gruppe der Lastenträger gleichmäßig oder disproportional in Anspruch genommen wird. In letzterem Fall bestünden hohe Hürden an eine beihilferechtliche Rechtfertigung.
- Kohleausstiegsmodelle können zwangsläufig den Bedarf nach gesicherter Leistung und somit auch die Notwendigkeit geeigneter Kapazitätsmarktmodelle vergrößern. Für marktbasierte Kapazitätsmechanismen liegen mittlerweile belastbare beihilferechtliche Vorgaben der EU-Kommission vor, die in mehreren Mitgliedstaaten bereits den Praxistest bestanden haben. Kritisch ist demgegenüber das aktuelle EU-Gesetzgebungsvorhaben zum „Clean Energy Package“ zu sehen. Mittels sehr strikter Emissionsgrenzwerte sollen *de facto* Kohlekraftwerke von Kapazitätsmechanismen ausgeschlossen werden. Diese Tendenz ist ordnungspolitisch und volkswirtschaftlich fragwürdig. Bereits vorhandene und für eine Übergangszeit noch zur Verfügung stehende Kohlekraftwerke würden so aus dem Markt gedrängt, während neue Investitionen mit fraglicher ökonomischer Rentabilität erforderlich würden, um Versorgungssicherheit zu gewährleisten. Für die weitere gesetzgeberische Umsetzung seien daher zumindest angemessene Übergangsfristen und Ausnahmetatbestände angemahnt, um den oben beschriebenen Defiziten mildernd entgegen zu treten.

Kritisches zum propagierten Kohleausstieg aus rechtlicher Sicht

Manfred Rebentisch*

I. Einleitung

Im Fokus der wissenschaftlichen Arbeit von *Ulrich Büdenbender* steht seit jeher das Energierecht. Hier zählt er seit Jahrzehnten zu einem der namhaftesten wissenschaftlichen Sachkenner. Das belegen seine ebenso zahlreichen wie stets profunden Beiträge zu dieser komplexen Rechtsmaterie.[1] Seine juristische Expertise geht jedoch weit darüber hinaus. Sie erfasst sämtliche Bereiche der energiewirtschaftlichen Wertschöpfungskette. Im Bereich der Erzeugung hat er sich während seiner unternehmensbezogenen Tätigkeit auch als hervorragender Kenner des öffentlichen Rechts, insbesondere des Umweltrechts, erwiesen.[2] Auch in jüngerer Zeit hat er in einer bestechend klaren und schonungslosen Analyse die rechtsstaatlichen Defizite aufgezeigt, durch die die Energiewende 2011 mit dem vorzeitigen Ausstieg aus der Kernenergie in verfahrensmäßiger und materiell-rechtlicher Hinsicht geprägt ist.[3] Dabei hat er in weiser Voraussicht für den Fall, dass mit der Beendigung des Betriebs von Kohlekraftwerken ein vergleichbares Thema auf die politische Agenda gelangt, eindringlich eine rechtliche Aufarbeitung des Vorgehens der Energiewende 2011 gefordert.[4] Es darf daher die Prognose gewagt werden, dass die nachfolgenden kritischen öffentlich-rechtlichen Betrachtungen zum sog. Kohleausstieg sein sachkundiges juristisches Interesse finden werden.

* Der Verfasser ist Rechtsanwalt und Of Counsel bei Clifford Chance, LLP, Düsseldorf.

[1] Vgl. die beeindruckende Bibliographie im Anhang zu dieser Festschrift.

[2] *Büdenbender/Mutschler*, Bindungs- und Präklusionswirkung von Teilentscheidungen nach BImSchG und AtG, (Recht,Technik,Wirtschaft; Bd. 19), 1979.

[3] *Büdenbender*, Rechtliche Bilanz der Energiewende 2011 im Hinblick auf den Ausstieg aus der Kernenergie, DVBl. 2017, 1449 ff.

[4] *Büdenbender* (o. Fn. 3) S. 1457 a. E.

II. Zum politischen Befund

1. *Aktionsprogramm Klimaschutz 2020 der Bundesregierung*

Mit dem „Aktionsprogramm Klimaschutz 2020“ [5] hat sich die Bundesregierung im nationalen Alleingang das „Etappenziel“ gesetzt, die Treibhausgasemissionen bis 2020 um mindestens 40 Prozent gegenüber 1990 zu senken. Dem lag die Prämisse zugrunde, dass durch die bereits beschlossenen und umgesetzten Maßnahmen eine Minderung der Treibhausgase um etwa 33 Prozent erreicht werden könne. Die daraus resultierende „Klimaschutz-Lücke“ [6] von rund 7 Prozentpunkten soll im Hinblick auf das 40-Prozent-Ziel durch zusätzliche Anstrengungen in allen Sektoren und von allen Akteuren geschlossen werden. Für den Bereich der Energiewirtschaft im Sinne der öffentlichen Strom- und Wärmeversorgung, der als der Sektor mit den höchsten Treibhausgasemissionen sowie den größten technisch-wirtschaftlichen Minderungspotentialen angesehen und bei dem für den Zeitraum von 1990 bis 2012 durch die schon umgesetzten Maßnahmen eine Emissionsreduktion von rund 18 Prozent bescheinigt wird, werden als wichtigste Handlungsfelder für zusätzliche Minderungen folgende Maßnahmen aufgeführt:[7]

- eine anspruchsvolle Reform des Emissionshandels auf EU-Ebene,
- ein kontinuierlicher, naturverträglicher Ausbau der erneuerbaren Energien im Rahmen des definierten EEG-Ausbaupfades bis 2025 bzw. 2050,
- die Weiterentwicklung der Kraft-Wärme-Kopplung,
- Maßnahmen zur Reduzierung des Stromverbrauchs, u. a. durch die ambitionierte Ausgestaltung des „Nationalen Aktionsplans Energieeffizienz“,
- eine Weiterentwicklung des konventionellen Kraftwerksparks.

Von einem etwaigen „Ausstieg aus der Kohle“ ist hier noch an keiner Stelle die Rede.

2. *Klimaschutzplan 2050 der Bundesregierung*

Im November 2016 verabschiedete die Bundesregierung sodann den Klimaschutzplan 2050.[8] Darin wird unter Bezug auf das Pariser Abkommen, wonach in der zweiten Hälfte dieses Jahrhunderts weltweit Treibhausgasneutralität erreicht werden soll, ausgeführt, dass es das Langfristziel Deutschlands sei, bis zum Jahr 2050 weitgehend treibhausgasneutral zu werden.

[5] Kabinettsbeschluss vom 3.12.2014; Publikationsversand der *Bundesregierung*, http://www.bmub.bund.de, (zuletzt abgerufen am 16.05.2018).

[6] So die Formulierung auf Seite 12 des Aktionsprogramms.

[7] Vgl. Aktionsprogramm S. 19 (o. Fn. 5).

[8] Vgl. Bundesministerium für Umwelt, Naturschutz, Bau und Reaktorsicherheit, Klimaschutzplan 2050, Kabinettsbeschluss vom 14.11.2016, Berlin November 2016.

Ferner wird als mittelfristiges Ziel angegeben, die Treibhausgasemissionen in Deutschland bis 2030 um mindestens 55 Prozent gegenüber dem Niveau von 1990 zu senken. Dieses Klimaziel wird nach den Ausführungen der Bundesregierung in den einzelnen Sektoren „konkretisiert". In Wahrheit finden sich darin anstelle konkreter Maßnahmen jedoch meist nur vage Prüfaufträge und anzustrebende Aktivitäten.[9] So wird in Bezug auf den Sektor Energiewirtschaft die zentrale Bedeutung ihres Umbaus betont und als Ziel eine Reduzierung der Emissionen bis 2030 um 61 bis 62 Prozent gegenüber 1990 durch den weiteren Ausbau erneuerbarer Energien und den schrittweisen Rückgang der fossilen Energieversorgung formuliert. Zu den – ansonsten nicht näher präzisierten – Maßnahmen für diesen Sektor soll die Einsetzung einer Kommission „Wachstum, Strukturwandel und Regionalentwicklung" beim Bundesministerium für Wirtschaft und Energie gehören. Ziel dabei ist es, dass die Kommission, der „voraussichtlich" Vertreter von Ländern, Kommunen, Gewerkschaften, betroffenen Unternehmen und Branchen sowie regionale Akteure angehören, ihre Arbeit Anfang 2018 aufnimmt und Ergebnisse bis Ende 2018 vorlegt. Sie soll nach den Worten der Bundesregierung zur Unterstützung des Strukturwandels einen Instrumentenmix entwickeln, der wirtschaftliche Entwicklung, Strukturwandel, Sozialverträglichkeit und Klimaschutz zusammenbringt.[10] Konkrete Maßnahmen wie etwa der Ausstieg aus der Kohleverstromung sind somit auch im Klimaschutzplan 2050 nicht enthalten, schon gar nicht ausdrücklich.

3. *Fraktionsantrag DIE LINKE*

Demgegenüber hat die BT-Fraktion DIE LINKE im Deutschen Bundestag bereits am 05.06.2014 unter dem Titel „Energiewende durch Kohleausstieg absichern"[11] erfolglos beantragt, die Bundesregierung aufzufordern, bis Oktober 2014 einen Gesetzentwurf über den planmäßigen Ausstieg aus der deutschen Kohleverstromung – analog dem Atomausstieg – vorzulegen, der neben weiteren Modifikationen insbesondere folgenden Eckpunkten entspricht:

- Der Neubau von Kohlekraftwerken wird untersagt,
- spätestens im Jahr 2040 wird der letzte Kohlekraftwerksblock in Deutschland stillgelegt,
- ab dem Jahr 2015 wird die Menge des in Kohlekraftwerken maximal erzeugten Stroms jährlich begrenzt und die Menge, die jeder Block bis zu seiner jeweiligen endgültigen Abschaltung erzeugen darf, stetig reduziert.

[9] So auch *Schafhausen*, Klimaschutzplan 2050, ZNER 2016, 443 ff. (444).
[10] Die Kommission soll also – mit anderen Worten – die energiespezifische Quadratur des Kreises vollbringen. Von den rechtlichen Implikationen, denen das Vorhaben begegnet, wird interessanterweise überhaupt nicht gesprochen.
[11] Vgl. *BT-Drucks*. 18/1673.

Mit diesen Zielvorstellungen wird allerdings kein abrupter, sondern ein eher schleichender Kohleausstieg angestrebt.

4. *Fraktionsantrag BÜNDNIS 90/DIE GRÜNEN*

Im Gegensatz dazu verfolgen BÜNDNIS 90/DIE GRÜNEN einen eher ökofundamentalistischen Ausstiegsplan. So stellte deren Bundestagsfraktion in der vergangenen Legislaturperiode im Deutschen Bundestag unter der Überschrift „Die Zeit ist reif für den Kohleausstieg“ – erfolglos – den Antrag, die Bundesregierung aufzufordern, durch ein Kohleausstiegsgesetz die rechtlichen und finanziellen Voraussetzungen für einen verlässlichen Ausstieg aus der Kohleverstromung zu schaffen.[12] Darin sollten insbesondere die schon im Fraktionsbeschluss „Fahrplan Kohleausstieg“[13] festgelegten Zielmarkierungen geregelt werden:

- Einführung von an modernen Gaskraftwerken orientierten CO_2-Budgets für alle fossilen Kraftwerke, womit rund 20 besonders klimaschädliche Kohlekraftwerksblöcke noch vor 2020 stillgelegt werden;
- Verbot für die Errichtung neuer Kohlekraftwerke;
- Einsetzung einer pluralistisch zusammengesetzten Kohleausstiegskommission, die das Ausstiegskonzept gemäß den klimapolitischen Verpflichtungen in einem breiten gesellschaftlichen Dialogprozess begleitet, die Kernelemente des Ausstiegs diskutiert und konkretisiert;
- Aufhebung der „immissionsschutzrechtlichen Privilegierung“ der Kohleverstromung[14] und Einhaltung von strengen Emissionsgrenzwerten für krebserzeugende Stoffe.

5. *Koalitionsvertrag 2018 zwischen CDU/CSU und SPD*

Union und SPD bekennen sich im Koalitionsvertrag vom 7.2.2018 zu den national, europäisch und im Rahmen des Pariser Klimaschutzabkommens vereinbarten Klimazielen 2020, 2030 und 2050 für alle Sektoren. Sie wollen ein neues integriertes Energiesystem schaffen aus Erneuerbaren, Energieeffizienz, einem beschleunigten Ausbau der Stromnetze, einer schrittweisen Reduzierung der Stromerzeugung aus fossilen Energieträgern. Ein konkretes Datum für den Ausstieg aus der Kohleverstromung wird aber nicht genannt. Stattdessen soll eine Kommission „Wachstum, Strukturwandel und Beschäftigung“ unter Einbeziehung der unterschiedlichen Akteure aus Politik, Wirt-

[12] Vgl. *BT-Drucks.* 18/12108.

[13] Fraktionsbeschluss vom 13.01.2017.

[14] Worin die gerügte Privilegierung bestehen soll, bleibt wohlweislich offen; es handelt sich daher nur um eine tendenziöse Behauptung, die jeder Grundlage entbehrt; es gibt keine immissionsschutzrechtliche Privilegierung der Kohleverstromung!

schaft, Umweltverbänden, Gewerkschaften sowie betroffenen Ländern und Regionen eingesetzt werden, die auf Basis des Aktionsprogramms Klimaschutz 2020 und des Klimaschutzplans 2050 bis Ende 2018 ein Aktionsprogramm mit folgenden Elementen erarbeiten soll: Maßnahmen, um die Lücke zur Erreichung des 40-Prozent-Reduktionsziels bis 2020 so weit wie möglich zu reduzieren, Maßnahmen, die das 2030-Ziel für den Energiesektor zuverlässig erreichen, einen Plan zur schrittweisen Reduzierung und Beendigung der Kohleverstromung einschließlich eines Abschlussdatums und der notwendigen rechtlichen, wirtschaftlichen, sozialen und strukturpolitischen Begleitmaßnahmen.[15]

Am 6. Juni 2018 hat die Bundesregierung nach wochenlangem Hin und Her das aus 31 Mitgliedern zusammengesetzte Gremium mit dem o. g. Titel (kurz: Kohlekommision) berufen.

6. *Zusammenfassung des Befundes*

Die politischen Zieldefinitionen der verschiedenen Akteure zeichnen ein ebenso ambivalentes wie buntes Bild. Während im Aktionsprogramm Klimaschutz 2020 der Bundesregierung der Kohleausstieg überhaupt nicht thematisiert, sondern sibyllinisch von der Weiterentwicklung der Kraft-Wärme-Kopplung – die notabene auch auf Basis fossiler Brennstoffe erfolgt – und des konventionellen Kraftwerksparks gesprochen wird, postuliert die Bundesregierung im Klimaschutzplan 2050 den schrittweisen Rückgang der fossilen Energieerzeugung, wozu eine beim Bundeswirtschaftsministerium einzusetzende Kommission bis Ende 2018 Ergebnisse vorlegen soll. Der dabei angesprochene Bereich der „fossilen Energieerzeugung“ geht über die Kohleverstromung hinaus und erfasst auch die Energieträger Öl und Gas. Radikale Ausstiegsforderungen in Bezug auf die Kohleverstromung erheben die BT-Fraktionen der LINKEN und von BÜNDNIS 90/DIE GRÜNEN, die neben einem Neubauverbot für Kohlekraftwerke eine im Jahr 2040 auslaufende jährliche Kontingentierung der Strommengenerzeugung und bis 2020 für alle fossilen Kraftwerke ein an modernen Gaskraftwerken orientiertes „CO_2-Budget“ einführen wollen. Der Koalitionsvertrag 2018 wiederholt die (umfassende) Forderung einer schrittweisen Reduzierung der Stromerzeugung aus fossilen Energieträgern und will, was zwischenzeitlich erfolgt ist, ebenfalls eine Kommission einsetzen, die bis Ende 2018 auch einen Plan zur schrittweisen Reduzierung und terminierten Beendigung der Kohleverstromung erarbeiten soll.

Im Folgenden wird zu untersuchen sein, ob und inwieweit diese politischen Blütenträume rechtlich realisierbar sind.

[15] Koalitionsvertrag vom 7.02.2018, Rdnr. 6487–6489 und 6736–6767.

III. Immissionsschutzrechtliche Beurteilung der Ausstiegsforderungen

1. *Genehmigungsrechtlicher Status konventioneller Kraftwerke*

a) Genehmigungserfordernis

Bestimmte Feuerungsanlagen für den Einsatz fossiler Brennstoffe unterliegen in öffentlich-rechtlicher Hinsicht dem umweltrechtlich anspruchsvollen und differenzierten Anlagenzulassungs- und -kontrollregime des Bundes-Immissionsschutzgesetzes (BImSchG) und dem jeweils einschlägigen untergesetzlichen Konkretisierungsrecht der auf der Grundlage des § 7 BImSchG erlassenen Rechtsverordnungen und nach § 48 BImSchG erlassenen Verwaltungsvorschriften. So bedürfen nach § 4 Abs. 1 BImSchG i.V.m. § 1 Abs. 1 sowie Anhang 1 Nr. 1.1 und 1.2 der Verordnung über genehmigungsbedürftige Anlagen (4. BImSchV) die Errichtung und der Betrieb von Anlagen zur Erzeugung von Strom, Dampf, Warmwasser, Prozesswärme oder erhitztem Abgas durch den Einsatz von Brennstoffen in einer Verbrennungseinrichtung (wie Kraftwerk, Heizkraftwerk, Heizwerk, Gasturbinenanlage, Verbrennungsmotoranlage, sonstige Feuerungsanlage) je nach Art des eingesetzten Brennstoffs und der installierten Feuerungswärmeleistung einer immissionsschutzrechtlichen Genehmigung. Für den Einsatz fester Brennstoffe liegt die Schwelle der Genehmigungsbedürftigkeit bei einer Feuerungswärmeleistung von 1 MW oder mehr, für den Einsatz gasförmiger Brennstoffe bei 10 MW oder mehr Feuerungswärmeleistung und beim Einsatz von naturbelassenem Erdgas und leichtem Heizöl bei 20 MW oder mehr Feuerungswärmeleistung. Auf die weitere Differenzierung bei der Feuerungswärmeleistung für die Art des jeweils durchzuführenden Genehmigungsverfahrens, förmliches (§ 10 BImSchG) oder vereinfachtes Verfahren (§ 19 BImSchG), braucht hier nicht näher eingegangen werden.[16]

Die Begriffe „Kraftwerk, Heizkraftwerk, Heizwerk" dienen der Unterscheidung der Feuerungsanlagen nach ihrem jeweiligen technisch-wirtschaftlichen Zweck. So bezeichnet der Begriff des Kraftwerks eine Anlage zur ausschließlichen Erzeugung elektrischer Energie. Als Heizkraftwerk wird dagegen eine Anlage bezeichnet, die der gleichzeitigen Umwandlung von eingesetzter Energie in elektrische Energie und Nutzwärme dient.[17] Unter dem Begriff des Heizwerks wird schließlich eine Anlage zur ausschließlichen Erzeugung von Nutzwärme verstanden. Zugleich dienen diese Bezeichnungen der Umschreibung der gegenständlichen Reichweite des jeweiligen immissionsschutzrechtlichen Genehmigungserfordernisses nach

[16] Vgl. dazu Spalte c des Anhangs 1 der 4. BImSchV.

[17] So auch die Legaldefinition des Begriffs der „Kraft-Wärme-Kopplung" in § 3 Abs. 1 Satz 1 KWKG (2002) und in § 2 Nr. 13 KWKG (2016).

§ 1 Abs. 2 der 4. BImSchV. Durch die Verwendung des Begriffs des Kraftwerks in der Klammer der Anlagenbeschreibung in Nr. 1.1 und Nr. 1.2 Spalte b des Anhangs 1 der 4. BImSchV wird klargestellt, dass das Kraftwerk als solches genehmigungsbedürftig, also nicht nur die eigentliche Feuerungseinrichtung einschließlich Dampfkessel, sondern z. B. auch die Dampfturbine und der Generator.[18]

Wie bei jeder immissionsschutzrechtlich genehmigungsbedürftigen Anlage handelt es sich auch bei der Genehmigung für ein fossil befeuertes Kraftwerk um eine gebundene Entscheidung, auf deren Erteilung ein Rechtsanspruch besteht, wenn die Voraussetzungen des § 6 BImSchG erfüllt sind. In materiellrechtlicher Hinsicht kommt dabei den vorsorgebezogenen anspruchsvollen Anforderungen der Verordnung über Großfeuerungs-, Gasturbinen- und Verbrennungsmotoranlagen (13. BImSchV)[19] zur Emissionsbegrenzung nach dem in bestimmtem Umfang auch europarechtlich determinierten Stand der Technik herausragende Bedeutung zu. Insoweit gelten im Hinblick auf den Stand der Technik als Maßstab für die jeweils geschuldete Emissionsbegrenzung in Abhängigkeit vom eingesetzten Brennstoff sowie der im Einzelfall verwendeten Feuerungstechnik, z. B. Wirbelschicht- oder Schmelzkammerfeuerung, gravierende Anforderungsunterschiede.[20] Es kann daher keine Rede davon sein, dass das BImSchG nicht nach der Art des eingesetzten Energieträgers frage.[21]

Da die immissionsschutzrechtliche Vollgenehmigung nach § 6 BImSchG dem Anlagenbetreiber im Interesse der Investitionssicherheit eine durch Art. 14 Abs. 1 GG besonders gesicherte und geschützte Rechtsposition vermitteln soll, darf sie in keinem Fall befristet werden.[22] Dementsprechend ordnet zum einen § 12 Abs. 2 Satz 1 BImSchG an, dass die Genehmigung nur auf besonderen Antrag des Vorhabenträgers für einen bestimmten Zeitraum erteilt werden darf, sowie zum anderen § 12 Abs. 3 BImSchG, dass nur eine Teilgenehmigung befristet werden kann.[23] Diese Regelungen gelten für alle immissionsschutzrechtlichen Anlagengenehmigungen, nicht etwa nur für Kraftwerksgenehmigungen. Auch insoweit ist daher die Behauptung der BT-Fraktion von BÜNDNIS 90/DIE GRÜNEN, es bestehe eine „immissions-

[18] Vgl. *Ludwig*, in: Feldhaus (Hrsg.), BImSchR, Bd. 2, B 2.4, Anhang Nr. 1, Rdnr. 8.

[19] I.d.F. vom 17.5.2013 (BGBl. I S. 1274), zuletzt geändert am 19.12.2017 (BGBl. I S. 4007).

[20] *Rebentisch*, Benchmarks als Zuteilungsmaßstab im Emissionshandelsrecht, in: Hendler/Marburger/Reiff/Schröder (Hrsg.), UTR 93, S. 187 ff. (203).

[21] So aber unzutreffend *Klinski*, NVwZ 2015, 1473 ff. (1474).

[22] Vgl. *Hansmann/Ohms*, in: Landmann/Rohmer, UmweltR Band III, § 17 BImSchG, Rdnr. 21; BVerfG NVwZ 2010, 771 (772); *Mann* in: Landmann/Rohmer, UmweltR Band III, § 12 BImSchG, Rdnr. 85; *Storost*, in: Ule/Laubinger/Repkewitz (Hrsg.), BImSchG, § 12 Rdnr. D 30.

[23] *Czajka*, in: Feldhaus, BImSchR, Bd. 1/I, B 1, § 12 Rdnr. 56 f., 92.

schutzrechtliche Privilegierung" der Kohleverstromung, schlechterdings abwegig und nicht nachvollziehbar.

b) Klimaschutz im Rahmen des § 5 Abs. 1 BImSchG

Die in der umwelt- und klimapolitischen Diskussion erhobenen Ausstiegsforderungen gegenüber fossilen Energieträgern werden mit den bei der Verbrennung neben Staub-, SO_2- und NO_x-Emissionen entstehenden, als klimaschädlich geltenden Treibhausgasen, insbesondere CO_2, begründet. Das wird in besonderem Maße für die auf Braunkohlebasis befeuerten Kraftwerke geltend gemacht. Die dabei gelegentlich verbreiteten Warnungen vor einer Klimakatastrophe[24] könnten mitunter zu der Annahme verleiten, es handle sich um eine in rechtsdogmatischer Hinsicht der Gefahrenabwehr und damit um eine innerhalb des immissionsschutzrechtlichen Grundpflichtenkanons des § 5 Abs. 1 BImSchG dem Schutzprinzip des § 5 Abs. 1 Nr. 1 BImSchG zuzuweisende Materie. Das ist jedoch nicht etwa deswegen zu verneinen, weil es sich bei den CO_2-Emissionen nicht um Luftverunreinigungen im Sinne des § 3 Abs. 4 BImSchG handelt, wie vereinzelt behauptet wird,[25] oder das Klima mangels ausdrücklicher Erwähnung nicht zu den Schutzgütern gemäß § 1 Abs. 1 BImSchG zählt. Zwar ist CO_2 Bestandteil der natürlichen Zusammensetzung der Luft. Eine Veränderung der natürlichen Zusammensetzung der Luft liegt aber auch dann vor, wenn der Anteil eines Stoffes, der in der natürlichen Luft vorhanden ist, vergrößert oder verkleinert wird.[26] Somit stellen auch CO_2-Emissionen anthropogenen Ursprungs Veränderungen der natürlichen Zusammensetzung der Luft und damit Luftverunreinigungen im Sinne des § 3 Abs. 4 BImSchG dar. Den Begriff der Luftschadstoffe verwendet das BImSchG nicht.

Das Klima zählt zwar zum Schutzgut Atmosphäre.[27] Das darf aber nicht dahingehend missverstanden werden, dass sich der Schutzgrundsatz des § 5 Abs. 1 Nr. 1 BImSchG auch auf die globalen Klimaverhältnisse erstrecke. Mangels hinreichend gesicherter Erkenntnisse über Wirkungszusammenhänge zwischen Emissionen an Wärme und Luftverunreinigungen einerseits und globalen Klimaveränderungen andererseits, die es ausschließen, nachteilige Veränderungen dem Immissionsbeitrag eines einzelnen fossil befeuerten Kraftwerks zuzurechnen, kann der Schutzgrundsatz des § 5 Abs. 1 Nr. 1

[24] Der holländische Klimaforscher und Ökonom *Ricard Tol* spricht in Bezug auf die deutsche Energiewende kritisch und treffend vom „Klima-Alarmismus", F.A.Z. vom 17.8.2014.

[25] So z. B. *Klinski*, NVwZ 2015, 1473 ff. (1474).

[26] So zutreffend *Storost* in: Ule/Laubinger/Repkewitz (Hrsg.), BImSchG, § 3 Rdnr. C18; *Jarass* in: Jarass (Hrsg.), BImSchG, 12. Aufl., 2017, § 3 Rdnr. 5.

[27] *Rebentisch*, NVwZ 1995, 949 (959f.)

BImSchG insoweit nicht herangezogen werden.[28] Immissionsbeiträge können einer bestimmten Anlage nicht mehr zugerechnet werden, wenn ihre Höhe auch nicht annähernd ermittelt und der einzelne Beitrag nicht gleichsam individualisiert werden kann.[29] Das gilt erst recht, wenn die Emissionen einer Anlage wie im Falle der CO_2-Emissionen in höheren Luftschichten verbleiben, sich dort mit den Emissionen aus zahlreichen anderen Quellen vermischen und durch Akkumulation nachteilige Folgen zeitigen.[30] Bei dieser Sachlage kommt wie beim Ferntransport insgesamt nur eine Einordnung zum Vorsorgegebot des § 5 Abs. 1 Nr. 2 BImSchG in Betracht.[31] Daran vermögen auch noch so schrille Kassandrarufe, wonach der Klimawandel eine der größten Bedrohungen für die Menschheit sei,[32] nichts zu ändern. Es bleibt vielmehr dabei, dass Maßnahmen zur Reduzierung der hierfür verantwortlich gemachten Treibhausgasemissionen von immissionsschutzrechtlich genehmigungsbedürftigen Anlagen nur auf den Vorsorgegrundsatz des § 5 Abs. 1 Nr. 2 BImSchG gestützt werden können.

In rechtsgrundsätzlicher Hinsicht unterliegt es keinem ernsthaften Zweifel, dass die instrumentelle Leistungsfähigkeit des immissionsschutzrechtlichen Vorsorgegebots auch in Bezug auf die Begrenzung der CO_2-Emissionen bei fossil befeuerten Kraftwerken wirkungsvoll zum Einsatz gebracht werden könnte.[33] Dieser Weg ist jedoch durch die Regelung des § 5 Abs. 2 Satz 1 BImSchG verschlossen, wonach bei genehmigungsbedürftigen Anlagen, die dem Treibhausgas-Emissionshandelsgesetz (TEHG)[34] unterliegen, Anforderungen zur Begrenzung von Emissionen von Treibhausgasen nur zulässig sind, um zur Erfüllung der Pflichten nach dem Schutzprinzip des § 5 Abs. 1 Nr. 1 BImSchG sicherzustellen, dass im Einwirkungsbereich der Anlage keine schädlichen Umwelteinwirkungen entstehen. Diese Gesetzesfassung verschleiert angesichts der Tatsache, dass die CO_2-und sonstigen Treibhausgasemissionen kein Beeinträchtigungspotential zur Verursachung schädlicher Umwelteinwirkungen aufweisen und somit das Schutzprinzip des § 5 Abs. 1 Nr. 1 BImSchG überhaupt nicht tangieren können, den eigentlichen Regelungszweck. Dieser ist allein darauf gerichtet, die Anwendung des im Hinblick auf die Emissionsbegrenzung durch den Maßstab des Standes der Technik konditionierten und erwiesenermaßen leistungsfähigen Vorsorgegebots des § 5 Abs. 1 Nr. 2 BImSchG zugunsten des (vermeintlich)

[28] Vgl. *Dietlein*, in: Landmann/Rohmer (o. Fn. 22), 5 BImSchG, Rdnr. 82.

[29] *Feldhaus/Schmitt*, WiVerw. 1984, 21.

[30] *Roßnagel/Hentschel*, in: Führ (Hrsg.) GK-BImSchG, § 5 Rdnr. 264 (265) m.w.N.

[31] *BVerwGE* 69, 37 (44).

[32] So *Ziehm*, ZNER 2017, 7 (8).

[33] Vgl. dazu näher *Rebentisch*, Klimaschutz im Immissionsschutzrecht, in: Koch (Hrsg.), Aktuelle Probleme des Immissionsschutzrechts, Forum Umweltrecht, Bd. 30, 1998, S. 41 ff.

[34] Gesetz über den Handel mit Berechtigungen zur Emission von Treibhausgasen vom 21.7.2011 (BGBl. I S. 1475), zuletzt geändert am 18.7.2016 (BGBl. I S. 1666).

als marktwirtschaftliches Zauberinstrument gepriesenen Zertifikatehandels auszuschließen. Dabei handelt es sich aber lediglich um eine instrumentelle Alternative zur herkömmlichen Emissionsbegrenzung nach dem Stand der Technik, die allein dem Vorsorgeprinzip des § 5 Abs. 1 Nr. 2 BImSchG zuzuordnen ist.

Nach § 5 Abs. 2 Satz 2 BImSchG verdrängt der CO_2-Zertifikatehandel auch die Anwendung des ansonsten zur Vermeidung von CO_2- und sonstigen Treibhausgasemissionen nutzbaren Energieeffizienzgebots des § 5 Abs. 1 Nr. 4 BImSchG. Im Ergebnis bleibt somit festzuhalten, dass das immissionsschutzrechtliche Grundpflichtenprogramm des § 5 Abs. 1 BImSchG in Bezug auf den Klimaschutz seiner Steuerungs- und Durchschlagskraft vollständig beraubt worden ist. Der umweltpolitische, insbesondere klimapolitische Gewinn ist indessen nach wie vor nicht erkennbar.

2. *Repressives immissionsschutzrechtliches Instrumentarium vs. Ausstieg*

a) Bestandsschutz

Für den politisch intendierten Ausstieg aus der Verbrennung fossiler Brennstoffe steht unabhängig davon, ob diese der öffentlichen Stromerzeugung oder sonstigen energetischen Zwecken dient, kein immissionsschutzrechtliches Handlungsinstrumentarium zur Verfügung. Mit der immissionsschutzrechtlichen Genehmigung besitzt der Anlagenbetreiber nämlich eine durch Art. 14 Abs. 1 GG geschützte, regelmäßig als Bestandsschutz bezeichnete beachtliche Rechtsposition.[35] Sie ist einerseits dadurch gekennzeichnet, dass die Genehmigung weder befristet noch mit einem Widerrufsvorbehalt verknüpft werden darf.[36] Andererseits erfährt der Bestandsschutz eine gewisse Einschränkung im Sinne einer Inhalts- und Schrankenbestimmung[37] durch den Vorbehalt späterer verhältnismäßiger Anforderungen in einer Rechtsverordnung aufgrund des § 7 Abs. 1 BImSchG, in der einzelne Grundpflichten nach § 5 Abs. 1 BImSchG konkretisiert werden[38], sowie die insbesondere im Rahmen der Vorsorge nur unter den einschränkenden Verhältnismäßigkeitsvoraussetzungen des § 17 Abs. 2 BImSchG zulässige Anordnung nachträglicher Anforderungen.

[35] Vgl. *BVerfG,* NVwZ 2010, 771 ff. (772).
[36] Vgl. dazu den Umkehrschluss aus § 12 Abs. 2 BImSchG.
[37] *BVerwG* UPR 1987, 103 f.; *Dolde*, in: FS für Bachof, 1984, S. 191 ff. (207).
[38] Ein im vorliegenden Zusammenhang einschlägiges Beispiel ist die 13. BImSchV, BGBl. I S. 1274, (o. Fn. 19).

b) Nachträgliche Anforderungen

Zu beachten ist in diesem Zusammenhang ungeachtet des erwähnten Anwendungsvorrangs des Emissionshandelssystems, der auch für abstrakt-generelle Regelungen zur CO_2-Begrenzung im Rahmen einer Rechtsverordnung nach § 7 BImSchG gilt, dass eine auf die Reduzierung von CO_2-Emissionen abzielende nachträgliche Anordnung nach § 17 Abs. 1 BImSchG gegenüber einem einzelnen fossil befeuerten Kraftwerk unter dem Gesichtspunkt der Verhältnismäßigkeit im engeren Sinne vor dem Hintergrund des Konzeptgebots des BVerwG in seinem „Heidelberg-Urteil“[39] kaum zulässig sein dürfte. Danach verlangt der Verhältnismäßigkeitsgrundsatz bei der Verringerung weiträumig verteilter Luftverunreinigungen aus einer Vielzahl von Emissionsquellen, wie dies bei CO_2-Emissionen unstreitig der Fall ist, zur Gewährleistung einer angemessenen Relation zwischen Mittel und Zweck eine Abwägung im Rahmen einer generell-abstrakten Regelung, die auf einem langfristigen, auf eine einheitliche und gleichmäßige Durchführung angelegten Konzept beruht. Dazu hat das BVerwG u. a. ausgeführt:

> *„Erst ein derartiges Konzept garantiert die angestrebte Minderung der Gesamtemissionen und rechtfertigt die zu diesem Zweck an die einzelnen Feuerungsanlagen gestellten Anforderungen auch unter dem Gesichtspunkt der Verhältnismäßigkeit; diese ist, wenn es um Vorsorge gegen den Ferntransport von Luftverunreinigungen geht, nicht mit – auf die einzelne Anlage bezogenen – betriebswirtschaftlichen Kategorien zu messen, sondern nur in volkswirtschaftlichen Größenordnungen erfassbar. Dementsprechend geht es … um eine komplexe Neubewertung der Frage, welche Emissionsbegrenzung künftig von allen Anlagen über einen beträchtlichen Zeitraum hinweg als Vorsorge verlangt wird.“*

Zur Klarstellung sei allerdings auch darauf hingewiesen, dass sich mit nachträglichen normativen Anforderungen auf der Grundlage des § 7 BImSchG manche Wunschvorstellungen zum Kohleausstieg, wie z. B. die Festlegung von CO_2-Grenzwerten, die von bestehenden Kraftwerken nicht eingehalten werden können, oder von Restlaufzeiten bzw. Abschaltdaten für einzelne Kraftwerke, nicht durchsetzen lassen.[40] Maßnahmen im Rahmen der Vorsorge nach § 5 Abs. 1 Nr. 2 BImSchG und demzufolge auch entsprechende Konkretisierungen durch Rechtsverordnung sind unter differenzierender Berücksichtigung des jeweiligen Anlagentypus und der eingesetzten Brennstoffart an den Stand der Technik gebunden.[41] Deshalb kann nicht einfach die emissionsärmste Stromerzeugungstechnik zum Maßstab für die Emissionsbegrenzungsanforderung gemacht werden.[42] Was im Rahmen der Verhältnismäßigkeit z. B. bei gasbetriebenen Kraftwerken an Vorsorgemaßnahmen zulässig erscheint, kann bei kohlebefeuerten Anlagen außerhalb

[39] *BVerwGE* 69, 37 ff. (38).
[40] Abwegig daher *Klinski*, NVwZ 2015, 1473 ff. (1474).
[41] *Dietlein*, in: Landmann/Rohmer (o. Fn. 22), § 7 BImSchG, Rdnr. 39.
[42] *Rebentisch*, in: Hendler/Marburger/Reiff/Schröder (o. Fn. 20), S. 203.

des vernünftigerweise vertretbaren Anforderungsprofils liegen. Die in einer Rechtsverordnung nach § 7 BImSchG an bestehende Anlagen festgelegten Vorsorgeanforderungen zur Emissionsbegrenzung können zwar die Ausnutzbarkeit der erteilten Genehmigung und damit den Bestandsschutz der Anlage einschränken. Da sie jedoch lediglich der Konkretisierung des § 5 Abs. 1 Nr. 2 BImSchG dienen, müssen sie den grundsätzlichen Weiterbetrieb der Anlage gewährleisten und in materieller Hinsicht verhältnismäßig sein.[43]

Völlig außer Frage steht, dass § 7 Abs. 1 BImSchG keine Ermächtigung zur verordnungsrechtlichen Festlegung von Restlaufzeiten oder Abschaltdaten für einzelne Kraftwerke bereithält. Die Vorschrift ermächtigt ausschließlich zur untergesetzlichen Konkretisierung der Grundpflichten nach § 5 Abs. 1 und 3 BImSchG. Restlaufzeiten und Abschaltdaten stehen dazu in diametralem Gegensatz.

c) Widerruf der Genehmigung

Schließlich kommt auch ein Widerruf der immissionsschutzrechtlichen Genehmigung für einzelne fossil befeuerte Kraftwerke aus Gründen des Klimaschutzes nicht in Betracht. § 21 Abs. 1 BImSchG führt in Nr. 1 bis 5 die Gründe abschließend auf, bei deren Vorliegen eine immissionsschutzrechtliche Genehmigung widerrufen werden darf.[44] Keine der dort genannten Tatbestandsvoraussetzungen liegt in Bezug auf die als klimaschädlich apostrophierten CO_2- und sonstigen Treibhausgasemissionen vor. So wäre die Genehmigungsbehörde im Sinne des § 21 Abs. 1 Nr. 3 BImSchG nunmehr nicht berechtigt, die Genehmigung zu versagen, denn sie darf nach der Vorrangregelung in § 5 Abs. 2 BImSchG zugunsten des Emissionszertifikatehandels insoweit überhaupt keine materiellen Anforderungen stellen. Daher scheidet ein Widerruf auf der Grundlage des § 21 Abs. 1 Nr. 3 BImSchG aus. Ebenso wenig kommt ein Widerruf auf der Grundlage des § 21 Abs. 1 Nr. 5 BImSchG in Betracht, „um schwere Nachteile für das Gemeinwohl zu verhüten oder zu beseitigen“. Dieser Widerrufsgrund setzt auf der Tatbestandsseite schwerwiegende Nachteile in Form konkreter Gefahren für das Leben von Menschen oder jedenfalls drohende nachhaltige Gesundheitsbeeinträchtigungen voraus, zu denen die einzelne Anlage einen kausalen und somit zurechenbaren Immissionsbeitrag leistet, so dass die Genehmigungsbehörde berechtigt oder gar gehalten wäre, die Genehmigung zu versagen.[45] Es ist oben schon dargelegt worden, dass diese Voraussetzungen in Bezug

[43] *Dietlein*, in: Landmann/Rohmer (o. Fn. 22), § 7 BImSchG, Rdnr. 59, 62. m.w.N.

[44] *Czajka*, in: Feldhaus (Hrsg.), BImSchR, Bd. 1/I, B 1, § 21 Rn. 11; *Hansmann/Röckinghausen*, in: Landmann/Rohmer in: Landmann/Rohmer (o. Fn. 22), § 21 Rdnr. 25 m.w.N.

[45] *Hansmann/Röckinghausen*, in: Landmann/Rohmer (o. Fn. 22), § 21 Rdnr. 44 ff. (45) m.w.N.

auf CO_2-und sonstige Treibhausgasemissionen nicht vorliegen und sie in materiell-rechtlicher Hinsicht nur dem Vorsorgegebot des § 5 Abs. 1 Nr. 2 BImSchG zugeordnet werden können. Vorsorgeerwägungen reichen im Zusammenhang mit dem Widerrufsgrund des § 21 Abs. 1 Nr. 5 BImSchG nicht aus. Dies auch dann nicht, wenn schwere Nachteile für das Gemeinwohl auf Auswirkungen einer großen Zahl von Anlagen zurückzuführen sind, die den einzelnen Anlagen aber nicht individuell zugerechnet werden können. Ihnen kann nur durch ein umfassendes Vorsorgekonzept begegnet werden.[46]

Nach alledem steht also fest, dass der propagierte Kohleausstieg mit dem repressiven Handlungsinstrumentarium des BImSchG (§§ 7, 17, 21) nicht zu bewerkstelligen ist. Hierzu müssten alternative Wege beschritten werden. Die dürften allerdings, wie nachfolgend aufgezeigt wird, steiniger sein als dies manche Ausstiegsprotagonisten wahrhaben wollen.

IV. Zur Frage eines „Kohleausstiegsgesetzes“

In der Literatur ist von interessierter Seite der maßgeblich vom gewünschten Ergebnis geprägte Versuch unternommen worden, aus der Entscheidung des BVerfG[47] zur 13. Atomgesetz-Novelle 2011[48] argumentatives Kapital im Sinne einer Übertragbarkeit auf den Kohleausstieg zu schlagen. Eine sorgfältige Analyse des Urteils und der ihm zugrundeliegenden 13. AtG-Novelle zeigt indessen, dass hiermit keineswegs eine wohlfeile Blaupause für einen verfassungsfesten gesetzlichen Kohleausstieg bereitsteht.

1. *Kohleausstieg im Lichte des Urteils des BVerfG zur 13. AtG-Novelle*

a) 13. AtG-Novelle kein Vorbild für originären Kohleausstieg

Zur Klarstellung ist zunächst darauf hinzuweisen, dass sich das BVerfG in seinem Urteil vom 6.12.2016 allein mit der durch die 13.AtG-Novelle eingeführten zeitlichen Staffelung der Endtermine für die Berechtigung zum Leistungsbetrieb und der Streichung der mit der 11. AtG-Novelle zugeteilten Zusatzstrommengen befasst hat. Gegenstand der Entscheidung im Verfahren über die Verfassungsbeschwerden der E.ON Kernkraft GmbH und der RWE Power AG war ausdrücklich[49] nicht die mit dem Gesetz zur geordneten Beendigung der Kernenergienutzung zur gewerblichen Erzeugung

[46] *Hansmann/Röckinghausen*, in: Landmann/Rohmer (o. Fn. 22), § 21 Rdnr. 46; BVerwGE 69,38; *Koch/Roller*, in: GK-BImSchG, § 21 Rdnr. 53.
[47] BVerfG, NJW 2017, 217 ff. (218).
[48] Dreizehntes Gesetz zur Änderung des Atomgesetzes vom 31.7.2011 (BGBl. I S. 1704).
[49] Vgl. *BVerfG*, NJW 2017, 212.

von Elektrizität (sog. Ausstiegsgesetz)[50] getroffene Grundsatzentscheidung über die Beendigung der friedlichen Nutzung der Kernenergie in Deutschland. Dem hat das BVerfG im Hinblick auf die verfassungsrechtliche Eigentumsgarantie nach Art. 14 GG grundlegende und insoweit restringierende Bedeutung mit dem Hinweis darauf beigemessen, dass damit die verfassungsrechtliche Kontrolle der mit der 13. AtG-Novelle bewirkten Grundrechtseingriffe auf einer Rechtslage aufgesetzt habe, nach der der Atomausstieg als solcher in Form der Beendigung des Leistungsbetriebs der Kernkraftwerke nach Maßgabe der ihnen zugeteilten Elektrizitätsmengen bereits konstitutiv feststand. Die eigentumsrechtlich geschützte Nutzung der Kernkraftwerke sei im Zeitpunkt des Inkrafttretens der 13. AtG-Novelle ausgehend von der zwischen der Bundesregierung und den kernkraftwerksbetreibenden Energieversorgungsunternehmen getroffenen Atomkonsensvereinbarung vom 14.6.2000 durch das Ausstiegsgesetz von 2002 somit bereits dergestalt geprägt gewesen, dass sie nur noch bis zum Verbrauch der im Jahre 2002 zugeteilten Reststrommengen ausgeübt werden durfte.[51] Nur diese von vornherein massiv eingeschränkte Rechtsposition der Kernkraftwerksbetreiber war Gegenstand verfassungsgerichtlicher Überprüfung, zu keiner Zeit jedoch das originäre Ausstiegsgesetz aus dem Jahre 2002.

Schon deshalb kann aus der Entscheidung des BVerfG vom 6.12.2016 keine Legitimationsgrundlage für die Zulässigkeit des mit einem etwaigen Kohleausstiegsgesetz verbundenen Grundrechtseingriffs gegenüber den Betreibern von Kohlekraftwerken gewonnen werden.[52] Die Eigentumsposition der Betreiber dieser Anlagen ist im Unterschied zu jener der Kernkraftwerksbetreiber nicht bereits durch gesetzliche Grundrechtseingriffe vorgeprägt und insofern nicht „bemakelt.[53]" Im Übrigen hat das BVerfG auch die schon in der Kalkar-Entscheidung[54] betonte Einschätzung wiederholt, dass dem Atomrecht eine Sonderstellung zukomme, die es rechtfertigt, von verfassungsrechtlichen Grundsätzen abzuweichen, die auf anderen Rechtsgebieten anerkannt sind, und dem Gesetzgeber einen großen Gestaltungsspielraum bei der Entscheidung über das Ob und Wie der friedlichen Nutzung der Kernenergie zuzugestehen.[55] Mangels einer solchen verfassungsrechtlichen Sonderstellung kann von einer generellen Übertragung dieser Bewertung auf das Immissionsschutzrecht, insbesondere in Bezug auf den vorsorgebezogenen Bereich der Treibhausgasemissionen, keine Rede sein.

[50] Ausstiegsgesetz vom 22.4.2002 (BGBl. I S. 1351).
[51] *BVerfG*, NJW 2017, 230.
[52] So zutreffend *Spieth/Hellermann*, Thesenpapier, 33. Trierer Kolloquium zum Umwelt- und Technikrecht 2017.
[53] Dieses Adjektiv verwendet das *BVerfG*, NJW 2017, 253.
[54] *BVerfGE* 49, 89, 127.
[55] *BVerfG*, NJW 2017, 298.

Es erscheint schließlich auch eher zweifelhaft, ob das BVerfG zum damaligen Zeitpunkt das Ausstiegsgesetz 2002 auch ohne den Hintergrund der katastrophalen Ereignisse im japanischen Fukushima als verfassungsrechtlich zulässige Inhalts- und Schrankenbestimmung im Sinne des Art. 14 Abs. 1 Satz 2 GG mit dem Hinweis darauf bestätigt hätte, dass es sich bei der friedlichen Nutzung der Kernenergie um eine „Hochrisikotechnologie" handelt, die mit extremen Schadensfallrisiken für Leben und Gesundheit der Bevölkerung sowie mit bisher noch nicht geklärten Endlagerproblemen belastet ist.[56] Deren Zulassung stelle zuerst eine politische Entscheidung des Gesetzgebers dar, die er auch von der Akzeptanz dieser Technologie in der Gesellschaft abhängig machen dürfe.[57] Das mag im vorliegenden Zusammenhang aber dahingestellt bleiben, denn der Betrieb von fossil befeuerten Kraftwerken kann jedenfalls seriöser Weise nicht als eine derartige Hochrisikotechnologie apostrophiert und insoweit mit der Kernenergienutzung gleichgestellt werden.[58] Ebenso wenig sind Kohlekraftwerke mit Entsorgungsproblemen behaftet, ganz im Gegenteil. Insoweit sei beispielhaft nur erwähnt, dass die Bauwirtschaft in ganz erheblichem Umfang auf den REA-Gips aus den Kraftwerken angewiesen ist. Es geht dabei jährlich um mehr als 7 Millionen Tonnen, die kaum durch Naturgips substituierbar sind. Von einer Übertragung der verfassungsrechtlichen Sonderstellung des Atomrechts auf das Immissionsschutzrecht, insbesondere im Hinblick auf den vorsorgebezogenen Bereich des Klimaschutzes, kann jedenfalls keine Rede sein.

b) Klimaschutz kein Rechtfertigungsgrund für Grundrechtseingriffe durch Kohleausstiegsgesetz

Von entscheidender Bedeutung für die verfassungsrechtliche Beurteilung eines Kohleausstiegsgesetzes sind jedoch die grundlegenden Ausführungen des BVerfG zu den Voraussetzungen und Grenzen einer gesetzlichen Inhalts- und Schrankenbestimmung. Hierzu hat es unter Bezug auf seine gefestigte Rechtsprechung betont, dass der gesetzliche Eingriff in die nach früherem Recht entstandenen Rechtspositionen durch Gründe des öffentlichen Interesses unter Berücksichtigung des Grundsatzes der Verhältnismäßigkeit gerechtfertigt sein muss. Dabei müssen die Gründe des öffentlichen Interesses so schwerwiegend sein, dass sie Vorrang haben vor dem Vertrauen des Bürgers auf den Fortbestand seines Rechts, das durch den Art. 14 Abs. 1 Satz 1 GG innewohnenden Bestandsschutz gesichert ist.[59]

Es ist oben schon darauf hingewiesen worden, dass der Klimaschutz im Rahmen des Immissionsschutzrechts dem Sachbereich der Vorsorge ange-

[56] *BVerfG,* NJW 2017, 219.
[57] *BVerfG,* NJW 2017, 307.
[58] Verfehlt daher *Ziehm,* ZNER 2017, 9.
[59] *BVerfG,* NJW 2017, 269; *BVerfGE* 31, 275; 70, 191 m.w.N.

hört.[60] Hinzu kommt ferner, dass dem einzelnen Kohle- oder sonstigen fossil befeuerten Kraftwerk ein individueller kausaler Immissionsbeitrag zur Klimaveränderung nicht zugerechnet werden kann. Es ist daher nicht ersichtlich, dass das grundsätzlich wohl zu bejahende öffentliche Interesse am Klimaschutz als so schwerwiegend zu bewerten ist, dass das Bestandsinteresse und der Vertrauensschutz des jeweiligen Anlagenbetreibers am Fortbestand der ihm erteilten immissionsschutzrechtlichen Genehmigung dahinter zurücktreten bzw. gänzlich entfallen müssen. Während der Gesetzgeber mit der Rücknahme der Laufzeitverlängerung durch die 13. AtG-Novelle dem Schutz von Leben und Gesundheit der Bevölkerung und somit verfassungsrechtlichen Gütern von hohem Wert dient und durch die damit erreichte deutlich frühere Abschaltung der Kernkraftwerke eine Risikominderung von ganz erheblichem Ausmaß leistet,[61] würde die Abschaltung der deutschen Kohlekraftwerke und sonstigen Feuerungsanlagen auf fossiler Brennstoffbasis allenfalls einen Beitrag zur Umsetzung der nur politisch propagierten und insoweit gewillkürten Klimaschutzziele leisten, bliebe letztlich aber ohne relevanten Einfluss auf die Bewältigung des globalen Klimaproblems. Darüber hinaus kann ein auf das Vorsorgegebot gerichtetes generelles Verbot schon aus Gründen der Verhältnismäßigkeit nicht in Betracht kommen. Das hat in gleicher Weise für ein gesetzliches Verbot der Inbetriebnahme neuer Kraftwerke zu gelten. Damit würde der Gesetzgeber in verfassungsrechtlich unzulässiger Weise gegen den Grundsatz der Verhältnismäßigkeit verstoßen. Zur Reduzierung der Treibhausgasemissionen von Kraftwerken stehen stattdessen alternative Maßnahmen zur Verfügung, bei deren rechtlicher Durchsetzung der Grundsatz der Verhältnismäßigkeit hinreichend gewahrt werden kann. Insoweit sei beispielhaft nur an technische Anforderungen zur Verminderung der Emissionen durch Steigerung des Wirkungsgrades[62] oder an die sog. CCS-Technologien zur Abscheidung, zum Transport und zur Speicherung bzw. dauerhaften Ablagerung von CO_2 aus Kraftwerken in tiefen geologischen Formationen erinnert.[63]

2. *Kohleausstiegsgesetz als unzulässiges Einzelfallgesetz*

Die politischen Ausstiegsabsichten beziehen sich unmittelbar auf Anlagen zur „Kohleverstromung", im immissionsschutzrechtlichen Begriffsverständnis also auf Anlagen, die ausschließlich der Erzeugung elektrischer Energie dienen und im Sinne der Nr. 1.1 des Anhangs der 4. BImSchV als Kraftwerke

60 Vgl. unter III. 1. b).

61 So *BVerfG*, NJW 2017, 302.

62 Vgl. dazu die grds. Anforderungen zum integrierten Umweltschutz in Nr. 5.1.3 Abs. 2 TA Luft sowie *Rebentisch* (o. Fn. 33), S. 44.

63 Vgl. dazu *Rebentisch*, in: Dolde/Hansmann/Paetow/Schmidt-Assmann (Hrsg.), 2010, FS für D. Sellner, S. 255 ff. (256).

für den Einsatz von Kohle bezeichnet werden. Ob daneben auch Industriekraftwerke erfasst werden sollen, die in großem Umfang für die individuelle, gleichsam inselhafte Energieversorgung industrieller Produktionsanlagen mit Strom und Wärme, insbesondere mit Prozessdampf, eingesetzt werden[64], dürfte vor dem Hintergrund der im gleichen Atemzug mit dem Kohleausstieg erhobenen Forderung nach Weiterentwicklung der Kraft-Wärme-Kopplung[65] eher zu verneinen sein. Ausgenommen bleibt insoweit also entsprechend der Legaldefinition der Kraft-Wärme-Kopplung in § 2 Nr. 13 KWKG[66] die gleichzeitige Umwandlung von eingesetzter Energie in elektrische Energie und in Nutzwärme in einer ortsfesten Anlage; nach Maßgabe der immissionsschutzrechtlichen Terminologie in der 4. BImSchV werden diese Anlagen als Heizkraftwerke bezeichnet. Nicht von der Ausstiegsforderung erfasst sind ferner die nach Maßgabe der 4. BImSchV ebenfalls genehmigungsbedürftigen, ausschließlich der Erzeugung von Fernwärme oder Prozesswärme dienenden Heizwerke auf fossiler Brennstoffbasis. Selbstverständlich ist für sich genommen nichts dagegen einzuwenden, dass die Ausstiegsforderungen allein auf Kraftwerke, nicht auch auf Heizkraftwerke und Heizwerke abzielen. Andernfalls entstünden industriepolitisch unverantwortliche Produktionseinbrüche und im Bereich der Wärmeversorgung verheerende Versorgungslücken in weiten Bevölkerungskreisen.

Diese unterschiedliche Handhabung würde allerdings nicht nur zu einem verfassungsrechtlich unzulässigen Verstoß gegen das Gleichbehandlungsgebot des Art. 3 Abs. 1 GG führen, sondern auch das Verbot eines sog. Einzelfallgesetzes nach Art. 19 Abs. 1 Satz 1 GG verletzen.

Art. 19 Abs. 1 Satz 1 GG bestimmt, dass ein Gesetz, soweit ein Grundrecht durch Gesetz oder aufgrund eines Gesetzes eingeschränkt werden kann, allgemein, also abstrakt-generell, und nicht nur für den Einzelfall gelten muss. Darin ist eine Konkretisierung des allgemeinen Gleichheitssatzes enthalten, wonach es dem Gesetzgeber verboten ist, aus einer Reihe gleichgelagerter Sachverhalte einen Fall oder eine Fallgruppe herauszugreifen und zum Gegenstand einer Sonderregelung zu machen.[67] Art. 19 Abs. 1 Satz 1 GG verbietet letztlich den Verwaltungsakt in Gesetzesform.[68] Ein hiergegen verstoßendes Gesetz wäre verfassungswidrig und damit grundsätzlich nichtig.[69]

[64] Vgl. dazu näher *Rebentisch*, AbfallR 2007, 174 ff. (175).

[65] Vgl. oben II.1. und 5.

[66] Gesetz für die Erhaltung, die Modernisierung und den Ausbau der Kraft-Wärme-Kopplung (Kraft-Wärme-Kopplungsgesetz – KWKG), vom 21.12.2015 (BGBl. I S. 2498), zuletzt geändert am 17.7. 2017 (BGBl. I. S. 2532); vgl. auch *Rosin/Burmeister*, in: Büdenbender/Rosin (Hrsg.) KWK-AusbauG, § 3 Rdnr. 7 ff. (8), Rdnr. 111.

[67] *BVerfGE* 85,360,374; 139, 148, 176.

[68] *Dreier*, in: Dreier (Hrsg.), Grundgesetz, 3. Aufl. 2013, Art. 19 I Rdnr. 15.

[69] Vgl. *Sachs*, Grundgesetz, 7. Aufl. 2014, Art. 19 Rdnr. 24.

Anknüpfungspunkt des propagierten Ausstiegsmodels sind bei Lichte betrachtet die mit der Stromerzeugung verbundenen Treibhausgasemissionen allenfalls in zweiter Linie. In Wahrheit wird primär bei der Art des erzeugten Produkts angesetzt, nämlich bei der Erzeugung elektrischer Energie durch Kohleverbrennung. Im Hinblick auf die Emissionsverhältnisse unterscheiden sich kohlebefeuerte Kraftwerke jedoch nicht von kohlebefeuerten Heizkraftwerken, Heizwerken oder Industriekraftwerken. Das gilt auch in Bezug auf die jeweiligen Treibhausgasemissionen. Die mit der Umwandlung der Kohle als Energieträger erzeugte Energieart hat nämlich keinen Einfluss auf die das Emissionsverhalten der Anlage maßgeblich bestimmenden Rauchgase, die durch die Verbrennung im Feuerraum des Dampferzeugers entstehen. Ob der so erzeugte Dampf zum Zwecke des Einsatzes außerhalb des Kraftwerks z. B. für die Fernwärmeversorgung oder für die industrielle Prozessdampfnutzung ausgekoppelt oder zur Erzeugung elektrischer Energie auf die Turbine geleitet und die dabei entstehende Drehbewegungsenergie im angekoppelten Generator in elektrische Energie umgewandelt wird, ist für Art und Umfang der Emissionen an Luftverunreinigungen einschließlich der Treibhausgasemissionen unerheblich. Mit einem auf das Verbot neuer Anlagen zur Kohleverstromung bzw. auf die Abschaltung bestehender Kohlekraftwerke bezogenen Ausstiegsgesetz würde entgegen dem Allgemeinheitsgebot des Art. 19 Abs. 1 Satz 1 GG aus der Gesamtheit der Feuerungsanlagen auf Kohlebasis nur die Gruppe der der öffentlichen Stromversorgung dienenden Kraftwerke herausgegriffen. Die betroffenen Unternehmen würden damit im Falle des Verbots von Neuanlagen in Bezug auf das Grundrecht der Berufsausübung nach Art. 12 Abs. 1 Satz 2 GG, ggf. sogar in Bezug auf die Berufswahl nach Art. 12 Abs. 1 Satz 1 GG, und im Falle der Abschaltung in Betrieb befindlicher Kraftwerke darüber hinaus auch hinsichtlich des Eigentumsrechts aus Art. 14 Abs. 1 Satz 1 GG einem gesetzlichen Sonderrecht unterworfen.[70] Es ist aber gerade Sinn und Zweck des Allgemeinheitsgebot nach Art. 19 Abs. 1 Satz 1 GG, eine bestimmte Person oder Personengruppe als Grundrechtsträger[71] vor einem Sondergesetz zu schützen, das gezielt nur deren Freiheitssphäre einschränkt.[72]

[70] *Klinski*, NVwZ 2015, S. 1476, macht es sich sehr und auch zu einfach, wenn er Eingriffe in die Berufsfreiheit damit rechtfertigt, dass die Beendigung der Kohleverstromung notwendige Voraussetzung des Klimaschutzes sei.

[71] Das gilt, wie bereits ausgeführt, auch für juristische Personen, also für ein bestimmtes Unternehmen oder eine bestimmte Unternehmensgruppe.

[72] *Remmert*, in: Maunz/Dürig (Hrsg.), GG, Kommentar, Stand 2008, Art. 19 Rdnr. 16 m.w.N.

3. *Normative Umsetzungshürden*

Dass die intendierten Ausstiegsforderungen auf dieses verfassungsrechtliche Verdikt treffen, wird praktisch augenfällig, wenn man sich eine mögliche normative Umsetzung näher betrachtet. Dabei ist auch darauf hinzuweisen, dass eine widerspruchsfreie Ausgestaltung auf erhebliche rechtstechnische Schwierigkeiten stößt. Sie erscheinen kaum vermeidbar und können hier nur beispielhaft aufgezeigt werden.

Soweit es um das vorgesehene Verbot neuer Kohlekraftwerke geht, könnte in Anlehnung an § 7 Abs. 1 Satz 2 AtG z. B. in § 4 Abs. 1 BImSchG nach Satz 2 folgender Satz eingefügt werden: „Für die Errichtung und den Betrieb einer Anlage zur Erzeugung von Strom für die öffentliche Versorgung durch den Einsatz von Kohle mit einer Feuerungswärmeleistung von 50 Megawatt oder mehr wird keine Genehmigung erteilt.“ Das setzt denklogisch allerdings voraus, dass derartige Anlagen nach Maßgabe des Anhangs 1 Nr. 1 der 4. BImSchV einer immissionsschutzrechtlichen Genehmigung überhaupt bedürfen, was ausweislich der Regelung in der 4. BImSchV der Fall ist. Ohne ein solches Genehmigungserfordernis würde es sich um nicht genehmigungsbedürftige Anlagen im Sinne des § 22 Abs. 1 Satz 1 BImSchG handeln, für die ein gesetzliches Genehmigungsverbot ins Leere ginge. Das dort verankerte Genehmigungserfordernis müsste also aus rechtstechnischen Gründen bestehen bleiben, wodurch ein offensichtlicher Regelungswiderspruch innerhalb des immissionsschutzrechtlichen Normgefüges entstünde. Das lässt sich nicht etwa dadurch vermeiden, dass das Genehmigungsverbot für neue Kraftwerke unmittelbar in der für das Genehmigungserfordernis konstitutiven 4. BImSchV geregelt wird. Eine solche Negativregelung wäre von der Ermächtigungsgrundlage des § 4 Abs. 1 Satz 3 BImSchG, wonach die Bundesregierung durch Rechtsverordnung die Anlagen bestimmt, die einer Genehmigung bedürfen, nicht gedeckt. Schließlich könnte eine entsprechende Ausdehnung des Ermächtigungsrahmens auf ein Genehmigungsverbot für Kohlekraftwerke nicht in Betracht kommen, denn dies stünde in keinem Regelungszusammenhang mit Sinn und Zweck der mit dem Genehmigungsvorbehalt verfolgten Präventivkontrolle. Es bleibt daher ziemlich im Dunkeln, wie ein widerspruchsfreies Regelungsgefüge insoweit aussehen soll. Der Verfasser sieht es allerdings auch nicht als seine Aufgabe an, hier eine brauchbare Lösung für das aus seiner Sicht in rechtlicher wie in tatsächlicher Hinsicht abzulehnende Ausstiegsvorhaben zu suchen.

Der Verstoß gegen das Verbot eines Einzelfallgesetzes würde in gleicher Weise offensichtlich, wenn es um Regelungen zur Abschaltung bestehender Kohlekraftwerke geht. Auch hier müsste eine solche gesetzliche Regelung auf der Tatbestandsseite ausdrücklich und isoliert auf Anlagen zur Erzeugung von Strom für die öffentliche Versorgung durch den Einsatz von Kohle mit einer Feuerungswärmeleistung von 50 Megawatt oder mehr bezogen werden, während auf der Rechtsfolgenseite das Erlöschen der Genehmigung zu einem näher bestimmten Zeitpunkt angeordnet werden müsste. Ob sich dies aus systematischer Sicht in den Kontext des § 18 BImSchG einpassen ließe, erscheint eher zweifelhaft, soll hier aber offengelassen werden. Feststeht jedenfalls, dass es sich auch dabei um ein mit dem Gleichheitsgebot unvereinbares und darüber hinaus um ein unzulässiges Einzelfallgesetz im Sinne des Art. 19 Abs. 1 Satz 1 GG handeln würde. Es wäre ebenfalls verfassungswidrig und damit grundsätzlich nichtig.[73]

V. Schlussbemerkung

Die obigen Ausführungen haben gezeigt, dass die Umsetzung der forschen Kohleausstiegspostulate aus dem politischen Umfeld auf grundlegende rechtliche, nicht zuletzt auch verfassungsrechtliche, Hindernisse stößt. Insbesondere trügt die hoffnungsfrohe Annahme mancher Ausstiegsverfechter, mit der Entscheidung des BVerfG zur 13. AtG-Novelle sei auch für den Kohleausstieg ein verfassungsfester Weg bereitet worden. Von entscheidender Bedeutung ist auch die Tatsache, dass sämtliche Klimaschutzmaßnahmen dem Bereich der Vorsorge zugehören und ihre rechtliche Durchsetzung schon deshalb den restringierenden Schranken des Verhältnismäßigkeitsgrundsatzes ausgesetzt ist. Das gilt insbesondere für das Instrumentarium des Immissionsschutzrechts, mit dessen Hilfe ein Kohleausstieg jedenfalls nicht zu bewerkstelligen ist. Erhebliche Realisierungswiderstände ergeben sich aber auch in verfassungsrechtlicher Hinsicht aus dem Gesichtspunkt des unzulässigen Einzelfallgesetzes. Alle diese Schutzwälle könnten indessen zunichte gemacht werden, wenn die Kraftwerksbetreiber erneut den strategisch zweifelhaften Weg einer konsensualen Absprache mit der Bundesregierung beschreiten würden. Einer freiwilligen Preisgabe von Grundrechten und der volatilen Generierung „bemakelten“ Eigentums wäre keine verfassungsrechtliche Hürde gewachsen, wie auch das BVerfG betont hat. Das sollte deshalb gut und kritisch bedacht werden.

[73] *Sachs*, Grundgesetz, (o. Fn. 69).

Sonderregelungen für Strom aus erneuerbaren Energien nach dem „Winterpaket" der Kommission

Hartmut Weyer*

I. Problemstellung

Der Rechtsrahmen für die Stromerzeugung folgt wettbewerblichen Grundsätzen und ist daher an dem Gedanken der Diskriminierungsfreiheit zwischen Marktteilnehmern ausgerichtet. Zugleich sollen das Energieversorgungssystem im Rahmen der Energiewende dekarbonisiert und die Stromerzeugung zunehmend auf erneuerbare Energien umgestellt werden. Daher bestehen vielfältige Sonderregelungen für die Stromerzeugung aus erneuerbaren Energien, die sich nicht auf die finanzielle Förderung durch Marktprämie, Einspeisevergütung, Mieterstromzuschlag oder Flexibilitätsprämie beschränken, sondern auch weitere Aspekte etwa hinsichtlich Netzanschluss, Netzzugang, Netzausbau und Marktteilnahme der EE-Stromerzeugung betreffen.

Bedeutung und Notwendigkeit der Sonderregelungen für die EE-Stromerzeugung in einem wettbewerblich geprägten Rechtsrahmen müssen angesichts des erreichten Ausbaustandes und der angestrebten weiteren Entwicklung überdacht werden. Die Kommission hat daher mit dem Gesetzespaket „Saubere Energie für alle Europäer" (sog. Winterpaket) Vorschläge für eine Umgestaltung der Marktvorschriften vorgelegt. Teilweise sollen bestehende Sonderregelungen ausdrücklich eingeschränkt oder abgeschafft werden. Vor diesem Hintergrund sind die bestehenden Sonderregelungen im deutschen Recht neu zu würdigen.

Der folgende Beitrag gibt zunächst einen Überblick über ausgewählte Sonderregelungen im deutschen Recht und deren derzeitige unionsrechtliche Grundlage (**II.**). Anschließend wird der (modifizierte) Rechtsrahmen durch die Marktvorschriften des Winterpakets dargestellt (**III.**). Abschließend erfolgen erste Überlegungen zur Vereinbarkeit der ausgewählten Sonderregelungen des deutschen Rechts mit dem Winterpaket (**IV.**).

* Direktor des Instituts für deutsches und internationales Berg- und Energierecht der TU Clausthal.

II. Sonderregelungen für die Stromerzeugung aus erneuerbaren Energien im deutschen Recht

Als Grundlage für die weitere Diskussion werden im Folgenden ausgewählte Sonderregelungen des deutschen Rechts für die Stromerzeugung aus erneuerbaren Energien in den Bereichen Netzanschluss, Netzzugang, Netzausbau sowie Marktteilnahme dargestellt. Zugleich wird deren Grundlage im geltenden Unionsrecht geprüft.

1. Sonderregelungen für den Netzanschluss von EE-Erzeugungsanlagen

a) Unverzüglicher vorrangiger Netzanschluss, § 8 Abs. 1 EEG 2017

Netzbetreiber müssen gemäß § 8 Abs. 1 EEG 2017 Anlagen zur Erzeugung von Strom aus erneuerbaren Energien (EE-Erzeugungsanlagen)[1] unverzüglich vorrangig an ihr Netz anschließen. Bei Vorliegen mehrerer Anschlussbegehren ist daher grundsätzlich dem Anschluss von EE-Erzeugungsanlagen der Vorrang gegenüber dem Anschluss von Nicht-EE-Erzeugungsanlagen einzuräumen.[2] Eine vergleichbare Sonderregelung besteht lediglich für hocheffiziente KWK-Anlagen, die gemäß § 3 Abs. 1 und 2 KWKG den EE-Erzeugungsanlagen gleichgestellt sind.

Eine unionsrechtliche Grundlage findet diese Sonderregelung in Art. 16 Abs. 2 lit. b) der Erneuerbare-Energien-Richtlinie (EERL)[3] der EU. Danach sehen die Mitgliedstaaten entweder einen vorrangigen Netzzugang oder einen garantierten Netzzugang für Elektrizität aus erneuerbaren Energiequellen vor. Allerdings wird dem Wortlaut nach nicht deutlich, ob der Begriff „Netzzugang“ in dieser Vorschrift neben dem Netzzugang i.S.d. Nutzung des Elektrizitätsversorgungsnetzes auch den Netzanschluss i.S.d. physikalischen Verbindung des Netzes mit der elektrischen Anlage des Anschlussnehmers meint. Zwar sind Netzanschluss und Netzzugang angesichts der unterschiedlichen technischen Sachverhalte grundsätzlich zu trennen, doch besteht ein enger Zusammenhang, da der Netzanschluss eine Vorbedingung für die Ausübung des Zugangsrechts ist.[4] Daher liegt nahe, dass dem Mitgliedstaat bei Wahl des Systems des vorrangigen Netzzugangs – wie im Falle Deutschlands nach § 11 Abs. 1 EEG 2017 – zumindest auch die Option eingeräumt wird, einen vorrangigen Netzanschluss vorzusehen. Dieses Ver-

[1] Nicht eingegangen wird in diesem Beitrag auf Anlagen zur Stromerzeugung aus Grubengas.

[2] Vgl. auch Begründung zu § 5 EEG 2009, BT-Drs. 16/8148, S. 41.

[3] Richtlinie 2009/28/EG zur Förderung der Nutzung von Energie aus erneuerbaren Quellen, ABl. EU Nr. L 140 vom 5.6.2009, S. 16.

[4] *EuGH*, Urteil vom 12.6.2008, C-239/07, ECLI:EU:C2008:344, Rdnr. 40 f. – Sabatauskas.

ständnis wird durch Erwägungsgrund 61 EERL gestützt. Danach können die Mitgliedstaaten zur Beschleunigung der Netzanschlussverfahren die Möglichkeit des vorrangigen Netzzugangs oder der Reservierung von Anschlusskapazitäten für neue Anlagen, die Energie aus erneuerbaren Energiequellen erzeugen, vorsehen. Diese Formulierung ist angesichts der Bezugnahme auf das Netzanschlussverfahren dahin zu verstehen, dass die Möglichkeit des vorrangigen Netzanschlusses gemeint ist.[5] Entsprechend dem Charakter der Erwägungsgründe als Auslegungshilfe[6] ist Art. 16 Abs. 2 lit. b) EERL daher so zu verstehen, dass er auch den vorrangigen Netzanschluss umfasst.[7]

b) Netzverknüpfungspunkt, § 8 Abs. 1 bis 3 EEG 2017

Für den Netzverknüpfungspunkt enthält § 8 Abs. 1 bis 3 EEG 2017 besondere Vorgaben. Nach § 8 Abs. 1 EEG 2017 müssen Netzbetreiber EE-Erzeugungsanlagen grundsätzlich an der Stelle an ihr Netz anschließen, die im Hinblick auf die Spannungsebene geeignet ist und die in der Luftlinie kürzeste Entfernung zum Standort der Anlage aufweist, wenn nicht dieses oder ein anderes Netz einen technisch und wirtschaftlich günstigeren Verknüpfungspunkt aufweist. Gemäß Absatz 2 und 3 können Anlagenbetreiber bzw. Netzbetreiber unter bestimmten Voraussetzungen einen anderen Netzverknüpfungspunkt wählen, wobei der Netzbetreiber bei Zuweisung eines anderen Verknüpfungspunkts nach § 16 Abs. 2 EEG 2017 die daraus resultierenden Mehrkosten tragen muss.

Gesetzliche Vorgaben zum Netzverknüpfungspunkt stellen eine Sonderregelung im deutschen Recht dar. So sieht etwa § 6 Abs. 2 NAV für den Netzanschluss in Niederspannung nach § 18 Abs. 1 EnWG vor, dass Art, Zahl und Lage der Netzanschlüsse nach Beteiligung des Anschlussnehmers und unter Wahrung seiner berechtigten Interessen vom Netzbetreiber nach den anerkannten Regeln der Technik bestimmt werden, wobei das Interesse des Anschlussnehmers an einer kostengünstigen Errichtung der Netzanschlüsse besonders zu berücksichtigen ist.

[5] *Kahles/Kahl/Pause*, Die Vorschläge zur Neuregelung des Vorrangs erneuerbarer Energien im Energie-Winterpaket der Europäischen Kommission. Mögliche Auswirkungen auf die Rechtslage in Deutschland, Stiftung Umweltenergierecht, Würzburger Studien zum Umweltenergierecht, Nr. 5, Mai 2017, S. 11 f.; *Cosack*, in: Frenz/Müggenborg/Cosack/Hennig/Schomerus (Hrsg.): EEG Kommentar, 5. Aufl. 2018, § 8 EEG Rdnr. 16.

[6] Vgl. *Wegener*, in: Calliess/Ruffert (Hrsg.): EUV/AEUV, 5. Aufl. 2016, Art. 19 EUV Rdnr. 16; Gaitanides, in: von der Groeben/Schwarze/Hatje (Hrsg.): Europäisches Unionsrecht, 7. Aufl. 2015, Art. 19 EUV Rdnr. 44.

[7] So auch *Scholz*, in: Säcker (Hrsg.): Berliner Kommentar zum Energierecht, Bd. 6, 4. Aufl. 2018, § 8 EEG Rdnr. 3 ff. So i.E. auch der Bericht des *Ausschusses für Umwelt, Naturschutz und Reaktorsicherheit*, BT-Drs. 15/2864, S. 14, zum Verhältnis des § 4 EEG 2004 zu Art. 7 der außer Kraft getretenen Richtlinie 2001/77/EG zur Förderung der Stromerzeugung aus erneuerbaren Energiequellen im Elektrizitätsbinnenmarkt, ABl. EU Nr. L 283 vom 27.10.2001, S. 33.

Soweit mit der gesetzlichen Regelung zum Netzverknüpfungspunkt eine Kostenentlastung für den Anlagenbetreiber einhergeht (insbesondere § 8 Abs. 3 i.V.m. § 16 Abs. 2 EEG 2017), könnte eine unionsrechtliche Grundlage der Sonderregelung in Art. 16 Abs. 4 S. 1 i.V.m. Abs. 3 EERL gesehen werden. Danach können Mitgliedstaaten von den Netzbetreibern die vollständige oder teilweise Übernahme der Kosten verlangen, die für technische Anpassungen wie Netzanschlüsse und Netzverstärkungen, verbesserten Netzbetrieb und Regeln für die nichtdiskriminierende Anwendung der Netzkodizes, die zur Einbindung neuer Produzenten, die aus erneuerbaren Energiequellen erzeugte Elektrizität in das Verbundnetz einspeisen, notwendig sind.

c) Besonderes Netzanschlussverfahren, § 8 Abs. 5 und 6 EEG 2017

§ 8 Abs. 5 und 6 EEG 2017 sehen ein besonderes Netzanschlussverfahren für EE-Erzeugungsanlagen vor. U.a. hat der Netzbetreiber unverzüglich nach Eingang eines Netzanschlussbegehrens einen genauen Zeitplan für dessen Bearbeitung zu übermitteln. Nach Eingang der erforderlichen Informationen des Einspeisewilligen müssen Netzbetreiber außerdem unverzüglich, spätestens aber innerhalb von acht Wochen, weitere Informationen übermitteln, u.a. einen Zeitplan für die Herstellung des Netzanschlusses, die für die Prüfung des Netzverknüpfungspunktes benötigten Informationen sowie einen Kostenvoranschlag hinsichtlich der den Anlagenbetreibern durch den Netzanschluss entstehenden Kosten. Die Vorgaben dienen insbesondere der Investitions- und Planungssicherheit des Einspeisewilligen.[8]

Vergleichbare gesetzliche Regelungen existieren für andere Erzeugungsanlagen nicht in allgemeiner Form. Lediglich die §§ 3 ff. KraftNAV enthalten ihrerseits detaillierte Vorgaben für den Netzanschluss von Erzeugungsanlagen, aber nur bei einer Nennleistung ab 100 MW und Anschluss an ein Stromnetz mit einer Spannung von mindestens 110 kV.

Mit § 8 Abs. 5 und 6 EEG 2017 setzt der deutsche Gesetzgeber die Vorgaben des Art. 16 Abs. 5 EERL um.[9]

2. *Sonderregelungen für den Netzzugang*

a) Unverzüglicher vorrangiger Netzzugang, § 11 Abs. 1 und 2 EEG 2017

Gemäß § 11 Abs. 1 S. 1 EEG 2017 müssen Netzbetreiber, vorbehaltlich etwaiger Maßnahmen des Einspeisemanagements nach § 14 EEG 2017, den gesamten Strom aus erneuerbaren Energien, der im System der Einspeisevergütung veräußert wird, unverzüglich vorrangig physikalisch abnehmen,

[8] Vgl. *Cosack* (o. Fn. 5), § 8 EEG Rdnr. 6.
[9] Vgl. BT-Drs. 17/3629, S. 34.

übertragen und verteilen. Gemäß § 11 Abs. 2 EEG 2017 gilt dies auch im Falle der sog. kaufmännisch-bilanziellen Weitergabe an den Netzbetreiber. Die Regelung findet eine unionsrechtliche Grundlage in Art. 16 Abs. 2 lit. b) EERL (s.o.).

Die Regelung hat im Falle der Direktvermarktung allerdings keine Bedeutung für das Dispatch des erzeugten Stroms, da Deutschland kein zentrales Dispatch-System anwendet. Vielmehr entscheidet der Anlagenbetreiber bzw. Direktvermarkter selbst, ob er den Netzzugang in Anspruch nehmen möchte. Relevant ist die Vorrangfrage im Falle der Direktvermarktung lediglich für die Einschränkung der Stromeinspeisung durch den Netzbetreiber aus Gründen der Sicherheit und Zuverlässigkeit des Netzes, die gesondert behandelt wird (unten II.2.b)).

Dagegen besteht ein Zusammenhang zwischen dem unverzüglichen vorrangigen Netzzugang und dem System der Einspeisevergütung nach § 19 Abs. 1 Nr. 2 EEG 2017. Hier ist der Netzbetreiber nach § 11 Abs. 1 S. 1 und 2 EEG 2017 nicht nur zur unverzüglichen vorrangigen physikalischen Abnahme, Übertragung und Verteilung verpflichtet, sondern auch zur kaufmännischen Abnahme und Zahlung der Einspeisevergütung. Dies beeinflusst in der Folge die Preisbildung an den Strommärkten (bis hin zur Bildung negativer Strompreise) und damit mittelbar auch die Inanspruchnahme des Netzzugangs für direkt vermarkteten (erneuerbaren oder konventionell erzeugten) Strom. Ein System der Einspeisevergütung nähert sich insoweit der Gewährung eines vorrangigen Netzzugangs für den im System der Einspeisevergütung vermarkteten Strom an.[10]

b) Zwangsmaßnahmen i.S.v. § 13 Abs. 2 EnWG, § 14 EEG 2017

Bei der zwangsweisen Anpassung von Stromeinspeisungen, Stromtransiten und Stromabnahmen an die Erfordernisse eines sicheren und zuverlässigen Netzbetriebs nach § 13 Abs. 2 EnWG dürfen Netzbetreiber die EE-Einspeisung nur dann einschränken, wenn der Vorrang für Strom aus erneuerbaren Energien gewahrt wird. Dies ergibt sich im Falle von Netzengpässen aus § 13 Abs. 3 S. 1 und 3 EnWG i.V.m. § 14 EEG 2017. Bei sonstiger Gefährdung oder Störung der Sicherheit oder Zuverlässigkeit des Elektrizitätsversorgungssystems, z.B. im Falle von Leistungsungleichgewichten, ergibt sich Ähnliches aus § 13 Abs. 3 S. 1 EnWG i.V.m. § 11 Abs. 1 EEG.

In der Konsequenz ist eine zwangsweise Einschränkung der EE-Einspeisung zum einen ausgeschlossen, wenn marktbezogene Maßnahmen gegenüber nicht vorrangberechtigter Elektrizität zur Verfügung stehen. Ein Vorrang marktbezogener Maßnahmen gilt nach § 13 Abs. 2 EnWG zwar grundsätzlich auch im Falle von Zwangsmaßnahmen gegenüber nicht vor-

[10] Vgl. auch Erwägungsgrund 60 der EERL.

rangberechtigter Elektrizität, doch erscheint dieser Vorrang bei Inanspruchnahme marktbezogener Maßnahmen zur Reduzierung der EE-Einspeisung nach § 11 Abs. 3 EEG 2017 eingeschränkt (unten II.4.a)bb)). Auch insoweit handelt es sich daher um Sonderregelungen für die EE-Einspeisung. Zum anderen haben die dargestellten Sonderregelungen zur Konsequenz, dass die EE-Einspeisung nicht durch Zwangsmaßnahmen eingeschränkt werden darf, solange noch Zwangsmaßnahmen gegenüber nicht vorrangberechtigter Einspeisung zur Verfügung stehen. Ausnahmen sind gemäß § 13 Abs. 3 S. 4 bis 6 EnWG jeweils nur in besondere Fällen zulässig, wenn andernfalls die Beseitigung einer Gefährdung oder Störung verhindert würde, insbesondere zur Sicherstellung einer Mindesteinspeisung aus bestimmten Anlagen („netztechnisch erforderliches Minimum").

Die dargestellten Sonderregelungen finden eine unionsrechtliche Grundlage in dem vorrangigen Netzzugang für Strom aus erneuerbaren Energien nach Art. 16 Abs. 2 lit. b) EERL.

3. *Sonderregelungen für den Netzausbau*

a) Anspruch auf Netzausbau, § 8 Abs. 4 und § 12 EEG 2017

Gemäß § 12 Abs. 1 S. 1 EEG 2017 müssen Netzbetreiber auf Verlangen der Einspeisewilligen unverzüglich ihre Netze optimieren, verstärken und ausbauen, um die Abnahme, Übertragung und Verteilung des Stroms aus erneuerbaren Energien sicherzustellen. Insbesondere dürfen sie den Netzanschluss auch dann nicht verweigern, wenn die Abnahme des Stroms erst durch Optimierung, Verstärkung oder Ausbau des Netzes nach § 12 EEG 2017 möglich wird, vgl. § 8 Abs. 4 EEG 2017. Eine Grenze findet die Netzausbaupflicht nach § 12 Abs. 3 EEG 2017 erst im Falle der wirtschaftlichen Unzumutbarkeit für den Netzbetreiber sowie nach § 11 Abs. 2 EnWG (sog. Spitzenkappung). Hierbei handelt es sich um eine Sonderregelung für die EE-Einspeisung. Die allgemeine Regelung zur Netzausbaupflicht nach § 11 Abs. 1 S. 1 und § 12 Abs. 3 EnWG gewährt nach herrschendem Verständnis keinen Anspruch auf unverzüglichen Netzausbau, da die allgemeine Netzausbaupflicht nicht den Zweck hat, den spezifischen Bedarf einzelner Netznutzer zu befriedigen.[11] Allerdings kann sich ein Netzausbauanspruch ggf. mittelbar aus dem Netzanschlussanspruch nach §§ 17 oder 18 EnWG ergeben.[12]

[11] *König*, in: Säcker (Hrsg.): Berliner Kommentar zum Energierecht, Bd. 1, 3. Aufl. 2013, § 11 EnWG Rdnr. 70; *Sötebier*, in: Britz/Hellermann/Hermes (Hrsg.): EnWG Kommentar, 3. Aufl. 2015, § 11 Rdnr. 65 ff. A.A. aber etwa *Hartmann*, in: Danner/Theobald (Hrsg.): Energierecht Kommentar, Bd. 2, Stand der 58. Erg.-Lfg. (Februar 2008), § 7 KraftNAV Rdnr. 16 f.

[12] *König* (o. Fn. 11), § 11 EnWG Rdnr. 71.

Eine unionsrechtliche Grundlage findet der Netzausbauanspruch nach § 12 und § 8 Abs. 4 EEG 2017 in Art. 16 Abs. 2 lit. a) EERL. Danach gewährleisten die Mitgliedstaaten, dass die Netzbetreiber in ihrem Hoheitsgebiet die Übertragung und Verteilung von Elektrizität aus erneuerbaren Energiequellen gewährleisten, womit mittelbar eine Netzausbaupflicht begründet wird.[13] Der Netzausbauanspruch kann als Mittel zur zivilrechtlichen Durchsetzung dieser Verpflichtung angesehen werden. Unabhängig davon, ob die Einräumung eines solchen Netzausbauanspruchs unionsrechtlich zur Gewährleistung der Übertragung und Verteilung von Strom aus erneuerbaren Energien verpflichtend ist, trägt die unionsrechtliche Netzausbaupflicht grundsätzlich jedenfalls auch eine solche nationale Ausgestaltung der Rechtsdurchsetzung.

b) Schadenersatzanspruch bei verzögertem Netzausbau, § 13 Abs. 1 EEG 2017

§ 13 Abs. 1 S. 1 EEG 2017 räumt dem Einspeisewilligen bei vom Netzbetreiber zu vertretender Verletzung der Netzausbaupflicht einen Schadenersatzanspruch gegen den Netzbetreiber ein. Zudem sieht § 13 Abs. 1 S. 2 EEG 2017 eine Beweislastumkehr zugunsten des Einspeisewilligen vor. Demgegenüber ist ein Schadenersatzanspruch bei Verletzung der allgemeinen Netzausbaupflicht nach § 11 Abs. 1, § 12 Abs. 3 EnWG ausgeschlossen, soweit ein Netzausbauanspruch mit der herrschenden Auffassung verneint wird.

Diese Regelungen finden grundsätzlich gleichfalls eine unionsrechtliche Grundlage in der Netzausbaupflicht nach Art. 16 Abs. 2 lit. a) EERL. Schadenersatzanspruch und Beweislastumkehr gestalten die zivilrechtliche Durchsetzung der unionsrechtlichen Netzausbaupflicht aus. Wiederum kann diese Netzausbaupflicht unabhängig von der Frage nach dem Vorliegen einer unionsrechtlichen Verpflichtung zur Einräumung eines Schadenersatzanspruchs jedenfalls auch eine solche nationale Ausgestaltung der Rechtsdurchsetzung grundsätzlich tragen.

c) Ausschluss von Baukostenzuschüssen, § 17 EEG 2017

Gemäß § 17 EEG 2017 sind die durch den Anschluss von EE-Erzeugungsanlagen entstehenden Netzausbaukosten stets vom Netzbetreiber zu tragen. Abweichende Vereinbarungen, insbesondere die Vereinbarung eines Baukostenzuschusses (BKZ), sind nach § 7 Abs. 2 EEG 2017 zwar nicht von vornherein ausgeschlossen. Doch erscheint zweifelhaft, ob ein BKZ, wie § 7 Abs. 2 Nr. 4 EEG 2017 verlangt, mit dem wesentlichen Grundgedanken des § 17 EEG 2017 vereinbar wäre, da dieser gerade die vollständige Kostentragung durch den Netzbetreiber vorsieht. Zudem wäre nicht zu erwar-

[13] Zweifelnd *Kahles/Kahl/Pause* (o. Fn. 5), S. 45 f., die primär auf Art. 16 Abs. 1 EERL abstellen.

ten, dass der Anlagenbetreiber eine solche Vereinbarung abschließen würde. Dieses System der „flachen Anschlusskosten" sendet nach Auffassung des Gesetzgebers die besten ökonomischen Signale zur Netzintegration dezentraler Anlagen und begünstigt einen hohen Anteil dezentraler Anlagen an der Gesamtstromerzeugung.[14]

Damit weicht § 17 EEG 2017 von der allgemeinen Rechtslage ab. Zwar werden BKZ bislang im Wesentlichen nur von Letztverbrauchern, nicht aber von Einspeisern erhoben. Doch schließt der geltende Rechtsrahmen BKZ für den Netzanschluss von Einspeisern nicht generell aus.[15] So enthält § 9 StromNEV in Absatz 1 eine ausdrückliche Regelung zur Auflösung von BKZ, die von stromverbrauchenden Anschlussnehmern entrichtet wurden, und in Absatz 2 eine zusätzliche Regelung für BKZ, die im Zusammenhang mit der Errichtung eines Anschlusses für die Einspeisung elektrischer Energie entrichtet wurden. Damit wird die Zulässigkeit der Erhebung von BKZ von Einspeisern vom Verordnungsgeber vorausgesetzt.[16] Die Erhebung eines BKZ ist nur für KWK-Anlagen gemäß § 3 Abs. 1 S. 4 KWKG i. V. m. § 8 KraftNAV sowie für Erzeugungsanlagen ab 100 MW elektrischer Nennleistung bei Anschluss an Stromnetze mit einer Spannung von mindestens 110 kV gemäß § 8 Abs. 3 KraftNAV ausgeschlossen. Diese Vorschriften verfolgen jedoch – wie auch das EEG 2017 – besondere Förderzwecke und lassen sich daher nicht als Begründung für die allgemeine Unzulässigkeit der Erhebung von BKZ von Einspeisern heranziehen.[17]

Der Ausschluss von BKZ findet eine unionsrechtliche Grundlage in Art. 16 Abs. 4 S. 1 i.V.m. Abs. 3 EERL. Danach können Mitgliedstaaten von den Netzbetreibern die vollständige oder teilweise Übernahme der Kosten verlangen, die für technische Anpassungen wie Netzanschlüsse und Netzverstärkungen, verbesserten Netzbetrieb und Regeln für die nichtdiskriminierende Anwendung der Netzkodizes, die zur Einbindung neuer Produzenten, die aus erneuerbaren Energiequellen erzeugte Elektrizität in das Verbundnetz einspeisen, notwendig sind.

[14] BT-Drs. 16/8148, S. 48; *Hennig/Ekardt*, in: Frenz/Müggenborg/Cosack/Hennig/Schomerus (Hrsg.): EEG Kommentar, 5. Aufl. 2018, § 16 EEG Rdnr. 3.

[15] So auch *Stappert/Johannsen*, in: Rosin/Pohlmann/Gentzsch/Metzenthin/Böwing (Hrsg.): Praxiskommentar zum EnWG, Bd. 1, Stand der 8. Erg.-Lfg. (August 2016), § 17 EnWG Rdnr. 51. A.A. *Hartmann*, in: Danner/Theobald (Hrsg.): Energierecht Kommentar, Bd. 1, Stand der 64. Erg.-Lfg. (August 2009), § 17 EnWG Rdnr. 102 f.; restriktiv auch *Säcker/Boesche*, in: Säcker (Hrsg.): Berliner Kommentar zum Energierecht, Bd. 1, 3. Aufl. 2013, § 17 EnWG Rdnr. 26.

[16] Vergleiche auch die Verordnungsbegründung, BR-Drs. 245/05, S. 36.

[17] Ähnlich *Stappert/Johannsen* (o. Fn. 15), § 17 EnWG Rdnr. 52.

4. Sonderregelungen für die Marktteilnahme

a) Vertragliche Vereinbarungen nach § 11 Abs. 3 EEG 2017

aa) Verhältnis zu anderen marktbezogenen Maßnahmen nach § 13 Abs. 1 Nr. 2 EnWG

Gemäß § 11 Abs. 3 EEG 2017 können Anlagenbetreiber oder Direktvermarktungsunternehmer und Netzbetreiber ausnahmsweise zur besseren Integration der Anlage in das Netz vertraglich vereinbaren, vom Abnahmevorrang abzuweichen; bei Anwendung solcher Vereinbarungen ist sicherzustellen, dass der Vorrang für Strom aus erneuerbaren Energien angemessen berücksichtigt und insgesamt die größtmögliche Strommenge aus erneuerbaren Energien abgenommen wird. Der Einsatz als marktbezogene Maßnahmen nach § 13 Abs. 1 Nr. 2 EnWG zur Beseitigung einer Gefährdung oder Störung der Sicherheit oder Zuverlässigkeit des Elektrizitätsversorgungssystems ist gemäß § 13 Abs. 3 S. 2 EnWG (nur) zulässig, wenn zuvor alle vertraglichen Vereinbarungen zur Reduzierung der Einspeisung von nicht vorrangberechtigter Elektrizität ausgeschöpft wurden und soweit die Bestimmungen des EEG ein Abweichen vom Einspeisevorrang auf Grund vertraglicher Vereinbarungen ausnahmsweise eröffnen. Damit soll sichergestellt werden, dass die Ausnahmeregelung für vertragliche Vereinbarungen nicht zu einer Entwertung des Vorrangprinzips an sich führt; bei der Auswahl unter den marktbezogenen Maßnahmen sollen entsprechend dem Verhältnis zwischen Grundsatz und Ausnahme vorrangig die Vereinbarungen zur Regelung der nicht privilegierten Anlagen eingesetzt werden.[18]

Stehen daher neben Vereinbarungen nach § 11 Abs. 3 EEG 2017 auch solche zur Reduzierung von nicht vorrangberechtigter Elektrizität zur Verfügung, so dürfen erstere, abweichend von üblichen Marktgrundsätzen, auch bei technischer Eignung und günstigerem Preis nicht in Anspruch genommen werden. Entsprechendes dürfte nach dem Vorrangprinzip grundsätzlich auch gelten, wenn andere marktbezogene Maßnahmen die Gefährdung oder Störung beheben können, z.B. der Einsatz zuschaltbarer Lasten im Falle eines Netzengpasses.

Eine unionsrechtliche Grundlage findet diese Sonderregelung in der Zulässigkeit der Einräumung vorrangigen Netzzugangs nach Art. 16 Abs. 2 lit. b) EERL.[19] Die Regelung entspricht zudem Art. 16 Abs. 2 lit. c) S. 2 EERL, wonach die Mitgliedstaaten sicherstellen müssen, dass angemessene netz- und marktbezogene betriebliche Maßnahmen ergriffen werden, um Beschränkungen der EE-Einspeisung möglichst gering zu halten.

[18] BT-Drs. 17/6072, S. 72.
[19] Vgl. auch den Hinweis auf das Vorrangprinzip in BT-Drs. 17/6072, S. 72.

bb) Verhältnis zu Zwangsmaßnahmen nach § 13 Abs. 2 EnWG

Gemäß § 13 Abs. 2 EnWG ist eine zwangsweise Anpassung von Stromeinspeisungen, Stromtransiten oder Stromabnahmen nur zulässig, wenn die Gefährdung oder Störung der Sicherheit oder Zuverlässigkeit des Elektrizitätsversorgungssystems durch Maßnahmen nach § 13 Abs. 1 EnWG nicht oder nicht rechtzeitig beseitigt werden kann. Grundsätzlich dürfen Zwangsmaßnahmen daher nur nachrangig zu marktbezogenen Maßnahmen nach § 13 Abs. 1 Nr. 2 EnWG ergriffen werden. Eine Ausnahme scheint angesichts der restriktiven Formulierung („ausnahmsweise", „Vorrang für Strom aus erneuerbaren Energien angemessen berücksichtigt", „insgesamt die größtmögliche Strommenge aus erneuerbaren Energien") jedoch für Vereinbarungen nach § 11 Abs. 3 EEG 2017 geboten. In diesem Sinne ist gemäß § 13 Abs. 3 S. 2 EnWG der Einsatz vertraglicher Vereinbarungen zur Einspeisung von vorrangberechtigter Elektrizität auch nur zulässig, „soweit" die Bestimmungen des EEG ein Abweichen auf Grund vertraglicher Vereinbarungen ausnahmsweise eröffnen. Insoweit ist selbst bei Vorliegen einer vertraglichen Vereinbarung nach § 11 Abs. 3 EEG 2017 zu prüfen, ob stattdessen eine zwangsweise Anpassung von nicht vorrangberechtigten Stromeinspeisungen erfolgen muss. Nach diesem Verständnis weicht die Rechtslage für die EE-Stromeinspeisung von dem Grundsatz des § 13 Abs. 2 EnWG wie auch von der allgemeinen Regelung des § 13 Abs. 1 Nr. 2 EnWG ab, wonach marktbezogene Maßnahmen zur Einspeisereduzierung im Falle einer Gefährdung oder Störung der Sicherheit oder Zuverlässigkeit des Elektrizitätsversorgungssystems grundsätzlich uneingeschränkt zulässig sind.

Die Einschränkung des Einsatzes vertraglicher Vereinbarungen nach § 11 Abs. 3 EEG 2017 zugunsten einer zwangsweisen Anpassung von nicht vorrangberechtigten Stromeinspeisungen, Stromtransiten und Stromabnahmen nach § 13 Abs. 2 EnWG könnte auf die Gewährung vorrangigen Netzzugangs nach Art. 16 Abs. 2 lit. b) EERL gestützt werden.

b) Sonderregelungen bei Einspeisevergütung nach § 19 Abs. 1 Nr. 2 EEG 2017

Gemäß § 19 Abs. 1 Nr. 2 EEG 2017 können Betreiber von Anlagen, in denen ausschließlich erneuerbare Energien (oder Grubengas) eingesetzt werden, unter den Voraussetzungen des § 21 Abs. 1 und 2 EEG 2017 für den in diesen Anlagen erzeugten Strom gegen den Netzbetreiber einen Anspruch auf Einspeisevergütung geltend machen. Damit einher gehen bestimmte Sonderregelungen.

aa) Ausnahme von der Bilanzierungsverantwortung, § 11 Abs. 1 und 2 EEG 2017, § 11 StromNZV

Macht der Anlagenbetreiber gegen den Netzbetreiber einen Anspruch auf Einspeisevergütung geltend, so ist dieser zur physikalischen und kaufmännischen Abnahme des Stroms aus erneuerbaren Energien verpflichtet. Gleichzeitig hat der Netzbetreiber – jedenfalls ab einer Größe von 100.000 an das Netz angeschlossenen Kunden – den Strom in einen eigenen EEG-Bilanzkreis nach § 11 StromNZV einzubringen.[20] Umgekehrt trifft den Anlagenbetreiber im Falle der Einspeisevergütung keine Bilanzierungsverantwortung für diesen Strom.

Diese Regelung weicht von der üblichen Rechtslage ab. Gemäß § 20 Abs. 1a S. 5 EnWG i.V.m. § 3 Abs. 2 und § 4 StromNZV ist grundsätzlich jeder Netznutzer zur Bilanzkreisteilnahme verpflichtet. Er trägt damit letztlich das wirtschaftliche Risiko für Abweichungen zwischen Stromeinspeisung und Stromentnahme und hat insoweit Anlass, auf Marktsignale zu reagieren. Dies gilt insbesondere auch im Falle der Direktvermarktung von Strom aus erneuerbaren Energien.

Die Ausnahme von der Bilanzierungsverantwortung bei Einspeisevergütung findet keine ausdrückliche Grundlage im Unionsrecht. Art. 3 Abs. 3 lit. a) i.V.m. Art. 2 lit. k) EERL erkennt allerdings ausdrücklich die Zulässigkeit nationaler Einspeisetarife an. Die Ausnahme von der Bilanzierungsverantwortung könnte insoweit als Annexregelung zum System der Einspeisevergütung angesehen werden. Infolge der uneingeschränkten kaufmännischen Abnahmepflicht des Netzbetreibers liegt dessen Bilanzierungsverantwortung nahe.

bb) Gesamtandienungspflicht, § 21 Abs. 2 Nr. 1 EEG 2017

Nach § 21 Abs. 2 Nr. 1 EEG 2017 müssen Anlagenbetreiber, die die Einspeisevergütung in Anspruch nehmen, dem Netzbetreiber den gesamten in dieser Anlage erzeugten Strom zur Verfügung stellen, soweit dieser durch ein Netz durchgeleitet und nicht in unmittelbarer räumlicher Nähe zur Anlage verbraucht wird (sog. Gesamtandienungspflicht). Damit ist ihnen verwehrt, diesen Strom – vorbehaltlich einer vorab festgelegten prozentualen Aufteilung der Stromerzeugung auf verschiedene Veräußerungsformen nach § 21b EEG 2017 – selbst zu vermarkten. Diese Regelung weicht von der üblichen Rechtslage ab, wonach ein Stromerzeuger grundsätzlich selbst über die Vermarktung seines Stroms entscheidet. Die Regelung dient einer Vermeidung

[20] Vgl. auch *Lüdtke-Handjery*, in: Danner/Theobald (Hrsg.): Energierecht Kommentar, Bd. 2, Stand der 64. Erg.-Lfg. (August 2009), § 11 StromNZV Rdnr. 4.

des „Rosinenpickens“ durch den Anlagenbetreiber, der damit nicht zeitweise zugunsten günstigerer Marktpreise auf die Einspeisevergütung verzichten kann, und soll damit dessen Einkünfte auf die zur Finanzierung der EE-Erzeugungsanlage erforderliche Höhe begrenzen.[21] Teilweise wird zudem auf die verbesserte Planbarkeit für die Elektrizitätsversorgungsunternehmen über die aufgrund des EEG abzunehmenden Strommengen verwiesen.[22]

Auch die Gesamtandienungspflicht bei Einspeisevergütung findet keine ausdrückliche Grundlage im Unionsrecht. Sie kann aber, insbesondere soweit sie auf die Vermeidung eines „Rosinenpickens“ zielt, gleichfalls als Annexregelung zu dem von Art. 3 Abs. 3 lit. a) i.V.m. Art. 2 lit. k) EERL ausdrücklich anerkannten System der Einspeisevergütung angesehen werden.

cc) Verbot der Teilnahme am Regelenergiemarkt, § 21 Abs. 2 Nr. 2 EEG 2017

Anlagenbetreiber, die die Einspeisevergütung in Anspruch nehmen, dürfen gemäß § 21 Abs. 2 Nr. 2 EEG 2017 mit dieser Anlage nicht am Regelenergiemarkt teilnehmen. Das Verbot betrifft nicht nur die Vermarktung negativer, sondern auch positiver Regelenergie. Demgegenüber lässt die Rechtslage ansonsten grundsätzlich die Teilnahme aller Anlagenbetreiber am Regelenergiemarkt zu, sofern sie die notwendigen Voraussetzungen erfüllen (insbesondere Präqualifikation). Dies gilt auch im Falle der Direktvermarktung von Strom aus erneuerbaren Energien. Der Normzweck des § 21 Abs. 2 Nr. 2 EEG 2017 kann gleichfalls in der Vermeidung des „Rosinenpickens“ durch den Anlagenbetreiber gesehen werden, der damit nicht zeitweise zugunsten günstigerer Regelenergiepreise auf die Einspeisevergütung verzichten kann.[23]

Das Verbot der Teilnahme am Regelenergiemarkt findet keine ausdrückliche Grundlage im Unionsrecht, kann aber möglicherweise als Annexregelung zu dem von Art. 3 Abs. 3 lit. a) i.V.m. Art. 2 lit. k) EERL ausdrücklich anerkannten System der Einspeisevergütung angesehen werden.

[21] BT-Drs. 16/8148, S. 49 zu § 17 des Entwurfs; *Hennig/Valentin/von Bredow*, in: Frenz/Müggenborg/Cosack/Hennig/Schomerus (Hrsg.): EEG Kommentar, 5. Aufl. 2018, § 21 EEG Rdnr. 16; *Schulz*, in: Säcker (Hrsg.): Berliner Kommentar zum Energierecht, Bd. 6, 4. Aufl. 2018, § 21 EEG Rdnr. 39.

[22] *Salje*, EEG 2017 Kommentar, 8. Aufl. 2018, § 21 Rdnr. 15; vgl. auch BT-Drs. 16/8148, S. 49 zu § 17 des Entwurfs.

[23] *Hennig/Valentin/von Bredow* (o. Fn. 21), § 21 EEG Rdnr. 16; *Schulz* (o. Fn. 21), § 21 EEG Rdnr. 73.

c) Sonderregelungen für Anlagen, deren anzulegender Wert durch Ausschreibungen ermittelt worden ist: Einschränkung der Eigenversorgung, § 27a EEG 2017

Die Betreiber von Anlagen, deren anzulegender Wert durch Ausschreibungen ermittelt worden ist, dürfen in dem gesamten Zeitraum, in dem sie Zahlungen nach dem EEG in Anspruch nehmen, den in ihrer Anlage erzeugten Strom gemäß § 27a S. 1 EEG 2017 grundsätzlich nicht zur Eigenversorgung nutzen. Ausnahmen enthält § 27a S. 2 EEG 2017. Damit weicht die Regelung von der allgemeinen Rechtslage ab, die dem Betreiber einer Erzeugungsanlage grundsätzlich die Eigenversorgung gestattet. Dies gilt insbesondere auch im Falle der Einspeisevergütung, vgl. § 21 Abs. 2 Nr. 1 EEG 2017, und der sonstigen (ungeförderten) Direktvermarktung nach § 21a EEG 2017. Die Einschränkung der Eigenversorgung soll offenbar einen möglichst unverzerrten Wettbewerb um die kosteneffizientesten Anlagentechnologien in der Ausschreibung gewährleisten und deshalb verhindern, dass Gebote für Anlagen mit möglichst optimierten Eigenverbrauchskonzepten niedrig gehalten werden, um so eine höhere Zuschlagswahrscheinlichkeit zu generieren.[24] Daneben wird in Betracht gezogen, dass die Lastplanung des Übertragungsnetzbetreibers erleichtert werden soll, weil er auf diese Weise mit dem vollständigen Stromangebot der Ausschreibungsanlagen rechnen kann.[25]

Eine ausdrückliche Grundlage für die Einschränkung der Eigenversorgung besteht im Unionsrecht nicht. Die Regelung kann aber möglicherweise als Annex zu dem von Art. 3 Abs. 3 lit. a) i.V.m. Art. 2 lit. k) EERL ausdrücklich anerkannten System der Marktprämie angesehen werden, insbesondere soweit sie einen möglichst unverzerrten Wettbewerb um die kosteneffizientesten Anlagentechnologien gewährleisten soll.

III. Die (modifizierten) Marktvorschriften des Winterpakets

Das Winterpaket der Kommission sieht eine teilweise Umgestaltung der geltenden Marktvorschriften vor. Diese Umgestaltung war teilweise bereits in der grundlegenden Mitteilung der Kommission vom 15.7.2015 angelegt, mit der der Prozess der öffentlichen Konsultation zur Umgestaltung des Energiemarkts eingeleitet wurde,[26] und wurde im Winterpaket weiter aus-

[24] *Hennig*, in: Frenz/Müggenborg/Cosack/Hennig/Schomerus (Hrsg.): EEG Kommentar, 5. Aufl. 2018, § 27a EEG Rdnr. 3; vgl. auch *Lippert*, in: Greb/Boewe (Hrsg.): EEG Kommentar, 2018, § 27a EEG Rdnr. 2; *Salje* (o. Fn. 22), § 27a Rdnr. 1.

[25] *Salje* (o. Fn. 22), § 27a Rdnr. 1.

[26] *Mitteilung der Kommission*, Einleitung des Prozesses der öffentlichen Konsultation zur Umgestaltung des Energiemarkts, COM(2015) 340 final.

gearbeitet.[27] Aufgrund tiefgreifender Veränderungen des europäischen Energiesystems müssten die Marktvorschriften der EU den neuen Marktgegebenheiten angepasst werden.[28] Da sich das Winterpaket bei Abfassung dieses Beitrags noch in der Abstimmung zwischen den europäischen Institutionen befindet, wird in der Folge die Fassung der Kommission zugrunde gelegt.

1. Förderregelungen für EE-Stromerzeugung

Das Winterpaket hält daran fest, dass die Mitgliedstaaten zur Erreichung des unionsweiten EE-Ausbauziels für das Jahr 2030 Energie aus erneuerbaren Quellen unter Einhaltung der Beihilfevorschriften fördern können.[29] Die Zulässigkeit nationaler Förderregelungen wird explizit in Art. 4 Abs. 1 S. 1 EERL-E KOM bestätigt, wobei Förderregelungen gemäß Art. 2 lit. i) EERL-E KOM insbesondere direkte Preisstützungssysteme einschließlich Einspeisetarife und Prämienzahlungen umfassen. Ergänzend werden EU-Fördermittel bereitgestellt, vgl. Art. 3 Abs. 4 EERL-E KOM. Insoweit sind Sonderregelungen für die Förderung der EE-Stromerzeugung im Konzept des Elektrizitätsmarkts weiterhin angelegt.

Veränderungen ergeben sich bei den Anforderungen an die Ausgestaltung der nationalen Regelungen zur Förderung der EE-Stromerzeugung. Derzeit besteht eine weitgehende Autonomie der Mitgliedstaaten bei der Ausgestaltung ihrer nationalen Fördersysteme,[30] sie verfügen über einen weiten Gestaltungsspielraum.[31] Die Art der Förderung wird durch die EERL nicht vorgeschrieben.[32] Von Bedeutung sind vor allem die beihilfenrechtlichen Vor-

[27] Vgl. *Mitteilung der Kommission*, Saubere Energie für alle Europäer, COM(2016) 860 final, sowie insbesondere die *Gesetzesvorschläge der Kommission* vom 23.2.2017 zu einer Verordnung über den Elektrizitätsbinnenmarkt, COM(2016) 861 final („EltVO-E KOM"); einer Richtlinie mit gemeinsamen Vorschlägen zum Elektrizitätsbinnenmarkt, COM(2016) 864 final („EltRL-E KOM"); und einer Richtlinie zur Förderung der Nutzung von Energie aus erneuerbaren Quellen, COM(2016) 767 final („EERL-E KOM").

[28] Erwägungsgründe 3 und 6 EltRL-E KOM (o. Fn. 27).

[29] COM(2016) 767 final, S. 2. Vgl. auch Erwägungsgründe 2 und 3 EERL-E KOM (o. Fn. 27).

[30] *Salje*, in: Hempel/Franke (Hrsg.): Praktiker-Kommentar zum deutschen und europäischen Energierecht, Bd. 2.2, Stand der 125. Erg.-Lfg. (Dezember 2015), Einführung zu EEG 2014 S. 3.

[31] *Kröger*, Die Förderung erneuerbarer Energien im Europäischen Elektrizitätsbinnenmarkt. Binnenmarktintegration erneuerbarer Energien durch Europäisierung nationaler Fördersysteme, 2015, S. 109.

[32] *Sailer/Kantenwein*, in: Reshöft/Schäfermeier (Hrsg.): EEG Handkommentar, 4. Aufl. 2014, Einleitung zu EEG 2012 Rdnr. 233; *Calliess/Hey*, Erneuerbare Energien in der Europäischen Union und das EEG: Eine Europäisierung „von unten"?, in: Müller (Hrsg.): 20 Jahre Recht der Erneuerbaren Energien, 2012, S. 223 ff. (245).

gaben, insbesondere die Leitlinien der Kommission für staatliche Umweltschutz- und Energiebeihilfen 2014–2020.[33]

Zukünftig sollen konkretere Vorgaben in die neue EERL aufgenommen werden. Art. 4 Abs. 1 bis 3 EERL-E KOM sieht vor, dass Förderregelungen für Elektrizität aus erneuerbaren Energiequellen so zu gestalten sind, dass sie unnötige Wettbewerbsverzerrungen auf den Elektrizitätsmärkten vermeiden und sicherstellen, dass die Produzenten Elektrizitätsangebot und -nachfrage sowie möglichen Beschränkungen der Netze Rechnung tragen. Die Förderung von EE-Strom ist so zu konzipieren, dass Elektrizität aus erneuerbaren Energiequellen in den Elektrizitätsmarkt integriert und sichergestellt wird, dass die Produzenten von Energie aus erneuerbaren Quellen auf die Preissignale des Marktes reagieren und ihre Einnahmen maximieren. Die Mitgliedstaaten müssen dafür sorgen, dass Elektrizität aus erneuerbaren Energiequellen auf offene, transparente, wettbewerbsfördernde, nichtdiskriminierende und kosteneffiziente Weise gefördert wird. Die Vorgaben zielen damit auf eine Stärkung der marktbasierten Vorgehensweise bei den erneuerbaren Energiequellen,[34] was aus Sicht der Kommission insbesondere für eine zusätzliche Förderung neben den Markteinnahmen (d.h. Prämienmodelle) spricht.[35] Bereits in ihrer Mitteilung aus dem Jahr 2015 hatte die Kommission festgestellt, die Erzeugung von Strom aus erneuerbaren Energiequellen sollte, soweit erforderlich, im Einklang mit den Leitlinien für staatliche Beihilfen durch marktorientierte Mechanismen unterstützt werden, die bei Marktversagen greifen, Kosteneffizienz gewährleisten und Überkompensationen oder Marktverzerrungen verhindern.[36]

2. *Schaffung gleicher Marktbedingungen für Strom aus erneuerbaren Energiequellen*

Zulässig sind nationale Regelungen, die die Voraussetzungen für die Marktteilnahme von Strom aus erneuerbaren Energiequellen verbessern, um ein „level playing field“ zu schaffen. Die neue EERL und die Vorschläge für die Neugestaltung des Strommarktes sollen einen Regulierungsrahmen vorgeben, der einheitliche Rahmenbedingungen für alle Technologien schafft, ohne die Klima- und Energieziele der EU in Frage zu stellen. Hierbei sollen die Marktregeln an die stark gestiegene Einspeisung von Strom aus erneuerbaren Energien und den hohen Anteil variabler Energiequellen wie Wind und Sonne, die großenteils dezentral auf Ebene des Verteilernetzes eingespeist

[33] *Mitteilung der Kommission*, Leitlinien für staatliche Umweltschutz- und Energiebeihilfen, ABl. EU Nr. C 200 vom 28.6.2014, S. 1.

[34] Vgl. auch COM(2016) 767 final, S. 8.

[35] Vgl. Erwägungsgrund 15 EERL-E KOM (o. Fn. 27).

[36] COM(2015) 340 final, S. 8.

werden, angepasst werden, um diese Entwicklung zu erleichtern und das Management der Variabilität der erneuerbaren Energien sowie die Sicherheit der Stromversorgung zu gewährleisten. Der neue Rechtsrahmen soll damit sicherstellen, dass erneuerbare Energien in vollem Umfang in den Strommarkt einbezogen werden können, aber auch dafür sorgen, dass die marktbezogenen Bestimmungen erneuerbare Energien nicht diskriminieren.[37] Die Entwicklung dezentraler erneuerbarer Energietechnologien soll zu nichtdiskriminierenden Bedingungen und ohne Behinderung der Finanzierung von Infrastrukturinvestitionen ermöglicht werden.[38] Art. 3 Abs. 1 lit. e) EltVO-E KOM sieht insoweit als Grundsatz für den Betrieb der Elektrizitätsmärkte vor, dass die Marktvorschriften die Dekarbonisierung der Wirtschaft fördern, indem die Integration von Strom aus erneuerbaren Energiequellen und die Schaffung von Anreizen für Energieeffizienz ermöglicht wird.

Das Winterpaket zielt insbesondere auf die Bereitstellung ausreichender Flexibilität in einem zunehmend durch volatile Stromerzeugung gekennzeichneten Elektrizitätsmarkt. In diesem Sinne stellte die Kommission bereits in ihrer Mitteilung aus dem Jahr 2015 fest, dass die Einrichtung liquider und besser integrierter kurzfristiger Märkte die Flexibilität erhöht und es den Erzeugern erneuerbarer Energie ermöglicht, zu gleichen Bedingungen mit konventionellen Erzeugern zu konkurrieren. Auch Märkte zur Beherrschung von Volumenrisiken sollten deshalb gefördert werden.[39] Auf dem Regelenergiemarkt soll gemäß Art. 5 EltVO-E KOM die wirksame Nichtdiskriminierung zwischen den Marktteilnehmern gewährleistet werden, wobei den unterschiedlichen technischen Fähigkeiten zur Stromerzeugung aus variablen erneuerbaren Energiequellen sowie zur lastseitigen Steuerung und Speicherung Rechnung getragen werden soll.

Die Schaffung gleicher Marktbedingungen für Strom aus erneuerbaren Energiequellen steht auch in Zusammenhang mit den Vorschlägen der Kommission zur Rolle dezentraler Erzeuger, zum Eigenverbrauch und zu Erneuerbare-Energien-Gemeinschaften. So sollen nach Art. 1 lit b) EltVO-E KOM u.a. Grundsätze für die Elektrizitätsmärkte festgelegt werden, die die Aggregierung von dezentralem Angebot und dezentraler Nachfrage erleichtern. Generell sollen alle Akteure – darunter die Erzeuger von Energie aus erneuerbaren Quellen, neue Energiedienstleistungsunternehmen, Speicherbetreiber und Lastmanager – vollständig eingebunden werden.[40] Die Verbraucher sollten in der Lage sein, selbst erzeugten Strom entweder zu verbrauchen, zu speichern und/oder zu vermarkten. Bestehende rechtliche und kommerzielle Hindernisse (z. B. unverhältnismäßige Gebühren für selbst verbrauchten

[37] COM(2016) 860 final, S. 9.
[38] Erwägungsgrund 52 EERL-E KOM (o. Fn. 27).
[39] COM(2015) 340 final, S. 8.
[40] Erwägungsgrund 6 EltRL-E KOM (o. Fn. 27).

Strom, die Verpflichtung, selbst erzeugten Strom in das Energiesystem einzuspeisen, bürokratische Erschwernisse wie die Erfüllung der für Lieferanten geltenden Anforderungen durch Selbsterzeuger), die die Verbraucher davon abhalten, Strom selbst zu erzeugen und entweder selbst zu verbrauchen, zu speichern oder zu vermarkten, sollten beseitigt werden, wobei sich allerdings die Verbraucher, die selbst Strom erzeugen, an den Systemkosten angemessen beteiligen sollen.[41] Auch der kollektive Eigenverbrauch sollte in bestimmten Fällen zugelassen werden, damit beispielsweise in Wohnungen lebende Bürgerinnen und Bürger in gleichem Umfang von der Stärkung der Verbraucher profitieren können wie Haushalte in Einfamilienhäusern.[42] Da die Besonderheiten der lokalen Erneuerbare-Energien-Gemeinschaften hinsichtlich der Größe, Eigentümerstruktur und der Zahl der Projekte ihre Wettbewerbsfähigkeit auf Augenhöhe mit größeren Akteuren, d. h. Konkurrenten mit größeren Projekten oder Portfolios, einschränken könnten, gehöre es zu den Maßnahmen zum Ausgleich dieser Nachteile, den Energiegemeinschaften die Tätigkeit im Energiesystem zu ermöglichen und ihre Marktintegration zu erleichtern.[43] Die nähere Ausgestaltung findet sich in Art. 21 EERL-E KOM für Eigenverbraucher erneuerbarer Energien und in Art. 22 EERL-E KOM für Erneuerbare-Energien-Gemeinschaften.

Die komplexe Frage, inwieweit eine Regelung der Herstellung gleicher Wettbewerbsbedingungen dient oder aber eine Diskriminierung bewirkt, kann im vorliegenden Zusammenhang nicht vertieft werden.

3. Eröffnung aller wettbewerblichen Handlungsoptionen für die EE-Stromerzeugung

Das Winterpaket folgt dem Grundsatz, dass jeder Marktteilnehmer auf allen Energiemärkten aktiv werden und alle wettbewerblichen Handlungsoptionen, insbesondere auch im Falle der EE-Stromerzeugung, nutzen können sollte. Die Marktregeln sollen dahingehend angepasst werden, dass die Erzeuger von Energie aus erneuerbaren Quellen sich in allen Marktsegmenten in vollem Umfang beteiligen und Erlöse erzielen können, einschließlich der Märkte für Systemdienstleistungen.[44] Insbesondere sollen die Mitgliedstaaten gemäß Art. 15 Abs. 1 lit. a) EltRL-E KOM dafür sorgen, dass Endkunden das Recht haben, Strom zu erzeugen, zu speichern und zu verbrauchen und selbst erzeugten Strom entweder einzeln oder durch Aggregierung auf allen organisierten Märkten zu verkaufen, ohne durch unverhältnismäßig

[41] Erwägungsgrund 29 EltRL-E KOM (o. Fn. 27); ähnlich Erwägungsgrund 53 EERL-E KOM (o. Fn. 27).
[42] Erwägungsgrund 53 EERL-E KOM (o. Fn. 27).
[43] Erwägungsgrund 55 EERL-E KOM (o. Fn. 27).
[44] COM(2016) 860 final, S. 9.

aufwändige Verfahren und nicht kostenorientierte Entgelte belastet zu werden. Vorschriften, die Eigenerzeugung, Eigenverbrauch, Speicherung oder Vermarktung durch Verbraucher behindern, sollen beseitigt werden, wobei sich Verbraucher, die selbst Strom erzeugen, allerdings angemessen an den Systemkosten beteiligen sollten.[45]

Speziell für den Regelenergiemarkt sieht Art. 5 EltVO-E KOM vor, dass alle Marktteilnehmer entweder einzeln oder durch Aggregierung Zugang zum Regelenergiemarkt haben. Absatz 2 der Vorschrift, wonach den unterschiedlichen technischen Fähigkeiten zur Stromerzeugung aus variablen erneuerbaren Energiequellen sowie zur lastseitigen Steuerung und Speicherung Rechnung zu tragen ist, macht deutlich, dass das Zugangsrecht insbesondere auch die EE-Stromerzeugung umfasst.[46]

Für die Einschränkung der Erzeugung und das Redispatch der Erzeugung oder der Laststeuerung sieht Art. 12 Abs. 2 EltVO-E KOM vor, dass zur Bereitstellung marktbasierter Ressourcen alle Erzeugungstechnologien, Speicherung und Laststeuerung sowie in anderen Mitgliedstaaten ansässige Betreiber herangezogen werden können, sofern dies technisch machbar ist. Auch hier wird die EE-Stromerzeugung damit ausdrücklich einbezogen. Allerdings lässt der Wortlaut nicht deutlich erkennen, inwieweit ggf. ein Spielraum für den Ausschluss bestimmter Erzeugungstechnologien (z.B. EE-Stromerzeugung) besteht.

4. Verstärkte Betonung von Technologieneutralität und Nichtdiskriminierung

Bereits der derzeitige Rechtsrahmen legt die Anwendung von Marktmechanismen zugrunde und verbietet Diskriminierungen zwischen Marktteilnehmern. Ziel ist nach Art. 1 S. 1 EltRL[47] die Verbesserung und Integration von durch Wettbewerb geprägten Strommärkten. Gemäß Art. 3 Abs. 1 EltRL gewährleisten die Mitgliedstaaten u.a., dass Elektrizitätsversorgungsunternehmen im Hinblick auf die Errichtung eines wettbewerbsbestimmten, sicheren und unter ökologischen Aspekten nachhaltigen Elektrizitätsmarkts betrieben werden und dass diese Unternehmen hinsichtlich der Rechte und Pflichten nicht diskriminiert werden. Die Mitgliedstaaten müssen nach Art. 32 Abs. 1 S. 1 EltRL ein System für den Zugang Dritter zu den Übertragungs- und Verteilernetzen auf der Grundlage veröffentlichter Tarife einführen, das für alle zugelassenen Kunden gilt und nach objektiven Kriterien und ohne Diskriminierung zwischen den Netzbenutzern angewandt wird.

[45] Erwägungsgrund 29 EltRL-E KOM (o. Fn. 27).

[46] Vgl. auch COM(2016) 860 final, S. 9.

[47] Richtlinie 2009/72/EG über gemeinsame Vorschriften für den Elektrizitätsbinnenmarkt, ABl. EU Nr. L 211 vom 14.8.2009, S. 55.

Außerdem haben sich ÜNB und VNB jeglicher Diskriminierung von Netzbenutzern oder Kategorien von Netzbenutzern, insbesondere zugunsten der mit ihm verbundenen Unternehmen, zu enthalten, vgl. Art. 12 lit. f) und Art. 25 Abs. 2 EltRL.

Sonderregelungen in Bezug auf die EE-Stromerzeugung sind damit aber nicht ausgeschlossen. So sieht etwa Art. 15 Abs. 2 EltRL vor, dass die Einspeisung aus den Erzeugungsanlagen auf der Grundlage von Kriterien erfolgt, die u.a. objektiv und veröffentlicht sein sowie auf nichtdiskriminierende Weise angewandt werden müssen, verlangt in Absatz 3 aber zugleich die Einhaltung der Vorgaben nach Art. 16 EERL bei der Inanspruchnahme von EE-Erzeugungsanlagen und damit ggf. den vorrangigen Netzzugang für Strom aus erneuerbaren Energien. Art. 36 lit. d) EltRL nennt als Ziele der Aufgabenwahrnehmung durch die Regulierungsbehörde einerseits Beiträge zur möglichst kostengünstigen Verwirklichung der angestrebten Entwicklung verbraucherorientierter, sicherer, zuverlässiger und effizienter nichtdiskriminierender Systeme, andererseits aber auch die Einbindung von Strom aus erneuerbaren Energiequellen und dezentraler Erzeugung im kleinen und großen Maßstab sowohl in Übertragungs- als auch in Verteilernetze. Insofern werden Sonderregelungen für die EE-Stromerzeugung, insbesondere deren Begünstigung, bislang ersichtlich in weitem Umfang als gerechtfertigt angesehen.

Auch das Winterpaket legt weiterhin die Anwendung von Marktmechanismen zugrunde und verbietet Diskriminierungen zwischen Marktteilnehmern. Die grundlegenden Vorschriften der EltRL werden weitgehend beibehalten, vgl. Art. 1 Abs. 1 EltRL-E KOM (entsprechend Art. 1 Abs. 1 EltRL), Art. 9 Abs. 1 EltRL-E KOM (entsprechend Art. 3 Abs. 1 EltRL), Art. 6 Abs. 1 EltRL-E KOM (entsprechend Art. 32 Abs. 1 EltRL) sowie Art. 31 Abs. 2 und Art. 40 Abs. 1 lit. f) EltRL-E KOM (entsprechend Art. 12 lit. f) und Art. 25 Abs. 2 EltRL). Erkennbar sind jedoch eine stärkere Betonung von Technologieneutralität und Nichtdiskriminierung sowie Einschränkungen bestimmter Sonderregelungen für die EE-Stromerzeugung.

Das Winterpaket soll nach den Vorstellungen der Kommission einen Regulierungsrahmen vorgeben, der einheitliche Rahmenbedingungen für alle Technologien schafft, ohne die Klima- und Energieziele der EU in Frage zu stellen.[48] Grundsätzlich sollen für alle Anlagen unabhängig von der verwendeten Technologie diskriminierungsfreie Regeln für den Netzzugang Dritter gelten; eine vorrangige Einspeisung soll nur noch für bestehende Anlagen, kleine Anlagen für erneuerbare Energien und Demonstrationsprojekte fortbestehen.[49] In der Konsequenz sieht Art. 11 EltVO-E KOM eine Einschrän-

[48] COM(2016) 860 final, S. 9.

[49] COM(2016) 860 final, S. 9. Weiterhin soll allerdings eine Kürzung der Bereitstellung erneuerbarer Energien auf ein striktes Mindestmaß begrenzt werden, vgl. ebenda.

kung des vorrangigen Dispatches von EE-Erzeugungsanlagen vor, damit wirksame Preissignale einen effizienten Einsatz bestehender Erzeugungsanlagen gewährleisten.[50] Zugleich schreibt Art. 4 EltVO-E KOM grundsätzlich für alle Marktteilnehmer die finanzielle Verantwortung für von ihnen im System verursachte Bilanzkreisabweichungen vor; Ausnahmen werden wie im Falle des vorrangigen Dispatches nur in engen Grenzen zugelassen. Weit gefasste, für ganze Technologien geltende Ausnahmen von den Marktgrundsätzen – beispielsweise zu Bilanzkreisverantwortung, marktbasiertem Dispatch oder Einschränkung der Stromerzeugung und Redispatch – stehen nach Auffassung der Kommission nicht im Einklang mit dem Ziel einer marktorientierten und effizienten Dekarbonisierung und sollen daher durch gezieltere Maßnahmen ersetzt werden.[51] Damit wird deutlich, dass Technologieneutralität und Diskriminierungsfreiheit auch im Verhältnis von EE- zu sonstiger Stromerzeugung gelten sollen, so dass nicht von unterschiedlichen, nicht miteinander im Wettbewerb stehenden Produkten ausgegangen werden kann.[52]

Im Ergebnis bringt das Winterpaket eine teilweise veränderte Beurteilung der Rechtfertigung von Sonderregelungen für die EE-Stromerzeugung zum Ausdruck. Begünstigungen der EE-Stromerzeugung werden, ungeachtet der herausgehobenen Bedeutung der klima- und energiepolitischen Ziele der EU, nicht mehr generell als Rechtfertigung anerkannt, sondern sind hinsichtlich ihrer konkreten Ausgestaltung zu prüfen.

5. *Keine vollständige Technologieneutralität*

Auch der veränderte Ansatz der Kommission mit stärkerer Betonung von Technologieneutralität und Nichtdiskriminierung schließt Sonderregelungen für die EE-Stromerzeugung nicht grundsätzlich aus. Dies entspricht der Ausgangsfeststellung, dass die Mitgliedstaaten Energie aus erneuerbaren Quellen zur Erreichung des unionsweiten EE-Ausbauziels für das Jahr 2030 unter Einhaltung der Beihilfevorschriften weiterhin fördern können (oben III.1.). In diesem Sinne soll das Winterpaket auch einen Regulierungsrahmen vorgeben, der zwar einheitliche Rahmenbedingungen für alle Technologien schafft, gleichzeitig aber die Klima- und Energieziele der EU nicht in Frage stellt.[53] Dementsprechend enthält das Winterpaket weiterhin ausdrückliche Sonderregelungen für die EE-Stromerzeugung. Diese finden sich insbeson-

[50] COM(2016) 861 final, S. 5; vgl. auch COM(2015) 340 final, S. 8.

[51] Erwägungsgrund 11 EltVO-E KOM (o. Fn. 27).

[52] So aber *Altrock/Oschmann*, in: Altrock/Oschmann/Theobald (Hrsg.): EEG Kommentar, 4. Aufl. 2013, Einf. Rdnr. 120.

[53] COM(2016) 860 final, S. 9.

dere in den Strommarktvorschriften der Elektrizitätsverordnung und in den Regelungen der Erneuerbaren-Richtlinie.

So sieht Art. 12 Abs. 4 lit. b) EltVO-E KOM die Pflicht der Netzbetreiber vor, angemessene netz- und marktbezogene betriebliche Maßnahmen zu ergreifen, um die Einschränkung oder das abwärts gerichtete Redispatch von Strom aus erneuerbaren Energiequellen oder hocheffizienter Kraft-Wärme-Kopplung zu minimieren (entsprechend Art. 16 Abs. 2 lit. c) S. 2 EERL). Gemäß Art. 12 Abs. 5 lit. a) EltVO-E KOM dürfen nicht marktbasiertes abwärts gerichtetes Redispatch oder nicht marktbasierte Einschränkung bei Erzeugungsanlagen, in denen erneuerbare Energiequellen genutzt werden, nur angewandt werden, wenn es keine Alternative gibt oder, wenn andere Lösungen zu unverhältnismäßig hohen Kosten führen oder die Netzsicherheit gefährden würden (derzeit umfasst von Art. 16 Abs. 2 lit. b) EERL). Außerdem enthält Art. 12 Abs. 4 lit. a) EltVO-E KOM weiterhin eine besondere Netzausbauverpflichtung zur Gewährleistung der Übertragung und Verteilung von EE-Strom vor (derzeit Art. 16 Abs. 2 lit. a) EERL). Allgemein zielt das Winterpaket darauf ab, eine Kürzung der Bereitstellung erneuerbarer Energien auf ein striktes Mindestmaß zu begrenzen.[54]

Zudem sollen mit den Art. 15 bis 17 EERL-E KOM Sonderregelungen für die Verwaltungs- und Genehmigungsverfahren für EE-Erzeugungsanlagen eingeführt werden. Vorgesehen sind u.a. die Zuständigkeit einer einzigen benannten Behörde („zentrale Anlaufstelle“) sowie einer Höchstdauer für das Genehmigungsverfahren. Außerdem sollen eine einfache Mitteilung an Verteilernetzbetreiber im Falle von kleinen Projekten ausreichen sowie eine spezifische Bestimmung für die Beschleunigung des Genehmigungsverfahrens für das Repowering bestehender EE-Erzeugungsanlagen eingeführt werden.

6. *Zwischenergebnis*

Das Winterpaket der Kommission sieht vor, die derzeitigen Marktvorschriften teilweise umzugestalten, um dem wachsenden Anteil der EE-Stromerzeugung Rechnung zu tragen. Weiterhin zulässig bleiben sollen Förderregelungen für die EE-Stromerzeugung und Maßnahmen zur Herstellung gleicher Marktbedingungen. Erkennbar ist weiterhin das Ziel, der EE-Stromerzeugung grundsätzlich alle wettbewerblichen Handlungsoptionen zu eröffnen, insbesondere den Zugang zu allen Märkten. Stärker betont werden die Technologieneutralität und Nichtdiskriminierung im Verhältnis zur Nicht-EE-Stromerzeugung. Zugleich werden bestehende Sonderregelungen für die EE-Stromerzeugung teilweise eingeschränkt oder aufgehoben. Zukünftig müssen Sonderregelungen, ungeachtet der herausgehobenen Bedeutung der klima- und energiepolitischen Ziele der EU, hinsichtlich ihrer

[54] COM(2016) 860 final, S. 9.

konkreten Ausgestaltung auf ihre Rechtfertigung überprüft werden. Der damit für Sonderregelungen verbleibende Raum ist angesichts der konfligierenden Ziele nicht stets eindeutig zu bestimmen und nur teilweise durch ausdrückliche Regelungen im Unionsrecht konkret bestimmt.

IV. Vereinbarkeit der deutschen Sonderregelungen mit dem Winterpaket: Erste Überlegungen

1. Sonderregelungen für den Netzanschluss von EE-Erzeugungsanlagen

§ 8 Abs. 1 EEG 2017 sieht den unverzüglichen vorrangigen Netzanschluss von EE-Erzeugungsanlagen vor. Nach hiesigem Verständnis findet diese Sonderregelung eine unionsrechtliche Grundlage in Art. 16 Abs. 2 lit. b) EERL in Verbindung mit Erwägungsgrund 61 EERL. Diese Regelungen sollen mit dem Winterpaket jedoch entfallen. Stattdessen sieht Art. 11 EltVO-E KOM zukünftig nur noch das vorrangige Dispatch – d.h. den Einsatz von Kraftwerken in zentralen Dispatch-Systemen auf der Grundlage anderer Kriterien als wirtschaftlicher Gebote und Netzbeschränkungen, wobei dem Dispatch bestimmter Erzeugungstechnologien Vorrang eingeräumt wird (Art. 2 Abs. 2 lit. s) EltVO-E KOM) – für Altanlagen, EE- und KWK-Kleinanlagen sowie Demonstrationsprojekte vor. In Anlehnung an diese Regelung kann daher auch ein vorrangiger Netzanschluss allenfalls noch für diese Anlagen begründet werden. Abgesehen von dieser Regelung enthält nur noch Art. 17 Abs. 1 EERL-E KOM eine Sonderregelung für Demonstrationsprojekte und Anlagen mit einer Stromerzeugungskapazität von weniger als 50 kW, wonach diese nach bloßer Mitteilung an den VNB ans Netz gehen dürfen.

Im Übrigen greift die grundsätzliche Verpflichtung der Mitgliedstaaten nach Art. 9 Abs. 1 EltRL-E KOM, eine Diskriminierung zwischen Elektrizitätsversorgungsunternehmen zu verhindern. Speziell für den Anschluss an das Übertragungsnetz schreibt Art. 42 Abs. 1 EltRL-E KOM transparente und effiziente Verfahren für einen nichtdiskriminierenden Anschluss neuer Kraftwerke vor. Anwendbar sein dürften auch die Diskriminierungsverbote nach Art. 6 Abs. 1 EltRL-E KOM sowie Art. 31 Abs. 2 und Art. 40 Abs. 1 lit. f) EltRL-E KOM. Zwar beziehen sich diese nur auf „Netzbenutzer", gemäß Art. 2 Abs. 1 EltVO-E KOM i.V.m. Art. 2 Nr. 30 EltRL-E KOM also „eine natürliche oder juristische Person, die Elektrizität in ein Übertragungs- oder Verteilernetz einspeisen oder daraus versorgt werden". Nach dem Normzweck, eine Ausnutzung des Netzmonopols zulasten unabhängiger Konkurrenten zu verhindern, und unter Berücksichtigung der weiten Fassung des Art. 9 Abs. 1 EltRL-E KOM und des Zusammenhangs von Netzanschluss und -zugang dürften hiervon aber auch die potenzielle Einspeisung oder Versorgung umfasst sein.[55] Entsprechend schreibt auch Art. 7 Abs. 3 lit. a) VO (EU) 2016/631 (sog. Netzkodex RfG) nichtdiskriminierendes Verhalten der Netzbetreiber beim Netzanschluss vor.[56]

Allerdings ist eine sachliche Rechtfertigung der Ungleichbehandlung von EE-Erzeugungsanlagen gegenüber Nicht-EE-Erzeugungsanlagen möglich und kann eine Diskriminierung ausschließen.[57] Als sachlicher Grund für die Sonderregelung des § 8 Abs. 1 EEG 2017 wird teilweise die Notwendigkeit des weiteren Ausbaus und der Systemintegration von EE-Erzeugungskapazitäten angesehen.[58] Vor dem Hintergrund der umgestalteten Marktvorschriften und insbesondere der ausdrücklichen Einschränkung des Vorrangprinzips durch Art. 11 EltVO-E KOM erscheint der pauschale Hinweis auf die Ausbaubauziele der EE-Stromerzeugung jedoch nicht mehr ausreichend.[59]

Eine unionsrechtliche Grundlage ergibt sich auch nicht aus Art. 58 lit. e) EltRL-E KOM. Danach ist Aufgabe der Regulierungsbehörde die Erleichterung des Netzanschlusses neuer Erzeugungsanlagen, insbesondere durch Beseitigung von Hindernissen für den Zugang neuer Marktteilnehmer und die Einspeisung von Strom aus erneuerbaren Energiequellen. Damit wird jedoch keine Sonderregelung für EE-Erzeugungsanlagen begründet, sondern allgemein der Netzanschluss gesichert und gleiche Marktbedingungen gewährleistet. Schließlich sehen zwar die Art. 15 ff. EERL-E KOM Sonderregelungen für die Genehmigungsverfahren von EE-Erzeugungsanlagen vor, die auch einem Beschleunigungszweck dienen. Diese Regelungen beziehen sich jedoch (vorbehaltlich Art. 17 Abs. 1 EERL-E KOM, s.o.) auf Verwaltungsverfahren. Hierauf lässt sich in einem auf Diskriminierungsfreiheit angelegten Strommarkt keine Rechtfertigung für eine Ungleichbehandlung zwischen Marktteilnehmern ableiten, zumal das Winterpaket in Art. 17 Abs. 1 EERL-E KOM eine ausdrückliche Regelung zum Netzanschluss trifft, ohne dem Netzbetreiber weitergehende Vorgaben zu machen. Im Ergebnis bestehen jedenfalls außerhalb der Kleinanlagen große Zweifel an der Vereinbarkeit des unverzüglichen vorrangigen Netzanschlusses nach § 8 Abs. 1 EEG 2017 mit dem Winterpaket.

[55] So auch *Kahles/Kahl/Pause* (o. Fn. 5), S. 26 f.

[56] Verordnung 2016/631 zur Festlegung eines Netzkodex mit Netzanschlussbestimmungen für Stromerzeuger, ABl. EU Nr. L 112 vom 27.4.2016, S. 1. Vgl. dort auch Erwägungsgrund 15.

[57] Vgl. *EuGH*, Slg 1977, 1753 Rdnr. 7; EuGH vom 11.2.2015, C-340/13, ECLI:EU:C:2015:77, Rdnr. 27 – bpost SA; *Frenz/Hennig*, in: Frenz/Müggenborg/Cosack/Hennig/Schomerus (Hrsg.): EEG Kommentar, 5. Aufl. 2018, § 5 EEG Rdnr. 10 f.

[58] *Kahles/Kahl/Pause* (o. Fn. 5), S. 45; *Cosack* (o. Fn. 5), § 8 EEG Rdnr. 15, 17. Auch *Scholz* (o. Fn. 7), § 8 EEG Rdnr. 5a, sieht die Beibehaltung des vorrangigen Netzanschlusses als zulässig an.

[59] Dies gilt umso mehr, als die Notwendigkeit des vorrangigen Netzanschlusses angesichts des erreichten Ausbaustands von EE-Erzeugungsanlagen teilweise in Frage gestellt wird, vgl. *Cosack* (o. Fn. 5), § 8 EEG Rdnr. 36; auch *Scholz* (o. Fn. 7), § 8 EEG Rdnr. 5a.

Die zweite hier behandelte Sonderregelung, § 8 Abs. 1 bis 3 EEG 2017, enthält Vorgaben zum Netzverknüpfungspunkt. Sie kann nach hiesigem Verständnis, soweit sie zu einer Kostenentlastung für den Anlagenbetreiber führt, auf Art. 16 Abs. 4 S. 1 i.V.m. Abs. 3 EERL gestützt werden, der den Mitgliedstaaten ausdrücklich die Möglichkeit eröffnet, von den Netzbetreibern die vollständige oder teilweise Übernahme der Netzanschlusskosten zu verlangen. Diese Vorschrift soll jedoch mit dem Winterpaket ersatzlos entfallen. Damit gelten auch hier die obigen Überlegungen zur Nichtdiskriminierung zwischen Marktteilnehmern. Eine pauschale Begründung mit den Ausbauzielen für die EE-Stromerzeugung erscheint nicht mehr ausreichend. Konkrete Anhaltspunkte für die Zulässigkeit einer solchen nationalen Sonderregelung enthält das Winterpaket nicht. Vielmehr spricht der ersatzlose Wegfall des Art. 16 Abs. 4 EERL für die Unzulässigkeit einer Bevorzugung von EE-Erzeugungsanlagen bei den Netzanschlusskosten. Daher unterliegt auch die Regelung zum Netzanschlusspunkt nach § 8 Abs. 1 bis 3 EEG 2017 großen Zweifeln hinsichtlich der Vereinbarkeit mit dem Winterpaket.

Das besondere Netzanschlussverfahren nach § 8 Abs. 5 und 6 EEG 2017 setzt die Vorgaben des Art. 16 Abs. 5 EERL um. Diese Vorschrift soll zukünftig gleichfalls entfallen, ebenso wie Erwägungsgrund 61 der EERL, wonach der Anschluss neuer EE-Erzeugungsanlagen in dem gemäß den Zielen der EERL geforderten Umfang so schnell wie möglich genehmigt werden sollte. Lediglich Art. 17 Abs. 1 EERL-E KOM soll zukünftig noch eine vereinfachende Sonderregelung, begrenzt auf Demonstrationsprojekte und Anlagen mit einer Stromerzeugungskapazität von weniger als 50 kW, vorsehen, wonach eine bloße Mitteilung an den VNB für den Netzanschluss ausreicht. Wie oben ausgeführt lässt sich auch den für Verwaltungsverfahren geltenden Sonderregelungen der Art. 15 ff. EERL-E KOM in einem auf Diskriminierungsfreiheit angelegten Strommarkt keine Rechtfertigung für eine Ungleichbehandlung zwischen Marktteilnehmern entnehmen. Damit bestehen Zweifel an der Zulässigkeit einer weitergehenden nationalen Sonderregelung. Allerdings ist zu berücksichtigen, dass die Ausgestaltung der Verfahren grundsätzlich Sache der Mitgliedstaaten ist, die insoweit über einen erheblichen Spielraum verfügen, und dass, wie Art. 17 Abs. 1 EERL-E KOM zeigt, das Unionsrecht nicht jeder Sonderregelung für das Netzanschlussverfahren von EE-Erzeugungsanlagen entgegensteht. Angesichts der umgestalteten Marktvorschriften und der Betonung der Nichtdiskriminierung zwischen Marktteilnehmern erscheint dennoch näherliegend, dass die Mitgliedstaaten bei der Ausgestaltung der Verfahrensregeln keine allgemeinen Sonderregelungen mehr für EE-Erzeugungsanlagen vorsehen dürfen.

2. *Sonderregelungen für den Netzzugang*

Der unverzügliche vorrangige Netzzugang für Strom aus erneuerbaren Energien nach § 11 Abs. 1 und 2 EEG 2017 findet eine unionsrechtliche Grundlage in Art. 16 Abs. 2 lit. b) EERL. Diese Sonderregelung steht in Zusammenhang mit dem System der Einspeisevergütung nach § 19 Abs. 1 Nr. 2 EEG 2017. Wie bereits im Zusammenhang mit dem unverzüglichen vorrangigen Netzanschluss ausgeführt, soll diese unionsrechtliche Grundlage zukünftig entfallen und nach Art. 11 EltVO-E KOM zukünftig nur noch ein vorrangiges Dispatch für Altanlagen, EE- und KWK-Kleinanlagen sowie Demonstrationsprojekte bestehen. In ähnlicher Weise werden Ausnahmen von der Bilanzierungsverantwortung des EE-Erzeugers eingeschränkt (oben II.2.a)). Da Deutschland kein zentrales Dispatch-System, sondern ein Self Dispatch-System anwendet, kommt der Vorrangregelung beim Dispatch für Deutschland nur eingeschränkte Bedeutung zu. Die Einschränkung der unionsrechtlichen Regelung dürfte aber zur Folge haben, dass eine Einspeisevergütung zukünftig nur noch in den verbleibenden Fallgestaltungen (Altanlagen, EE-Kleinanlagen, Demonstrationsprojekte) gewährt werden darf. Dies könnte insbesondere eine Änderung des § 21 Abs. 1 Nr. 2 EEG 2017 erforderlich machen, wonach für Strom aus Anlagen mit mehr als 100 kW installierter Leistung eine Einspeisevergütung als Ausfallvergütung in Anspruch genommen werden kann.[60]

Der Grundsatz des unverzüglichen vorrangigen Netzzugangs nach § 11 Abs. 1 EEG 2017 hat darüber hinaus Bedeutung für die zwangsweise Einschränkung der EE-Einspeisung gemäß § 13 Abs. 2 EnWG. Nach der Sonderregelung des § 13 Abs. 3 S. 1 EnWG i.V.m. § 11 Abs. 1 bzw. § 14 EEG 2017 ist diese grundsätzlich ausgeschlossen, wenn noch marktbezogene Maßnahmen oder Zwangsmaßnahmen gegenüber nicht vorrangberechtigter Elektrizität zur Verfügung stehen. Auch hier soll die unionsrechtliche Grundlage des Art. 16 Abs. 2 lit. b) EERL entfallen. Inhaltlich soll die nachrangige Einschränkung der EE-Einspeisung aber in Art. 12 Abs. 5 lit. a) EltVO-E KOM aufrechterhalten bleiben, allerdings nur bis zur Grenze unverhältnismäßig hoher Kosten anderer Lösungen. Der Hintergrund für diese von Art. 11 EltVO-E KOM abweichende Regelung kann in dem Umstand gesehen werden, dass die zwangsweise Einschränkung der EE-Einspeisung ohnehin nicht auf Marktmechanismen beruht. Trotz der im Ergebnis weitgehend unveränderten inhaltlichen Vorgaben wären § 11 Abs. 1 und § 14 EEG 2017 allerdings aufzuheben, wenn die unmittelbar geltende Regelung einer EU-Verordnung (hier der EltVO) wiederholende nationale Regelungen ausschließt. Nach der Rechtsprechung des EuGH darf die unionsrechtliche Natur einer Rechtsvorschrift zwar nicht durch deren Wiederholung im nationalen Recht verschlei-

[60] So auch *Kahles/Kahl/Pause* (o. Fn. 5), S. 48 f.

ert werden. Doch kann die Wiederholung bestimmter Punkte insbesondere bei Zusammentreffen mit anderen nationalen Vorschriften aus Gründen der Verständlichkeit zulässig sein.[61] Insoweit kommt es auf die konkrete Ausgestaltung an.

3. *Sonderregelungen für den Netzausbau*

§ 8 Abs. 4 und § 12 EEG 2017 räumen dem Einspeisewilligen einen Anspruch auf unverzüglichen Netzausbau ein, um die Abnahme, Übertragung und Verteilung des Stroms aus erneuerbaren Energien sicherzustellen. Zudem gewährt § 13 Abs. 1 EEG 2017 dem Einspeisewilligen bei vom Netzbetreiber zu vertretender Verletzung der Netzausbaupflicht einen Schadenersatzanspruch und sieht eine Beweislastumkehr vor. Eine unionsrechtliche Grundlage findet sich nach hiesigem Verständnis in der Netzausbaupflicht nach Art. 16 Abs. 2 lit. a) EERL. Netzausbauanspruch, Schadenersatzanspruch und Beweislastumkehr können als Mittel zur zivilrechtlichen Durchsetzung dieser Verpflichtung angesehen werden und sind daher grundsätzlich von der unionsrechtlichen Netzausbaupflicht gedeckt.

Diese unionsrechtliche Regelung soll mit weitgehend ähnlichem Inhalt in Art. 12 Abs. 4 lit. a) EltVO-E KOM überführt werden. Einschränkend soll allerdings nur noch die Übertragung (einschließlich Verteilung) „mit möglichst geringer Einschränkung bzw. möglichst geringem Redispatch" vorgeschrieben und ausdrücklich eine Regelung zur Spitzenkappung aufgenommen werden, die weiterreicht als § 12 Abs. 3 S. 2 EEG 2017 i.V.m. § 11 Abs. 2 EnWG. Aufgrund der unmittelbaren Regelung in der EltVO wäre zu prüfen, ob die Vorgaben zur Netzausbaupflicht in § 12 EEG 2017 zu streichen sind. Demgegenüber können Ansprüche auf Netzausbau und Schadenersatz einschließlich Beweislastumkehr weiterhin im deutschen Recht geregelt werden, soweit dies der Durchsetzung der unionsrechtlichen Netzausbaupflicht dient. Insbesondere verpflichtet Art. 61 Abs. 1 EltVO-E KOM die Mitgliedstaaten, wirksame, verhältnismäßige und abschreckende Sanktionen zur Durchsetzung der Bestimmungen der EltVO vorzusehen. Bei der Ausgestaltung bleibt den Mitgliedstaaten ein erheblicher Regelungsspielraum, etwa zur Beweislastverteilung. Auch die Ausgestaltung als Sonderregelungen für die EE-Erzeugung bleibt trotz der verstärkten unionsrechtlichen Ausrichtung auf Technologieneutralität und Diskriminierungsfreiheit möglich, da das Unionsrecht selbst mit Art. 12 Abs. 4 lit. a) EltVO-E KOM eine Sonderregelung trifft.

[61] Vgl. dazu EuGH, Slg. 1973, 981 Rdnr. 9 ff.; EuGH, Slg. 1985, 1057 Rdnr. 26 f.; EuGH vom 15.11.2012, C-539/10 P und C-550/10 P, ECLI:EU:C:2012:711, Rdnr. 85 ff. – Stichting Al-Aqsa u.a. Enger wohl *Kahles/Kahl/Pause* (o. Fn. 5), S. 43.

Gemäß § 17 EEG 2017 ist die Erhebung von Baukostenzuschüssen für die durch den Anschluss von EE-Erzeugungsanlagen entstehenden Netzausbaukosten ausgeschlossen. Die Regelung findet eine unionsrechtliche Grundlage in Art. 16 Abs. 4 S. 1 i.V.m. Abs. 3 EERL, demzufolge die Mitgliedstaaten von den Netzbetreibern die vollständige oder teilweise Übernahme der Netzverstärkungskosten verlangen können. Diese Regelung soll mit dem Winterpaket ersatzlos entfallen. Wie ausgeführt liegt damit nahe, dass eine Bevorzugung von EE-Erzeugungsanlagen bei den Netzanschlusskosten zukünftig unzulässig wäre (oben IV.1.).[62]

4. *Sonderregelungen für die Marktteilnahme*

a) Vertragliche Vereinbarungen nach § 11 Abs. 3 EEG 2017

Der Einsatz vertraglicher Vereinbarungen nach § 11 Abs. 3 EEG 2017 zur Einschränkung der EE-Stromeinspeisung ist gemäß § 13 Abs. 3 S. 2 EnWG nur in engen Grenzen zulässig. Grundsätzlich ausgeschlossen ist der Einsatz solcher vertraglichen Vereinbarungen, soweit noch andere marktbezogene Maßnahmen nach § 13 Abs. 1 Nr. 2 EnWG zur Verfügung stehen. Eine unionsrechtliche Grundlage findet diese Sonderregelung in der Zulässigkeit der Einräumung vorrangigen Netzzugangs nach Art. 16 Abs. 2 lit. b) EERL. Sie entspricht zudem Art. 16 Abs. 2 lit. c) S. 2 EERL, wonach die Mitgliedstaaten sicherstellen müssen, dass angemessene netz- und marktbezogene betriebliche Maßnahmen ergriffen werden, um Beschränkungen der EE-Einspeisung möglichst gering zu halten. Mit dem Winterpaket sollen diese unionsrechtlichen Vorschriften entfallen, wobei dem Art. 16 Abs. 2 lit. c) S. 2 EERL entsprechende Vorgaben allerdings in Art. 12 Abs. 4 lit. b) EltVO-E KOM übernommen werden. Daher ist zweifelhaft, inwieweit noch Raum für eine Ausgestaltung durch § 13 Abs. 3 Nr. 2 EnWG i.V.m. § 11 Abs. 3 EEG 2017 bleibt.

Eingeschränkt ist der Einsatz von Vereinbarungen nach § 11 Abs. 3 EEG 2017 nach hiesigem Verständnis selbst nach Ausschöpfung aller marktbezogenen Maßnahmen i.S.v. § 13 Abs. 1 Nr. 2 EnWG gegenüber nicht bevorrechtigten Anlagen. Diese Sonderregelung könnte auf die Gewährung vorrangigen Netzzugangs nach Art. 16 Abs. 2 lit. b) EERL gestützt werden. Mit dem Winterpaket soll diese unionsrechtliche Grundlage jedoch entfallen. Zugleich lässt Art. 12 Abs. 2 S. 2 EltVO-E KOM Einschränkungen oder Redispatch der Erzeugung, die nicht marktbasiert erfolgen (d.h. Zwangsmaßnahmen i.S.v. § 13 Abs. 2 EnWG), nur noch zu, wenn keine marktbasierte Alternative verfügbar ist, wenn alle verfügbaren marktbasierten Ressourcen eingesetzt wurden oder wenn die Zahl der Erzeugungs- oder Verbrauchsanlagen

[62] A.A. *Kahles/Kahl/Pause* (o. Fn. 5), S. 46.

in dem Gebiet, in dem sich für die Erbringung der Dienstleistung geeignete Erzeugungs- oder Verbrauchsanlagen befinden, zu gering ist, um einen wirksamen Wettbewerb zu gewährleisten. Eine Einschränkung für den Einsatz von Vereinbarungen mit EE-Erzeugungsanlagen käme damit nur in Betracht, wenn Art. 12 Abs. 2 S. 3 EltVO-E KOM („Zur Bereitstellung marktbasierter Ressourcen können alle Erzeugungstechnologien, Speicherung und Laststeuerung sowie in anderen Mitgliedstaaten ansässige Betreiber herangezogen werden, sofern dies technisch machbar ist.“) dahin verstanden würde, dass die Erbringung marktbasierter Maßnahmen durch EE-Erzeugungsanlagen von den Mitgliedstaaten eingeschränkt werden dürfte. Angesichts des Wortlauts („können“) erscheint eine solche Interpretation nicht von vornherein ausgeschlossen.

b) Sonderregelungen bei Einspeisevergütung nach § 19 Abs. 1 Nr. 2 EEG 2017

Anlagenbetreiber, die die Einspeisevergütung nach § 19 Abs. 1 Nr. 2 EEG 2017 in Anspruch nehmen, sind gemäß § 11 Abs. 1 und 2 EEG 2017, § 11 StromNZV von der Bilanzierungsverantwortung ausgenommen. Dies könnte als Annexregelung zum System der Einspeisevergütung angesehen werden, das in Art. 3 Abs. 3 lit. a) i.V.m. Art. 2 lit. k) EERL ausdrücklich zugelassen wird. Durch Art. 4 EltVO-E KOM soll der Spielraum der Mitgliedstaaten für Ausnahmen von der Bilanzkreisverantwortung ausdrücklich stark eingeschränkt werden, so dass das deutsche Recht entsprechend anzupassen wäre (insbesondere bzgl. Ausfallvergütung nach § 21 Abs. 1 Nr. 2 EEG 2017, vgl. oben IV.2.).

Nach § 21 Abs. 2 Nr. 1 EEG 2017 trifft Anlagenbetreiber, die die Einspeisevergütung in Anspruch nehmen, eine Gesamtandienungspflicht. Darüber hinaus schließt § 21 Abs. 2 Nr. 2 EEG 2017 explizit deren Teilnahme am Regelenergiemarkt aus. Diese Sonderregelungen können, insbesondere soweit sie auf die Vermeidung eines „Rosinenpickens“ zielen, als Annexregelungen zu dem unionsrechtlich anerkannten System der Einspeisevergütung angesehen werden. Nach Art. 15 Abs. 1 lit. a) EltRL-E KOM sollen die Mitgliedstaaten zukünftig dafür sorgen, dass Endkunden das Recht haben, Strom zu erzeugen, zu speichern und zu verbrauchen und selbst erzeugten Strom entweder einzeln oder durch Aggregierung auf allen organisierten Märkten zu verkaufen, ohne durch unverhältnismäßig aufwändige Verfahren und nicht kostenorientierte Entgelte belastet zu werden. Damit erscheint zweifelhaft, ob § 21 Abs. 2 Nr. 1 EEG 2017 weiter Bestand haben kann. Speziell für den Regelenergiemarkt sieht Art. 5 EltVO-E KOM zudem vor, dass alle Marktteilnehmer entweder einzeln oder durch Aggregierung Zugang zum Regelenergiemarkt haben. Daher müsste § 21 Abs. 2 Nr. 2 EEG 2017 aufgehoben werden. Auch Art. 12 Abs. 2 S. 3 EltVO-E KOM lässt sich angesichts der ausdrücklichen Regelung des Art. 5 EltVO-E KOM keine Abweichungsbefugnis der Mitgliedstaaten entnehmen.

c) Sonderregelungen für Anlagen, deren anzulegender Wert durch Ausschreibungen ermittelt worden ist

Für Betreiber von Anlagen, deren anzulegender Wert durch Ausschreibungen ermittelt worden ist, schränkt § 27a EEG 2017 die Zulässigkeit der Eigenversorgung stark ein. Diese Sonderregelung könnte als Annex zu dem von Art. 3 Abs. 3 lit. a) i.V.m. Art. 2 lit. k) EERL ausdrücklich anerkannten System der Marktprämie angesehen werden, insbesondere soweit sie einen möglichst unverzerrten Wettbewerb um die kosteneffizientesten Anlagentechnologien gewährleisten soll. Nach Art. 15 Abs. 1 lit. a) EltRL-E KOM sollen die Mitgliedstaaten zukünftig aber dafür sorgen, dass Endkunden das Recht haben, Strom zu erzeugen, zu speichern und zu verbrauchen und selbst erzeugten Strom entweder einzeln oder durch Aggregierung auf allen organisierten Märkten zu verkaufen, ohne durch unverhältnismäßig aufwändige Verfahren und nicht kostenorientierte Entgelte belastet zu werden. Damit erscheint zweifelhaft, ob § 27a EEG 2017 weiter Bestand haben kann.

V. Fazit

Dargestellt wurden ausgewählte Sonderregelungen des deutschen Rechts für die EE-Stromerzeugung aus den Bereichen Netzanschluss, Netzzugang, Netzausbau sowie Marktteilnahme. Die Vorschriften begründen überwiegend Begünstigungen für die EE-Stromerzeugung, schränken teilweise aber auch wettbewerbliche Handlungsoptionen bei der EE-Stromerzeugung – wohl als Annex der finanziellen Förderung – ein (Gesamtandienungspflicht, Verbot der Teilnahme am Regelenergiemarkt, Einschränkung der Eigenversorgung). Die Sonderregelungen finden großenteils eine ausdrückliche Grundlage im Unionsrecht. Teilweise ist die Einführung von Sonderregelungen verpflichtend vorgeschrieben (z.B. besonderes Netzanschlussverfahren für EE-Erzeugungsanlagen), teilweise den Mitgliedstaaten als Option eröffnet (z.B. Tragung der Netzanschluss- und Netzausbaukosten durch den Netzbetreiber). Andere Sonderregelungen erscheinen auch ohne ausdrückliche Regelung mit dem Unionsrecht vereinbar (z.B. Netzausbau- und Schadenersatzanspruch des Einspeisewilligen).

Das Winterpaket der Kommission sieht nunmehr vor, die Marktvorschriften teilweise umzugestalten, um dem wachsenden Anteil der EE-Stromerzeugung Rechnung zu tragen. Weiterhin zulässig bleiben sollen Förderregelungen für die EE-Stromerzeugung und Maßnahmen zur Herstellung gleicher Marktbedingungen. Erkennbar ist weiterhin das Ziel, der EE-Stromerzeugung grundsätzlich alle wettbewerblichen Handlungsoptionen zu eröffnen, insbesondere den Zugang zu allen Märkten. Stärker betont werden die Technologieneutralität und Nichtdiskriminierung im Verhältnis zur Nicht-EE-Stromerzeugung. Zugleich werden bestehende Sonderregelungen für die EE-Stromerzeugung teilweise eingeschränkt oder aufgehoben. Zukünftig müssen Sonderregelungen, ungeachtet der herausgehobenen Bedeutung der klima- und energiepolitischen Ziele der EU, daher hinsichtlich ihrer konkreten Ausgestaltung auf ihre Rechtfertigung überprüft werden. Der damit für Sonderregelungen verbleibende Raum ist angesichts der konfligierenden Ziele nicht stets eindeutig zu bestimmen und nur teilweise durch ausdrückliche Regelungen im Unionsrecht konkret bestimmt.

Aus dem Winterpaket ergeben sich differenzierte Auswirkungen auf die deutschen Sonderregelungen für die EE-Stromerzeugung. Teilweise können diese grundsätzlich beibehalten werden (z.B. Netzausbau- und Schadenersatzanspruch). Teilweise entspricht der Regelungsinhalt zwar weiterhin dem Unionsrecht, soll nunmehr aber mit unmittelbarer Wirkung in der EltVO geregelt werden, so dass zu prüfen ist, ob wiederholende deutsche Sonderregelungen insoweit aufgehoben werden müssten (z.B. nachrangige nicht marktbasierte Einschränkung der EE-Stromerzeugung). In erheblichem Umfang ergeben sich jedoch auch inhaltliche Abweichungen gegenüber den derzeitigen deutschen Sonderregelungen. So erscheint sehr zweifelhaft, ob ein unverzüglicher vorrangiger Netzanschluss von EE-Erzeugungsanlagen oder Kostenvorteile bei Netzanschluss und Netzausbau zukünftig noch mit den Regelungen des Winterpakets vereinbar wären. Gleiches gilt für die Gesamtandienungspflicht und das Verbot der Regelenergieerbringung bei Inanspruchnahme der Einspeisevergütung sowie für die Einschränkung der Eigenversorgung bei Ermittlung der Marktprämie durch Ausschreibung. Umgekehrt kann sich auch die Verpflichtung zur Schaffung neuer Sonderregelungen im deutschen Recht ergeben (z.B. Anforderungen an Verwaltungs- und Genehmigungsverfahren, Art. 15 bis 17 EERL-E KOM).

Der Betrieb einer fingierten Stromerzeugungsanlage zum Zweck der realen Befreiung von der EEG-Umlage

Guido Hermeier*

I. Einführung

Die deutsche Energiewende ist eine der größten Herausforderungen, denen sich Deutschland derzeit gegenübersieht. Und wie bei allen Herausforderungen von nationaler Bedeutung stellt sich die Frage nach der zutreffenden Herangehensweise und dem Ausmaß und der Verteilung der Lasten innerhalb des Staates. Auch der Jubilar hat sich mit diesen Fragen auseinandergesetzt.[1] Nahezu jede der EEG-Novellen in den vergangenen Jahren beruhte nicht zuletzt auf der Frage, wie hoch das den Betreibern von Anlagen zur Erzeugung von Strom aus erneuerbaren Energien gesetzlich garantierte Förderniveau sein darf.

Auf der anderen Seite des Fördersystems stellen sich jedoch seit Beginn des EEG immer wieder Fragen nach der angemessenen Verteilung der Lasten der Förderung der erneuerbaren Energien. Schon früh ging es hierbei etwa um die Frage, ob auch Stromlieferungen an Letztverbraucher in Netzen außerhalb der allgemeinen Versorgung tatbestandlich einen Anknüpfungspunkt für die Zahlung der EEG-Umlage bzw. Abnahme und Vergütung des Stroms aus erneuerbaren Energien darstellen.[2] Unter dem Eindruck stetig wachsender Kosten hat der Gesetzgeber – unter dem Deckmantel der Forderungen des EU-Beihilferechts – auch die Regelungen der Besonderen Ausgleichsregelung zur Begrenzung der von stromintensiven Unternehmen zu tragenden Lasten wiederholt reformiert.

Daneben ist auch die Frage, ob Letztverbraucher, die den von ihnen selbst verbrauchten Strom zuvor selbst erzeugt haben, zur Zahlung der EEG-Umlage verpflichtet sind, inzwischen wiederholt zentraler Gegenstand von

* Rechtsanwalt in Düsseldorf.

[1] Dazu *Büdenbender*, ET Heft 6/2014, S. 82 ff.; *Büdenbender*, DÖV 2016, S. 712 ff.

[2] *BGH,* Urteil vom 21.12.2005, Az. VIII ZR 108/04; *BGH,* Urteil vom 09.12.2009, Az. VIII ZR 35/09.

Novellierungen des EEG gewesen.[3] Der ursprüngliche Grundsatz, nach dem Letztverbraucher für selbst erzeugten und verbrauchten Strom nicht zur Zahlung der EEG-Umlage verpflichtet waren, konnte unter dem EEG 2000, EEG 2004 und EEG 2009 nur im Umkehrschluss aus den tatbestandlichen Voraussetzungen der Pflicht zur Abnahme und Vergütung von Strom aus erneuerbaren Energien abgeleitet werden, bevor dieser im EEG 2012 – wenn auch durch tatbestandliche Voraussetzungen eingeschränkt – erstmals ausdrücklich gesetzlich normiert wurde.[4] Schon mit dem EEG 2014 wurde jedoch sodann der gegenteilige Grundsatz, nach dem der Verbrauch von zuvor selbst erzeugtem Strom vollständig in die EEG-Pflicht einbezogen und nur noch ausnahmsweise von der EEG-Pflicht befreit ist, im Gesetz verankert.[5] Für bereits zuvor bestehende Eigenerzeugungskonstellationen wurden dabei unter Hinweis auf den Vertrauensschutz der Eigenerzeuger Ausnahmetatbestände vorgesehen.[6]

Mit dem EEG 2017 wurde dieser Rechtsrahmen sodann noch einmal massiv überarbeitet. Und erst im Zuge dieser Überarbeitung, genau genommen auch hier erst kurz vor Schluss, wurde mit dem inzwischen als Amnestieregelung bekannten § 104 Abs. 4 EEG 2017 eine bis dahin lange diskutierte Frage einer Regelung zugeführt.[7] Konkret geht es darum, ob und wie eine Stromerzeugungsanlage, die eine einzige hinsichtlich ihres technischen Betriebs unteilbare technische Einheit darstellt, zugleich von mehreren Letztverbrauchern betrieben und für die Eigenerzeugung genutzt werden kann. Die Antwort des Gesetzgebers auf diese Frage fällt klar aus. Eine Stromerzeugungsanlage kann und konnte nur einen einzigen Betreiber haben und deshalb auch nur von einem einzigen Letztverbraucher für die Eigenerzeugung genutzt werden. Modelle, in denen sich mehrere Letztverbraucher auf vertraglicher Basis eine Erzeugungsanlage geteilt bzw. aufgeteilt haben, konnten danach kein von der EEG-Umlage befreites Eigenerzeugungsmodell begründen.

Gleichwohl will der Gesetzgeber unter bestimmten in § 104 Abs. 4 EEG festgelegten Voraussetzungen diejenigen Letztverbraucher, die sich über entsprechende vertragliche Modelle eine Stromerzeugungsanlage zur Etablierung einer Eigenerzeugung geteilt haben, nun so stellen, als wären sie selbst Betreiber einer selbständigen Stromerzeugungsanlage gewesen. Dieser Ansatz ist bemerkenswert: Durch gesetzliche Klarstellung, dass ein Sachverhalt rechtlich ungleich zu behandeln ist, soll zugleich sichergestellt werden, dass beide Sachverhalte im Ergebnis wirtschaftlich gleichbehandelt werden.

[3] Vergleiche nur die Regelungen in § 37 Abs. 6 EEG 2009, § 37 Abs. 3 EEG 2012, § 61 EEG 2014 und §§ 61 bis 61i EEG 2017.

[4] Siehe § 37 Abs. 3 S. 2 EEG 2012.

[5] Siehe § 61 Abs. 1 EEG 2014.

[6] Siehe § 61 Abs. 3 und 4 EEG 2014.

[7] Beschlussempfehlung und Bericht des Ausschusses für Wirtschaft und Energie vom 14.12.2016, BT-Drs. 18/10668.

Schon dieser verquer anmutende Ansatz deutet darauf hin, dass sich bei der Anwendung der Amnestieregelung im Detail eine Vielzahl neuer Fragen stellt. Kernfrage, die Gegenstand der nachfolgenden Betrachtung sein soll, ist dabei, welche Anforderungen das Gesetz an die Stellung des Letztverbrauchers in Bezug auf den (allenfalls gemeinschaftlichen) Betrieb der Stromerzeugungsanlage stellt. Konkreter formuliert geht es um die Frage, welche Rechte und Pflichten der Letztverbraucher haben muss, um nach § 104 Abs. 4 S. 2 EEG so gestellt zu werden, als wäre er selbst tatsächlich alleiniger Betreiber einer Stromerzeugungsanlage gewesen.

II. Hintergrund und Problemstellung der Amnestieregelung des § 104 Abs. 4 EEG

Im Zentrum des aufgrund seines Normaufbaus nicht ganz einfach zu lesenden § 104 Abs. 4 EEG steht dessen Satz 2. Danach gilt „ausschließlich zur Bestimmung des Betreibers und der von ihm erzeugten Strommengen im Rahmen von Satz 1 Nummer 1 [...] ein anteiliges vertragliches Nutzungsrecht des Letztverbrauchers an einer bestimmten Erzeugungskapazität der Stromerzeugungsanlage als eigenständige Stromerzeugungsanlage, wenn und soweit der Letztverbraucher diese wie eine Stromerzeugungsanlage betrieben hat."

Um in den Genuss der Amnestieregelung zu gelangen, bedarf es tatbestandlich somit zunächst eines anteiligen vertraglichen Nutzungsrechts des Letztverbrauchers an einer bestimmten Erzeugungskapazität der Stromerzeugungsanlage. Dieses vertragliche Nutzungsrecht stellt den sachlichen Anknüpfungspunkt für die Fiktion einer eigenständigen Stromerzeugungsanlage dar (dazu unter III.). Darüber hinaus muss der Letztverbraucher diese fingierte selbständige Stromerzeugungsanlage dann auch wie eine Stromerzeugungsanlage betrieben haben (dazu IV.).

1. *Entwicklung des Rechtsrahmens der Eigenerzeugung*

Die genaue Bedeutung und der Inhalt dieser tatbestandlichen Voraussetzungen lässt sich jedoch ohne das Wissen um die Entwicklung des Rechtsrahmens der Eigenerzeugung nicht vollständig erfassen. Denn dieser Rechtsrahmen in seiner jetzigen Form, in den auch § 104 Abs. 4 EEG systematisch einzuordnen ist, ist das Ergebnis einer Vielzahl vorheriger EEG-Novellierungen.

Bis einschließlich zum EEG 2009 enthielt das EEG keine ausdrückliche Regelung zur EEG-Umlagebefreiung bzw. EEG-Umlagepflicht der Eigenerzeugung. Die EEG-Umlagefreiheit wurde danach vielmehr im Umkehrschluss aus den tatbestandlichen Voraussetzungen der EEG-Umlagepflicht abgeleitet. Diese knüpfte tatbestandlich an die Lieferung von Strom an einen Letztverbraucher an. Das Tatbestandsmerkmal der Lieferung lässt sich dabei – unabhängig von der konkreten schuldrechtlichen Ausgestaltung – im Kern so verstehen, dass die Verfügungsbefugnis über den Strom von einer Person auf eine andere Person übergehen muss.[8] Fehlt es an diesem Wechsel in der Verfügungsbefugnis über den Strom lag und liegt hingegen keine Lieferung im Sinne des EEG vor. Eine von der EEG-Umlagepflicht befreite Eigenerzeugung setzte nach der Rechtsprechung des BGH daher bis einschließlich des EEG 2009 im Ergebnis voraus, dass der Verbraucher des Stroms diesen zuvor selbst erzeugt hat, da nur dann die Verfügungsbefugnis über den Strom durchgehend bei dem Letztverbraucher selbst lag und zwischen Erzeugung und Verbrauch nicht gewechselt hat, mithin also keine Lieferung stattgefunden hat. Maßgeblich war also, dass eine Personenidentität zwischen Verbraucher und Erzeuger des Stroms vorliegt.[9]

Dieser Maßstab wurde unter dem EEG 2012 beibehalten und ausdrücklich gesetzlich kodifiziert. Gemäß § 37 Abs. 3 S. 2 i.V.m. § 66 Abs. 15 EEG 2012 entfiel die Verpflichtung zur Zahlung der EEG-Umlage, wenn der Letztverbraucher die Stromerzeugungsanlage als Eigennutzer selbst betreibt und er den erzeugten Strom selbst verbraucht. Mit dem EEG 2014 entfiel die generelle Umlagefreiheit für den Verbrauch selbst erzeugten Stroms.[10] Allerdings führte das EEG 2014 zumindest für Bestandsanlagen, die verkürzt formuliert schon vor Inkrafttreten des EEG 2014 zur Eigenerzeugung genutzt wurden, die Ausnahme von der EEG-Umlagepflicht fort. Voraussetzung war jedoch auch hier, dass der Letztverbraucher den Strom selbst verbraucht und die Stromerzeugungsanlage als Eigenerzeuger betreibt, § 61 Abs. 3 Nr. 1 und Nr. 2 EEG 2014. Die Vertrauensschutztatbestände des EEG 2017 knüpfen ebenfalls hieran an.[11]

2. *Kriterien für die Bestimmung der Personenidentität zwischen Erzeuger und Verbraucher des Stroms*

Fraglich ist daher, wann die Personenidentität zwischen dem Erzeuger des Stroms und dem Verbraucher des Stroms gegeben und damit eine Lieferung des Stroms ausgeschlossen ist. Dies hängt maßgeblich davon ab, wie der Erzeuger und der Verbraucher des Stroms zu bestimmen sind.

[8] Der BGH formuliert diesbezüglich, dass der Strom „an andere abgegeben" wird, *BGH,* Urteil vom 09.12.2009, Az, VIII ZR 35/09, Rdnr. 24.

[9] Ausführlich zu den Maßstäben der Personenidentität *BGH,* Urteil vom 06.05.2015, Az. VIII ZR 56/14, Rdnr. 18 ff.

[10] Siehe § 61 Abs. 1 EEG 2014.

[11] Siehe § 61c Abs. 1 EEG 2017 und § 61d Abs. 1 EEG 2017.

a) Verbraucher des Stroms

Mit § 5 Nr. 24 EEG 2014 wurde eine Legaldefinition des Letztverbrauchers in das EEG aufgenommen. Danach ist ein Letztverbraucher von Strom jede natürliche oder juristische Person, die Strom verbraucht. Wann ein entsprechender Verbrauch und damit ein Letztverbraucher vorliegt, definiert das Gesetz allerdings nicht weiter. Der BGH hat in Bezug auf den Begriff des Letztverbrauchers gemäß § 3 Nr. 25 EnWG klargestellt, dass für das Vorliegen eines Letztverbrauchs auf die Nutzung der Energie abzustellen sei. Ein Letztverbrauch liege immer dann vor, wenn der *„entnommene Strom für eine bestimmte energieabhängige Funktion verwendet und hierfür aufgezehrt wird“*.[12] Letztverbraucher ist also diejenige Person, die die Energie nutzt, indem sie sie für eine bestimmte energieabhängige Funktion einsetzt bzw. verwendet.

b) Erzeuger des Stroms

Fraglich ist darüber hinaus, wer Erzeuger des Stroms ist. Insoweit ist seit jeher anerkannt, dass Erzeuger des Stroms der Betreiber der Anlage ist.[13] Denn dem Betreiber der Anlage erwächst die originäre Verfügungsbefugnis über den Strom als dem Ergebnis des Erzeugungsprozesses.

Einen Anhaltspunkt für die Frage, wann der Letztverbraucher Betreiber der Stromerzeugungsanlage ist, gibt zunächst die Definition des Anlagenbetreibers in § 3 Nr. 2 EEG 2017, der mit den Vorgängerregelungen in § 5 Nr. 2 EEG 2014 und § 3 Nr. 2 EEG 2012 inhaltlich identisch ist. Danach ist Anlagenbetreiber, wer unabhängig vom Eigentum die Anlage für die Erzeugung von Strom aus erneuerbaren Energien nutzt. Diese Definition des Anlagenbetreibers bezieht sich zunächst nur auf den Betreiber von Anlagen im Sinne von § 3 Nr. 1 EEG 2017, also solchen Anlagen, die Strom aus erneuerbaren Energien erzeugen. Die Eigenversorgung erstreckt sich hingegen auch auf Stromerzeugungsanlagen i.S.v. § 3 Nr. 43b EEG 2017, die unter Einsatz konventioneller Energieträger Strom erzeugen.[14]

Ausweislich der Begriffsdefinition in § 3 Nr. 2 EEG 2017 ist es danach zunächst nicht entscheidend, in wessen Eigentum die Anlage steht. Maßgeblich ist vielmehr die Nutzung der Anlage. Diese Begriffsdefinition geht erkennbar auf die Rechtsprechung des BGH zur Bestimmung des Betreibers einer KWK-Anlage aus dem Jahr 2004 zurück. Nach der Rechtsprechung des BGH ist Betreiber, wer *„ohne notwendigerweise Eigentümer zu sein, die tatsächliche Herrschaft über die Anlage ausübt, ihre Arbeitsweise eigenverant-*

[12] *BGH,* Beschluss vom 17.11.2009, Az. EnVR 56/08, Rdnr. 10.

[13] Der BGH hat bereits in Bezug auf das StrEG klargestellt, dass Stromerzeuger der Betreiber der Anlage ist, siehe *BGH,* Urteil vom 11.06.2003, Az. VIII ZR 161/02, Rdnr. 15.

[14] Siehe zum EEG 2012 insoweit BT-Drs. 17/6071, S. 83.

wortlich bestimmt und sie auf eigene Rechnung nutzt, mithin das wirtschaftliche Risiko trägt“[15].

c) Bestimmung des Betreibers der Stromerzeugungsanlage in Mehrpersonenkonstellationen

Der sachliche Hintergrund für die Aufnahme der Amnestieregelung in das EEG 2017 erklärt sich, wenn man diese Kriterien zur Bestimmung des Betreibers der Anlage auf Konstellationen anwendet, in denen gleich mehrere Letztverbraucher auf vertraglicher Grundlage Betreiber ein und derselben Stromerzeugungsanlage sein wollen, um eine von der EEG-Umlage befreite Eigenerzeugung zu begründen.

Probleme ergeben sich insoweit insbesondere in Bezug auf die Ausübung der tatsächlichen Herrschaft über und den bestimmenden Einfluss auf die Arbeitsweise der Anlage. Denn im Falle einer einheitlichen technischen Anlage kann bei parallel ausgestalteten vertraglichen Nutzungsrechten nicht jeder Letztverbraucher isoliert von den anderen die tatsächliche Herrschaft über die Anlage besitzen oder den bestimmungsgemäßen Einfluss ausüben. Denn der einzelne Nutzungsberechtigte ist jedenfalls auf die Zustimmung der anderen Nutzungsberechtigten angewiesen. Weder kann ein Letztverbraucher z.B. allein bestimmen, welche Reparaturen oder technischen Erneuerungen durchgeführt werden oder wann Anlagenrevisionen vorzunehmen sind. Tatsächliche Herrschaft und bestimmungsgemäßer Einfluss können daher bei parallel ausgestalteten vertraglichen Nutzungsrechten allenfalls gemeinschaftlich ausgeübt werden.

Sind die vertraglichen Nutzungsrechte nicht parallel ausgestaltet, so kommt es hingegen in Betracht, dass ein einzelner Letztverbraucher die alleinige tatsächliche Herrschaft sowie den bestimmungsgemäßen Einfluss über die Anlage ausübt. In diesem Fall üben die anderen zur Nutzung berechtigten Letztverbraucher hingegen denklogisch weder tatsächliche Herrschaft noch bestimmenden Einfluss auf die Arbeitsweise der Anlage aus. In dieser Konstellation sprach dann immer schon auch vor Einführung der Amnestieregelung alles dafür, dass Betreiber der Anlage nur derjenige Letztverbraucher ist, der bestimmenden Einfluss und tatsächliche Herrschaft über die Anlage ausübt.

In den vorstehenden Konstellationen können tatsächliche Herrschaft und bestimmender Einfluss auf die Fahrweise der Anlage also durch den zur Nutzung der Anlage berechtigten Letztverbraucher jedenfalls nicht allein, zum Teil aber auch gar nicht ausgeübt werden. Dies führt zu der Frage, ob es für die Begründung einer Betreiberstellung ausreicht, wenn der zur Nutzung der Anlage berechtigte Letztverbraucher zumindest das wirtschaftliche

[15] *BGH,* Urteil vom 14.07.2004, RdE 2004, S. 300 (Rz. 27).

Risiko des Anlagenbetriebs (oder einen Teil davon) trägt. In der Sache geht es also um die Frage, wie die vom Bundesgerichtshof aufgestellten Kriterien zur Bestimmung des Anlagenbetreibers zueinander im Verhältnis stehen. Räumt man den Kriterien unmittelbare Herrschaft und bestimmender Einfluss auf die Arbeitsweise der Anlage Bedeutung ein, kann eine Anlage, die eine technische Einheit darstellt und nur einheitlich „gefahren" werden kann, immer nur einen Betreiber haben. Dieser ist entweder der Letztverbraucher, der bei mehreren zur Nutzung berechtigten Letztverbrauchern allein die tatsächliche Herrschaft und den bestimmenden Einfluss auf die Fahrweise ausübt. Allerdings setzt dies voraus, dass die vertraglichen Nutzungsrechte nicht identisch ausgestaltet sind. Oder bestimmender Einfluss und tatsächliche Herrschaft werden gemeinschaftlich ausgeübt, was bei weitgehend identisch ausgestalteten vertraglichen Nutzungsrechten der Fall ist. Für letzteres ist in der Rechtsprechung des Bundesverwaltungsgerichts bereits seit langem anerkannt, dass Betreiber der Anlage im Sinne des Bundesimmissionsschutzgesetzes dann eine Gesellschaft bürgerlichen Rechts („Betreiber-GbR") ist, deren Gesellschafter die einzelnen Nutzungsberechtigten sind.[16] Denn bei konsequenter Anwendung der Kriterien zur Bestimmung des Betreibers der Anlage kann jede Anlage nur einen Betreiber haben.

Wendet man die Kriterien ebenso wie das Bundesverwaltungsgericht konsequent an und kommt damit zu dem Ergebnis, dass auch im Sinne des EEG jede Anlage nur einen Betreiber haben kann, führt dies unweigerlich zum Vorliegen einer Stromlieferung, die immer schon tatbestandlicher Anknüpfungspunkt für die EEG-Umlage ist. Wenn Betreiber ein einzelner Letztverbraucher ist, dann ist dieser als Betreiber der Erzeuger des Stroms. Wird der Strom anschließend von einem anderen zur Nutzung der Anlage berechtigten Letztverbraucher verbraucht, muss ein Wechsel in der Verfügungsmacht über den Strom von Erzeuger zu Verbraucher stattgefunden haben, so dass eine Stromlieferung vorliegt. Nicht anders stellt es sich auch beim gemeinschaftlichen Anlagenbetrieb dar. Denn Erzeuger des Stroms ist in diesem Fall die Betreiber-GbR, die als eigenständige juristische Person die originäre Verfügungsbefugnis über den erzeugten Strom innehat. Wird der Strom anschließend von einem einzelnen Letztverbraucher verbraucht, muss auch hier ein Wechsel in der Verfügungsmacht über den Strom stattgefunden haben, so dass eine Stromlieferung vorliegt.

Der Bundesgerichtshof hatte das Verhältnis der Kriterien zueinander allerdings offen gelassen, so dass unklar war, ob auch im Sinne des EEG jede Anlage bei konsequenter Anwendung der Kriterien nur einen Betrei-

[16] *Jarass,* BImSchG, 12. Aufl. 2017, § 3 Rdnr. 92 mit Nachweisen zur Rechtsprechung. Kritisch dazu *Küper/Rix,* ER 2016, S. 3 (7 f.). Zur Übertragung der Maßstäbe des Immissionsschutzrechts auf das KWKG siehe *BGH,* Urteil vom 13.02.2008, Az. VIII ZR 280/05, Rdnr. 15.

ber haben kann.[17] Kommt man hingegen zu diesem Ergebnis, führt jeder Wechsel in der Verfügungsbefugnis über den Strom zwischen Erzeuger und Verbraucher auch nach der insoweit eindeutigen Rechtsprechung des Bundesgerichtshofes dazu, dass dann tatbestandlich eine Stromlieferung vorliegt, da die Personenidentität zwischen dem Erzeuger und dem Verbraucher des Stroms nicht gegeben ist.[18]

Erst in den Jahren 2014 bis 2016 begann durch zwei Gerichtsverfahren die Klärung dieser Frage durch die Rechtsprechung. Sowohl das Landgericht Berlin und im Anschluss daran das Kammergericht Berlin als auch das Landgericht Heidelberg und im Anschluss daran das OLG Karlsruhe lehnten jeweils eine Betreiberstellung des anteilig zur Nutzung der Anlage berechtigten Letztverbrauchers ab.[19] Darüber hinaus bezog auch die Bundesnetzagentur in ihrem Leitfaden zur Eigenversorgung nach dem EEG Position und stellte fest, dass bei konsequenter Anwendung der Kriterien zur Bestimmung des Betreibers in der Regel jede Anlage grundsätzlich nur einen Betreiber haben kann.[20]

Der Gesetzgeber hat die Amnestieregelung also zu einem Zeitpunkt eingeführt, als sich immer deutlicher abzeichnete, dass eine wirksam von der EEG-Umlage befreite Eigenerzeugung in solchen Mehrpersonenkonstellationen rechtlich nicht tragfähig ist.

III. Vertragliches Nutzungsrecht an einer bestimmten Erzeugungskapazität

Mit der Aufnahme des § 104 Abs. 4 EEG 2017 hat der Gesetzgeber dabei bestätigt, dass in solchen Mehrpersonenkonstellationen eine Betreiberstellung für den einzelnen Letztverbraucher nicht begründet werden kann und stattdessen eine Stromlieferung durch den tatsächlichen Betreiber der Anlage erfolgt. Denn der Gesetzgeber formuliert, dass das dem Letztverbraucher eingeräumte vertragliche Nutzungsrecht an der Anlage als eigenständige Stromerzeugungsanlage gilt. Die unter konsequenter Anwendung der Betreiberkriterien nicht mögliche Aufteilung der Betreiberstellung nimmt der Gesetzgeber also dadurch vor, dass er die Aufteilung der Stromerzeugungsanlage als technische Einheit in verschiedene eigenständige Stromerzeugungsanlagen fingiert. In Bezug auf diese fingierte eigenständige Stromerzeugungsanlage soll der zur Nutzung der Gesamterzeugungsanlage berechtigte

[17] Vgl. *Bundesnetzagentur,* Leitfaden zur Eigenversorgung, Stand Juli 2016, S. 29 ff.

[18] Zur Personenidentität *BGH,* Urteil vom 06.05.2015, Az. VIII ZR 56/14, Rdnr. 18 ff.

[19] *LG Berlin,* Urteil vom 25.03.2014, Az. 16 O 38/13; *KG Berlin,* Urteil vom 31.10.2016, Az. 2 U 78/14.EnWG; *LG Heidelberg,* Teilurteil vom 28.12.2015, Az. 11 O 15/15; *OLG Karlsruhe,* Urteil vom 29.06.2016, Az. 15 U 20/16.

[20] *Bundesnetzagentur* (o. Fn. 17), S. 30 f.

Letztverbraucher dann unter den in § 104 Abs. 4 EEG 2017 genannten Voraussetzungen als Betreiber gelten.

Sachlicher Anknüpfungspunkt für die Fiktion einer eigenständigen Stromerzeugungsanlage ist ausweislich des § 104 Abs. 4 S. 2 EEG 2017 zunächst ein vertragliches Nutzungsrecht an einer bestimmten Erzeugungskapazität.

1. *Vertragliches Nutzungsrecht*

Ausweislich des Gesetzeswortlauts kann sachlicher Bezugspunkt für die Fiktion einer selbständigen Erzeugungsanlage nur ein vertragliches Nutzungsrecht sein. Dies bedeutet zunächst, dass die Nutzung der Anlage durch den Letztverbraucher einer vertraglichen Grundlage bedarf. Eine rein faktische Mitnutzung der Anlage durch den Letztverbraucher reicht somit nicht aus. Allerdings verzichtet das Gesetz an dieser Stelle auf Formvorschriften. Daher wird man sogar auch einen mündlich geschlossenen Vertrag über die Nutzung der Anlage als Anknüpfungspunkt genügen lassen müssen. In der Praxis dürfte die Schwierigkeit hier jedoch für den tatsächlichen Betreiber der Anlage sowie den zur Nutzung berechtigten Letztverbraucher in der Erbringung des Nachweises des Vorliegens der tatbestandlichen Voraussetzungen der Amnestieregelung liegen. Die Amnestieregelung ist schuldrechtlich als rechtshemmende Einrede des Lieferanten gegenüber dem Übertragungsnetzbetreiber ausgestaltet. Der Anspruch des Übertragungsnetzbetreibers auf Zahlung der EEG-Umlage im Hinblick auf die Lieferungen an den Letztverbraucher besteht daher dem Grunde und der Höhe nach. Er ist bei Vorliegen der tatbestandlichen Voraussetzungen der Amnestieregelung jedoch nicht durchsetzbar.[21] Nach allgemeinen zivilrechtlichen Grundsätzen trägt die Beweislast für das Vorliegen der tatbestandlichen Voraussetzungen einer Einrede jedoch derjenige, der sich auf die Einrede beruft.[22] Fehlt es somit an einer schriftlichen Dokumentation, wird sich diese Beweisführung schwierig gestalten.

Das Gesetz verlangt zugleich „nur" ein vertragliches Nutzungsrecht. Damit lässt das Gesetz den konkreten schuldrechtlichen Vertragstyp offen.[23] In der (Vertrags-)Praxis wurden diese Vertragsmodelle häufig als Scheibenpacht bezeichnet. Diese Bezeichnung sollte letztlich suggerieren, dass über eine „Pacht" Sachherrschaft und bestimmender Einfluss auf die Fahrweise der Anlage ausgeübt werden oder zumindest ausgeübt werden können. Je

[21] Eine spannende Frage in diesem Zusammenhang ist allerdings, ob die Amnestieregelung als rechtshemmende Einrede auch eine Aufrechnung ausschließt. Schuldrechtlich wäre eine solche Aufrechnung grundsätzlich möglich.

[22] In Bezug auf § 104 Abs. 4 EEG 2017 so auch ausdrücklich die Beschlussempfehlung und Bericht des Ausschusses für Wirtschaft und Energie vom 14.12.2016, BT-Drs. 18/10668, S. 150.

[23] *Buchmüller*, ZNER 2017, S. 18 (21).

nach konkreter Ausgestaltung der vertraglichen Regelungen bestand jedoch nicht zwingend Ähnlichkeit mit einem Pachtvertrag im Sinne des BGB. Vor diesem Hintergrund ist es konsequent, wenn die Amnestieregelung nicht auf einen einzigen schuldrechtlichen Vertragstyp begrenzt wird.

Kommt es auf einen konkreten schuldrechtlichen Vertragstyp nicht an, heißt dies jedoch nicht, dass der Vertragsinhalt auch im Übrigen keine Relevanz hat. Nach dem Wortlaut ist sachlicher Bezugspunkt der Fiktion ein vertragliches Nutzungsrecht an einer Erzeugungsanlage. Folglich müssen Gegenstand der vertraglichen Regelungen der Hauptleistungspflichten unter dem Vertrag auch diese Nutzungsrechte an der Erzeugungsanlage sein. Was dies im Einzelnen bedeutet, erschließt sich vor dem Hintergrund der Regelung. Die Modelle, die nun unter die Amnestieregelung fallen sollen, hatten immer schon auf den Betrieb der Erzeugungsanlage abzuzielen, um die Personenidentität zwischen Erzeuger und Verbraucher des Stroms begründen und damit eine von der EEG-Umlage befreite Eigenerzeugung darstellen zu können. Im Gegensatz dazu war eine auf Grundlage eines Stromliefervertrages erfolgende Stromlieferung immer schon der EEG-Umlage unterworfen. Die Amnestieregelung soll ausweislich der gesetzgeberischen Begründung dem Vertrauen Rechnung tragen, durch entsprechende vertragliche Nutzungsrechte auch in Mehrpersonenverhältnissen eine von der EEG-Umlage befreite Eigenerzeugung aufsetzen zu können.[24] Ein solches Vertrauen ist jedoch schon nicht schutzwürdig, wenn vertraglich nicht die Nutzung der Erzeugungsanlage, sondern letztlich nur die Lieferung von Strom vereinbart ist. Daher wird man ein vertragliches Nutzungsrecht im Sinne des § 104 Abs. 4 EEG im Ergebnis jedenfalls wohl dann verneinen müssen, wenn sich die vertraglichen Regelungen nicht einmal ansatzweise auf die konkrete Nutzung der Erzeugungsanlage beziehen und stattdessen allein auf die Lieferung einer bestimmten oder noch zu bestimmenden Menge von Strom abzielen.[25]

Eine relevante Frage dürfte darüber hinaus jedoch auch sein, zwischen wem das vertragliche Nutzungsrecht vereinbart sein muss. Konkret geht es insbesondere darum, ob das vertragliche Nutzungsrecht zwischen dem zur Nutzung berechtigten Letztverbraucher und dem tatsächlichen Betreiber der Anlage geschlossen sein muss. In der Praxis sind auch Konstellationen denkbar, in denen ein Letztverbraucher, der über ein vertragliches Nutzungsrecht an einem Teil der Anlage verfügt, selbst wiederum Unternutzungsverträge mit weiteren Letztverbrauchern geschlossen hat. Hier stellt sich die Frage, ob ein solcher Unternutzungsvertrag ein vertragliches Nutzungsrecht im Sinne des § 104 Abs. 4 S. 2 EEG 2017 darstellt. Dies wird man begründen können, wenn der Letztverbraucher, der ein solches Unternutzungsrecht einräumt,

[24] Beschlussempfehlung und Bericht des Ausschusses für Wirtschaft und Energie vom 14.12.2016, BT-Drs. 18/10668, S. 149 f.

[25] So auch *Buchmüller* (o. Fn. 23).

zur Einräumung einer solchen Unternutzung nach Maßgabe des ihm selbst eingeräumten vertraglichen Nutzungsrechts auch berechtigt war. Denn folgt man der Logik, dass die Amnestieregelung dem Vertrauen Rechnung trägt, dass die Begründung von Eigenerzeugungsmodellen durch anteilige Nutzung von Anlagen aufgrund unklarer Rechtslage nicht ausgeschlossen war, spielt es keine maßgebliche Rolle, ob die Nutzungsrechte sämtlich direkt vom eigentlichen Betreiber eingeräumt wurden oder aber über Unternutzungsverträge vermittelt werden.[26]

Die Prüfung der Voraussetzungen der Amnestieregelung dürfte in Bezug auf das Unternutzungsverhältnis jedoch beide Ebenen in den Blick zu nehmen haben. Wenn also der Letztverbraucher, der seinerseits das Unternutzungsrecht einräumt, für sich betrachtet im Verhältnis zum Betreiber der Anlage die Voraussetzungen der Amnestieregelung schon nicht erfüllt, also sein vertragliches Nutzungsrecht nicht als eigenständige Stromerzeugungsanlage im Sinne des § 104 Abs. 4 S. 2 EEG 2017 gilt, kann auch das eingeräumte Unternutzungsrecht nicht die Voraussetzungen der Fiktion der selbständigen Erzeugungsanlage erfüllen. Denn die vermeintliche Betreiberstellung des Unternutzers kann sich nur aus der vermeintlichen Betreiberstellung des Letztverbrauchers ableiten, der das Unternutzungsrecht einräumt. Das Unternutzungsrecht kann jedoch hinsichtlich der Rechte und Pflichten des zur Unternutzung berechtigen Letztverbrauchers nicht über das hinausgehen, was auch Gegenstand des Nutzungsrechts an der Anlage des Letztverbrauchers ist, der das Unternutzungsrecht einräumt. Mithin dürfte die Anwendung der Amnestieregelung auf das Unternutzungsverhältnis bereits per se ausscheiden, wenn das eigentliche Nutzungsverhältnis, auf dem das Unternutzungsverhältnis beruht, die Anforderungen der Amnestieregelung schon nicht erfüllt.

2. *Bestimmte Erzeugungskapazität*

Weitere Voraussetzung der Amnestieregelung ist, dass sich das vertragliche Nutzungsrecht auf eine bestimmte Erzeugungskapazität beziehen muss. Nach dem klaren Wortlaut wird auf die Kapazität der Erzeugung, nicht jedoch auf die mit der Kapazität tatsächlich erzeugte Strommenge abgestellt.

[26] Für die Frage, wer hinsichtlich der unter den Nutzungsverträgen vorgenommenen Stromlieferungen der Schuldner der EEG-Umlage ist, spielt die vertragliche Abstufung allerdings eine Rolle. So wird im Falle der Einräumung eines Unternutzungsrechts der eigentliche Betreiber der Anlage in der Regel mit dem zur Unternutzung berechtigten Letztverbraucher selbst in keiner vertraglichen oder sonstigen Lieferbeziehung stehen. Die Lieferung von Strom an den zur Unternutzung berechtigten Letztverbraucher erfolgt vielmehr durch den Letztverbraucher, der selbst das Unternutzungsrecht einräumt. Damit ist dieser Letztverbraucher dann das Elektrizitätsversorgungsunternehmen im Sinne von § 60 Abs. 1 S. 1 EEG 2017 und damit Schuldner der EEG-Umlage.

Dies ist in der Sache konsequent. Denn auch hier ist wieder zu berücksichtigen, dass der Gesetzgeber das Vertrauen schützen wollte, auch bei Nutzung der Anlage durch mehrere Letztverbraucher für diese eine Betreiberstellung begründen zu können. Ein maßgebliches Risiko, welches der Betreiber zu tragen hat, ist jedoch gerade das des Anlagenstillstands, gleich ob aus technischen oder anderen Gründen. Wird unter dem Vertrag hingegen nicht die Nutzung von Erzeugungskapazität eingeräumt, sondern die Nutzung erzeugten Stroms, liegt das Erfüllungsrisiko beim Lieferanten und nicht beim Letztverbraucher. Es handelt sich damit primär um einen Stromliefervertrag. Verträge, nach denen also eine bestimmte Strommenge geschuldet wird, dürften damit kaum so verstanden werden können, dass sie ein vertragliches Nutzungsrecht an einer bestimmten Erzeugungskapazität zum Gegenstand haben. Denn anders als vom Gesetz verlangt, wird in solchen Verträgen dem Letztverbraucher nicht die Erzeugungsmöglichkeit eröffnet, sondern bereits der Erzeugungserfolg in Form von Strom geschuldet.

Die Erzeugungskapazität muss darüber hinaus bestimmt sein. Aus diesem Erfordernis lässt sich zunächst ableiten, dass vertraglich festgelegt sein muss, auf welche technische Einheit überhaupt Bezug genommen wird.[27] Anknüpfungspunkt für die Amnestieregelung sollte die Vorstellung der Beteiligten sein, auch nur für einen Teil einer technischen Anlage als Betreiber fungieren zu können und hierüber eine wirksam von der EEG-Umlage befreite Eigenerzeugung begründen zu können.[28] Fehlt es jedoch schon an der konkreten Angabe der Stromerzeugungsanlage, aus der die Erzeugungskapazität bereit zu stellen ist, ist diesem Vertrauen schon die sachliche Grundlage entzogen. Denn wie soll jemand Betreiber einer Erzeugungsanlage sein, wenn ihm nicht einmal bekannt ist, um welche Erzeugungsanlage es sich handelt?

Das Erfordernis der bestimmten Erzeugungskapazität kann seinem Wortlaut nach darüber hinaus zudem auch so verstanden werden, dass die Erzeugungskapazität der Höhe nach klar definiert sein muss. Ein vertragliches Nutzungsrecht an einer technischen Anlage ohne konkrete Angabe dazu, welcher Anteil der tatsächlich insgesamt installierten Erzeugungskapazität der Anlage auf das Nutzungsrecht des entsprechenden Letztverbrauchers entfällt, erfüllt die Voraussetzungen der Fiktion einer selbständigen Stromerzeugungsanlage daher nicht.[29] Dies ergibt sich bereits aus dem Ansatz der

[27] So auch *Bundesnetzagentur*, Hinweis zur EEG-Umlagepflicht für Stromlieferungen in Scheibenpacht-Modellen und ähnlichen Mehrpersonen-Konstellationen und zum Leistungsverweigerungsrecht nach der „Amnestie-Regelung" des § 104 Abs. 4 EEG 2017, Hinweis 2017/1 vom 26.01.2017, S. 5.

[28] Beschlussempfehlung und Bericht des Ausschusses für Wirtschaft und Energie vom 14.12.2016, BT-Drs. 18/10668, S. 149.

[29] *Buchmüller* (o. Fn. 23), will es hingegen ausreichen lassen, wenn sich der Umfang des vertraglichen Nutzungsrechts aus den Umständen ermitteln lässt und damit bestimmbar sei.

Fiktion einer selbständigen Stromerzeugungsanlage. Eine Erzeugungsanlage besitzt technisch immer eine bestimmte Erzeugungskapazität, die sich aus der technischen Konfiguration der Anlage ergibt. Diese steht in voller Höhe dem Betreiber der Anlage zur Verfügung. Auch nur diese Erzeugungskapazität kann der Betreiber jedoch zur Eigenerzeugung nutzen. Die von der EEG-Umlage auf diesem Wege freigestellte Strommenge als Ergebnis des Erzeugungsvorgangs wird damit insbesondere auch durch die Erzeugungskapazität der Anlage limitiert. § 104 Abs. 4 S. 2 EEG fingiert das Vorliegen einer selbständigen Erzeugungsanlage in dem Umfang des vertraglichen Nutzungsrechts. Auch dieses vertragliche Nutzungsrecht bedarf dann jedoch äquivalent zu einer tatsächlich technisch eigenständigen Anlage, die nur durch einen Betreiber zur Eigenerzeugung genutzt wird, einer Limitierung durch Bestimmung der Erzeugungskapazität und der damit maximal erzeugbaren Strommenge. Der Betreiber einer tatsächlichen technischen Einheit kann die ihm zur Verfügung stehende Erzeugungskapazität nicht beliebig nach oben oder unten verändern, also variabel gestalten. Warum also sollte der Letztverbraucher den Umfang seines vertraglichen Nutzungsrechts ggf. in Abhängigkeit von seinem Verbrauchsverhalten variabel gestalten können? Es wäre nicht nachvollziehbar und mit dem Ansatz der Fiktion einer eigenständigen Stromerzeugungsanlage nicht vereinbar, wenn über die Amnestieregelung dem Letztverbraucher die Möglichkeit einer „variablen Anlagenkonfiguration“ eingeräumt würde, die es bei einer real existierenden Anlage so ebenfalls nicht gibt.

In diesem Fall würde es auch an der Abgrenzbarkeit der Nutzungsrechte zueinander fehlen. Es wäre schlicht nicht klar, welche Strommengen im jeweiligen Moment ihrer Erzeugung und ihres entsprechenden zeitgleichen Verbrauchs welchem Nutzungsrecht zuzuordnen wären. Die Überprüfbarkeit des Erfordernisses der Zeitgleichheit von Erzeugung und Verbrauch der Strommengen, welches gemäß § 104 Abs. 4 S. 3 EEG 2017 auch im Rahmen der Amnestieregelung zu beachten ist, wäre schlicht nicht gegeben. Folglich muss der Umfang des vertraglichen Nutzungsrechts der Höhe nach konkret bestimmt sein. Nur dann ist nachvollziehbar, welche erzeugte Strommenge im jeweiligen Moment der Erzeugung und des zeitgleichen Verbrauchs dem vertraglichen Nutzungsrecht zugerechnet werden kann und damit von der Privilegierung der Amnestieregelung erfasst ist.

Die Bestimmung der Erzeugungskapazität, auf die sich das vertragliche Nutzungsrecht erstreckt, kann entweder durch Angabe einer entsprechenden Kenngröße für installierte Erzeugungskapazität erfolgen, oder durch Festlegung eines bestimmten feststehenden Anteils an der Gesamterzeugungskapazität der Anlage als technischer Einheit. Nicht ausreichend dürfte es hingegen sein, wenn der Umfang des vertraglichen Nutzungsrechts inhaltlich über eine z.B. über das Jahr bemessene zu erzeugende Strommenge festgelegt werden soll. Schon der Wortlaut, der auf eine bestimmte Erzeugungskapazität und nicht auf eine bestimmte Erzeugungsmenge abstellt, steht dem entgegen. Zwar könnte argumentiert werden, dass aus der Erzeugungsmenge auf die hierfür benötigte Erzeugungskapazität zurückgerechnet werden kann. Diese Rückrechnung müsste jedoch jeweils mindestens Annahmen zum Auslastungsgrad der Anlage treffen. Da diese Annahmen jedoch nicht vertraglich geregelt sein dürften, wäre die Erzeugungskapazität gerade nicht bestimmt und damit über die zu treffenden Annahmen zur Auslastung gestaltbar.

IV. Betreiben wie eine Stromerzeugungsanlage

Die tatbestandlichen Voraussetzungen eines vertraglichen Nutzungsrechts an einer bestimmten Erzeugungskapazität regeln den sachlichen Gegenstand der Fiktion einer selbständigen Erzeugungsanlage. Darüber hinaus kommt es jedoch ausweislich des § 104 Abs. 4 S. 2 EEG 2017 auch darauf an, dass „der Letztverbraucher diese wie eine Stromerzeugungsanlage betrieben hat".

Der Wortlaut verlangt also, dass der Letztverbraucher eine fingierte Stromerzeugungsanlage wie eine Stromerzeugungsanlage betrieben hat. Dies erscheint widersinnig, ist Ausgangspunkt und Grundlage der Regelung doch gerade die Situation, dass der Letztverbraucher nicht Betreiber der Stromerzeugungsanlage ist. Der Wortlaut („betrieben hat") bringt zudem klar zum Ausdruck, dass hinsichtlich des Betreibens keine Fiktion erfolgen soll. Wie soll also ein realer Betrieb von etwas aussehen, das real nicht existiert und nur fingiert wird?

An dieser Stelle wäre es zielführender gewesen, die Kriterien näher zu definieren, die für die Gewährung von Vertrauensschutz im Wege der Amnestieregelung anzulegen sind. Der Maßstab des realen Betriebs einer fingierten selbständigen Stromerzeugungsanlage führt gerade in der praktischen Anwendung zu weiteren offenen Fragen. So lässt sich dem Wortlaut klar die gesetzgeberische Intention entnehmen, dass der Letztverbraucher, der nur über ein vertragliches Nutzungsrecht an einer bestimmten Erzeugungskapazität verfügt, dem Betreiber einer einzelnen technischen Anlage in seiner Stellung möglichst nahekommen soll. Denn er soll die fingierte Stromerzeugungsanlage betrieben haben. Dementsprechend bedarf es dann auch hier der Anwendung derjenigen Kriterien zur Bestimmung des Anlagenbetreibers, die im Hinblick auf die Gesamtanlage gerade dazu führen, dass der Letztverbraucher nicht Anlagenbetreiber ist. Daraus folgt denklogisch jedoch auch, dass die Kriterien nicht gleichermaßen zur Anwendung kommen können. Die Gesetzgebungsmaterialien bringen an dieser Stelle keine Klarheit. Dort wird formuliert, dass sich allein das Kriterium der wirtschaftlichen Risikotragung unproblematisch auf eine betreiberähnliche Nutzung der Kraftwerksscheibe übertragen lasse, die Kriterien der tatsächlichen Herrschaft und der eigenverantwortlichen Bestimmung der Arbeitsweise für Nutzungsrechte jedoch allenfalls eingeschränkt passen.[30]

1. *Anwendung der Kriterien Herrschaft über die Anlage und bestimmender Einfluss auf die Fahrweise im Rahmen des § 104 Abs. 4 S. 2 EEG 2017*

Gerade die angesprochenen Kriterien der tatsächlichen Herrschaft und eigenverantwortlichen Bestimmung der Arbeitsweise führen wie dargelegt dazu, dass der Letztverbraucher bei solchen Konstellationen, in denen sich mehrere Nutzer eine technische Einheit teilen, nicht zum Betreiber der Anlage wird, da eine isolierte Ausübung der Herrschaft über die Anlage sowie Bestimmung über die Fahrweise der Anlage ausscheidet.[31] Die Feststellung, dass diese Kriterien allenfalls eingeschränkt passen, ist daher zutreffend. Gleichwohl stellt sich die Frage, welche Bedeutung diesen Kriterien zukommen soll.

So könnte man gänzlich von der Anwendung dieser Kriterien absehen.[32] Dies würde jedoch dazu führen, dass etwa ein Letztverbraucher, der zwar ein vertragliches Nutzungsrecht hat, jedoch z.B. kein Betretungsrecht zur Anlage hat, nicht mitentscheidungsbefugt bei der Auswahl von Dienstleistern ist oder nicht berechtigt ist, die technische und zeitliche Planung der Anlage mitzubestimmen, gleichwohl Betreiber der fingierten Stromerzeugungsanlage sein könnte, so lange er nur das wirtschaftliche Risiko trägt. Der Letztverbraucher könnte danach vom gesamten eigentlichen Stromerzeugungsprozess komplett abgeschnitten und gleichwohl Betreiber der fingierten Stromerzeugungsanlage sein.

Führt man sich den Ursprung der Regelungen zur von der EEG-Umlage befreiten Eigenerzeugung vor Augen, wird deutlich, dass dieses Verständnis nicht zutreffend sein dürfte. Denn hierbei ging und geht es stets um die Abgrenzung zwischen einer Konstellation, in der der Letztverbraucher den von ihm verbrauchten Strom zuvor selbst erzeugt, und einer Konstellation, in der ihm der Strom von einem anderen geliefert wird. Eine Ausgestaltung des vertraglichen Nutzungsrechts, in welchem dem Letztverbraucher allein das wirtschaftliche Risiko übertragen wird, er jedoch auch rechtlich keinerlei Herrschaft über die Anlage ausübt oder zur (Mit-)Bestimmung über die Fahrweise der Anlage befugt ist, gleicht in der Sache jedoch einem reinen Stromliefervertrag. Denn der Letztverbraucher erhält danach – ohne selbst an der Erzeugung beteiligt zu sein bzw. zumindest beteiligt sein zu können – den erzeugten Strom als Erzeugungsergebnis und zahlt hierfür im Gegenzug

[30] Beschlussempfehlung und Bericht des Ausschusses für Wirtschaft und Energie vom 14.12.2016, BT-Drs. 18/10668, S. 150.

[31] Siehe dazu oben unter II.2.c).

[32] So offenbar *Buchmüller* (o. Fn. 23).

einen variablen, vom Eintritt bestimmter wirtschaftlicher Risiken abhängigen Strompreis. Die Amnestieregelung soll jedoch dem schützenswerten Vertrauen der jeweiligen Letztverbraucher Rechnung tragen, die aufgrund unklarer Rechtslage von dem Vorliegen einer umlagebefreiten Eigenerzeugung ausgegangen waren.[33] Die unklare Rechtslage bestand jedoch ausschließlich in Bezug auf die Gewichtung der vom Bundesgerichtshof aufgestellten Kriterien zueinander. Dass es hingegen auf die Kriterien der Herrschaft über die Anlage und der Bestimmung über die Fahrweise der Anlage überhaupt nicht ankommen soll, ist der Rechtsprechung nicht zu entnehmen. Dementsprechend konnten sich Letztverbraucher mit vertraglichen Nutzungsrechten auch noch nie darauf berufen, eine wirksame umlagebefreite Eigenerzeugung zu betreiben, wenn es für die Ausübung der Herrschaft über die Anlage sowie Bestimmung über die Fahrweise keinerlei sachlichen oder rechtlichen Anknüpfungspunkt gab und gibt. Daher spricht viel dafür, auch im Hinblick auf das Betreiben der fingierten Stromerzeugungsanlage die Kriterien der Herrschaft über die Anlage und den bestimmenden Einfluss auf die Fahrweise nicht gänzlich unberücksichtigt zu lassen. Die entscheidende Frage ist insoweit dann lediglich, wie die eingeschränkte Anwendung der Kriterien aussehen kann.

Tatsächlich könnte sich hier jedoch eine relativ klare Abgrenzungslinie aufdrängen. Teilen sich mehrere Nutzer eine Anlage als technische Einheit, kann keiner allein die Herrschaft über die Anlage oder den bestimmenden Einfluss auf die Anlage ausüben, ohne die jeweils anderen hiervon auszuschließen. Gerade daran scheitert die eigene Betreiberstellung des Letztverbrauchers in Bezug auf die Anlage als technische Einheit. Dies schließt es jedoch nicht aus, dass der einzelne Letztverbraucher aufgrund seines vertraglichen Nutzungsrechts Mitwirkungsrechte im Hinblick auf die Herrschaft über die Anlage sowie bestimmenden Einfluss auf die Fahrweise hat. Dies kann im Hinblick auf die Herrschaft über die Anlage z.B. in Betretungsrechten, Zustimmungserfordernissen im Hinblick auf größere Reparaturen oder Instandsetzungsmaßnahmen und Mitspracherechten bei der Auswahl (technischer) Dienstleister zum Ausdruck kommen. Im Hinblick auf die Fahrweise der Anlage spielen Fahrplannominierungen sowie Zustimmungserfordernisse hinsichtlich der zeitlichen Planung von Anlagenstillstandszeiten eine Rolle. Es erscheint insoweit angemessen im Hinblick auf den Betrieb der fingierten Stromerzeugungsanlage hinsichtlich der Kriterien der Herrschaft über die Anlage sowie den bestimmenden Einfluss auf die Fahrweise der Anlage darauf abzustellen, ob der Letztverbraucher entsprechende Mitwirkungsrechte beim Betrieb der Anlage hat, auf die sich sein vertragliches Nutzungsrecht erstreckt. Dies ist auch unter systematischen Gesichtspunkten

[33] Beschlussempfehlung und Bericht des Ausschusses für Wirtschaft und Energie vom 14.12.2016, BT-Drs. 18/10668, S. 149.

sachgerecht. Denn auch wenn der Amnestieregelung die Fiktion einer eigenständigen Stromerzeugungsgrundlage zu Grunde liegt, basiert diese Fiktion sachlich doch auf einem lediglich anteiligen Nutzungsrecht an einer größeren technischen Einheit.

2. *Wirtschaftliches Risiko des Anlagenbetriebs*

Darüber hinaus wird es sodann darauf ankommen, dass der Letztverbraucher das wirtschaftliche Risiko trägt. Entgegen der Feststellung in den Gesetzgebungsmaterialien ist die Übertragung dieses Kriteriums jedoch nicht unproblematisch möglich.[34] Denn auch hier stellen sich verschiedene noch ungeklärte Fragen.

Dies beginnt bereits damit, dass das Kriterium des wirtschaftlichen Risikos für sich bereits immer noch weitgehend unbestimmt ist. So ist die Frage, an welchen Aspekten konkret das wirtschaftliche Risiko des Anlagenbetriebs fest zu machen ist, nur in Ansätzen geklärt. Bisher gibt es nur wenig Rechtsprechung, die sich hiermit näher auseinander gesetzt hat.[35] Diese zeigt, dass es eine ganze Reihe von berücksichtigungsfähigen Aspekten gibt, die in Summe das wirtschaftliche Risiko des Anlagenbetriebs ausmachen. In Rechtsprechung und Literatur werden unter anderem das Risiko der Brennstoffbeschaffung einschließlich Preisrisiken des Einsatzbrennstoffes, Tragung der Ausfallrisiken, Vertragslaufzeit im Verhältnis zur Abschreibungsdauer, Kosten für Wartung und Instandhaltung sowie Erneuerungs- und Instandhaltungsinvestitionen sowie die Zuordnung der Verkehrssicherungspflicht genannt.[36] Schon im Hinblick auf die Nutzung der Anlage durch nur einen einzigen Letztverbraucher und die Frage, ob dieser auch Betreiber der Anlage ist oder nicht, bedarf es jedoch noch weiterer Klärung, wie die einzelnen Aspekte zueinander zu gewichten sind. Dies gilt umso mehr, als dass die vorgenannten Aspekte je nach Anlagentyp eine unterschiedliche Relevanz besitzen. So gibt es Anlagen, die technisch bedingt deutlich höhere Wartungskosten aufweisen als andere wartungsarme Anlagen. Während das Risiko der Brennstoffverfügbarkeit z.B. bei Gaskraftwerken eher gering ist, ist das Risiko bei den erneuerbaren Energieträgern Wind und Sonne aufgrund der Witterungsabhängigkeit relativ hoch. Dies zeigt bereits, dass sich ein schematischer Bewertungskatalog für die Bestimmung und Gewichtung

[34] Beschlussempfehlung und Bericht des Ausschusses für Wirtschaft und Energie vom 14.12.2016, BT-Drs. 18/10668, S. 150.

[35] Siehe etwa *KG Berlin,* Urteil vom 31.10.2016, Az. 2 U 78/14.EnWG, Rdnr. 42 und 46; *OLG Karlsruhe,* Urteil vom 29.06.2016, Az. 15 U 20/16, Rdnr. 20.

[36] *KG Berlin,* Urteil vom 31.10.2016, Az. 2 U 78/14.EnWG, Rdnr. 42 und 46; *OLG Karlsruhe,* Urteil vom 29.06.2016, Az. 15 U 20/16, Rdnr. 20.

des wirtschaftlichen Risikos des Anlagenbetriebs nicht finden lässt. Es bedarf folglich jeweils einer wertenden Gesamtbetrachtung im Einzelfall.[37]

Diese wertende Gesamtbetrachtung wird in den Konstellationen des § 104 Abs. 4 EEG 2017 mit mehreren Nutzern der Anlage noch einmal komplexer. So ist hier zusätzlich noch fraglich, was der sachliche Bezugspunkt des in den Blick zu nehmenden wirtschaftlichen Risikos ist. Verschiedene der vorgenannten Aspekte, die dem wirtschaftlichen Risiko des Anlagenbetriebs zugeordnet werden, beziehen sich ihrerseits wiederum sachlich auf die Anlage als technische Einheit. Dies betrifft z.B. die Frage des vollständigen Untergangs der Anlage, des Anlagenstillstands oder der wirtschaftlichen Kosten der Anlagenwartung und Reparatur. Hier scheint eine Abgrenzung nach einzelnen vertraglichen Nutzungsrechten hinsichtlich des Anfalls der Kosten dem Grunde nach ausgeschlossen. Die Wartung der Anlage erfolgt nicht separat für jeden Nutzer nach dessen individuellen Bedürfnissen, sondern bezieht sich auf die Anlage als technische Einheit. Insoweit stellt sich hier die Frage, wie die Risikotragung durch den Letztverbraucher auf Grundlage des vertraglichen Nutzungsrechts ausgestaltet sein muss. Angemessen erscheint, dass es notwendig und zugleich hinreichend ist, wenn der Letztverbraucher einen Anteil der Kosten entsprechend des Verhältnisses seines Anteils des vertraglichen Nutzungsrechts an der Gesamterzeugungskapazität der Anlage trägt.

Bei anderen Aspekten des wirtschaftlichen Risikos ist hingegen wiederum eine Abgrenzung grundsätzlich möglich. Dies betrifft insbesondere die Brennstoffbeschaffung. So wäre es bei einem Gaskraftwerk ohne weiteres möglich, dass jeder Nutzer der Anlage die auf sein Nutzungsrecht entfallenden Gasmengen selbst beschafft. Er trägt in diesem Fall für die von ihm beschafften Mengen das alleinige Preisrisiko. Insoweit könnte im Hinblick darauf, dass eine eigenständige Stromerzeugungsanlage fingiert wird, verlangt werden, dass dort, wo wirtschaftliche Risiken nach den einzelnen Nutzern durch entsprechende vertragliche Gestaltung der Nutzungsrechte voneinander abgrenzbar sind, auch eine entsprechende Ausgestaltung erfolgt ist. Bezogen auf die Brennstoffbeschaffung könnte demnach verlangt werden, dass diese für jeden Nutzer getrennt zu erfolgen hat. Tatsächlich dürfte es sich hierbei jedoch um eine künstliche Betrachtung handeln, die praktisch leicht umgangen werden könnte. So wäre es ein Leichtes, die Brennstoffbeschaffung über einen gemeinsamen Vorlieferanten zu organisieren, der sodann getrennte Lieferverträge und -verhältnisse mit den einzelnen Nutzern unterhält. Der Mehrwert gegenüber einer Vorgehensweise der gemeinsamen Beschaffung aller Nutzer mit anschließender anteiliger Kostenverrechnung erscheint hier gering. Entscheidend ist daher nicht, ob jeder Letztverbrau-

[37] *KG Berlin,* Urteil vom 31.10.2016, Az. 2 U 78/14.EnWG, Rdnr. 35; vgl. *OLG Karlsruhe,* Urteil vom 29.06.2016, Az. 15 U 20/16, Rdnr. 23.

cher als Nutzer ein unterschiedliches wirtschaftliches Risiko trägt und die Vorkehrungen zur Risikominimierung eigenständig und auf sein Nutzungsrecht bezogen organisiert, sondern dass er wirtschaftlich tatsächlich einen seinem Nutzungsrecht entsprechenden Anteil am wirtschaftlichen Risiko des Betriebs der gesamten Anlage trägt.

V. Gesamtbewertung

Die Regelungen zur Einbeziehung von selbst erzeugtem und verbrauchtem Strom in die EEG-Pflicht einschließlich anschließender Ausnahmetatbestände wurden über die einzelnen Novellen des EEG immer detaillierter ausgestaltet. Die Komplexität der Regelungen scheint dabei in einem direkten Verhältnis zur wirtschaftlichen Bedeutung dieser selbst erzeugten und verbrauchten Strommengen für die Höhe der EEG-Umlage zu stehen. Nach Schätzungen werden rund 11 % des deutschen Stromletztverbrauchs zuvor von den Letztverbrauchern selbst erzeugt, dies entspricht rund 62 TWh Strom pro Jahr.[38] Die Regelungsdichte führt jedoch nicht zu einer größeren Rechtssicherheit im Einzelfall. Stattdessen bleibt es dabei, dass jeder Einzelfall zu prüfen und zu bewerten ist. Vielfach wird es, gerade aufgrund der erheblichen wirtschaftlichen Bedeutung, am Ende der Rechtsprechung obliegen, zu entscheiden, ob ein Modell die Voraussetzungen einer von der EEG-Umlage wirksam befreiten Eigenerzeugung erfüllt oder nicht.

Netzbetreiber sollen dabei nach dem Willen des Gesetzgebers bei der Prüfung der Einzelfälle die Sorgfalt eines ordentlichen und gewissenhaften Kaufmanns walten lassen.[39] Tatsächlich werden sie hier jedoch vor eine fast nicht lösbare Aufgabe gestellt. Dies nicht zuletzt, weil die im Gesetz enthaltenen Regelungen zum Teil die Grenze des Absurden überschreiten. Das Fingieren einer selbständigen Stromerzeugungsanlage zur Erreichung der realen Befreiung des Letztverbrauchs von der EEG-Umlage als Reaktion auf die reifende Erkenntnis, dass eine gemeinschaftliche Nutzung einer einheitlichen technischen Anlage noch nie zur Befreiung von der EEG-Umlage führen konnte, ist das beste Beispiel hierfür. Dass bei der Anwendung solcher Regelungen erhebliche Unklarheiten und damit auch Rechtsunsicherheiten hinsichtlich der anzulegenden Maßstäbe vorherrschen, dürfte nicht verwundern.

Ob der Gesetzgeber den Letztverbrauchern, die von solchen vertraglichen Nutzungsrechten an Teilen einer Stromerzeugungsanlage Gebrauch machen, mit der Amnestieregelung einen Gefallen getan hat, wird sich dabei noch erweisen müssen. Denn durch die Amnestieregelung hat der Gesetzgeber nun klar dokumentiert, dass solche Modelle nicht unter die regulären Ausnah-

[38] *Bundesnetzagentur* (o. Fn. 17), S. 7.

[39] Siehe § 61j EEG 2017.

metatbestände zur Befreiung von der EEG-Umlage gefasst werden können. Gleichzeitig kann in den Genuss der Amnestieregelung nur kommen, wer dies bis zum 31.12.2017 angezeigt und damit die Existenz des Modells offen gelegt hat.[40] Ein „Wegducken" unter Verweis auf die unklare Rechtslage ist damit nun nicht mehr möglich. Aufgrund der Beweislastverteilung werden zugleich sämtliche Details offen gelegt werden müssen, um die Bewertung des Modells vornehmen zu können. Das Risiko, dass das Modell am Ende kraft gesetzlicher Klarstellung weder unter die Ausnahmetatbestände der §§ 61a ff. EEG 2017 gefasst werden kann, noch die Voraussetzungen der Amnestieregelung erfüllt, kann im Einzelfall erheblich sein.

[40] § 104 Abs. 4 S. 1 Nr. 2 EEG 2017.

Gesellschaftsrecht und Recht der erneuerbaren Energien – das Schicksal der Projektgesellschaften nach Ablauf des Förderzeitraums

Peter Salje*

In der Anfangszeit des EEG 2000, welches das Stromeinspeisungsgesetz ersetzte, sind viele Gesellschaften gegründet worden, die unter Einwerbung von Kommanditkapital das Ziel hatten und haben, Windparks zu betreiben. Diese **Publikums-Kommanditgesellschaften**, die auch „Projektgesellschaften" genannt werden, stehen ab 2021 vor dem Ende der Förderung des von ihnen erzeugten Stroms.[1] Selbst wenn die bisherigen Anlagen noch betriebsbereit sein sollten, werden die Reparatur- und Wartungskosten häufig den an der Strombörse erzielbaren Marktpreis überschreiten.[2] Mit Rücksicht auf die auslaufenden Nutzungsverträge in Bezug auf die Standorte sowie mögliche Rückbauverpflichtungen im Zusammenhang mit der Betriebszulassung werden die Gesellschafter überlegen, ob sie die Gesellschaft fortsetzen wollen oder aber das Gesellschaftsverhältnis besser auflösen sollten.

Eine Fortsetzung der Gesellschaft mit dem Ziel eines sog. **Repowering** – Neuerrichtung moderner Anlagen mit teilweise verdreifachter Ertragsfähigkeit – birgt erhebliche Risiken: Selbst wenn das Raum- und Bauordnungsrecht höhere Anlagen zulassen sollte und es gelänge, die häufig bis zu 100 Grundeigentümer zum Abschluss neuer Nutzungsverträge zu bewegen, muss sich jeder Anlagenbetreiber auf ein strengeres Zulassungsverfahren nach dem Bundesimmissionsschutzgesetz einrichten, das wasserrechtliche und naturschutzfachliche Prüfungen einschließt. Gibt es einen konkurrierenden Projektentwickler für dieselbe Projektfläche, kann es zu einem „Wettlauf um die Pachtrechte" kommen, der viel Geld kosten wird. Hinzu kommt, dass anders als noch vor zwei Jahren nicht mehr mit festen Vergütungssätzen gerechnet werden kann: Weil ein Zuschlag in einem Ausschreibungs-

* Ehemals bei der Leipniz Universität Hannover, Inhaber des Lehrstuhls für Zivilrecht und Recht der Wirtschaft.

1 Vgl. § 9 Abs. 1 EEG 2000 (v. 29.3.2000, BGBl. I S. 305): Jahr der Inbetriebnahme plus 20 Jahre.

2 Vgl. *Hahn*, Unfreiwilliger Ruhestand, neue energie 2018, Heft 2, S. 61: Betriebskosten zwischen 2,6 und 5 Cent/kWh bei einem durchschnittlichen Börsenpreis 2016 von 2,9 Cent/kWh.

verfahren erforderlich ist,[3] um eine Förderung nach dem EEG zu erhalten, ist die Unsicherheit gestiegen, ob der Windpark unter Berücksichtigung des zukünftigen Förderwerts[4] die Gewinnzone zu erreichen vermag oder wegen zu befürchtender Unrentabilität die Realisierung des Projekts unterbleibt; in diesem Fall sind hohe Pönalen zu zahlen.[5] Nachdem in der Vergangenheit viele dieser Projekte wegen Überschätzung des Windaufkommens und/oder Reparaturanfälligkeit der Anlagen bei weitem nicht das erhoffte return on investment erbracht haben, ist auch nicht sicher, dass sich genügend Anleger finden werden, die die erhöhten Risiken der heutigen Projekte zu tragen bereit sein werden.

Für neue Projekte wird man wegen der geschilderten Risiken im Regelfall neue (separate) Projektgesellschaften gründen, um nicht das frühere Investment zu gefährden und/oder die bisherigen Anleger nicht mit „Nachzahlungen“ zu belasten, die sich dem Kapitalanlageprospekt nicht entnehmen ließen. Gleichwohl ist das Schicksal der bisherigen Projektträger zu klären; diese „Bestands-Projektgesellschaften“ sollen im Folgenden „Altgesellschaften“ genannt werden. Deren Weiterexistenz ist bspw. erforderlich, wenn die neue Gesellschaft als „Untergesellschaft“ einer oder mehrerer Altgesellschaften gegründet wird, an der sich die Altgesellschaft als Kommanditistin beteiligt. Ziel ist es meist, Anlaufkosten des neuen Projekts aus laufenden Ausschüttungen des bisherigen Anlageprojekts zu finanzieren, ohne einen Verkaufsprospekt herausgeben zu müssen.[6] Die Entwickler von solchen Anlageprojekten sind sehr häufig daran interessiert, die bisherige Projektfläche für ein neues Projekt zu nutzen, zumal sie meist für Betriebsführung und kaufmännische Abwicklung gegen Entgelt sorgen und auf diese laufenden Einnahmen angewiesen sind.

Die Gemengelage von Organisationsrecht der Anleger (Gesellschaftsrecht), Förderrecht des EEG sowie weiterem rechtlichen Umfeld (insbesondere Genehmigungsrecht und Recht der Kapitalanlage) soll im Folgenden etwas aufgehellt werden. Dabei geht es zunächst darum, an Hand eines typischen Beispiels einer Altgesellschaft die unterschiedlichen Interessen von Initiatoren und Anlegern herauszuarbeiten (I.), um dann zu klären, ob und welchen Einfluss außergesellschaftsrechtliche Begrenzungsfaktoren wie das Ende der Förderung auf die Gesellschaft haben können (II.). Schließlich wird in einem abschließenden Abschnitt zu prüfen sein, ob die bisher geläufigen „Organisationsmuster“ der Kapitalanlage in erneuerbare Energien weiterhin

[3] Vgl. §§ 22, 28 EEG 2017.

[4] Zu den Ausschreibungsergebnissen 2017/2018 für Windenergieanlagen an Land vgl. *Redaktion*, Windkraft-Auktionen. Dritte Runde, gleiches Bild, neue energie 2017, Heft 12, S. 38; *Bah/Hahn*, Weniger Gebote, höherer Preis, neue energie 2018, Heft 3, S. 66 ff. (67).

[5] § 55 Abs. 1 Satz 2 EEG 2017: bis zu 30 € je Kilowatt zu installierender Leistung, was bei Windparks mit 30 MW Leistung bis zu 900.000,– € ausmachen kann.

[6] Vgl. §§ 6 ff. VermögensanlagenG v. 6.12.2011, BGBl. I S. 2481.

empfehlenswert sind oder ob nicht neue Organisationsformen wie Energiegenossenschaften und Bürgerenergiegesellschaften jetzt und zukünftig geeignet sind, die weit verbreiteten Publikums-Kommanditgesellschaften abzulösen (III.). Zusätzlich werden Formen der Finanzierung eines Repowerings in den Blick genommen (IV.). Die Untersuchung endet mit einer Zusammenfassung in Thesen (V.).

I. Die Publikumsgesellschaft als Projektträger

Um die Interessen der Beteiligten besser herausarbeiten zu können, wird von einem typischen Organisationsbeispiel ausgegangen, wie es bisher die Investitionen geprägt hat. Daneben existieren zunehmend Eigenanlagen von mittleren und großen Elektrizitätsversorgungsunternehmen, die naturgemäß auf die Einwerbung von Kleinanlegerkapital nicht angewiesen sind und deren Investment anderen Regeln folgt.

1. Ein Beispiel

Der Projektentwickler, als Aktiengesellschaft oder als GmbH organisiert, wirbt nach Vorklärung der öffentlich-rechtlichen Zulassung (Bauordnungsrecht oder Bundesimmissionsschutzrecht, z. B. Vorbescheid) auf für die Windenergie frei gegebenen Flächen[7] Pacht- und Nutzungsverträge ein, ohne die er mit Aussicht auf Erfolg weder eine Genehmigung nach dem BImSchG zu beantragen vermag noch an einer Ausschreibung von zu fördernden Kapazitäten nach dem EEG (§§ 28 ff. EEG 2017) teilzunehmen berechtigt ist. Wegen der knappen Flächen werden häufig mehrere Projektentwickler werbend tätig; um sich nicht wechselseitig zu blockieren (Pachtrechte mehrerer Entwickler für denselben Windpark) oder sich nicht bei den Entgelten überbieten zu müssen, wird man zu einem Zeitpunkt kurz vor der Beteiligung an einer Ausschreibung nach dem EEG die Interessen vergemeinschaften, Pachtrechte abkaufen oder „claims" auf der Fläche abstecken müssen.

Weil die Nutzungsverträge auch zu Gunsten Dritter – nämlich des zukünftigen Projektträgers – abgeschlossen werden können,[8] muss spätestens nach Sicherung dieser Rechte der Projektträger gegründet werden, um diese Konstellation dem Vermögensanlage-Verkaufsprospekt zu Grunde legen zu können. Erfolgt die Gründung als KG nach §§ 105, 164 ff. HGB, reichen

[7] Vgl. dazu *Maslaton*, Windenergieanlagen. Ein Rechtshandbuch, 2. Aufl. 2018, Kap. 1 Abschnitte II und III.

[8] Vgl. *Grüneberg*, in: Palandt (Hrsg.): BGB, 77. Aufl. 2018, § 328 Rdnr. 2 unter Hinweis auf *BGHZ* 129, 297, 305 sowie *BGH* NJW 2015, 1672 Tz. 40: Dritte iSv § 328 Abs. 2 BGB können auch derzeit noch unbekannte natürliche Personen oder noch zu errichtende jur. Personen sein (nachträgliche Bestimmbarkeit des Dritten).

eine vom Projektentwickler getragene GmbH (als Komplementärin) und ein Gründungskommanditist aus, um diese Voraussetzung zu erfüllen.

Mit der existierenden KG beginnt die wichtigste Phase des Projekts: Im Anschluss an Umweltverträglichkeitsprüfung und Genehmigungsantrag nach dem BImSchG und nach Übertragung der Nutzungsverträge auf diese Projektgesellschaft schließt die KG, vertreten durch die vom Projektentwickler beherrschte Komplementär-GmbH, alle notwendigen (Geschäftsbesorgungs-)Verträge ab, z. B. betr. die technische und kfm. Betriebsführung durch den Projektentwickler,[9] Kauf der Anlagen, Herstellung von Infrastruktur und Netzanschluss sowie ggf. Gründung von Gesellschaften, die die Infrastruktur verwalten. Wohlgemerkt: Zu diesem Zeitpunkt sind Anleger dem Projektträger noch nicht beigetreten, so dass der Projektentwickler wegen Beherrschung von GmbH und KG in der Lage ist, alle abzuschließenden Verträge nach seinem Willen und in seinem Interesse auszugestalten. So werden gelegentlich die Windkraftanlagen vom Projektentwickler angekauft und mit Aufschlag an die Projektgesellschaft weiter veräußert. Der Projektentwickler ist naturgemäß daran interessiert, über die Projektentwicklungsmarge hinaus, weitere Einnahmen zu generieren, die dann mit Beitritt der Kommanditisten auf das Anlagekapital „überwälzt“ werden, ohne dass die zukünftigen Anleger darauf Einfluss nehmen könnten. Denn diese können nur mit „ja“ oder „nein“ über die Kapitalanlage entscheiden und müssen damit leben, dass sie durch den Projektentwickler, über die Betriebsführung und auf der Basis aller bereits existierenden vertraglichen Geflechte über mindestens zwei Jahrzehnte hinweg „fremd bestimmt“ werden.

Um diese „Fesselung“ der Kommanditisten möglichst perfekt durchzuführen, wählen viele dieser KG-Gesellschaftsverträge eine **unbefristete Laufzeit** des Gesellschaftsvertrages; naheliegender wäre es eigentlich, wegen zu befürchtender späterer Unrentabilität das Projekt auf den EEG-Förderzeitraum zu begrenzen. Eine Auflösung der Gesellschaft zu jenem Zeitpunkt erfordert grundsätzlich (utopische) Einstimmigkeit aller Gesellschafter (vgl. §§ 161, 131 Abs. 1 Nr. 2, 119 Abs. 1 HGB); in manchen KG-Verträgen wird diese Voraussetzung durch das Erfordernis einer Zwei-Drittel-Mehrheit bzw. ein Sonderkündigungsrecht von 50 % aller Gesellschafter modifiziert, das noch dazu zu einem identischen Zeitpunkt ausgeübt werden muss. Die Projektentwickler haben häufig hohe gesellschaftsrechtliche Hürden errichtet, um ihren Einfluss auf die Gesellschaft möglichst lange zu perpetuieren.

Typischerweise existiert in der Publikums-KG nach Beitritt der Kommanditisten als Anleger ein **Beirat**, dessen Aufgabe es ist, die Geschäftsführung durch die Komplementär-GmbH zu überwachen. Ein Zustimmungserfordernis besteht bspw. für das Eingehen von Darlehensverbindlichkeiten ab einem bestimmten Betrag, den Abschluss (weiterer oder neuer) langfristiger

[9] Sicherung einer Einnahmequelle für mehr als 20 Jahre.

Verträge einschl. von Nutzungsverträgen, Beteiligungserwerb sowie Gewährung von Sicherheiten. Alle Nichtgründungs-Kommanditisten sowie der Beirat finden allerdings das Vertrags-Portfolio vor, das die Gründer langfristig eingegangen sind; weil die Geschäftsführung wegen deren Einfluss auf die Komplementär-GmbH durch den Projektentwickler „gestellt" wird, können sonstige Entscheidungen über das Schicksal der Gesellschaft faktisch nicht kontrolliert werden. Dies betrifft namentlich das operative Geschäft. Eine „Entfesselung" der Anleger ist nicht möglich. Entschließt sich der Projektentwickler zum Repowering auf dieser oder einer anderen Fläche, können Anleger, die sich aus Altersgründen oder wegen enttäuschter Renditeerwartung aus dem Projekt zurückziehen wollen, insbesondere über den Beirat versuchen, Investitionen in neue Projekte zu verhindern. Eine andere Möglichkeit besteht darin, über Abstimmungen in der jährlichen Gesellschafterversammlung für eine volle Ausschüttung des Jahresgewinns zu sorgen und eine Thesaurierung oder sonstige Abschöpfung von Erträgen zu verhindern, damit diese Mittel nicht in die Entwicklung eines neuen Projekts fließen können.

Die geschilderte „Fesselung" der Anleger in der typischen Publikums-KG verschärft sich, wenn Dritte Einfluss auf die Komplementär-GmbH gewinnen. So kann es als Folge einer **Insolvenz** mit Ausscheiden des Projektentwicklers aus der Komplementär-GmbH zu einer „feindlichen Übernahme" der GmbH durch Dritte (z. B. frühere Mitarbeiter des Projektentwicklers) kommen, die dort die Gesellschaftermehrheit stellen und die Geschäftsführung bestimmen. Sahen sich Kommanditisten und Beirat bis zu dieser „Übernahme" nur dem einheitlichen Willen des Projektentwicklers gegenüber, so gibt es nunmehr „zwei Herren" des in der Publikums-KG gebundenen Anlagekapitals: Der Projektentwickler stellt nach wie vor die Betriebsführung, hat aber keinen Einfluss mehr auf die Geschäftsführung. Beirat und Kommanditisten sind nicht mehr in der Lage, unter Hinweis auf eine zukünftige Einwerbung von Kommanditkapital wenigstens mittelbar zu versuchen, eine „aus dem Ruder laufende Geschäftsführung" wieder auf Kurs zu bringen. Sind die Geschäftsführer zugleich Mitarbeiter des Projektentwicklers, gewinnen sie diesem gegenüber eine fast unkündbare Stellung: Weil sie über künftige Aufträge an den Projektentwickler entscheiden, sind nicht nur die Kommanditisten, sondern auch der frühere Projektentwickler diesen Personen bis zu einem gewissen Grad „ausgeliefert".[10]

[10] Vgl. § 117 HGB (Entziehung der Geschäftsführungsbefugnis bei grober Pflichtverletzung).

2. Interessenlage

Lässt man die häufig gegenläufigen Interessen der Wohnanlieger eines Windparks einstweilen außer Betracht,[11] so ist die rechtlich relevante Interessenlage durch das öffentliche Zulassungsrecht als Rahmen einerseits und die Interessen von Projektentwicklern, Grundeigentümern und Anlegern andererseits geprägt. Der am Wachstum des Anteils erneuerbarer Energien am Endenergie- und speziell Bruttostromverbrauch interessierte Gesetzgeber – vgl. den Förderzweck des § 1 Abs. 1 EEG 2017 – hat in der Vergangenheit weitgehend darauf verzichtet, den Anlegern spezielle und verlässliche Organisationsformen anzubieten.[12] Wegen der hohen Marktdurchdringung ist deshalb weiterhin die Interessenlage bei der Publikums-KG als typischer Projektträgerin von hoher Relevanz; nach Einführung der Förderform Bürgerenergiegesellschaft durch das EEG 2017 (vgl. § 36g in Verb. mit § 3 Nr. 17 EEG 2017) wird auch der Gesellschaftstyp der Genossenschaft als Trägergesellschaft zunehmend Verwendung finden. Die weiteren Organisationsformen, die insbesondere von Großunternehmen als Trägern für eigene Projekte verwendet werden und sich nicht an ein breites Anlegerpublikum wenden, sollen hier angesichts des Interessengleichlaufs von dortigen Investoren und Projektentwicklern nicht betrachtet werden.

Sind die Initiatoren eines Projekts mit Fokus auf Stromerzeugung aus erneuerbaren Energien zugleich für die technische und kfm. Betriebsführung verantwortlich, besteht ein hohes Interesse dieser Initiatoren, auch zukünftig Umsätze aus der Betriebsführung generieren zu können. Bei Projekten von Altgesellschaften, deren Förderzeitraum sich dem Ende zuneigt, ist ein wirtschaftlicher Betrieb „danach" nur dann möglich, wenn die Anlagen stabil und ohne große Reparaturen arbeiten sowie die Strompreise für base load eine (sonstige) Direktvermarktung ermöglichen. Tritt ein kostspieliger Reparaturbedarf auf, wird man Anlage für Anlage an Stilllegung und Rückbau denken müssen. Denn die Anleger werden kaum daran interessiert sein, einen verlustreichen Betrieb nachfinanzieren zu müssen.[13]

Wegen der für die Windenergie knappen Flächen wird es meist **mehrere Bewerber um ein Repowering** geben. Insofern haben die Initiatoren des alten Projekts ein hohes Interesse daran, nach Einwerbung der Nutzungsverträge wieder neu bauen zu können, um dann über mehr als 20 Jahre erneut für die Betriebsführung des Nachfolgeprojekts sorgen zu können. Weil sich der Investitionsbedarf für das Repowering vergleichsweise mehr als verdoppeln wird und schon aus Altersgründen manche Altanleger nicht mehr bereit

[11] Vgl. dazu aber unten III.1.: „Bürgerenergiegesellschaften".
[12] Vgl. aber die Ansätze zur Weiterentwicklung des Organisationsrechts im Abschnitt III.
[13] Vgl. *Hahn*, (o. Fn. 2), S. 61 ff.

sein werden, beim neuen Projekt mit zu gehen, wird man auf die Einwerbung neuen Anlage(eigen)kapitals nicht verzichten können. Gleichwohl kann es sich anbieten, die Altanleger zu einem teilweisen Ausschüttungsverzicht zu bewegen, damit mit diesem Geld eine Tochtergesellschaft der Altgesellschaften das neue Projekt mit Mitteln aus dem Ausschüttungsverzicht vorfinanziert.

Abhängig von den **Erfahrungen der Altanleger** mit den damaligen Projektinitiatoren werden Erstere entweder erneut Geld anlegen oder aber davon bewusst absehen. Schon während der bisherigen Projektlaufzeit dürften Interessendivergenzen offen zu Tage getreten sein, und die Kommanditisten werden gespürt haben, dass ihr Einfluss auf die Durchführung des Projekts nahe Null gelegen hat: Weder Anlagenbeschaffung noch Auswahl des Dienstleisters für die Betriebsführung noch Auswahl des Wartungsunternehmens konnten mitgesteuert werden – und das über eine Projektlaufzeit von mehr als 20 Jahren. Dies wird viele Altanleger davon abhalten, das Repowering nochmals in die Hände der früheren Projektinitiatoren zu legen; statt dessen wird das Interesse an solchen Projektträgerformen wachsen, die die Anleger von den Fesseln der Publikums-KG befreien und es ermöglichen, nach Ablauf von bspw. fünf Projektjahren die Performance der Dienstleister zu überprüfen und erforderlichenfalls einen neuen Dienstleister zu finden, von dem man sich eine bessere Zusammenarbeit mit den Anlegern und/oder höhere Ausschüttungen nach Neuausrichtung erhofft.

II. Begrenzung des Gesellschaftszwecks durch außergesellschaftsrechtliche Faktoren?

Charakteristikum der bisher geläufigen Rechtsträgerkonstruktion „Publikums-Kommanditgesellschaft“ ist die Trennung zwischen praktisch einflusslosen Kapitalgebern und allzuständiger Geschäftsführung, das sich in einer entsprechend ausgestalteten GmbH & Co. KG manifestiert. Dabei spiegelt sich im Gesellschaftsvertrag der KG die EEG-Förderbegrenzung regelmäßig nicht wieder; an Stelle einer befristeten Gesellschaft ist nämlich regelmäßig eine unbefristete Gesellschaft gegründet worden. Eine typische gesellschaftsvertragliche Formulierung lautet:

> „Die Gesellschaft beginnt mit ihrer Eintragung in das Handelsregister. Sie ist bis zum 31.12.2016 und danach für unbestimmte Zeit eingegangen.“

Diese Regelung im Gesellschaftsvertrag haben die beitretenden Kommanditisten akzeptiert, obwohl sie – aufgeklärt durch den Verkaufsprospekt – von der befristeten Förderung nach dem EEG Kenntnis hatten. Ein Weiterbetrieb der Anlagen kann aber nach Förderwegfall hohe Verluste einbringen; deshalb ist zu prüfen, ob die Gesellschaft trotz unbefristeten Gesellschaftsverhältnisses beendet werden kann oder gar automatisch endet, wenn Geschäftsgrundlage oder Rahmen der Investition auf eine Befristung des Projekts hindeuten.

1. Ablauf des Förderzeitraums

Nach § 25 Satz 1 EEG 2017 beträgt die Förderdauer 20 Jahre (240 Monate) und verlängert sich nach dessen Satz 2 bis zum 31.12. des letzten Förderjahres, wenn der Förderbetrag wie bei Einspeisevergütungen gesetzlich bestimmt ist. Für die meisten Bestandsanlagen wird man allerdings das frühere Recht unter Berücksichtigung des Inbetriebnahmezeitpunkts anzuwenden haben,[14] das im Regelfall nicht zu einem früheren oder späteren Ende der Förderung führen wird.[15] Das Förderende beinhaltet kein Nutzungsverbot für die (technisch weitgehend verbrauchten) Anlagen, sondern überlässt es den Anlagenbetreibern, den noch erzeugbaren Strom bestmöglich zu vermarkten. Dies wird im Regelfall einen Verkauf an der Börse bedeuten, weil die früher mögliche Andienung gegenüber dem Netzbetreiber zu sog. vermiedenen Kosten nach Einführung des freien Marktzugangs zum gesamten Stromnetz obsolet geworden sein dürfte.[16]

Eine rechtliche Verbindung von Förderzeitraum und zeitlicher Existenz des Rechtsträgers des Projekts besteht nicht. Weder kann eine Akzessorietät des Gesellschaftsverhältnisses in Bezug auf das EEG begründet noch eine Verflechtung/Verkopplung oder ein Bedingungszusammenhang festgestellt werden. Insofern lässt sich der Grundsatz aufstellen, dass Gesellschaftsrecht und Förderrecht für privilegierte Energieträger strikt getrennt nebeneinander und unabhängig voneinander existieren.

Bedenkenswert ist allerdings ein Sachzusammenhang unter dem Gesichtspunkt eines Wegfalls der Geschäftsgrundlage, § 313 BGB. Denn das Eigenkapital wurde gerade im Hinblick auf die Fördermöglichkeit eingeworben; im Zeitpunkt des Förderwegfalls ändern sich die Rahmendaten des Projekts sehr wesentlich, so dass eine Prüfung dieses Rechtsinstituts mit der Rechtsfolge eines Sonderkündigungsrechts (vgl. § 313 Abs. 3 Satz 2 BGB: Dauerschuldverhältnis) in Betracht gezogen werden muss.[17] Bei Handelsgesellschaften

[14] Vgl. § 100 Abs. 1 Satz 1 Nr. 3 EEG 2017.

[15] Vgl. etwa § 9 Abs. 1 EEG 2000.

[16] So zu Recht *Pohlmann*, Konkret vermiedene Kosten für KWK-Strom auch nach neuem Recht, ET 1999, S. 88 ff.; zum früheren Recht vgl. *Salje*, EEG 2000, 2. Aufl. 2000, Einführung Rdnr. 58 ff.

[17] § 313 BGB ist grundsätzlich in Bezug auf sämtliche Schuldverhältnisse anwendbar, vgl. *Grüneberg*, (o. Fn. 8), § 313 Rdnr. 7 und 56. Dies schließt Gesellschaftsverhältnisse ein (§§ 705 ff. BGB). Allerdings gilt dies grds. nur in Bezug auf eine Vertragsanpassung des Gesellschaftsverhältnisses; im Hinblick auf eine Beendigung der Gesellschaft gehen die Kündigungsvorschriften vor (vgl. *BGH* ZIP 1997, 257 (259)).

dürfte die Auflösungsklage den primär zu wählenden Rechtsbehelf darstellen.[18]

Geschäftsgrundlage sind alle bei Abschluss des Vertrages zu Tage getretenen, dem anderen Teil erkennbar gewordenen und von ihm nicht beanstandeten Vorstellungen der einen Partei oder die gemeinsamen Vorstellungen beider Parteien von dem Vorhandensein oder dem künftigen Eintritt bestimmter Umstände, sofern der Geschäftswille der Parteien auf diesen Vorstellungen aufbaut.[19] Im Falle einer schwer wiegenden Störung der Geschäftsgrundlage, die zur Unzumutbarkeit einer vertragsgemäßen Durchführung des Vertrages führt, kommt primär eine Anpassung des Vertrages (§ 313 Abs. 1 BGB) und sekundär eine Auflösung des Vertragsverhältnisses – bei Dauerschuldverhältnissen auch eine Kündigung – in Betracht.[20] Die Anwendbarkeit des § 313 BGB auf Gesellschaftsverträge wird von der Rechtsprechung anerkannt.[21]

Als ein solcher Umstand, der „zur Grundlage des Vertrages geworden ist", kommt das Förderende nach EEG in Betracht. Nur **wesentliche Änderungen** der Geschäftsgrundlage des Gesellschaftsvertrages rechtfertigen eine Anpassung dieses Vertrages;[22] § 313 Abs. 1 BGB verwendet hierfür die Formulierung „schwerwiegend verändert". Zur Erfüllung dieser Voraussetzung reicht nicht jede schwerwiegende Änderung der Verhältnisse aus; erforderlich ist vielmehr zusätzlich, dass sich mit Eintreten jener Störung nicht etwa ein Risiko verwirklicht, das nur eine der beiden Vertragsparteien zu tragen hat.[23] Diese Berücksichtigung der Risikoverhältnisse lässt § 313 Abs. 1 BGB mit der Formulierung „unter Berücksichtigung der Umstände des Einzelfalls, insbesondere der vertraglichen oder gesetzlichen Risikoverteilung" anklingen. Nur wenn – für zumindest eine Vertragspartei – die „Opfergrenze" überschritten ist, kann eine wesentliche und dem betroffenen Vertragsteil risikomäßig nicht mehr zurechenbare wesentliche Vertragsänderung vorliegen.

[18] *BGHZ* 10, 45 (51); *BGHZ* 101, 143 (150).

[19] Std. Rspr.: *RGZ* 103, 329 (332) – Bigognespinnerei; *BGHZ* 25, 390 (392) – Grundstücks-Enteignungsentschädigung; *BGHZ* 40, 334 (335) – Rente und Hofveräußerung; *BGHZ* 121, 378 (391) – Aufwendungen nach Vertragsaufhebung.

[20] *Haarmann*, Wegfall der Geschäftsgrundlage bei Dauerschuldverhältnissen, Diss. Jur. München 1979, S. 127 ff.; *Chiotellis*, Rechtsfolgenbestimmung bei Geschäftsgrundlagenstörungen in Schuldverträgen, Diss. Jur. München 1981, S. 159 ff.

[21] Vgl. auflösungsbezogen *BGH* ZIP 1997, 257 (259); weitere Nachweise bei *Grüneberg*, (o. Fn. 8), § 313 Rdnr. 56. Vgl. auch *BGH* NJW-RR 1990, 602: öff. Förderung eines Bauvorhabens als Geschäftsgrundlage.

[22] Allgemein: *BGH* NJW 1989, 289 – Unterhaltsschadensrente und Inflation.

[23] *BGHZ 74*, 370 (373) – gescheiterte Bauerwartung; *BGHZ* 101 (143, 151 f.) – Erbbaurecht für Bauerwartungsland; *BGH* NJW 1984, 1746 (1747) – iranischer Bierimporteur; *BGH* NJW 1992, 2690 (2691) – alkoholkranker Trainer; *BGH* NJW-RR 1991, 1269 – Entwicklungskosten für Spielmaschine.

Diese Voraussetzungen zeigen, dass § 313 Abs. 1 BGB auf bilaterale Verträge (Austauschverträge) zugeschnitten ist; ein multilateraler Vertrag wie der Gesellschaftsvertrag mit häufig mehr als 100 Gesellschaftern wie bei Publikumsgesellschaften entzieht sich Überlegungen zur Risikoverteilung. Allerdings kann dieser Anforderung als Minimalerfordernis die Voraussetzung entnommen werden, dass der sich ändernde Umstand aus der Sicht eines objektiven Betrachters nicht voraussehbar gewesen ist; denn bei Vorhersehbarkeit hätten die Gesellschafter das Förderende als Kündigungsgrund oder in ähnlicher Weise in den Gesellschaftsvertrag aufnehmen können. Mit anderen Worten: § 313 Abs. 1 BGB soll überraschende Umstandsveränderungen erfassen und unanwendbar bleiben, wenn das Eintreten des sich später realisierenden Umstandes quasi „auf der Hand lag".

So ist es hier: Das seit dem EEG 2000 gesetzlich bestimmte Förderende (20 Jahre plus Inbetriebnahmejahr) musste allen seitdem eintretenden Kommanditisten bewusst sein und wird auch im Kapitalanlageprospekt regelmäßig detailliert beschrieben. Daran hat sich bis zum EEG 2017 in Bezug auf Windkraftprojekte auch nichts geändert. Jeder Kommanditist musste also vorausschauend Überlegungen anstellen, was aus den Anlagen nach Ablauf des Förderzeitraums werden würde und ob dieser Umstand im Gesellschaftsvertrag berücksichtigt war.

Bei leicht vorhersehbaren Umständen wie dem gesetzlich fixierten Förderende ist es gerade bei multilateralen Verträgen ausgeschlossen, dass sich eine Vertragspartei auf § 313 Abs. 1 BGB beruft. Vielmehr müssen alle Kommanditisten das Auslaufen der Förderung bedenken und die daraus resultierenden Risiken gemeinsam tragen. Bei qualitativ hochwertigen Anlagen mag deren Weiterbetrieb über 21 Jahre hinaus sinnvoll sein, bei anderen nicht; dies haben die Gesellschafter gemeinsam zu entscheiden. Eine Kündigung des Gesellschaftsvertrages mit inter omnes-Wirkung kommt schon mangels Eingreifens der Voraussetzungen des § 313 Abs. 1 BGB nicht in Betracht, ebenso wenig eine auf das Förderende gestützte Auflösungsklage.

2. *Auslaufen der Pacht- und Nutzungsverträge*

Windparks benötigen viele Hektar an Fläche, um die Anlagen aufzustellen und die Infrastruktur zu installieren. Regelmäßig wird es sich um landwirtschaftlich genutzte Grundstücke handeln. Diese Grundstücke werden für den Windpark (zusätzlich) verpachtet, wobei meist zwischen Anlagenstandorten und weiter erforderlichen Flächen unterschieden wird: Weil der Anlagenstandort besondere intensive Eingriffe in Grund und Boden erfordert, erhält dessen Eigentümer ein höheres Pachtentgelt. Marktüblich ist bspw. eine Aufteilung der Gesamtpacht (100 %) in Höhe von 20 % auf die Anlagenstandort-Eigentümer und von 80 % auf die Eigentümer der übrigen Flächen.

Behandelt man nutzbare Windenergie als eine „Frucht“ des Grundstücks (§ 99 BGB), dann liegt es nahe, die abzuschließenden Verträge als Pachtverträge im Sinne von § 581 BGB einzuordnen. Um die für Nicht-Anlagenstandorte benötigten Flächen einzubeziehen, kann man auch allgemein von „Nutzungsverträgen“ sprechen.[24] Zur Abdeckung der vollen Förderdauer sind langfristige und häufig befristete Nutzungsverträge erforderlich. Da die Restnutzungsdauer der Anlagen nach Ablauf des Förderzeitraums nicht absehbar ist, wird man die Verträge sinnvollerweise auf 21 Jahre fest abschließen und für einen Zeitraum danach von bis zu zehn Jahren Verlängerungsoptionen – z. B. um zwei Jahre – zu Gunsten des Anlagenbetreibers vereinbaren. Das Recht zur außerordentlichen Kündigung wird man erheblich einzuschränken versuchen, weil beidseitig ein hohes Interesse an der langfristigen Durchführung der Verträge besteht.

Grundsätzlich können Befristungsvereinbarungen nicht allein zeitbezogen, sondern auch ereignisbezogen ausgestaltet werden, vgl. § 187 Abs. 1 Alt. 1 BGB. Als ein solches Ereignis kommt auch der „Abbau der Anlagen“ in Betracht. Es ist jedoch zweifelhaft, ob diese Vereinbarung in einem vom Pächter gestellten Vertrag (§ 305 Abs. 1 BGB) der Inhaltskontrolle nach § 307 BGB standhält; denn eine solche Beschreibung reicht wohl nicht aus, um ein Auslaufen des Pachtverhältnisses exakt (und vollstreckungssicher) zu beschreiben.[25] Insofern ist wohl die Formulierung „Bescheinigung der Abnahme durch die Bauaufsichtsbehörde nach Abbau jeder einzelnen Anlage“ erforderlich, wobei ein enger Bezug zu den davon betroffenen Nutzungsverträgen herzustellen ist.[26]

Weitere Bedenken resultieren daraus, dass dem Pächter mit diesem Ereignisbezug der Befristung ein erheblicher Handlungsspielraum eingeräumt wird, auf den der Verpächter keinen Einfluss hat. Denn auch bei nicht mehr nutzbaren Anlagen könnte der Anlagenbetreiber die Anlagen zunächst stehen lassen und auf diese Weise dem Verpächter eine deutlich wertvollere Nutzung versperren: Neue Windparks ermöglichen bei entsprechender bauplanungsrechtlicher Zulassung teilweise eine Verdreifachung des Stromertrags bei weit weniger Anlagen, was sich beim Grundeigentümer in erheblich steigerungsfähigen Pachtzahlungen niederschlägt. Dieses Potential kann der bisherige Pächter abzuschöpfen versuchen, indem er nach einem neuen Investor sucht, um ihm den alten Windpark „auf Abbruch“ zu verkaufen; denn selbst wenn der neue Betreiber sämtliche Pacht- und Nutzungsrechte für sich zu reservieren vermochte, bedeuten die auslaufenden Nutzungsrechte des alten

[24] Vgl. die Einzelheiten zu den Vereinbarungen in Windenergie-Nutzungsverträgen: *Maslaton*, (o. Fn. 7), Kap. 3 Abschnitt I (S. 173 ff.).

[25] Möglicher Verstoß gegen das Transparenzgebot, § 305 Abs. 1 Satz 2 BGB.

[26] Z. B. „alle Grundstücke, die von den Rotoren überstrichen werden können“; hier wird der Bezug zur Ermöglichung der Fruchtziehung hergestellt.

Investors ein erhebliches planerisches und finanzielles Risiko, weil sowohl für die Teilnahme an Ausschreibungen als auch im Zeitpunkt des Antrags auf die BImSchG-Genehmigung in etwa feststehen muss, wann die alten Anlagen wegzuräumen sind.[27] Die geschilderte Klausel widerspricht zugleich dem Förderzweck des § 1 Abs. 1 EEG 2017; insgesamt führen eine potentiell unangemessene Benachteiligung des Verpächters sowie fehlende Orientierung am Leitbild des Förderzeitraums zum Verstoß gegen § 307 BGB und zur Unwirksamkeit einer solchen „Abbauklausel".

Enthält der Nutzungsvertrag eine rechtssichere Befristung, so ist auch insofern zu prüfen, ob diese geeignet ist, auf das Gesellschaftsverhältnis „durchzuschlagen" und den unbefristeten Gesellschaftsvertrag entsprechend zu befristen. Um dies zu bewirken, müsste zumindest ein sehr enger Geschäftszusammenhang bestehen.[28] Dagegen spricht, dass Nutzungsverträge und Gesellschaftsverträge zeitlich entkoppelt sind und völlig unterschiedliche Regelungsgegenstände aufweisen. Zudem gehört das Organisationsrecht zum Statusrecht und sorgt für eine rechtssichere Grundlage der Existenz eines Rechtsträgers, während ein Nutzungsvertrag den Handlungsspielraum dieses Rechtsträgers im Zeitablauf zu erweitern vermag, aber die Existenz des Rechtsträgers voraussetzt. Eine rechtliche Verkopplung beider Verträge würde eine erhebliche Rechtsunsicherheit in alle Schuldverträge hineintragen, die im Übrigen mit diesem Rechtsträger abgeschlossen wurden und werden. Deshalb ist die Anwendung der Lehre vom Geschäftszusammenhang hier abzulehnen.

Auch die Lehre vom Wegfall der Geschäftsgrundlage ist nicht anzuwenden: Zwar bedeutet das Ende der Nutzungsverträge ein schwer wiegendes Ereignis für den Geschäftsbetrieb einer jeden Personengesellschaft, weil die Fortsetzung der kfm. Tätigkeit möglicherweise unmöglich wird. Jedoch kann sich die Gesellschaft anderen Geschäftsfeldern widmen oder auf neu gepachteten Flächen weiterarbeiten. Vergleichbar dem Ende der EEG-Förderung ist das Auslaufen der Pachtverträge einschl. Kündigungs- und Verlängerungsmöglichkeiten detailliert vereinbart und damit für die Vertragsparteien absehbar. Nach § 313 Abs. 1 BGB tragen zudem Gesellschaft und die Gesellschafter gemeinsam das Risiko, dass vom Rechtsträger benötigte Rechte verloren gehen; und es ist allen Gesellschaftern zuzumuten, die im HGB (vgl. §§ 161 Abs. 2, 131 ff.) und im Gesellschaftsvertrag ausgestalteten Instrumentarien zu nutzen, um nach Wegfall der Nutzungsverträge in ordnungsgemäßer Liquidation das Gesellschaftsverhältnis zu beenden.

[27] Ausnutzbarkeit der Genehmigung (2–5 Jahre, vgl. § 18 Abs. 1 Nr. 1 BImSchG) sowie Pönalen bei verspäteter Realisierung des Projekts nach Zuschlag (bis zu 48 Monate, vgl. § 55 Abs. 1 und 2 EEG 2017).

[28] Zur Lehre vom Geschäftszusammenhang vgl. *Ellenberger*, in: Palandt (Hrsg.): BGB, 77. Aufl. 2018, § 139 Rdnr. 7 mit Beispielen und Gegenbeispielen ebd. Rdnr. 8 f. (ausgehend vom Zusammenhang zwischen Schuldverträgen und Erfüllungsverträgen).

Bestünde gar eine wechselseitige Abhängigkeit von Gesellschafts- und Pachtverträgen der Gesellschaft, dann müssten sogar die Verpächter befürchten, in einen „Abwicklungsstrudel“ der Gesellschaft hineingezogen zu werden, was als unerträglich erscheint. Deshalb bleibt es dabei: Nutzungsverträge für den Windparkbetrieb und Organisationsrecht des Anlagenbetreibers stehen rechtlich unabhängig nebeneinander; ihr jeweiliges rechtliches Schicksal bestimmt sich nach dem für sie geltenden Spezialrecht. Sie dürfen weder nach § 313 BGB noch über die Lehre vom Geschäftszusammenhang miteinander verkoppelt werden.

3. Zulassungsrecht als Begrenzungsfaktor

Ist im Gesellschaftsvertrag als Gesellschaftszweck der „Betrieb von Windenergieanlagen“ vereinbart,[29] so wird in Abhängigkeit von der Größe des Windparks entweder eine Baugenehmigung oder aber eine Genehmigung nach dem BImSchG benötigt. Ist letztere Genehmigung im vereinfachten oder im förmlichen Verfahren erteilt worden, wird die Behörde regelmäßig (und als Nebenbestimmung) eine Frist setzen, innerhalb derer mit der Errichtung bzw. dem Betrieb der Anlage begonnen werden muss (z. B. innerhalb von zwei bis fünf Jahren ab Zustellung). Überschreitet der Genehmigungsinhaber diese Frist, erlischt die Genehmigung, vgl. § 18 Abs. 1 Nr. 1 BImSchG. Auch das Nichtbetreiben der Anlage während eines Zeitraums von drei Jahren führt zum Wegfall der Genehmigung. Schließlich kann auch der Anlagenbetrieb selbst befristet werden; insofern kann aber ein Verlängerungsantrag gestellt werden (Abs. 2 des § 18 BImSchG).

Ist die Genehmigung nach diesen Grundsätzen erloschen, so ist es in Bezug auf den Gesellschaftszweck „Betrieb von Windenergieanlagen“ nicht a priori ausgeschlossen, dass sich dies auf den Geschäftszweck auswirkt. Ein Erlöschen des Gesellschaftsverhältnisses mit ex nunc-Wirkung ist aber nicht in Betracht zu ziehen, weil dies in schwerwiegender Art und Weise in das Statusrecht eines Rechtsträgers eingreifen würde. Auch zu den Auflösungsgründen des § 131 Abs. 1 und 2 HGB, der über § 161 Abs. 2 HGB auch auf die KG anzuwenden ist, gehört der Wegfall des Geschäftszwecks nicht.

Allerdings kommt eine Auflösung durch gerichtliche Entscheidung in Betracht, wenn sich der Wegfall des Geschäftszwecks als wichtiger Grund im Sinne von § 133 Abs. 1 und 2 HGB darstellen sollte. Zur Ausfüllung dieser Voraussetzung nennt § 133 Abs. 2 eine vorsätzliche oder grob fahrlässige Pflichtverletzung eines (anderen) Gesellschafters sowie das Unmöglichwerden einer insofern obliegenden Verpflichtung. Gemeint ist bspw. ein

[29] Eine typische Vereinbarung zum Gesellschaftszweck lautet: „Gegenstand des Unternehmens der Gesellschaft ist die Errichtung und der Betrieb von Windenergie- und Solaranlagen zur Erzeugung und Lieferung von elektrischer Energie.“.

Verstoß gegen das Wettbewerbsverbot oder die Nichterfüllung gesetzlicher Verpflichtungen durch den Komplementär; weil es sich beim Gesellschaftszweck nicht um eine „Gesellschafterschuld“, sondern um einen Rahmen für die Geschäftstätigkeit der Gesellschaft handelt, wird man das Auflösungsverfahren nach § 133 HGB ernsthaft nur dann in Betracht ziehen können, wenn ein Gesellschafter eine Geschäftszweckvereitelung herbeiführt, was beim Erlöschen der Genehmigung nicht der Fall sein wird. Häufig treten Sonderkündigungsrechte an die Stelle eines Auflösungsverlangens, zum Beispiel, wenn eine Mehrheit der Gesellschafter die Liquidation verlangt und dies durch zeitgleiche Kündigung manifestiert.

Auch die **Genehmigung zum Anlagenbetrieb** kommt als Geschäftsgrundlage des Gesellschaftsverhältnisses in Betracht. Insofern teilen alle Gesellschafter der KG das Risiko eines Erlöschens der Genehmigung. Kommt eine Wiedererteilung/Verlängerung der Genehmigung aus wirtschaftlichen oder rechtlichen Gründen nicht in Betracht, ist die Geschäftstätigkeit schwerwiegend beeinträchtigt oder gar unmöglich. Beschränkt sich der Gesellschaftszweck auf „Betrieb von Windparks“, kann die Komplementärin allenfalls noch versuchen, auf einer neuen Fläche weiter zu arbeiten oder die Genehmigung für ein Repowering auf derselben Fläche zu beantragen.

Trotz der quasi konstituierenden Relevanz des Anlagenzulassungsrechts für die (Weiter-)Existenz der Gesellschaft muss eine Verkopplung von Gesellschaftszweck und Genehmigungserteilung letztlich verneint werden: Denn es bleibt den Gesellschaftern überlassen, ob sie in einer „genehmigungslosen“ Situation die Gesellschaft zu liquidieren beschließen oder sich neuen Geschäftsfelder zuwenden wollen. Wiederum muss für das Statusrecht der quasi-juristischen Person einer Personengesellschaft die Präponderanz gegenüber demjenigen Recht gewahrt bleiben, das deren Geschäftsbetrieb beeinflusst. Allenfalls könnte man ein Sonderkündigungsrecht zu Gunsten derjenigen Gesellschafter erwägen, für die eine Weiterförderung des Gesellschaftszwecks mit der Genehmigung „steht und fällt“ (§ 313 Abs. 3 Satz 2 BGB). Ein solches Recht würde die Gesellschaft nicht in ihrem Bestand berühren und (nur) zu einem Ausscheiden der kündigenden Gesellschafter gegen Abfindung führen, §§ 161 Abs. 2, 131 Abs. 3 Satz 1 Nr. 3 HGB i.V.m. §§ 730, 731 BGB; häufig wird der KG-Gesellschaftsvertrag eine speziellere Regelung vorsehen.

4. Kapitalanlagerecht als Begrenzungsfaktor

Dem Schutz von Verbrauchern, die Kapitalanlagegeschäfte tätigen, dient das Kapitalanlagegesetzbuch,[30] das in seinen wesentlichen Teilen seit dem

[30] Vom 4.7.2013, BGBl. I S. 1981, zuletzt geändert durch Art. 6 des Gesetzes v. 17.7.2017, BGBl. I S. 2394.

22.7.2013 anzuwenden ist; darüber hinaus ist es aber Ziel dieses in der europäischen Rechtsharmonisierung fest verwurzelten Gesetzes, einen gemeinsamen Binnenmarkt für Kapitalanlagen zu schaffen. Als die Beteiligungen an jetzt auslaufenden Windenergieprojekten angeboten wurden, galt – für inländische Beteiligungen – noch das Gesetz über Kapitalanlagegesellschaften (KAGG),[31] seit dem 1.1.2004 dann das InvestmentG (InvG).[32]

Praktische Anwendungsfragen regelte das ein öffentliches Anbieten von Wertpapieren und sonstigen Kapitalanlagen betreffende VerkaufsprospektG,[33] das zum 1.7.2005 durch das Wertpapierprospektgesetz[34] (nur in Bezug auf in Wertpapieren verbriefte Vermögensanlagen) abgelöst wurde; weiterhin war die Prüfpflicht für nicht in Wertpapieren verbriefte Vermögensanlagen (z. B. sog. Genussrechte) dem VerkaufsprospektG (VerkProspG) vorbehalten. Mit dem VermögensanlagenG[35] wurden seit dem Jahre 2012 auch die nicht in Wertpapieren verbrieften Vermögensanlagen erfasst; dazu zählen nach § 1 Abs. 2 Nr. 1 VermAnlG auch Anteile, die eine Beteiligung am Ergebnis eines Unternehmens gewähren, wozu auch die Beteiligung als Kommanditist an einer PublikumsKG zu rechnen ist. Mit dem Kleinanlegerschutzgesetz[36] zielte der Gesetzgeber im Jahre 2015 darauf ab, die dem Schutz der nicht-institutionellen Anleger dienenden Vorschriften effizienter zu gestalten (Artikelgesetz).

Der Schutz der Verbraucher wurde und wird durch die Verpflichtung der Kapitalanlagegesellschaft verwirklicht, in einem Kapitalanlageprospekt Rechenschaft über das Projekt abzulegen und die Chancen und Risiken möglichst detailliert zu beschreiben (bis Mai 2012: § 8f bis § 8i VerkProspG). Diese Regelung umfasste eine Projektbeschreibung samt Ertragsprognose, das Beteiligungsangebot und dessen Wirksamwerden einschl. der rechtlichen Grundlagen, die Beschreibung von Chancen und Risiken sowie die Nennung beteiligter Unternehmen, den Gesellschaftsvertrag und ggf. einen besonderen Treuhandvertrag, wobei der Treuhänder die eingehenden Zahlungen zu sammeln und für deren bestimmungsgemäße Verwendung zu sorgen hatte. Verkaufsprospekte mussten veröffentlicht und bei der BaFin hinterlegt werden;[37] eine Prüfung auf formale Vollständigkeit des Prospektes (im

[31] IdF der Bekanntmachung v. 9.9.1998, BGBl. I S. 2726, aufgehoben mit Wirkung zum 1.1.2004.

[32] Vom 15.12.2003, BGBl. I S. 2676, aufgehoben mit Wirkung zum 22.7.2013 durch Art. 2a des Gesetzes v. 4.7.2013, BGBl. I S. 1981, 2149 (= KAGB).

[33] Vom 13.12.1990, BGBl. I S. 2749, mit zugehöriger VerkaufsprospektV (in Kraft v. 1.1.1991 bis 30.6.2005).

[34] WpPG v. 22.06.2005, BGBl. I S. 1698, zuletzt geändert durch Art. 6 des Gesetzes v. 17.07.2017, BGBl. I S. 2394, 2446.

[35] Vom 6.12.2011, BGBl. I S. 2481.

[36] Vom 3.7.2015, BGBl. I S. 1114.

[37] Ehemals: Bundesaufsichtsamt für den Wertpapierhandel.

Einklang mit der VerkProspV) erfolgte seit dem 1.4.1998 (§ 8a VerkProspG a. F.). Der Anbieter haftete bei fehlerhaftem oder ganz fehlendem Prospekt (§ 13, § 13a VerkProspG).

Zur Vereinfachung soll angenommen werden, dass das Beteiligungsangebot im Jahre 2004 erfolgt ist und daher noch nicht den Regeln des VermAnlG unterlegen hat,[38] das ab 1.6.2012 anzuwenden war. Ziel dieses Gesetzes ist es u. a., zugleich dem Schutz der Anleger zu dienen als auch die Wettbewerbschancen deutscher Beteiligungsangebote auf dem (internationalen) Kapitalmarkt zu stärken.[39] Dazu sehen die §§ 6 ff. VermAnlG Veröffentlichung und Billigung eines Verkaufsprospekts sowie Informationen der Anleger über Änderungen von Vertragsbedingungen vor. Die Prospekthaftung ist aktuell in den §§ 20 ff. VermAnlG geregelt. Im Folgenden werden zunächst Argumente vorgestellt, die gegen Begrenzung des Gesellschaftszwecks auf das im Verkaufsprospekt beschriebene Projekt sprechen.

a) Contra-Argumente

Das Kapitalanlagerecht dient einschl. der Prospektpflicht jedenfalls auch dem Anlegerschutz – und daneben der Verbesserung der Wettbewerbsverhältnisse auf dem Kapitalmarkt.[40] Dies könnte dafür sprechen, dem Anleger einen (zeitlich und sachlich) umfassenden Schutz über den Zeitpunkt der Kapitalanlage hinaus zu gewähren. Da jedoch ausweislich der Haftungsnormen dieser Anlegerschutz auf das Verhältnis zum Verwalter des Kapitals/Vermögens beschränkt ist, spricht mehr für eine zumindest zeitliche Beschränkung des Schutzbereichs: Sind Prospektherausgabe und Platzierung des Kapitals ordnungsgemäß erfolgt, endet die Aufgabe der Kapitalverwaltungsgesellschaft und damit der Anlegerschutz; insbesondere dient das Recht der Kapitalanlage nicht dem Zweck, den Anleger von später auftretenden Risiken freizustellen. Insofern richtet sich das „Schicksal der Anlage" nach Beendigung des Anlageprozesses nach dem einschlägigen Gesellschaftsrecht und insbesondere dem Gesellschaftsvertrag; ein Rückgriff auf das Recht der Kapitalanlagen kommt nicht mehr in Betracht. Weder ist die Kapitalverwaltungsgesellschaft für eine auf Grund einer Änderung der Marktverhältnisse verursachte Insolvenz noch für Managementfehler derjenigen Gesellschaft haftbar, an der sich der Anleger beteiligt hat. Handelsrecht verdrängt Kapitalanlagerecht.

Diese Überlegungen zur sachlichen und zeitlichen Begrenzung des Schutzbereichs des Kapitalanlagerechts sprechen dagegen, dem Prospekt

[38] Vom 6.12.2011, BGBl. I S. 2481, zuletzt geändert durch Art. 5 des Gesetzes v. 17.7.2017, BGBl. I S. 2446.

[39] BT-DrS 15/1553, S. 90 (Begründung zu Art. 1 § 43 Abs. 2 InvG).

[40] Vgl. BT-DrS 17/12294, S. 2, allgemeine Begründung zum AIFM-Umsetzungsgesetz (KAGB).

bzw. den Anlagebedingungen einen umfassenden Einfluss auf die spätere Entwicklung der Projektgesellschaft zuzumessen. Hinzu kommt, dass nach früherem Recht die Prüfung des Prospekts und der Anlagebedingungen – durch die Bundesanstalt für Finanzdienstleistungen und seine Vorgänger-Aufsichtsbehörden – auf formale Aspekte beschränkt blieb (Vollständigkeit und Vereinbarkeit mit dem geltenden Recht); mit der „Freigabe“ (Billigung) war keine inhaltliche Prüfung im Hinblick auf die Sinnhaftigkeit der Anlage oder gar ein Versprechen zum wirtschaftlichen Erfolg verbunden.[41] Weil sich jedes Unternehmen am Markt bewähren muss, können Daten und Handlungsstrategien, die zum Zeitpunkt der Platzierung richtig und erfolgversprechend schienen, zwei Jahrzehnte später – nach Änderung der gesetzlichen Rahmenbedingungen und/oder der Marktverhältnisse – als kontraproduktiv zu bewerten sein und einen Strategiewechsel erfordern. Das neuere Recht – KAGB – folgt diesem Ansatz.[42]

Aus diesen Gründen ist ein Einfluss des im Zeitpunkt der Kapitalanlage gewährten Anlegerschutzes auf deutlich später erfolgende Entscheidungen des Managements oder der Gesellschafter zu verneinen. Dies muss auch für die Angaben im Prospekt gelten: Insbesondere kann aus diesen Angaben nicht einfach auf eine Begrenzung der Gesellschaft insbesondere in Form der Befristung zurück geschlossen werden. Auch eine „Fesselung“ des Gesellschaftszwecks durch einen zwanzig Jahre zuvor herausgegebenen Investmentprospekt ist grundsätzlich zu verneinen: Weder konnte die zukünftige Entwicklung der Gesellschaft vorausgesehen noch kann eine Absicht festgestellt werden, in begrenzender oder erweiternder Weise in das für die Gesellschaft geltende Recht einzugreifen.

b) Pro-Argumente

Nach den Regeln des Investmentrechts müssen alle Beschreibungen zu Beteiligungsangeboten vollständig und wahrheitsgemäß erfolgen. Dabei umfasst das Vollständigkeitspostulat auch das einzuwerbende Kommanditkapital; insofern wird regelmäßig ein Maximalbetrag im Prospekt genannt. Von diesem Betrag ausgehend kann der geworbene Kommanditist seine Beteiligungshöhe im Verhältnis zum Gesamt-Kommanditkapitel bestimmen und wird in diesem Verhältnis an Gewinnen und Verlusten beteiligt. Er muss nicht damit rechnen, dass sich während der Laufzeit des Gesellschaftsver-

[41] Vgl. die spiegelbildlichen Regelungen zur besonderen Prospekthaftung des VermAnlG, in: *Assmann/Schütze*, Handbuch des Kapitalanlagerechts, 4. Aufl. 2015, § 5 Abschnitt IV (S. 348 ff.).

[42] Vgl. die Einzelbegründung zu § 165 des Entwurfs zum KAGB (Prospektpflicht), BT-DrS 17/12294, S. 255: „redlich und eindeutig“ und nicht irreführend als Prüfungsmaßstab.

hältnisses Änderungen zum Kommanditkapital und seiner Einlage ergeben; insbesondere eine Nachschusspflicht kennt das Recht der KG nicht.[43]

Darüber hinaus führt die Beschreibung der Chancen und Risiken zu einer **Ertragsprognose**, die lediglich den **Förderzeitraum des EEG** und den prognostizierten Verlauf der Ausschüttungen umfasst. Zudem werden die zu errichtenden Anlagen im Prospekt beschrieben; deren Ersatz durch neue Anlagen ist nicht Bestandteil der Projektbeschreibung, weil damit gänzlich neue und evtl. andere Risiken verbunden wären. Mit all diesen Angaben wird ein **Vertrauenstatbestand** geschaffen, auf dessen Basis die Komplementärin ihre Entscheidungen trifft; weder vermag sie das Kommanditkapital zu erhöhen noch neue Projekte zu verwirklichen, die sich für die Kommanditisten im Ergebnis als Neuinvestition auswirken (z. B. über eine Beteiligung an einer Tochtergesellschaft, die zwecks Repowering gegründet wird). Denn der vom **Beteiligungsprospekt abgesteckte Rahmen des Investments** darf nicht verlassen werden, um das Vertrauen der Anleger in die Vollständigkeit des Prospekts nicht zu enttäuschen. Würde man abweichend entscheiden, bestünde zudem die Gefahr, das Gesetzesziel der obligatorischen Projektbeschreibung zu verfehlen: Denn bereits mit dem ersten Verkaufsprospekt würde die Grundlage für alle Folgeprojekte gelegt, denen sich auch die im Zeitpunkt der Erstinvestition noch jungen Anleger möglicherweise nicht mehr entziehen könnten.

Auf diese Weise wirkt sich auch das Recht der Kapitalanlage als **Begrenzungsfaktor des Gesellschaftszwecks der Projektgesellschaft** aus; das Eingehen neuer Risiken stellt ein erneutes Investment dar und unterliegt dann den Regeln, die zum Zeitpunkt der Einwerbung neuen Anlegerkapitals gelten. Jeder Anleger ist deshalb in der Lage, die neuen Risiken unter Berücksichtigung seiner finanziellen Möglichkeiten (neu) zu beurteilen; diese neuen Risiken sind ja nicht Gegenstand des Ausgangsinvestments gewesen. Um alle Anleger abzusichern, die keine weiteren Risiken eingehen möchten, stellt das Kapitalmarktrecht eine immanente Schranke der Beschreibung des Gesellschaftszwecks dar und ist von allen Gesellschaftern zu beachten. Davon sind Maßnahmen zu unterscheiden, die auf eine ordnungsgemäße Projektbeendigung gerichtet sind, z. B. vorzeitiger Abbau von unbrauchbar gewordenen Anlagen oder der Weiterbetrieb von Anlagen auch ohne Förderung, deren technische Nutzbarkeit noch nicht abgelaufen ist.

c) Conclusio

Damit sprechen sowohl Argumente für eine Begrenzung der Aktivitäten einer Publikumsgesellschaft auf das im Verkaufsprospekt beschriebene Pro-

[43] Zur neueren Rspr. zum besonderen Gesellschaftsrecht der PublikumsKGen vgl. *BGH*, NJW-Spez. 2018, 16 f. – Schiffsfonds; *OLG Düsseldorf*, NJW-Spez. 2018, 81 – Übertragung aller Fondsanteile.

jekt als auch Argumente dagegen. Insgesamt ist zu berücksichtigen, dass der Status der Gesellschaft auch auf die Geschäftsbeziehungen zu Dritten maßgeblichen Einfluss hat; diese müssen insbesondere nicht damit rechnen, dass der Gesellschaft z. B. auf Grund historischer Prospektangaben in ihrer von Geschäftsführung und Gesellschafterversammlung bestimmten Entwicklung Schranken gesetzt wurden. Insofern hat sich ein solcher Verkaufsprospekt mit einer unbeanstandeten Durchführung des (damaligen) Projekts erledigt.

Allenfalls im **Innenrecht der Gesellschaft** kommt eine „Bindung" der Geschäftsführung und der Kontrollgremien mit dem Ziel in Betracht, von solchen Strategien abzusehen, die den Anlagezielen widersprechen; hier kann der Prospekt sehr wohl (weiterhin) eine Rolle spielen. Diesem berechtigten Anliegen der Gesellschafter kann dadurch Rechnung getragen werden, dass die „historische Schranke" des Verkaufsprospekts nur mit einer qualifizierten Mehrheit der stimmberechtigten Kommanditisten überwunden werden kann. „Projektfremde Risiken" einschl. eines Repowerings der alten Anlagen dürfen dann nur noch eingegangen werden, wenn sie von einer qualifizierten Mehrheit getragen und gleichzeitig für eine angemessene Ausscheidensregelung der (überstimmten) Minderheit der Kommanditisten etwa nach dem Vorbild der Mitgliederkündigung in Genossenschaften gesorgt wird. Insofern reicht es nicht aus, wenn die „investitionsunwilligen" derart überstimmten Kommanditisten darauf verwiesen werden, ihre Anteile bestmöglich auf dem grauen Kapitalmarkt zu veräußern; denn ein solcher Anteil wäre über die gemeinschaftliche Rückbauverpflichtung hinaus mit der Verpflichtung zur Aufbringung eines bedeutenden Risikokapitals zwecks Neuinvestition verbunden, was den Ertragswert nahezu aufzehren dürfte.

5. Ergebnis

Gesellschaftszweck und Existenzdauer einer (auch) der Kapitalanlage dienenden Personengesellschaft (z. B. Publikums-KG) unterliegen primär und allein dem Gesellschaftsrecht, das durch den Gesellschaftsvertrag konkretisiert wird. Wichtige Rahmenbedingungen der Kapitalanlage wie Förderbegrenzung durch das EEG, auslaufende Nutzungsverträge, Laufzeit der Genehmigung des Windparks sowie historische Kapitalanlagebedingungen einschl. des Prospekts sind im Grundsatz untauglich, in begrenzender Weise auf das Gesellschaftsstatut (begrenzend oder erweiternd) einzuwirken. So führt das Ende der EEG-Förderung nicht quasi automatisch zu einem Übergang der werbenden Gesellschaft in eine Liquidationsgesellschaft, und einem weit gefassten Gesellschaftszweck („Errichtung und Betrieb eines Windparks") kann nicht die Begrenzung auf ein einziges, im Prospekt beschriebenes Projekt entgegengehalten werden. Damit ist ein Repowering mit der alten Projektgesellschaft nicht grundsätzlich ausgeschlossen.

Begrenzungen können jedoch aus dem zum Zeitpunkt des Repowering geltenden neuen Recht folgen. Erfordert das neue Projekt erhebliches **zusätzliches Kapital**, so können die Anleger-Kommanditisten nicht – auch nicht durch einfache Mehrheit der Gesellschafter – gezwungen werden, dieses Kapital nachzuschießen oder zu Gunsten des neuen Projekts ganz oder teilweise auf Ausschüttungen zu verzichten. Dies verbieten die gesellschaftsrechtliche Treuepflicht und der Grundsatz der Nichtdiskriminierung der Gesellschafter; auch dürfen Gesellschafter nicht gegen eine geringe Abfindung unmittelbar oder mittelbar zum Verkauf ihrer Anteile gezwungen werden, wenn sie das neue Projekt nicht mitfinanzieren möchten. Insofern entfalten die Laufzeit der öffentlich-rechtlichen Zulassung sowie der Prospekt (mittelbare) begrenzende Wirkungen. Diese „Sperrwirkung" manifestiert sich im für Publikums-Kommanditgesellschaften maßgeblichen „Recht der Kapitalerhöhung": Weil vergleichbar den Kapitalgesellschaften[44] eine qualifizierte Mehrheit ausnahmsweise ausreicht, um mit einer die Anleger bindenden Wirkung den Gesellschaftsvertrag zu ändern, benötigt eine solche Kapitalerhöhung zwar keine Einstimmigkeit, wohl aber eine Mehrheit, die für Publikums-KGs regelmäßig bei 75% der stimmberechtigten/anwesenden Kommanditisten angesiedelt ist.

Im **Ergebnis** reicht daher ein mit einfacher Mehrheit zu fassender Gewinnverwendungsbeschluss nicht aus, um Kapital für ein Repowering zu bilden. Die Zusammenschau der Schranken aus Zweckbegrenzung auf ein Projekt, Erlöschen der Genehmigung mit Abbau der Anlagen, auslaufende Nutzungsverträge und Vertrauen der Kommanditisten auf eine vollständige Beschreibung des Projekts mit dem Kapitalanlageprospekt verbieten keinesfalls die Fortführung der Gesellschaft über die Fördergrenzen des EEG hinaus, erfordern jedoch eine qualifizierte Mehrheit der Kommanditisten, wie sie für eine Änderung des Gesellschaftsvertrages erforderlich ist. Diese „interne Sperrwirkung" begrenzt das Handeln der Komplementär-GmbH nur im Innenverhältnis zur KG, nicht jedoch nach außen.

III. Bürgerenergiegesellschaften und Energiegenossenschaften als neue Organisationsformen der Kapitalanlage in erneuerbare Energien

Bei immer höher konstruierten Windenergieanlagen verbessert sich zwar die Stromausbeute; jedoch kann die Akzeptanz der Anwohner auch in ländlich geprägten Gebieten auf ein Minimum sinken oder sogar in Feindschaft und Hass umschlagen. Deshalb müssen die Investoren damit rechnen, dass jede einschlägige Umsetzungsmaßnahme beklagt werden wird – vom

[44] Vgl. § 182 AktG und § 53 GmbHG.

Flächennutzungsplan über Vorbescheide bis hin zu den Genehmigungen nach dem BImSchG. Dies kann kostenintensive Verzögerungen zur Folge haben. Als Abhilfemaßnahmen sind die Investoren dazu übergegangen, den Anwohnern Beteiligungen an den Betreiber- oder Verwaltergesellschaften anzubieten – wer mitverdient, wird sich eher weniger über störende Anlagen beschweren.

Dies hat zur Entwicklung von Projekten geführt, die landkreisansässigen Bürgerinnen und Bürger ein Primat einräumen (bei Stimmenmehrheit, sog. **Bürgerenergiegesellschaften**). Um solchen weniger finanzstarken Trägergesellschaften einen Vorteil im Wettbewerb um die Standorte zu verschaffen, hat der Gesetzgeber in § 36g EEG 2017 vorteilhafte Bedingungen formuliert, wenn diese Gesellschaften an Ausschreibungen teilnehmen (u. a. Teilnahme ohne erteilte BImSchG-Genehmigung; Zuschlag zum in diesem Gebotstermin erzielbaren höchsten Förderwert).[45] Dabei wird in Kauf genommen, dass nicht nur Großunternehmen, sondern auch mittelständische Initiatoren von einem (noch) lukrativen Zuschlag ausgeschlossen werden, wenn sie auf Anleger angewiesen sind, die länder- oder sogar bundesweit geworben werden; gerade beim Repowering kann man ggf. diejenige Anlegerklientel nicht mehr bedienen, zu denen schon Geschäftskontakt besteht.

Eine andere Entwicklung ist schon älter: Die **Energiegenossenschaften** sind als Zusammenschluss von Letztverbrauchern leitungsgebundener Energie mit dem Ziel gegründet wurden, ein Gegengewicht zu den etablierten Stromlieferanten („Big Four“) zu bilden. Ruft man die homepages dieser Unternehmen auf, muss man allerdings den Eindruck gewinnen, dass es sich in manchen Fällen um inaktive Gesellschaften handelt, die allenfalls als Einkaufsgenossenschaft für ihre Mitglieder fungieren und denen es nicht stets gelungen ist, sich als ernst zu nehmende Wettbewerber auf den regionalen Märkten zu etablieren. Weil solche Genossenschaften gerade vor dem Hintergrund des neuen Kapitalmarktrechts geeignet sein können, als Kapitalsammelstelle für Windenergieprojekte zu dienen, sollen sie an dieser Stelle aufgeführt werden; denn wenn die besonderen Voraussetzungen eingehalten werden können („Landkreisbezug“), kann auch eine Genossenschaft als Bürgerenergiegesellschaft an Ausschreibungen nach dem EEG teilnehmen.

[45] Zu Einzelheiten vgl. *Frenz*, in: Frenz/Müggenborg/Cosack/Hennig/Schomerus (Hrsg.): EEG 2017, 5. Aufl. 2018, § 36g Rdnr. 3 ff.; *Salje*, EEG 2017, 8. Aufl. 2018, § 36g Rdnr. 4 ff.

1. Bürgerenergiegesellschaften

Der komplizierte Begriff der Bürgerenergiegesellschaft ist in § 3 Nr. 15 EEG 2017 definiert und lautet:

„jede Gesellschaft,
a) die aus mindestens zehn natürlichen Personen als stimmberechtigten Mitgliedern oder stimmberechtigten Anteilseignern besteht,
b) bei der mindestens 51 Prozent der Stimmrechte bei natürlichen Personen liegen, die seit mindestens einem Jahr vor der Gebotsabgabe in der kreisfreien Stadt oder dem Landkreis, in der oder dem die geplante Windenergieanlage an Land errichtet werden soll, nach § 21 oder § 22 des Bundesmeldegesetzes mit ihrem Hauptwohnsitz gemeldet sind, und
c) bei der kein Mitglied oder Anteilseigner der Gesellschaft mehr als 10 Prozent der Stimmrechte an der Gesellschaft hält,
wobei es beim Zusammenschluss von mehreren juristischen Personen oder Personengesellschaften zu einer Gesellschaft ausreicht, wenn jedes der Mitglieder der Gesellschaft die Voraussetzungen nach den Buchstaben a bis c erfüllt."

Die Begründung des Regierungsentwurfs betont lokale Verankerung der Bürgerenergiegesellschaft und die Entscheidungsverantwortung natürlicher Personen, um die Erleichterungen bei Ausschreibungen zu rechtfertigen.[46] Allerdings umschreibt die Entwurfsbegründung lediglich die in das Gesetz aufgenommenen Voraussetzungen, ohne zu solchen Gesetzeszwecken Stellung zu nehmen, die die Auslegung der verwendeten Begrifflichkeiten zu klären geeignet wären.[47]

Das **Mindesterfordernis der natürlichen Person** schließt weder eine Beteiligung von juristischen Personen (GmbH, AG, Genossenschaft, aber auch e. V.) noch eine solche von Handelsgesellschaften (OHG, KG, stille Gesellschaft) aus. Allerdings müssen auch mind. 10 natürliche Personen auf Dauer beteiligt sein. Sobald eine solche natürliche Person ausscheidet, ohne dass eine andere natürliche Person nachrückt (z. B. der Erbe, § 1922 BGB), kann die Bürgerenergiegesellschaft ihre privilegierte Stellung verlieren (bspw. restliche neun Personen als Gesellschafter). Welche Rechtsfolgen dies während der Ausschreibung oder beim Betrieb nach Zulassung hat, muss an dieser Stelle nicht geklärt werden.[48] Eine natürliche Person (Mensch) erlangt die Rechtsfähigkeit mit der Geburt, § 1 BGB.

Weitaus problematischer ist der Begriff der **Stimmberechtigung**. Dieser bezieht sich sowohl auf Mitglieder einer Gesellschaft (z. B. Verein oder Genossenschaft) als auch auf Anteilseigner (GmbH, AG). Stimmberechtigung liegt vor, wenn die betreffenden Mitglieder/Anteilseigner vom Stimm-

[46] BT-DrS 18/8860, S. 185 (Einzelbegründung zu § 3 Nr. 15 EEG 2017).

[47] BT-DrS (o. Fn. 46).

[48] Vgl. § 36g Abs. 5 Satz 4 und 5: Nachweis, dass die Anforderungen an Bürgerenergiegesellschaften ohne Unterbrechung bis zum Ende des zweiten Jahres erfüllt werden, das auf die Inbetriebnahme folgt. Andernfalls bildet der Gebotswert den Zuschlagswert: vgl. *Frenz*, (o. Fn. 45), § 36g Rdnr. 48 ff.; *Salje*, (o. Fn. 45), § 36g Rdnr. 45 ff.

recht nicht ausgeschlossen sind. Dabei steht Mitgliedern einer Genossenschaft grundsätzlich ein personenbezogenes einfaches Stimmrecht unabhängig vom Genossenschaftsanteil zu („one man, one vote“, vgl. § 43 Abs. 3 Satz 1 GenG; ebenso beim e. V.), während bei Handels- und Kapitalgesellschaften die Stimmberechtigung häufig an den (relativen) Umfang des eingebrachten Kapitals geknüpft ist (AG: eine Stimme je Aktie). Eine volle Stimmberechtigung verlangt der Gesetzgeber nicht; ein Ausschluss des Stimmrechts jedoch lässt die Voraussetzung der Stimmberechtigung entfallen. Bei der **GmbH & Co. KG** werden Geschicke dieser Gesellschaft ganz wesentlich durch die Gesellschafter der GmbH bestimmt, die den Geschäftsführern Weisungen zu erteilen berechtigt sind (vgl. § 37 Abs. 1 GmbHG). Selbst wenn die Komplementärin in der Gesellschafterversammlung ohne Stimmrecht ist, wird man im Hinblick auf § 3 Nr. 15b EEG 2017 verlangen müssen, dass auch die Gesellschafter der GmbH zu 51% einen vergleichbaren örtlichen Bezug aufweisen. Der Hauptwohnsitz muss seit mind. einem Jahr vor Gebotsabgabe beim Einwohnermeldeamt einer kreisangehörigen Gemeinde angemeldet worden sein. Ist dies der Fall, werden die auf solche Personen entfallenden Stimmberechtigungen beim 51%-Erfordernis mitgezählt.

Bei der Bürgerenergiegesellschaft soll vermieden werden, dass ein Hauptinvestor die Gesellschaft dominiert (annähernd gleiche Gewichtsverteilung bei den Stimmrechten). Dies erfordert nach § 3 Nr. 15c EEG 2017 eine Stimmrechtsbegrenzung auf höchstens 10 % je Gesellschafter/Mitglied bezogen auf die Gesamtzahl der Stimmen. Im letzten Halbsatz des § 3 Nr. 15 EEG 2017 wird klargestellt, dass Zusammenschlüsse von Gesellschaften – juristische Personen sowie Personengesellschaften – nach identischen Maßstäben zu beurteilen sind. Abzustellen ist dann auf die **Mitglieder der aus dem Zusammenschluss entstandenen Gesellschaft**: Dies sind eigentlich die Gesellschafter des neuen Rechtsträgers und damit die jur. Personen und Personengesellschaften, die sich zusammengeschlossen haben. Da diese Gesellschafter jedoch qua definitionem gerade keine natürliche Personen sein können (Wortlaut des letzten HS), ist offenbar als Maßstab für Bürgerenergiegesellschaften auf die **Mitglieder/Gesellschafter der sich zusammenschließenden Gesellschaften abzuheben**:[49] Jede dieser Gesellschaften muss die Kriterien nach Nr. 15 a)–c) des § 3 EEG 2017 erfüllen (mind. 10 natürliche Personen mit jeweils höchstens 10% der Stimmrechte, von denen 51% der Stimmrechte dieser Gesellschaft auf solche natürlichen Personen entfallen, die im Landkreis/kreisfreien Stadt des Standorts der Anlage mit Hauptwohnsitz gemeldet sind). Vermögen alle den Zusammenschluss tragenden Gesellschaften für sich gesehen den Begriff der Bürgerenergiegesellschaft ebenfalls zu erfüllen, ist auch dieser Zusammenschluss als Bürgerenergiegesellschaft

[49] So zu Recht *v. Bredow/Valentin*, in: Frenz/Müggenborg/Cosack/Hennig/Schomerus (Hrsg.): EEG 2017, § 3 Rdnr. 90.

im Sinne von § 3 Nr. 15 EEG 2017 zu qualifizieren. Zu solchen **Zusammenschlüssen** zählen Aktiengesellschaften, GmbHs, Genossenschaften oder Vertragskonzerne mit Bürgerenergiegesellschaften als Gesellschaftern.

Auf eine Mindestkapitalausstattung der Bürgerenergiegesellschaft kommt es nicht an; eine solche Gesellschaft kann deshalb schon mit sehr niedrigen Kapitalanteilen gegründet werden („ein Euro“). Vermutlich werden solche häufig von Projektentwicklern oder Kapitalverwaltungsgesellschaften mit Familienangehörigen, Geschäftsführern und im Landkreis ansässigem Freundeskreis gegründete Bürgerenergiegesellschaften später – nach Ablauf der „Ausschreibungsbindung“ – gleichwohl an bundesweit zu werbende Investoren verkauft werden. Ob eine Umgehung der Voraussetzungen vorliegt, wenn Großunternehmen über im Landkreis ansässige „Treuhänder“ versuchen, die Vorteile einer Bürgerenergiegesellschaft für sich in Anspruch zu nehmen, werden die Gerichte noch zu klären haben.

Die Vorteile und Nachteile einer Bürgerenergiegesellschaft bei Gründung und im Ausschreibungsverfahren (§ 36g EEG 2017) sind vielfältig und kritisch beschrieben worden.[50] Die (im Energierecht seltene) Länderöffnungsklausel hat zu einem Bürgerenergiegesellschaften besonders regelnden Gesetz in Mecklenburg-Vorpommern geführt.[51] Weil in den ersten Ausschreibungsrunden 2017 mehr als 90 % der Gebote auf Bürgerenergiegesellschaften entfielen, hat der Gesetzgeber für zwei Ausschreibungen im Jahre 2018 große Teile der in § 36g EEG 2017 vorgesehenen Privilegien suspendiert, jedoch den Zuschlag zum besten Preis beibehalten.[52] Auf diese Weise soll vermieden werden, dass wegen des – für Bürgerenergiegesellschaften maßgeblichen – Verzichts auf vorzulegende Genehmigungen nach dem BImSchG die Errichtung von Windparks in die Zukunft verschoben wird, was zu einem mind. zweijährigen Ausbaustillstand führen kann. Ein Gesetzesantrag des Bundesrates[53] sieht weitergehend

[50] *Kahla*, Erfolgsfaktoren von Bürgerbeteiligungsmodellen im Bereich Erneuerbare Energien, in: Degenhart/Schomerus (Hrsg.): Recht und Finanzierung von erneuerbaren Energien: Bürgerbeteiligungsmodelle, 2014, S. 83 ff.; *Herms*, Neuer Wind für die Bürgerbeteiligung?! – Zu den jüngsten Rechtsentwicklungen für die Bürgerbeteiligung im Windenergiebereich, ER 2016, S. 241 ff.; *Hoffmann*, Gibt es ein Recht der Bürgerenergie? – Zur rechtlichen Beurteilung von Vorschriften für Bürgerenergieprojekte, Würzburger Berichte zum Umweltenergierecht Nr. 22 vom 21.10.2016; *Maly/Meister/Schomerus*, EEG 2014 – Das Ende der Bürgerenergie?, ER 2014, S. 147 ff.; *Radtke*, Bürgerenergie in Deutschland. Partizipation zwischen Gemeinwohl und Rendite, 2016; *Florian Wintermeier*, Bürgerenergiegesellschaften und das Kapitalanlagegesetzbuch (KAGB), 2017, S. 44 ff.

[51] *Pegel*, Zur wirtschaftlichen Teilhabe von Bürgerinnen und Bürgern sowie Gemeinden nach dem EEG 2017 und dem BüGembeteilG M-V, EnWZ 2016, S. 433 ff.; *Ott/Schäfer-Stradowsky*, Gesetz über die Beteiligung von Bürgerinnen und Bürgern sowie Gemeinden an Windparks in Mecklenburg-Vorpommern, EnWZ 2016, S. 68 ff.

[52] § 104 Abs. 8 EEG 2017: vgl. BT-DrS 18/12988, S. 40 (Einzelbegründung zu § 104 Abs. 8 im Rahmen der Mieterstromnovelle vom Juli 2017).

[53] Beschluss v. 6.2.2018, BR-DrS 3/18: Änderung der §§ 28, 104 EEG 2017: BGBl I Nr. 29/2018.

vor, mit Wirkung für die zweite Jahreshälfte 2018 ein Ausschreibungsvolumen im Umfang von 1.400 MW „vorzuziehen“, wobei die teilweise „Entprivilegierung“ der Bürgerenergiegesellschaften um ein Jahr fortgeschrieben wird (Gebotstermine 1.8. und 1.10.2018 sowie 1.2. und 1.5.2019).

2. *Energiegenossenschaften*

Mit dem Ziel, die leitungsgebundene Energieversorgung zu verändern und mehr Einfluss auf Lieferkette und Preise zu gewinnen, ist eine Bürgerbewegung entstanden, die zur Gründung zahlreicher Unternehmen in der Rechtsform der Genossenschaft geführt hat. Insgesamt sollen im Jahre 2017 fast 180.000 Bürgerinnen und Bürgern im Genossenschaftsregister als Mitglieder von etwa 850 Genossenschaften eingetragen sein, die sich primär mit Geschäftstätigkeiten der leitungsgebundenen Energieversorgung beschäftigen.[54] Diese neuen Unternehmen, die bspw. auch als Einkaufgenossenschaft für ihre Mitglieder tätig sein können, sollen im Folgenden als „Energiegenossenschaften“ bezeichnet werden.

Wikipedia[55] fasst diese Unternehmen spezieller unter dem Stichwort „**Bürgerenergiegenossenschaften**“ zusammen und versteht darunter alle

> „Akteure der Energiewirtschaft in der Rechtsform einer Genossenschaft, die zumeist das Ziel einer dezentralen, konzernunabhängigen und ökologischen Energiegewinnung verfolgen. Sie sind eine Form der Bürgerbeteiligung, vorwiegend auf kommunaler oder regionaler Ebene. Bürgerenergiegenossenschaften bieten Bürgern die Möglichkeit, zur Energiewende und zum Klimaschutz beizutragen. Sie bieten darüber hinaus auch Anlage- und Investitionsmöglichkeiten in lokale und regionale Energieprojekte.“

Im Jahre 2017 wurde auch mit dem Ziel, die Gründung und den Beitritt zu Energiegenossenschaften zu „entbürokratisieren“, das Genossenschaftsgesetz geändert.[56] Die Bundesregierung hat den Gesetzentwurf u. a. wie folgt begründet:[57]

> „Grundsätzlich ist die Rechtsform der Genossenschaft gerade für Unternehmensgründungen im Bereich des bürgerschaftlichen Engagements, die auf eine stetig wachsende, gegebenenfalls häufig wechselnde Mitgliederzahl angelegt sind, eine ideale Rechtsform. Denn die Mitglieder haften nicht persönlich und nach der Definition in § 1 Absatz 1 des Genossenschaftsgesetzes ist die Genossenschaft eine Gesellschaft von nicht geschlossener Mitgliederzahl, d. h. es gibt den freien, jederzeit möglichen Eintritt neuer Mitglieder und den Austritt nicht mehr interessierter Mitglieder. Den Ein- und Austritt kann die

[54] Bundesgeschäftsstelle Energiegenossenschaften (Berlin). Nach anderer Auffassung sind es nunmehr 888 Energiegenossenschaften (Stand Ende 2017).

[55] https://de.wikipedia.org/wiki/Bürgerenergiegenossenschaft (zuletzt abgerufen am 16.05.2018).

[56] Gesetz zum Bürokratieabbau und zur Förderung der Transparenz bei Genossenschaften v. 17.7.2017, BGBl. I S. 2434

[57] Entwurf eines Gesetzes zur Erleichterung unternehmerischer Initiativen vom 13.03.2017, BT-DrS 18/11506, S. 16 (allgemeine Begründung).

Genossenschaft selbst unkompliziert regeln, ohne dass es der Einschaltung eines Notars oder des Registergerichts bedarf ..... Der genossenschaftliche Grundsatz „ein Mitglied – eine Stimme“ schützt die Mitglieder davor, von finanzkräftigen Investoren dominiert zu werden. Derzeit ist jedoch die Rechtsform der Genossenschaft für ganz kleine Unternehmen, die wenig Gewinn erzielen, häufig nicht attraktiv. Die Gründung einer Genossenschaft gilt gegenüber der einer GmbH oder eines Vereins bei Kleinstunternehmen als zu aufwändig und zu teuer. Denn eine Genossenschaft muss vor ihrer Eintragung in das Genossenschaftsregister Mitglied bei einem genossenschaftlichen Prüfungsverband werden und eine Gründungsprüfung durchlaufen; ferner muss sie regelmäßig Mitgliedsbeiträge an den genossenschaftlichen Prüfungsverband entrichten und die Kosten für die regelmäßige genossenschaftliche Pflichtprüfung bezahlen. Dagegen sind Vereine und kleine GmbHs grundsätzlich gar nicht prüfungspflichtig.“

Aus dem Kreis der neuen, zum 22.7.2017 in Kraft getretenen Regelungen sind hervorzuheben:

Bekanntmachungen der Genossenschaften müssen nicht mehr im elektronischen Bundesanzeiger veröffentlicht werden; vielmehr kann die Satzung auch bestimmen, dass die Bekanntmachungen auf der Internetseite der Genossenschaft zu erfolgen haben (§ 6 Nr. 4 und 5 GenG n. F.). Alle Einladungen zur Generalversammlung können jetzt per Email unmittelbar an die Mitglieder in Textform versandt werden; Schriftform oder Nutzung des Postweges sind nicht mehr erforderlich. Eine bloße Veröffentlichung der Ladung durch Einstellung in das Internet reicht jedoch nicht aus (§ 46 Abs. 1 Satz 1 vs. Satz 3 GenG).

Zum Schutz neuer Genossen ist das **Beitrittsrecht** geändert worden. Die Beitrittserklärungen müssen jetzt bspw. auf Eintrittsgelder, Kündigungsfristen über ein Jahr und sonstige mit dem Beitritt verbundene Zahlungsbelastungen der neuen Mitglieder deutlich hinweisen (Transparenzgebot, vgl. § 15a Satz 3 GenG n. F.). Dieser Pflichtinhalt der Beitrittserklärung muss vom beitretenden Mitglied ausdrücklich zur Kenntnis genommen werden (Bestätigung durch Unterschrift). Vollmachten zur Beitrittserklärung, die es einem Dritten ermöglichen, die Beitrittserklärung für das neue Mitglied im fremden Namen abzugeben, erfordern Schriftform (§ 15 Abs. 1 Satz 3 GenG n. F. entgegen § 167 BGB).

Um größere Investitionen zu finanzieren, kann das Finanzierungsinstrument des **Mitgliederdarlehens** eingesetzt werden (§ 21b Abs. 1 GenG n. F.); diese Form der Fremdfinanzierung tritt neben die Eigenfinanzierung durch Beiträge der Mitglieder. Die auf diese Weise erfolgende Finanzierung bedarf keiner Zulassung der Genossenschaft als Kreditinstitut, wenn ein Kapitalbetrag von höchstens 2,5 Mio. € eingeworben wird und das Einzeldarlehen 25.000,– € je Mitglied nicht übersteigt.

Alle Genossenschaften werden von genossenschaftlichen **Prüfungsverbänden** geprüft, wenn sie bestimmte Mindest-Größenkriterien überschreiten (vgl. §§ 53 ff. GenG). Mit dem neuen Recht wurden die Größenklassen für die Prüfungsbefreiung um 50 % angehoben (§ 53 Abs. 1 GenG n. F.), und für

Kleinstgenossenschaften ist eine „vereinfachte Prüfung" eingeführt worden (§ 53a GenG n. F.); die höchst zulässige Größe richtet sich nach den Kriterien des § 267a Abs. 1 in Verb. mit § 336 Abs. 2 Satz 3 HGB (Bilanzsumme von höchstens 350.000 € und 700.000 € Umsatzerlöse in den 12 Monaten vor dem Bilanzstichtag **oder** Bilanzsumme von höchstens 350.000 € und Beschäftigung von durchschnittlich höchstens 10 Arbeitnehmern). Alle Genossenschaften müssen nunmehr den Namen und den Sitz ihres Prüfungsverbandes auf ihrer Internetseite (ansonsten in ihren Geschäftsbriefen) angeben (§ 54 Satz 2 GenG n. F.). Um die Ausschreibungsprivilegien einer Bürgerenergiegesellschaft im Sinne von § 36g EEG 2017 zu erhalten, müssen Energiegenossenschaften die oben[58] beschriebenen Kriterien des § 3 Nr. 15 EEG 2017 erfüllen (mind. 10 natürliche Personen als Mitglieder, Stimmrechtsbeschränkung auf höchstens 10%, 51% der Anteilseigner mit erstem Wohnsitz im Landkreis des Standorts der Anlagen).

Mit dem neuen Recht kann immerhin ein Mitgliederdarlehensbetrag von 2,5 Mio. € eingeworben werden, ohne die genossenschaftliche Struktur zu sprengen, soweit das einzelne Mitglied das Darlehen auf 25.000,– € begrenzt, so dass mindestens 100 Mitglieder geworben werden müssen. Reicht dieses Kapital nicht aus, um einen Windpark mit einem Kostenaufwand von ca. 35 Mio. € mit sechs Anlagen zu errichten,[59] so spricht nichts dagegen, auf einer größeren Windvorrangfläche drei oder vier Genossenschaften als Investoren zu aktivieren, soweit diese mit einem separaten Mitgliederbestand tätig werden. Ob die Genossenschaft selbst Betreiberin des Windparks wird oder mit einer Betreibergesellschaft arbeitet, wobei den Geschäftsführern der Komplementärin einer GmbH & Co. KG allerdings nur dann Weisungen erteilt werden dürfen, wenn z. B. der Genossenschaftsvorstand auch die Gesellschafterstellung in der GmbH wahrnimmt, ist eine Frage der Gründungskosten und der Kontrolle; wird die Betreibergesellschaft lediglich als Betriebsführerin tätig, ist die Genossenschaft selbst Anlagenbetreiberin und vermag sowohl die Eigentumsrechte als auch die Rechte aus dem EEG wahrzunehmen. Auch eine Verpachtung des Windparks/der Anlagen an eine Betreibergesellschaft kommt in Betracht; die Genossenschaft bliebe dann allerdings während des Pachtzeitraums ohne Einfluss und erhielte lediglich eine (ertragsabhängige) Pachtzahlung, was die Mindestvoraussetzung „gemeinschaftlicher Geschäftsbetrieb" wohl nicht erfüllt (vgl. § 1 Abs. 1 GenG): Sog. Dividendengenossenschaften können nicht von den Privilegien des Genossenschaftsrechts profitieren.[60]

58 Abschnitt III. 1.

59 Begrenzung der Anlagenanzahl auf sechs Anlagen mit höchstens 18 MW Gesamtleistung, vgl. § 36g Abs. 1 EEG 2017.

60 Vgl. *Wintermeier*, (o. Fn. 50), S. 76 f. und S. 89 ff.

3. *Ergebnis*

Vergleicht man die bisher übliche Windpark-Projektträgerschaft einer Publikums-KG mit derjenigen einer Bürgerenergiegesellschaft, insbesondere in der Rechtsform einer Genossenschaft, so bestehen im Anschluss an die Reform des Genossenschaftsrechts im Jahre 2017 keine wesentlichen Finanzierungsnachteile mehr. Die Prüfungskosten stellen nach wie vor eine Sonderbelastung der Genossenschaft im Vergleich zur GmbH oder der Personengesellschaft dar; vorteilhaft ist jedoch der Bonitätsgewinn im Verhältnis zu den Banken, die sich auf eine externe Kontrolle der Bürgerenergiegesellschaft zu stützen vermögen.

Weil Publikums-KGen typischerweise über den Projektentwickler „fremdgesteuert" werden,[61] der für Gründung und Geschäftsführung der Komplementärin sorgt, hatten die Anleger-Kommanditisten in der Vergangenheit kaum Einfluss auf wesentliche unternehmerische Entscheidungen. Denn vor ihrem Beitritt waren alle wesentlichen Entscheidungen zu Anlagen, Nutzungs- sowie Geschäftsbesorgungsverträgen bereits getroffen oder wurden ohne ihre Einflussnahme kurz vor Errichtungsbeginn noch vom Projektentwickler getroffen. Mehr als zwanzig Jahre blieben die Kommanditisten an diese Geschäftsleitung gefesselt und mussten vielleicht sogar eine Insolvenz der Initiatoren mit Austausch der Gesellschafter der Komplementär-GmbH überstehen. Der Kommanditisten-Beirat konnte zwar Nachbeitritts-Entscheidungen der Geschäftsführung kritisch begleiten, hatte jedoch allenfalls ein Veto-Recht.

Die **Entmachtung der Anleger einer Publikums-KG** zeigt sich besonders deutlich bei der Diskussion des Repowerings. Weil der Projektentwickler oder sein Rechtsnachfolger die Vorrangfläche nicht „kampflos" aufgeben wollen wird, zumal damit langfristige Zahlungsströme im Zusammenhang mit der Betriebsführung der Anlagen verbunden sind, wird der Projektentwickler versuchen, die bisherige Dominanz über die Anleger-Kommanditisten zu perpetuieren. Weil die Anlagen (mittelbar) den Kommanditisten „gehören", werden diese versuchen, diese Dominanz abzuschütteln und die zukünftige Anlagenentwicklung sowie -betriebsführung auszuschreiben, um – selbstbestimmt – den besten Park mit den effizientesten Anlagen unter Kostenminimierung betreiben zu können. Dies kollidiert jedoch mit dem Perpetuierungsinteresse des Projektentwicklers.

Deshalb dürfte sich in vielen Gesellschaften gegen Ende der Projektlaufzeit ein „Kampf" um die zukünftige Vorherrschaft entwickeln. Diese Auseinandersetzung wird auf Grund des Ausschreibungsregimes noch verschärft: Eine nicht im Landkreis „ansässige" Komplementärgesellschaft mit ortsfremden Gesellschaftern vermag die Kriterien des § 3 Nr. 15 EEG 2017

[61] *Wintermeier*, (o. Fn. 50), S. 48.

(Bürgerenergiegesellschaft) nicht zu erfüllen, und auch die bisherige Anlegerstruktur wird nicht selten zu verändern sein, um das 51 %-Kriterium zu erreichen. Der Träger des Repowerings wird spätestens in der Realisierungsphase schmerzlich erfahren müssen, dass die Bürgerenergiegesellschaften als Bewerber im Ausschreibungsverfahren in einem Maße beim Zuschlagswert bevorzugt werden, der die Publikums-KG als zukünftige Betreiberin/Investorin praktisch ausschließt. Denn die teilweise Entprivilegierung von Bürgerenergiegesellschaften durch § 104 Abs. 8 EEG 2017 sowie § 104 Abs. 9 EEG 2017 (Gesetzesinitiative) lässt den Vorteil des „besten Gebotes" je Gebotstermin unberührt.

Sollten die Privilegien der Bürgerenergiegesellschaft nicht vollständig gestrichen werden,[62] wovon kaum auszugehen ist, kann allenfalls finanzstarken Großunternehmen, die Windenergieanlagen „en gros" einzukaufen in der Lage sind und Windparks „von der Stange" zu planen vermögen, ein Verzicht auf die Bewerbungsform der Bürgerenergiegesellschaft empfohlen werden; in der Praxis ist aber zu beobachten, dass selbst solche Unternehmen diese Bietergestaltung wählen, um keine Nachteile zu erfahren.

Die Publikumsgesellschaft hingegen, die sich auf Kleinanleger abstützt, wird es als Projektgesellschaft zukünftig nicht mehr geben, weil sie im Wettbewerb zwischen Großinvestoren und Bürgerenergiegesellschaften zerrieben werden wird. Diejenigen mittelständischen Projektentwickler, die auf die Einwerbung von Kommanditkapital bisher angewiesen gewesen sind, werden zukünftig mit dem Einsatz von eigenem Kapital sowie Fremdkapital planen müssen. Dabei wird die Ungewissheit zur Höhe des Zuschlagswertes verbunden mit den Pönalen bei Nichtrealisierung dazu führen, dass auch solche Projekte zunehmend seltener am Markt anzutreffen sein werden.

Die Anleger sind gut beraten, gegen eine „Verlängerung" ihrer Publikums-KG-Projektgesellschaften beim Repowering zu opponieren und einer Vorfinanzierung durch Ausschüttungsverzicht zu widersprechen. Es bedarf keiner seherischen Fähigkeiten, um ein langsames Aussterben der Publikums-KG als Projektgesellschaft für Windparks, Solarparks sowie Biogasanlagen vorherzusagen. Weil sich die Projektentwickler dann auf ihren Geschäftszweig „Betriebsführung" konzentrieren werden, ist insofern auf diesem Vergabemarkt eine deutlich höhere Wettbewerbsintensität zu erwarten.

[62] Vgl. dazu die Gesetzesinitiative des Bundesrates v. 6.2.2018, BR-DrS 3/18 (Beschluss): Erhöhung des Ausschreibungsvolumens um 450 MW bzw. 950 MW für die beiden letzten Gebotstermine des Jahres 2018 mit dem Ziel, die bürgerenergiebedingte „Verschiebung" von zu realisierenden Kapazitäten in die Zukunft zu kompensieren (§ 28 Abs. 1 EEG 2017 n. F.), indem Privilegien von bietenden Bürgerenergiegesellschaften teilweise entzogen werden (vgl. § 104 Abs. 8 und 9 EEG 2017). Später soll dieses „vorgezogene Ausschreibungsvolumen" wieder kassiert werden, § 28 Abs. 1 Satz 2 EEG 2017 n. F.

IV. Finanzierung des Repowerings und Gesellschaftsrecht

Ob es im Zusammenhang mit der Beschreibung des ursprünglichen Projekts im Verkaufsprospekt den Kommanditisten rechtlich zuzumuten ist, erforderlichenfalls viele Millionen Euro in Planung und Realisierung eines neuen Projekts auch gegen ihren Willen investieren zu müssen, hängt auch von den individuellen Vereinbarungen im Gesellschaftsvertrag ab. Dort kann etwa der Weg zu einer Neuinvestition bereits vorgezeichnet sein, etwa mit Vereinbarung einer „Nachschusspflicht“ bzw. einer Erhöhung des individuellen Kommanditanteils. Die sich insofern bietenden gesellschaftsrechtlichen und unternehmerischen Maßnahmen zur Finanzierung sollen hier zusammenfassend als „Kapitalerhöhung“ bezeichnet werden.

Ist im Gesellschaftsvertrag die Realisierung eines Nachfolgeprojekts nicht vereinbart und kann mit der bisherigen Kapitalausstattung ein solches Projekt auch nicht realisiert werden, spricht viel dafür, dass die Komplementärin ohne einen entsprechenden – evtl. gar einstimmigen – Gesellschafterbeschluss ein neues Projekt nicht „anschieben“ darf, wenn dies mit der bisherigen Kapitalausstattung nicht zu leisten ist. Möglicherweise ist der Gesellschaftszweck durch die Beschreibung im Kapitalanlageprospekt endgültig konkretisiert, was auch die übliche Bezeichnung „Projektgesellschaft“ signalisiert. Wurde die Gesellschaft für ein einmaliges Projekt gegründet, müssen sich die Kommanditisten möglicherweise darauf verlassen können, dass nicht – z. B. über die Einbehaltung von Ausschüttungen (mehrheitlicher Gesellschafterbeschluss?) – versucht wird, in die Vorlaufkosten eines neuen Projekts zu investieren. Dies lässt eine Weiternutzung der alten Anlagen außerhalb der Förderung unberührt, solange die Genehmigung dies zulässt; denn der Gesellschaftszweck ist ja nicht – wie oben gezeigt – auf den Förderzeitraum des EEG zeitlich befristet.[63]

1. *Tochtergesellschaft als Risikoträgerin*

Eine solche **Konkretisierung des Gesellschaftszwecks** und dessen **Begrenzung auf das im Kapitalanlageprospekt beschriebene Investitionsvorhaben** kann vielleicht durch Gründung einer Tochtergesellschaft in rechtlich zulässiger Weise erweiternd „umschifft“ werden, an der sich die (in ihrem Gesellschaftszweck begrenzte) KG, evtl. in Kooperation mit anderen Projektgesellschaften, beteiligt. Schon die Grundsätze der „Holzmüller“-Entscheidung des BGH[64] dürften insofern eine Mitwirkung der Kommanditisten erfordern, weil mit dem Repowering ein wesentliches – und in der Zukunft

[63] Vgl. oben B. II. 1.

[64] *BGHZ* 83, 122 (131 ff.) – Holzmüller; vgl. auch *BGHZ* 159, 30 = NJW 2004, 1860 Tz. 40 – Gelatine („Holzmüller II“).

sogar einziges – Geschäftsfeld aus den Händen der Kommanditisten in die Tochtergesellschaft verlagert wird, wo die Geschäftsführung der Komplementärin über Gründungsmodalitäten und spätere Geschäftstätigkeit allein entscheidet; auf diese Weise würde nämlich die neue Geschäftstätigkeit der Kontrolle der Kommanditisten der alten Projektgesellschaft, meist ausgeübt durch Beiräte, auf Dauer entzogen, obwohl diese Altanleger die Kapitalbasis stellen müssten.

In manchen Gesellschaftsverträgen von Publikums-KGs wird die „Beteiligung an anderen Gesellschaften" ausdrücklich zugelassen. Heißt es dagegen nur, die Gesellschaft sei zu „allen Geschäften und Maßnahmen berechtigt, die den Gegenstand des Unternehmens zu fördern geeignet sind", ist durchaus zweifelhaft, ob dies die Beteiligung an anderen Gesellschaften einschließt; zwar zählt der Abschluss eines (weiteren) Gesellschaftsvertrages durchaus zu den „Geschäften" im Sinne von Rechtsgeschäften (§§ 104 ff. BGB), jedoch kann man auch insofern eine Begrenzung des „neuen Geschäfts" auf das bisherige und im Anlageprospekt beschriebene (alte) Projekt als Auslegungsergebnis gewinnen.

Müsste so entschieden werden, dann würde eine Zustimmung des Beirats oder gar der Gesellschafterversammlung nicht ausreichen, um die so ermittelte Begrenzung des Gesellschaftszwecks zu überspringen. In vielen Gesellschaftsverträgen ist dem Beirat die Kontrolle der Geschäftsführung der KG zugeordnet; dies schließt häufig ein Zustimmungserfordernis bzgl. „Erwerb von Beteiligungen an anderen Unternehmen" ein. Verweigert der Beirat die Zustimmung und kann oder wird eine solche Nichtzustimmung auch durch die Gesellschafterversammlung nicht ersetzt werden,[65] ist das Repowering mit den Mitteln der Übernahme des Risikos in eine neue Gesellschaft endgültig gescheitert.

2. *Finanzierung einer erlaubten Unterbeteiligung*

Hat die Geschäftsführung die Hürde der Zustimmung zur Beteiligung an einer Repowering-Gesellschaft überwunden, ist sie grundsätzlich frei in der Gestaltung der Konditionen des neuen Projekts. Gerade wenn in der neuen Gesellschaft ein Beirat nicht vorgesehen ist, vermag die Geschäftsführung neue Anlagen zu erwerben, Nutzungsverträge zu angemessenen Konditionen abzuschließen, Dienstleistungsverträge z. B. mit Betriebsführern einzu-

[65] Zum Verhältnis von Mitwirkung des Beirats und Gesellschafterrechten vgl. *BGH* WM 1985, 256 (257): darf der Beirat den Gesellschaftsvertrag ändern, bildet eine mögliche Entmachtung der Gesellschafterversammlung die äußerste Kompetenzgrenze (keine verdrängende Zuständigkeit). Der Gesellschafterversammlung muss ein „unverfügbarer Kernbereich von Rechten" verbleiben. Im GmbH-Recht hat das Weisungsrecht der Gesellschafter stets Vorrang vor möglichen Zustimmungserfordernissen des fakultativen Aufsichtsrates: *Nießen*, in: Gehrlein/Ekkenga/Simon (Hrsg.): GmbHG, 2. Aufl. 2015, § 52 Rdnr. 58.

gehen und Fremdkapital einzuwerben. Vergleicht man die Freiheitsgrade der Geschäftsführung in der Repowering-Gesellschaft mit denen der alten Projektgesellschaft, so handelt es sich schon bei den aufgezählten Maßnahmen um solche, denen – würden sie in der alten Gesellschaft verwirklicht – der Beirat jeweils zustimmen müsste. Dies zeigt, dass sich die Kommanditisten der bisherigen Projektgesellschaft sehr genau überlegen müssen, ob sie der Geschäftsführung eine derartige „carte blanche" in die Hand geben wollen; denn abgesehen von Beschlüssen über die Kapitalausstattung jener Repowering-Gesellschaft blieben sie zukünftig vollständig einflusslos.

Wird ein neues Projekt begonnen, für das Investitionen im Umfang von mehreren 10 Mio. € erforderlich sind, von denen zumindest ein Viertel der Investitionssumme als Eigenkapital aufgebracht werden muss, wird die Geschäftsführung die Kapitalanleger im Regelfall wegen einer Kapitalerhöhung ansprechen. Das Kapitalgesellschaftsrecht sieht insofern spezielle Vorgaben vor: So müssen bei der Aktiengesellschaft drei Vierteil der bei der Beschlussfassung vertretenen Aktionäre zustimmen, wenn das Grundkapital gegen Einlagen – also aus Mitteln der Gesellschafter – erhöht werden soll (§ 182 AktG). Ist im Gesellschaftsvertrag der GmbH eine Nachschusspflicht bereits verankert, kann diese durch Gesellschafterbeschluss mit einfacher Mehrheit konkretisiert werden (§ 26 GmbHG). Fehlt eine solche Nachschusspflicht, verlangt § 53 GmbHG einen Gesellschafterbeschluss, der mit einer Dreiviertel-Mehrheit zu erfolgen hat.[66] Zusammenfassend kann man feststellen, dass alle Kapitalerhöhungen, die die Gesellschafter unmittelbar (Einlage) oder mittelbar (Umwandlung von Rücklagen) belasten, Beschlüsse der Gesellschaft mit einer satzungsändernden Mehrheit erfordern. Ob das Recht der Minderheit in Kapitalgesellschaften, von allzu belastenden Satzungsänderungen verschont zu bleiben,[67] mit solchen Gesetzesvorschriften ausreichend gewahrt wird, kann an dieser Stelle nicht untersucht werden.

Im **Personengesellschaftsrecht** fehlen gesetzliche Vorgaben für Kapitalerhöhungen. Daraus ist keineswegs zu schließen, dass etwa mit einer für die Änderung des Gesellschaftsvertrages erforderlichen Mehrheit[68] eine Kapitalerhöhung beschlossen werden kann. Denn die Zeichnung von Kommanditanteilen erfolgt auf der „Ebene der Gesellschafter" durch Beitritt/Beitrittsänderung und nicht der der Gesellschaft selbst; insofern muss grds. jeder

[66] Eine Kapitalerhöhung aus Gesellschaftsmitteln (§ 57c GmbHG) oder die Bildung neuer Geschäftsanteile (Umwandlung von Rücklagen, § 57h GmbHG) unterliegen jeweils kraft Gesetzes besonderen gesellschaftsrechtlichen Regeln.

[67] Zum Minderheitenschutz durch die Rspr. vgl. *BGHZ* 65, 15 (18 f., 20 f.) (Gleichbehandlungsgrundsatz und gesellschaftsrechtliche Treuepflicht). Für die GmbH: Nachweise zu Anfechtungsgründen bei *Nießen/Teichmann*, in: Gehrlein/Ekkenga/Simon (Hrsg.): GmbHG, 2. Aufl. 2015, Anh. § 47 Rdnr. 52.

[68] In Gesellschaftsverträgen von Publikums-KGen wird meist eine Mehrheit von 75% der anwesenden Stimmen verlangt, um den Gesellschaftsvertrag zu ändern.

Gesellschafter zustimmen, wenn sein Kommanditanteil erhöht wird. Wegen der „Verwässerungsgefahr“[69] ist auch eine Zustimmung aller übrigen Gesellschafter erforderlich. Deshalb erfordert eine Kapitalerhöhung im Recht der Personengesellschaften im Grundsatz „Einstimmigkeit“ und ist auf der Vertragsebene zu verwirklichen; ein einstimmiger Beschluss in einer Gesellschafterversammlung würde dann nicht ausreichen, um eine solche Kapitalerhöhung zu verwirklichen.

Manche Gesellschaftsverträge schließen entgegen § 26 GmbHG eine Nachschusspflicht aus.[70] Eine solche gesellschaftsvertragliche Klausel kann möglicherweise für Publikums-KGen, die ja eine Zwischenform zwischen Kapital- und Personengesellschaft darstellen, mit einer Mehrheit geändert werden, die für die Änderung des Gesellschaftsvertrags erforderlich ist. Insofern ist aber das Erfordernis eines Minderheitenschutzes zu bedenken: Die Klausel dient dem Zweck, das Investorenrisiko zu begrenzen und damit diejenigen Kommanditisten zu schützen, die ihre Beteiligung strikt begrenzt wissen wollen. Da – wie gezeigt – die Erhöhung einer Kommanditeinlage ein Ereignis ist, dass auf der Gesellschafterebene stattfindet, ist das gesellschaftsvertragliche Nachschussverbot einer Beschlussfassung der Gesellschafterversammlung grundsätzlich entzogen. Damit wird sichergestellt, dass eine kapitalkräftige Gesellschaftermehrheit nicht in der Lage ist, eine Minderheit aus der Gesellschaft zu verdrängen, etwa indem solche Kommanditisten, die den Erhöhungsbetrag nicht aufzubringen in der Lage sind, zur Veräußerung ihres Kommanditanteils (mittelbar) gezwungen werden.

3. *Ausschüttungsverzicht*

Für ein Repowering benötigtes Eigenkapital kann auch mittels Thesaurierung von Gewinnen beschafft werden. Umgangssprachlich wird hierfür häufig der Ausdruck „Ausschüttungsverzicht“ verwendet. Das insofern generierte Kapital könnte dann für eine Anschubfinanzierung der Repoweringgesellschaft verwendet werden, wobei der Nachteil dann darin bestehen dürfte, dass jene „Ausschüttung zu Gunsten Dritter“ voll der Besteuerung zum individuellen Steuersatz derjenigen Gesellschaft unterliegen dürfte, die den Kapitalbetrag zur Vorbereitung des Repowering verwenden möchte. Es findet also eine Finanzierung „aus versteuertem Kapital“ statt, während die ausschüttende Projektgesellschaft in der Lage wäre, Rücklagen aus thesaurierten Gewinnen steuerlich begünstigt für neue Projekte zu nutzen.[71]

[69] Änderung der prozentualen Beteiligung an Gewinn und Stimmrechten, wenn sich die Anteile der Gesellschafter verändern oder neue hinzukommen.

[70] Beispiel: „Kommanditisten sind über ihren Kapitalanteil hinaus nicht zum Nachschuss verpflichtet.“

[71] § 34a EStG ermöglicht für Personengesellschaften eine steuerlich begünstigte Gewinnthesaurierung (Steuersatz von 28,25 % entsprechend 29,8 % mit SoliZ).

Gesellschaftsrechtlich unterliegt ein Ausschüttungsverzicht möglicherweise den **Regeln über die Gewinnverwendung** („Ergebnisverteilung"): Nach Abzug von Vergütung/Kostenersatz im Verhältnis zur Komplementärin sowie Zuführung von Mitteln zur Rücklage für Reparatur-, Erneuerungs- und Abbaumaßnahmen. Viele Gesellschaftsverträge von Publikums-KGs sehen insofern einen (grundsätzlich mit einfacher Mehrheit) zu fassenden Gewinnverwendungsbeschluss gar nicht vor; vielmehr ist lediglich über die Feststellung des Jahresabschlusses Beschluss zu fassen.[72] Enthält dieser Jahresabschluss über die soeben beschriebenen Rücklagen hinaus keinen Ausweis zu „sonstigen Rücklagen", dann ist die Komplementärin quasi automatisch verpflichtet, den verbleibenden Gewinn im Verhältnis der Anteile der Kommanditisten auszuschütten. Sollen darüber hinausgehende Entnahmen erfolgen, kann dies an die Zustimmung des Beirats gekoppelt sein.[73]

Daraus folgt: Eine Ausschüttung „zu Gunsten Dritter" ist im Gesellschaftsvertrag der KG evtl. gar nicht vorgesehen. Denn die „Ausschüttung" kann nur an Kommanditisten erfolgen. Diese Regelung kann auch nicht mittels Beiratszustimmung übersprungen werden: Denn „darüber hinausgehende Entnahmen" können zu Gunsten Dritter gar nicht begründet werden, wenn diese im Gesellschaftsvertrag nicht vorgesehen sind; denn offensichtlich sind lediglich „Entnahmen für Gesellschafter (Kommanditisten)" gemeint.

Um ein Repoweringprojekt über Ausschüttungsverzichte – also aus Rücklagen der Gesellschaft – zu „finanzieren", bedarf es deshalb zunächst einer Änderung des Gesellschaftsvertrages mit der dafür erforderlichen Mehrheit. Ein Gewinnverwendungsbeschluss mit einfacher Mehrheit reicht nicht aus, um Gewinne den Kommanditisten zu entziehen. Weder die Gesellschafterversammlung noch der Beirat sind in der Lage, einer Ausschüttung an Dritte zuzustimmen: Die für viele Publikum-KGs vereinbarte „Ausschüttungsautomatik" verhindert aus gutem Grund, dass Gewinne anders als zu Gunsten der Kommanditisten verwendet werden.

4. Keine Nachschusspflicht

In vielen Gesellschaftsverträgen von Publikums-KGs ist eine Negativregelung zur Nachschusspflicht enthalten:

> „Kommanditisten sind über ihren Kapitalanteil hinaus nicht zum Nachschuss verpflichtet."

Diese gesellschaftsvertragliche Bestimmung hat deklaratorischen Charakter und steht im Gegensatz zu § 105 Abs. 1 GenG, der eine Nachschusspflicht

[72] Beispiel: „Der Jahresabschluss ist festgestellt, wenn die Versammlung der Gesellschafter ihn billigt."

[73] Beispiel: „Über diese Ausschüttungen hinausgehende Entnahmen sind mit Zustimmung des Beirats zulässig."

im Insolvenzfall der Genossenschaft anordnet.[74] Damit kann eine Verpflichtung zur Finanzierung des Repowering als Gesellschafterverpflichtung nicht ohne Aufhebung einer solchen Satzungsbestimmung begründet werden, für die meist eine qualifizierte Mehrheit zumindest der anwesenden Kommanditisten-Stimmen (z. B. 75 %) erforderlich sein wird.

Zu prüfen ist, ob ein solches „Nachschussverpflichtungsverbot" auch solche Finanzierungsformen eines Repowerings erfasst, die auf der Basis eines „Ausschüttungsverzichts" – etwa als Ergebnisverwendungsbeschluss mit einfacher Mehrheit – wirksam werden sollen. Monetär laufen solche Beschlüsse auf dasselbe Ergebnis wie eine Nachschusspflicht hinaus, vergleichbar etwa dem früher (aus steuerlichen Gründen) häufig praktizierten „Schütt aus Holzurück"-Verfahren: Der Kommanditist, der sich am Repowering nicht beteiligen möchte, wird (mit einfacher Mehrheit) gezwungen, Betriebsergebnisse der KG zu belassen, die er eigentlich ausgeschüttet haben möchte. Weil dieser Finanzierungsbeitrag allerdings nicht unmittelbar aus dem Vermögen des Kommanditisten stammt, sondern von der Gesellschaft erwirtschaftet wurde, wird man die Erfüllung des Begriffskerns „Nachschuss" wohl nicht bejahen können.

Allerdings kann sich ein solcher Gewinnverwendungsbeschluss als **Umgehung** des Verbotes darstellen, wonach der Kommanditist zu Nachschüssen nicht verpflichtet ist. Insofern handelt es sich nicht um eine Gesetzesumgehung, dessen rechtsgeschäftliche Ausführung meist „Umgehungsgeschäft" genannt wird:[75] Denn eine Nachschusspflicht ist im Recht der Kommanditgesellschaft zwar nicht vorgesehen, aber auch nicht im Sinne von § 134 BGB verboten. Gleichwohl kann eine mit einfacher Mehrheit beschlossene Einbehaltung von Gewinnen mit dem Ziel, diese Mittel als Risikokapital zur Begründung eines neuen Geschäftsfeldes zu nutzen, gegen Sinn und Zweck einer Vorschrift verstoßen, die einen kommanditistenseitigen Nachschuss gerade ausschließt.

Sinn und Zweck einer gesellschaftsvertraglichen Regelung, die eine Nachschussverpflichtung ausschließt, ist es, den Kommanditisten von Risiken freizuhalten, die mit der Eingehung der Kommanditbeteiligung entstehen können; über die gesetzlichen Haftungsrisiken hinaus (vgl. §§ 171 ff. HGB) sollen (weitere) Belastungen gerade nicht entstehen: Wenn eine solche Regelung mit einfacher Gesellschaftermehrheit nicht geändert werden kann, handelt es sich um eine sehr verlässliche Vorgabe, die geeignet ist, risikoaversive Kommanditisten zu einem Beitritt zu bewegen. Das Ziel der Regelung, jedenfalls über die Einlage hinausgehende Beiträge aus dem Vermögen der

[74] Die Satzung kann die Nachschusspflicht ausschließen.

[75] Nachweise zur Rspr. zu den Umgehungsgeschäften bei *Ellenberger*, (o. Fn. 28), § 134 Rdnr. 28 f. sowie § 117 Rdnr. 5.

Kommanditisten auszuschließen, kann mit einer solchen Vorgabe im Regelfall unbeeinträchtigt erhalten bleiben.

Bei einem Beschluss über die Gewinnverwendung, der auf Ausschüttung mit der Maßgabe gerichtet wäre, den ausgeschütteten Betrag unmittelbar wieder an die Gesellschaft zurückzuzahlen, läge wohl ein (rechtsgeschäftlicher) Verstoß gegen den Gesellschaftsvertrag vor. Denn zumindest für eine jur. Sekunde hat der Ausschüttungsbetrag zum Vermögen des Kommanditisten gehört, um dann wieder abzufließen. Damit begründet ein solcher Gesellschafterbeschluss eine Nachschussverpflichtung, obwohl der Kommanditist vermögensmäßig nicht unmittelbar mit der Zahlung belastet wird.

Weil das (anteilige) Ergebnis der KG vor Ausschüttung jedoch noch nicht Bestandteil des Vermögens der Kommanditisten wird, kann die Einbehaltung von Gewinnen nicht als „Nachschuss“ bezeichnet werden. Denn es fehlt die Belastung von Vermögen, das dem Gesellschafter bereits zur Verfügung gestanden hat. Mit dem (einfach mehrheitlichen) Ausschüttungsverzicht verliert der Kommanditist zwar einen Anspruch, nicht jedoch Eigentum im zivilrechtlichen Sinne. Ein Vermögensvergleich vor und nach einem gegen den Willen des Kommanditisten beschlossenen Ausschüttungsverzicht zeigt, dass die Veränderung des Vermögens dieses Kommanditisten null beträgt. Eine Umgehung des „Nachschussverbots“ liegt deshalb nicht vor, so dass ein solcher Gewinnverwendungsbeschluss nicht gegen die Nachschuss-Ausschlussklausel im Gesellschaftsvertrag verstößt.

5. Schlussfolgerungen

Insgesamt betrachtet sprechen jedoch die vorstehenden Überlegungen dafür, dass ein mit der Aufbringung neuen Eigenkapitals verbundenes Repowering durch Neuerrichtung von Anlagen – auf derselben oder auf einer neuen Fläche – den durch das alte Projekt **konkretisierten Gesellschaftszweck** verlässt und im Zweifel eine Änderung des Gesellschaftsvertrages verlangt, § 119 Abs. 1 HGB in Verbindung mit dem KG-Vertrag (z. B. Dreiviertel-Mehrheit). Sieht der KG-Vertrag eine niedrigere Schwelle vor (z. B. qualifizierte Mehrheit), muss über ein Repowering mit dieser Mehrheit entschieden werden und der Gesellschaftsvertrag entsprechend geändert werden. Hierbei ist allerdings zu bedenken, dass durch einen solchen Beschluss auch diejenigen Kommanditisten eingebunden werden, die kein Geld mehr in neue Projekte investieren wollen. Im Zweifel ist deshalb diejenige **Mehrheit erforderlich**, die allgemein im (Kapital-)Gesellschaftsrecht für **Kapitalerhöhungen** maßgeblich ist (75%); ein bloßer Gewinnverwendungsbeschluss – mit einfacher Mehrheit – wird regelmäßig nicht ausreichen, zumal sowohl „Ausschüttungen“ als auch „Entnahmen“ nur zu Gunsten von Gesellschaftern möglich sind.

Eine „Aufspaltung" der KG in investitionsinteressierte und -desinteressierte Kommanditisten dürfte selbst dann nicht in Betracht zu ziehen sein, wenn dies auf den Kapitalkonten erfasst würde, die für die Kommanditisten von der Gesellschaft geführt werden.[76] Dies dürfte auf der Basis des alten Gesellschaftsvertrages zudem nur schwierig zu realisieren sein; denn es entstünde eine „Zwei-Klassen-Gesellschaft" von Kommanditisten mit unterschiedlichen Rechten und Pflichten. Weil es anders als bei bestimmten Kapitalgesellschaften nicht vorgesehen ist, die mit einer Kapitalerhöhung (unter Verwässerungsgefahr für die Altanteile) nicht einverstandenen Gesellschafter aus der Gesellschaft zu drängen und abzufinden, spricht alles für eine Neugründung, an der sich interessierte Anleger zu beteiligen vermögen. Dies wird jedoch in vielen Fällen nicht ohne einen Verkaufsprospekt zu realisieren sein, der die Risiken des Nachfolgeprojekts exakt und konform zum neuen Recht beschreibt.

V. Zusammenfassung in Thesen

1. In der Vergangenheit sind Projektgesellschaften zum Betrieb von Windenergieanlagen meist als Publikums-Kommanditgesellschaften organisiert gewesen, wenn es den Projektentwicklern (Initiatoren) darum ging, das erforderliche Eigenkapital einzuwerben. Zum Ende des Förderzeitraums des EEG nach höchstens 21 Jahren werden Interessendivergenzen zwischen Altanlegern und früheren Initiatoren meist deutlich zu Tage treten, wenn es um die Frage geht, mit diesem (oder einem anderen) Projektträger und in welcher Rechtsform das Projekt fortzusetzen, sog. Repowering.

2. Als die heutigen Kommanditisten (Altanleger) der KG beitraten, akzeptierten sie ein mit dem Kapitalanlage-Verkaufsprospekt offen gelegtes Vertragsportfolio aus Gesellschaftsvertrag, Flächennutzungs- und Betriebsführungsverträgen sowie eine Geschäftsführung, die die Initiatoren eingesetzt hatten. Über die Komplementär-GmbH waren die Gründer weiterhin in der Lage, das Projekt zu steuern, Wartungs- und Reparaturverträge abzuschließen und die Betriebsführung „im eigenen Haus" zu halten. Um weiter Geld zu verdienen, ist das Interesse der Initiatoren naturgemäß darauf gerichtet, auf Projektflächen neue Anlagen zu errichten und die Betriebsführung zu übernehmen.

[76] Ein Kommanditist könnte allerdings (individuell) seinen Gewinnanteil ganz oder teilweise auf dem variablen Kapitalkonto stehen lassen und dessen Verwendung zu Repoweringzwecken anordnen. Mit dem „Schütt aus Hol zurück-Verfahren" steht zudem eine anerkannte Finanzierungsmöglichkeit zur Verfügung.

3. Die **Interessenlage der Altanleger** kann derart pauschal nicht beschrieben werden: In Abhängigkeit von den Erfahrungen mit der derzeitigen Projektsteuerung, der Risikoeinschätzung hinsichtlich Betriebszulassung und Ausschreibungsverfahren, Dominanz konkurrierender Bewerber sowie Lebensalter der Altanleger werden sie ein Repowering nicht uneingeschränkt unterstützen wollen. Der Beirat der alten Projektgesellschaft kann für die Gesellschaft nachteilige Entscheidungen nur verhindern, nicht aber in das operative Geschäft eingreifen.

4. Viele Altanleger werden sich nur dann zu einem Repowering entschließen wollen, wenn sie mehr Einfluss auf die tragenden Grundentscheidungen erlangen können (Auswahl der Anlagen und des Generalunternehmers, Ausschreibung der Dienstleistung der Betriebsführung). Dies ist mit der Publikums-KG nicht möglich; schon die bloße Beendigung einer Altgesellschaft, um einen verlustreichen Weiterbetrieb der alten Anlagen zu vermeiden, bereitet gesellschaftsvertraglich erhebliche Schwierigkeiten. Auch ein Ausschluss der Komplementär-GmbH mit dem Ziel, eine Projektfortsetzung zu verhindern, dürfte im Regelfall kaum durchführbar sein.

5. Um die **„Fesselung“** der Altanleger/Kommanditisten an ihre auf unbefristete Zeit eingegangene Projektgesellschaft für den Fall zu **beenden**, dass zukünftige Betriebsverluste zu befürchten sind, ist zu prüfen, ob durch außergesellschaftsrechtliche Faktoren – Ablauf des Förderzeitraums, Auslaufen der Nutzungsverträge, Ende der Betriebszulassung sowie bezogen auf die Projektbeschreibung im Kapitalanlageprospekt – eine „natürliche Beendigung“ der Gesellschaft eintritt, z. B. wegen Erreichens des Gesellschaftszwecks.

6. Eine Verbindung des **Endes der EEG-Förderung** nach (höchstens) 21 Jahren mit dem Ende des Gesellschaftsverhältnisses kommt über das Rechtsinstitut vom Wegfall der Geschäftsgrundlage schon deshalb nicht in Betracht, weil das Förderende wegen seiner gesetzlichen Regelung für alle Gesellschafter vorhersehbar gewesen ist und deshalb im Vertrag selbst hätte Anklang finden können und müssen. Eine Sonderkündigung wegen „Zweckerreichung“ hat deshalb auszuscheiden.

7. Zu den häufig **befristeten Pacht- und Nutzungsverträgen**, die die Aufstellung der Anlagen auf landwirtschaftlichen Grundstücken rechtlich regeln, besteht weder ein (unmittelbarer) Geschäftszusammenhang noch bilden sie die Geschäftsgrundlage des Gesellschaftsvertrages. Offensichtlich ist es schon dogmatisch ausgeschlossen, die Existenz der Kommanditgesellschaft und damit das Entstehen oder Erlöschen eines Rechtsstatus an einen Austauschvertrag zu binden, weil dies die Statuserhaltung in fast beliebiger Weise an das Schicksal des Austauschvertrages koppeln würde.

8. Windenergieanlagen unterliegen in Abhängigkeit von ihrer Höhe und ihrer Anzahl am Standort dem Anlagenzulassungsrecht des Bundes (UVP-Gesetz und BImSchG). Der Wegfall dieser Genehmigung bzw. das Erfordernis einer Neuerteilung berührt die Gesellschaft ganz erheblich; gleichwohl bildet die Existenz der Genehmigung keine immanente Schranke für den Status der Gesellschaft (in der Art einer Geschäftsgrundlage), weil es den Gesellschafter überlassen bleiben muss, ob sie an der Projektträgerschaft festhalten oder nicht.

9. Der für das Erstprojekt maßgebliche (historische) Kapitalanlage-Verkaufsprospekt (VermögensanlagenG; früher: VerkaufsprospektG) konkretisiert den Gesellschaftszweck der Projektgesellschaft lediglich als „Binnenschranke“ der Geschäftstätigkeit der Komplementärin, wirkt sich aber nicht im Außenverhältnis der Gesellschaft zu Dritten in begrenzender Weise aus. Solange eine Kapitaleinwerbung für Repoweringprojekte das Internum der Gesellschafter nicht verlässt, wendet sich die Geschäftsführung nicht an ein „Publikum“, so dass ein (neuer) Verkaufsprospekt nicht erforderlich ist.

10. Der Begriff **Bürgerenergiegesellschaft** ist dem Förderrecht des EEG entlehnt und bezieht sich nicht auf eine Rechtsform sui generis. Bei Ausschreibung (§§ 28 ff. EEG 2017) werden lokal ansässige natürliche Personen mit Wohnsitz im Landkreis des Anlagenstandorts bevorzugt, wenn sie zusammen die in beliebiger Rechtsform errichtete Gesellschaft zu dominieren (51 %), aber nicht mehr als je 10 % der Stimmrechte auszuüben in der Lage sind. Das Privileg einer Bürgerenergiegesellschaft besteht insbesondere darin, zu jedem Gebotstermin den besten Zuschlagswert zu erhalten.

11. Auch eine **Genossenschaft** vermag – auch als Bürgerenergiegesellschaft – Geschäfte über leitungsgebundene Energie zu tätigen. Ihre strikt demokratische Verfassung schließt eine Beherrschung durch Initiatoren und Großunternehmen aus und bietet neuerdings den Vorteil, über die Einwerbung von Mitgliederdarlehen auch größere Projekte mittels Eigenkapital zu finanzieren, ohne als Kreditinstitut oder Investmentvermögen registriert zu sein, wenn dabei nicht mehr als 2,5 Mio. € eingeworben werden und das Einzeldarlehen je Mitglied 25.000,– € nicht übersteigt.

12. Die aufgezeigten rechtlichen Neuerungen im EEG-Förderrecht sowie im Recht der Kapitalanlage sind geeignet, das Ende der Publikums-KG als der in der Vergangenheit beliebtesten Projektgesellschaft für Anlagen zur Erzeugung von Strom aus erneuerbaren Energien einzuleiten. Zudem sind die Anleger in zunehmendem Umfang nicht mehr bereit, sich den Entscheidungen einer Komplementär-GmbH auszuliefern, die den Willen der Initiatoren des Projekts zu vollziehen geeignet sind und deren Interessen bedienen. Sowohl Kapitalanlagerecht als auch Genossenschaftsrecht sind vom Gesetz-

geber so geändert worden, dass bürgerschaftliche Initiativen bestmöglich – auch im Geschäftsbereich erneuerbare Energien – gefördert werden.

13. Der Wunsch der Entwickler und Initiatoren von jetzt auslaufenden EEG-Förderprojekten ist verständlicherweise darauf gerichtet, solche Altprojekte über ein Repowering bestmöglich in die Zukunft zu verlängern, das Projekt zu entwickeln sowie erneut Geschäftsleitung und Betriebsführung gegen Entgelt zu übernehmen. Die damit verbundene Perpetuierung der Publikums-KGen wird den Interessen der Anleger sowie dem Förderzweck des § 1 EEG 2017 häufig zuwiderlaufen, weil jene Fortsetzungsversuche den Wettbewerb um die besten Anlagen, die beste Wartung und die kompetenteste Betriebsführung potentiell zu verhindern geeignet sind.

14. Eine Finanzierung des Repowerings aus der Altgesellschaft heraus wird häufig am fehlenden Kapital, steuerrechtlichen Nachteilen dieser Finanzierung (Finanzierung aus versteuerten Gewinnen), verweigerter Zustimmung des Beirats sowie fehlender qualifizierter Mehrheit im Hinblick auf eine Kapitalerhöhung aus Mitteln der Gesellschafter scheitern. Ein mit einfacher Mehrheit gefasster Gewinnverwendungsbeschluss wird im Regelfall nicht ausreichen, zumal viele Gesellschaftsverträge von Publikums-KGen eine Ausschüttung/Entnahme zu Gunsten Dritter nicht vorsehen; vielmehr ergibt sich die Ausschüttung quasi automatisch, wenn die Gesellschafterversammlung über den Jahresabschluss (und damit den Gewinn) entschieden hat, ohne dass darüber Beschluss gefasst werden muss, was dem Schutz von Minderheiten dient.

15. Ein Ausschüttungsverzicht mit dem Ziel, Kapital für eine (mit Zustimmung des Beirats errichtete) Tochtergesellschaft bereit zu stellen, stellt sich zwar nicht als (meist explizit ausgeschlossene) Nachschusspflicht, wohl aber als verkappte Kapitalerhöhung dar, die mit einer den Gesellschaftsvertrag ändernden qualifizierten Mehrheit beschlossen werden muss (meist 75%). Zudem verbieten es gesellschaftsrechtliche Treuepflicht sowie das Diskriminierungsverbot, eine Minderheit der Gesellschafter zur Finanzierung eines neuen Projektes durch bloßen Gewinnverwendungsbeschluss mit zu verpflichten, an dem diese nicht teilhaben wollen.

16. Die das Risiko schulternde neue Gesellschaft wird zukünftig häufig eine Bürgerenergiegesellschaft in der Rechtsform der Genossenschaft sein. Denn diese Rechtsform spiegelt eine demokratisch verfasste Gesellschaft von gleichen Bürgerinnen und Bürgern am besten wider und vermeidet zugleich die Einstufung als Investmentvermögen im Sinne des Kapitalanlagegesetzbuches sowie eine „Fesselung“ an nicht den Zielen aller Investoren verpflichtete Projektinitiatoren.

C. Recht der Leitungsnetze und der Netzregulierung

Aneignungsrecht der Gemeinden an Fernwärmenetzen bei Auslaufen von Wegenutzungsverträgen?

Torsten Körber*

I. Ausgangspunkt

Unter den vielen Bereichen des Energierechts, zu deren Fortentwicklung der Jubilar beigetragen hat, gehört auch das Recht der Fernwärme.[1] Auf diesem Gebiet ist seit einigen Jahren insbesondere die Frage virulent, ob Fernwärmenetze, ebenso wie dies bei den Strom- und Gasnetzen nach § 46 EnWG der Fall ist, regelmäßig ausgeschrieben werden müssen oder ausgeschrieben werden dürften. Viele Gemeinden sehen hierin eine Chance, im Wege einer Rekommunalisierung die Fernwärmenetze an sich zu bringen oder jedenfalls Profit daraus zu ziehen. Die Rechtslage ist insoweit immer noch unklar. Es existiert eine Gemengelage aus Vertragsrecht und Kartellrecht, Straßenrecht, Vergaberecht und EU-Recht. Insbesondere stellt sich die Frage, ob und ggf. auf welcher Rechtsgrundlage sich die Kommunen bei Auslaufen zeitlich befristeter „Konzessionsverträge“ – bei denen es sich in Wirklichkeit freilich um einfache Wegenutzungsverträge (auch: Gestattungsverträge), d. h. regelmäßig um schlichte Mietverträge über die Nutzung des Straßengrundes für die Verlegung von Leitungen, handelt[2] – die Fernwärmenetze samt zugehöriger Anlagen aneignen und diese dann ggf. ausschreiben dürfen. Dazu gibt es jetzt auch eine erste Entscheidung. Im Sommer 2017 hat das VG Berlin (zu Recht) entschieden, dass das Land Berlin keinen solchen Anspruch gegen Vattenfall auf Übertragung des Vattenfall-Fernwärmenetzes nach Ablauf des

* Inhaber des Lehrstuhls für Bürgerliches Recht, Kartell- und Regulierungsrecht, Recht der digitalen Wirtschaft und Direktor des Instituts für Energiewirtschaftsrecht der Universität zu Köln.

[1] Vgl. nur, als Beispiele unter vielen, *Büdenbender*, Zulässigkeit von Fernwärmeversorgungsverträgen nach § 315 BGB, 2005; *ders.*, Die kartellrechtliche Kontrolle der Fernwärmepreise, 2012.

[2] Vgl. *BGH*, 20.2.1992, III ZR 193/90, NJW-RR 1992, 780, 781 (zu Stromleitungen); *BGH*, 8.7.1993, III ZR 146/92, NJW 1993, 3131, 3132 (für Erdöl- und Salzwasserleitungen); eher in Richtung eines Vertrages sui generis *BGH*, 24.1.2003, V ZR 175/02, NJW-RR 2003, 953, 954 und *BGH*, 5.6.1991, XII ZR 180/90, RdE 1991, 212, 213.

Wegenutzungsvertrages hat.[3] Den damit zusammenhängenden Fragen soll im Folgendem nachgespürt werden.

II. Die Entscheidung des VG Berlin

Das VG Berlin hatte über eine Klage zu entscheiden, mittels derer das Land Berlin u.a. begehrte, festzustellen, dass Vattenfall verpflichtet sei, ihm das Eigentum an den Fernmeldeverteilungsanlagen zu übereignen und dass die Fernwärmeverträge mit den Kunden der Vattenfall auf das Land übergingen, nachdem der als „Konzessionsvertrag“ bezeichnete Wegenutzungsvertrag abgelaufen war. Das VG lehnte die Klage vollumfänglich ab. Im Vertrag selbst fand das VG keine Grundlage für die vom Land Berlin behaupteten Übertragungsansprüche. Der ursprüngliche Vertrag aus dem Jahre 1995 hatte zwar eine Endschaftsklausel enthalten, welche sich auf die Elektrizitäts- und Fernwärmenetze bezog, aber bereits für sich genommen nicht eindeutig gewesen war. In zwei Ergänzungsvereinbarungen aus dem Jahre 2006 war sogar klar zwischen dem Strombereich und dem Strom- und dem Fernwärmebereich unterschieden worden. Eine Endschaftsbestimmung fand sich darin nur noch für Energieversorgungsanlagen. Die Nutzung des öffentlichen Straßenlandes für Fernwärmeleitungen wurde dagegen in einer separaten Regelung als schlichte Sondernutzung nach dem Berliner Straßengesetz (BerlStrG) geregelt.[4]

Trotzdem hatten die Prozessvertreter des Landes Berlin im Verfahren behauptet, die Endschaftsklausel beziehe sich auch auf die Fernwärmenetze bzw. es bestehe jedenfalls eine Regelungslücke, weil sich aus der Sondernutzungsregelung in § 12 Abs. 2 BerlStrG aus verschiedenen Gründen kein Anspruch auf Nutzung des gesamten Berliner Straßenlandes für Fernwärmeleitungen, schon gar kein „Ewigkeitsrecht“, ableiten lasse. Diese Lücke sei durch ergänzende Vertragsauslegung zu füllen. Außerdem meinten sie, einen Übertragungsanspruch auch aus § 1004 BGB bzw. §§ 552 Abs. 1, 997 Abs. 2 BGB ableiten zu können.[5]

Auch diese Argumente wies das VG Berlin zu Recht zurück.[6] Das Gericht sah in § 12 Abs. 2 BerlStrG sehr wohl eine ausreichende Grundlage für ein dauerhaftes Wegenutzungsrecht in Bezug auf ganz Berlin und verwies in diesem Zusammenhang auch auf die Gesetzgebungsgeschichte, nach der die Neufassung der Norm im Jahre 1999 gerade Unterschiede hinsichtlich

[3] *VG Berlin*, 30.6.2017, Az. 4 K 16.15, ECLI:DE:VGBE:2017:0630.VG4K16.15.00, juris = CuR 2017, 114.

[4] Dazu *VG Berlin* (o. Fn. 3), Rdnr. 3 ff.

[5] Dazu *VG Berlin* (o. Fn. 3), Rdnr. 18 ff.

[6] *VG Berlin* (o. Fn. 3), Rdnr. 66 ff.

der Befristungsmöglichkeiten bei Sondernutzungen ausräumen und einen allgemeinen unbefristeten Anspruch ermöglichen wollte. Vor diesem Hintergrund hätte im vorliegenden Fall schon 2006 gar keine Befristung mehr erfolgen dürfen, sondern die Sondernutzung – wie bei den rund 40 anderen Fernwärmeversorgungsunternehmen (FVU) auch – unbefristet erfolgen müssen. Die Regelung stand daher nach Auffassung des Gerichts sogar einem Recht des Landes Berlin entgegen, in regelmäßigen Abständen neu über das Schicksal des Fernwärmenetzes zu entscheiden.[7] Weder das GG noch das Europarecht geboten vorliegend eine andere Sichtweise: Eine Berufung auf den Grundsatz kommunaler Selbstverwaltung in Art. 28 Abs. 2 GG scheidet (selbst wenn sich ein Bundesland darauf berufen kann) schon deshalb aus, weil diese Norm keine Rechte gegenüber privaten Unternehmen begründet.[8] Das Transparenzgebot des EU-Dienstleistungskonzessionsrechts war in Ermangelung einer Dienstleistungskonzession ebenfalls nicht anwendbar.[9] Schließlich ließ sich ein Übereignungsanspruch auch nicht zivilrechtlich in den „Konzessionsvertrag" hineininterpretieren, weil es dafür bereits an einer Regelungslücke fehlte.[10]

Diesen Ausführungen des VG Berlin ist vollumfänglich beizupflichten. Sie werden, wie nachfolgend gezeigt wird, durch eine Analyse auf der Basis des Kartellrechts und des allgemeinen Zivilrechts weiter untermauert.

III. Kein Recht auf Wiedereinräumung der Wegenutzungsrechte?

Eine Verpflichtung zur Übertragung der Fernwärmenetze, der zugehörigen Anlagen und ggf. sogar der Kundenbeziehungen an eine Kommune setzt – unbeschadet der Frage nach der insoweit einschlägigen Rechtsgrundlage – jedenfalls voraus, dass das bisher berechtigte FVU für die Zukunft kein Wegenutzungsrecht mehr beanspruchen kann.[11] Sie kommt, anders gewendet, nur dann in Betracht, wenn der bisherige Wegenutzungsvertrag bzw. die bisherige Sondernutzungserlaubnis ausläuft und zusätzlich auch kein Anspruch auf eine erneute Einräumung des Wegenutzungsrechts besteht. Hätte das bisherige FVU nämlich einen solchen Anspruch, so könnte mit dem Auslaufen der bisherigen Regelung begründeten Ansprüchen der Einwand unzulässiger Rechtsausübung (*dolo agit qui petit, quod statim redditurus est*) entgegengehalten werden.

[7] *VG Berlin* (o. Fn. 3), Rdnr. 109 f.

[8] *VG Berlin* (o. Fn. 3), Rdnr. 113.

[9] *VG Berlin* (o. Fn. 3), Rdnr. 123 ff.; dem VG zustimmend *Hofmann*, jursPR-VergR 11/2017, Anm. Nr. 4.

[10] *VG Berlin* (o. Fn. 3), Rdnr. 115 ff.

[11] So auch *Riedel/Albrecht*, EWeRK 2016, 190, 191.

1. Straßenrechtlicher Anspruch auf Einräumung einer Sondernutzungserlaubnis

Ein Anspruch auf ein Wegenutzungsrecht kann sich einerseits aus straßenrechtlichen Regelungen (in Berlin aus der Sondernutzungsregelung des § 12 Abs. 2 BStrG) und andererseits aus kartellrechtlichen Überlegungen ergeben. Zu § 12 Abs. 2 BStrG ist zwar auch in der Literatur vereinzelt behauptet worden, die Regelung betreffe nur die Nutzung einzelner Straßenzüge, nicht aber ganzer Stadtteile oder gar des ganzen Stadtgebietes.[12] Doch wurde diese These durch das VG Berlin überzeugend widerlegt. Im Gegenteil spricht § 12 Abs. 2 BStrG danach sogar für die Verpflichtung, eine umfassende und zeitlich unbegrenzte Sondernutzungserlaubnis zu erteilen.[13]

2. Kartellrechtlicher Anspruch auf Einräumung eines einfachen Wegenutzungsrechts

Das Kartellrecht als höherrangiges Bundesrecht steht dieser Interpretation nicht entgegen, sondern stützt sie. Kartellrechtliche Grundlage für einen Anspruch auf Einräumung von Wegenutzungsrechten für neue Fernwärmenetze oder für eine Erweiterung bestehender Netze sind §§ 33, 19 GWB. Die Gemeinden handeln beim Abschluss von Wegenutzungsverträgen nach ständiger Rechtsprechung als Unternehmen i.S.d. Kartellrechts.[14] Der sachlich relevante Markt ist der Markt für die Einräumung von Wegenutzungsrechten an öffentlichem Straßengrund. Räumlich umfasst dieser Markt das Gebiet der jeweiligen Gemeinde, auch wenn sich die konkrete Nachfrage im Einzelfall regelmäßig nur auf ein bestimmtes Teilgebiet der Gemeinde (z. B. ein Neubaugebiet) erstreckt. Die Gemeinden verfügen auf dem „Markt für die Einräumung von Wegenutzungsrechten an öffentlichem Straßengrund" aufgrund ihres Eigentums am Straßengrund über eine marktbeherrschende

[12] So *Riedel/Albrecht* (o. Fn. 11), 194 f.

[13] Vgl. *VG Berlin* (o. Fn. 3), Rdnr. 109 f. (unbefristet), Rdnr. 118 (räumlich unbegrenzt); dem VG mit Blick auf die Anwendung des § 12 Abs. 2 BStrG zustimmend auch *Sauer*, IR 2018, 4, 8. Der in diesem Zusammenhang von *Riedel/Albrecht* (o. Fn. 11), 195 angeführte Vergleich mit § 46 Abs. 1 und Abs. 2 EnWG ist demgegenüber nicht nachvollziehbar. Die Regelung betrifft erstens einen ganz anderen Sachverhalt (explizit nur Strom- und Gasnetze), zweitens sind Wegenutzungsrechte für die Verlegung von Fernwärmeleitungen immer einfache Wegenutzungsrechte (vergleichbar den Rechten nach § 46 Abs. 1 EnWG), und drittens ist die Aussage der Autoren, dass die Entscheidungsfindung aufgrund der größeren Bedeutung „den gemeindlichen Gremien und nicht einzelnen Behörden" vorbehalten sein müsste, eine bloße und in der Sache unzutreffende Behauptung, für die sich weder BerlStrG noch im sonstigen Recht ein Anhaltspunkt findet.

[14] Z. B. *BGH*, 17.12.2013, KZR 66/12, NVwZ 2014, 807 – Stromnetz Berkenthin mit Verweis auf BGH, 15.4.1986, KVR 6/85, WuW/E BGH 2247, 2249 – Wegenutzungsrecht und BGH, 11.3.1997, KZR 2/96, RdE 1997, 198 – Erdgasdurchgangsleitung. S. auch § 130 Abs. 1 S. 1 GWB.

Stellung im Sinne eines Wegemonopols. Dieser Marktabgrenzung ebenso wie der Annahme einer marktbeherrschenden Stellung hat sich auch der BGH in mittlerweile ständiger Rechtsprechung angeschlossen.[15] Sie ist zutreffend, zumal es praktisch undenkbar ist, ein Fernwärmenetz zu verlegen, ohne dass zumindest *auch* kommunaler Grund gequert oder in sonstiger Weise genutzt wird.[16] Die Gemeinden sind in Bezug auf die Wegenutzungsrechte daher unzweifelhaft Normadressaten des § 19 GWB.[17]

Als solche unterliegen sie dem Behinderungs- und Diskriminierungsverbot des § 19 Abs. 1 i.V.m. § 19 Abs. 2 Nr. 1 GWB. Das Regelbeispiel des § 19 Abs. 2 Nr. 1 GWB verbietet es marktbeherrschenden Unternehmen, andere Unternehmen unmittelbar oder mittelbar unbillig zu behindern oder ohne sachlich gerechtfertigten Grund unmittelbar oder mittelbar anders zu behandeln als gleichartige Unternehmen. Daraus folgt zugleich eine Verpflichtung der Gemeinden, FVU nicht unbillig zu behindern oder gegenüber anderen Zugangspetenten ohne sachlich gerechtfertigten Grund anders zu behandeln, also zu diskriminieren, wenn diese die Einräumung von Wegenutzungsrechten begehren.[18]

Wurde bereits einem anderen FVU ein Wegenutzungsrecht eingeräumt, ist § 19 Abs. 1 Nr. 1 GWB in Gestalt des kartellrechtlichen Diskriminierungsverbots einschlägig. Die Gemeinde muss daher grundsätzlich auch jedem anderen FVU ein Wegenutzungsrecht einräumen und kann dieses nur aufgrund besonderer sachlicher Rechtfertigungsgründe verweigern. Aber auch gegenüber dem FVU, welches als erstes ein Wegenutzungsrecht begehrt, ist die Gemeinde in ihrer Entscheidung aus der Warte des Kartellrechts nicht frei. Ohne ein Wegenutzungsrecht ist es FVU unmöglich, Fernwärmeleitungen zu verlegen und diese zur Versorgung ihrer Kunden zu nutzen. Ein FVU, dem ein Wegenutzungsrecht verweigert wird, wird dadurch mithin offensichtlich in seinen Wettbewerbschancen beeinträchtigt. Eine solche Behinderung ist durch § 19 Abs. 2 Nr. 1 GWB verboten, sofern die Verweigerung „unbillig" ist. Die Frage, wann eine solche Unbilligkeit anzunehmen ist, ist mit Blick auf den Zugang zu wesentlichen Einrichtungen genauer in § 19 Abs. 2 Nr. 4 GWB geregelt. Beim öffentlichen Straßengrund handelt es sich um eine wesentliche Einrichtung im Sinne dieser Norm, weil seine Nut-

[15] *BGH*, 6.11.2012, KVR 54/11, NVwZ-RR 2013, 604 Tz. 17 – Gasversorgung Ahrensburg mit Verweis auf BGH, 11.11.208, KZR 43/07, NVwZ-RR 2009, 596 Tz. 15 ff. – Neue Trift.

[16] So zu Recht *Fricke*, RdE 2009, 329, 334.

[17] S. neben den in Fn. 14 und 15 zitierten BGH-Entscheidungen und Literaturquellen insbesondere *Haellmigk/Wippich*, RdE 2011, 248, 250 ff.; insoweit wie hier auch *Riedel/Albrecht* (o. Fn. 11), 192; *Sauer* (o. Fn. 13), 5.

[18] *BKartA*, Sektoruntersuchung Fernwärme, Rdnr. 254; s. auch *Reidt*, RdE 2012, 265, 271; *Körber*, RdE 2012, 372, 374; *Haellmigk/Wippich* (o. Fn. 17), 250; *Topp*, EHP 4/2013, 21, 23.

zung für die Verlegung von Leitungen, wie wir gesehen haben, unverzichtbar ist. Der Zugang in Form der Einräumung von Wegenutzungsrechten kann danach nur ausnahmsweise (und unter Beachtung des Diskriminierungsverbots) verweigert werden, wenn die Gemeinde nach § 19 Abs. 2 Nr. 4, 2. Halbsatz GWB nachweisen kann, dass die Wegenutzung durch das FVU nicht möglich oder der Gemeinde nicht zumutbar ist. Das dürfte in Bezug auf die Einräumung von Wegenutzungsrechten in der Praxis kaum begründbar sein, denn hinreichender Platz ist – wenn nicht neben, so doch jedenfalls unter bereits verlegten Leitungen – stets vorhanden. Engstellen können zudem regelmäßig durch eine alternative Trassenführung umgangen werden.[19]

Dessen unbeschadet obliegt die Entscheidung über die ökonomische Sinnhaftigkeit einer Verlegung weiterer Leitungen oder des Betriebs eines weiteren Fernwärmenetzes neben einem bereits bestehenden Fernwärme- oder Gasnetz nicht der Gemeinde, sondern den FVU, die allein das wirtschaftliche Risiko tragen. Da die Einräumung von Wegenutzungsrechten auf straßen- oder privatrechtlicher Basis erfolgt und der Kontrolle des Kartellrechts unterliegt, darf sie insbesondere auch nicht als Instrument der Energiepolitik oder der Verfolgung eigener wirtschaftlicher Interessen eingesetzt werden. Die Gemeinde kann sich zur Rechtfertigung einer Wegerechtsverweigerung daher nicht darauf berufen, dass sie bereits einem anderen Unternehmen das exklusive Recht zur Verlegung von Leitungen für das betreffende Gebiet eingeräumt habe. Eine solche ausschließliche Rechtseinräumung wäre wegen Verstoßes gegen die gesetzlichen Verbote der §§ 1 und 19 GWB in Verbindung mit § 134 BGB nichtig.[20] Vor diesem Hintergrund kann eine Zugangsverweigerung schließlich erst recht nicht durch die Absicht der Gemeinde gerechtfertigt sein, ein eigenes kommunales Wärmenetz auf- oder ausbauen zu wollen bzw. ein eigenes, bereits am Markt tätiges kommunales FVU (oder Gasversorgungsunternehmen) vor Wettbewerb zu schützen und auf diese Weise die kommerziellen Interessen der Gemeinde abzusichern.[21] Die Gemeinde genießt in Bezug auf eigene bzw. durch Tochtergesellschaften betriebene Wirtschaftstätigkeiten aus der Warte des Kartellrechts keiner-

[19] Vgl. auch *Reidt* (o. Fn. 18), 271.

[20] Vgl. *Büdenbender*, FS Kühne, 2011, S. 101, 106 (zu Konzessionsverträgen); *Haellmigk/Wippich* (o. Fn. 17), 249 und *Fricke*, in: Hempel/Franke (Hrsg.): Recht der Energie- und Wasserversorgung, 121. Lieferung 2015, § 8 AVBFernwärmeV Rdnr. 81 (für Fernwärme-Gestattungsverträge). Nichts Anderes gilt für bisweilen in Wegenutzungsverträgen anzutreffende Klauseln, durch welche sich Gemeinden das Recht eingeräumt haben, über die „Fernwärmewürdigkeit“ bestimmter Gebiete und damit den Netzausbau in diesen Gebieten zu entscheiden und damit effektiv den Wettbewerb durch FVU auszuschließen. Für solche Klauseln fehlt nicht nur jede Rechtsgrundlage. Sie behindern auch den Wettbewerb, indem sie ohne sachlich gerechtfertigten Grund den Marktzutritt versperren. Sie verstoßen damit sowohl gegen § 1 GWB als auch gegen § 19 GWB und sind nach § 134 BGB nichtig.

[21] Ebenso zu Recht *Haellmigk/Wippich* (o. Fn. 17), 251 f. und 253 f.

lei Privilegien (etwa im Sinne eines „Konzernprivilegs"), sondern unterliegt im Gegenteil sogar besonders strengen Bindungen, wie der BGH in der Entscheidung *Kommunaler Schilderprägerbetrieb* unterstrichen hat.[22] Im Ergebnis ist festzuhalten, dass eine (Wieder-)Einräumung eines Wegenutzungsrechts für die Verlegung von Fernwärmeleitungen nicht nur (z. B. in Berlin) straßenrechtlich, sondern auch (bundesweit) kartellrechtlich geboten erscheint.

IV. Ausschreibungspflicht statt Recht auf Wiedereinräumung?

Den vorstehenden kartellrechtlichen Wertungen wird in der Literatur entgegengehalten, auch aus dem Kartellrecht lasse sich kein „ewiges Wegenutzungsrecht" ableiten, vielmehr folge daraus im Gegenteil eine Pflicht der Gemeinde, die Wegenutzungsrechte periodisch neu auszuschreiben.[23] Ausgangspunkt dieser Überlegungen ist einerseits die Annahme, dass eine Knappheitssituation bestehe, weil kein unbegrenzter Raum für Fernwärmeleitungen zur Verfügung stehe,[24] andererseits und vor allem aber der Hinweis, dass es sich für konkurrierende Unternehmen schlichtweg nicht lohne, mit einem bereits etablierten FVU in Konkurrenz zu treten, weshalb dieses – nachdem es das Fernwärmenetz erst einmal errichtet habe – ein faktischer bzw. natürlicher Monopolist sei.[25]

Da § 46 Abs. 2 EnWG, der solche periodischen Ausschreibungen für Strom- und Gasnetze vorschreibt, nach der Intention des Gesetzgebers und ganz h.M. auf Fernwärmenetze weder direkt noch analog anwendbar ist,[26] und auch Vorschriften des Vergabe- oder Dienstleistungskonzessionsrechts ausscheiden,[27] werden dafür kartellrechtliche Regelungen, namentlich § 19 Abs. 2 Nr. 1 GWB[28] bzw. § 19 Abs. 2 Nr. 2 GWB[29] herangezogen. Mit Blick auf die Wegenutzungsrechte ist eine solche Ausschreibungspflicht nach dem Muster der Schilderpräger-Rechtsprechung des BGH jedoch zu vernei-

[22] *BGH*, 24.9.2002, KZR 4/01, NJW 2003, 752, 754 – Kommunaler Schilderprägebetrieb; insoweit zweifelnd *Sauer* (o. Fn. 13), 7 f.

[23] So etwa *Riedel/Albrecht* (o. Fn. 11), 192 ff.; *Sauer* (o. Fn. 13), 6 ff.; *Boos*, IR 2017, 282 f.

[24] Das ist in der Tat eine Frage des Einzelfalls (so auch *Sauer* (o. Fn. 13), 5 f.), wobei allerdings Platzknappheit eher Ausnahme als Regel sein dürfte, dazu *Körber* in: Körber/Kühling (Hrsg.): Ausschreibung von Fernwärmenetzen, 2016, S. 63, 71.

[25] *Riedel/Albrecht* (o. Fn. 11), 192 ff.; *Sauer* (o. Fn. 13), 6 ff.

[26] Vgl. nur RegE, BR-Drucks. 73/16 vom 5.2.16; *BKartA*, 2.4.2012, B8-22/12 – Stadt Hamburg/Vattenfall, Fallbericht, S. 2.

[27] Dazu eingehend *Kühling* in: Körber/Kühling (Hrsg.): Ausschreibung von Fernwärmenetzen, 2016, S. 9 ff.; s. auch *Hofmann* (o. Fn. 9).

[28] *Riedel/Albrecht* (o. Fn. 11), 192 ff.

[29] *Sauer* (o. Fn. 13), 5 ff.

nen. Bei der Wegenutzung handelt es sich, wie wir gesehen haben, in aller Regel nicht um ein knappes Gut. Dem bisherigen Betreiber muss das Wegenutzungsrecht nicht genommen werden, um es dem neuen Interessenten zu geben. Dies gilt auch für ABZ-Gebiete, denn das knappe Gut sind dort nicht etwa die Wegenutzungsrechte, sondern die auf ein bestimmtes (regelmäßig nur einen Teil des Gemeindegebiets umfassendes) Gebiet bezogene, auf öffentlich-rechtlichen Regelungen basierende exklusive Versorgerstellung. Es ist potentiellen Konkurrenten des etablierten FVU unbenommen, neben diesem die Einräumung von Wegenutzungsrechten zu beantragen. Die Gemeinde muss einem solchen Antrag mit Blick auf § 19 Abs. 1 i.V.m. § 19 Abs. 2 Nrn. 1 und 4 GWB grundsätzlich durch Abschluss eines nicht-ausschließlichen Wegenutzungsvertrages zu angemessenen, diskriminierungsfreien Bedingungen entsprechen.

Eine gleichsam „doppelt analoge" Übertragung des Rechtsgedankens des § 46 EnWG, nach dem regelmäßig ein Wettbewerb *um* das Strom- und Gasnetz stattfinden soll, auf das Kartellrecht (durch Anwendung des § 19 GWB) und auf den Fernwärmesektor kommt nicht in Betracht. Dass eine Anwendung des § 46 EnWG auf Fernwärmenetze dem Willen des Gesetzgebers widersprechen würde, ist unstreitig. Aber selbst wenn § 46 EnWG einschlägig wäre, würde die Norm keine Ausschreibung von Wegenutzungsrechten tragen, denn § 46 Abs. 2 EnWG normiert eine Ausschreibungspflicht nur für qualifizierte Wegenutzungsrechte in Bezug auf Netze der allgemeinen Versorgung. Solche Wegenutzungsrechte gibt es im Fernwärmebereich aber nicht.[30] Für die Errichtung von Fernwärmenetzen werden stets nur einfache Wegenutzungsrechte eingeräumt, die den in § 46 Abs. 1 EnWG behandelten Rechten vergleichbar sind. § 46 Abs. 1 EnWG normiert aber gerade keine Ausschreibungspflicht, sondern unterwirft die Gemeinden einem Kontrahierungszwang, aufgrund dessen sie verpflichtet sind, die Wegenutzung grds. jedermann diskriminierungsfrei zu ermöglichen. Diese entspricht dem hier aus § 19 GWB abgeleiteten Befund.

In diesem Zusammenhang ist auch wichtig, dass bei der Fernwärme Erzeugung und Netz als Einheit konzipiert werden. Es gibt (anders als beim Strom) keine „Kupferplatte", über welche überschüssige Wärme in andere Netze abgegeben oder fehlende Wärme aus anderen Netzen bezogen werden könnte.[31] Das Netz kann daher nicht unabhängig von den Erzeugungsanlagen betrachtet werden. Eine Ausschreibung allein des Netzes würde bei der Fernwärme anders als bei Strom und Gas zugleich zu einer weitgehenden Entwertung der Erzeugungsanlagen führen und damit – selbst wenn die Ent-

[30] Dementsprechend gibt es im Fernwärmebereich auch weder eine Netzanschlusspflicht i.S.d. § 18 EnWG noch Grund- oder Ersatzversorgungsverpflichtungen i.S.d. §§ 36, 38 EnWG. Vgl. *Fricke* (o. Fn. 20), Einf. AVBFernwärmeV Rdnr. 41.

[31] Dazu *Körber*, Drittzugang zu Fernwärmenetzen, 2. Aufl. 2015, S. 14 ff.

eignung des Netzes als solches finanziell kompensiert würde – in Konflikt mit Art. 14 GG geraten.

Für den Fernwärmesektor ist zudem bereits die Grundannahme falsch, Wettbewerb lasse sich nur realisieren, indem man einen „Wettbewerb um das Netz" ermögliche. Selbst in ABZ-Gebieten stehen Hauseigentümern heute Alternativen zur Fernwärme zur Verfügung, die ökologisch ähnlich vorteilhaft sind wie die Fernwärme und für die daher Ausnahmen vom ABZ erteilt werden können bzw. sogar erteilt werden müssen (z.B. Nullenergiehäuser, erneuerbare Energien wie die Solarthermie, Luftwärmepumpen oder geothermische Wärmepumpen).[32] In Gebieten ohne ABZ (also im Regelfall) steht die Fernwärme zudem jedenfalls in den Zeitpunkten der Systementscheidung (Erwerb der Heizanlage bzw. deren Erneuerung) im Substitutionswettbewerb mit anderen Energieträgern.[33] Eine Ausschreibung der Fernwärmenetze würde auch nicht das mutmaßliche „natürliche Monopol" beseitigen, sondern lediglich das natürliche Monopol eines FVU durch ein natürliches Monopol eines anderen FVU ersetzen.

Vor allem aber sind die Gemeinden selbstverständlich *nicht* befugt, sich allein aufgrund ordnungspolitischer Zweckmäßigkeitserwägungen an die Stelle des Gesetzgebers oder der Kartellbehörden zu setzen und eine Ausschreibung allein deshalb vorzunehmen, weil sie der irrigen Auffassung sind, es sei wettbewerbs- oder ordnungspolitisch sinnvoll, zusätzlich zum bereits bestehenden (wenn auch oft verkannten) Wettbewerb im Fernwärmesektor noch einen weiteren Wettbewerb um die Fernwärmenetze zu etablieren. Über diese Frage zu entscheiden, ist Aufgabe des Gesetzgebers, der gerade keine dem § 46 Abs. 2 EnWG entsprechende Regelung für die Fernwärme erlassen hat. Die Gemeinden müssen diese Entscheidung akzeptieren, auch wenn sie ihnen nicht gefällt.

Umgekehrt ist es nicht kartellrechtswidrig, sondern wettbewerbskonform, dass das erste FVU, das sich ein Wegenutzungsrecht einräumen lässt und das auf dessen Grundlage ein Fernwärmenetz errichtet, einen Vorsprung vor anderen FVU erlangt, weil sich der parallele Betrieb zweier Fernwärmenetze innerhalb eines Gebiets regelmäßig nicht lohnt. Dieser Vorsprung ist ein wettbewerblicher Vorsprung (*„first mover advantage"*), denn er basiert gerade nicht auf einer Sonderbehandlung seitens der Gemeinde;[34] sondern darauf, dass das FVU die durch den Wettbewerb eröffneten Chancen als ers-

[32] Vgl. BerlKEnR/*Topp*, 3. Aufl. 2014, Einl. KWKG Rdnr. 6.

[33] Vgl. *Büdenbender*, Die kartellrechtliche Kontrolle der Fernwärmepreise, 2011, S. 17 f.; *Körber/Fricke*, N&R 2009, 222, 229; *Fricke* (o. Fn. 20), Einf. AVBFernwärmeV Rdnr. 19.

[34] So zu Recht auch *Reidt* (o. Fn. 18), 272; a.A. *Sauer* (o. Fn. 13), 7, der meint, eine „Sonderbehandlung" resultierte bereits aus der Einräumung des Wegenutzungsrechts, dabei aber verkennt, dass es sich eben nicht um eine besondere (positiv diskriminierende) Behandlung handelt, sondern um die Erfüllung einer staatlichen Pflicht, die genauso gegenüber jedem anderen Unternehmen bestehen würde.

tes erkannt und genutzt hat. Dieses Unternehmen hat die mit der Errichtung einer Fernwärmeversorgung verbundenen Investitionsrisiken auf sich genommen und sich dadurch seinen Vorsprung im Wettbewerb verdient. Das Kartellrecht steht nach einhelliger Meinung nicht Monopolen als solchen entgegen, wenn sie mit wettbewerbskonformen Mitteln erlangt werden, sondern nur dem Missbrauch der daraus resultierenden Marktmacht. Die Feststellung, dass es nicht der Zweck des Kartellrechts sei, Monopolstellungen auf Dauer festzuschreiben,[35] ist zwar als solche sicher richtig. Im hier beschriebenen Kontext, ist sie aber gleichwohl irreführend, weil es hier nicht darum geht, dass die Gemeinde ein Monopol durch Nichtentzug des Wegerechts „festschreibt", sondern umgekehrt um die Frage, ob der Umstand, dass ein Monopol *im Wettbewerb* und ohne eine besondere Bevorzugung durch die Gemeinde entstanden ist, der Gemeinde das Recht gibt, dieses Monopol zu zerschlagen, indem sie dem FVU ein Wegerecht verweigert und sich dessen Eigentum oder sogar Kundenstamm aneignet (und dann auf einen neuen „Monopolisten" überträgt oder sich selbst dazu macht). Diese Frage ist zweifelsohne mit „Nein" zu beantworten. Die Vorstellung, eine Gemeinde könnte sich Büroeinrichtung und Kundenstamm eines Anwalts aneignen (und sie ggf. ausschreiben) nur weil sie diesem für 20 Jahre Büroräume vermietet hat und der Mietvertrag jetzt ausgelaufen ist, wäre offensichtlich absurd. Nichts Anderes gilt für die Vorstellung, die Gemeinde könnte sich Fernwärmenetze, damit verbundene Anlagen und Kundenstamm eines FVU aneignen (und diese ggf. ausschreiben) nur weil sie dem FVU für 20 Jahre ihre Wege vermietet bzw. eine Sondernutzung gestattet hat und diese Gestattung jetzt ausgelaufen ist.

Die in diesem Zusammenhang bisweilen zitierte BGH-Entscheidung *Freistellungsende*[36] zum ehemaligen § 103a Abs. 4 GWB gebietet keine andere Sichtweise.[37] Nach dem früheren § 103a Abs. 4 GWB 1990 sollten die Konzessionsverträge, welche den Unternehmen im Zusammenspiel mit anderen Regelungen ein Gebietsmonopol verschafften, nach spätestens 20 Jahren auslaufen, weil innerhalb der Monopolgebiete damals kein Wettbewerb existierte. Auf diese Weise sollte wenigstens „Wettbewerb um diese Monopolgebiete" ermöglicht werden. Dieser Ansatz wurde später in § 46 Abs. 2 EnWG in Bezug auf qualifizierte Wegerechte fortgeführt. In der zitierten Entscheidung wandte sich der BGH gegen ein Vorgehen, durch welches die durch diese (funktional § 46 Abs. 2 EnWG entsprechende) Norm vorgeschriebene zeitliche Begrenzung des qualifizierten Wegerechts auf 20 Jahre dadurch

35 So *Riedel/Albrecht* (o. Fn. 11), 193; diesen folgend *Sauer* (o. Fn. 13), 7.
36 *BGH*, 7.7.1992, KZR 7/91, NJW 1992, 2888 – Freistellungsende.
37 Anders zu Unrecht *Riedel/Albrecht* (o. Fn. 11), 193; diesen folgend *Sauer* (o. Fn. 13), 6.

umgangen werden sollte, dass man dieses als einfaches Wegerecht fortführte.[38] Diese Situation ist im Fernwärmebereich grundlegend anders, weil hier von vornherein nur einfache Wegerechte existieren, die zudem kraft Gesetzes gerade keiner zeitlichen Begrenzung unterliegen. Eine Berufung auf die Entscheidung *Freistellungsende* würde letztlich darauf hinauslaufen, § 46 Abs. 2 EnWG (im Gewande der Berufung auf den früheren § 103a Abs. 4 GWB) letztlich doch analog auf die Fernwärme anzuwenden[39] und geht daher im hier untersuchten Kontext, wie oben gezeigt wurde, fehl.[40]

Eine Legitimation zur Ausschreibung von Fernwärmenetzen lässt sich schließlich auch nicht aus Art. 28 Abs. 2 GG oder aus einer Pflicht der Gemeinden zur „Daseinsvorsorge" ableiten.[41] Art. 28 Abs. 2 GG betrifft allein das staatsinterne Verhältnis der Gemeinden zu Bund und Land. Die Norm schützt die Kompetenzen der Gemeinden „nach oben" gegenüber den übergeordneten staatlichen Ebenen. Sie weist ihnen aber nach ganz herrschender und richtiger Meinung keine Eingriffsbefugnisse „nach unten", d.h. gegenüber Bürgern oder Unternehmen, zu.[42] Auch der schillernde Begriff der „Daseinsvorsorge" ist hier fehl am Platze. Die Gemeinden sind nicht dazu verpflichtet, ihre Bürger gerade mit Fernwärme zu versorgen (was die meisten ja auch gar nicht tun). Eine Pflicht zur aktiven Daseinsvorsorge durch die Gemeinden könnte allenfalls dann relevant werden, wenn die Versorgung der Bürger mit Wärme an sich gefährdet wäre. Davon kann aber angesichts des intensiven Wettbewerbs verschiedener Wärmeenergieträger und Wärmetechnologien keine Rede sein.[43]

[38] Vgl. *BGH* (o. Fn. 36), S. 2890: „Nach dem Beschluß des Senats, NJW 1986, NJW Jahr 1986 Seite 880 = LM § 1 GWB Nr. 34 = WuW/E BGH 2247 – Wegenutzungsrecht, dürften Verträge nach dem Wegfall der darin enthaltenen Ausschließlichkeitsklausel auch in ihren tatsächlichen Auswirkungen nicht dazu führen, daß eine 20 Jahre überdauernde Bindung herbeigeführt werde".

[39] So im Ergebnis auch *Sauer* (o. Fn. 13), 6, der meint, die Situation im Fernwärmebereich entspreche der in § 46 Abs. 2 EnWG geregelten und müsse daher auch auf kartellrechtlicher Basis entsprechend geregelt werden.

[40] Auf einem anderen Blatt steht, dass es angesichts des vitalen Wettbewerbs im Netz rechtspolitisch zweifelhaft erscheint, ob eine Regelung, die zusätzlich einen (Ausschreibungs-)Wettbewerb „um das Netz" anordnet wie § 46 Abs. 2 EnWG sich im Bereich Strom und Gas überhaupt noch rechtfertigen lässt.

[41] Hierzu auch *Leisner-Egensperger*, NVwZ 2013, 1110, 1113 f.

[42] *VG Berlin* (o. Fn. 3), Rdnr. 113; aus der Literatur statt vieler nur BeckOK GG/*Hellermann* GG Art. 28 Rdnr. 33.4 m.w.N.

[43] Insoweit abweichend *Riedel/Albrecht* (o. Fn. 11), 194, die meinen, die Gemeinden treffen insoweit eine „Gewährleistungsverantwortung". In die gleiche Richtung gehend *Sauer* (o. Fn. 13), 6. Solange die Bürger sich über andere Wärmeenergieträger selbst versorgen können und kein ABZ besteht, geht diese Annahme aber ebenso fehl wie es die Annahme „Gewährleistungsverantwortung" der Gemeinde für die Versorgung der Bürger mit Lebensmitteln oder Kleidung gehen würde.

Genauso wenig ist es Aufgabe der Gemeinden, durch aktive Eingriffe in das Wirtschaftsgeschehen, den Wettbewerb zu steuern. Die Gemeinden sind nicht für die „Durchführung des Wettbewerbs“ zuständig. Dieser reguliert sich in einer freiheitlichen Rechts- und Wirtschaftsordnung in den Grenzen des Kartellrechts grundsätzlich selbst. Das Kartellrecht setzt dafür nur die „Leitplanken“, und die Durchsetzung des Kartellrechts ist nach § 48 GWB allein den Kartellbehörden zugewiesen. In der Summe ist festzuhalten, dass die Gemeinden kraft Gesetzes weder verpflichtet noch auch nur berechtigt sind, sich im Eigentum Dritter stehende Fernwärmenetze oder Kundenbeziehungen bei Auslaufen eines einfachen Wegenutzungsvertrages anzueignen und/oder auszuschreiben.

Enthält ein Wegenutzungsvertrag eine Laufzeitbegrenzung oder ein Kündigungsrecht, so bedeutet dies mithin nicht, dass es den Gemeinden freistünde, dem etablierten FVU nach einem Ablaufen oder einer Kündigung des Gestattungsvertrages die erneute Einräumung eines Wegenutzungsrechts zu verweigern. Vielmehr haben die etablierten FVU wie jedes andere FVU auch (und mit Blick auf ihre Rechte aus Art. 14 GG sogar erst recht) einen aus § 19 Abs. 1 i.V.m. § 19 Abs. 2 Nrn. 1 und 4 GWB resultierenden Anspruch auf (Wieder-)Einräumung des Wegenutzungsrechts.[44] Die Gemeinde darf dies nur verweigern bzw. einen laufenden Gestattungsvertrag kündigen, wenn ein solcher Anspruch ausnahmsweise nicht besteht, also z.B. wenn sich das FVU im Verhältnis zur Gemeinde als unzuverlässig erwiesen hat und daher eine Wiedereinräumung des Wegerechts für die Gemeinde i.S.d. § 19 Abs. 2 Nr. 4 GWB unzumutbar ist.[45]

V. Funktion und Grenzen von Endschaftsklauseln

Oftmals enthalten Wegenutzungsverträge neben einer Befristung auch sog. Endschafts- oder Heimfallklauseln, in denen vorgesehen ist, dass das Fernwärmenetz nach Ablauf des Wegenutzungsrechts an die Gemeinde oder andere (z.B. durch eine Ausschreibung zu bestimmendes) Unternehmen zu übereignen oder diesen in anderer Weise (z.B. im Wege der Pacht) zu überlassen ist.

[44] Vgl. *Haellmigk/Wippich* (o. Fn. 17), 250 f.; *Topp*, EuroHeat&Power 4/2013, 21, 23; *Fricke* (o. Fn. 20), § 8 AVBFernwärmeV Rdnr. 83.

[45] Vgl. *OLG Naumburg*, 11.5.2005, 1 U 6/05, NJOZ 2005, 4115, 4118; *Körber* (o. Fn. 31), S. 71 ff.; *Haellmigk/Wippich* (o. Fn. 17), 251; *Fuchs/Möschel* in: Immenga/Mestmäcker (Hrsg.): GWB, 5. Aufl. 2014, § 19 Rdnr. 338; *Wiedemann*, HdB-KartellR, 2. Aufl. 2008, § 23 Rdnr. 70b; *Lutz,* RdE 1999, 102, 108.

1. *Regelfall: Endschaftsklausel für den Fall des Rückzugs des FVU aus der Fernwärmeversorgung*

Endschaftsklauseln sind regelmäßig in der Weise formuliert, dass sie nur zum Zuge kommen, wenn kein neuer Wegenutzungsvertrag mit dem bisherigen FVU geschlossen bzw. keine neue Sondernutzungserlaubnis eingeräumt wird.[46] Eine solche Situation kann aber angesichts des Umstandes, dass grundsätzlich ein kartellrechtlicher Anspruch auf Wiedereinräumung der Wegenutzungsrechte sowie ggf. ein straßenrechtliches Sondernutzungsrecht besteht, nur dann eintreten, wenn das FVU entweder *von sich aus* freiwillig auf einen neuen Wegenutzungsvertrag verzichtet, etwa weil die Leitungen marode sind und eine Sanierung dem Unternehmen zu teuer ist bzw. weil es sich mangels hinreichender Renditeaussichten aus der Fernwärmeversorgung in dem betreffenden Gebiet zurückziehen möchte, oder wenn die Gemeinde einen neuen Vertrag bzw. eine neue Sondernutzungserlaubnis ausnahmsweise verweigern darf, etwa weil sich das FVU als unzuverlässig erwiesen hat. Die Endschaftsklausel an sich (das „Ob") dient in diesem Fall sowohl den Interessen der Gemeinde als auch denjenigen des FVU, weil sie den Wert des bestehenden Fernwärmenetzes erhält. Im Grundsatz bestehen gegen solche Endschaftsklauseln weder vertrags- noch kartellrechtliche Bedenken. Streit kann allenfalls über das „Wie" auftreten, z. B. über die Höhe der für die Überlassung des Fernwärmenetzes zu zahlenden Vergütung und darüber, ob eine Klausel, die eine zu niedrige oder zu hohe Ausgleichszahlung der Gemeinde vorsieht, das AGB-Recht, § 1 GWB oder § 19 GWB verletzt.

2. *Auslegung unklarer Endschaftsklauseln bei Verlängerungswunsch des FVU*

Fehlt es an einer ausdrücklichen Formulierung, kraft derer die Endschaftsklausel nur dann Geltung beansprucht, wenn kein neuer Wegenutzungsvertrag mit dem etablierten FVU geschlossen bzw. diesem keine Sondernutzung mehr erlaubt wird, so stellt sich die Rechtslage letztlich nicht anders dar. In diesem Fall folgt diese Einschränkung aus dem Gebot der Auslegung von Verträgen nach Treu und Glauben mit Rücksicht auf die Verkehrssitte nach §§ 133, 157 BGB. Es ist schließlich gerade Sinn und Zweck von Endschaftsklauseln, Vorkehrungen für den Fall zu treffen, dass die Vertragsbeziehung zwischen den Parteien nicht fortgesetzt wird. Die Gemeinde würde sich dem Arglisteinwand (*dolo agit, qui petit quod statim redditurus est*) aussetzen, wenn sie aus einer Endschaftsklausel die Herausgabe des Fernwärmenetzes verlangen würde, obwohl sie dieses mit Fortsetzung bzw. Erneuerung des Wegenutzungsvertrages (auf welche das FVU in aller Regel einen

[46] Vgl. *Haellmigk/Wippich* (o. Fn. 17), 249.

kartellrechtlichen Anspruch hat) sogleich wieder an das FVU zurückgeben müsste.[47] Ebenso wäre es eindeutig rechtsmissbräuchlich und angesichts der marktbeherrschenden Stellung der Gemeinde auch kartellrechtswidrig, eine Gestattung der Wegenutzung ohne zwingenden Grund nur zu verweigern, um sich unter Berufung auf die Endschaftsklausel Fernwärmenetze, Anlagen und Kundenstamm aneignen zu können. Dass ein solcher, zwingender Grund nicht darin liegen kann, Wettbewerb um das Netz erzeugen zu wollen, wurde bereits ausgeführt. Hierfür fehlt den Gemeinden jede Kompetenz. Anders wäre es wiederum nur, wenn der Gemeinde die Gestattung aus anderen Gründen (etwa aufgrund der Unzuverlässigkeit eines FVU) nicht zumutbar wäre.

3. Vertragliches Aneignungsrecht der Gemeinde trotz Verlängerungswunsch des FVU?

Würde eine Endschaftsklausel der Gemeinde sogar explizit das Recht einräumen, das Fernwärmenetz nach Ablauf oder Kündigung des Gestattungsvertrages ohne weiteres an sich zu ziehen bzw. zwecks Weiterbetriebs durch die Gemeinde selbst oder durch einen Dritten auszuschreiben, so wäre eine solche Regelung durchgreifenden kartellrechtlichen Bedenken ausgesetzt, denn die Situation auf dem Fernwärmesektor unterscheidet sich, wie oben ausgeführt wurde, grundlegend von den in § 46 Abs. 2 EnWG geregelten Sachverhalten: Einerseits steht dem etablierten FVU in aller Regel ein Anspruch auf Wiedereinräumung der Wegenutzungsrechte bzw. ein Recht auf Sondernutzung zu. Andererseits ist die Gemeinde – anders als im Anwendungsbereich des § 46 Abs. 2 EnWG – weder verpflichtet noch berechtigt, die Fernwärmenetze auszuschreiben. Vor allem aber verfügt die Gemeinde aufgrund ihres Wegemonopols beim Abschluss von Wegenutzungsverträgen über eine marktbeherrschende Stellung. Aus dieser Stellung resultiert eine besondere Rücksichtnahmepflicht. Insbesondere darf die Gemeinde als marktbeherrschendes Unternehmen ihre Macht nicht ausnutzen, um nicht im Wettbewerb erzielbare Geschäftsbedingungen durchzusetzen. Das wäre ein Fall des durch § 19 Abs. 2 Nr. 2 GWB verbotenen Konditionenmissbrauchs. Im Wettbewerb würde sich nämlich kein wirtschaftlich rational agierendes FVU auf eine Endschaftsklausel einlassen, durch welche es sich verpflichtet, sein im Wettbewerb mit erheblichen Investitionsrisiken aufgebautes Fernwärmenetz (vielleicht sogar samt Erzeugungsanlagen und Kundenstamm) auch dann der Gemeinde zu überlassen, wenn es die Fernwärmeversorgung in Ausübung seines Rechtsanspruchs auf Wiedereinräumung der Wegenut-

[47] Vgl. *Haellmigk/Wippich* (o. Fn. 17), 249 Fn. 10 mit zutreffendem Hinweis darauf, dass in diesem Fall aus dem gleichen Grunde auch ein Beseitigungsanspruch der Gemeinde aus § 1004 BGB ausscheide.

zungsrechte bzw. der Sondernutzung selbst fortsetzen möchte. Dem lässt sich auch nicht entgegenhalten, das etablierte FVU lasse sich bewusst auf die Endschaftsklausel ein und könne sich auf die Pflicht zur Herausgabe nach Ablauf des Wegenutzungsvertrages einstellen, denn dies ändert nichts an der Wettbewerbswidrigkeit der Erzwingung dieser Klausel durch die marktbeherrschende Gemeinde.[48] Eine solche Endschaftsklausel wäre mithin wegen Verstoßes gegen die in § 19 Abs. 1, Abs. 2 Nrn. 1 und 2 GWB normierten Verbote nach § 134 BGB nichtig;[49] ganz abgesehen davon, dass auch hier der oben beschriebene bürgerlich-rechtliche Arglisteinwand greifen und aus den gleichen Gründen eine AGB-Kontrolle nach § 307 BGB zu einer Nichtigkeit der betreffenden Klausel nach § 306 Abs. 1 BGB führen würde.

4. *Rechtslage bei Fehlen einer wirksamen Endschaftsklausel*

Entsprechende Maßstäbe gelten schließlich auch, wenn sich eine Endschaftsklausel als nichtig erweist oder wenn eine solche Klausel von vornherein fehlt wie bei dem Rechtsstreit des Landes Berlin gegen Vattenfall.[50]

a) Analoge Anwendung der §§ 552, 997 Abs. 2 BGB?

Das OLG Frankfurt am Main hat 1997 in einem auf den ersten Blick ähnlichen Fall aus dem Rechtsgedanken der §§ 552, 997 Abs. 2 BGB einen Anspruch einer Gemeinde auf Übernahme des örtlichen Stromversorgungsnetzes abgeleitet. Dieser Entscheidung lag ein Sachverhalt zugrunde, in welchem die ausgelaufenen Konzessionsverträge keine Endschaftsklauseln enthielten.[51] Nach § 552 Abs. 1 BGB kann der Vermieter die Ausübung des Wegnahmerechts (§ 539 Abs. 2 BGB) durch Zahlung einer angemessenen Entschädigung abwenden, wenn nicht der Mieter ein berechtigtes Interesse an der Wegnahme hat. § 997 Abs. 2 BGB regelt eine ähnliche Abwendungsbefugnis gegenüber dem Wegnahmerecht des Besitzers einer Sache, die zuvor mit einer anderen als deren wesentlicher Bestandteil verbunden worden ist. Beiden Regelungen liegt der Gedanke zugrunde, eine (sowohl für die Vertragspartner als auch volkswirtschaftlich) sinnlose Zerstörung wirtschaftlicher Werte zu vermeiden. Diesen Rechtsgedanken hat das OLG Frankfurt am Main auf das nach Auslaufen des Konzessionsvertrages bestehende Recht

[48] Vgl. *BGH*, 6.11.1984, KVR 13/83, GRUR 1985, 318, 320 – Favorit; *BGH*, 6.11.2013, KZR 58/11, NZKart 2014, 31, 34 – VBL-Gegenwert.

[49] Ebenso *Fricke*, RdE 2009, 380, 381; *Fricke* (o. Fn. 20), § 8 AVBFernwärmeV Rdnr. 83.

[50] Zu dieser Situation auch eingehend *Riedel/Albrecht* (o. Fn. 11), 195 ff., die allerdings zu Unrecht davon ausgehen, dass kein Anspruch auf eine Verlängerung eines ausgelaufenen Wegenutzungsvertrags bzw. Sondernutzungsrechts besteht.

[51] *OLG Frankfurt a.M.*, 11.2.1997, 11 U (Kart) 38/96, NJWE-WettbR 1997, 135 (die Regelung des § 552 Abs. 1 BGB war damals in § 547a Abs. 2 BGB normiert).

des früheren Stromversorgers zu Ausbau und Wegnahme seiner Leitungen übertragen.[52]

Ob sich dieser Ansatz überhaupt auf den Fernwärmesektor übertragen lässt,[53] ist ungeklärt und höchst zweifelhaft. So ist § 552 BGB nur auf die Wohnraummiete anwendbar. Eine entsprechende Anwendung auf Mietverträge jenseits der Wohnraummiete kommt nicht in Betracht, da § 578 Abs. 1 BGB nicht auf § 552 BGB verweist und § 578 Abs. 2 BGB eine Verweisung auf § 552 Abs. 1 BGB explizit auf Räume begrenzt und damit nochmals unterstreicht, dass die Grundstücksmiete nicht erfasst wird. Zudem betrifft die Entscheidung des OLG Frankfurt am Main noch die Rechtslage vor der Liberalisierung des Stromsektors, d.h. die Zeit, in welcher die Stromversorgung in der Gemeinde durch echte Konzessionen exklusiv einzelnen Unternehmen zugewiesen wurde. Allerdings liegt auf der Hand, dass auch eine Entfernung von Fernwärmeleitungen (etwa auf der Basis des § 1004 BGB) zu einer weitgehenden Zerstörung ihres Wertes führen und auch das FVU einer enormen Kostenbelastung aussetzen würde.[54] Ein Rückbau kommt daher faktisch kaum vor.

Letztlich kommt es darauf aber nicht an, denn selbst wenn die §§ 552, 997 Abs. 2 BGB entsprechend anwendbar wären, könnte man daraus allenfalls Rechtsfolgen für den praktisch fernliegenden Fall ableiten, dass ein Wegenutzungsvertrag ausläuft und sich das FVU entscheidet, seinen Anspruch auf Wiedereinräumung eines Wegenutzungsrechtes nicht geltend zu machen (oder dies der Gemeinde ausnahmsweise nicht zumutbar ist) und dann Streit darüber entsteht, ob das FVU das Leitungsnetz ausbauen und wegnehmen darf oder die Gemeinde dies nach dem Rechtsgedanken der §§ 552, 997 Abs. 2 BGB durch Zahlung eines angemessenen Ausgleichs verhindern kann. In *dieser* (schon allein wegen der vermutlich prohibitiven Kosten von Ausbau und Wegnahme des Netzes höchst theoretischen) Situation wäre es für beide Seiten die sinnvollste Lösung, eine Übernahme des Netzes gegen angemessenen Wertausgleich zu vereinbaren.[55] Die ganz andere – und im hier untersuchten Kontext entscheidende – Frage, ob die Gemeinde überhaupt befugt ist, das Fernwärmenetz auszuschreiben, beantworten diese Normen gerade nicht. Diese Frage stellte sich auch in dem der Entscheidung des OLG Frankfurt am Main zugrundeliegenden Sachverhalt nicht, weil sich diese Ausschreibungsbefugnis dort bereits aus § 103a GWB a.F. (also aus der Vorgängerregelung des § 46 Abs. 2 EnWG) ergab, so dass es letztlich nur noch

[52] *OLG Frankfurt a. M.* (o. Fn. 51), S. 137.

[53] Im Grundsatz dafür *Riedel/Albrecht* (o. Fn. 11), 195 ff.

[54] Vgl. auch *BGH*, 3.6.2014, EnVR 10/13, NVwZ 2014, 1600 Tz. 27 – Stromnetz Homberg; *Riedel/Albrecht* (o. Fn. 11), 196 f.

[55] So auch *Riedel/Albrecht* (o. Fn. 11), 195 ff., die sich insoweit für einen auf der Basis des „kalkulatorischen Restwerts“ bestimmten Kaufpreis aussprechen.

um die *Durchführung* der Ausschreibung ging. Fernwärmenetze müssen und dürfen demgegenüber grds. gerade nicht ausgeschrieben werden.

b) Anspruch der Gemeinde aus § 1004 BGB und Wertausgleich analog § 951 BGB?

Für ein Aneignungsrecht der Gemeinden wird teilweise auch § 1004 BGB ins Feld geführt. Laufe ein Wegenutzungsvertrag aus, so müsse die Gemeinde als Eigentümerin der Grundstücke die verlegten Fernwärmeleitungen nach § 1004 Abs. 1 BGB nicht mehr dulden und könne daher deren Entfernung verlangen. Dies würde aber nicht nur im Widerspruch zum Rechtsgedanken anderer, auf Werterhaltung gerichteter Normen wie §§ 552, 997 Abs. 2 BGB stehen, sondern auch nicht im Interesse der Vertragsparteien liegen. Da die Ausbaukosten den Wert der Fernwärmenetze vollständig aufzehren würden, seien eine Übereignung an die Gemeinde und ein Wertausgleich analog § 951 BGB durch die Gemeinde sinnvoll.[56] Gegen diesen Ansatz spricht freilich bereits, dass die Gemeinde als Grundeigentümerin nach zutreffender Auffassung gemäß § 1004 Abs. 2 BGB zur Duldung der Leitungen verpflichtet ist, weil ein Anspruch des FVU auf Weiternutzung besteht. Einer Berufung auf § 1004 Abs. 1 BGB zur Begründung eines Aneignungsrechts würde vor diesem Hintergrund auch nach Auslaufen eines Wegenutzungsvertrages oder einer Sondernutzungserlaubnis der Arglisteinwand entgegenstehen.[57]

c) Ergänzende Vertragsauslegung

Entsprechendes gilt schließlich auch mit Blick auf eine – an die erwähnten oder andere Normen angelehnte – ergänzende Vertragsauslegung. Ein Bedarf nach einer solchen ergänzenden Vertragsauslegung besteht – wie auch das VG Berlin im eingangs beschriebenen Fall betont hat – letztlich nur dann, wenn das FVU von sich aus auf die Fortführung der Fernwärmeversorgung verzichten möchte oder die Gemeinde ausnahmsweise (z.B. wegen Unzuverlässigkeit des FVU) eine Fortsetzung der Wegenutzung verweigern darf. Nur in diesen Fällen besteht in der Tat aus den oben beschriebenen Gründen ein beiderseitiges Interesse daran, im Wege der ergänzenden Vertragsauslegung ein Recht der Gemeinde auf Übernahme des Fernwärmenetzes zu einem angemessenen Preis in den Vertrag hineinzulesen. Dagegen ist das Interesse des FVU im Regelfall *nicht* darauf gerichtet, sein Fernwärmenetz (ggf. sogar mit Kundenstamm) an die Gemeinde zu veräußern, sondern vielmehr darauf, die Fernwärmeversorgung fortzusetzen. Und diesem Wunsch muss die Gemeinde, wie wir gesehen haben, in aller Regel auch entsprechen.

[56] So *Riedel/Albrecht* (o. Fn. 11), 197.
[57] So auch *Haellmigk/Wippich* (o. Fn. 17), 249 Fn. 10.

VI. Fazit

In der Summe bleibt festzuhalten, dass FVU nach Auslaufen eines Wegenutzungsvertrages oder einer Sondernutzungserlaubnis einen Anspruch auf Wiedereinräumung des Wegenutzungsrechts haben. Kartell- und Straßenrecht stehen dem nicht entgegen, sondern fordern sogar die Wiedereinräumung. Ein gesetzliches Recht oder sogar eine gesetzliche Pflicht zur regelmäßigen Ausschreibung von Fernwärmenetzen existiert nicht. Im Gegenteil steht das Kartellrecht einem solchen Ansinnen der Gemeinde klar entgegen.

Auch eine Endschaftsklausel darf durch die hinsichtlich der Wegenutzung marktbeherrschende Gemeinde nicht missbraucht werden, um sich ein im Gesetz nicht vorgesehenes Recht zu verschaffen, das Fernwärmenetz gegen den Willen des FVU an sich zu ziehen und dann im Wege der Ausschreibung an sich selbst oder an einen Dritten zu übertragen. Sieht die Endschaftsklausel ein solches Recht auch für Fälle vor, in denen der bisherige Betreiber die Versorgung fortsetzen will und auch nicht durch auf seiner Seite liegende Pflichtverletzungen Anlass zu einer wirksamen Kündigung gegeben hat, so ist sie kartellrechtswidrig und zudem unangemessen im Sinne des AGB-Rechts und damit nichtig. Aus einer Endschaftsklausel kann daher in der Summe niemals ein Recht zur Ausschreibung oder Aneignung von Fernwärmenetzen, Anlagen oder Kundenstamm gegen den Willen des bisherigen Betreibers abgeleitet werden.

Ein solches Recht lässt sich auch nicht mit §§ 552, 997 Abs. 2, 1004 BGB begründen, die lediglich die Folgenabwicklung bei einem aus anderen Gründen aufgelösten Vertragsverhältnisses betreffen. Ein Bedarf nach Schaffung einer Endschaftsregelung im Wege der ergänzenden Vertragsauslegung besteht dementsprechend nur, wenn die Fortsetzung des Wegenutzungsverhältnisses vom FVU nicht gewünscht wird oder der Gemeinde ausnahmsweise nicht zumutbar ist. Nur in diesem Fall liegt es im wohlverstandenen Interesse sowohl der Gemeinde als auch des FVU, anstelle einer Pflicht zur Entfernung des Fernwärmenetzes aus dem Straßengrund einen angemessenen Interessenausgleich in dem Sinne vorzusehen, dass die Gemeinde das Fernwärmenetz nebst zugehöriger Anlagen und ggf. Kundenstamm zu einem angemessenen Preis erwirbt, um es dann diskriminierungsfrei auszuschreiben und auf diese Weise den volkswirtschaftlichen Wert des Fernwärmenetzes zu erhalten.

Die Ausgleichsabgabe nach § 5 Abs. 4 StromNEV

Andreas Böwing*

I. Die Ausgleichsabgabe beim Netzausbau

Professor Dr. Ulrich Büdenbender hat sich häufig mit Systematik beschäftigt. Aufbauend auf einem ganzheitlichen Verständnis von Recht und einer ordnungspolitisch geprägten Auffassung von Liberalität hat er sich häufig mit der Fragestellung auseinandergesetzt, ob eine Regelung „passt", also sich nicht nur systematisch in den Rechtsrahmen einfügt, sondern auch dem liberalen Weltbild entspricht, dass sich der Jubilar für die von ihm bearbeiteten Rechtsgebiete wünscht. Häufig musste er allerdings beklagen, dass der Gesetzgeber seinen Ansprüchen nicht entsprochen hat. Insbesondere im Energierecht sind viele Regelungen nicht nur ordnungspolitisch fragwürdig, sondern auch systematisch missglückt. Im Energierecht ist vieles „schlechtes Recht". Dies gilt auch für die so genannte Ausgleichsabgabe[1] beim Netzausbau.

An unvermuteter Stelle, nämlich in § 5 Abs. 4 StromNEV, findet sich einer der zahlreichen Abgabetatbestände des Energierechts: Bestimmte Zahlungen der Betreiber von Elektrizitätsversorgungsnetzen an Gemeinden oder Städte sind als Kostenposition bei der Bestimmung der Netzkosten nach § 5 Abs. 4 StromNEV als Kosten zu berücksichtigen, führen dann über Umverteilungsmechanismen zu Belastungen aller Nutzer des Stromnetzes. Man könnte fast von einer weiteren, im Energierecht ebenfalls vielfältig anzutreffenden Umlage[2] sprechen. Der Zweck der Regelung ist es, den Netzausbau durch höhere Akzeptanz zu fördern.[3]

* Mitglied des Aufsichtsrats der PSI Software AG.

1 Der Entwurf eines Gesetzes über Maßnahmen zur Beschleunigung des Netzausbaus Elektrizitätsnetze (DrS17/6073) vom 6.6.2011 spricht durchgängig in Art. 4 und Art. 5 von „Zahlungen", oder auch „Entschädigungszahlungen". Vorliegend wird – ohne rechtliche Charakterisierung – von „Ausgleichsabgabe" gesprochen, wie häufig auch in der Literatur.

2 Das Energierecht kennt eine Fülle von Umlagen wie z.B. die EEG-Umlage (§ 60 Abs. 1 EEG), die KWK-Umlage (§ 26 Abs.1 KWKG) oder die Umlage nach § 19 Abs. 2 S. 15 StromNEV zum Ausgleich der Kosten aus individuellen Netzentgelten; Umlagesysteme zielen stets auf eine gegenüber dem Normalfall abweichende Kostenverteilung; vgl. zum Ganzen *Böwing*, Rechtsbeständigkeit von Umlagesystemen in Zeiten der Energiewende, in: Weyer (Hrsg.), Energienetze, EEG und Energiewende. 50 Jahre Institut für deutsches und internationales Berg- und Energierecht der TU Clausthal, 2014, S. 79 ff.

3 DrS 17/6073, S. 35 zu Artikel 4.

Zum Netzausbau insbesondere auf der Übertragungsnetzebene ist nur wenig auszuführen. Die deutsche Energiewende bedeutet weg von der Kernenergie, weg von CO_2-trächtiger Stromerzeugung und hin zu regenerativer Stromerzeugung.[4] Über die sogenannte Sektorkopplung[5] ergreift dieser Paradigmenwechsel auch bislang weniger stromintensive Sektoren wie Wärmeanwendungen, E-Mobilität oder Industrie. Für die Stromnetze bedeutet dies deutlich veränderte Herausforderungen: Kapazitätsanforderungen der Verteilnetze werden zunehmend von der Einspeisung vielfältiger dezentraler, regenerativer und damit nach dem Wetter fluktuierender Erzeugung bestimmt. Leistungsflüsse drehen sich um; zunehmend werden Verteilnetze aus Sicht der Übertragungsnetze zu Stromquellen, deren Überschuss es abzutransportieren gilt. Die räumliche Verlagerung der Stromerzeugung von Süd nach Nord durch die veränderte Erzeugungslandschaft bedeutet zusätzlichen Transportbedarf.[6] Dies betrifft nicht nur nationale Übertragungsnetze, sondern grenzüberschreitend getrieben durch die Klimaproblematik ganz Europa. In der Konsequenz braucht die deutsche Energiewende mehr Übertragungsnetze, damit schnellere Ausbauverfahren, die mit der Erzeugungswende Schritt halten und als Grundlage dafür eine bessere allgemeine Akzeptanz von Leitungsbaumaßnahmen. Der Gesetzgeber hat vielfältige Maßnahmen ergriffen; das Planungs- und Genehmigungsrecht für Leitungsbaumaßnahmen ist vollständig neu gefasst worden. Die Akzeptanz soll durch mehr Transparenz, mehr Partizipation und mehr Bürgerbeteiligung erhöht und damit die Realisierungsgeschwindigkeit des Netzausbaus gesteigert werden. Ein Mittel wird darin gesehen, die Betroffenen zu Profiteuren zu machen.[7] Konkret bedeutet das: Zahlungen an Kommunen, die von Freileitungen berührt werden, sollen die Akzeptanz dieser neuen Leitungen steigern.

[4] *Bundesregierung*, Energiewende im Überblick, 2018, abrufbar unter https://www.bundesregierung.de/Content/DE/StatischeSeiten/Breg/Energiekonzept/0-Buehne/buehnenartikel-links-energiewende-im-ueberblick.html;jsessionid=4D15A83A7AE02CE3297EBD7132A884BB.s3t1, (zuletzt abgefragt am 28.3.2018).

[5] *Bundesministerium für Wirtschaft und Energie*, Ergebnispapier Strom 2030, 2017, abrufbar unter http://www.bmwi.de/Redaktion/DE/Publikationen/Energie/strom-2030-ergebnispapier.pdf?__blob=publicationFile&v=32, S. 3, (zuletzt abgefragt am 28.3.2018).

[6] *Franzius*, Das Recht der Energiewende, JuS 2018, S. 28.

[7] *CDU/CSU/SPD*, Koalitionsvertrag 2018, Zeilen 3304–3311 für EE-Ausbau, abrufbar unter https://www.cdu.de/system/tdf/media/dokumente/koalitionsvertrag_2018.pdf?file=1, (zuletzt abgefragt am 28.3.2018).

II. Tatbestandsmerkmale und Kontext der Ausgleichsabgabe

1. Regelungsmechanismus

In § 5 Abs. 4 StromNEV sind solche Zahlungen für neue Freileitungen angesprochen. Die eigentliche Rechtsgrundlage für eine solche Zahlung sucht man indes im Energierecht vergebens. Bei genauerem Hinsehen erkennt man, dass die gemeinhin so genannte Ausgleichsabgabe in dieser Regelung gar nicht angeordnet wird, sondern vorausgesetzt ist. Die Regelung beinhaltet nur die Rechtsfolge, dass bestimmte, genauer beschriebene Kosten bei der Bestimmung der Netzkosten „zu berücksichtigen" sind.[8] Im Grunde wird hier nur ein Anreiz für Netzbetreiber gesetzt, die normgegenständlichen Zahlungen zu leisten, weil sie ja als Bestandteil der Netzkosten anerkannt werden. Eine Verpflichtung der Netzbetreiber, diese Kosten in die Netzkostenrechnung bei der Bundesnetzagentur einzustellen, gibt es nicht. Ebenso wenig enthält diese Regelung eine durchaus als Inhalt eines Gesetzes denkbare Anordnung, die die Netzbetreiber verpflichten würde, Zahlungen vorzunehmen oder einen gesetzlichen Anspruch der Gemeinden auf solche Zahlungen festlegen würde, wie sie das Land Brandenburg und nachfolgend der Bundesrat im Gesetzgebungsverfahren gefordert hatte.[9]

Der Bundesrat hatte die Einfügung eines § 28a (Ausgleichszahlungen) in das NABEG gefordert. Der Vorschlag lautete: „Betreiber von Elektrizitätsübertragungsnetzen haben an Städte und Gemeinden, auf deren Gebiet eine Freileitung auf neuer Trasse mit einer Nennspannung von mindestens 380 kV errichtet wird, Ausgleichszahlungen zu entrichten." Das Nähere sollte eine Rechtsverordnung regeln, die den Regelungen des Konzessionsabgabenrechts folgen sollte.

Die Bundesregierung hat in ihrer Gegenäußerung den Vorschlag mit der Begründung abgelehnt, eine finanzverfassungsrechtliche Grundlage für einen solchen Ausgleichsanspruch sei nicht gegeben. Eine sachliche Rechtfertigung für eine derartige nichtsteuerliche öffentliche Abgabe sei nicht ersichtlich.[10] Damit spricht die Bundesregierung an, dass zwar die Zuständigkeit des Bundes gegeben wäre, aber die Ausgestaltung der Zahlungen als verpflichtend zu einer aller Voraussicht nach unzulässigen Sonderabgabe mit Finanzierungsfunktion führen würde, da die Zahlung der öffentlichen Hand zuflösse. Die Bundesregierung hält daher an der „Verbändevereinbarungslösung" fest, die später Gesetz geworden ist.

[8] § 5 Abs. 4 S. 2 StromNEV.

[9] DrS 17/6249, S. 13, zu Artikel 1 und zu Artikel 4.

[10] DrS 17/6249, S. 18, Gegenäußerung der Bundesregierung zu Nummer 5; vgl. *BVerfG*, NJW 1997, 573, die Finanzverfassung in Art. 105ff. GG lässt neben Steuern (Sonder)-Abgaben insb. zu Finanzierungszwecken nur in sehr restriktivem Umfang zu; zur Rechtsnatur der EEG-Umlage (keine Sonderabgabe) vgl. auch BGH, RdE 2014, S. 391–394.

Es fehlt also an einer Zahlungsverpflichtung. Im Gesetz enthalten ist lediglich die Rechtsfolge, dass bestimmte Zahlungen regulatorisch in bestimmter Art und Weise zu berücksichtigen sind. Unter der Geltung der Anreizregulierung ist die Anerkennung von Zahlungen als Kosten des Netzbetriebes noch nicht ausreichend, die regulatorische Behandlung abschließend zu regeln. Vielmehr ist dazu eine ergänzende Regelung in der Anreizregulierungsverordnung erforderlich, die sich dann auch in § 11 Abs. 2 ARegV findet.[11] Dort ist im Detail geregelt, wie solche und andere anerkannte Kostenpositionen zu behandeln sind. Durch die Einfügung der neuen Nummer 8b im Paragraphen 11 Abs. 2 ARegV ist die Charakterisierung dieser Kosten als „dauerhaft nicht beeinflussbare Kosten" festgelegt.

Durch diese Regelung wird der Anreiz, solche Zahlung zu leisten, verstärkt, aber auch begrenzt, wie noch zu zeigen sein wird.

Die Zahlung, die durch diese Behandlung angereizt werden soll, hat laut der Gesetzesbegründung das Ziel, die „Akzeptanz" von Leitungsbauvorhaben zu fördern.[12] Die Abstraktheit dieses Ziels wird nicht dadurch verringert, dass nicht nur auf Seiten des Netzbetreibers keine Verpflichtung zur Zahlung besteht, sondern ausdrücklich auch auf Seiten der empfangenden Gemeinde keinerlei Gegenleistungsverpflichtungen bestehen oder durch den Vertrag begründet werden dürfen. Außerdem ist nicht festgelegt, welchem Verwendungszweck normgegenständliche Zahlungen zugeführt werden müssen.

Es handelt sich also in vielfältiger Weise um eine unvollständige Regelung, der es jetzt etwas genauer nachzuspüren gilt.

2. *Die Zahler der Ausgleichsabgabe*

Entrichter der regelungsgegenständlichen Zahlungen sind nach § 5 Abs. 4 Satz 1 StromNEV „Betreiber von Elektrizitätsversorgungsnetzen". Es könnten also Verteilernetzbetreiber wie Übertragungsnetzbetreiber in Betracht kommen. Da aber zahlungsgegenständlich nur Höchstspannungsfreileitungen ab 380 kV oder Gleichstromhochspannungsleitungen ab 300 kV (§ 5

[11] § 11 fingiert (unabhängig von der tatsächlichen Beeinflussbarkeit) die Kostenanteile in beeinflussbare, dauerhaft nicht beeinflussbare und vorübergehend nicht beeinflussbare Kosten, was ihre Behandlung im Effizienzvergleich und in der innerperiodischen Anpassung der Erlösobergrenze bestimmt, vgl. *Meyer/Paulus,* in Holznagel/Schütz (Hrsg.): ARegV, 1. Aufl. 2013, §11 Rdnr. 51, 53.

[12] DrS 17/6073, S. 35; ob die Akzeptanz der Körperschaften, von deren Bürgern oder wem auch immer gemeint ist, bleibt offen. Auch Akzeptanz ist als Rechtsbegriff kaum belegt; vgl. *Hartmut Weyer,* Netzausbau in Deutschland – Rechtlicher Rahmen und Handlungsbedarf, Arbeitspapier 05/2011 des Sachverständigenrats zur Begutachtung der gesamtwirtschaftlichen Entwicklung, 2011, S. 40; *De Witt,* in de Witt/Scheuten (Hrsg.) NABEG, § 5 Rdnr. 3; anderseits *Rodi,* Das Recht der Windkraftnutzung zu Lande unter Reformdruck, ZUR 2017, S.658, Fn. 3.

Abs. 4 Satz 2 Nummer 1 und 2 StromNEV) sein können, kommen als Entrichter der Zahlungen nur Übertragungsnetzbetreiber in Betracht.

3. Empfänger der Zahlung

Empfänger der Zahlungen können Städte oder Gemeinden sein, auf deren Gebiet eine Freileitung auf neuer Trasse errichtet wird. Das bedeutet, es kommt auf die geographische Belegenheit der Freileitung an. Nachbargemeinden können nicht Empfänger der Zahlung sein. Das macht insofern Sinn, als dass sich die Planungshoheit einer Gemeinde in der Regel auf ihr eigenes Gebiet beschränkt, eine Nachbargemeinde also keinen Eingriff in ihre Planungshoheit geltend machen könnte.[13] Allein die Tatsache, dass eine Freileitung von vielen anderen Gemeinden aus gesehen werden kann, durch deren Nachbargemeinde sie sich zieht, ist keine auch nur potentiell ausgleichsfähige Beeinträchtigung. Rechtsschutz geht nicht so weit wie man sehen kann; folglich gibt es auch keinen Grund, auch in Nachbargemeinden der Belegenheitsgemeinde zu Akzeptanzzwecken eine Zahlung auszuloben. Die Benennung von Städten oder Gemeinden ist – je nach Bundesland – auch nicht vollständig klar. Klar ist, dass übergeordnete Gebietskörperschaften wie z.B. Kreise keine tauglichen Zahlungsempfänger sein können.[14] Ob bei zweifach gestuften Ortsgemeinden (z.B. Gemeinde und Samtgemeinde in Niedersachsen) die untere oder die mittlere Ebene als Zahlungsempfänger in Betracht kommt, ist der hier untersuchten Norm nicht zu entnehmen, sondern regelt sich nach dem Landesrecht.

4. Zahlungsgrundlage

Zahlungsgrundlage muss eine Vereinbarung zwischen dem Netzbetreiber und entweder der Stadt oder der Gemeinde oder den Interessenverbänden der Städte und Gemeinden sein.

Wie eingangs erwähnt, gibt es keine originäre Verpflichtung zur Zahlung und ebenso wenig eine Verpflichtung zum Abschluss eines entsprechenden Vertrages. Diese Freiwilligkeit auf Seiten des Übertragungsnetzbetreibers, die nur durch den Anreiz getrieben wird, die freiwilligen Zahlungen auf die Netzentgelte umlegen zu können, entspricht es, dass auf Seiten der vorbestimmten Zahlungsempfänger gerade keine bestimmten Vertragspartner vor-

[13] zum Ganzen für eine Windkraftanlage instruktiv VG München, Beschluss v. 13.11.2017 – M 5 E 17.4125.

[14] wenn vertikal gestaffelte Gebietskörperschaften beide zulagenberechtigt wären, verdoppelte sich die potentielle Belastung; zur Situation im strukturell vergleichbaren Konzessionsabgabenrecht vgl. § 7 KAV.

gegeben sind, ja sogar mit den Interessenverbänden Vertragspartner möglich sind, die als solche gar keine tauglichen Zahlungsempfänger sind.

Für diese Regelung sprechen offensichtlich nur Praktikabilitätserwägungen, aber keine rechtlichen: keine Kommune hat irgendeinen Anspruch. So ist es theoretisch möglich, dass – in den Grenzen des § 5 Abs. 4 StromNEV – die Zahlungshöhe für eine Stadt von der Vereinbarung mit dem nächsten Dorf mit geregelt wird. So unwahrscheinlich das sein mag, der Wortlaut ließe eine Vereinbarung mit einer Stadt für eine Nachbarstadt zu. Wahrscheinlicher ist es, dass Kommunalverbände Ausgleichsabgabenverträge abschließen.[15] Dies können dann nur Rahmenverträge für die allein als Zahlungsempfänger tauglichen Gemeinden sein. Ob sich allerdings Gemeinden an Vereinbarungen ihrer Verbände halten müssen, insbesondere, wenn die Zahlungshöhe niedriger als die höchstmöglichen Zahlungen ausfallen würde, ist nicht geregelt, aber vermutlich kein tatsächliches Problem. Zusammengefasste Regelungen durch Interessenverbände haben jedenfalls Abwicklungsvorteile ebenso wie eine geringere Gefahr von Ungleichbehandlungen (dazu später mehr). Die Gesetzesbegründung spricht folgerichtig von „weiteren Verbändevereinbarungen der Netzbetreiber mit kommunalen Spitzenverbänden". In der Praxis weichen die zahlungsbereiten Übertragungsnetzbetreiber dem Problem möglicherweise bei verschiedenen Vertragspartner drohender unterschiedlicher Verhandlungsergebnisse dadurch aus, dass sie zwar mit allen potentiellen Vertragspartnern abschließen, aber nur exakt eine Vertragsfassung ohne Verhandlungsbereitschaft anbieten. („take it or leave it").[16]

5. *Vertragsgegenständliche Leitungsbauvorhaben*

Vertragsgegenständliches Leitungsbauvorhaben kann nur eine Höchstspannungs-Freileitung ab 380 kV aufwärts oder eine Hochspannungsgleichstrom-Freileitung (HGÜ) ab 300 kV in neuer Trasse sein. Die Einführung der Ausgleichsabgabe durch die Einfügung von § 5 Abs. 4 StromNEV ist als Artikelgesetz mit dem sog. NABEG erfolgt[17] und sollte die Beschleunigung des Ausbaus des Übertragungsnetzes, d.h. also den Zweck des NABEG, durch Steigerung der Akzeptanz befördern.

[15] Verbändevereinbarungen sind aus der Anfangszeit der Liberalisierung bekannt; sie wurden zwischen industriellen und energiewirtschaftlichen Spitzenverbänden abgeschlossen, vgl. Verbändevereinbarung II plus (Verbändevereinbarung über Kriterien zur Bestimmung von Netznutzungsentgelten für elektrische Energie und über Prinzipien der Netznutzung) DrS 15/1510, S. 6 m.w.N.

[16] *50hertz*, Ausgleichszahlungen an vom Netzausbau betroffene Städte und Gemeinden, 15.05.2014 (3. überarbeitete Fassung) Ziffern 4, 5, abrufbar unter https://www.50hertz.com/de/Netzausbau/Ausgleichszahlungen-an-Kommunen (zuletzt abgefragt am 27.3.2018).

[17] Art. 1 Netzausbaubeschleunigungsgesetz, Art. 4 Änderung der Stromnetzentgeltverordnung, Art. 5 Änderung der Anreizregulierungsverordnung – AregV.

Allerdings fallen der Anwendungsbereich des NABEG und der von § 5 Abs. 4 StromNEV deutlich auseinander.

Zum einen erfolgt ein Teil des Netzausbaus im Übertragungsnetz nicht in neuer Trasse. Damit ist das so genannte Ultra-Net in Korridor A (gemeinsam mit der Kabeltrasse A-Nord im Korridor Nord des BBPl), obwohl der Plan dort eine HGÜ-Freileitung von 380 kV in Freileitungsbauweise vorsieht, von vornherein keine zuwendungsfähige Maßnahme, da sie in bestehender Trasse gebaut werden wird.[18]

Zum anderen haben Änderungen beim Netzausbau[19] dazu geführt, dass immer weniger Leitungsbauvorhaben vertragsgegenständlich sein können.

Weitere Hochspannungsgleichstromleitungen scheiden nämlich als regelungsgegenständliche Vorhaben ebenfalls aus, da sie entsprechend dem Bundesbedarfsplangesetz als Kabel gebaut werden sollen. Zwar ist der Bundesbedarfsplan technologie-offen ausgestaltet, sodass die endgültige Technologie im Bundesbedarfsplan-Gesetz noch nicht geregelt ist. Aber die Wahl zwischen Gleichstromübertragung und Wechselstromanlage ist trotzdem zu treffen, da davon die Planungsverfahren bestimmt werden.[20] Hochspannungsgleichstromübertragungsleitungen, die in drei Korridoren, die nach derzeitigem Stand in Betracht kommen, gebaut werden sollen, sind also nur in Ausnahmefällen Zahlungsgegenstand, nämlich wenn sie einen Fall des § 3 Abs. 2 BBPlG in Verbindung mit § 3 Abs. 3 BBPlG darstellen, wenn nämlich eine Gemeinde, auf deren Gebiet ein Trassenkorridor voraussichtlich verlaufen wird, die Prüfung verlangt, ob die Leitung (nur) in dieser Gebietskörperschaft nicht als Erdkabel, sondern als Freileitung gebaut werden soll. Die potentielle Zahlung der Ausgleichsabgabe könnte ein Anreiz für die Gemeinde sein, die Freileitungsvariante zu fordern. So unwahrscheinlich dieser Fall auch klingt,[21] da nach allgemeiner Auffassung die Erdverkabelung weniger belastend ist, hat die Gemeinde dieses Recht; die gesetzliche Regelung sieht dies vor. Ist die Freileitungsausführung – unter Berücksichtigung der absoluten Freileitungsverbote des § 3 Abs. 4 BBPlG – möglich, kann die Leitung als Freileitung geplant werden. Verlangt diese Freileitungsvariante die für das Planungsverfahren zuständige Behörde, muss der Vorhabenträger

[18] Nach Anlage 1, Vorhaben 2 des Bundesbedarfsplangesetzes (BBPlG) ist keine Kennzeichnung „E“ des Vorhabens 2 erfolgt, sodass es nicht als Erdkabel auszuführen ist. Zur Projektdarstellung vergleiche auch die Projektbeschreibung *Amprion*, Ultranet, 2017, abrufbar unter https://www.amprion.net/Netzausbau/Aktuelle-Projekte/Ultranet/ (zuletzt abgerufen am 27.3.2018).

[19] Nach § 3 Bundesbedarfsplangesetz, (BBPlG), das zuletzt am 27.6.2016 geändert worden ist, sind Leitungen für Höchstspannungs-Gleichstrom-Übertragung als Erdkabel zu errichten.

[20] vgl. § 3 BBPlG.

[21] zum Ganzen siehe auch *Ruge*, Das Freileitungsprüfverlangen gem. § 3 Abs. 3 BBPlG in der Planung des Vorhabenträgers, Verkehrte Welt oder sinnvolles Planungsinstrument?, EnWZ 2017, 51.

die Leitung sogar in dieser Gemeinde als Freileitung planen und später im Genehmigungsverfahren beantragen. Wie dogmatisch gesehen verfehlt auch diese Regelung eingeschätzt wird, jedenfalls legt sie so viele Hindernisse vor die Entscheidung, dass eine Leitung im Gemeindegebiet tatsächlich als Freileitung gebaut werden soll, dass es praktisch ausgeschlossen erscheint, dass eine Gemeinde eine Hochspannungsgleichstrom-Freileitung anstrebt, nur um in den Genuss der freiwilligen Ausgleichsabgabe für Freileitungen über 300 KV in Hochspannungs-Gleichstrom-Technologie zu kommen.

Nach dem klaren Wortlaut der Vorschrift sind Ausgleichsabgaben für Erdkabelanlagen nicht als Netzkosten anerkennungsfähig. Es besteht also kein Anreiz für Übertragungsnetzbetreiber, auch für Erdkabelanlagen Ausgleichsabgaben auszuloben. Erdkabel sind gemäß § 5 Abs. 4 StromNEV nicht zuwendungsfähig. Der Gesetzgeber liefert dafür keine Begründung; er hat die Regelung auch nicht angepasst, nachdem durch das zweite Bundesbedarfsplangesetz 2016[22] praktisch der Kabel-Vorrang für HGÜ-Leitungen und die erweiterte Anwendung von Erd-Kabeln auch für die Wechselstromtechnologie vorgegeben worden ist. Offensichtlich geht der Gesetzgeber davon aus, dass vergrabene Erdkabel weniger Akzeptanz-Hürden nehmen müssen, als optisch nicht übersehbare Freileitungen, eine einleuchtende, empirisch aber nur schwer belegbare Annahme.[23] Außerdem könnte es der Gesetzgeber darauf angelegt haben, der immer geäußerten Erwartung folgend, Erdverkabelung sei ohnehin teurer, auf eine zusätzliche Belastung der Erdkabel zu verzichten, während die Ausgleichsabgabe bei Freileitungen das Argument des Kostenvorteils zulasten der Freileitung kleiner macht.

6. *Zahlungshöhe*

Die Höhe der Zahlung ist auf 40.000 € je Kilometer begrenzt. Die Gesetzesbegründung spricht ausdrücklich von Höchstsätzen, das lässt also auch geringere Zahlungen als anerkennungsfähig zu, nicht aber höhere. Dabei ist ausdrücklich geregelt, dass es sich nur um einmalige Zahlungen handeln darf.

Die Anknüpfung „pro Kilometer" wirft die Frage auf, welche Kilometer entscheidend sind: Trassenlänge oder Systemlänge. Da der Gesetzgeber wesentlich auf die unterstellte optische Beeinträchtigung des Landschaftsbildes abstellt, wie die Herausnahme der Erdverkabelung aus der Regelung deutlich zeigt, dürfte die Obergrenze auf die Trassenlänge abstellen. Dafür spricht auch der Umstand, dass Anknüpfungspunkt eine Leitung „auf neuer

22 vgl. *Ruge* (o. Fn. 21), S. 51.

23 *Amprion GmbH,* Stellungnahme für die öffentliche Anhörung zum Gesetzesentwurf der Bundesregierung zur Änderung von Bestimmungen des Rechtes des Energieleitungsbaus Ausschussdrucksache 18(9)543, abrufbar unter https://www.bundestag.de/blob/391594/f86f5faf359590214cb1b32256dbca0b/amprion-gmbh-data.pdf, (zuletzt abgerufen am 27.3.2018).

Trasse" ist. Eine Freileitung in derselben Trasse führt gegenüber dem Status quo praktisch nicht zu einer zusätzlichen Beeinträchtigung. Die Obergrenze ist also 40.000 € pro Kilometer Trassenlänge.

7. Bemessung der Ausgleichsabgabe

Die Bemessung an der Trassenlänge schließt gleichwohl nicht aus, die Zahlung je nach Art der Leitung zu differenzieren. Mehrsystemige Leitungen sind höher und breiter, damit auch optisch stärker wahrnehmbar. Das kann eine höhere Ausgleichszahlung für „voluminösere" Leitungen nahelegen. Im Klartext heißt das, dass „kleinere Leitungen" geringer ausgeglichen werden, als die Obergrenze von 40.000 € je Kilometer.

Naheliegend ist es, ein an objektiven Kriterien anknüpfendes System für die Bemessung einer Ausgleichszahlung anzuwenden, welches an die unterstellte Höhe der Beeinträchtigung anknüpft, also an die optische Sichtbarkeit, und zwar an die Veränderung der optischen Sichtbarkeit durch den Neubau der Leitungen. Ein solches System nach der Devise „je größer, desto mehr" wendet der Übertragungsnetzbetreiber 50 Hertz tatsächlich auch an.[24]

Dies wirft die Frage auf, ob Übertragungsnetzbetreiber zur Gleichbehandlung verpflichtet sind. Die Zahlungsvereinbarung könnte – aus welchen Gründen auch immer – „stumpf" für alle (größeren oder kleineren) Leitungen den Höchstsatz vorsehen, also Ungleiches gleichbehandeln, oder von einem einmal festgelegten Berechnungssystem abweichen, also diskriminieren, d.h. willkürlich einzelnen potentiellen Zahlungsempfängern nur geringere Zahlungen oder auch gar keine versprechen.

Die Übertragungsnetzbetreiber handeln als Privatrechtspersonen. Eine unmittelbare Bindung an Art. 3 GG scheidet damit aus; nicht zuletzt auch deshalb, weil die Gemeinden kein taugliches Grundrechtssubjekt sind.[25] Das für alle Netzbetreiber geltende Diskriminierungsverbot des § 30 Abs. 1 EnWG weist in seinen Regelbeispielen der Ziffern 2 bis 6 keine unmittelbar einschlägigen Regelbeispiele auf; möglich wäre also allein ein Verstoß gegen das allgemeine Missbrauchsverbot in § 30 Abs. 1 EnWG. Dafür gibt es aber dogmatisch gewisse Schwierigkeiten: eine gesetzliche Verpflichtung, überhaupt einen Vertrag anzubieten, gibt es nicht. Ebenso wenig gibt es eine Verpflichtung der einzelnen Gemeinde zu irgendeiner Gegenleistung in dem regelungsgegenständlichen Vertrag. Rechtsdogmatisch sind wir daher sehr nahe an einer Schenkung. Ein Anspruch auf „diskriminierungsfreie Schen-

[24] *50hertz*, Ausgleichszahlungen an Kommunen, abrufbar unter https://www.50hertz.com/de/Netzausbau/Ausgleichszahlungen-an-Kommunen bzw. https://www.50hertz.com/Portals/3/Content/Dokumente/Netzausbau/Ausgleichzahlungen/50Hertz_Mustervereinbarung_AusgleichszahlungenV3_20140509 (zuletzt abgerufen am 27.3.2018).

[25] *Jarass*, in: Jarass/Pieroth; Grundgesetz Kommentar, 13. Aufl. 2014, Art. 3 Rdnr. 5 und Rdnr. 1b.

kungen“ ist aber nur schwer denkbar. Der allgemeine Missbrauchstatbestand gibt also schwerlich einen Anhaltspunkt, der unterschiedliche, systemwidrige oder gar keine Zahlungen angreifbar machen könnte.

Näher liegt da schon die Überlegung, ob nicht die Einbettung dieser Ausgleichszahlung in die Anreizregulierung einen Ansatz bieten könnte, eine gewisse systematische Logik in das Vertrags- und damit Zahlungsgebaren eines Übertragungsnetzbetreibers einzuführen: Die in § 5 Abs. 4 StromNEV genannte Rechtsfolge lautet, dass die Zahlung „als Kostenposition bei der Bestimmung der Netzkosten nach § 4 zu berücksichtigen “ ist. Dies gilt aber nur nach Maßgabe von Satz 2, d.h. insbes. bei Einhaltung der Höchstgrenzen. Auch die Gesetzesbegründung enthält Elemente („sollen als Kosten des Netzbetriebs anerkannt werden“), die darauf hindeuten, dass es sich bei der Rechtsfolge weder um eine gesetzliche Definition, noch eine gesetzliche Fiktion handelt, sondern um eine die Regulierungsbehörde verpflichtende Regelung, die damit auch umgekehrt gewisse Prüfungsrechte impliziert, so wie bei allen Kostenregelungen der StromNEV.[26] Im Rahmen dieses – vorliegend wegen des strikten Wortlauts des § 5 Abs. 4 StromNEV allerdings marginalen Prüfungsrechts – mag es dazu kommen, dass eindeutig nicht begründbare Maßstäbe der Übertragungsnetzbetreiber keine Anerkennung finden. Das geringe, aber nicht ganz ausschließbare Risiko der Nichtanerkennung der Zahlungen als weniger stringente Regelung im Vergleich zum Missbrauchsverbot entspricht systematisch der zurückhaltenden Regelungstechnik, die Zahlungen nur anzureizen, nicht aber verpflichtend anzuordnen.

8. *Fälligkeit der Ausgleichszahlung*

Der Gesetzgeber hat die Fälligkeit der Ausgleichszahlung und damit einen weiteren Bestandteil des entsprechenden Vertrages in § 5 Abs. 4 Satz 3 StromNEV selbst geregelt, und zwar mit der tatsächlichen Inbetriebnahme der Leitung als Fälligkeitszeitpunkt. Dies impliziert zugleich, dass der entsprechende Vertrag bereits vorher abgeschlossen worden sein muss.[27] Der frühestmögliche Zeitpunkt für einen Vertragsschluss dürfte gegeben sein, wenn das Raumordnungsverfahren bzw. die Bundesfachplanung durch einen Antrag des Übertragungsnetzbetreibers eingeleitet worden ist, da erst dann der Korridor, in dem die Leitungsbauvorhaben voraussichtlich errichtet werden sollen, einigermaßen klar ist. Endgültig klar ist der Korridorverlauf erst mit Abschluss der Bundesfachplanung bzw. der Raumordnungsverfahren.

[26] zur Reichweite des Prüfungsrechts, auch nach Ablösung der kostenorientierten Entgeltbildung durch die Anreizregulierung siehe *Laubenstein/van Rossum,* in Holznagel/Schütz (o. Fn. 11), § 21 EnWG, Rdnr. 58.

[27] Nach § 3 Abs. 3 S. 1 BBPlG erfolgt das kommunale Prüfungsverlangen sogar erst in der Antragskonferenz, vgl. auch *Ruge* (o. Fn. 21), S. 52.

Das Bundesbedarfsplangesetz weist nur Anfangs- und Endpunkte der bundesweiten Leitungsverbindungen aus, nicht hingegen einen Leitungsverlauf.

9. Gegenleistung der Gemeinde oder Stadt

Eine Gegenleistung der Gemeinde bzw. Stadt ist weder im Gesetz noch in der Begründung erwähnt. Die zugänglichen Mustervereinbarungen gehen demzufolge auch ausdrücklich davon aus, dass die Gemeinde keine Gegenleistung schuldet.[28]

Das dürfte rechtlichen Bedenken geschuldet sein, die aus einer vertraglichen Gegenleistungspflicht der Kommune resultieren könnten. Als allein denkbare Verpflichtung kommen Handlungen oder Maßnahmen in Betracht, die sich zusammenfassend als „Haltung gegenüber dem Projekt" umschreiben lassen. Konkret könnte es sich z.B. um den Verzicht auf rechtliches Vorgehen gegen den Leitungsbau in den verschiedenen Stufen der Bundesnetz- und Bundesfachplanung bzw. Raumordnung oder Planfeststellung handeln, bis hin zum Klageverzicht auf eine Klage, die z.B. auf die Verletzung der gemeindlichen Planungshoheit gestützt werden könnte. Würde sich ein Amtsträger, sei es ein hauptamtlicher Kommunalbeamter oder ein gewählter Vertreter in einem Rat auf eine solche Vereinbarung einlassen, stünden sofort Straftatbestände wie §§ 331, 330 StGB (Bestechlichkeit) auf Seiten der Amtsträger genauso wie Bestechung oder Vorteilsgewährung (§§ 333, 334 StGB) auf Seiten der leistenden Unternehmen in Rede. Das „Abkaufen vom (kommunalen) Beteiligungsrechten", der entgeltliche Verzicht auf Klagemöglichkeiten, quasi jedes rechtlich verbindlich zugesagte Handeln, das gegen Amtspflichten verstoßen könnte, ließen den Abschluss von Ausgleichsvereinbarungen angesichts des hohen Risikos auf beiden Seiten nahezu als ausgeschlossen erscheinen; das gesetzgeberische Ziel der Akzeptanzförderung würde in jedem Fall verfehlt. Daher ist nachvollziehbar, dass die Gegenleistungsfreiheit ausdrücklich betont wird.

10. Verwendung der Zahlungen

Die regulatorische Anerkennung der Zahlungen soll ausweislich der Gesetzesbegründung „zur Erhöhung der Akzeptanz für den notwendigen Leitungsbau" führen. Die Begründung führt dazu aus, die fehlende Akzeptanz resultiere vor allem daraus, dass „anders als bei anderen Infrastrukturvorhaben wie Straßen oder Schienen (..) die Gebietskörperschaften entlang einer Stromtrasse keinen eigenen Nutzen von dem Infrastrukturprojekt (haben), z.B. durch Verbesserung der örtlichen Infrastruktur durch Ausfahrten oder

[28] vgl. § 4 des Mustervertrages 50 Hertz (o. Fn. 24).

Haltepunkte."[29] Der Gesetzgeber spricht deshalb von Ausgleichszahlungen für „mögliche"[30] Beeinträchtigungen. Umso befremdlicher erscheint es, dass für die Zahlungen, die die Städte und Gemeinden erhalten können, der Gesetzgeber keine besondere Zweckbindung vorgesehen hat, sondern im Gegenteil in der Begründung ausdrücklich ausführt: „Die konkrete Mittelverwendung verbleibt grundsätzlich in der Autonomie der begünstigten Gebietskörperschaft".[31]

Ob die Akzeptanz einer Freileitung tatsächlich gefördert wird, wenn potentielle Betroffene nicht nur für Nachteile entschädigt werden, sondern sogar nicht auftretende Vorteile anderweitig vergütet werden („Geld für die Gemeinde ohne Bahnhof"), mag möglich sein. Wenn aber die Zahlung losgelöst von auch nur möglichen Beeinträchtigungen zweckfrei verwendet wird, („Ausgleichszahlung ermöglicht Olympia-Bewerbung"), scheint das eigentliche Regelungsziel des Gesetzgebers gefährdet. Fließt Geld in konkrete Projekte, werden diese innerhalb der Bürgerschaft stets umstritten sein; dies färbt vermutlich auf den Leitungsbau ab, der die Mittelherkunft generiert hat und führt eventuell zu weniger Akzeptanz für eine Freileitung.[32] Gar nicht zu reden ist von der Tatsache, dass innerhalb einer Gemeinde die einzelnen Bürger unterschiedlich betroffen sein werden; im Grunde je nach tatsächlicher Entfernung der Leitung vom Wohnort. Vergleichbare Regelungen im Bereich der Akzeptanzförderung von Windenergieanlagen sehen deshalb vor, dass wirtschaftliche Vorteile nicht nur bei kommunalen „Nachbarn" der geplanten Windkraftwerke realisiert werden, sondern auch bei privaten Anrainern.

11. *Regulatorische Behandlung*

Vertrag, Zahlung und Akzeptanzförderung werden nur angereizt bzw. vorausgesetzt. Der „harte Kern" der Regelung in § 5 Abs. 4 StromNEV i.V.m. § 11 Abs. 2 Ziffer 8b ARegV ist die regulatorische Behandlung der aus den angereizten Verträgen resultierenden Zahlungen.

Zahlungen aus dem letzten abgeschlossenen Geschäftsjahr können innerhalb der Netzkosten angesetzt werden, und zwar als aufwandsgleiche Kosten nach § 5 StromNEV[33]. Dabei werden diese Kosten gem. § 11 Abs. 2 Ziffer 8b ARegV als „dauerhaft nicht beeinflussbare Kosten" eingeordnet. Dies führt dazu, dass die Erlösobergrenze des jeweiligen Übertragungsnetzbetreibers jeweils zum 1. Januar des übernächsten Jahres gem. § 4 Abs. 3 Ziffer 2 3. Halbsatz ARegV um die herausgelegten Zahlungen erhöht werden kann.

[29] DrS 17/6073, S. 35 zu Artikel 4.
[30] DrS 17/6073, S. 35.
[31] DrS 17/6073, S. 35.
[32] Skeptisch auch *Seele*, Stromnetze als NIMBY-Güter? Kompensationslösungen zur Verbesserung der Akzeptanz von Energieinfrastrukturen, IR 2012, S. 247 (250).
[33] *Schütz/Schütte* (o. Fußn. 11) § 5 StromNEV Rdnr. 26.

Folglich können gem. § 17 ARegV auch die Netzentgelte, die die Netznutzer zu entrichten haben, angepasst werden. Im Endeffekt fließen die herausgelegten Zahlungen[34] dem Übertragungsnetzbetreiber mit einem Versatz von zwei Jahren (t-2-Versatz) wieder zu. Diese regulatorische Behandlung der Ausgleichszahlungen stellt – wie oben erläutert – mit ihrem Ansatz auf Kostenerstattungsbasis den Anreiz dar, solche Zahlungen zu leisten. Auf den Effizienzvergleich für Übertragungsnetzbetreiber nach den §§ 12, 22 ARegV haben diese Zahlungen keinen Einfluss. Der Gesetzgeber hätte allerdings den Anreiz, die Zahlungen herauszureichen und damit die Akzeptanz zu fördern, noch erhöhen können, indem er die Zahlungen als Baunebenkosten für aktivierungsfähig erklärt hätte, so dass die Zahlungen in die Basis für die Ermittlung der kalkulatorischen Kosten eingeflossen wären und damit die Eigenkapitalverzinsung erhöht hätten. Diese Möglichkeit, die grundsätzlich zur Verfügung gestanden hätte,[35] hat der Gesetzgeber allerdings ausdrücklich nicht gewählt, so dass eine noch höhere Anreizwirkung für die Übertragungsnetze nicht eintreten kann. Immerhin hat der Gesetzgeber die Zahlungen aus dem Effizienzvergleich herausgenommen, um sie zur Gänze – wenn auch mit einem Versatz von zwei Jahren – dem Netzbetreiber wieder zufließen zu lassen.

Der vorstehend dargestellte Regelungsgehalt von § 5 Abs. 4 StromNEV i.V.m. § 11 Abs. 2 Ziffer 8b ARegV hat zu Zweifeln Anlass gegeben, ob diese beiden Regelungen noch von der Ermächtigungsgrundlage des § 24 EnWG gedeckt sind, da es sich um eine zusätzliche und verdeckte Umlage handele.[36] Dem liegt ein Missverständnis zugrunde. Auf Grundlage von § 21a EnWG hat der Gesetzgeber entschieden, dass ab dem 1.1.2009 die Netzentgelte im Wege der Anreizregulierung zu bilden sind, § 1 Abs. 1 Satz 2 ARegV. Gem. § 6 Abs. 1 ARegV ist Grundlage der Erlösobergrenze eine Kostenprüfung nach den Grundsätzen der StromNEV, die damit weiterhin Bedeutung für die Ermittlung der Netznutzungsentgelte hat. Auch die StromNEV selbst muss natürlich weiterhin der Ermächtigungsgrundlage in § 24 Abs. 2 Nr. 4 EnWG entsprechen und damit den Grundsätzen des § 21 Abs. 1und 2 EnWG, soweit dies die Kostenermittlung und nicht die nach der ARegV vorzunehmende Entgeltbildung betrifft. Die Netzentgelte müssen nach § 21 Abs. 1 EnWG als oberstem Maßstab „angemessen" sein. Gebildet werden sie nach § 21 Abs. 2 nach „den Kosten der Betriebsführung". Diese enthält nicht nur die Betriebskosten im engeren Sinne[37]. Vielmehr sind Kosten der Betriebsführung der für die Herstellung der Leistungen bewertete Verbrauch von

[34] Es handelt sich um die Nettobeträge; einen Zinsausgleich für den t-2-Versatz gibt es nicht.

[35] *Schütz/Schütte*, ARegVO, (Fußn. 11) § 4 StromNEV Rdnr. 26.

[36] *Lüdemann/Große Gehling*, Zustimmung gegen Geld? Zur finanziellen Kompensation von Kommunen beim Netzausbau, EnWZ 2016, S. 147(149).

[37] *Laubenstein/van Rossum,* (o. Fn. 11), § 21 EnWG Rdnr. 56.

Gütern und Dienstleistungen sowie die Aufrechterhaltung der dafür erforderlichen Kapazitäten.[38] § 21 Abs. 2 EnWG, der im Übrigen nicht auf eine absolute Vollkostenerstattung abstellt,[39] sondern durchaus die bereits oben dargestellte Kostenprüfung der Regulierungsbehörde hinsichtlich der anzuerkennenden Kosten aus Zahlungen nach § 5 Abs. 4 StromNEV erlaubt, wird damit durch die StromNEV konkretisiert. Auf Basis der in den Handelsbilanzen der Netzbetreiber enthaltenen Aufwendungen muss geregelt werden, wie diese regulatorisch zu behandeln sind, also aufwandsgleich oder kalkulatorisch, und ob sie überhaupt berücksichtigungsfähig sind. Dazu enthalten §§ 3, 4 StromNEV die entsprechenden Grundsätze. Dass die Zahlungen an Gemeinden bzw. Städte dem Netz (und nicht irgendeinem anderen Tätigkeitsbereich) zuzurechnen sind, erscheint unbezweifelbar, ob sie effizient und i.S.v. § 21 Abs. 1 EnWG angemessen sind, kann in den engen Grenzen des § 21 EnWG geprüft werden, wobei die Vorgabe in § 5 Abs. 4 StromNEV zu berücksichtigen ist.[40] So fließt – aus Sicht der Netzentgeltbildung – die Zahlung gem. § 5 Abs. 4 StromNEV in die allgemeine Entgeltbildung ein.

Um eine verdeckte Umlage[41] würde es sich nur handeln, wenn die Refinanzierung dieser Kosten außerhalb der allgemeinen Netzentgelte erfolgen würde,[42] wie z.B. die Umlage nach § 19 Abs. 1 S. 2 AbLaV, die in der Tat einer gesonderten Ermächtigungsgrundlage bedurfte, und zwar in § 13 i Abs. 2 S. 6 EnWG.[43] Die Umlage qualifiziert sich dadurch, dass sie eine andere Refinanzierung der anerkannten Kosten darstellt als die allgemeinen Netzentgelte; § 5 Abs. 4 StromNEV betrifft aber die Kostenseite, nicht die Entgeltbildung.

III. Vergleichbare Regelungen

Die Sichtung der einzelnen Tatbestandselemente und mehr noch die Einbettung der untersuchten Normen in die energierechtlichen Zusammenhänge hat vielfältige Probleme ergeben. Daher liegt es nahe, abschließend den Regelungsumfang, insbesondere hinsichtlich denkbarer anderer Ausgestaltungsvarianten, mit einigen parallelen Regelungen zu vergleichen.

[38] *Laubenstein/van Rossum,* (o. Fn. 11), § 21 EnWG Rdnr. 56.

[39] *Laubenstein/van Rossum,* (o. Fn. 11), § 21 EnWG Rdnr. 59.

[40] DrS. 17/6073, S.35.

[41] *Lüdemann/Große Gehling* (o. Fn. 36), S.149.

[42] vgl. z.B. § 19 Abs. 2 S. 15 StromNEV „Aufschlag auf die Netzentgelte".

[43] wie häufig wird die Regelung der §§ 26, 28 und 30 KWKG für entsprechend anwendbar erklärt; zur Umlagensystematik vgl. auch *Böwing,* Rechtsbeständigkeit (o. Fn. 2), S. 79 (81).

1. Konzessionsabgabenrecht

Die Nähe zum Konzessionsabgabenrecht[44] ist unübersehbar; in beiden Fällen handelt es sich um Zahlungen an eine Kommune, vorliegend allerdings ohne Gegenleistung. Konzessionsabgaben werden für das Recht zur Nutzung öffentlicher kommunaler Wege mit dem Leitungsnetz entrichtet.[45] Die Möglichkeit zu ihre Erhebung resultiert aus dem zivilrechtlichen Eigentum der Gemeinde an dem Straßennetz, das die Leitungsnetze zwingend nutzen müssen:[46] Jeder Verbrauchsort, jedes Haus kann nur erreicht werden, indem zur Netzverlegung das Straßennetz genutzt oder zumindest gequert wird. Gesetzlich ist die Konzessionsabgabe damit nicht angeordnet, sondern durch das Konzessionsabgabenrecht vielfältig beschränkt. So sind Konzessionsabgaben nur für Netze zur unmittelbaren Versorgung von Letztverbrauchern zulässig und an Höchstsätze gebunden.[47] Das zeigt zugleich, dass der Vorschlag des Bundesrates, die Ausgleichabgabe den Regelungen des Konzessionsabgabenrechts folgen zu lassen, systematisch gesehen falsch gewesen wäre: eine an das zivilrechtliche Eigentum anknüpfende Verwertungsmöglichkeit unterscheidet sich eindeutig von einer im Wege einer Sonderabgabe erhaltenen öffentlich-rechtlichen Abgabe. Im Übrigen hätte das Konzessionsabgabenrecht, das auf Übertragungsnetze gar nicht anwendbar ist,[48] keine für die Sonderabgabe tauglichen Maßstäbe liefern können.

2. Bürger- und Gemeindebeteiligungsgesetz Mecklenburg-Vorpommern (BüGembeteilG M-V)

Am 18. Mai 2016 ist das BüGembeteilG M-V[49] verkündet worden. Es dient der Akzeptanzförderung beim Ausbau der Windenergie in Mecklenburg-Vorpommern. Anders als die regelungsgegenständliche Ausgleichsabgabe nach § 5 Abs. 4 StromNEV sieht das Gesetz die Förderung der Akzeptanz durch wirtschaftliche Teilhabe der Bürgerinnen und Bürger und der Gemeinden in verschiedenen Modellen und Möglichkeiten vor, von der unternehme-

[44] Konzessionsabgabenverordnung – KAV v. 9.1.1992; § 48 EnWG.

[45] Nach § 1 Abs. 2 KAV sind Konzessionsabgaben Entgelte für die Einräumung des Rechts zur Benutzung öffentlicher Verkehrswege für die Verlegung und den Betrieb von Leitungen, die der unmittelbaren Versorgung von Letztverbrauchern im Gemeindegebiet dienen.

[46] *Gerbatsch/Walter*, in: Rosin/Pohlmann/Gentzsch/Metzenthin/Böwing (Hrsg.), Praxiskommentar zum EnWG, Stand der 8. Erg-LfG. (November 2016), EnWG, § 48 Rdnr. 20, 21.

[47] § 2 KAV.

[48] Die Übertragungsnetze dienen nicht oder nur nachrangig der unmittelbaren Versorgung von Letztverbrauchern.

[49] Gesetz über die Beteiligung von Bürgerinnen und Bürgern sowie Gemeinden an Windparks in Mecklenburg-Vorpommern – BüGembeteilG M-V.

rischen gesellschaftsrechtlichen Beteiligung über Strompreisvergünstigungen bis hin zu einem festverzinslichen Sparprodukt.[50]

Von Interesse hier ist eine vertraglich zur Ablösung der anderen Varianten mögliche, nach Wahl der Kommune verpflichtend zu zahlende Ausgleichsabgabe für die Kommunen, vgl. § 11 BüGembeteilG M-V. Diese ist laufend zu entrichten und richtet sich nach dem Ertragswert der Windenergieanlage. Die erzielten Mittel unterliegen – anders als nach § 5 Abs. 4 StromNEV – einer Verwendungsbeschränkung: sie sind von der Gemeinde für die Steigerung der Akzeptanz bei ihren Einwohnern zu verwenden.[51]

Es verwundert bei dieser Ausgestaltung nicht, dass das Gesetz als unzulässige Sonderabgabe zur verfassungsrechtlichen Prüfung gestellt ist.[52]

3. § 36 g Abs. 7 EEG

Ein weiteres rechtliches Problem für Länderregelungen zur Akzeptanzförderung bei Windenergieanlagen ist seit Inkrafttreten von § 36 g Abs. 7 EEG[53] obsolet: Die Länder können (gegenüber den privilegierenden Regelungen für Bürgerenergiegesellschaften bei EEG-Ausschreibungen; § 36 g Abs. 1 bis 6 EEG) weitergehende Regelungen zur Steigerung der Akzeptanz von Windenergieanlagen erlassen. Diese (bundesgesetzliche) Regelung räumt im Bereich konkurrierender Gesetzgebungskompetenzen nach Art. 72, 74 Abs. 1 GG die Zuständigkeitshürde durch vorheriges gesetzgeberisches Tätigwerden des Bundes beiseite. Rein zeitlich hilft dies für die Zuständigkeitsfrage beim vorher erlassenen BüGembeteilG M-V nicht; im Umkehrschluss ist immerhin zu konstatieren, dass eine landesrechtliche Ausgleichsabgabe zur Akzeptanzförderung des Leitungsbaus kompetenzrechtlich gesperrt bleibt: § 36 g Abs. 7 gilt nur für Windkraftanlagen.

IV. Fazit

Die Untersuchung der Ausgleichsabgabe beim Netzausbau, die wegen der Unvollständigkeit der Regelung auch eine Sichtung des energierechtlichen Umfeldes notwendig machte, hat einige Auffälligkeiten ergeben. Sie ist zwar nur unausgesprochen in einen engen energierechtlichen Regelungskontext

[50] § 5 Abs. 2; § 10 Abs. 5 BüGembeteilG M-V.

[51] § 11 Abs. 4 BüGembeteilG M-V.

[52] DrS 19/490 des Schleswig-Holsteinischen Landtages: Stellungnahme im Verfahren vor dem Bundesverfassungsgericht betr. Verfassungsbeschwerde gegen §§ 3, 4, 6, 11 und 12 des Gesetzes über die Beteiligung von Bürgerinnen und Bürgern sowie Gemeinden an Windparks in Mecklenburg-Vorpommern – Az: 1 BvR 1187/17: Der Landtag hat keine Stellungnahme abgegeben.

[53] vgl. DrS 18, 9096, S. 353.

eingebunden; aber unwirksam ist sie gleichwohl nicht. Ob die Nutzung freiwilliger Verbändevereinbarungen zur Akzeptanzförderung tatsächlich beiträgt, ist nicht gesichert. Abzuwarten bleibt, ob die stetig sinkende Akzeptanz des Netzausbaus auch noch dazu führt, dass eine „Verrechtlichung" der freiwilligen Ausgleichsabgabe für notwendig gehalten wird, vgl. § 6 Abs. 1 EnWG a.F. in der bis zum 31.12.2003 geltenden Fassung.

Eins ist jedenfalls aus neuerer Sicht zu konstatieren: Mit dem Inkrafttreten von § 24 Satz 2 Nr. 4b i.V.m. § 24 a EnWG, die eine schrittweise Vereinheitlichung der Entgelte für die Nutzung Netze der (vier) Übertragungsnetzbetreiber vorsehen, ist das Energierecht bei der Gestaltung der Ausgleichsabgabe zu einer weiteren Umlage[54] wieder einen Schritt näher gekommen.

[54] Bei einer Vereinheitlichung der Netzentgelte auf Ebene der Übertragungsnetze wird dieser Bestandteil der Netzkosten anders auf die Netznutzer „gewälzt" als die übrigen Kosten. Dies entspricht einer Umlagefinanzierung, vgl. *Böwing*, (o. Fn. 2), S. 79 (81).

Die Verzinsung des Eigenkapitals gemäß § 7 StromNEV/GasNEV in der aktuellen Rechtsprechung des OLG Düsseldorf

Wiegand Laubenstein*

Die Europäische Union hat mit den **Richtlinien 2003/54/EG**[1] und **2003/55/EG**[2] **(„Beschleunigungsrichtlinien")** die Grundlage für die Liberalisierung des Energiemarktes, für den bereits bestehenden und weiter zunehmenden Wettbewerb auf den dem Netzbetrieb vor- und nachgelagerten Märkten geschaffen. Zweck der Richtlinien ist die Herstellung von Transparenz, die Beseitigung von Quersubventionen und die Eröffnung von Wettbewerb auf den Strommärkten der Gemeinschaft.[3] Die Umsetzung der Richtlinien in das nationale Recht führte zur Verabschiedung des vom Bundestag und vom Bundesrat beschlossenen und am 13.7.2005 in Kraft getretenen **Energiewirtschaftsgesetzes (EnWG)**, insbesondere mit den Vorschriften der §§ 20 ff. EnWG, die den Zugang zum gesamten Elektrizitäts- und Gasversorgungsnetz sichern. Die aktuell geltenden **Richtlinien 2009/72/EG**[4] **und 2009/73/EG**[5] setzten den Prozess der wettbewerblichen Öffnung der Märkte fort. Mit der Zugangsregulierung wird die Leitungsgebundenheit als ein natürliches Hindernis konkurrierender Energieversorgung ausgegli-

* Der Verfasser ist Vorsitzender Richter am Oberlandesgericht Düsseldorf (3. Kartellsenat). Der Beitrag stellt seine persönliche Ansicht dar.

[1] Richtlinie 2003/54/EG des Europäischen Parlaments und des Rates vom 26.6.2003 über gemeinsame Vorschriften für den Elektrizitätsbinnenmarkt und zur Aufhebung der Richtlinie 96/92/EG (ABl. EG Nr. L 176 S. 37 ff. vom 15.7.2003) – **„Beschleunigungsrichtlinie"**.

[2] Richtlinie 2003/55/EG des Europäischen Parlaments und des Rates vom 26.6.2003 über gemeinsame Vorschriften für den Erdgasbinnenmarkt und zur Aufhebung der Richtlinie 98/30/EG (ABl. EG Nr. L 176 S. 57 ff. vom 15.7.2003) – **„Beschleunigungsrichtlinie"**.

[3] *Schmidt-Preuß*, in: Baur/Pritzsche/Simon (Hrsg.): Unbundling in der Energiewirtschaft, 2006, Kap. 1 Rdnr. 60.

[4] Richtlinie 2009/72/EG des Europäischen Parlaments und des Rates vom 13.7.2009 über gemeinsame Vorschriften für den Elektrizitätsbinnenmarkt und zur Aufhebung der Richtlinie 2003/54/EG (ABl. EG Nr. L 211/55 vom 14.8.2009) – „Stromrichtlinie".

[5] Richtlinie 2009/73/EG des Europäischen Parlaments und des Rates vom 13.7.2009 über gemeinsame Vorschriften für den Erdgasbinnenmarkt und zur Aufhebung der Richtlinie 2003/55/EG (ABl. EG Nr. L 211/14 vom 14.8.2009) – „Gasrichtlinie".

chen.[6] Mit der wettbewerbsanalogen Regulierung einher geht der Grundsatz der effizienten Leistungserbringung. Unabdingbarer Bestandteil der wettbewerbsanalogen Regulierung ist auf der anderen Seite die angemessene Verzinsung des eingesetzten Kapitals. Folgerichtig schreibt § 21 Abs. 2 EnWG vor, dass die Netzentgelte auf der Grundlage der Kosten einer Betriebsführung, die denen eines effizienten und strukturell vergleichbaren Netzbetreibers entsprechen müssen, unter Berücksichtigung von Anreizen für eine effiziente Leistungserbringung und einer angemessenen, wettbewerbsfähigen und risikoangepassten Verzinsung des eingesetzten Kapitals gebildet werden.

Der mit dieser Festschrift zu ehrende *Ulrich Büdenbender* hat nachdrücklich auf die außerordentliche und vielschichtige Bedeutung einer angemessenen Eigenkapitalrendite für die Betreiber von Strom- und Gasnetzen hingewiesen.[7] Er hat zu Recht betont, dass die Fixierung des Eigenkapitalzinssatzes nur ein Element für die erreichbare Eigenkapitalrendite darstellt und eine ebenso grundlegende Bedeutung der Frage zukommt, auf welcher Basis der Eigenkapitalzins berechnet wird.[8] Wird das gesamte im Netzbetrieb gebundene Eigenkapital mit dem vorgegebenen Zins verzinst, so decken sich Eigenkapitalzins und Eigenkapitalrendite. Bleiben hingegen Teile des Eigenkapitals außer Ansatz, so bleibt die Eigenkapitalrendite unter dem Eigenkapitalzins.[9] Gleichzeitig hat *Ulrich Büdenbender* den untrennbaren Zusammenhang zwischen der Eigenkapitalrendite und den von den Netzbetreibern zu beachtenden Erfordernissen der Versorgungssicherheit, § 1 EnWG, und ihrer Verpflichtung zum Netzausbau nach § 11 Abs. 1 S. 1 EnWG betont.[10] Angesichts dieser Aufgaben wird das Dilemma der Regulierungsbehörde bei der Bestimmung der Eigenkapitalkosten deutlich. Ein zu hoher Ansatz bedeutet die Erzielung ungerechtfertigter Gewinne. Ein zu niedriger Ansatz gefährdet die notwendigen Ersatz- und Erweiterungsinvestitionen durch das regulierte Unternehmen.[11]

Auch die in diesem Zusammenhang aktuell anhängigen Beschwerdeverfahren belegen die außerordentliche Bedeutung der Eigenkapitalverzinsung. Ca. 1.160 Betreiber von Strom- und Gasnetzen wenden sich mit ihren

[6] Ausführlich zum Regulierungsgrund des natürlichen Monopols *Mohr*, Sicherung der Vertragsfreiheit durch Wettbewerbs- und Regulierungsrecht, 2015, S. 526 ff; zur Bedeutung des Unbundling *Bourazeri*, Verteilernetzentflechtung und Energiewende, RdE 2017, S. 446 (447).

[7] *Büdenbender*, Die Korrekturfaktoren des § 21 Abs. 2–4 EnWG für die kostenbasierte Netzentgeltregulierung, RdE 2008, S. 69 ff.; *ders.*, Die Angemessenheit der Eigenkapitalrendite im Rahmen der Anreizregulierung von Netzentgelten in der Energiewirtschaft, 2011; *ders.*, Kostenorientierte Regulierung von Netzentgelten, 2007, S. 29.

[8] *Büdenbender*, Die Angemessenheit der Eigenkapitalrendite im Rahmen der Anreizregulierung von Netzentgelten in der Energiewirtschaft, 2011, S. 11.

[9] *Büdenbender* (o. Fn. 8), S. 37.

[10] *Büdenbender* (o. Fn. 8), S. 11.

[11] *Busse von Colbe*, in: Säcker (Hrsg.), BerlK-EnR, vor §§ 21 ff. Rdnr. 85.

Beschwerden gegen die Festlegungen vom 5.10.2016 (Az. BK4-16-160 und BK4-16-161), mit denen die Beschlusskammer 4 der Bundesnetzagentur für die Dauer der dritten Regulierungsperiode die Eigenkapitalzinssätze für Neuanlagen auf **6,91 %** und für Altanlagen auf **5,12 %**, jeweils vor Steuern, festgelegt hat. Die dazu ergangenen Beschlüsse des 3. Kartellsenats des OLG Düsseldorf vom 22.3.2018 zum sog. **EK I** stehen im Mittelpunkt des vorliegenden Beitrags. Hinzu kommt eine Darstellung der Entscheidungen zu der Verzinsung des die zulässige Eigenkapitalquote übersteigenden Eigenkapitals, dem sog. **EK II.**

I. Allgemein zur Ermittlung der Eigenkapitalverzinsung

Die Bundesnetzagentur berechnet, bestätigt durch den BGH,[12] die kalkulatorische Eigenkapitalverzinsung gemäß § 7 StromNEV/GasNEV in **fünf Schritten:**[13]

1. Im ersten Schritt wird die gemäß § 7 Abs. 1 S. 2 Nr. 1 und 2 StromNEV/GasNEV zur Berechnung notwendige **kalkulatorische Eigenkapitalquote** ermittelt. Die Eigenkapitalquote ergibt sich rechnerisch gemäß § 6 Abs. 2 S. 3 StromNEV/GasNEV als Quotient aus dem betriebsnotwendigen Eigenkapital (BEK I) und den kalkulatorisch ermittelten Restwerten des betriebsnotwendigen Vermögens zu historischen Anschaffungs- und Herstellungskosten (BNV I). Diese Eigenkapitalquote wird anschließend bei einer übersteigenden Quote gemäß § 6 Abs. 2 S. 4 StromNEV/GasNEV kalkulatorisch auf höchstens 40 Prozent begrenzt. Dadurch wird ein überhöhtes Eigenkapital kalkulatorisch nur beschränkt wirksam.[14]
2. Im zweiten Schritt wird gemäß § 7 Abs. 1 S. 2 StromNEV/GasNEV das betriebsnotwendige Eigenkapital und damit die Verzinsungsbasis ermittelt. Das **betriebsnotwendige Eigenkapital (BEK II)** ergibt sich nach § 7 Abs. 1 S. 2 StromNEV/GasNEV rechnerisch aus dem betriebsnotwendigen Vermögen II (BNV II) abzüglich des verzinslichen Fremdkapitals, des Abzugskapitals iSv. § 7 Abs. 2 StromNEV/GasNEV und des Steueranteils der Sonderposten mit Rücklageanteil. Im Gegensatz zum BNV I werden die betriebsnotwendigen Sach-Altanlagen gemäß § 7 Abs. 1 S. 2 Hs. 1 Nr. 1 und 2 StromNEV/GasNEV in Abhängigkeit von der kalkulatorischen

[12] *BGH*, Beschluss vom 14.8.2008, KVR 39/07, RdE 2008, 323 Rdnr. 47 f. – Vattenfall.

[13] *BNetzA*, Beschluss vom 13.6.2014, BK 8-12/3254-11, Anlage Zwischendokumentation des Ausgangsniveaus, der Aufwands- und Vergleichsparameter, S. 39 ff. – E.ON Netz GmbH; zu den Einzelheiten der Berechnung *Mohr*, in: Säcker (Hrsg.), BerlK-EnR, § 7 StromNEV Rdnr. 11 ff.

[14] *BGH*, Beschluss vom 14.8.2008, KVR 42/07, ZNER 2008, 222 Rdnr. 39 ff. – Rheinhessische Energie I; *Mohr*, (o. Fn. 13), § 7 StromNEV Rdnr. 13.

EK-Quote mit Tagesneuwerten bewertet, soweit sie der zulässigen Eigenkapitalquote gem. § 6 Abs. 2 StromNEV/GasNEV entsprechen.[15]
3. Im dritten Schritt wird der die zulässige Eigenkapitalquote übersteigende Eigenkapitalanteil, § 7 Abs. 1 S. 5 StromNEV/GasNEV, ermittelt (**EK II**). Dieser Anteil ist nicht entsprechend § 7 Abs. 3–6 StromNEV/GasNEV zu verzinsen, sondern nach § 7 Abs. 7 StromNEV/GasNEV.[16]
4. Im vierten Schritt ist gemäß § 7 Abs. 3 S. 1 StromNEV/GasNEV zur Festlegung der Basis für die Eigenkapitalverzinsung des EK I (BEK II ≤ 40 %) das betriebsnotwendige Eigenkapital (BEK II) auf Neu- und Altanlagen aufzuteilen, da für diese Anlagen unterschiedliche Zinssätze Anwendung finden.[17]
5. Schließlich werden die konkreten Zinssätze für alle in § 7 Abs. 4 bis 7 StromNEV/GasNEV erfassten Eigenkapitalanteile ermittelt. Dabei wird unterschieden zwischen dem Zinssatz für das **EK I** (BEK II ≤ 40 %) nach § 7 Abs. 4 bis 6 StromNEV/GasNEV, wiederum unterteilt in den EK I-Zinssatz für Neu- bzw. Altanlagen, und für das **EK II** (BEK II > 40 %) nach § 7 Abs. 1 S. 5, Abs. 7 StromNEV/GasNEV.[18]

II. Kalkulatorische Eigenkapitalverzinsung (EK I), § 7 Abs. 4, 5 StromNEV/GasNEV

1. Rechtliche Vorgaben des § 21 Abs. 2 EnWG

Mit der Vorschrift des § 21 Abs. 2 EnWG soll sichergestellt werden, dass hinreichend Eigen- und Fremdkapital für die Investitionen in die Netze zur Verfügung steht.[19] Das Tatbestandsmerkmal „angemessen" bezieht sich dabei nicht pauschal auf die Entgeltbildung, sondern konkret auf die Verzinsung des eingesetzten Kapitals.[20] Eine angemessene Verzinsung bedeutet, dass die Kapitalgeber für das eingesetzte Kapital eine Rendite erhalten, die sie veranlasst, ihr Kapital in dem Unternehmen zu belassen und Anreize für weitere Investitionen in das Unternehmen und die Netzinfrastruktur setzt.[21] Die

[15] *Mohr* (o. Fn. 13), § 7 StromNEV Rdnr. 14.
[16] *Mohr* (o. Fn. 13), § 7 StromNEV Rdnr. 40.
[17] *Mohr* (o. Fn. 13), § 7 StromNEV Rdnr. 44.
[18] *Mohr* (o. Fn. 13), § 7 StromNEV Rdnr. 46.
[19] *Büdenbender*, Die Korrekturfaktoren des § 21 Abs. 2–4 EnWG für die kostenbasierte Netzentgeltregulierung, RdE 2008, S. 69 (72); *Mohr* (o. Fn. 13), § 7 StromNEV Rdnr. 10; *ders.*, Prinzipien und System der Entgeltregulierung am Beispiel der Stromnetzentgeltverordnung, in: Ludwigs (Hrsg.), Festschrift für *Schmidt-Preuß*, im Erscheinen 2018; *OLG Düsseldorf*, Beschl. v. 24.4.2013, VI-3 Kart 61/08, N&R 2013, S. 219.
[20] *Büdenbender*, Kostenorientierte Regulierung von Netzentgelten, 2007, S. 29.
[21] *Büdenbender* (o. Fn. 8), S. 37; *Mohr*, Prinzipien und System der Entgeltregulierung am Beispiel der Stromnetzentgeltverordnung, Festschrift für *Schmidt-Preuß*, im Erschei-

Sicherstellung der Leistungsfähigkeit von Energieverteilungsanlagen entsprechend dem Ziel des § 1 Abs. 2 EnWG setzt voraus, dass der Investor für Investitionen, die der Erhaltung und dem bedarfsgerechten Ausbau im Sinne der gesetzlichen Zielsetzung nach § 11 EnWG dienen, auf eine angemessene Rendite vertrauen kann.[22] Dazu gehört eine risikoadäquate Bewertung, also die Einbeziehung der unternehmerischen Risikofaktoren.[23] Das eingesetzte Kapital ist unter Berücksichtigung der strukturellen Besonderheiten der Investitionen in Elektrizitäts- oder Gasnetze angemessen und wettbewerbsfähig zu verzinsen.[24] Der wettbewerbliche Ansatz bedeutet damit nichts anderes als die Verzinsung an alternativen Investitionsmöglichkeiten zu messen.[25] Angesichts dieser zum Teil ungeschriebenen Tatbestandsvoraussetzungen ist offensichtlich, welch zentrale Bedeutung der Umfang der kalkulatorischen Eigenkapitalverzinsung für die Netzkosten und damit für die Höhe der Netzentgelte hat.[26]

2. *Konkretisierung durch § 7 Abs. 4, 5 StromNEV/GasNEV*

§ 21 Abs. 2 EnWG enthält ausfüllungsbedürftige Tatbestandsmerkmale. Nähere Vorgaben zur Bestimmung der angemessenen, wettbewerbsfähigen und risikoangepassten Verzinsung des eingesetzten Kapitals im Sinne des § 21 Abs. 2 EnWG macht § 7 StromNEV/GasNEV.

Nach § 7 Abs. 4 S. 1 StromNEV/GasNEV darf der auf das betriebsnotwendige Eigenkapital, das auf Neuanlagen entfällt, anzuwendende Eigenkapitalzinssatz den auf die letzten zehn abgeschlossenen Kalenderjahre bezogenen Durchschnitt der von der Deutschen Bundesbank veröffentlichten

nen 2018; *Säcker/Böcker,* Entgeltkontrolle als Bestandteil einer sektorübergreifenden Regulierungsdogmatik, in: Picot (Hrsg.): 10 Jahre Wettbewerbsorientierte Regulierung, 2008, S. 69, 106; *Säcker/Meinzenbach,* in: Säcker (Hrsg.): BerlK-EnR, § 21 Rdnr. 165; *Groebel* in: Britz/Hellermann/Hermes (Hrsg.), EnWG, 3. Aufl. 2015, § 21 Rdnr. 128; *Schütte* in: Kment (Hrsg.), Energiewirtschaftsgesetz, 2015, § 21 Rdnr. 96; *Berndt,* Die Anreizregulierung in den Netzwirtschaften, 2011, S. 92, 131; *Lippert,* Ist die Befristung von Investitionsbudgets nach § 23 ARegV rechtlich zulässig, insbesondere mit Blick auf die Höhe der Verzinsung des Fremdkapitals?, RdE 2009, S. 353 (359)*; OLG Düsseldorf,* Beschl. v. 21.1.2016, VI-5 Kart 33/14 (V), RdE 2016, S. 242 Rdnr. 71.

[22] *BGH,* Beschl. v. 14.8.2008, KVR 39/07, RdE 2008, S. 323 (326), Rdnr. 39 – Vattenfall; OLG Düsseldorf, Beschl. v. 24.4.2013, VI-3 Kart 61/08, N&R 2013, S. 219; *Mohr* (o. Fn. 13), § 7 StromNEV Rdnr. 10.

[23] *OLG Düsseldorf,* Beschl. v. 24.4.2013, VI-3 Kart 61/08, N&R 2013, S. 219; *Mohr* (o. Fn. 13), § 7 StromNEV Rdnr.10; *ders* (o. Fn. 21), im Erscheinen; *Müller,* N&R 2008, S. 53.

[24] *Büdenbender* (o. Fn. 19), S. 69 (72).

[25] *Büdenbender* (o. Fn. 19), S. 69 (72).

[26] *Mohr* (o. Fn. 13), § 7 StromNEV Rdnr. 1; *Egger/Tönnes*, Komplexität der Unternehmensbewertung: Resignation der Gerichte? – Eine Erwiderung auf Emmerich, EWeRK 2016, S. 362 (364).

Umlaufsrenditen festverzinslicher Wertpapiere inländischer Emittenten zuzüglich eines angemessenen Zuschlags zur Abdeckung netzbetriebsspezifischer unternehmerischer Wagnisse nach Absatz 5 nicht überschreiten. Der auf das betriebsnotwendige Eigenkapital, das auf Altanlagen entfällt, anzuwendende Eigenkapitalzinssatz ist nach § 7 Abs. 4 S. 2 StromNEV/GasNEV zusätzlich um den auf die letzten zehn abgeschlossenen Kalenderjahre bezogenen Durchschnitt der Preisänderungsrate gemäß dem vom Statistischen Bundesamt veröffentlichten Verbraucherpreisgesamtindex zu ermäßigen.

§ 7 Abs. 5 StromNEV/GasNEV schreibt vor, dass die Höhe des Zuschlags zur Abdeckung netzbetriebsspezifischer unternehmerischer Wagnisse insbesondere unter Berücksichtigung folgender Umstände zu ermitteln ist:

1. Verhältnisse auf den nationalen und internationalen Kapitalmärkten und die Bewertung von Betreibern von Elektrizitäts- bzw. Gasversorgungsnetzen auf diesen Märkten;
2. durchschnittliche Verzinsung des Eigenkapitals von Betreibern von Elektrizitäts- bzw. Gasversorgungsnetzen auf ausländischen Märkten;
3. beobachtete und quantifizierbare unternehmerische Wagnisse.

§ 7 Abs. 5 StromNEV/GasNEV enthält keine Vorgaben für eine bestimmte Methode zur Ermittlung des Risikozuschlags. Auch die Begründung zur StromNEV/GasNEV enthält keinen Hinweis, ob bei der Ermittlung des angemessenen Zuschlags eine bestimmte Methode Anwendung finden soll.[27] Maßgeblich für die Gestaltung des Zinssatzes ist die Möglichkeit der Kapitalgeber, sich im Vergleich mit sonstigen Anlagemöglichkeiten auf den internationalen Kapitalmärkten zu (re-)finanzieren. Folgerichtig haben die Regulierungsbehörden die Höhe der Eigenkapitalverzinsung auf Grundlage des **Capital Asset Pricing Model (CAPM)** bestimmt. Das **CAPM** ist ein wirtschaftswissenschaftliches Modell zur Ermittlung der Eigenkapitalkosten.[28] Im Energiebereich sieht die BNetzA zur Ermittlung des Wagniszuschlags das **CAPM** mit guten Gründen als die geeignetste Methode an.[29]

Entsprechend der normativen Vorgaben in § 7 Abs. 5 StromNEV/GasNEV blickt dieses auch in der Rechtspraxis allgemein anerkannte Bewertungsmodell[30] auf die Aktienrenditen börsennotierter internationaler Strom- und Gasnetzbetreiber.[31] Das **CAPM** entspricht damit der vom Gesetzgeber

[27] BR-Drucks. 247/05, S. 30.

[28] *Großfeld/Egger/Tönnes*, Recht der Unternehmensbewertung, 8. Aufl. 2016, S. 187 ff.; *Mohr* (o. Fn. 13), § 7 StromNEV Rdnr. 59.

[29] *BNetzA*, Beschluss vom 7.7.2008, BK 4-08-068, S. 11; *BNetzA*, Beschl. v. 31.10.2011, BK 4-11-304, S. 7; *BNetzA*, Beschl. v. 5.10.2016, BK 4-16-160 und -161, S. 7; *Mohr* (o. Fn. 13), § 7 StromNEV Rdnr. 59.

[30] *Egger/Tönnes* (o. Fn. 26), S. 362 (363 f.).

[31] *Mohr* (o. Fn. 13), § 7 StromNEV Rdnr. 3; *Hern/Haug*, Die kalkulatorischen Eigenkapitalzinssätze für Strom- und Gasnetze in Deutschland, et 6/2008, S. 26 (27).

vorgesehenen Betrachtung der **Opportunitätskosten (Alternativkosten)**,[32] indem es den Preis bestimmt, den ein Eigenkapitalgeber für die Übernahme von netzspezifischen Risiken verlangt.[33] Das **CAPM** berechnet die Renditeforderung aus einem risikolosen Basiszins und einer unternehmensspezifischen Risikoprämie, die das netzspezifische unternehmerische Wagnis abbildet.[34] Die unternehmensspezifische Risikoprämie wird aus dem aus historischen Renditedaten gewonnenen Risikofaktor **(Beta-Faktor)** des Unternehmens und der **Marktrisikoprämie** errechnet. Die Marktrisikoprämie wiederum wird aus der Differenz zwischen dem **risikolosen Zins** und der zu erwartenden **Rendite eines Marktportfolios** errechnet. Damit erfüllt das **CAPM** grundsätzlich die Vorgaben des § 7 Abs. 5 StromNEV/GasNEV. Durch die Marktrisikoprämie werden die Verhältnisse auf den nationalen und internationalen Kapitalmärkten berücksichtigt und durch den Beta-Faktor werden die Renditen börsennotierter Betreiber von Elektrizitäts-/Gasversorgungsnetzen auf ausländischen Märkten dargestellt, die mit den inländischen Netzbetreibern vergleichbar sind.[35] Es dürfte auch kein anderes Modell geben, das wie das **Capital Asset Pricing Model (CAPM)** die Bewertung risikobehafteter Anlagen durch den Kapitalmarkt erläutert. Deshalb ist das **CAPM** bis heute das wichtigste Modell zur Handhabung risikogerechter Kapitalkosten.[36] Das heißt indessen nicht, dass die Anwendung des **CAPM** nicht bestehenden Besonderheiten der Marktverhältnisse angepasst werden kann oder auch angepasst werden muss, wie noch ausgeführt wird.

3. Beschlüsse der Bundesnetzagentur vom 5.10.2016, Az. BK4-16-160 und BK4-16-161

Mit den Beschlüssen vom 5.10.2016 (Az. BK4-16-160 und BK4-16-161) hat die Beschlusskammer 4 der Bundesnetzagentur für die Dauer der dritten Regulierungsperiode für Betreiber von Strom- und Gasversorgungsnetzen

[32] *Mohr* (o. Fn. 13), § 7 StromNEV Rdnr. 3; *Nippel/Scheinert*, Kapital- und Opportunitätskosten bei Unsicherheit, S. 2; *Kleinlein/Schubert*, Preiskontrolle marktbeherrschender Unternehmen im Lichte der Rechtsprechung, 2016, abrufbar unter https://raue.com/wp-content/uploads/2016/05/Thesenpapier_Preiskontrolle_marktbeherrschender_Unternehmen_im_Lichte_der_Rechtsprechung.pdf (zuletzt abgerufen am 18.05.2018), II. 3.

[33] *Mohr* (o. Fn. 13), § 7 StromNEV Rdnr. 3; *Großfeld/Egger/Tönnes* (o. Fn. 28), Rdnr. 794.

[34] *BNetzA*, Beschluss vom 7.7.2008, BK 4-08-068, S. 13 ff.; vgl. auch *Busse von Colbe* (o. Fn. 11), vor §§ 21 ff., Rdnr. 78; *Mohr* (o. Fn. 13), § 7 StromNEV Rdnr. 60.

[35] *Berndt* (o. Fn. 21), S. 92 (132 f.); *Müller*, N&R 2008, 55, 57; *Hern/Haug* (o. Fn. 31), S. 26 ff.

[36] *Volkart*, Corporate Finance, Grundlagen von Finanzierung und Investition, 6. Aufl. 2014, Teil I, Kap. 3.2, S. 225; *Brealey/Myers/Allen*, Principles of Corporate Finance, Chapter Nine – Risk and Return, S. 228: „*The capital asset pricing theory is the best-known model of risk and return*".

die Eigenkapitalzinssätze für Neuanlagen auf **6,91 %** und für Altanlagen auf **5,12 %**, jeweils vor Steuern, festgelegt. Den **Eigenkapitalzinssatz nach Steuern** hat die Bundesnetzagentur für Neuanlagen auf **5,64 %** festgesetzt.

Den risikolosen Zinssatz hat die Bundesnetzagentur unter Zugrundelegung des auf die letzten zehn abgeschlossenen Kalenderjahre bezogenen Durchschnitts der von der Deutschen Bundesbank veröffentlichten Umlaufsrenditen festverzinslicher Wertpapiere inländischer Emittenten ermittelt und auf **2,49 %** festgesetzt.

Den **Zuschlag zur Abdeckung betriebsspezifischer unternehmerischer Wagnisse** hat die Bundesnetzagentur auf **3,15 %** festgelegt. Diesen Wert hat sie aus dem Produkt der **Marktrisikoprämie in Höhe von 3,80 %** und einem **Risikofaktor in Höhe von 0,83** errechnet. Wie in den vorherigen Festlegungen zur ersten und zweiten Regulierungsperiode hat die Bundesnetzagentur einen kapitalmarktorientierten Ansatz gewählt und die Marktrisikoprämie unter Bezugnahme auf das Ergebnis des von ihr in Auftrag gegebenen wissenschaftlichen Gutachtens erneut auf Basis langfristiger historischer Kapitalmarktdaten für ein Weltportfolio aus mittlerweile 23 Nationen und über einen Zeitraum von 1900–2015 ermittelt. Ihr Gutachter hat zur Berechnung der Marktrisikoprämie ausschließlich Daten aus der von ***Dimson*, *Marsh* und *Staunton*** (DMS) veröffentlichten Studie **„Credit Suisse Global Investment Returns Sourcebook 2016"** zugrunde gelegt.

Bei der Ermittlung der Marktrisikoprämie hat die Bundesnetzagentur sowohl das **arithmetische als auch das geometrische Mittel über die jährlichen Vergangenheitswerte** gebildet und daraus den Mittelwert angesetzt. Die Marktrisikoprämie ist so als Mittelwert aus dem geometrischen Mittel der weltweiten Marktrisikoprämie in Höhe von **3,20 %** und dem arithmetischen Mittel der weltweiten Marktrisikoprämie in Höhe von **4,40 %** im Ergebnis auf **3,80 %** festgesetzt worden. Zur Bestimmung des Risikofaktors wurde eine Vergleichsgruppe herangezogen, die nach den Gründen der Festlegungen aus ausländischen, börsennotierten reinen Netzbetreibern besteht. Als reine Netzbetreiber gelten danach Unternehmen, bei denen der Anteil des Netzgeschäfts an der gesamten unternehmerischen Aktivität mehr als 75 % beträgt.

Der so ermittelte Eigenkapitalzinssatz nach Steuern ist mit dem **Steuerfaktor** in Höhe von **1,225** modifiziert worden, so dass sich für **Neuanlagen** ein Zinssatz vor Steuern in Höhe von **6,91 %** ergibt. Für **Altanlagen** hat die Bundesnetzagentur den Eigenkapitalzinssatz unter Abzug des auf die letzten zehn abgeschlossenen Kalenderjahre bezogenen Durchschnitts der **Preisänderungsrate** gemäß dem vom statistischen Bundesamt veröffentlichten Verbraucherpreisgesamtindex (1,46 %) mit **5,12 %** vor Steuern ermittelt.

a) Rügen der Beschwerdeführer

Gegen die Festlegungen richten sich die Beschwerden von ca. 1.160 Betreibern von Strom- und Gasnetzen. Gegenüber der Bestimmung des risikolosen Zinssatzes wird von einem Teil der Beschwerdeführer wie bereits in früheren Beschwerdeverfahren zur Eigenkapitalverzinsung die fehlende **Laufzeitäquivalenz** eingewandt. Um dem Gebot der Laufzeitäquivalenz zu genügen, sollten nach ihrer Auffassung Wertpapiere mit einer möglichst langen Restlaufzeit zugrunde gelegt werden. Dies habe die für Telekommunikation zuständige BK 3 der Bundesnetzagentur 2016 bei der Festlegung der Kosten für die Nutzung von Teilnehmeranschlussleitungen der Deutschen Telekom auch so gehandhabt und den risikofreien Zinssatz auf Basis des 10-Jahres-Durchschnittswerts der Effektivverzinsung von Bundesanleihen mit einer Restlaufzeit zwischen 9 und 10 Jahren bestimmt. Dieser Zinssatz liege bei 2,71 %.

Gegenüber der Ermittlung der Marktrisikoprämie wird eingewandt, die Renditeerwartung von Investoren sei langfristig stabil (**Total market return-Ansatz, TMR**). Sinke der risikofreie Zinssatz, so steige die Marktrisikoprämie. Steige der risikofreie Zinssatz, so sinke die Marktrisikoprämie. Die Marktrenditeerwartung der Investoren verbleibe langfristig auf einem stabilen Niveau. Es bestehe eine inverse Beziehung zwischen der Marktrisikoprämie und dem risikofreien Zinssatz. Die Renditeerwartung der Investoren passe sich dem Marktzinsniveau an, jedoch bleibe die Risikoaversion der Investoren stabil. Dies bedeute, die Marktrisikoprämie bleibe im Zeitablauf stabil, die Marktrenditeerwartung der Investoren schwanke jedoch um die Veränderung des risikofreien Zinssatzes. Diesen Sachverhalt würden andere europäische Regulierungsbehörden anerkennen.

Die Beschwerdeführer rügen, die von DMS ermittelten weltweiten Marktrisikoprämien seien ungeeignet, weil die Länder **China und Russland** in die Ermittlung einfließen, obwohl keine explizite Darstellung der Kapitalmarktdaten sowie der Marktrisikoprämien für diese Länder erfolge. Die Marktrisikoprämien dieser Länder hätten einen signifikant negativen Einfluss auf den Durchschnitt der weltweiten Marktrisikoprämien. Die Perspektive eines internationalen Investors und darauf aufbauend die Herleitung einer weltweiten Marktrisikoprämie sei zwar nachvollziehbar, insbesondere im Kontext des **Beschlusses des OLG Düsseldorf vom 24.4.2013**.[37] Im Detail bestehe jedoch Korrekturbedarf. So messe die Analyse der Marktrisikoprämie von DMS den Renditeabstand zwischen der risikofreien Anlage und der Investition in ein risikobehaftetes Anlagenportfolio ohne Beurteilung der Bonität der einzelnen Länder. Die weltweite Betrachtung zur Bestimmung der Marktrisikoprämie mit dem Argument, dass auch ausländische Investo-

[37] *OLG Düsseldorf*, Beschluss vom 24.4.2013, VI-3 Kart 61/08, N&R 2013, S. 219.

ren an deutschen Energieversorgern beteiligt seien, übersehe, dass ausländische Investoren die absolute Ausnahme seien. Es wäre deshalb sachgerecht, die Entwicklung auf dem deutschen Kapitalmarkt stärker zu berücksichtigen.

Darüber hinaus wird – wie in früheren Verfahren – die **Mittelwertbildung** beanstandet. Die dazu vorgetragene Begründung der Bundesnetzagentur, die Marktrisikoprämie werde nicht lediglich für ein Jahr festgelegt, sondern für die Dauer einer Regulierungsperiode, überzeuge nicht.

Die Beschwerdeführer vermissen eine **Plausibilisierung** der historischen Marktrisikoprämie durch zukunftsorientierte Ansätze (z.B. **Dividend Growth Model**[38]) und **Expertenbefragungen**. Eine vergleichende Analyse mit anderen europäischen Ländern zeige, dass die Marktrisikoprämie mit 3,8 % um mindestens 1,00 % niedriger liege. Darüber hinaus senke die Bundesnetzagentur als einzige Regulierungsbehörde die Marktrisikoprämie im Vergleich zur vorherigen Festlegung ab. Bei der Ermittlung des Risikofaktors nehme die Bundesnetzagentur im Vergleich zu der Festlegung 2011 eine Erweiterung der Vergleichsgruppe vor. Es falle auf, dass die unverschuldeten Risikofaktoren der hinzugekommenen Unternehmen Duet Group (Australien), Elia System Operator (Belgien) und Redes Energeticas Nationais (Portugal) deutlich unter dem Mittelwert der Vergleichsgruppe der übrigen Unternehmen lägen und somit den Mittelwert der gesamten Vergleichsgruppe absenkten. Deshalb sei eine vertiefte Analyse dieser Unternehmen im Hinblick auf Geschäftsmodell und -risiken sowie Börsenliquidität angezeigt. Die von der Bundesnetzagentur gewählte Vergleichsgruppe sowie die Ermittlungslogik (doppelte Mittelwertbildung) führe zu einem Mittelwert der unverschuldeten Risikofaktoren i.H.v. 0,4025, der zum Teil deutlich unter den Festlegungen anderer europäischer Regulierungsbehörden liege.

b) 29 Musterverfahren

Der 3. Kartellsenat des OLG Düsseldorf hat zu der Frage, ob die Festlegung der Eigenkapitalzinssätze auf einer sachgerechten Methodik beruht, bereits vor dem Termin zur mündlichen Verhandlung am 17.1.2018 zu **29 Musterverfahren** ein schriftliches Sachverständigengutachten eingeholt und die Sachverständigen im Rahmen der mündlichen Verhandlung angehört.

[38] Zum Dividend Growth Model (DGM) siehe *BGH*, Beschluss vom 27.1.2015, EnVR 39/13, ZNER 2015, S. 116 Rdnr. 40 ff. – Thyssengas GmbH; *OLG Düsseldorf*, Beschluss vom. 24.4.2013, VI-3 Kart 61/08, N&R 2013, S. 219 unter B. II. 2.2.1.2.; *Mohr* (o. Fn. 13), § 7 StromNEV Rdnr. 10: Das Dividend-Growth-Model bestimmt den Eigenkapitalzinssatz, indem es den Diskontsatz errechnet, bei welchem der gegenwärtige Kurs einer Aktie dem Barwert aller künftig zu erwartenden Renditen entspricht.

c) Beschlüsse des OLG Düsseldorf vom 22.3.2018

Der Senat hat die Festlegungen durch Beschlüsse vom 22.3.2018 aufgehoben und die Bundesnetzagentur zur Neubescheidung unter Beachtung der Rechtsauffassung des Senats verpflichtet.[39] Im Folgenden sollen die wesentlichen Rügen der Beschwerdeführer behandelt werden, auch diejenigen, die erfolglos geblieben sind.

aa) Umlaufsrenditen

Der Senat hat die Vorgehensweise der Bundesnetzagentur bei der Bestimmung der **Umlaufsrenditen** (risikoloser Zinssatz/Basiszinssatz) nicht beanstandet. Die Bundesnetzagentur hat entsprechend der Regelung in § 7 Abs. 4 S. 1 StromNEV/GasNEV den auf die letzten zehn abgeschlossenen Kalenderjahre bezogenen Durchschnitt der von der Deutschen Bundesbank veröffentlichten Umlaufsrenditen festverzinslicher Wertpapiere bestimmt und dabei einen Wert von 2,49 % erhalten. Die Bundesnetzagentur hat die Entscheidung am 5.10.2016 und damit vor dem Beginn der dritten Regulierungsperiode, die für Gasnetzbetreiber am 1.1.2018 begonnen hat und für Stromnetzbetreiber am 1.1.2019 beginnen wird, getroffen. Die Ermittlung des risikolosen Zinssatzes erfolgte auf Basis der Daten der Kalenderjahre 2006 bis 2015. Dieses Vorgehen ist im Hinblick auf den Beschlusszeitpunkt mit § 7 Abs. 6 und 4 StromNEV/GasNEV vereinbar. Insbesondere lässt sich aus dem Wortlaut der Vorschriften nicht herleiten, dass eine Festlegung erst in dem Jahr, das der Regulierungsperiode unmittelbar vorangeht, erlassen werden darf. Allerdings bedeutet dies nicht, dass die Bundesnetzagentur den Festlegungszeitpunkt frei wählen kann. § 7 Abs. 4 StromNEV stellt eine Ausgestaltung des Angemessenheitsgebots gemäß § 21 Abs. 2 S. 1 EnWG dar. Die angemessene Verzinsung hat sich an den Marktgegebenheiten, die sich im Zeitverlauf ändern, zu orientieren. Dies bedeutet, dass die Festlegung der Eigenkapitalverzinsung nicht so weit vorverlegt werden darf, dass keine belastbare Prognoseentscheidung für die betroffene Regulierungsperiode möglich ist.

Ebenso wenig hat der Senat beanstandet, dass die Bundesnetzagentur bei der Bestimmung der durchschnittlichen Umlaufsrendite eine **Gesamtbetrachtung der Umlaufsrenditen** festverzinslicher Wertpapiere inländischer Emittenten vorgenommen und die entsprechenden Daten der Kapitalmarktstatistik der Deutschen Bundesbank (April 2016, S. 36, Tabelle 7b, Spalte „Insgesamt") zugrunde gelegt hat. Über die Spalte „Insgesamt" erfolgt insofern eine Gesamtbetrachtung von Umlaufsrenditen, als diese eine große Bandbreite an mittleren Restlaufzeiten und verschiedene Wertpapierarten

[39] Vgl. z.B. *OLG Düsseldorf*, Beschl. v. 22.3.2018, VI-3 Kart 319/16 (V), BeckRS 2018, 6920 – Amprion.

berücksichtigt. Damit sind grundsätzlich Laufzeiten von bis zu 55 Jahren umfasst.

Dabei handelt es sich um eine **wiederkehrende Rüge**. Schon gegen die Festlegung der Eigenkapitalzinssätze für die zweite Regulierungsperiode richteten und richten sich mehrere noch anhängige Beschwerden mit der Begründung, die Bundesnetzagentur lege bei der Ermittlung des risikolosen Zinssatzes **sämtliche in Deutschland gehandelten Wertpapiere** unabhängig von ihrer Restlaufzeit zugrunde. Der Normzweck gebiete die alleinige Verwendung von **Anleihen der öffentlichen Hand mit hoher Restlaufzeit**, da das Kapital im Netzbetrieb über lange Fristen gebunden sei. Auch die Ermittlung des Basiszinssatzes sei ermessensfehlerhaft, da die Bundesnetzagentur lediglich zur Bestimmung des Wagniszuschlags den Wert aus der Festlegung für die erste Regulierungsperiode übernommen habe. Mit der Verwendung der Umlaufsrendite aus der ersten Regulierungsperiode könne den durch die Energiewende hervorgerufenen Unsicherheiten besser Rechnung getragen werden.

Das OLG Düsseldorf hat in einem **Musterverfahren** Beweis erhoben. Die Festlegung ist anschließend durch Beschluss vom 17.5.2017 lediglich insoweit aufgehoben worden, als die Bundesnetzagentur einen **Widerrufsvorbehalt** aufgenommen hatte, welcher nach der Rechtsprechung des BGH allenfalls dann zulässig ist, wenn darin die Voraussetzungen, unter denen der Widerruf möglich bleiben soll, hinreichend konkret festgelegt werden. Die gegen die Festlegung der Eigenkapitalzinssätze gerichtete Beschwerde hat das OLG Düsseldorf dagegen zurückgewiesen. Die Bundesnetzagentur hat bei der Bestimmung des Basiszinssatzes entsprechend § 7 Abs. 4 S. 1 StromNEV/GasNEV und ausgehend vom Datum des Beschlusses zutreffend auf die Daten der letzten zehn abgeschlossenen Kalenderjahre abgestellt. Sie hat die Daten für die Kalenderjahre 2001–2010 zu Grunde gelegt. Die von der Beschwerdeführerin geforderte Übernahme des Basiszinssatzes aus der ersten Regulierungsperiode i.H.v. 4,23 % würde bedeuten, dass der Durchschnitt der Jahreswerte der abgeschlossenen Kalenderjahre von 1998–2007 der Berechnung zu Grunde gelegt würde. Dies ist bereits nach dem Wortlaut des § 7 Abs. 4 S. 1 StromNEV/GasNEV ausgeschlossen. Die Bundesnetzagentur hat bei der Ableitung des Basiszinssatzes methodisch dieselbe Vorgehensweise gewählt wie bei der Festlegung für die erste Regulierungsperiode. Sie hat den Basiszinssatz als arithmetisches Mittel der für die letzten zehn abgeschlossenen Kalenderjahre vor Beschlussfassung dargestellten Jahreswerte der Umlaufsrenditen gemäß

- Abschnitt „II. Festverzinsliche Wertpapiere inländischer Emittenten“
- Tabelle 7B „Umlaufsrenditen nach Wertpapierarten“
- Spalte „Insgesamt“ (Deutsche Bundesbank, Kapitalmarktstatistik Januar 2011, S. 36)

hergeleitet. Die Spalte **„Insgesamt“** stellt eine Gesamtbetrachtung von Umlaufsrenditen dar, da sie eine große Bandbreite an mittleren Restlaufzeiten und verschiedene Wertpapierarten umfasst. Das Abstellen auf Umlaufsrenditen mit ausschließlich längeren Restlaufzeiten wäre angesichts der Langfristigkeit der Investitionen zwar ökonomisch begründbar. Diese Frage der Laufzeitäquivalenz war indessen bereits Gegenstand einiger noch früherer Verfahren. Auch dort war vorgetragen worden, nach dem Normzweck sei allein die Verwendung von Papieren mit hoher Restlaufzeit geboten. Der Senat hatte den Einwand mit eingehender Begründung zurückgewiesen. Die gegen diesen Beschluss gerichtete Rechtsbeschwerde hat der BGH durch Beschluss vom 27.01.2015 (EnVR 42/13) zurückgewiesen und zu diesem Punkt ausgeführt:

> „Nach den insoweit nicht angegriffenen Feststellungen des Beschwerdegerichts berücksichtigt die von der Deutschen Bundesbank veröffentlichte Kapitalmarktstatistik Wertpapiere, deren Laufzeit mehr als vier Jahre beträgt. Die längste Laufzeit beträgt mehr als 55 Jahre. Die typische Nutzungsdauer der zu einem Versorgungsnetz gehörenden Gegenstände variiert nach den ebenfalls nicht angegriffenen Feststellungen des Beschwerdegerichts innerhalb einer vergleichbaren Bandbreite. Angesichts dessen wird § 7 Abs. 4 S. 1 StromNEV dem angestrebten Zweck auch ohne zusätzliche Einengung gerecht. Eine Auswahl, die sich nicht nur an der Laufzeit, sondern auch an der Restlaufzeit der Wertpapiere orientiert, erschiene zudem schon deshalb wenig einleuchtend, weil auch für die Verzinsung des Eigenkapitals nicht nach der voraussichtlichen Restnutzungsdauer des jeweiligen Netzes unterschieden wird.
>
> Dass die Bundesnetzagentur in anderen Regulierungsbereichen nur Wertpapiere mit längerer Laufzeit berücksichtigt, führt schon deshalb nicht zu einer abweichenden Beurteilung, weil § 7 Abs. 4 S. 1 StromNEV die von der Landesregulierungsbehörde und dem Beschwerdegericht zugrundegelegte Auswahl zwingend vorschreibt.“

Diese Begründung trägt auch die Entscheidung in dem Verfahren OLG Düsseldorf, Az.VI-3 Kart 459/11 (V), SW Göttingen. Der Beschluss vom 17.5.2017 ist nicht rechtskräftig.

bb) Zulässige Anwendung des Capital Asset Pricing Model (CAPM)

Rechtmäßig war bei den Festlegungen für die **dritte Regulierungsperiode** auch die grundsätzliche Anwendung des **CAPM** bei der Bestimmung des angemessenen **Zuschlags zur Abdeckung netzbetriebsspezifischer unternehmerischer Wagnisse** entsprechend § 7 Abs. 4, 5 StromNEV/GasNEV. Es ist im methodischen Ansatz nach wie vor nicht fehlerhaft, bei der Ermittlung des Zuschlags zur Abdeckung netzbetriebsspezifischer unternehmerischer Wagnisse wie schon bei der Bestimmung der Eigenkapitalzinssätze für die erste und zweite Regulierungsperiode das **Capital Asset Pricing Model (CAPM)** heranzuziehen und dabei zur Ableitung der Marktrisikoprämie auf langfristige historische Zeitreihen zur durchschnittlich realisierten Aktienüberrendite im Vergleich zur risikolosen Rendite zurückzugreifen.

Die Bundesnetzagentur errechnete bereits bei der Festlegung vom 7.7.2008 – BK 4-08-068 – die Eigenkapitalzinssätze für Strom- und Gasnetzbetreiber für die **erste Regulierungsperiode** zulässig mit Hilfe des **CAPM** und bestimmte so den Wagniszuschlag als Produkt aus der Marktrisikoprämie und dem Beta-Faktor.[40] Bei Neuanlagen setzte sie den Eigenkapitalzinssatz auf **9,29 %** und bei Altanlagen auf **7,56 %** fest, jeweils vor Steuern und unter Ansatz einer Marktrisikoprämie in Höhe von **4,55 %**.[41] Die Marktrisikoprämie wurde aus dem Mittelwert zwischen dem **geometrischen Mittelwert von 4,0 %** und dem **arithmetischen Mittelwert von 5,1 %** auf der Grundlage der von ***Dimson, Marsh* und *Staunton***[42] errechneten Weltmarktrisikoprämie hergeleitet.[43] Auch dagegen richteten sich seinerzeit mehrere Beschwerden von Netzbetreibern. Sie rügten unter anderem die Auswahl eines weltweiten Referenzmarktes und die Auswahl bestimmter ausländischer Netzbetreiber; hingegen sei die Ableitung des risikolosen Zinses auf der Basis der Umlaufsrenditen deutscher Emittenten vorgenommen worden.

Eingewandt wurde seinerzeit auch, die Unternehmen in anreizregulierten Systemen seien einem sehr viel höheren Risiko ausgesetzt als Unternehmen, die einer kostenorientierten Regulierung unterfielen.

Der 3. Kartellsenat des OLG Düsseldorf hat Beweis über diese Fragen erhoben und die Beschwerden anschließend zurückgewiesen.[44] § 7 Abs. 5 StromNEV/GasNEV macht keine Vorgaben für eine bestimmte Methode zur Ermittlung der angemessenen Verzinsung. Da der Gesetzgeber von der Festlegung auf eine bestimmte Bewertungsmethode abgesehen hat, sind zwangsläufig unterschiedliche Ergebnisse möglich. Die Regulierungsbehörde muss folglich nicht die nach Ansicht der Betroffenen beste Methode zur Bewertung wählen. Es genügt, wenn sie zwischen mehreren anerkannten Methoden mit gut vertretbaren Erwägungen eine Methode auswählt und das **Capital Asset Pricing Model (CAPM)** anwendet.

Der BGH hat die Entscheidung des OLG Düsseldorf bestätigt und die Rechtsbeschwerden der Beschwerdeführerinnen zurückgewiesen.[45] Der BGH hat ausgeführt, die Festlegung des Zinssatzes für die Verzinsung des Eigenkapitals gemäß § 7 Abs. 4 GasNEV unterliege der **uneingeschränkten Überprüfung durch den Tatrichter**, soweit es um die Ermittlung der tatsächlichen Grundlagen gehe. Bei der Bemessung des Zuschlags zur Abdeckung netzbetriebsspezifischer unternehmerischer Wagnisse gemäß § 7

40 Vgl. zu den Einzelheiten *Groebel* (o. Fn. 21), § 21, Rdnr. 131a.

41 *BNetzA,* Beschluss vom 7.7.2008, BK 4-08-068.

42 *Dimson/Marsh/Staunton,* Global Investment Returns Yearbook 2008.

43 *BNetzA,* Beschluss vom 7.7.2008, BK 4-08-068, S. 1 (15).

44 Vgl. nur *OLG Düsseldorf,* Beschluss vom 24.4.2013, VI-3 Kart 61/08 (V), N&R 2013, S. 219 – Thyssengas.

45 Vgl. nur *BGH*, Beschluss vom 27.1.2015, EnVR 39/13, N&R 2015, S. 165 – Thyssengas.

Abs. 5 GasNEV stehe der Regulierungsbehörde allerdings ein **Beurteilungsspielraum** zu, da sie eine komplexe Prüfung und Bewertung vorzunehmen habe, bei der eine Vielzahl von Fragen nicht exakt im Sinne von „richtig" oder „falsch", sondern nur durch eine wertende Auswahlentscheidung beantwortet werden könne. Bei der Beurteilung ist die Regulierungsbehörde danach weder an ein bestimmtes wissenschaftliches Modell noch an bestimmte Methoden gebunden. Sie kann in eigener Würdigung entscheiden, welche Kriterien insbesondere für die Ermittlung des netzbetriebsspezifischen Risikozuschlags heranzuziehen sind. Schließlich hat der BGH die **Aufgabe des Tatrichters** betont. Dessen Beurteilung, ob sich die Regulierungsbehörde im Rahmen dieses Spielraums gehalten hat, kann im Rechtsbeschwerdeverfahren nur dahin überprüft werden, ob er erhebliches Vorbringen der Beteiligten unberücksichtigt gelassen hat, ob wesentliche Beurteilungsfaktoren außer Betracht geblieben oder offenkundig fehlgewichtet worden sind, ob er Rechtsgrundsätze der Zinsbemessung verkannt hat oder bei der Nachprüfung der Regulierungsentscheidung sonst unrichtige rechtliche Maßstäbe zu Grunde gelegt hat.

Nach diesen Vorgaben gab es für die Bundesnetzagentur auch bei den Festlegungen für die **dritte Regulierungsperiode** keinen Anlass, von der Anwendung des **Capital Asset Pricing Model (CAPM)** abzusehen. Mit dem **Total Market Return-Ansatz (TMR)** und **Ex-Ante Modellen** existieren zwar in der Wissenschaft und der Praxis diskutierte Alternativen zu dem gewählten methodischen Ansatz, die Marktrisikoprämie mittels einer Analyse historischer Daten zu bestimmen. Diese Modelle kommen grundsätzlich auch für die Entgeltregulierung in Betracht. Unter Berücksichtigung der Erkenntnisse der gerichtlich bestellten Sachverständigen kann indessen derzeit nicht festgestellt werden, dass die Ableitung der Marktrisikoprämie auf der Basis des CAPM methodisch unzureichend und alternative Ansätze zur Bestimmung der Marktrisikoprämie besser geeignet sind.

cc) Fehlerhaft ist aber die Ableitung allein aus historischen DMS-Daten

Als methodisch fehlerhaft hat der Senat demgegenüber mit den Sachverständigen beanstandet, dass die Bundesnetzagentur die Ableitung der Marktrisikoprämie allein aus den historischen DMS-Daten vorgenommen hat, ohne dabei die Sondersituation des gegenwärtigen Marktumfeldes zu berücksichtigen und eine um alternative Ansätze ergänzte Würdigung und Plausibilitätskontrolle durchzuführen.

Die zum maßgeblichen Stichtag für die dritte Regulierungsperiode, dem 31.12.2015, herrschende und auch derzeitige Kapitalmarktsituation, die noch geprägt ist durch die Entwicklungen, wie sie sich in Folge der weltweiten Finanzkrise ab dem Jahr 2007 und der Euro-Staatsschuldenkrise ab dem Jahr 2010 ergaben, hätte bei der Festlegung berücksichtigt werden müssen. Auf diese krisenhaften Ereignisse haben die europäische und die US-amerikanische Zentralbank mit einer bis heute anhaltenden expansiven Geldpolitik reagiert. Neben deutlichen Absenkungen der Leitzinssätze erfolgten und erfolgen Aufkäufe von Wertpapieren in erheblichem Volumen, um angesichts eines bereits niedrigen Zinsniveaus die Märkte mit zusätzlicher Liquidität zu versorgen. Infolge der Finanz- und Euro-Staatsschuldenkrise weisen nicht nur die Aktienmärkte eine hohe Volatilität auf, sondern als weitere spürbare Konsequenz hat sich das Zinsniveau rückläufig hin zu einem historisch niedrigen Niveau bewegt.

Bei der am 31.10.2011 beschlossenen **Festlegung der Eigenkapitalzinssätze für die zweite Regulierungsperiode, BK 4-11-304**, hat die Bundesnetzagentur die seinerzeit herrschende besondere Situation an den Kapitalmärkten berücksichtigt. Mit ihrem Beschluss vom 31.10.2011 hat die Bundesnetzagentur die Eigenkapitalzinsen für Neuanlagen auf **9,05 %** und für Altanlagen auf **7,14 %**, jeweils vor Steuern, festgelegt.[46] Ausgangspunkt ist der Durchschnitt der Umlaufsrenditen, den die Bundesnetzagentur nach den von der Bundesbank veröffentlichten Reihen mit **3,80 %** angenommen hat[47], gegenüber einem Basiszins in der ersten Regulierungsperiode von **4,23 %**. Den Wagniszuschlag hat sie auch in der zweiten Regulierungsperiode wie bereits in der ersten Regulierungsperiode mit **3,59 %** angesetzt, obwohl die Anwendung des **CAPM** „unter Fortschreibung des methodischen Vorgehens aus der Festlegung für die erste Regulierungsperiode" eigentlich einen Wagniszuschlag von **2,90 %** ergeben hatte, als rechnerisches Produkt aus einer Marktrisikoprämie von **4,40 %** und einem Betafaktor von **0,66**. Von der entsprechenden Absenkung der Eigenkapitalzinssätze hat die Bundesnetzagentur aber „vor dem Hintergrund der zurückliegenden und anhaltenden Entwicklungen an den internationalen Kapitalmärkten" abgesehen. Zur Begründung hat die Bundesnetzagentur die Sondersituation der deutschen Netzbetreiber im Vergleich zu ausländischen Netzbetreibern angeführt. Infolge des Kraftwerksunglücks von Fukushima in Japan im März 2011 sei in Deutschland die gesamte Energiepolitik überprüft worden. Der beschleunigte Ausbau regenerativer Erzeugungsanlagen und die energiepolitischen Weichenstellungen auf deutscher und europäischer Ebene erforderten einen umfassenden Systemumbau in der deutschen Energieinfrastruktur. Mit dem Ausstieg aus der Kernenergie und der gestärkten Förderung des Ausbaus regenerativer Energien hätten insbesondere zwei Effekte für die deutsche Netzinfrastruktur Bedeutung. Zunächst ändere sich die regionale Struktur der Stromerzeugung, weshalb der Transport von Energie mit dem bestehenden Netz nicht ohne weiteres zu bewerkstelligen sei. Außerdem steige der Anteil an volatiler Erzeugung weiter an, weshalb der operative versorgungssichere Betrieb der

[46] *BNetzA*, Beschluss vom 31.10.2011, BK 4-11-304.
[47] *BNetzA*, Beschluss vom 31.10.2011, BK 4-11-304, S. 4.

Infrastruktur bei diesen schwer zu prognostizierenden wechselnden Belastungszuständen mit der derzeitigen Struktur des Netzes ebenfalls kaum zu bewältigen sei. Insbesondere erhöhe die Abschaltung der Kernkraftwerke den ohnehin schon bestehenden Bedarf an neuen Netzausbautrassen noch einmal zusätzlich und lasse auch den Bedarf an zur Spannungshaltung erforderlicher Blindleistung stark ansteigen. Vor diesem Hintergrund stehe der Netzausbau in Deutschland unter einem großen Zeitdruck. Daneben kämen auf die Netzbetreiber auch technologische Herausforderungen zu. Im Ergebnis seien in der zweiten Regulierungsperiode erhebliche Netzinvestitionen erforderlich, womit auch ein erheblicher Kapitalbedarf einhergehe.[48]

Folglich beruhte die mit der Festlegung für die zweite Regulierungsperiode vorgenommene Absenkung der Eigenkapitalzinssätze ausschließlich auf dem gesunkenen Basiszinssatz.

Auch bei den Festlegungen für die **dritte Regulierungsperiode** hätte den Besonderheiten an den Kapitalmärkten Rechnung getragen werden müssen.

Zum Stichtag für die dritte Regulierungsperiode, dem 31.12.2015, war in Deutschland und einigen anderen westlichen Ländern das Zinsniveau auf zuvor nicht gekannte Tiefstände abgesunken. Die Renditen der Anleiheindizes waren indes von dem seit Jahren rückläufigen Niveau der Zinsstrukturkurven bis zu diesem Zeitpunkt noch nahezu unbeeinflusst, denn der Rückgang der Basiszinssätze ging einher mit entsprechenden Kursgewinnen auf bestehende Staatsanleihen, die noch eine vergleichsweise hohe Verzinsung aufwiesen. Im Rahmen einer Betrachtung historischer Durchschnittswerte sind die Kursgewinne von erheblichem Interesse, weil sie die bis zu diesem Zeitpunkt tatsächlich erzielten Renditen eines Investors widerspiegeln. Im Hinblick auf die Eignung historischer Renditen für Prognosezwecke ist relevant, ob es sich dabei um eine für die Zukunft repräsentative Situation handelt. Während sich die absolute Höhe der Zinssätze risikofreier Anlagen schwerlich prognostizieren lässt, auch wenn Marktbeobachter ein weiteres Absinken des Zinsniveaus für unwahrscheinlich halten, lässt sich sicher feststellen, dass Kursgewinne auf risikofreie Anlagen nur ein vorübergehendes Phänomen bilden.

Die von DMS als **„Golden Age of Bonds“** bezeichnete Phase hoher Renditen auf quasi risikofreie deutsche Staatsanleihen oder Staatsanleihen einiger anderer westlicher Länder wird sich auch bei einer Fortdauer der Niedrigzinsphase mittelfristig nicht wiederholen, denn in dem einer historischen Betrachtung zugrundeliegenden Anleihekorb werden Wertpapiere mit hoher fixer Verzinsung nach und nach durch neue Wertpapiere mit niedrigerer fixer Verzinsung ersetzt.

Diese außergewöhnliche Situation an den Finanz- und Kapitalmärkten, die als Strukturbruch zu bewerten ist, steht der Ableitung der zukünftigen

[48] BNetzA, Beschluss vom 31.10.2011, BK 4-11-304, S. 7 ff.

Marktrisikoprämie aufgrund der einer langfristigen und damit zwangsläufig nivellierenden historischen Datenreihe zugrundeliegenden Annahme, dass die Zukunft sich nicht wesentlich anders darstellt als die Vergangenheit, derzeit entgegen.

Die Bundesnetzagentur hätte deshalb neben der Ableitung der Marktrisikoprämie aus historischen Daten die Erkenntnisse alternativer Ansätze im Rahmen der Validierung und Würdigung ihres Ergebnisses heranziehen müssen. Methodische Ansatzpunkte für eine Berücksichtigung und Einbeziehung der Sondersituation des gegenwärtigen Marktumfeldes wären zum einen die Positionierung der Marktrisikoprämie innerhalb der aus den historischen Durchschnittswerten ausgewiesenen Bandbreite aus dem geometrischen und dem arithmetischen Mittel sowie zum anderen die Kontrolle des aus diesen Daten abgeleiteten Ergebnisses auf Plausibilität bzw. Angemessenheit unter Heranziehung der Erkenntnisse alternativer Ansätze zur Ermittlung der Marktrisikoprämie.

Im Rahmen der mündlichen Anhörung haben die Sachverständigen ausdrücklich darauf hingewiesen, dass neben der DMS-Datensammlung eine Vielzahl weiterer Studien existiert und in diesem Zusammenhang erläutert, dass – je nachdem welche Studie herangezogen wird, welche Zeiträume und welche Länder betrachtet werden – sich engere Bandbreiten von Marktrisikoprämien zwischen 4 % und 6 % und größere Bandbreiten zwischen 3 % und 7 % ergeben. Obwohl die Qualität der DMS-Daten hervorgehoben worden ist, ist zugleich betont worden, dass bei der Entscheidung für einen historischen Ansatz und bei dem wertenden Umgang mit dem auf einer ausgewählten Studie basierenden Analyseergebnis auch die Existenz weiterer Studien und der dadurch ausgewiesenen Bandbreiten in den Blick zu nehmen ist.

Vor dem Hintergrund, dass bei der Ableitung der Marktrisikoprämie aus historischen Daten zahlreiche Abwägungsentscheidungen zu treffen sind, die jeweils einen Beurteilungsspielraum eröffnen, sowie angesichts der Besonderheiten des gegenwärtigen Marktumfeldes und der durch historische Daten nur unzureichend abgebildeten Auswirkungen auf die Investorenerwartung ist es zudem erforderlich, das aus historischen Werten ermittelte Ergebnis zur Marktrisikoprämie einer Plausibilitätskontrolle unter Einbeziehung alternativer Ansätze zu unterziehen.

dd) Plausibilisierung notwendig

Die **Gesamtwürdigung der Erkenntnisse** aus einer ergänzenden Anwendung des TMR-Ansatzes, von **Ex-Ante-Modellen** sowie des **Zero Beta CAPM** indiziert, dass die Bestimmung der Marktrisikoprämie durch die Bundesnetzagentur zu einem das aktuelle Marktumfeld nicht hinreichend widerspiegelnden Wert führt. Die genannten Modelle und Ansätze sind zwar nicht geeignet, historische Daten als Grundlage für die Herleitung der

Marktrisikoprämie zu ersetzen. Ihnen kommt indes Bedeutung im Rahmen der gebotenen wertenden Betrachtung der aus einer Analyse historischer Daten folgenden Bandbreite zu. Da als Ergebnis einer Heranziehung historischer Daten kein punktgenauer Wert, sondern eine Bandbreite ausgewiesen wird, fungieren die genannten Ansätze in dem Beurteilungsspielraum, in dem die Ergebnisse einer historischen Analyse mit Blick auf die Zukunft zu interpretieren sind, als Ergänzung und als Indikatoren, ohne dass sie der Plausibilisierung im engeren Sinne dienen.

Die Gesamtschau aus dem **TMR-Ansatz** sowie aus **Ex-Ante Modellen,** die jeweils auf eine erhöhte Marktrisikoprämie hindeuten, sowie eines **Zero Beta CAPM,** das eine erhöhte Aktienrendite signalisiert, ist so zu bewerten, dass die Vergangenheit derzeit nicht repräsentativ für die Zukunft ist und zukünftig höhere Marktrisikoprämien als in der jüngeren Vergangenheit gemessen zu verzeichnen sein werden.

Ein weiteres Indiz dafür, sich bei der Verwendung historischer Daten zur Bestimmung der Marktrisikoprämie am oberen Rand der Bandbreite zu orientieren, sieht der Senat in den seit Ausbruch der Finanzkrise signifikant gestiegenen **Zinsdifferentialen** zwischen Interbankenzinssätzen und deutschen Staatsanleihen, die von den Märkten als risikofrei angesehen werden. Während es bis dato professionellen Investoren möglich war, sich zu Konditionen zu verschulden, die nahe am risikofreien Zins lagen, ist das Zinsdifferential zwischen Kreditzinsen und risikofreier Rendite seitdem phasenweise auf über 1 Prozentpunkt angestiegen und nicht unter 0,5 bis 1 Prozentpunkte gesunken.

Schließlich ergeben sich auch aus einer Analyse der **Unternehmensbewertungspraxis** Indizien darauf, dass die Bundesnetzagentur die Marktrisikoprämie vor dem Hintergrund der durch das aktuelle Marktumfeld geprägten realen Investorenerwartungen zu niedrig festgesetzt hat. Die Sachverständigen haben in diesem Zusammenhang insbesondere auf die Empfehlung des **Fachausschusses für Unternehmensbewertung und Betriebswirtschaft (FAUB)** des IDW abgestellt. Dieser hat am 19.9.2012 empfohlen, angesichts der aktuellen Kapitalmarktsituation die Marktrisikoprämie von einer Bandbreite zwischen **4,5 und 5,5** % (vor Steuern) auf eine **Bandbreite von 5,5 bis 7 % (vor Steuern)** anzuheben. Auch der FAUB hat zur Ableitung der Marktrisikoprämie historische Durchschnittswerte verwendet, anschließend aber – im Unterschied zur Bundesnetzagentur – eine Plausibilisierung der Ergebnisse anhand des TMR-Ansatzes und von Ex-Ante-Modellen vorgenommen. Angesichts der sich daraus ergebenden Erkenntnisse hat der FAUB seine bis Herbst 2012 geltende Empfehlung zur Bandbreite einer angemessenen Marktrisikoprämie angehoben.

Gerügt hat der Senat weiter, dass es durch die schematische Verwendung der DMS-Datenreihe auch zu einer sachwidrigen Fortschreibung des **„Golden Age of Bonds“**-Effekts kommt. Obwohl die Anleiherenditen im Hinblick auf die Zinsen gefallen sind, hat dies nicht zu einer höheren Differenz zu den Aktienrenditen und damit zu steigenden Marktrisikoprämien geführt. Da die Anleiherendite nicht nur anhand des auf die Anleihe entfallenden Zinses, sondern zusätzlich unter Einbeziehung der Wertentwicklung gerechnet wird und in einer Phase sinkender Zinsen bereits emittierte Anleihen – so insbesondere Bundesanleihen – mit noch attraktiver Verzinsung im Kurs signifikant steigen, führt die Einbeziehung solcher Anleiherenditen in eine langfristige Datenreihe zu einer Absenkung der historischen Marktrisikoprämien. Die Einbeziehung steigender Anleihekurse kann als Haupteffekt für die beobachtete Absenkung der Marktrisikoprämie in den DMS-Daten bezeichnet werden.

ee) Durchgreifende Bedenken gegenüber dem Ergebnis der Festsetzung

Die Bundesnetzagentur hat auch nicht darzulegen vermocht, dass jedenfalls an der Ergebnisrichtigkeit der streitgegenständlichen Festsetzung keine durchgreifenden Bedenken bestünden. Entgegen ihrer in der mündlichen Verhandlung vertretenen Auffassung kann die Angemessenheit der Eigenkapitalzinssätze nicht damit begründet werden, dass eine Kontrollrechnung unter Ansatz einer Marktrisikoprämie am unteren Rand der Bandbreite der FAUB-Zahlen, eines aktuellen Basiszinssatzes von 0,5 % sowie eines reduzierten Betafaktors im Ergebnis nicht zu einer höheren Eigenkapitalverzinsung als in der streitgegenständlichen Festlegung führe.

Ein aktueller Basiszinssatz von 0,5 % ergibt sich bei Ableitung aus der Umlaufsrendite des Jahres 2015. Auf diesen Wert haben die Sachverständigen zurückgegriffen, um zu verdeutlichen, dass nicht nur bei der Ermittlung des Basiszinssatzes nach der Svensson-Methode für 30 Jahre (1,13 %) bzw. bei unendlichen Zahlungen (1,42 %), sondern auch bei einer vereinfachten Betrachtung der aktuellen Umlaufsrendite der Basiszinssatz deutlich unterhalb des von der Bundesnetzagentur festgesetzten Basiszinssatzes in Höhe von 2,49 % liegt. Der Ansatz unterschiedlicher Basiszinssätze in der Kontrollrechnung diente erkennbar dem Ziel, eine Ergebnisbandbreite zu generieren. Da der streitgegenständliche Eigenkapitalzinssatz unterhalb dieser Bandbreite liegt, belegt die Kontrollrechnung damit im Gegensatz zu der Annahme der Bundesnetzagentur gerade dessen Unangemessenheit.

Soweit sich mittels eines im Vergleich zu der streitgegenständlichen Festlegung reduzierten Beta-Faktors ein Wert ergibt, der der streitgegenständlichen Festsetzung entspricht, kann eine solche Vergleichsberechnung die Angemessenheit des Zinssatzes nicht begründen. Für den Ansatz eines niedrigeren Beta-Faktors streiten keine Sachgründe, sondern die in die Vergleichsbetrachtung einbezogenen Einzelwerte dienen erkennbar dem Ziel, rechnerisch zu einem Wert in oder unterhalb der Größenordnung des festgesetzten Zinssatzes zu gelangen.

Entgegen der Auffassung der Bundesnetzagentur, wonach die sachverständige Begutachtung keine Gründe aufgezeigt habe, die gegen eine Positionierung der Marktrisikoprämie am unteren Rand der Bandbreite – insbesondere auch der FAUB-Werte – sprächen, hat der Sachverständige mehrfach ausdrücklich betont und ausführlich erörtert, dass unter der gebotenen Berücksichtigung des gegenwärtigen Marktumfeldes nur eine Orientierung am oberen Rand der sich bei einer Analyse historischer Daten ergebenden Bandbreiten angemessen und im Hinblick auf die FAUB-Empfehlung eine Festsetzung auf den mittleren Wert geboten sei. Die Annahme der Bundesnetzagentur, eine Bandbreite eröffne grundsätzlich auch die Möglichkeit, einen Wert am unteren Bereich festzulegen, verkennt, dass die Entscheidung über die Positionierung innerhalb dieser Bandbreite wiederum das Ergebnis einer wertenden Betrachtung sein muss, in deren Rahmen die genannten Faktoren und Indizien für eine höhere Investorenerwartung zu berücksichtigen sind.

ff) Mittelwert

Rechtlich einwandfrei ist hingegen die Bestimmung der Marktrisikoprämie über ein sog. „Mittel der Mittel“ als Durchschnitt aus dem arithmetischen Mittelwert der DMS-Daten und dem geometrischen Mittelwert der DMS-Daten. Die Bundesnetzagentur ist bei der Festlegung der Eigenkapitalzinssätze für die erste Regulierungsperiode ebenso vorgegangen. Der Senat hat die Verfahrensweise der Bundesnetzagentur gebilligt.[49] Diese Entscheidung hat der BGH bestätigt.[50] Der Senat hält auch für die dritte Regulierungsperiode in Übereinstimmung mit den Sachverständigen an dieser Einschätzung fest. In ihrem Gutachten vom 30.11.2017 haben sie sich – erneut – mit den grundlegenden Überlegungen aus der Wissenschaft dazu, welcher Mittelwert unter welchen Voraussetzungen vorzugswürdig ist, auseinandergesetzt. Es gibt weder überwiegende Gründe für die Verwendung des arithmetischen Mittels noch für die Verwendung des geometrischen Mittels. Die verschiedenen Auffassungen in der betriebswirtschaftlichen Literatur zeigen, dass sich bislang keine einheitliche Meinung gebildet hat.[51]

[49] *OLG Düsseldorf*, Beschluss vom 24.4.2013, VI-3 Kart 61/08, N&R 2013, S. 219, Rdnr. 102 ff.

[50] *BGH*, Beschluss vom 27.1.2015, EnVR 39/13, N&R 2015, S. 165, Rdnr. 45 ff. – Thyssengas GmbH.

[51] Ausführlich dazu *Werkmeister*, Die Kapitalverzinsung im Rahmen der Entgeltregulierung gemäß § 31 TKG, 2011, S. 175 m.w.N.

gg) Betafaktor

Auch der von der Bundesnetzagentur angesetzte Wert für den **Betafaktor** von 0,83 ist nicht zu beanstanden. Die Ermittlung des Betafaktors erfolgte, wie auch bereits für die erste und zweite Regulierungsperiode, auf Basis der Mittelwertbildung von Risikofaktoren vergleichbarer börsennotierter Unternehmen. Sie basiert auf angemessenen Auswahlkriterien, die vom Gutachter der Bundesnetzagentur formuliert wurden und im Vergleich zu den vorherigen Regulierungsperioden unverändert sind. Kriterien für die Aufnahme in die Vergleichsgruppe sind die reine Netzbetreibereigenschaft (Anteil am regulierten Netzgeschäft > 75%), die Verfügbarkeit ausreichender Kapitalmarktdaten und eine ausreichende Handelsliquidität (durchschnittliche relative Geld-Brief-Spanne < 1 %).

Nicht zu beanstanden ist weiterhin, dass die Bundesnetzagentur in den durch die **„Energiewende"** entstandenen Anforderungen an Netzbetreiber keinen Anlass zur Erhöhung des Risikofaktors gesehen hat. Die qualitative Analyse hat keine Anhaltspunkte dafür geliefert, dass deutsche Netzbetreiber im Vergleich zu ausländischen Netzbetreibern einem besonderen Risiko ausgesetzt sind, das eine entsprechende Anpassung des Betafaktors erfordert. Mit Blick auf den Ausbau der erneuerbaren Energien bieten sich nach Ansicht der Sachverständigen keine Anhaltspunkte für eine Sondersituation Deutschlands insbesondere im Vergleich zu anderen europäischen Ländern.

Es bestehen **auch in der dritten Regulierungsperiode keine spezifischen Risiken für bestimmte Gruppen der Netzbetreiber**, denen durch eine Anpassung des Risikofaktors Rechnung getragen werden müsste. Insbesondere besteht kein Anlass, im Rahmen der Risikoeinschätzung zwischen deutschen Gasnetzbetreibern und den übrigen Unternehmen der Peer Group zu unterscheiden. Nach der Analyse der Sachverständigen ist bereits fraglich, ob es für die dritte Regulierungsperiode überhaupt zu einer signifikanten Senkung der Gasnachfrage kommen wird. Die Sachverständigen haben festgestellt, dass der Bruttoinlandsverbrauch von Erdgas in den von ihnen betrachteten EU-Ländern – so auch in Deutschland – im Jahr 2015 gestiegen ist. Allerdings ist der nationale Erdgasverbrauch in Deutschland zwischen 2011 und 2015 um insgesamt ca. 1,6 % p.a. zurückgegangen, wobei dies aber noch deutlich unterhalb des EU-Durchschnitts von fast 3 % p.a. liegt.

Der Senat hatte bereits in früheren Verfahren festgestellt, dass sich für die Netzbetreiber weder aus der Einführung der Anreizregulierung besondere, zusätzlich zu berücksichtigende Risiken ergeben noch, dass für Gasnetzbetreiber ein höheres systematisches Risiko besteht. Diese Feststellung gilt für die Netzbetreiber im Allgemeinen und auch speziell für die Gasfernleitungsnetzbetreiber. Wenn dem Markt der Gasfernleitungsnetzbetreiber ein funktionsfähiger und möglichst unbeschränkter Wettbewerb attestiert werden könnte, dann könnte dies ein Argument für eine individuelle Bewertung des Risikos dieser Netzbetreiber und damit für einen spezifischen Betafaktor sein. Der Senat hatte aber, insoweit in Übereinstimmung mit den Erkenntnissen *Ulrich Büdenbenders*, bereits in der Vergangenheit festgestellt, dass die überregionalen Gasfernleitungsnetzbetreiber keinem wirksamen Leitungswettbewerb ausgesetzt sind.[52]

Es bestehen auch keine zusätzlichen Risiken deutscher Stromübertragungsnetzbetreiber aus der Netzanbindung von **Offshore-Windparks** im Vergleich zu den Referenzunternehmen. Dies wird bereits durch die gute Geschäftsentwicklung der betroffenen deutschen Stromübertragungsnetzbetreiber belegt, die insbesondere auch der Entwicklung des Offshore-Geschäfts geschuldet ist.

Schließlich bestehen keine im Vergleich zur Peer Group besonderen Risiken für deutsche Stromverteilernetzbetreiber aufgrund der energiewendebedingten **Dezentralisierung** der Stromproduktion. Zwar entsteht hierdurch ein erhöhter Investitionsbedarf seitens der Stromverteilernetzbetreiber. Nach den Ausführungen der Sachverständigen ist in Anbetracht der äußerst geringen Insolvenzwahrscheinlichkeit eines durchschnittlichen deutschen Netzbetreibers und der Regelungen der ARegV und der Netzentgeltverordnungen zur Vergütung von Investitionen derzeit nicht ersichtlich, dass der absehbar hohe Investitionsbedarf zu einer Kapitalknappheit bei den Netzbetreibern führen wird. Zudem ist auch bei der Dezentralisierung der Stromproduktion eine eindeutige deutsche Sondersituation gegenüber den anderen Unternehmen der Peer Group nicht erkennbar.

Es liegen auch keine Gründe vor, die eine **unterschiedliche Risikobeurteilung** von Strom- und Gasnetzbetreibern erforderlich machen würde. Danach weisen Gasnetzbetreiber in der Peer Group zum Abfragestichtag 31.12.2015 zwar einen höheren Betafaktor aus. Dieser ist jedoch nicht – im statistischen Sinn – signifikant höher. Mit Blick auf andere Regulierungsregimes, in denen die Eigenkapitalzinssätze für Strom- und Gasnetzbetreiber ebenfalls nicht oder nur in geringem Umfang voneinander abweichen, und mit Blick auf die Methodenkonsistenz zu früheren Regulierungsperioden halten die Sachverständigen es zum jetzigen Zeitpunkt weiterhin für vertretbar, für Strom- und Gasnetzbetreiber denselben Betafaktor anzusetzen. Sie erachten es jedoch im Rahmen der Festlegungen für zukünftige Regulierungsperioden für angezeigt, diese Fragestellung erneut einer kritischen Würdigung zu unterziehen.

[52] *Büdenbender*, Die Regulierung der Netzentgelte für den Zugang zu überregionalen Gasfernleitungsnetzen, DVBl. 2010, S. 1529 ff.; *Büdenbender/Rosin*, Energierechtsreform 2005, S. 246; *OLG Düsseldorf*, Beschlüsse v. 13.1.2010, VI-3 Kart 74/08 (V), Rdnr. 65 ff., und 25.11.2009, VI-3 Kart 48-08 (V), Rdnr. 55 ff., juris; vgl. auch *Büdenbender*, Das System der Netzentgeltregulierung in der Elektrizitäts- und Gaswirtschaft, DVBl. 2006, S. 197 (207).

hh) Vergleich mit der Verzinsung ausländischer Netzbetreiber

Beanstandet hat der Senat hingegen den von der Bundesnetzagentur vorgenommenen **Vergleich** der von ihr festgelegten Eigenkapitalzinssätze **mit der Verzinsung ausländischer Netzbetreiber,** weil sie es unterlassen hat, die hinreichende Vergleichbarkeit der Parameter der festgelegten Eigenkapitalzinssätze zu überprüfen und – soweit erforderlich – herzustellen. Nach § 7 Abs. 5 Nr. 2 StromNEV/GasNEV ist der Wagniszuschlag unter anderem unter Berücksichtigung der „durchschnittlichen Verzinsung des Eigenkapitals von Betreibern von Elektrizitätsversorgungsnetzen auf ausländischen Märkten" abzuleiten. Die Bundesnetzagentur meint insoweit, die Anforderungen des § 7 Abs. 5 Nr. 2 StromNEV/GasNEV würden bereits im Rahmen des **CAPM**-Ansatzes ausreichend berücksichtigt, weil eine internationale Referenzgruppe von Unternehmen zur Bestimmung des Wagniszuschlags herangezogen wurde und hält eine Betrachtung von internationalen Regulierungsentscheidungen für entbehrlich. Sie verweist zudem darauf, dass ein solcher Vergleich erheblichen Restriktionen unterläge, die sie auf S. 28 der angefochtenen Festlegung näher beschreibt. Dessen ungeachtet hat sie ihren Gutachter beauftragt, einen internationalen Vergleich mit ausländischen Regulierungsentscheidungen über die Höhe der Eigenkapitalzinssätze vorzunehmen. Die Bundesnetzagentur bezieht sich in dem angefochtenen Beschluss zum Einen auf die von Frontier Economics vorgenommene Untersuchung, nimmt aber darüber hinaus eine eigene Plausibilisierung vor. Diese umfasst 26 Regulierungsentscheidungen aus 11 europäischen Ländern. Hieraus ergibt sich eine Bandbreite der Eigenkapitalzinssätze von **3,83 % bis 8,49 %**. Die Bundesnetzagentur hat den von ihr für die dritte Regulierungsperiode ermittelten Wert für den Eigenkapitalzinssatz nach Steuern in Höhe von **5,64 %** anhand dieser Daten dahingehend überprüft, ob er innerhalb der ermittelten Bandbreite liegt. Es kann offenbleiben, ob aus § 7 Abs. 5 Nr. 2 StromNEV/GasNEV folgt, dass die auf Basis von Kapitalmarktdaten ermittelten Eigenkapitalzinssätze in einem zusätzlichen Schritt anhand eines Vergleichs mit den Festlegungen ausländischer Regulierungsentscheidungen zu plausibilisieren sind. Jedenfalls ist die Bundesnetzagentur – falls sie einen solchen Vergleich vornimmt – verpflichtet, im Rahmen dieses Vergleichs sachgerechte Kriterien anzuwenden, die eine Vergleichbarkeit der verschiedenen Zinssätze gewährleisten. Des Weiteren muss die von ihr getroffene Auswahl der verglichenen Regulierungsentscheidungen repräsentativ sein.

Um eine Vergleichbarkeit der Zinssätze ausländischer Regulierungsentscheidungen herzustellen, wäre eine **Korrektur der Kapitalstruktur geboten** gewesen. Gemäß § 7 Abs. 1 S. 5 StromNEV/GasNEV wird die anzusetzende Eigenkapitalquote kalkulatorisch für die Berechnung der Netzentgelte auf höchstens 40 % begrenzt. Überschüssiges Eigenkapital wird geringer verzinst. Umgekehrt führt ein geringerer Eigenkapitalanteil nicht zu einer höheren Rendite des – aufgrund der höheren Verschuldung finanztheoretisch risikoreicheren – Eigenkapitals. Es bestehen somit für einen Netzbetreiber Anreize, seine tatsächliche Kapitalstruktur an dieser kalkulatorischen (Höchst-)Quote auszurichten. Vor diesem Hintergrund ist die Bundesnetzagentur selbst auch bei der Ermittlung des verschuldeten Betafaktors von einer Zieleigenkapitalquote von 40 % ausgegangen. Nach den Ausführungen der Sachverständigen ist dann aber auch für ausländische Netzbetreiber zu unterstellen, dass diese ihre Kapitalstruktur an der regulatorischen Eigenkapitalquote ausrichten.

Auch wird die Bundesnetzagentur zu überprüfen haben, ob die festgelegten ausländischen Eigenkapitalzinssätze im Übrigen mit den deutschen vergleichbar sind oder ob durch nationale Sonderregelungen den ausländischen Netzbetreibern weitere Vorteile gewährt werden, die im Ergebnis eine deutlich höhere Eigenkapitalverzinsung bewirken, als dies aus der Regulierungsentscheidung ersichtlich ist.

Schließlich hat der Senat Zweifel an der grundsätzlichen Eignung der von der Bundesnetzagentur vorgenommenen Plausibilisierung, die sich darauf beschränkt festzustellen, dass sich der von ihr festgelegte Eigenkapitalzinssatz innerhalb der Bandbreite ausländischer Regulierungsentscheidungen bewegt. Die Sachverständigen haben nachvollziehbar im Rahmen des von ihnen vorgenommenen Vergleichs des Eigenkapitalzinssatzes mit dem Eigenkapitalzinssatz ausländischer Regulierungsbehörden eine andere Vorgehensweise angewandt und neben der Bandbreite auch die durchschnittliche Verzinsung ermittelt, wobei sie zunächst länderspezifische Durchschnitte berechnet und ausgehend von diesen einen Mittelwert der Länderdurchschnitte errechnet haben. Hierdurch wird vermieden, dass einem bestimmten Land, für das besonders viele einzelne Regulierungsentscheidungen existieren – wie dies z.B. bei Belgien der Fall ist – ein zu hohes Gewicht zukommt.

d) Die Beschlüsse des OLG Düsseldorf vom 22.3.2018 sind nicht rechtskräftig (Rechtsbeschwerde zum BGH).

III. Verzinsung des die zulässige Eigenkapitalquote übersteigenden Eigenkapitals (EK II) gemäß § 7 Abs. 1 S. 5, Abs. 7 StromNEV/GasNEV

Das die zulässige Quote von 40 % übersteigende Eigenkapital (EK II) wurde in der Vergangenheit gemäß § 7 Abs. 1 S. 5 StromNEV/GasNEV wie Fremdkapital verzinst. Nach der am 22.8.2013 in Kraft getretenen Neuregelung des § 7 Abs. 1 S. 5, Abs. 7 StromNEV/GasNEV bestimmt sich der Zinssatz für das überschießende Eigenkapital als Mittelwert des auf die letzten zehn abgeschlossenen Kalenderjahre bezogenen Durchschnitts der folgenden von der Deutschen Bundesbank veröffentlichten Umlaufsrenditen:

1. Umlaufsrendite festverzinslicher Wertpapiere inländischer Emittenten – Anleihen der öffentlichen Hand,
2. Umlaufsrendite festverzinslicher Wertpapiere inländischer Emittenten – Anleihen von Unternehmen (Nicht-MFIs) und
3. Umlaufsrendite inländischer Inhaberschuldverschreibungen – Hypothekenpfandbriefe.

Mit der Regelung soll nach der Gesetzesbegründung eine eindeutige Grundlage für die Ermittlung der Verzinsung des die zulässige Quote übersteigenden Eigenkapitals (EK II) geschaffen werden. Die Auswahl der Nominalzinsreihen soll den Besonderheiten des Netzgeschäfts Rechnung tragen, der Langfristigkeit und dem hohen Anteil an Anlagevermögen. Zudem soll durch die anteilige Heranziehung der Bundesbankreihe „Umlaufsrendite festverzinslicher Wertpapiere inländischer Emittenten – Anleihen von Unternehmen (Nicht-MFIs)" ein Risikozuschlag berücksichtigt werden (BR-Drs. 447/13, S. 15).

Eine gegen die entsprechende Festlegung der Erlösobergrenzen eines Stromnetzbetreibers gerichtete Beschwerde hat der 5. Kartellsenat des OLG Düsseldorf durch Beschluss vom 27.4.2017[53] zurückgewiesen. Der Senat hat dazu ausgeführt, die Vorgaben der Verordnung seien weder wegen eines Verstoßes gegen die Verordnungsermächtigung oder den Grundsatz der Verhältnismäßigkeit noch wegen einer mit den gesetzlichen Vorgaben unvereinbaren Ungleichbehandlung der Netzbetreiber materiell rechtswidrig und damit nichtig. Dass die neue Regelung nicht zu beanstanden ist, hatte der 5. Kartellsenat des OLG Düsseldorf bereits für die gleich lautende Vorschrift des § 7 Abs. 1 S. 5, Abs. 7 GasNEV entschieden.[54] Die Verordnungsänderung sei mit den Zielsetzungen des § 21 Abs. 2 S. 1 EnWG vereinbar, eine angemessene, wettbewerbsfähige und risikoangepasste Verzinsung des eingesetzten Kapitals zu gewährleisten. Sie sei weder evident rechtsfehlerhaft noch objektiv sachwidrig. Der EK II-Zinssatz spiegele nach dem Beschluss des BGH vom 18.2.2014 keinen zukunftsgerichteten Renditesatz für das überschießende Eigenkapital wider.[55] Der Senat führt weiter unter Hinweis auf die Rechtsprechung des BGH[56] aus, § 7 StromNEV gehe durch die Unterteilung in betriebsnotwendiges und überschießendes Eigenkapital davon aus, dass langfristig eine höhere Eigenkapitalquote als 40 % nach allgemeinen betriebswirt-

[53] *OLG Düsseldorf*, Beschluss vom 27.4.2017, VI-5 Kart 17/15 (V), RdE 2017, S. 298.

[54] *OLG Düsseldorf*, Beschluss vom 21.1.2016, VI-5 Kart 33/14 (V), RdE 2016, S. 242; Beschluss vom 6.10.2016, VI-5 Kart 21/14 (V), juris, Rdnr. 124 ff.

[55] *BGH*, Beschluss vom 18.2.2014, EnVR 1/13, Rdnr. 14.

[56] *BGH*, Beschluss vom 14.8.2008, KVR 42/07, Rdnr. 40 ff. – Rheinhessische Energie I.

schaftlichen Grundsätzen nicht sinnvoll sei und sich unter Wettbewerbsbedingungen daher nicht einstellen würde. Die Neuregelung löse sich von der „Fremdkapitalfiktion“ und bestimme den Zinssatz für das überschießende Eigenkapital – in zulässiger Weise – durch die Vorgabe eines gleichgewichteten Zinssatzes aus den drei genannten Umlaufsrenditen. Mit der Berücksichtigung der Zinsreihe von Anleihen von Unternehmen (Nicht-MFIs) habe der Verordnungsgeber eine, wenn auch sehr grob abgegrenzte Risikoklasse, nämlich die der deutschen Unternehmen, gewählt. Bei der Gewichtung dieser Risikoklasse sei der Verordnungsgeber – zutreffend – davon ausgegangen, dass das Risiko von Netzbetreibern durch die im Rahmen der Entgeltregulierung weitestgehend garantierte Kostendeckung maximal einem Drittel des Risikos von vollständig im Wettbewerb stehenden Unternehmen entspreche. Dies stehe auch nicht im Widerspruch zu der Rechtsprechung des BGH zur EK II-Verzinsung nach Maßgabe des § 7 Abs. 1 S. 5 Strom-/GasNEV a.F. Die vom BGH zur Ermittlung eines fiktiven Fremdkapitalzinssatzes entwickelten Grundsätze seien nach der Abkehr des Verordnungsgebers von der Fremdkapitalfiktion schon nicht auf die Verordnungsänderung übertragbar. Insoweit könne nichts daraus hergeleitet werden, dass die nach § 7 Abs. 7 StromNEV ermittelten EK II-Zinssätze unterhalb der nach der von der Betroffenen fortgeschriebenen sog. *Kaserer*-Methode ermittelten EK II-Zinssätze liegen.

Die gegen den Beschluss vom 21.1.2016, VI-5 Kart 33/14 (V), gerichtete Rechtsbeschwerde hat der BGH durch Beschluss vom 25.4.2017 zurückgewiesen.[57] Der BGH führt aus, dass die Regelung in § 7 Abs. 1 S. 5 und Abs. 7 GasNEV, wonach sich der maßgebliche Zinssatz aus dem Mittelwert des auf die letzten zehn abgeschlossenen Kalenderjahre bezogenen Durchschnitts der von der Deutschen Bundesbank veröffentlichten Umlaufsrenditen für Anleihen der öffentlichen Hand, Anleihen von Unternehmen und Hypothekenpfandbriefe ergibt, in Einklang mit den Vorgaben des Energiewirtschaftsgesetzes steht. Sinn und Zweck der Deckelung sei es, ein überhöhtes Eigenkapital kalkulatorisch nur beschränkt wirksam werden zu lassen. Ein hoher Eigenkapitalanteil, der aufgrund kostenbasierter Berechnung zu einer Erhöhung der Erlösobergrenze führe, gelte als Indiz für unzureichenden Wettbewerb. Deshalb entspreche es den gesetzlich vorgegebenen Zielen einer preisgünstigen Versorgung und eines wirksamen und unverfälschten Wettbewerbs, nur denjenigen Teil des Eigenkapitals in die kalkulatorische Verzinsung nach § 7 Abs. 4 und 5 GasNEV einzubeziehen, der sich auch unter Wettbewerbsbedingungen typischerweise bilden würde. Die hierfür vom Verordnungsgeber vorgesehene Grenze von 40 Prozent des betriebsnotwendigen Vermögens sei vor diesem Hintergrund nicht zu beanstanden. Der Verordnungsgeber sei nicht gehalten, für den diese Grenze übersteigenden Teil

[57] *BGH*, Beschluss vom 25.4.2017, EnVR 17/16, RdE 2017, S. 344, Rdnr. 66 ff.

des Eigenkapitals einen Zinssatz vorzusehen, der einen Zuschlag zur Abdeckung des unternehmerischen Wagnisses enthalte. Dieser Zuschlag beziehe sich lediglich auf die kalkulatorische Eigenkapitalverzinsung.

IV. Resümee

Im Rahmen einer marktwirtschaftlichen Regulierung sollen sich die Netzentgelte am hypothetischen Wettbewerbspreis orientieren.[58] Dies ist das von der konkreten Ausgestaltung der Entgeltkontrolle unabhängige Ziel der netzwirtschaftlichen Entgeltregulierung.[59] Bei wirksamem Wettbewerb kann ein Unternehmen am Markt nicht beliebige Kosten überwälzen, sondern nur solche, die auch ein effizienter Wettbewerber hätte; andernfalls würden die Kunden zu Konkurrenten abwandern.[60] Bei wirksamem Wettbewerb sollte auch die Rendite im mehrjährigen Durchschnitt die marktübliche Rendite nicht übersteigen.[61] Der Begriff der angemessenen Verzinsung des eingesetzten Kapitals bedeutet somit auf der einen Seite, hinreichende Investitionen in die deutschen Energienetze zu gewährleisten und auf der anderen Seite, überhöhte Renditen bei den Netzbetreibern, die zulasten der Netznutzer gehen, zu vermeiden.[62] In der Regulierung entspricht diese Rendite der „angemessenen, wettbewerbsfähigen und risikoangepassten Verzinsung des eingesetzten Kapitals" gemäß § 21 Abs. 2 EnWG. Diese Rendite fließt in die Netzentgeltregulierung als kalkulatorische Kostenposition ein.[63] Auf diesem Weg werden die in § 1 Abs. 1 EnWG genannten Ziele, die „möglichst sichere, preisgünstige, verbraucherfreundliche, effiziente und umweltverträgliche leitungsgebundene Versorgung der Allgemeinheit mit Elektrizität und Gas", erreicht. Die wettbewerbsanaloge Regulierung der Entgelte und der sonstigen Zugangsbedingungen sichert sowohl die wirtschaftliche Handlungsfreiheit der Zugangspetenten als auch – mittelbar – diejenige der Verbraucher

[58] *Mohr* (o. Fn. 6), S. 619; *Masing*, Gutachten D zum 66. DJT 2006, S. 120.

[59] *Mohr* (o. Fn. 58), S. 619; *Säcker/Böcker* (o. Fn. 21), S. 69 (78).

[60] *Mohr*, (o. Fn. 58), S. 619 m.w.N.; *ders.*, Zugangs- und Entgeltregulierung als Aufgaben des Regulierungsrechts: Diskriminierungsfreiheit („Netzneutralität"). Angemessenheitskontrolle und Effizienz als Maßstäbe für die Ex-ante- und Ex-post-Missbrauchskontrolle im Regulierungs- und Wettbewerbsrecht (Art. 102 AEUV), in: Säcker/Schmidt-Preuß (Hrsg.), Grundsatzfragen des Regulierungsrechts, Vorträge auf dem Gründungskongress der Wissenschaftlichen Vereinigung für das gesamte Regulierungsrecht am 21./22. November 2013 in Berlin, 2015, S. 94 (106).

[61] *Mohr*, (o. Fn. 58), S. 619; *ders.*, (o. Fn. 60) S. 94 (106).

[62] Sondergutachten der Monopolkommission „Energie 2017", abrufbar unter http://www.monopolkommission.de/images/PDF/SG/s77_volltext.pdf (zuletzt abgerufen am 18.05.2018), S. 151 Rdnr. 415

[63] *Mohr* (o. Fn. 58), S. 619 m.w.N.

gegen einen Missbrauch von Marktmacht.[64] Nähere Vorgaben zur Berechnung der Eigenkapitalverzinsung enthalten die Vorschriften des § 7 Abs. 4, 5 StromNEV/GasNEV.

Mit den **Beschlüssen vom 22.3.2018**[65] hat der 3. Kartellsenat des OLG Düsseldorf seine Rechtsprechung zur Angemessenheit der Eigenkapitalverzinsung weiterentwickelt. Es ist im methodischen Ansatz nach wie vor nicht fehlerhaft, bei der Ermittlung des Zuschlags zur Abdeckung netzbetriebsspezifischer unternehmerischer Wagnisse das **Capital Asset Pricing Model (CAPM)** heran zu ziehen und die Marktrisikoprämie aus langfristigen historischene Zeitreihen zur durchschnittlich realisierten Aktienüberrendite im Vergleich zur risikolosen Rendite abzuleiten. Methodisch fehlerhaft ist es aber, dabei eine außergewöhnliche Situation an den Finanz- und Kapitalmärkten, die als Strukturbruch zu bewerten ist, zu vernachlässigen. Eine angemessene Eigenkapitalverzinsung, mit der, um mit *Ulrich Büdenbender*[66] zu sprechen, die Kapitalgeber für das eingesetzte Kapital eine Rendite erhalten, die sie veranlasst, ihr Kapital in dem Unternehmen zu belassen und die Anreize für weitere Investitionen in das Unternehmen und die Netzinfrastruktur setzt, konnte so nicht ermittelt werden.

[64] *Mohr* (o. Fn. 60), S. 94 (105); *Säcker*, Ex-Ante-Methodenregulierung und Ex-Post-Beschwerderecht, RdE 2003, S. 300 (301).

[65] Vgl. z.B. *OLG Düsseldorf*, Beschluss vom 22.3.2018, VI-3 Kart 319/16 (V), BeckRS 2018, 6920 – Amprion.

[66] *Büdenbender* (o. Fn. 8), S. 37.

Die Berücksichtigung von Besonderheiten des Geschäftsjahres im Sinne von § 6 Abs. 2 S. 1 ARegV in der regulatorischen Kostenprüfung

Michael Bartsch *

I. Einleitung

Seit dem 01.01.2009 werden die Netzentgelte der Strom- und Gasnetzbetreiber im Wege der Anreizregulierung bestimmt. Wesentlicher Kern ist, dass im Gegensatz zum vorher geltenden System der rein kostenorientierten Entgeltbildung keine jährliche Kostenprüfung durch die Regulierungsbehörde stattfindet, sondern die Kostenprüfung nur einmalig vor Beginn der fünfjährigen Regulierungsperiode erfolgt und sich auf dieser Basis entlang einer anzuwendenden Formel – der sogenannten Anreizregulierungsformel – eine für das jeweilige Kalenderjahr anzuwendende Erlösobergrenze (EOG) ergibt. Nach § 6 Abs. 1 S. 3 ARegV hat die Kostenprüfung im vorletzten Kalenderjahr vor Beginn der Regulierungsperiode zu erfolgen und zwar auf der Grundlage der Daten des letzten abgeschlossenen Geschäftsjahres, dem sogenannten Basisjahr. Betreffend die dritte Regulierungsperiode Gas (beginnend 2018) ist also das zu betrachtende Basisjahr das Jahr 2015. Hinsichtlich der dritten Regulierungsperiode Strom (beginnend 2019) ist dies das Jahr 2016. Diese Systematik bietet naturgemäß Anreize für die Netzbetreiber, Kosten in das Basisjahr zu verlegen. Hatte dieser Aspekt in den bisherigen Kostenprüfungen eine eher untergeordnete Rolle gespielt, so hat die Bundesnetzagentur, insbesondere die für Gas zuständige BK 9, in den Kostenprüfungen zur dritten Regulierungsperiode dies zu einem ihrer Prüfungsschwerpunkte gemacht. Hintergrund ist eine Regelung in der ARegV, die die ausschließliche Betrachtung der Daten des Basisjahres relativiert. Nach § 6 Abs. 2 ARegV sollen nämlich Kosten bei der Ermittlung des Ausgangsniveaus unberücksichtigt bleiben, soweit sie dem Grunde oder der Höhe nach auf einer Besonderheit des Geschäftsjahres beruhen, auf das sich die Kostenprüfung bezieht. In der Anwendungspraxis der Bundesnetzagentur wird in dieser Vorschrift die Regel gesehen, demgegenüber in der ausschließlichen Betrachtung der Daten des Basisjahres die Ausnahme.[1]

* Rechtsanwalt bei White & Case LLP, Düsseldorf.

[1] So im Ergebnis die dem Verfasser bekannten Anhörungsschreiben der BK 9.

Konsequenz ist, dass in der Kostenprüfung zahlreiche Kostenpositionen, zumindest im Bereich der operativen Kosten (OPEX), an den Voraussetzungen von § 6 Abs. 2 ARegV gespiegelt und korrigiert werden. Das dabei angewendete Verfahren lässt sich im Kern zurückführen auf das Prinzip der Durchschnittsbildung: Dazu wird bezüglich der jeweiligen Kostenposition der Durchschnittswert aus den vier dem Basisjahr vorangegangenen Geschäftsjahren (für Gas also die Jahre 2011 bis 2014) gebildet. Nur in dieser Höhe wird – teilweise unter Anwendung weiterer Korrekturfaktoren – die Kostenposition im Basisjahr anerkannt, der überschießende Teil wird gestrichen. Dieses Verfahren kommt allerdings nur zur Anwendung, wenn die Kostenposition im Basisjahr höher ist als der Durchschnittswert der vorangegangenen vier Geschäftsjahre. Keine Korrektur nach oben erfolgt, wenn die Kostenposition im Basisjahr niedriger ist, als der Durchschnitt der vorangegangenen Geschäftsjahre.[2] Und wenn eine Besonderheit des Geschäftsjahres dem Grunde nach vorliegt, so wird diese als Kostenposition vollständig gestrichen, obwohl die Kosten dem Netzbetreiber tatsächlich entstanden sind. Insgesamt zeigt sich, dass von Seiten der Bundesnetzagentur § 6 Abs. 2 S. 1 ARegV als Instrumentarium, das zulasten der Netzbetreiber wirkt, verstanden und auch so angewendet wird. Die nachfolgenden Ausführungen sollen dazu dienen, Licht in das Dunkel einer vom Wortlaut her sehr undifferenziert gefassten Vorschrift zu bringen. Dabei soll im Folgenden exemplarisch auf den Gasbereich zurückgegriffen werden. Die gefundenen Ergebnisse sind vollends auf den Strombereich übertragbar.

II. Kostenkorrektur als grundsätzlicher Anwendungsbereich der Vorschrift

§ 6 Abs. 2 S. 1 ARegV verwendet den Begriff Kosten, ohne ihn allerdings selbst näher zu definieren. Der Wortlaut der Vorschrift enthält jedoch einen deutlichen Bezug auf die Kostenprüfung, sodass auf den in der GasNEV geregelten Kostenbegriff zurückzugreifen ist. Kosten sind danach jedenfalls die aufwandsgleichen Kosten (§ 5) sowie die Kapitalkosten in Form der kalkulatorischen Abschreibungen (§ 6) und der kalkulatorischen Eigenkapitalverzinsung (§ 7). Die Erfassung von kalkulatorischen Abschreibungen durch den Anpassungsmechanismus des § 6 Abs. 2 S. 1 ARegV hat der BGH in seinem Beschluss vom 28.6.2011 ausdrücklich bestätigt.[3] Hier ging es um einen einmaligen Abzugsbetrag im Hinblick auf in der Vergangenheit vorgenommene überhöhte Abschreibungen, den der BGH im Hinblick auf seine kostensenkende Wirkung als Besonderheit des Basisjahres angesehen

[2] O. Fn. 1.
[3] *BGH*, Beschluss vom 28. Juni 2011 – EnVR 48/10.

hat. Das OLG Düsseldorf hat es in seiner Entscheidung vom 11.11.2015 als „zweifellos“ bezeichnet, dass die kalkulatorische Eigenkapitalverzinsung als Kosten im Sinne von § 6 Abs. 2 S. 1 ARegV anzusehen ist.[4] Allerdings wird der Anwendungsbereich der Vorschrift auf die vorgenannten Kapitalkosten ab der dritten Regulierungsperiode in der Praxis eingeschränkt sein, da aufgrund der neuen Regelungen zum Kapitalkostenabgleich eine zeitnahe Berücksichtigung der tatsächlichen Kapitalkosten erreicht wird, dem Anpassungsmechanismus des § 6 Abs. 2 S. 1 ARegV also bereits dadurch weitgehend Genüge getan wird. Ein rechtliches Ausschlusskriterium der Anwendbarkeit von § 6 Abs. 2 S. 1 ARegV resultiert daraus aber nicht. Rein begrifflich werden auch die kalkulatorischen Steuern (§ 8) erfasst, auch hier wird die Anwendbarkeit der Vorschrift in der Praxis jedoch beschränkt sein.

Des Weiteren grenzt das System der Anreizregulierung dauerhaft nicht beeinflussbare Kosten von den sonstigen Kosten, konkret den vorübergehend nicht beeinflussbaren Kosten und den beeinflussbaren Kosten, ab. Dauerhaft nicht beeinflussbare Kosten sind in § 11 Abs. 2 ARegV definiert und fließen in die jährliche Erlösobergrenze nach tatsächlichem Ist, gegebenenfalls mit t-2-Versatz ein. Diese Mechanik überlagert den Anwendungsbereich von § 6 Abs. 2 S. 1 ARegV, denn es ergibt keinen Sinn, eine Kostenposition des Basisjahres zu korrigieren, wenn ohnehin in die jährliche Erlösobergrenze die Kostenposition nur nach tatsächlichem Ist einfließt.

Kosten sind von ihrer betriebswirtschaftlichen Begrifflichkeit her etwas anderes als Erlöse und Erträge, die nach § 9 GasNEV kostenmindernd wirken. Von daher könnte die Frage aufzuwerfen sein, ob der Kostenbegriff von § 6 Abs. 2 S. 1 ARegV auch die kostenmindernden Erlöse und Erträge nach § 9 Gas NEV, wie sie beispielsweise bei Verkauf von Anlagen oder Auflösung von Rückstellungen entstehen, erfassen soll. Mit dieser Thematik hat sich das OLG Düsseldorf in seinem Beschluss vom 11.11.2015 befasst mit dem Ergebnis, dass auch die kostenmindernden Erlöse und Erträge nach § 9 GasNEV vom Kostenbegriff des § 6 Abs. 2 S. 1 ARegV erfasst sind.[5]

III. § 6 Abs. 2 S. 1 ARegV als Ausnahme von der Regel der Betrachtung des Basisjahres

Der Wortlaut lässt offen, ob § 6 Abs. 2 S. 1 ARegV als gleichrangiges Instrument zur anzustellenden Basisjahrbetrachtung anzusehen ist, oder beide Regelungen im Verhältnis des Regel-/Ausnahmeprinzips zueinanderstehen. Dies festzustellen ist ganz entscheidend. Sollte § 6 Abs. 2 S. 1 ARegV gegenüber der Basisjahrbetrachtung die Ausnahme darstellen, so wäre jedenfalls

[4] *OLG Düsseldorf*, Beschluss vom 11.11.2015, VI-3 Kart 16/13 (V)-, juris, Rdnr. 76.
[5] *OLG Düsseldorf* (o. Fn. 4), Rdnr. 134.

die Anwendungspraxis der Bundesnetzagentur – generelle Verwässerung der Basisjahrbetrachtung durch Bildung eines Durchschnittswertes – nicht systemkonform. Wesentliche Rückschlüsse für die Beantwortung dieser Frage ergeben sich aus der Entstehungsgeschichte der Vorschrift:

Die GasNEV ist am 29.7.2005 in Kraft getreten.[6] Nach § 3 Abs. 1 S. 4 1. Halbsatz hatte die Kostenprüfung auf Basis der Daten des letzten abgeschlossenen Geschäftsjahres (vor dem Jahr der Kostenprüfung) zu erfolgen. Für die Kostengenehmigung 2006 galt also das Basisjahr 2004, für die Kostengenehmigung 2007 das Basisjahr 2005 und für die Kostengenehmigung 2008 das Basisjahr 2006.[7] Abweichend von dieser strikten Basisjahrbetrachtung konnten auch Kosten des Planjahres, also Kosten des Jahres, auf das sich die Genehmigung erstreckt, berücksichtigt werden, soweit insoweit gesicherte Erkenntnisse bestanden (§ 3 Abs. 1 S. 4 2. Halbsatz GasNEV). Die Regelung lautete wie folgt:

> *„Die Ermittlung der Kosten und der Netzentgelte erfolgt auf der Basis der Daten des abgelaufenen Geschäftsjahres; gesicherte Erkenntnisse über das Planjahr können dabei berücksichtigt werden."*

Der seinerzeitige Regierungsentwurf enthielt noch nicht die Regelung, wonach auch Plankosten unter bestimmten Voraussetzungen zu berücksichtigen sind, sondern beschränkte sich auf die ausschließliche Berücksichtigung der Daten des Basisjahres. Begründet wird dies im Regierungsentwurf selbst zwar nicht näher, wohl aber in dem gleichlautenden (allerdings auf Strom bezogenen) Referentenentwurf für die StromNEV vom 20.04.2004. Die Fixierung auf das Basisjahr sollte dem Zweck dienen, eine einheitliche Referenzperiode zu ermitteln. Dies wiederum sollte der Rechtssicherheit und Gleichbehandlung aller Netzbetreiber sowie der Praktikabilität und Effizienz der Genehmigungsverfahren selbst dienen.[8]

Dieses Grundprinzip einschließlich seiner Begründung, nämlich, dass die Kostenprüfung grundsätzlich auf Basis der Daten des Basisjahres zu erfolgen hat, war im weiteren Verordnungsgebungsverfahren unumstritten. Von Seiten der Branche wurde allerdings gefordert, auch Plankosten in die Kostenprüfung mit einzubeziehen.[9] Dafür sprach das durchaus nachvollziehbare Bestreben, die repräsentativen Kostengrößen stärker an die tatsächlichen Verhältnisse des Jahres, für das die Kostengenehmigung erteilt wurde, heranzuführen. Auf der anderen Seite bestand die Gefahr, durch eine solche Regelung

[6] BGBl. 2013 I S.2197 (Nr. 36).

[7] Tatsächlich ist jedoch das Basisjahr 2005 im Rahmen des vor der Anreizregulierung geltenden Systems der reinen Kostengenehmigung nicht zur Anwendung gekommen, weil die Kostengenehmigung für das Jahr 2006 erst in 2007 erteilt wurde und sich gleichzeitig auf dieses Jahr erstreckte.

[8] so in konkretisierender Auslegung *OLG Düsseldorf*, Beschluss vom 28. November 2007 – VI-3 Kart 13/07(V).

[9] siehe z.B. VKU-Stellungnahme zum Entwurf der StromNEV vom 15.10.2004.

den Grundsatz der einheitlichen Referenzperiode als Basis der Kostenprüfung zu verwässern. Dennoch wurde der Plankostenansatz in die GasNEV aufgenommen, wobei die konkrete Formulierung auf einen Vorschlag des Vermittlungsausschusses zurückgeht. Die Regelung wurde als „kann"-Lösung ausgestaltet, zum anderen wurden die Voraussetzungen, unter denen diese Regelung zur Anwendung kommt, sehr restriktiv angesetzt, in dem nur „gesicherte" Erkenntnisse ausreichen. Entlang dieses Grundsatzes, wonach die Betrachtung des Basisjahres die Regel und die Berücksichtigung von Plankosten nur in eng begrenzten Fällen die Ausnahme sein soll, hat sich auch die Rechtsprechung in den Beschwerdeverfahren zu den Genehmigungsbescheiden der Jahre der reinen Kostenkontrolle bewegt.[10] So hat das Prinzip der einheitlichen Referenzperiode auch bei der Beurteilung, ob gesicherte Erkenntnisse über das Planjahr vorliegen, Berücksichtigung zu finden. Dementsprechend sind die Voraussetzungen restriktiv anzusetzen. Es erfordert bestimmte Tatsachen, die das Anfallen der Kosten nach Grund und Höhe in der Kalkulationsperiode mit großer Wahrscheinlichkeit erwarten lassen. Des Weiteren müssen diese gesicherten Erkenntnisse zum Zeitpunkt der Antragstellung vorliegen.

Gedacht war diese Regelung sicherlich ursprünglich, da sie auf eine Branchenforderung zurückgeht, als Hebel, um gegenüber dem Basisjahr zusätzliche Kosten anerkannt zu bekommen. Diese einseitige Wirkungsweise spiegelt sich aber weder im Wortlaut wider noch wäre sie mit Sinn und Zweck der Regelung vereinbar. Über gesicherte Erkenntnisse hinsichtlich des Planjahres sollte die reine Basisjahresbetrachtung modifiziert werden können, die Kostenprüfung sollte stärker an die tatsächlichen Verhältnisse des Genehmigungsjahres herangebracht werden. Dies konnte dann nicht nur für Kostensteigerungen gelten, sondern musste gleichermaßen auch für Kostensenkungen Anwendung finden.

Am 06.11.2007 trat die Verordnung zum Erlass und zur Änderung von Rechtsvorschriften auf dem Gebiet der Energieregulierung in Kraft, deren integraler Bestandteil nach Art. 1 die ARegV war.[11] Nach deren § 6 Abs. 1 S. 3 sollte auch im System der Anreizregulierung die Kostenprüfung auf Grundlage der Daten des letzten abgeschlossenen Geschäftsjahres erfolgen, wobei als Zeitpunkt der Kostenprüfung das vorletzte Kalenderjahr vor Beginn der Regulierungsperiode definiert wurde. Des Weiteren wurde in § 6 Abs. 1 S. 2 ARegV geregelt, dass § 3 Abs. 1 S. 4 zweiter Halbsatz GasNEV (Berücksichtigung von Planwerten) weiterhin Anwendung finden soll. Das vormals für die rein kostenorientierte Genehmigung geltende Prinzip, wonach grundsätzlich auf die Daten eines repräsentativen Basisjahres abzustellen ist und dies nur in eng begrenzten Ausnahmefällen über Planwerte korrigierbar sein

[10] Siehe z.B. *OLG Düsseldorf*, Beschluss vom 28.November 2007 – VI-3 Kart 13/07(V).
[11] BGBl. 2007 I S. 2529 (Nr. 55).

soll, wurde damit unverändert in das ab 2009 geltende Anreizregulierungssystem übernommen.

Am 03.09.2010 wurde durch Art. 7 der „Verordnung zur Neufassung und Änderung von Vorschriften auf dem Gebiet des Energiewirtschaftsrechts des Bergrechts“[12] u.a. § 6 ARegV geändert. Zum einen wurde der Verweis auf die Anwendbarkeit von § 3 Abs. 1 S. 4 zweiter Halbsatz GasNEV (Plankosten) im System der Anreizregulierung aufgehoben. Des Weiteren wurde in Abs. 3 S. 2 bestimmt, dass § 3 Abs. 1 S. 4 zweiter Halbsatz der GasNEV keine Anwendung findet, eine Regelung, die eigentlich überflüssig gewesen wäre, weil die fortgeltende Anwendbarkeit der Berücksichtigung von Plankosten bereits durch die vorstehend genannte Änderung ausgeschlossen wurde. Schließlich erfolgte in Abs. 3 S. 1 eine Neuregelung, wonach Kosten dem Grunde oder der Höhe nach, die auf einer Besonderheit des Geschäftsjahres beruhen, auf das sich die Kostenprüfung bezieht, bei der Ermittlung des Ausgangsniveaus unberücksichtigt zu bleiben haben.

Diese Änderung beruhte auf einem Vorschlag des Bundesrates im Verordnungsgebungsverfahren. In der Begründung heißt es wie folgt:[13]

> *„Die Kostenprüfung nach § 6 Absatz 1 der Anreizregulierungsverordnung soll eine Kostenbasis ermitteln, die geeignet ist, als Ausgangsniveau für die Erlösobergrenzen der Regulierungsperiode zu fungieren. Dazu muss die Ausgangsbasis frei sein von Kosten, die aus Besonderheiten des Geschäftsjahres resultieren, auf das sich die Kostenprüfung bezieht.*
>
> *Es ist deshalb klarzustellen, dass das Ausgangsniveau der Erlösobergrenzen auf der Basis eines um den Einfluss von Einmalereignissen bereinigten Kostenniveaus bestimmt wird.*
>
> *Die Berücksichtigung von Planansätzen ist nicht sachgerecht und deshalb auszuschließen. Die Fortentwicklung des Kostenniveaus im Zeitablauf wird im System der Anreizregulierung durch die Anpassung nach der Regulierungsformel berücksichtigt.“*

Soweit die Abschaffung der Berücksichtigung von Plankostenansätzen betroffen ist, ist die Begründung gut nachvollziehbar. Die Anreizregulierungsformel sieht ein ineinandergreifendes System der Kostenanpassung innerhalb einer Regulierungsperiode vor, zusätzlich differenzierend nach dauerhaft nicht beinflussbaren Kosten, beeinflussbaren Kosten und vorübergehend nicht beeinflussbaren Kosten. Eine Berücksichtigung von Plankostenansätzen in der vorgeschalteten Kostenprüfung würde in dieses System eingreifen und dieses verwässern.

Nach dem Willen des Verordnungsgebers sollten aber die Daten des Basisjahres nach wie vor einer Korrekturbetrachtung unterliegen. Dazu sollte anstelle des weggefallenen Plankostenansatzes nunmehr das Kriterium „Besonderheit des Geschäftsjahres“ dienen.

[12] BGBl. 2010 I S. 1261 (Nr. 47).
[13] BR-Drs. 312/10 v. 9.7.2010, S. 19.

Es stellt sich die Frage, ob der Verordnungsgeber dadurch von dem bisher geltenden Grundsatz der einheitlichen Referenzperiode abweichen wollte, also die Prüfung, ob eine Besonderheit des Geschäftsjahres vorliegt, zu einem gleichrangigen Instrument gegenüber der Berücksichtigung der Kosten des Basisjahres machen wollte. Dem widerspricht bereits, dass das Prinzip der einheitlichen Referenzperiode umso mehr im System der Anreizregulierung gewährleistet sein muss, schon um eine möglichst realistische und objektive Datenbasis für den Effizienzvergleich zu erhalten. Zudem sollte, so die Verordnungsbegründung, die Einführung des Prüfungskriteriums „Besonderheiten des Geschäftsjahres" nur klarstellende Funktion haben.

Von der Begrifflichkeit her ist nur etwas klarzustellen, was vorher bereits vorhanden, wenn auch normativ nicht ausdrücklich oder klar geregelt war. Im bisherigen System war die Kostenbasis auf Grundlage des Basisjahres (nur) korrigierbar über einen Plankostenansatz. Anstelle des Plankostenansatzes soll nunmehr das Kriterium der „Besonderheit eines Geschäftsjahres" als Korrekturinstrument treten. Beiden Instrumenten ist zwar gemein, dass sie zu einer Korrektur der Daten des Basisjahres führen. Dennoch besteht ein wesentlicher Unterschied. Während der Plankostenansatz auf die Berücksichtigung von Kosten gerichtet ist, die nach dem Basisjahr entstehen, geht es bei dem Instrument „Besonderheiten des Geschäftsjahres" nicht um die Anerkennung von Kosten nach dem Basisjahr, sondern um die Ermittlung eines zu nivellierenden Einmaleffektes des Basisjahres selbst. Beide Instrumentarien mögen sich zwar in Einzelfällen überschneiden, sie unterscheiden sich aber sowohl von ihrer Grundkonstellation als auch von den geregelten Tatbestandvoraussetzungen her. Die neue Regelung, wonach „Besonderheiten des Geschäftsjahres" zu berücksichtigen sind, stellt also materiellrechtlich eine Neuregelung dar und damit keine verbale Klarstellung einer bereits bestehenden rechtlichen Situation.

Dies rechtfertigt allerdings nicht, dem in der Verordnungsbegründung verwendeten Begriff der Klarstellung vollends seine Aussagekraft zu entziehen. Offenbar wollte der Verordnungsgeber dadurch dokumentieren, dass sich auch das neue Prüfungskriterium entlang des bisher geltenden Systems bewegt, also kein grundsätzlicher Systembruch stattfinden sollte. An dem Grundsatz der einheitlichen Referenzperiode sollte festgehalten werden, wie zuvor sollte die ausschließliche Berücksichtigung der Datenbasis des relevanten Geschäftsjahres der Grundsatz sein und dieser nur in einem eng begrenzten Ausnahmefall – nunmehr im Gewande des Kriteriums „Besonderheiten des Geschäftsjahres" – korrigierbar sein.

Damit rechtfertigt sich aus der Entstehungsgeschichte der Vorschrift folgendes Ergebnis:

Grundkonzeption der Kostenprüfung ist das Prinzip der einheitlichen Referenzperiode. Dies bedeutet, dass die Übernahme der Daten des Basisjahres der Grundsatz (die Regel) zu sein hat und die Korrektur unter dem

Prüfungsaspekt „Besonderheiten eines Geschäftsjahres" die Ausnahme. Dieses einzuhaltende Regel-Ausnahmeprinzip bestimmt auch das Anforderungsprofil, das an das Vorliegen einer „Besonderheit des Geschäftsjahres" zu stellen ist. Reine Vermutungen oder Wahrscheinlichkeiten, dass solche Besonderheiten vorliegen, reichen nicht aus, denn dann würde die Ausnahme das grundsätzlich geltende Prinzip, wonach die Daten des Basisjahres repräsentativ sind, verwässern. Es ist also ein hoher Grad an Bestimmtheit, dass solche Besonderheiten vorliegen, erforderlich, bestehende Unklarheiten führen dazu, dass das Anpassungsinstrument nicht zur Anwendung kommt.

IV. Besonderheit des Geschäftsjahres der Höhe oder dem Grunde nach

1. *Allgemeine Positionsbestimmung*

Nach dem Wortlaut der Vorschrift wird die Identifizierung von Kosten, „die dem Grunde oder der Höhe nach auf einer Besonderheit des Geschäftsjahres beruhen", gefordert. Nur soweit dies der Fall ist, kommt ein Ausschluss der Basisjahrbetrachtung in Betracht. Dementsprechend wird auch in der Verordnungsbegründung von „Einmalereignissen" gesprochen,[14] der BGH nennt dies „Einmaleffekt" und stellt auf die „ausschließliche" Entstehung im Basisjahr ab.[15] Um diese Identifizierung vornehmen zu können, ist ein Vergleichsmaßstab erforderlich. Denn aus einer rein isolierten Betrachtung des Basisjahres ist nicht feststellbar, ob eine Kostenposition eine Besonderheit des Geschäftsjahres darstellt oder nicht. Als solcher Vergleichsmaßstab bietet sich die Betrachtung der Kostenentwicklung in anderen Geschäftsjahren an. Dazu könnte zum einen auf die Geschäftsjahre, die dem Basisjahr vorangegangen sind, abgestellt werden. Dafür könnte sprechen, dass für solche Geschäftsjahre eine gesicherte Datenbasis in Form festgestellter Jahresabschlüsse vorliegt. Dagegen spricht allerdings, dass eine repräsentative Kostenbasis für die nächste Regulierungsperiode gefunden werden soll und dafür historische Daten nur eine bedingte Aussagekraft haben. Ein Abstellen auf zu erwartende Kostenentwicklungen nach dem Basisjahr hat zwar den Vorteil, die tatsächlichen Verhältnisse in der Regulierungsperiode realitätsnäher abzubilden, steht aber möglicherweise in Konflikt zum abgeschafften Plankostenansatz und hätte zudem, soweit noch keine festgestellten Jahresabschlüsse während der Kostenprüfung für Folgegeschäftsjahre vorliegen, starken prognostischen Charakter. Unabhängig davon, welcher Vergleichsmaßstab gewählt wird, darf dieser wiederum nicht dazu führen, jedwede Abweichung

[14] BR-Drs. 312/10 v. 9.7.2010, S. 19.
[15] *BGH*, Beschluss vom 28. Juni 2011 – EnVR 48/10 –, juris Rdnr. 15 ff.

als Einmaleffekt des Basisjahres anzusehen. Diese Grenze hat der BGH in seiner Entscheidung vom 28.06.2011 deutlich aufgezeigt, wonach Ungenauigkeiten, die sich daraus ergeben, dass bestimmte Kosten nicht in jedem Jahr anfallen oder von Jahr zu Jahr gewissen Schwankungen unterliegen, in Kauf zu nehmen sind.[16] So weist auch das OLG Düsseldorf darauf hin, dass allein der Umstand, dass Kosten „im Hinblick auf den Fotojahreffekt" gezielt im Basisjahr anfallen, keine generelle Kürzung rechtfertigt.[17]

Damit zeigt sich, dass das Problem, einen Einmaleffekt im Sinne von § 6 Abs. 2 S. 1 ARegV zu lokalisieren und diesen entsprechend zu bewerten, vielschichtig ist.

2. *Die Entscheidung des OLG Düsseldorf vom 11.11.2015*

Das OLG Düsseldorf hat sich in seiner Entscheidung vom 11.11.2015[18] eingehend mit der Frage befasst unter welchen Voraussetzungen Kostenpositionen Besonderheiten des Geschäftsjahres darstellen können. Auf diese Entscheidung ist im Folgenden detailliert einzugehen. Dies insbesondere deshalb, weil sich bisher – soweit ersichtlich – nur diese Entscheidung dezidiert mit Inhalt und Funktionsweise eines anzulegenden Vergleichsmaßstabes auseinandersetzt. Sie bildet damit den derzeitigen Stand der Rechtsprechung ab. Zudem ist sie hinsichtlich der anzuwendenden Prüfungsgrundsätze vom BGH in seiner Entscheidung vom 25.4.2017 bestätigt worden.[19] Daran ändert nichts, dass die OLG-Entscheidung vom BGH hinsichtlich eines vom OLG Düsseldorf angenommenen Einmaleffektes bei Rückstellungen wegen witterungsbedingter Mehrerlöse aufgehoben wurde. Dies geschah aus übergeordneten systematischen Erwägungen. Dem Inhalt und der Funktionsweise, die das OLG Düsseldorf hinsichtlich der anzuwendenden Vergleichsmaßstäbe herausgearbeitet hat, wurde aber durch den BGH nicht entgegengetreten.

Dieser Entscheidung lag folgender Sachverhalt zugrunde:

Betroffen war die EOG Gas der zweiten Regulierungsperiode. Die EOG-Festlegung der Bundesnetzagentur war am 04.12.2013 erfolgt, dagegen hatte der Netzbetreiber Beschwerde eingelegt. Streitig waren zwei Kostenpositionen im Hinblick auf die Frage, ob sie Besonderheiten des Geschäftsjahres im Sinne von § 6 Abs. 2 S. 1 ARegV darstellen.

Zum einen ging es um eine vom Netzbetreiber gebildete Rückstellung für das Regulierungskonto aufgrund witterungsbedingt vereinnahmter Mehrerlöse im Basisjahr. Rückstellungen haben im System der Kostenprüfung zweierlei Auswirkungen:

[16] *BGH* (o. Fn. 15) Rdnr. 17.
[17] *OLG Düsseldorf* (o. Fn. 4), Rdnr. 136.
[18] *OLG Düsseldorf* (o. Fn. 4).
[19] *BGH*, Beschluss vom 25.4.2017 – EnVR 57/15.

- Als Bestandsposition stellen sie Abzugskapital dar, das das betriebsnotwendige Eigenkapital und damit die kalkulatorische Eigenkapitalverzinsung (§ 7 Abs. 1 S. 2 GasNEV) vermindert. Dies wäre nicht der Fall, wenn die Rückstellung (als Bestandsposition) als Einmaleffekt zu betrachten wäre. Die Anerkennung als Besonderheit des Geschäftsjahres hätte in dieser Fallkonstellation also einen kostenerhöhenden Effekt (höhere EK-Verzinsung).
- Der Aufwand für die Rückstellungsbildung erhöht demgegenüber die Kostenbasis. Die Anerkennung als Besonderheit des Geschäftsjahres hätte hier also einen kostenmindernden Effekt.

Das OLG Düsseldorf befasst sich in seiner Entscheidung nur mit der Rückstellung als Bestandsposition, geht also nur der Frage nach, ob hier ein Einmaleffekt mit der Folge einer Kostenerhöhung vorliegt.

Zum anderen ging es um einen Sachverhalt, bei dem ein „Instandhaltungsrückstau" der Vorjahre im Basisjahr abgebaut wurde. In den Vorjahren waren dafür Rückstellungen gebildet worden, die im Basisjahr aufgelöst wurden. Auch dies hatte zwei Komponenten:

- Die Auflösung der Rückstellung im Basisjahr war grundsätzlich als kostenmindernder Ertrag gem. § 9 Abs. 1 GasNEV anzusehen, es sei denn, sie wäre als Einmaleffekt zu qualifizieren. Der Einmaleffekt hätte hier also eine kostenerhöhende (höhere EK-Verzinsung) Wirkung gehabt.
- Die Aufwendungen, die im Basisjahr erbracht wurden, um den Instandhaltungsrückstau der Vorjahre aufzufangen, stellte wiederum „Aufwand" dar, und wirkte damit vom Grundsatz her kostenerhöhend. Die Qualifizierung als „Besonderheit des Geschäftsjahres" hätte hier also eine kostensenkende Wirkung.

Im Gegensatz zum ersten Sachverhalt geht das OLG Düsseldorf hier sowohl auf die Aufwandsseite als auch auf die Ertragsseite ein.

Die Prüfung, ob bei diesen beiden Sachverhalten eine Besonderheit des Geschäftsjahres vorliegt und welche Rechtsfolgen dies auslöst, erfolgte in vier Schritten, die im Folgenden näher skizziert werden.

Schritt 1

Hier zieht das OLG die Kostenentwicklung in aufeinanderfolgenden Geschäftsjahren als Vergleichsmaßstab heran. Es führt in diesem Zusammenhang aus, dass der Ansatz eines fünfjährigen Vergleichszeitraums sachgerecht ist.[20] Die Entscheidungsgründe erscheinen insoweit etwas widersprüchlich, als das OLG einerseits von einem fünfjährigen Vergleichszeitraum spricht, andererseits aber die Betrachtung auf die Jahre 2006 bis 2011 erstreckt, also auf einen 6-Jahreszeitraum. Es ist deshalb davon auszugehen, dass das OLG

[20] *OLG Düsseldorf* (o. Fn. 4), Rdnr. 138.

das Basisjahr aus der Betrachtung des Vergleichszeitraums ausklammern, also den Vergleichszeitraum nur auf Basis der Geschäftsjahre 2006–2009 und 2011 bilden wollte. So erklärt sich dann auch der vom OLG angenommene fünfjährige Vergleichszeitraum. Auch die weiteren Ausführungen in diesem Zusammenhang deuten darauf hin, das Basisjahr nicht in die Betrachtung des Vergleichszeitraums mit aufzunehmen. So bildet das OLG die Durchschnittswerte im Falle der Abschreibungen wegen witterungsbedingter Mehrerlöse eindeutig nur unter Einbeziehung der Jahre 2009, 2011, 2012, 2013, also ohne Einschluss des Basisjahres.[21] Auffällig ist, dass das OLG mit der Erfassung des Jahres 2011 auch die Entwicklung nach dem Basisjahr in die Beurteilung mit einbezieht. Näher begründet wird dies nicht, die Betrachtung auch der Zukunft ist aber sinnvoll. Die Anwendung von § 6 Abs. 2 S. 1 ARegV soll dazu dienen, ein repräsentatives Kostenbild für die folgende Regulierungsperiode zu zeichnen. Folgerichtig wäre auch der Zeitraum nach dem Basisjahr mit in den Betrachtungshorizont einzubeziehen, denn Bestandsaufnahmen aus der Vergangenheit haben nur bedingte Aussagekraft für mögliche Entwicklungen in der Zukunft. Soweit belastbare Daten für den Zeitraum nach dem Basisjahr vorliegen, sind diese in den Vergleichsmaßstab deshalb auch mit einzubeziehen. Dies dürfte insbesondere dann gelten, wenn zum Zeitpunkt der Kostenprüfung bereits der testierte Jahresabschluss für das Jahr nach dem Basisjahr vorliegt.

Wie der OLG-Entscheidung zu entnehmen ist, beschränkt sich dieser Betrachtungshorizont zeitlich nicht auf den Abschluss der Kostenprüfung. So wurden bei der Frage, ob die Rückstellungen für witterungsbedingte Mehrerlöse Einmaleffekte im Basisjahr darstellen, sogar auch die Jahre 2012 und 2013 mit in die Betrachtung einbezogen.[22] Allerdings sind Zweifel angebracht, ob dies einer konkreten (nochmaligen) höchstrichterlichen Prüfung standhält. Diese Zweifel ergeben sich daraus, dass die Kostenprüfung Basis des Effizienzvergleichs ist und das Verfahren zur Ermittlung des Effizienzfaktors nach der Kostenprüfung erfolgt. Dies bedingt, dass zum Zeitpunkt des Verfahrens zur Effizienzwertermittlung die Kostenprüfung abgeschlossen sein muss. Von daher sollte eher davon ausgegangen werden, dass der Vergleichszeitraum sich zwar auch auf die Zeit nach dem Basisjahr erstrecken sollte, begrenzt allerdings durch den Zeitpunkt des Abschlusses des Kostenprüfungsverfahrens.

Schritt 2

In einem darauffolgenden zweiten Schritt prüft das OLG sodann, ob eine Besonderheit des Geschäftsjahres „dem Grunde nach" vorliegt. Als Maßstab, um dies zu beurteilen, bedient sich das OLG des Begriffs des „regelmäßigen

[21] *OLG Düsseldorf*, (o. Fn. 4), Rdnr. 80.
[22] *OLG Düsseldorf*, (o. Fn. 4), Rdnr. 80.

Geschäftsbetriebs“[23] bzw. des „laufenden Geschäftsbetriebs“.[24] Das OLG verwendet die Formulierung, dass nicht von vornherein ausgeschlossen sein muss, dass solche Kosten auch in der darauffolgenden Regulierungsperiode entstehen.[25] Umgekehrt formuliert: Es muss von vornherein ausgeschlossen sein, dass solche Kosten auch in der nachfolgenden Regulierungsperiode entstehen, nur dann ist von einer Besonderheit dem Grunde nach auszugehen. Findet sich eine solche Kostenposition auch in den herangezogenen Vergleichsjahren, so ist dies ein wesentliches Indiz, dass sie Gegenstand des regelmäßigen bzw. laufenden Geschäftsbetrieb ist und keine Besonderheit dem Grunde nach darstellt.

Liegt eine Besonderheit dem Grunde nach vor, so endet an dieser Stelle die Prüfung. Die Kostenposition wird in Gänze nicht berücksichtigt, fällt also aus der Kostenprüfung heraus. Die OLG-Entscheidung enthält auch keine Anhaltspunkte, dass diese Kostenposition dann zu 1/5 in der Kostenprüfung zu berücksichtigen wäre. Allenfalls könnte daran zu denken sein, in analoger Anwendung von § 4 Abs. 4 S. 1 Ziff. 2 ARegV in der vollständigen Nichtberücksichtigung einer entstandenen Kostenposition eine unzumutbare Härte zu sehen. Ein solcher Analogieschluss ist aber schon deshalb gewagt, weil die Unzumutbarkeit nach der Konzeption der Vorschrift auf Gründen beruhen muss, die nach der EOG-Festlegung eintreten. Zudem sind die von der Rechtsprechung gesetzten Maßstäbe zur Anerkennung einer unzumutbaren Härte hoch.

Schritt 3

In einem darauffolgenden dritten Schritt ist zu prüfen, ob eine Besonderheit des Geschäftsjahres der Höhe nach vorliegt.

Dazu ist zunächst der Durchschnittswert aus der Kostenposition der zu betrachtenden Vergleichsjahre zu bilden und dieser dann mit der Kostenposition des Basisjahres zu vergleichen. Im vorliegenden Fall war die Kostenposition des Basisjahres um 14 % höher gegenüber dem Durchschnittswert. Aufgrund der doch recht gravierenden Abweichung war dies als erstes Indiz zu sehen, dass der Wert des Basisjahres eine Besonderheit der Höhe nach darstellt.

Damit ist allerdings noch nicht der Nachweis erbracht, dass die Kostenposition des Basisjahres tatsächlich als Besonderheit des Geschäftsjahres der Höhe nach zu klassifizieren ist. Vielmehr kommt es darauf an, welche Abweichungen einzelne der Referenzjahre gegenüber dem Durchschnittswert aufweisen. Enthalten solche ebenfalls eklatante Abweichungen gegenüber dem Durchschnittswert, insbesondere in der Größenordnung des Basisjahres, so

[23] *OLG Düsseldorf*, (o. Fn. 4), Rdnr. 78.
[24] *OLG Düsseldorf*, (o. Fn. 4), Rdnr. 137.
[25] *OLG Düsseldorf*, (o. Fn. 4), Rdnr. 137.

ist das ein Beleg dafür, dass Abweichungen auch in dieser Größenordnung sich in dem üblichen Schwankungsbereich bewegen. Im vorliegenden Fall entsprachen zwei Jahre im Wesentlichen dem Durchschnittswert (Abweichungen von rd. 0,2 %), ein Geschäftsjahr wies eine Abweichung von ca. 5 % und ein anderes Geschäftsjahr eine solche von ca. 4 % auf.[26] Erst vor dem Hintergrund dieser doch sehr eklatanten Abweichung der Kostenposition im Basisjahr gegenüber den Abweichungen einzelner Vergleichsjahre in Bezug auf den Durchschnittswert kam das OLG Düsseldorf zu der Bewertung, eine Besonderheit des Geschäftsjahres der Höhe nach anzunehmen.

Schritt 4

Ist danach festgestellt, dass eine Besonderheit des Geschäftsjahres der Höhe nach vorliegt, so ist in einem vierten Schritt zu prüfen, um welchen Betrag die Kostenposition zu kürzen ist. Dazu stellt das OLG zunächst auf den Durchschnittswert der Referenzjahre (also ohne das Basisjahr) ab. Die Kostenposition, wie sie schließlich anzuerkennen ist, entspricht also vom Grundsatz her dem Durchschnittswert der Referenzjahre. Zudem gewährt das OLG einen Sicherheitszuschlag, der in der Unwägbarkeit begründet ist, dass dieser so ermittelte Wert auch tatsächlich repräsentativ für die Regulierungsperiode ist. Im Fall der Rückstellungen für witterungsbedingte Mehrerlöse ermittelte sich dieser Zuschlag aus dem Durchschnitt der geringsten Abweichung und der höchsten Abweichung in den Referenzjahren im Verhältnis zum Durchschnitt aller Referenzjahre. Dies waren 2,6 %, insoweit erhöhte sich also der Sockelbetrag (Durchschnittswert aller Referenzjahre), um diesen Gesamtbetrag waren die Rückstellungen als Abzugskapital kostenmindernd anzusetzen.

Keinen Sicherheitszuschlag hat demgegenüber das OLG Düsseldorf hinsichtlich der aufgelösten Rückstellungen wegen Instandhaltungsstaus gewährt. Dies lag wohl an der Besonderheit des Sachverhalts. In den vier Vergleichsjahren hatten keine Rückstellungsauflösungen stattgefunden, sodass eigentlich der Referenzwert hätte bei Null liegen müssen. Nicht systemkongruent hat das OLG Düsseldorf dann aber das Basisjahr 2010 (in dem die Rückstellungsauflösung erfolgte) in die Betrachtung mit einbezogen mit dem Ergebnis, dass 1/5 der Rückstellungsauflösung im Basisjahr ertragserhöhend wirkte.

3. Verprobung der Anwendungsgrundsätze des OLG Düsseldorf anhand von Sonderkonstellationen

Zu berücksichtigen ist, ist das OLG Düsseldorf seine Prüfungsgrundsätze, unter welchen Voraussetzungen eine Besonderheit des Geschäftsjahres vor-

[26] Diese Zahlen werden zwar in der Entscheidung nicht ausdrücklich genannt, ermittelt sich aber im Wesentlichen aus dem Gesamtzusammenhang.

liegt und in welchem Umfang dann die betreffende Kostenposition des Basisjahres zu modifizieren ist, vor dem Hintergrund eines bestimmten Sachverhalts entwickelt hat. Deshalb ist im Folgenden der Frage nachzugehen, ob Sonderkonstellationen existieren, die Anlass zu weiteren Differenzierungen bieten.

a) Kostenpositionen mit tendenzieller jährlicher Steigerung

Die Entscheidung des OLG Düsseldorf scheint nahe zu legen, den Vergleich der Kostenentwicklung in anderen Geschäftsjahren (Durchschnittswert) bereits zum Aufgreifkriterium der Prüfung, ob eine Besonderheit des Geschäftsjahres vorliegt, zu machen. Konsequenz wäre, dass jede Kostenposition des Basisjahres anhand der Kostenentwicklung in Referenzjahren zu überprüfen wäre und erst an späterer Stelle der Prüfung ggfs. eine Besonderheit zu verneinen wäre, obwohl dieses Ergebnis möglicherweise von vornherein offensichtlich ist. Die Diskrepanz zeigt sich insbesondere am Beispiel der Personalkosten in Form der Löhne und Gehälter. Diese Kostenposition ist aufgrund von Tarifabschlüssen tendenziell auf Erhöhungen angelegt, d.h. die entsprechende Kostenposition im Basisjahr wird in der Regel immer höher sein als die der vorangegangenen Geschäftsjahre einschließlich eines etwaig zu bildenden Durchschnittswertes. Würden sich beispielsweise die Löhne und Gehälter aufgrund von Tarifabschlüssen linear jährlich um 2 % erhöhen, so hätte dies bei Anwendung des Prüfungsrasters des OLG Düsseldorf folgende Konsequenz: Die Kostenposition im Basisjahr wäre höher als die des Durchschnittswerts vorangegangenen Geschäftsjahre, wohl auch, wenn zusätzlich noch das Geschäftsjahr nach dem Basisjahr die Bildung des Durchschnittswertes einbezogen wird. Dementsprechend wäre die Aufgreifschwelle für die Prüfung, ob eine Besonderheit des Geschäftsjahres vorliegt, erreicht und es würde sich dann die Prüfung anschließen, ob die Abweichung des Basisjahres vom so ermittelten Durchschnittswert eine Besonderheit des Geschäftsjahres darstellt. Auch insoweit stößt man aber wieder an Grenzen des Modells, weil die Abweichung des Basisjahres vom Durchschnittswert immer höher sein wird als die der Vorjahre. Über diese rein mathematischen Zusammenhänge wäre also möglicherweise eine solche Kostenerhöhung als Besonderheit des Geschäftsjahres zu qualifizieren, obwohl die prozentuale Erhöhung der Kostenposition im Basisjahr genau dem entspricht, wie es in den Referenzjahren der Fall war und damit von vornherein, ohne den Umweg einer gesonderten Prüfung der Durchschnittswerte und eventueller Abweichungsanalysen zu gehen, feststeht, dass keine Besonderheit des Geschäftsjahres vorliegt.

Ein im Rahmen der Aufgreifschwelle statisch auf einen Durchschnittswert abstellendes Prüfungssystem führt mithin bei Kostenpositionen, die von ihrer Natur tendenziell auf jährliche Steigerungen angelegt sind, zu fehlgeleiteten Ergebnissen. Prüfungsmaßstab hat hier vielmehr zu sein, ob sich die prozentuale Erhöhung der Kostenposition im Basisjahr im Rahmen der prozentualen Erhöhungen der Referenzjahre – jeweils verglichen mit der Kostenposition des Vorjahres – hält. Ist dies der Fall, bedarf es keiner weiteren Prüfung: Die Aufgreifschwelle zur weiteren Prüfung einer Besonderheit des Geschäftsjahres ist nicht erfüllt.

b) Periodisierung von Besonderheiten des Geschäftsjahres dem Grunde nach

Das vom OLG Düsseldorf entwickelte Prüfungsraster legt den Schluss nahe, dass eine Kostenposition im Basisjahr, die als Besonderheit des Geschäftsjahres dem Grunde nach zu qualifizieren ist, vollständig aus der Kostenprüfung herausfällt.

Rein vordergründig scheint dies auch mit Sinn und Zweck von § 6 Abs. 2 S. 1 ARegV vereinbar zu sein. Erreicht werden soll eine repräsentative Basis für die tatsächlich in der nächsten Regulierungsperiode anfallenden Kosten. Eine Kostenposition, die jedoch nur im Basisjahr entsteht, unzweifelhaft jedoch nicht in den Jahren der folgenden Regulierungsperiode – nur in diesem Fall ist nach den engen Bewertungsmaßstäben des OLG Düsseldorf von einer Besonderheit des Geschäftsjahres dem Grunde nach auszugehen – kann schon von ihrer Begrifflichkeit keine solche repräsentative Basis bilden. Zwingend ist eine solche aus § 6 Abs. 2 S. 1 ARegV abgeleitete Rechtsfolge aber nicht. Denn die Vorschrift ist als „soweit"-Regelung ausgestaltet. Sie ordnet also nicht an, dass die Kostenposition vollends zu entfallen hat. Die Einschränkung „soweit" bezieht sich dabei gleichermaßen auf Besonderheiten des Geschäftsjahres der Höhe und dem Grunde nach. Bei Besonderheiten des Geschäftsjahres der Höhe nach wird über die „soweit"-Regelung der Teil abgeschnitten, der über dem Referenzmaßstab vergleichbarer Geschäftsjahre, zuzüglich etwaiger Korrekturfaktoren, liegt. Ein solcher Referenzmaßstab liegt zwar bei einer Besonderheit des Geschäftsjahres dem Grunde nach nicht vor. Dies zwingt aber nicht dazu, die „soweit"-Regelung hier leerlaufen zu lassen. Vielmehr besteht dann die Notwendigkeit, einen anderen Referenzmaßstab zu finden. Hier ist insbesondere zu berücksichtigen, dass die ARegV als Verordnung nachrangiges Recht gegenüber dem EnWG dargestellt und nach § 21 Abs. 2 EnWG Anspruch auf Erstattung der effizient verursachten Kosten einschließlich einer angemessenen Verzinsung des eingesetzten Kapitals besteht. Eine Kostenposition, die als Besonderheit des Geschäftsjahres dem Grunde nach qualifiziert wird, vollends zu streichen, würde sich damit in Widerspruch setzen. Denn die Kosten sind entstanden und es hat auch keine Kostenerstattung in der Regulierungsperiode des Basisjahres stattgefunden. Auf der anderen Seite muss der Kostenerstattungsanspruch natürlich auf das begrenzt sein, was tatsächlich aufgewendet worden ist. Liegt beispielsweise die Kostenposition, die als Besonderheit des Geschäftsjahres dem Grunde nach klassifiziert wird, bei der Werteinheit 100, so würde der Netzbetreiber bei ihrer vollständigen Anerkennung als repräsentative Grundlage für die folgenden Regulierungsperioden insgesamt die Werteinheit 500 erstattet bekommen. Um dies zu vermeiden, wäre die Kostenposition zu periodisieren mit der Folge, dass 1/5 als Kostenposition des Basisjahres anzuerkennen ist.

c) Notwendigkeit zur richtigen Klassifizierung der jeweiligen Kostenposition

Nicht zu befassen hatte sich das OLG Düsseldorf in seiner Entscheidung – da offenbar unstreitig – mit dem Thema, ob die jeweilige Kostenposition, die Gegenstand der Prüfung hinsichtlich einer Besonderheit des Geschäftsjahres war, überhaupt richtig gegenüber anderen Kostenpositionen abgegrenzt worden ist. Neben der Anwendung des Verfahrens zur Ermittlung einer Besonderheit des Geschäftsjahres ist jedoch die Klassifizierung der Kostenposition selbst der entscheidende Stellhebel. Je enger die Kostenposition gefasst wird, umso eher ist von einer Besonderheit auszugehen, je weiter, umso eher ist eine solche abzulehnen. Die praktische Relevanz sei erläutert am Beispiel der abgeschlossenen Vergleiche mit dem Insolvenzverwalter in Sachen TelDaFax, ein Komplex, der insbesondere in der Kostenprüfung Gas für die dritte Regulierungsperiode Raum eingenommen hat. Die bilanzielle Abbildung der abgeschlossenen Vergleiche in Sachen TelDaFax gestaltet sich komplex, insbesondere in ihrer regulatorischen Schnittstelle. Im Kern geht es um folgendes: Die Forderung des Netzbetreibers aus der Inanspruchnahme von Netzdienstleistungen hatte TelDaFax beglichen sowie Vorauszahlungen geleistet. Der Abschluss des Vergleiches mit dem Insolvenzverwalter hatte nunmehr die Folge dass die ursprünglich (durch erfolgte Zahlung) neutralisierte Forderung in Höhe der gezahlten Vergleichssumme zunächst wiederaufgelebt, allerdings uneinbringlich und nach § 253 Abs. 3 HGB wertzuberichtigen war, sei es in Form der Einzelwertberichtigung oder der Pauschalwertberichtigung.[27] Soweit diese Wertberichtigung im Basisjahr erfolgte, stellte sich die Frage, ob es sich insoweit um eine Besonderheit des Geschäftsjahres handelte, eine Auffassung, die jedenfalls von der BK 9 unter Zugrundelegung einer sehr engen Klassifizierung der Kostenposition in den Anhörungsverfahren vertreten wurde.

Wird die zu vergleichende Kostenposition klassifiziert als „Einzelwertberichtigung von Forderungen anlässlich des Abschlusses eines Vergleichs in Insolvenzverfahren", so folgt daraus zwangsläufig sogar die Besonderheit

[27] Bei der Einzelwertberichtigung wird die einzelne Forderung betrachtet, bei der Pauschalwertberichtigung der gesamte Forderungsbestand oder eine Gruppe.

des Geschäftsjahres dem Grunde nach, weil ein solcher so konkretisierter Geschäftsvorfall weder in den Vorjahren noch in den Folgejahren vorhanden sein wird. Wird demgegenüber als Vergleichsmaßstab auf die Summe der Forderungsausbuchungen im jeweiligen Geschäftsjahr abgestellt, so ergibt sich ein völlig anderes Bild. Es läge dann jedenfalls keine Besonderheit des Geschäftsjahres dem Grunde nach vor und ob eine Besonderheit des Geschäftsjahres der Höhe nach vorliegt, wäre fraglich. Dieses Beispiel zeigt umso mehr die Notwendigkeit, zunächst die Kostenposition so zu definieren, dass sie tauglicher Vergleichsmaßstab sein kann. Erst auf Basis einer so vorgenommenen richtigen Klassifizierung rechtfertigen sich die weiteren Prüfungsschritte zur Feststellung, ob eine Besonderheit des Geschäftsjahres vorliegt.

V. Zusammenfassung

Die anzustellende Basisjahrbetrachtung nach § 6 Abs. 1 S. 3 ARegV stellt die Regel dar, demgegenüber die mögliche Korrektur aufgrund Vorliegens einer Besonderheit des Geschäftsjahres (§ 6 Abs. 2 S. 1 ARegV) die Ausnahme. Dieses einzuhaltende Regel-Ausnahmeprinzip bestimmt auch das Anforderungsprofil, das an das Vorliegen einer „Besonderheit des Geschäftsjahres" zu stellen ist. Reine Vermutungen oder Wahrscheinlichkeiten, dass solche Besonderheiten vorliegen, reichen nicht aus, denn dann würde die Ausnahme das grundsätzlich geltende Prinzip, wonach die Daten des Basisjahres repräsentativ sind, verwässern. Vielmehr ist ein hoher Grad an Bestimmtheit, dass solche Besonderheiten vorliegen, erforderlich, bestehende Unklarheiten führen dazu, dass das Anpassungsinstrument nicht zur Anwendung kommt.

§ 6 Abs. 2 S. 1 ARegV erfasst neben Kosten auch die kostenmindernden Erlöse nach § 9 Gas GasNEV. Des Weiteren arbeitet die Vorschrift sowohl „nach oben" wie auch „nach unten". Erfasst werden nicht nur Konstellationen, in denen die Kostenposition im Basisjahr höher ist als in einem Referenzzeitraum sondern auch Konstellationen, in denen die Kostenposition im Basisjahr niedriger ist als in einem Referenzzeitraum.

Das vom OLG Düsseldorf in seiner Entscheidung vom 11.11.2015 – wenn auch unter Zugrundelegung eines bestimmten Sachverhaltes – entwickelte Prüfraster wird den Anforderungen zur Lokalisierung eines Einmaleffektes einschließlich seiner Rechtsfolgen grundsätzlich gerecht, bedarf jedoch in Sonderkonstellationen konkretisierender Betrachtungen. Dies gilt insbesondere für Kostenpositionen, die, wie beispielsweise Löhne und Gehälter, geprägt sind durch jährliche Steigerungen sowie für die Behandlung von Besonderheiten des Geschäftsjahres dem Grunde nach. Schließlich kommt der richtigen Klassifizierung der jeweiligen Kostenpositionen eine besondere Bedeutung für die Beurteilung der Frage, ob eine Besonderheit des Geschäftsjahres vorliegt, zu.

Demgegenüber ist das von der Bundesnetzagentur verwendete Modell – Abstellen auf einen Durchschnittswert vorangegangener Geschäftsjahre – zur Lokalisierung von Einmaleffekten einschließlich ihrer Bewertung der Höhe nach ungeeignet. Insbesondere steht es mit den vom OLG Düsseldorf entwickelten Grundsätzen nicht in Einklang.

Veröffentlichungen nach § 31 ARegV – das Spannungsfeld zwischen Transparenz und Betriebs- und Geschäftsgeheimnissen

Katrin van Rossum*

Die Wahrung von Betriebs- und Geschäftsgeheimnissen hat im Regulierungsrecht besondere Bedeutung. Die regulierten Unternehmen unterliegen mit Blick auf die Informationsabhängigkeit der Entgeltregulierung vielfältigen Nachweis- und Auskunftspflichten gegenüber der Regulierungsbehörde, die nur mit größtmöglicher Transparenz der zu regulierenden Unternehmen bei der Regulierung erfolgreich sein kann. Die dabei von den zu regulierenden Unternehmen übermittelten Daten können den Status von Betriebs- und Geschäftsgeheimnissen haben, die nach der Rechtsprechung des Bundesverfassungsgerichts nicht nur bei existenzbedrohenden Folgen vor einer Offenlegung gegenüber Konkurrenten zu schützen sind.[1] Ein Spannungsverhältnis besteht insoweit zum Grundsatz effektiven Rechtsschutzes für Dritte, der diesen nur ermöglicht wird, wenn sie die entscheidungserheblichen Tatsachen erkennen und überprüfen können. Daneben steht auch die Transparenz des Regulierungshandelns zwangsläufig in einem Spannungsverhältnis zu Betriebs- und Geschäftsgeheimnissen der regulierten Netzbetreiber. § 31 ARegV setzt diese Transparenz des Regulierungshandelns für Daten des Anreizregulierungsprozesses um. Mit dem Beitrag soll die Bedeutung der Transparenzvorgaben und die Frage, ob und inwieweit durch die netzbetreiberspezifische Veröffentlichung der dort angeführten Daten des Anreizregulierungsprozesses Betriebs- und Geschäftsgeheimnisse der Netzbetreiber betroffen sein können, vor dem Hintergrund der bundesweit bei Kartellsenaten der Oberlandesgerichte anhängig gemachten Beschwerdeverfahren[2] beleuchtet werden.

* Vorsitzende Richterin am Oberlandesgericht in Düsseldorf.

[1] *BVerfGE* 115, 205 (244).

[2] *OLG Düsseldorf*, 5. Kartellsenat, RdE 2017, S. 202 ff.; RdE 2018, S. 140 ff.; *OLG Düsseldorf*, 3. Kartellsenat, RdE 2017, S. 413 ff.; *OLG Schleswig-Holstein*, Beschluss vom 07.03.2017 – 53 Kart 1/17; *OLG Bremen*, Beschluss vom 04.04.2017 – 2 W 11/17 (Kart); *OLG Thüringen*, Beschluss vom 15.05.2017 – 2 Kart 3/17; *OLG Frankfurt*, Beschluss vom 05.10.2017 – 11 W 25/17 (Kart), jeweils n.v.; *OLG Brandenburg*, RdE 2017, S. 547 ff.

I. Transparenz des Regulierungsansatzes

Informationen sind von einer nicht zu unterschätzenden Bedeutung für eine wirksame Marktdisziplin und die Akzeptanz staatlichen Handelns. Ganz allgemein ist anerkannt, dass die Offenlegung von aktuellen und verlässlichen Informationen insbesondere für regulierte Märkte besondere Bedeutung hat, da Transparenz Vertrauen aufbauen, den Zugang zu den Märkten verbessern und Marktunsicherheiten verringern kann.[3]

Netzbetreiber unterliegen daher in verschiedener Hinsicht Transparenzvorgaben. Veröffentlichungspflichten für Netzbetreiber bestehen seit 2005. So ist das Transparenzgebot im Einklang mit europarechtlichen Vorgaben in die Normen des § 21 Abs. 1 EnWG und § 1a Abs. 5 EnWG ausdrücklich aufgenommen und durch Veröffentlichungspflichten für Netzbetreiber in verschiedenen anderen Regelungen – wie etwa §§ 6b Abs. 4, 20 Abs. 1 EnWG, 17 StromNZV, 40 GasNZV, 27 StromNEV/GasNEV – konkretisiert worden.[4]

Daneben unterliegen aber auch die Entscheidungen der Regulierungsbehörden hohen Publikationspflichten. Die Einleitung von Verfahren nach § 29 Abs. 1, Abs. 2 EnWG und Entscheidungen der Regulierungsbehörde nach Teil 3 des EnWG sind gem. § 74 EnWG auf ihrer Internetseite und im Amtsblatt zu veröffentlichen.[5] Die damit geschaffene Transparenz trägt dem erheblichen Informationsinteresse nicht nur der Marktbeteiligten, sondern auch der Öffentlichkeit Rechnung, denn auf diese Weise können nicht nur Regulierungsentscheidungen, sondern der gesamte Regulierungsprozess nachvollzogen werden. Die Transparenz des Regulierungsvorgangs und seines Ergebnisses sind nicht nur Voraussetzung für eine informierte und tragfähige politische Entscheidung und deren Kontrolle, sondern sie gewährleistet auch einen möglichst effizienten Netz- und Marktzugang und stellt schließlich auch den Verbraucherschutz sicher. Gerade mit Blick auf die Kosten der Energiewende, die sich in den Netzentgelten niederschlagen, wächst die Bedeutung des Erfordernisses der Nachvollziehbarkeit der Kostenentwicklung im regulierten Bereich für die Akzeptanz der Netzentgelte.

Seit der Ruf nach mehr Transparenz bei staatlicher Entscheidungsfindung und behördlichem Handeln lauter und gleichzeitig die möglichen Informati-

[3] Für den Bankensektor *BVerfG*, WM 2017, S. 2345 Rdnr. 320.

[4] Vgl. nur: *Bundesnetzagentur*, „Leitfaden für die Internet-Veröffentlichungspflichten der Stromnetzbetreiber" in der Version 1.1 vom 23.06.2008.

[5] S. dazu *Bundesnetzagentur*, Hinweispapier zu Umgang und Reichweite zulässiger Schwärzungen bei der Veröffentlichung von Entscheidungen der Bundesnetzagentur in den Bereichen Elektrizität und Gas, 13.03.2017, abrufbar unter https://www.bundesnetzagentur.de/SharedDocs/Downloads/DE/Sachgebiete/Energie/Unternehmen_Institutionen/Netzentgelte/Transparenz/Hinweispapier_Schwaerzungen.html (zuletzt abgerufen am 18.05.2018).

onskanäle multiplexer geworden sind, sind auch die Veröffentlichungspflichten der Netzbetreiber in ihrer Anzahl und ihrem Umfang stetig gewachsen. Nicht nur in der Gesellschaft, sondern auch im eigentlichen, hier dem regulierten Markt hat das Bedürfnis nach Transparenz von Verwaltungshandeln zugenommen. So ist nicht nur in den zahlreichen gerichtlichen Entgeltregulierungsverfahren von Seiten der Netzbetreiber gerade mit Blick auf den Effizienzvergleich als Herzstück der Anreizregulierung immer wieder der Vorwurf einer „black box" erhoben worden. Auch von Seiten der Verbraucher und Netznutzer sowie der Wissenschaft wurde die „black box" der Netzentgelte zunehmend beklagt und mehr Transparenz über die Entscheidungen der Regulierungsbehörde eingefordert, damit die Angemessenheit der Netzentgelte überprüft und ein politischer Diskurs über ihre Angemessenheit geführt werden kann.[6] Schon anlässlich der Novelle des EnWG im Jahre 2011 plädierten die Netzkunden – Lieferanten und Endverbraucher – dafür, die Veröffentlichungspflicht in § 20 Abs. 1 EnWG um die Erlösobergrenzen gemäß der Anreizregulierungsverordnung, die jährliche Absatzstruktur sowie die Kostenstellen gemäß den Netzentgeltverordnungen zu erweitern. Mit ihrer Hilfe soll es ihnen ermöglicht werden, im Einzelnen nachzuvollziehen, ob Netzführung und Mittelverwendung tatsächlich effizient erfolgen und mit einer Netzentgelterhöhung notwendige Kosten im Netz finanziert oder nur höhere Eigenkapitalrenditen oder gar Mehrkosten eines ineffizienten Netzbetriebs gedeckt werden sollen.[7] Auch für die Bundesnetzagentur, die sich schon im Zuge der Einführung der Anreizregulierung für eine größtmögliche Transparenz regulierungsbezogener Informationen und damit auch für einen Abbau von Informationsasymmetrien ausgesprochen hatte,[8] war die Erhöhung der Transparenz daher ein wesentlicher Schwerpunkt bei der Novelle der Anreizregulierungsverordnung im Jahre 2016, der ein längerer Evaluierungsprozess vorgeschaltet war. Die Bundesnetzagentur hatte dazu in ihrem Evaluierungsbericht zur Anreizregulierungsverordnung aus dem Jahr 2015 festgehalten, dass „Netzbetreiber, Banken, Investoren und Netznutzer immer wieder die fehlende Transparenz des Regulierungsverfahrens bemängeln, vor allem bei der Ermittlung der Erlösobergrenzen im Rahmen der Anreizregulierung".[9] Ein Mehr an Transparenz – etwa durch die Veröffentlichung auch der im Effizienzvergleich verwendeten Strukturparameter, der dauerhaft nicht beeinflussbaren Kostenanteile, der kalenderjährlichen Erlös-

[6] BT-Drs. 18/6862, Kleine Anfrage der Abgeordneten Oliver Krischer, Annalena Baerbock, Bärbel Höhn, weiterer Abgeordneter und der Fraktion BÜNDNIS 90/DIE GRÜNEN; BT-Drs. 18/7103, Antwort der Bundesregierung vom 17.12.2015.

[7] Vgl. nur: *bne*, Kommentierung zum BMWi-Arbeitsentwurf zum EnWG-Änderungsgesetz: Mehr Transparenz, mehr Zukunft, weniger Ausnahmen!, 27.04.2011, S. 3 f.

[8] *Bundesnetzagentur*, Bericht zur Einführung der Anreizregulierung vom 30.06.2006, Rdnr. 1445 ff.

[9] *Bundesnetzagentur*, Evaluierungsbericht nach § 33 ARegV vom 21.01.2015, S. 332.

obergrenzen und des genehmigten Erweiterungsfaktors, der Versorgungsunterbrechungen i.S.d. § 20 Abs. 1 ARegV und der Investitionsmaßnahmen – soll „einen wichtigen Beitrag zur Selbstregulierung, zur Akzeptanzsteigerung und zur Verringerung des von Investoren und Fremdkapitalgebern wahrgenommenen Risikos“ leisten.[10]

1. *§ 31 ARegV a.F.*

§ 31 ARegV setzt die Transparenz des regulierungsbehördlichen Handelns für das System der Anreizregulierung um. Die Norm sah in der vom 6.11.2007 bis zum 16.09.2016 geltenden Fassung ausdrücklich nur die netzbetreiberbezogene und in nicht anonymisierter Form vorzunehmende Veröffentlichung der nach §§ 12 bis 15 ARegV oder § 22 ARegV ermittelten Effizienzwerte und der Abweichungen der Netzbetreiber von den nach den §§ 19 und 20 ARegV ermittelten Kennzahlenvorgaben im Rahmen der Qualitätsbeurteilung vor. Daneben war die Veröffentlichung des nach § 9 ARegV ermittelten generellen sektoralen Produktivitätsfaktors und des im Rahmen des vereinfachten Verfahrens nach § 24 ARegV gemittelten Effizienzwerts geregelt. Insbesondere durch die Veröffentlichung der netzbetreiberbezogenen Daten des Regulierungsprozesses sollte zum einen für die Netznutzer Transparenz über den Stand der Effizienz der Leistungserbringung bei den einzelnen Netzbetreibern geschaffen werden. Zum anderen sollte für diese ein zusätzlicher Anreiz zur Steigerung ihrer Effizienz geschaffen und ihnen die Nachprüfbarkeit ihres eigenen Effizienzwerts erleichtert werden.[11] Die Veröffentlichung all dieser Informationen dient – so die Bundesnetzagentur in ihrem Bericht zur Einführung der Anreizregulierungsverordnung – der Nachvollziehbarkeit des Anreizregulierungskonzepts, eröffnet den Netznutzern transparente Informationen und wirkt darüber hinaus auch selbstregulativ, weil die Effizienz eines einzelnen Netzbetreibers im Vergleich zu anderen durch jedermann nachvollzogen werden könne.[12]

In Abs. 3 war – nur klarstellend – festgehalten, dass (damit) eine Veröffentlichung von Betriebs- und Geschäftsgeheimnissen nicht erfolgt. Aus Gründen der Rechtssicherheit hielt der Verordnungsgeber es für geboten, eine eindeutige normative Grundlage für die Veröffentlichung der Informationen zu treffen, da sich im Jahre 2006 im Rahmen der Durchführung des ersten Vergleichsverfahrens eine Vielzahl von Netzbetreibern mit vorbeugenden Unterlassungsanträgen gerichtlich gegen die Veröffentlichung der Ergebnisse

[10] *Bundesnetzagentur* (o. Fn. 9), S. 336.
[11] BR-Drs. 417/07, S. 73.
[12] *Bundesnetzagentur* (o. Fn. 8), Rdnr. 1446 ff.

unter Nennung der individuellen Daten gewandt hatten.[13] Die Frage wurde gerichtlich nicht geklärt, weil man sich vergleichsweise darauf einigte, dass die Veröffentlichung der Ergebnisse durch die Bundesnetzagentur nur anonymisiert erfolge.

2. *§ 31 ARegV n.F.*

Mit der Novelle der Anreizregulierungsverordnung hat der Verordnungsgeber weitere Veröffentlichungspflichten eingeführt, die erneut zu gerichtlichen Streitigkeiten führten. Eine Vielzahl von Netzbetreibern wandte sich mit vorbeugenden Unterlassungsanträgen und Beschwerden gegen die Veröffentlichung der netzbetreiberbezogenen Daten durch die Regulierungsbehörden, weil es sich aus ihrer Sicht um Betriebs- und Geschäftsgeheimnisse handelte und es mit Blick darauf an einer Ermächtigung für deren Offenlegung fehlte.

Nach § 31 ARegV sollen die Regulierungsbehörden ab dem 17.09.2016 auf ihren Internetseiten netzbetreiberbezogen in nicht anonymisierter Form den Wert der kalenderjährlichen Erlösobergrenzen sowie ihren angepassten Wert, die Effizienzwerte sowie die im Effizienzvergleich verwendeten Aufwands- und Vergleichsparameter, die Supereffizienzwerte, den Effizienzbonus und den Kapitalkostenaufschlag veröffentlichen. Bei den zu veröffentlichenden Daten handelt es sich um Daten des Regulierungsprozesses, die spezifische Bedeutung in dem System der Anreizregulierung haben. Auf diese Weise sollen das Ziel, das Verfahren und die Ergebnisse der Anreizregulierung insgesamt transparenter und die Veröffentlichungspraxis vereinheitlicht werden. Maßnahmen zur Stärkung der Effizienzanreize und die Nachvollziehbarkeit des Effizienzvergleichs sowie der Effizienzwerte sind ein wichtiger Baustein des Regulierungsmodells.[14] Da die Praxis der Veröffentlichung der in § 31 ARegV genannten Informationen uneinheitlich war,[15] sollte die Neuregelung gemeinsame Standards schaffen, indem sie die Transparenz der Regulierung erhöht und eine gesetzliche Ermächtigung zur Veröffentlichung verschiedener Informationen enthält.[16] Damit hat der Verordnungsgeber die bestehende Rechtsunsicherheit bei der Veröffentlichung netzbetreiberspezifischer Daten jedenfalls für die explizit im Katalog des § 31 ARegV genannten Daten beseitigt. Diese hatte in der Vergangenheit häufig dazu geführt, dass Regulierungsbehörden auf die Veröffentlichung verzichtet oder entsprechende

[13] *Groebel* in: Britz/Hellermann/Hermes, Energiewirtschaftsgesetz, 3. Aufl. 2015, § 21 Rdnr. 151.

[14] BR-Drs. 296/16, S. 21.

[15] Vgl. etwa Praxis der Regulierungsbehörde Baden-Württemberg, die u.a. die Erlösobergrenzen und deren Anpassungen bereits seit dem Jahr 2012 veröffentlicht (http://www.versorger-bw.de).

[16] BR-Drs. 296/16, S. 45.

Schwärzungen vorgenommen hatten. Die Novellierung des § 31 ARegV ist nicht nur vom Wissenschaftlichen Arbeitskreis für Regulierungsfragen, der die Bundesnetzagentur in voller Unabhängigkeit in Fragen von allgemeiner regulierungspolitischer Bedeutung berät, sondern auch von Seiten der Monopolkommission begrüßt worden.[17]

3. Europäische Ebene

Die Transparenz bei der Ausübung der Regulierungsbefugnisse und -aufgaben, welche die einzelnen Mitgliedstaaten sicherzustellen haben, wird nicht nur in Art. 35 Abs. 4 EltRL[18] und Art. 39 Abs. 4 GasRL[19] betont. Danach sind die Regulierungsbehörden dafür verantwortlich, „anhand transparenter Kriterien die Fernleitungs- oder Verteilungstarife bzw. die entsprechenden Methoden festzulegen oder zu genehmigen". Ergänzend sehen Art. 37 Abs. 16 EltRL und Art. 41 Abs. 16 GasRL vor, dass die von den Regulierungsbehörden getroffenen Entscheidungen nicht nur umfassend zu begründen sind, um ihre gerichtliche Überprüfung zu ermöglichen, sondern auch der Öffentlichkeit unter Wahrung der Vertraulichkeit wirtschaftlich sensibler Informationen zugänglich zu machen sind. Diese Forderung ist in § 74 EnWG umgesetzt. Der Auslegungsvermerk der Kommission empfiehlt, nach Maßgabe dessen alle Handlungen der Regulierungsbehörde zu veröffentlichen, wobei die Regulierungsbehörde im Einzelfall zu entscheiden hat, welche Informationen als „wirtschaftlich sensibel" anzusehen sind.[20]

Schon die im November 2013 von ACER verabschiedete Rahmenleitlinie „Harmonized Transmission Tariff Structures" sah nach Maßgabe von Art. 41 GasRL daher bei Gasfernleitungsnetzbetreibern die Veröffentlichung u.a. der Erlösobergrenzen und der Größe des regulierten Anlagevermögens explizit vor.[21] Auch Art. 29 ff. der Verordnung der Kommission zur Fest-

[17] *WAR*, Stellungnahme vom 05.07.2017 zu „Publikation von energierechtlichen Entgelt- und Kostenentscheidungen der Bundesnetzagentur zwischen Transparenz und Geheimnisschutz", abrufbar unter http://www.bundesnetzagentur.de; *Monopolkommission*, Sondergutachten 77 „Energie 2017", S. 149 f., Rdnr. 410 ff.

[18] Richtlinie 2009/72/EG des Europäischen Parlaments und des Rates vom 13.07.2009 über gemeinsame Vorschriften für den Elektrizitätsbinnenmarkt und zur Aufhebung der Richtlinie 2003/54/EG (nachfolgend zitiert als EltRL).

[19] Richtlinie 2009/73/EG des Europäischen Parlaments und des Rates vom 13.07.2009 über gemeinsame Vorschriften für den Erdgasbinnenmarkt und zur Aufhebung der Richtlinie 2003/55/EG (nachfolgend zitiert als GasRL).

[20] *Europäische Kommission*, Commission staff working paper – Interpretative note on Directive 2009/72/EC concerning common rules for the internal market in electricity and directive 2009/73/EC concerning common rules for the internal market in natural gas – The regulatory authorities, S. 19 f., abrufbar unter: https://ec.europa.eu/energy/sites/ener/files/documents/2010_01_21_the_regulatory_authorities.pdf (zuletzt abgerufen am 18.05.2018).

[21] Vgl. *Bundesnetzagentur* (o. Fn. 9), S. 334 (417).

legung eines Netzkodex über harmonisierte Fernleitungsentgeltstrukturen[22] regelt die Veröffentlichung u.a. von Netzentgelten und Kapazitätsprodukten, technischen Eingangsparametern sowie von Erlösen und Kosten der Fernleitungsnetzbetreiber. Dabei wird in Erwägungsgrund 2 betont, dass eine größere Transparenz der Fernleitungsentgeltstrukturen und der Verfahren zu ihrer Festlegung von entscheidender Bedeutung für die verfolgten Ziele – die Einführung unionsweiter Regelungen, um zur Marktintegration beizutragen, die Erhöhung der Versorgungssicherheit und die Förderung des Verbunds der Gasnetze – sind. Die Festlegung der Bestimmungen für die Veröffentlichung von Informationen zur Festlegung der Erlöse der Fernleitungsnetzbetreiber und zur Berechnung der verschiedenen Fernleitungs- und Systemdienstleistungsentgelte sollen es den Netznutzern ermöglichen, die Entgelte für Fernleitungs- und Systemdienstleistungen, ihre bisherigen Änderungen und Festlegung sowie mögliche künftige Änderungen besser nachvollziehen bzw. abschätzen zu können. Zudem sollen die Netznutzer Kenntnis darüber erhalten, welche Kosten den Fernleitungsentgelten zugrunde liegen, und in die Lage versetzt werden, ihre weitere Entwicklung in angemessenem Umfang zu prognostizieren.

Die Transparenzanforderungen dieser Verordnung sind mit einer weiteren Harmonisierung der in Anhang I Nr. 3.1 Abs. 2a der Verordnung 715/2009/EG über die Bedingungen für den Zugang zu den Erdgasfernleitungsnetzen festgelegten Vorschrift verbunden. Letztere sieht in Art. 18 ebenfalls eingehende Transparenzpflichten für Fernleitungsnetzbetreiber vor. Diese haben nicht nur ausführliche Informationen über die von ihnen angebotenen Dienstleistungen und die einschlägigen Bedingungen sowie die technischen Informationen zu veröffentlichen, die Netznutzer für den tatsächlichen Netzzugang benötigen. Auch angemessene und ausreichend detaillierte Informationen über die Tarifbildung, die entsprechenden Methoden und die Tarifstruktur sollen zur Sicherstellung transparenter, objektiver, nichtdiskriminierender Tarife und Erleichterung einer effizienten Nutzung des Erdgasnetzes – durch die Fernleitungsnetzbetreiber oder die zuständigen nationalen Behörden – veröffentlicht werden.

4. *Internationaler Vergleich*

Im internationalen Vergleich zeigt sich – wie die Evaluierung durch die Bundesnetzagentur ergeben hat – kein einheitliches Bild; regulierungsbehördliche Informationen werden in unterschiedlichem Ausmaß veröffentlicht. So gehört ihre Veröffentlichung etwa in Großbritannien und den USA zum Regulierungsansatz, da die jeweilige Regulierungsbehörde zwar die Entscheidungen trifft, alle Marktteilnehmer aber eingeladen sind, sich an diesem

[22] Verordnung 2017/460/EU der Kommission vom 16.03.2017.

Prozess zu beteiligen. In *Großbritannien* veröffentlichen sowohl die Regulierungsbehörde Ofgem als auch die Verteil- und der Übertragungsnetzbetreiber alle relevanten Daten, einschließlich der Kostendaten der Netzbetreiber. Auch in den *Niederlanden* werden eine Reihe von Kennzahlen der Netzbetreiber, die bei der Kostenprüfung und beim Effizienzvergleich von Relevanz sind, veröffentlicht, wie z.B. die Ergebnisse des Yardsticks sowie die Strukturdaten und Kostenarten der Netzbetreiber, so dass sich das Verfahren durch Dritte überprüfen und die Akzeptanz steigern lässt.[23] Dazu trägt auch die Möglichkeit des Zugriffs auf die archivierten Dokumente über die Internetseite der niederländischen Regulierungsbehörde bei. In *Norwegen* werden jährlich sämtliche für die Berechnung der Erlösobergrenzen relevanten Informationen – zur Berechnung des Benchmarking sowie der Erlösobergrenzen sowie historische Rechnungslegungs- und technische Daten der Netzbetreiber – publiziert, wobei die Rechnungslegungs- und technischen Daten bis in das Jahr 1994 zurückreichen.[24] In *Österreich* dagegen werden die im Zusammenhang mit der Kostenprüfung und dem Effizienzvergleich verwandten Daten der Netzbetreiber als unternehmensindividuelle Betriebs- und Geschäftsgeheimnisse angesehen, so dass nur die allgemeinen Effizienzfaktoren (Xgen) veröffentlicht werden. Die Einzeldaten stehen allerdings neben der Regulierungsbehörde, die die Kostenprüfung sowie Effizienzvergleiche durchführt, den Mitgliedern des Regulierungsbeirats zur Überprüfung der Methodik des Effizienzvergleichs zur Verfügung, denen die Regulierungsbehörden nicht nur Auskünfte, sondern auch Einsicht in die Verfahrensakten zu geben hat. Im Anschluss daran werden die Effizienzwerte anonymisiert veröffentlicht.[25] In *Italien* werden keine regulatorischen Kosten oder Parameter veröffentlicht.[26]

II. Schutz von Betriebs- und Geschäftsgeheimnissen

Die erhöhte Transparenz steht naturgemäß in einem Spannungsverhältnis zu berechtigten Geheimhaltungsinteressen der Netzbetreiber.

Der Schutz von Betriebs- und Geschäftsgeheimnissen wird im geltenden Recht zwar an vielen Stellen ausdrücklich betont, doch im nationalen Recht ist der Begriff als solcher und damit der Umfang des Schutzes nicht legal definiert. Nach der Rechtsprechung des Bundesverfassungsgerichts fallen darun-

[23] *E-Bridge Consulting GmbH*, Internationale Regulierungssysteme, Vergleich von Regulierungsansätzen und -erfahrungen, Bericht vom 18.08.2014 im Auftrag der Bundesnetzagentur, S. 48 f., abrufbar unter: http://www.e-bridge.de/wp-content/uploads/2016/11/GA_Vergleich_int_ARegSys.pdf (zuletzt abgerufen am 18.05.2018).
[24] *E-Bridge Consulting GmbH* (o. Fn. 23), S. 59.
[25] *E-Bridge Consulting GmbH* (o. Fn. 23), S. 82 f.
[26] *E-Bridge Consulting GmbH*, (o. Fn. 23), S. 30.

ter grundsätzlich alle auf ein Unternehmen bezogenen Tatsachen, Umstände und Vorgänge, die nicht offenkundig, sondern nur einem begrenzten Personenkreis zugänglich sind und an deren Nichtverbreitung der Rechtsträger ein berechtigtes Interesse hat.[27] Betriebsgeheimnisse umfassen im Wesentlichen technisches Wissen, Geschäftsgeheimnisse betreffen vornehmlich kaufmännisches Wissen.[28] Für die Einordnung als Betriebs- und Geschäftsgeheimnis sind daher vier Kriterien – der Unternehmensbezug, die Nichtoffenkundigkeit, der Geheimhaltungswille und ein berechtigtes Geheimhaltungsinteresse – maßgeblich. Letzteres stellt ein Korrektiv zum Geheimhaltungswillen des Geheimnisträgers dar. Es kommt im Wesentlichen darauf an, ob die Preisgabe der Information bei objektiver Betrachtung geeignet ist, spürbar die Wettbewerbsfähigkeit des Unternehmens zu beeinflussen, also entweder die eigene Stellung im Wettbewerb zu verschlechtern oder die der – oder zumindest eines – Konkurrenten zu verbessern. So können etwa Umsätze, Ertragslage, Geschäftsbücher, Kundenlisten, Bezugsquellen, Konditionen, Marktstrategien, Unterlagen zur Kreditwürdigkeit, Kalkulationsunterlagen, Patentanmeldungen und sonstige Entwicklungs- und Forschungsprojekte schützenswerte Betriebs- und Geschäftsgeheimnisse darstellen, wenn durch sie die wirtschaftlichen Verhältnisse eines Unternehmens maßgeblich bestimmt werden können.[29] Davon abzugrenzen sind Informationen, die keinen Einfluss auf die Stellung des betreffenden Unternehmens im Wettbewerb haben, an deren Geheimhaltung kein berechtigtes wirtschaftliches Interesse besteht oder die schon den Status der Nichtoffenkundigkeit verloren haben, weil sie aus allgemein zugänglicher Quelle und ohne große Schwierigkeiten beschafft werden können.[30] Dabei führt allerdings die Preisgabe der Information gegenüber einer Behörde noch nicht dazu, dass diese Information offenkundig wäre, da das Unternehmen sich auf die Einhaltung der Vertraulichkeit verlassen kann. Die Anerkennung eines berechtigten Geheimhaltungsinteresses scheidet indessen insbesondere aus, wenn Daten wegen ihres

[27] *BVerfGE* 115, 205 (230 f.) „Geschäfts- und Betriebsgeheimnis, in-camera-Verfahren"; *BGH*, RdE 2014, S. 276 Rdnr. 76 f. „Stadtwerke Konstanz GmbH"; BVerwGE 135, 34 Rdnr. 50 ff.

[28] Vgl. auch *OLG Düsseldorf*, 3. Kartellsenat, RdE 2007, S. 130 Rdnr. 7 m.w.N.

[29] Vgl. *BVerfG*, a.a.O. Rdnr. 87.

[30] Vgl. *Gurlit*, in: Säcker (Hrsg.): BerlK-EnR, 3. Aufl. 2014, § 71 EnWG Rdnr. 6 ff.; *Werk*, in: Danner/Theobald (Hrsg.): EnWG, Stand der 95. Erg.-Lfg. (Oktober 2017), § 71 Rdnr. 5 ff.; *Karalus/Schreiber*, in: Holznagel/Schütz (Hrsg.): ARegV, 2013, § 31 Rdnr. 21; *Hanebeck*, in: Britz/Hellermann/Hermes (Hrsg.): EnWG, 3. Aufl. 2015, § 67 Rdnr. 9; *Turiaux*, in: Kment, EnWG, 2015, § 67 Rdnr. 7 f.; *Ruthig*, in: Baur/Salje/Schmidt-Preuß (Hrsg.): Regulierung in der Energiewirtschaft, 2. Aufl. 2016, S. 783 ff.; *Franke*, in: Schneider/Theobald (Hrsg.): Recht der Energiewirtschaft, 4. Aufl. 2013, § 19 Rdnr. 30 ff.

hohen Aggregationsgrades oder aus sonstigen Gründen keine hinreichenden Schlüsse auf geheimhaltungsbedürftige Informationen erlauben.[31]

1. *Verfassungsrechtlicher Schutz*

Verfassungsrechtlichen Schutz genießen Betriebs- und Geschäftsgeheimnisse zum einen durch das Freiheitsrecht des Art. 12 Abs. 1 GG und zum anderen durch das Grundrecht auf informationelle Selbstbestimmung (Art. 2 Abs. 1 GG). Art. 12 Abs. 1 GG schützt das berufsbezogene Verhalten einzelner Personen oder Unternehmen am Markt. Erfolgt die unternehmerische Tätigkeit nach den Grundsätzen des Wettbewerbs, wird die Reichweite des Freiheitsschutzes auch durch die rechtlichen Regeln mitbestimmt, die den Wettbewerb ermöglichen und begrenzen.[32] Es stellt daher eine Beschränkung des Freiheitsrechts aus Art. 12 Abs. 1 GG dar, wenn eine den Wettbewerb beeinflussende staatliche Maßnahme eine juristische Person in ihrer beruflichen Tätigkeit behindert.[33] Wird exklusives wettbewerbserhebliches Wissen Konkurrenten zugänglich, mindert dies die Möglichkeit, die Berufsausübung unter Rückgriff auf dieses Wissen erfolgreich zu gestalten. Unternehmerische Strategien können angepasst oder durchkreuzt werden und darüber hinaus auch ein Anreiz zu innovativem unternehmerischen Handeln entfallen, weil die Investitionskosten nicht eingebracht werden können, während aber gleichzeitig Dritte dieses innovativ erzeugte Wissen unter Einsparung seiner Kosten zur Grundlage ihres eigenen beruflichen Erfolgs in Konkurrenz mit dem Geheimnisträger nutzen.[34] Auch durch das Grundrecht auf informationelle Selbstbestimmung werden Betriebs- und Geschäftsgeheimnisse geschützt, gewährleistet dieses doch die Befugnis des Einzelnen, grundsätzlich selbst zu entscheiden, wann und innerhalb welcher Grenzen persönliche Lebenssachverhalte offenbart werden.[35] Das Recht gewährt seinen Trägern daher insbesondere Schutz gegen unbegrenzte Erhebung, Speicherung, Verwendung oder Weitergabe der auf sie bezogenen, individualisierten oder individualisierbaren Daten.[36]

[31] *Breiler*, in: Jaeger/Kokott/Pohlmann/Schroeder (Hrsg.), Frankfurter Kommentar zum Kartellrecht, Stand der 87. Erg.-Lfg. (August 2016), § 72 GWB Rdnr. 27; *OLG Düsseldorf*, 1. Kartellsenat, WuW/E DE-R 1070 Rdnr. 34 „Energie-AG Mitteldeutschland".

[32] *BVerfG*, BVerfGE 105, 252, (265); 115, 205 (229); 137, 185 (243) Rdnr. 154; WM 2017, 2345 ff Rdnr. 235.

[33] *BVerfG*, a.a.O.

[34] *BVerfG*, a.a.O.

[35] *BVerfG*, BVerfGE 65, 1 (43); 78, 77 (84); 84, 192 (194); 96, 171 (181); 103, 21 (32 f.); 113, 29 (46); 115, 320 (341); 128, 1 (42).

[36] *BVerfG*, BVerfGE 65, 1 (43); 67, 100 (143); 84, 239 (279); 103, 21 (33); 115, 320 (341); 128, 1 (42).

Auf den grundrechtlichen Schutz ihrer Betriebs- und Geschäftsgeheimnisse durch Art. 12 GG oder das Grundrecht auf informationelle Selbstbestimmung (Art. 2 Abs. 1 GG) kann sich ein Netzbetreiber allerdings nicht berufen, wenn er – wie oft – eine inländische juristische Person des öffentlichen Rechts oder des Privatrechts ist, die vollständig oder mehrheitlich vom Staat beherrscht wird.[37] Das Fehlen der Grundrechtsfähigkeit von inländischen juristischen Personen des öffentlichen Rechts hat das Bundesverfassungsgericht auf eine Reihe verschiedener, sich zum Teil ergänzender Gründe gestützt.[38] Insbesondere könne der nach Art. 1 Abs. 3 GG an die Grundrechte gebundene Staat nicht gleichzeitig Adressat und Berechtigter von Grundrechten sein,[39] auch handele es sich bei selbständigen öffentlich-rechtlichen Organisationseinheiten, vom Menschen und Bürger als dem ursprünglichen Inhaber der Grundrechte her gesehen, nur um eine besondere Erscheinungsform der einheitlichen Staatsgewalt.[40] Zudem stünden die juristischen Personen öffentlichen Rechts dem Staat bei Wahrnehmung ihrer öffentlichen Aufgaben nicht in der gleichen grundrechtstypischen Gefährdungslage gegenüber wie der einzelne Grundrechtsträger.[41] Mit im Wesentlichen gleichen Erwägungen hat das Bundesverfassungsgericht auch juristischen Personen des Privatrechts, deren Anteile sich ausschließlich in den Händen des Staates befinden, die Grundrechtsfähigkeit im Hinblick auf materielle Grundrechte abgesprochen und sie der Grundrechtsbindung unterworfen, auch weil ansonsten die Frage der Grundrechtsfähigkeit der öffentlichen Hand in nicht geringem Umfang von der jeweiligen Organisationsform abhängig wäre.[42] Nichts anderes gilt für sogenannte gemischtwirtschaftliche Unternehmen, sofern der Staat mehr als 50 % der Anteile an diesen juristischen Personen des Privatrechts hält.[43]

2. *Einfachgesetzlicher Schutz*

Einfachgesetzlichen Schutz seiner Betriebs- und Geschäftsgeheimnisse erfährt der Netzbetreiber aber jedenfalls durch § 71 EnWG und § 30 VwVfG. Letzterer normiert einen Geheimhaltungsanspruch mit Offenbarungsvorbehalt, so dass der Anspruch bei einer Offenbarungsbefugnis der Behörde

[37] *BVerfG*, WM 2017, 2345 Rdnr. 234 ff.

[38] vgl. nur: *BVerfG*, BVerfGE 4, 27 (30); 15, 256 (262); 21, 362 (368 ff.); 35, 263 (271); 45, 63 (78); 61, 82 (100 f.); zuletzt BVerfGE 143, 246 Rdnr. 187 „Atomausstieg".

[39] *BVerfG*, BVerfGE 15, 256 (262); 21, 362 (369 f.).

[40] *BVerfG*, BVerfGE 4, 27 (30); 21, 362 (370).

[41] *BVerfG*, BVerfGE 45, 63 (79); 61, 82 (102); 143, 246 Rdnr. 188 „Atomausstieg".

[42] *BVerfG*, BVerfGE 45, 63 (79 f.); 68, 193 (212 f.); BVerfGE 143, 246 Rdnr. 190 „Atomausstieg".

[43] vgl. *BVerfG*, BVerfGE 143, 246 Rdnr. 190 „Atomausstieg"; entsprechend zur Frage der Grundrechtsbindung BVerfGE 128, 226 (244, 246 f.).

zurücktritt.[44] § 71 EnWG sichert den materiellen Geheimhaltungsanspruch – wie sein Vorbild des § 136 TKG – nur verfahrensrechtlich ab; dies hat der Gesetzgeber zur Klarstellung eingangs der Norm festgehalten.[45]

3. Europäische Ebene

Einen umfassenden zivilrechtlichen Schutz von Geschäftsgeheimnissen sieht die am 05.07.2016 in Kraft getretene Richtlinie 2016/943/EU des Europäischen Parlaments und Rats vom 08.06.2016 über den Schutz vertraulichen Know-hows und vertraulicher Geschäftsinformationen (Geschäftsgeheimnisse) vor rechtswidrigem Erwerb sowie rechtswidriger Nutzung und Offenlegung vor, die bis zum 09.06.2018 in die Rechtsordnungen der Mitgliedstaaten umzusetzen ist (Art. 19 Abs. 1). Die Richtlinie enthält umfangreiche Regelungen zur Harmonisierung des Schutzes innerhalb des Binnenmarkts. Sie trägt dem Umstand Rechnung, dass zwischen den Rechtsvorschriften der Mitgliedstaaten erhebliche Unterschiede hinsichtlich des Schutzes von Geschäftsgeheimnissen vor rechtswidrigem Erwerb und rechtswidriger Nutzung oder Offenlegung durch andere Personen bestehen und nicht alle Mitgliedstaaten nationale Definitionen der Begriffe „Geschäftsgeheimnis" oder „rechtswidriger Erwerb", „rechtswidrige Nutzung" oder „rechtswidrige Offenlegung eines Geschäftsgeheimnisses" eingeführt haben. Da sich der Umfang des Schutzes somit nicht ohne weiteres erschließt und von einem Mitgliedstaat zum anderen variiert, wird der Begriff des Geschäftsgeheimnisses in Art. 2 definiert. Eine Information ist danach „Geschäftsgeheimnis", wenn sie die drei nachstehenden Kriterien erfüllt: a) sie ist geheim, d.h. sie ist weder in ihrer Gesamtheit noch in der genauen Anordnung und Zusammensetzung ihrer Bestandteile den Personen in den Kreisen, die üblicherweise mit dieser Art von Informationen umgehen, allgemein bekannt oder ohne weiteres zugänglich; b) sie hat aufgrund dieser Geheimhaltung kommerziellen Wert, und c) der Inhaber des Geheimnisses hat entsprechende angemessene Geheimhaltungsmaßnahmen getroffen. Geschützt wird damit ein breites Spektrum an Informationen, das über das technologische Wissen hinausgeht und auch Geschäftsdaten wie Informationen über Kunden und Lieferanten, Businesspläne sowie Marktforschung und -strategien einschließt; dazu gehören insbesondere „Know-how, Geschäfts- und technologische Informationen, bei denen sowohl ein legitimes Interesse an ihrer Geheimhaltung besteht als auch die legitime Erwartung, dass diese Vertraulichkeit gewahrt wird". Darüber hinaus sollten solche Informationen oder solches Know-how einen – realen oder potenziellen – Handelswert verkörpern und auch so verstanden werden. Ausgeschlossen sind belanglose Informationen

[44] *Gurlit* (o. Fn. 30), § 71 EnWG Rdnr. 12.
[45] *Gurlit* (o. Fn. 30), § 71 EnWG Rdnr. 2 f.

wie auch die Erfahrungen und Qualifikationen, die Beschäftigte bei der Ausübung ihrer üblichen Tätigkeiten erwerben, sowie Informationen, die den Personenkreisen, die üblicherweise mit derartigen Informationen umgehen, generell bekannt bzw. für sie leicht zugänglich sind.

Allerdings sind vom Anwendungsbereich der Richtlinie unionsweite oder nationale Rechtsvorschriften unberührt, nach denen Informationen, darunter Geschäftsgeheimnisse, gegenüber der Öffentlichkeit oder staatlichen Stellen offengelegt werden müssen, oder die es staatlichen Stellen gestatten, zur Erledigung ihrer Aufgaben Informationen zu erheben oder diese an die Öffentlichkeit weiterzugeben (Art. 1 Abs. 2 c), d)).

III. Schutz auch für den Netzbetreiber als Monopolisten?

Ob die Grundsätze zum Schutz von Betriebs- und Geschäftsgeheimnissen auch auf Monopolunternehmen anwendbar sind, wird in Rechtsprechung und Literatur kontrovers diskutiert.[46] In seinem Netzgebiet verfügt der Betreiber eines Strom- oder Gasnetzes für die Bereitstellung von Netznutzungsdienstleistungen über ein sog. natürliches Monopol. Sein Netz ist unabdingbar, um Kunden bei der Versorgung mit Energie zu erreichen, zugleich kann das Versorgungsnetz nicht mit angemessenen Mitteln dupliziert werden („monopolistisches bottleneck").

Zu kurz gegriffen ist es, wenn man allein daraus den Schluss zieht, dass es sich bei seinen Unternehmensdaten nicht um Betriebs- und Geschäftsgeheimnisse handeln kann und er schon deshalb auch durch die Offenlegung der in § 31 Abs. 1 ARegV genannten Daten keine Wettbewerbsnachteile zu befürchten hat.[47] Der Monopolist ist zwar in seinem operativen Kerngeschäft keinem Wettbewerb ausgesetzt. Gleichwohl kann er die Wahrung seiner Geschäftsgeheimnisse beanspruchen, wenn und soweit er daran ein berechtigtes Interesse hat. Dafür spricht schon, dass die Entgeltregulierung der Elektrizitäts- und Gasversorgungsnetze nach § 1 Abs. 2 EnWG gerade darauf abzielt, wettbewerbsähnliche Zustände bei der Versorgung mit Elektrizität und Gas und der Sicherung eines langfristig angelegten leistungsfähigen und zuverlässigen Betriebs von Energieversorgungsnetzen zu erzeugen oder zu simulieren.[48] Auch im Bereich der Anreizregulierung soll sie sicherstellen, dass der Monopolist seine Infrastrukturdienstleistungen möglichst effizient

[46] Vgl. nur *VG Köln*, ZNER 2016, S. 277 ff.; *OVG Berlin-Brandenburg*, Urteil vom 02.10.2007 – OVG 12 B 11.07, juris; *OVG Koblenz*, EnWZ 2015, S. 284 ff.; *Lennartz*, Informationsfreiheitsgesetz und Energienetzbetreiber EnWZ 2017, S. 396 ff.

[47] Vgl. aber *VG Köln*, ZNER 2016, S. 277 ff.

[48] Vgl. grundlegend zur Netzinfrastrukturregulierung durch das EnWG: *Säcker* in: Säcker (Hrsg.): BerlK-EnR, 3. Aufl. 2014, Einl. A EnWG Rdnr. 51; zum Geheimnisschutz aus ökonomischer Sicht: *Ruthig* (o. Fn. 30), Kapitel 59 A. III, S. 699 ff.

und zu angemessenen Preisen erbringt und überdies ausreichende Investitionen in die Netzinfrastruktur vornimmt.[49] Betätigt sich der Netzbetreiber als Nachfrager oder Anbieter insbesondere auf vor- und nachgelagerten Märkten, in denen er nicht über eine Monopolstellung verfügt, ist ein berechtigtes Geheimhaltungsinteresse daher nicht von vorneherein ausgeschlossen, wenn und soweit er dort im Wettbewerb steht.[50]

IV. Der Netzbetreiber als Wettbewerber auf vor- und nachgelagerten Märkten

Auf vor- und nachgelagerten Märkten steht der Netzbetreiber unzweifelhaft im Wettbewerb.[51]

Im Beschaffungswettbewerb bei Dienstleistungen und Gütern geht sein wirtschaftliches Interesse dahin, technische Dienstleistungen und Anlagen aktuell wie auch langfristig zu günstigsten Preisen und Konditionen zu beschaffen. Er hat daher ein berechtigtes Geheimhaltungsinteresse an solchen Informationen, die Rückschlüsse auf seine Zahlungsbereitschaft oder die Dringlichkeit seines Bedarfs wie auch auf mögliche Mitbieter zulassen.

Auf den Märkten für Kapital oder Investoren liegt sein wirtschaftliches Interesse darin, Kapital zu möglichst günstigen Zinsen und Konditionen zu beschaffen und von daher nicht offenkundige Informationen, die Rückschlüsse auf seine Liquidität oder Bonität zulassen, nicht zu offenbaren.

Im Markt der Verteilernetze steht der Netzbetreiber, der seine auslaufende Konzession verteidigt oder eine neue gewinnen möchte, mit anderen Unternehmen zwar im so genannten Konzessionswettbewerb, dem „Wettbewerb um das Netz". Dieser „Wettbewerb um das Netz" wird indessen maßgeblich durch das in §§ 46 Abs. 2–4, 46a EnWG vorgegebene Vergaberegime initiiert, mit dem im Interesse der Letztverbraucher an niedrigen Energiepreisen Wettbewerb geschaffen werden soll. Danach dürfen die Konzessionsverträge höchstens über eine Laufzeit von 20 Jahren abgeschlossen werden (§ 46 Abs. 2 Satz 1 EnWG). Das Vertragsende sowie die vom Altkonzessionär nach § 46a EnWG zur Verfügung zu stellenden netzrelevanten Daten sind vor einem Neuabschluss gem. § 46 Abs. 3 Satz 1 EnWG bekannt zu machen. Nach § 46 Abs. 4 EnWG ist die Kommune bei ihrer Auswahlentscheidung materiell den Zielen des § 1 EnWG verpflichtet. Die Entscheidungskriterien der Kommune und deren Gewichtung unterliegen – wie die netzrelevanten Daten des § 46a EnWG – ebenfalls dem Transparenzgebot; sie sind jedem Interessenten mit-

49 *Säcker/Timmermann* in: Säcker (Hrsg.): BerlK-EnR, 3. Aufl. 2014, § 1 EnWG Rdnr. 47 f.

50 Vgl. auch: *BVerfG*, NJW 2017, S. 3507 Rdnr. 33; *WAR* (o. Fn. 17), S. 7 ff.

51 *BVerfG*, a.a.O.

zuteilen (§ 46 Abs. 4 Satz 4 EnWG). Vor diesem Hintergrund ist angesichts der Besonderheiten des Konzessionsverfahrens eine wettbewerbliche Relevanz der im Rahmen der Anreizregulierungsmethodik gewonnenen unternehmensspezifischen Daten nicht ohne weiteres erkennbar. Zum einen hat der Konzessionsinhaber der Kommune – und damit auch den Mitbewerbern gegenüber – für die Durchführung des Auswahlverfahrens eine Fülle von Daten, die die Netzstruktur, die möglichen Kosten einer Netzübernahme und die dann ggfs. zu erzielende Rendite betreffen, nach Maßgabe des § 46a EnWG offen zu legen, dazu gehören u.a. auch Auskünfte über die auf das Konzessionsgebiet bezogene mehrjährige Vermögens-, Ertrags-, Finanz- und Investitionsplanung.[52] Zum anderen spielen die Kostendaten der Netzbetreiber bei der von der Kommune dann letztlich zu treffenden Auswahlentscheidung, die sich vornehmlich an den Zielen des § 1 EnWG zu orientieren hat, aber auch keine Rolle.

Wird der Netzbetreiber auf nachgelagerten Märkten, etwa als Anbieter von Dienstleistungen außerhalb des regulierten Bereichs Netzbetrieb tätig, hat er indessen ein berechtigtes Interesse, alle nicht offenbaren Informationen, welche die diesbezüglichen wirtschaftlichen Verhältnisse seines Netzbetriebs maßgeblich bestimmen, nicht offen zu legen.

Soweit er schließlich mit anderen Netzbetreibern hinsichtlich der Netzzuverlässigkeit im Qualitätswettbewerb steht, kann er ein wirtschaftliches Interesse daran haben, bei vergleichbarem Aufwand eine bessere Netzzuverlässigkeit als andere zu erzielen und damit seine nicht offenkundigen Konzepte und Maßnahmen, die bei vergleichbarem Aufwand ursächlich für eine bessere Netzzuverlässigkeit sind, nicht zu offenbaren.[53] Nichts anderes kann nach Einführung des Effizienzbonus (§ 12a ARegV) für seine nicht offenkundigen Konzepte und Maßnahmen gelten, die ursächlich für einen guten Effizienzwert und zugleich geeignet sind, die Effizienz anderer Netzbetreiber zu verbessern, wenn man die diesbezüglichen Informationen im Rahmen des Qualitätswettbewerbs wie auch des Wettbewerbs im Effizienzvergleich trotz des Umstands, dass dieser innerhalb des regulierten Monopols – gesetzlich gewollt – stattfindet und die Transparenz dabei Bestandteil des Regulierungskonzepts ist, als schützenswert anerkennt.[54]

[52] Vgl. nur: Gemeinsamer Leitfaden von Bundeskartellamt und Bundesnetzagentur zur Vergabe von Strom- und Gaskonzessionen und zum Wechsel des Konzessionsnehmers, 2. Aufl. 2015, S. 17 Rdnr. 40 lit. h).

[53] Vgl. auch *BGH*, Kartellsenat, RdE 2014, S. 495 Rdnr. 44 „Stromnetz Berlin GmbH".

[54] Vgl. auch *WAR* (o. Fn. 17), S. 9.

V. Katalog des § 31 Abs. 1 ARegV n.F.

Nach Maßgabe dessen sind die Kartellsenate der Oberlandesgerichte Düsseldorf, Schleswig-Holstein, Bremen, Thüringen und Frankfurt übereinstimmend zu der Auffassung gelangt, dass an der Geheimhaltung der in § 31 Abs. 1 ARegV genannten Daten kein berechtigtes Interesse der Netzbetreiber bestehen kann.[55] Sie haben die im Katalog genannten Informationen als hoch aggregierte Daten des Regulierungsprozesses gewertet, die spezifische Bedeutung (allein) in dem System der Anreizregulierung haben und, soweit sie infolge umfassender Transparenzvorgaben an die Netzbetreiber nicht ohnehin offenkundig sind, jedenfalls nicht geeignet sind, eine wettbewerbliche Stellung des Netzbetreibers insbesondere auf vor- und nachgelagerten Märkten, aber auch im Rahmen des „Wettbewerbs um das Netz" nachhaltig zu beeinflussen.

Im Einzelnen:

1. *§ 31 Abs. 1 Nrn. 1 und 2 ARegV:* Wert der kalenderjährlichen Erlösobergrenzen nach § 4 Abs. 2 Satz 1 ARegV und nach § 4 Abs. 3 und 4 ARegV angepasster Wert der kalenderjährlichen Erlösobergrenzen

Zu veröffentlichen sind die kalenderjährliche Erlösobergrenze und ihr nach § 4 Abs. 3 und 4 ARegV angepasster Wert, die unter keinem rechtlichen Gesichtspunkt geeignet sind, die Wettbewerbsfähigkeit eines Netzbetreibers nachteilig zu beeinflussen.

Die Erlösobergrenze wird von der Regulierungsbehörde von Amts wegen nach § 4 Abs. 1 und 2 i.V.m. § 32 Abs. 1 Nr. 1 ARegV unter Berücksichtigung der geprüften Netzkosten des jeweiligen Netzbetreibers und anhand der Regulierungsformel vorgegeben, um – anders als etwa bei einer rein kostenbasierten Regulierung – Anreize für eine effiziente Leistungserbringung zu schaffen. Gelingt es dem Netzbetreiber, im Verlauf einer Regulierungsperiode seine Kosten zu senken, vergrößert er wegen der festgelegten Erlösobergrenze seinen Gewinn. Die Anreizregulierung basiert damit auf einem Rechenmodell, bei dem die genehmigten Erlöse für die Dauer der Anreizregulierungsperiode von den unternehmensspezifischen Kosten entkoppelt werden, denn gerade dadurch soll der Anreiz verstärkt werden, sich fortwährend kosteneffizient zu verhalten.[56]

[55] *OLG Düsseldorf*, 5. Kartellsenat, RdE 2017, S. 202 ff.; RdE 2018, S. 140 ff.; *OLG Düsseldorf*, 3. Kartellsenat, RdE 2017, S. 413 ff.; *OLG Schleswig-Holstein*, Beschluss vom 07.03.2017 – 53 Kart 1/17; *OLG Bremen*, Beschluss vom 04.04.2017 – 2 W 11/17 (Kart); *OLG Thüringen*, Beschluss vom 15.05.2017 – 2 Kart 3/17; *OLG Frankfurt*, Beschluss vom 05.10.2017 – 11 W 25/17 (Kart), jeweils n.v.; a.A. *OLG Brandenburg*, RdE 2017, S. 547 ff.

[56] *Krüger*, in: Holznagel/Schütz (Hrsg.): ARegV, 2013, § 7 Rdnr. 2, 6 ff.

Die Regulierungsbehörde bestimmt die Erlösobergrenze nach Maßgabe der §§ 5 bis 16, 19, 22, 24 und 25 ARegV. Die zu veröffentlichenden Werte entstammen folglich schon nicht dem Unternehmen, sondern sind das Ergebnis behördlicher Prüfung, so dass auch mit Blick auf die Anwendung der Regulierungsformel (vgl. Anlage zu § 7 ARegV) ein Rückschluss auf konkrete Daten des Unternehmens schon nicht möglich ist. Zwar hängt das Ausgangsniveau der Erlösobergrenze von der Kostenprüfung des Netzbetreibers ab; die Erlösobergrenze selbst ist aber Folge nicht nur der Kostenprüfung, sondern auch des Effizienzvergleichs unter den Netzbetreibern.

Die Erlösobergrenzen entsprechen überdies nicht den tatsächlichen Umsätzen, weil sie bereits vor Beginn der Regulierungsperiode festgelegt werden und sie sich im Verlauf der Regulierungsperiode nach Maßgabe der in § 4 Abs. 3 und 4 ARegV vorgesehenen Anpassungsmöglichkeiten noch der Höhe nach verändern kann. Von daher handelt es sich auch nur um eine reine Momentaufnahme, die dauerhafte Rückschlüsse auf den tatsächlich zu erwartenden Umsatz nicht zulässt. Da mit den Erlösobergrenzen die Obergrenzen der zulässigen Gesamterlöse eines Netzbetreibers aus den Netzentgelten festgelegt werden, sind sie zwar – zusammen mit dem jährlichen Aufwand für die Errichtung und den Betrieb der Netze – mitbestimmend für die betriebswirtschaftliche Profitabilität der Netzbetreiber. Sie lassen aber keine konkreten Rückschlüsse auf ihr unternehmerisches Handeln insbesondere in vorgelagerten Märkten, eine etwaige Markt- und Geschäftsstrategie, ihre Liquidität oder Bonität zu.

Gegen eine Qualifikation als Betriebs- und Geschäftsgeheimnis sprechen überdies auch die weitgehenden Transparenzvorgaben für Netzbetreiber. Nicht nur sind sie gem. § 27 StromNEV/GasNEV verpflichtet, die aus den Erlösobergrenzen nach Maßgabe des § 17 ARegV umgesetzten Netznutzungsentgelte auf ihrer Internetseite zu veröffentlichen. Daneben trifft sie seit dem 01.04.2012 auch die Publizitätspflicht nach § 6b Abs. 1 Satz 1 EnWG: ungeachtet ihrer Eigentumsverhältnisse und ihrer Rechtsform sind sie verpflichtet, für ihren Strom- und Gasnetzbetrieb jeweils separate Bilanzen und Gewinn- und Verlustrechnungen nach den Maßstäben des Handelsrechts aufzustellen und diese im elektronischen Bundesanzeiger zu veröffentlichen (§ 6b Abs. 4 Satz 1 EnWG). Die 2011 im Rahmen der EnWG-Novelle eingefügte Vorschrift kodifiziert die Offenlegungspflicht für die Tätigkeitsabschlüsse; sie dient der Umsetzung von Art. 31 EltRL/GasRL. Die Verpflichtung, Spartenabschlüsse zu erstellen und zusammen mit dem Jahresabschluss beim Betreiber des elektronischen Bundesanzeigers „unverzüglich" im Sinne des § 325 Abs. 1 S. 2 HGB einzureichen und dort zu veröffentlichen (Abs. 4), soll der Markttransparenz dienen und eine Schutzwirkung für potenzielle Investoren wie für Gläubiger und alle Netzkunden entfalten.[57] Dabei stellt

[57] BT-Drs. 17/6072, S. 56.

die Nichtanwendbarkeit des § 326 HGB sicher, dass solche Energieversorgungsunternehmen, die kleine Gesellschaften im Sinne des § 267 Abs. 1 HGB sind, nicht von der Befreiungsmöglichkeit dieser Bestimmung Gebrauch machen können. Abs. 7 ergänzt die Publizitätspflichten des Abs. 4 weiter durch die Verpflichtung des Unternehmens, (auch) die Geschäftsberichte zu den in Abs. 3 S. 1 genannten Tätigkeiten auf seiner Internetseite zu veröffentlichen. Auf diese Weise werden aussagekräftigere, aktuelle und umfassende Informationen über die tatsächliche Vermögens-, Finanz- und Ertragslage des Unternehmens (vgl. § 264 Abs. 2 Satz 1 HGB) und damit auch der konkreten Umsatzerlöse im jeweiligen Berichtsjahr publiziert. Diese Publizitätspflicht führt – zumindest nach Entstehen der jeweiligen Offenlegungspflicht – grundsätzlich dazu, dass es an einem berechtigten Geheimhaltungsinteresse bzw. einem Betriebsgeheimnis der betroffenen Gesellschaft fehlt.[58]

Ein berechtigtes Geheimhaltungsinteresse des Netzbetreibers an der Nichtveröffentlichung der Erlösobergrenzen und ihren Anpassungen lässt sich auch nicht mit Blick auf den „Wettbewerb um das Netz“ erkennen. So gehören die gegenüber dem Altkonzessionär festgesetzten Erlösobergrenzen zu den Daten, die im Rahmen des Konzessionsverfahrens ohnehin gegenüber der Kommune und damit auch den Mitbewerbern offen zu legen sind. Nach Maßgabe des § 26 Abs. 1, Abs. 2 EnWG übernimmt der Neukonzessionär die für die restliche Regulierungsperiode festgesetzten Erlösobergrenzen bei Erhalt der Konzession, so dass jeder Mitbewerber sie schon deshalb zwangsläufig kennen muss. Zudem wird ihm eine verlässliche Prognose der Netznutzungsentgelte für das ausgeschriebene Netzgebiet abverlangt, denn das Kriterium einer effizienten, preisgünstigen und verbraucherfreundlichen Versorgung i.S.d. § 1 EnWG ist bei der Auswahlentscheidung von der Kommune zu berücksichtigen (§ 46 Abs. 4 EnWG).[59] Schließlich wird vertreten, dass das Angebot eines „pauschalen Abschlags“ auf das regulierte Netznutzungsentgelt möglich, wenn nicht sogar geboten sein soll.[60]

2. *§ 31 Abs. 1 Nr. 3 ARegV:* Verzinster Saldo des Regulierungskontos nach § 5 Abs. 1 und 2 ARegV sowie die Summe der Zu- und Abschläge aus der Auflösung des Saldos des Regulierungskontos nach § 5 Abs. 3 ARegV

Zu veröffentlichen sind die Daten zum verzinsten Saldo des Regulierungskontos sowie die Summe der Zu- und Abschläge aus der Auflösung des Sal-

[58] Vgl. zu § 325 HGB: *BGH*, WM 1999, S. 2548 Rdnr. 14.

[59] Vgl. nur Musterkriterienkatalog der Energiekartellbehörde Baden-Württemberg (Stand 5.3.2015), S. 3.

[60] *Monopolkommission* (o. Fn. 17), S. 132 ff. Rdnr. 352; ebenso *Dehenn*, Die Vergabe von Wegekonzessionen nach § 46 EnWG, 2017, S. 220.

dos des Regulierungskontos, bei denen es sich ebenso wenig um Betriebs- und Geschäftsgeheimnisse handelt.

Das Regulierungskonto stellt sicher, dass ungeplante Differenzen zwischen den tatsächlichen Erlösen und den durch die Netzentgeltbildung prognostizierten Erlösen weder zulasten noch zugunsten des Netzbetreibers gehen.[61] Damit trägt es dem Umstand Rechnung, dass die Erlösobergrenzen über eine mehrjährige Regulierungsperiode vorgegeben werden, was mit Prognoseunsicherheiten behaftet ist. Rechnerisch wird der Saldo aus der Differenz der von der Regulierungsbehörde nach Maßgabe der §§ 5 bis 16, 19, 22, 24 und 25 ARegV vorgegebenen Erlösobergrenze und der vom Netzbetreiber unter Berücksichtigung der tatsächlichen Mengenentwicklung erzielbaren Erlöse gebildet, bei deren Bestimmung regelmäßig auf die vom Netzbetreiber tatsächlich abgesetzten Mengen zurückgegriffen wird.[62]

Die danach zu veröffentlichenden Werte – verzinster Saldo des Regulierungskontos und Summe der Zu- und Abschläge aus dessen Auflösung zum Ende einer Regulierungsperiode – sind hoch aggregiert. Als solche lassen sie weder einen Rückschluss auf die zugrundeliegenden unternehmensinternen Kennzahlen noch auf die „allgemeine Verbrauchs- und Leistungsfähigkeit" zu. Im Übrigen gehen auch die tatsächlichen Verbrauchs- und Absatzmengen – wie schon die Umsatzerlöse – für das jeweilige Berichtsjahr aus den zu veröffentlichenden Jahresabschlüssen der Betroffenen hervor. Schließlich ermöglicht die Veröffentlichung dieser aggregierten Daten auch nicht etwa einen konkreten Rückschluss auf die Bonität oder Liquidität des Netzbetreibers, so dass sie nicht geeignet ist, die Stellung des Netzbetreibers im Wettbewerb auf den vorgelagerten Märkten für Kapital oder Investoren nachteilig zu beeinflussen.

3. § 31 Abs. 1 Nrn. 4 und 5 ARegV: Effizienzwerte, im Effizienzvergleich verwendete Aufwands- und Vergleichsparameter, Supereffizienzwert und Effizienzbonus

Auch die Veröffentlichung der Effizienzwerte als Ergebnis des Effizienzvergleichs, der bei seiner Durchführung verwandten Aufwands- und Vergleichsparameter, des neu eingeführten Supereffizienzwerts und des sich daraus etwaig ergebenden Effizienzbonus (§ 12a ARegV) stellen keine schützenswerten Betriebs- und Geschäftsgeheimnisse dar.

Effizienzwerte sind das Ergebnis des anreizregulierungsspezifischen Effizienzvergleichs, der Auskunft über die Effizienz des Netzbetriebs gibt. Mit ihrer Veröffentlichung soll für die Netznutzer Transparenz über den Stand der Effizienz der Leistungserbringung bei den einzelnen Netzbetreibern sowie

[61] Vgl. BR-Drs. 417/07, S. 45.
[62] *Held* in: Holznagel/Schütz (Hrsg.): ARegV, 2013, § 5 Rdnr. 45.

ein zusätzlicher Anreiz für die Netzbetreiber zur Steigerung ihrer Effizienz geschaffen, aber auch die Nachprüfbarkeit des jeweils eigenen Effizienzwertes für den betreffenden Netzbetreiber erleichtert werden.[63] Von daher war ihre Veröffentlichung schon in § 31 ARegV a.F. vorgesehen. Dass durch die zusätzliche Veröffentlichung der nach der Dateneinhüllungsanalyse (DEA)- und der Stochastischen Effizienzgrenzenanalyse (SFA)-Methode ermittelten Effizienzwerte die wettbewerbliche Stellung der Netzbetreiber beeinträchtigt werden könnte, ist überdies auch deshalb nicht ersichtlich, weil der tatsächlich angewendete Effizienzwert aus der Best-of-Four-Methode gebildet wird.

Auch bei den nach der Neufassung weiter zu veröffentlichenden Aufwands- und Vergleichsparametern als Parameter des durchgeführten Effizienzvergleichs handelt es sich nicht um Daten, an deren Geheimhaltung der Netzbetreiber ein berechtigtes Interesse hat. Die Aufwandsparameter sind Kostendaten auf höchster Aggregationsstufe, die Vergleichsparameter beinhalten z.T. die ohnehin zu veröffentlichenden Strukturdaten, so dass für sie nicht ersichtlich ist, dass ihre Veröffentlichung in anderem Kontext eine wettbewerbliche Stellung der Betroffenen nachteilig beeinflussen könnte. Zudem handelt es sich bei ihnen um exogene, nicht beeinflussbare Parameter, die die Versorgungsaufgabe des Netzbetreibers beschreiben und auch von daher keinen Rückschluss auf seine Kostenstruktur und seine geschäftliche Ausrichtung zulassen. Daran wird sich auch in Zukunft nach Wegfall der Pflichtparameter nichts ändern (§ 13 Abs. 3 ARegV).

Nichts anderes gilt – auch im Lichte des Effizienzbonus (§ 12a ARegV) – für den Supereffizienzwert, der aufgrund der in Anlage 3 Nr. 5 zu § 12 ARegV vorgesehenen Methodik zur Ausreißeranalyse ohnehin erst nach Ermittlung der Effizienzwerte für die dritte Regulierungsperiode darstellbar sein wird, die für Gasnetzbetreiber 2018 und für Stromnetzbetreiber 2019 beginnt (§ 3 Abs. 1, Abs. 2 i.V.m. § 34 Abs. 1b ARegV). Zwar mag der Netzbetreiber insoweit mit anderen Netzbetreibern in einem – gesetzlich gewünschten – Wettbewerb um den besten Effizienzwert stehen. Rückschlüsse auf die Konzepte und Maßnahmen, die ursächlich für einen guten Effizienzwert und die zugleich auch potentiell geeignet sind, die Effizienz auch anderer Netzbetreiber zu verbessern, ermöglichen diese rein ergebnisorientierten Daten indessen nicht. Im Übrigen ist die Transparenz dieser elementaren Daten der Anreizregulierungsmethodik aber auch Bestandteil des Regulierungskonzepts, so dass es schon deshalb an einem berechtigten Geheimhaltungsinteresse des Netzbetreibers fehlt.

Der Veröffentlichung der den Effizienzwerten zugrundeliegenden Aufwands- und Vergleichsparametern steht auch weder die Rechtsprechung des

[63] BR-Drs. 417/07, S. 73; *BGH*, RdE 2014, S. 276 Rdnr. 80 „Stadtwerke Konstanz GmbH“.

Bundesverfassungsgerichts[64] noch des Kartellsenats des Bundesgerichtshofs[65] entgegen. Ein solches Verständnis ist den herangezogenen höchstrichterlichen Entscheidungen nicht zu entnehmen. In den den Entscheidungen zu Grunde liegenden Fallkonstellationen[66] ging es – anders als bei den Daten des § 31 ARegV – jeweils um die Frage, ob „eine umfassende Einsicht in das dem Effizienzvergleich zu Grunde liegende Datenmaterial" bzw. in die den Entgeltgenehmigungen nach § 23a EnWG zugrundeliegenden Antragsunterlagen verlangt werden kann, denen sich detaillierte Angaben zu Kosten und damit in die den Netzbetreibern anfallenden Kostenarten sowie weitere netzwirtschaftliche Parameter entnehmen lassen.

4. § 31 Abs. 1 Nr. 6 ARegV: Parameterwerte und jährliche Anpassungsbeträge der Erlösobergrenzen für den Erweiterungsfaktor nach § 4 Abs. 4 Satz 1 Nr. 1 i.V.m. § 10 ARegV als Summenwert

Ebenso wenig ist die Offenlegung des Summenwerts der Parameterwerte und jährlichen Anpassungsbeträge der Erlösobergrenzen für den Erweiterungsfaktor geeignet, exklusive technische oder kaufmännische Informationen offenzulegen und so eine etwaige Wettbewerbsposition des Netzbetreibers zu schwächen.

Auf Antrag des Netzbetreibers kann die Erlösobergrenze mittels des Erweiterungsfaktors nach § 10 ARegV an solche nachträglichen Änderungen seiner Versorgungsaufgabe angepasst werden, die nach der für die Regulierungsperiode vorgenommenen Kostenprüfung eingetreten sind. Er knüpft allerdings nicht unmittelbar an veränderte Kosten an, sondern an die für das Versorgungsnetz veränderte Aufgabenstellung und damit an die Veränderungen der Parameter nach § 10 Abs. 2 S. 2 Nr. 1–4 ARegV, d.h. an die Fläche des versorgten Gebiets, die Zahl der Anschluss- bzw. Ausspeisepunkte, die Jahreshöchstlast sowie sonstige von der Regulierungsbehörde festgelegte Parameter. Die Veränderung der Erlösobergrenze wird dadurch bewirkt, dass der Betrag der beeinflussbaren und der vorübergehend nicht beeinflussbaren Kostenanteile durch Multiplikation mit dem Erweiterungsfaktor erhöht wird.[67]

Dass diese für die Berechnung des Erweiterungsfaktors maßgeblichen Daten einen konkreten Rückschluss auf eine – bereits erfolgte oder zukünftige – Investitionstätigkeit des Netzbetreibers in das Netz ermöglicht und

[64] *BVerfG*, NJW 2017, S. 3507 Rdnr. 33.

[65] *BGH*, a.a.O. Rdnr. 77 ff. „Stadtwerke Konstanz GmbH".

[66] *BVerfG*, *BGH*, a.a.O.

[67] *Krüger/Müller-Kirchenbauer/Weyer* in: Holznagel/Schütz (Hrsg.): ARegV, 2013, § 10 Rdnr. 9 ff.

ihn daher in seiner wettbewerblichen Stellung benachteiligen kann, ist schon wegen der Pauschalität dieses Rückschlusses und der Vielzahl der vom Netzbetreiber bislang veröffentlichten Netzinformationen nicht ersichtlich. Insbesondere liefern etwa die nach § 27 StromNEV/GasNEV zu veröffentlichenden Strukturdaten – anders als die von § 31 Abs. 1 Nr. 6 ARegV umfassten Summenwerte – aussagekräftige Angaben zur Netzstruktur eines Strom- oder Gasverteilernetzes. Unabhängig davon ist nunmehr auch der zeitliche Geltungsbereich für die Betreiber von Elektrizitäts- und Gasverteilernetzen eingeschränkt, denn mit Blick auf das neue Instrument des Kapitalkostenaufschlags entfällt diese Möglichkeit für sie nach Maßgabe des § 34 Abs. 7 ARegV ab der dritten Regulierungsperiode, die für Gasnetzbetreiber 2018 und für Stromnetzbetreiber 2019 beginnt (§ 3 Abs. 1, Abs. 2 i.V.m. § 34 Abs. 1b ARegV).

5. *§ 31 Abs. 1 Nr. 7 ARegV:* Kapitalkostenaufschlag als Summenwert

Auch durch die in § 31 Abs. 1 Nr. 7 ARegV vorgesehene Veröffentlichung des Kapitalkostenaufschlags als Summenwert werden keine Betriebs- und Geschäftsgeheimnisse der Netzbetreiber offengelegt.

Der Kapitalkostenaufschlag ist Bestandteil des Kapitalkostenabgleichs. Bei diesem neuen, (nur) für die Verteilernetzbetreiber eingeführten Instrument werden zukünftig die Kapitalkosten der Netzbetreiber jährlich angepasst und so der Zeitverzug bei der Refinanzierung von Investitionen beseitigt. Der Kapitalkostenabgleich setzt sich aus dem Kapitalkostenabzug gem. § 6 Abs. 3 ARegV auf der einen und dem Kapitalkostenaufschlag gem. § 10a ARegV auf der anderen Seite zusammen. Der Kapitalkostenabzug sieht für die jeweilige Regulierungsperiode eine Reduzierung der kalkulatorischen Kosten (§§ 6–8 GasNEV/StromNEV) und des Aufwands für Fremdkapitalzinsen vor. Neben diesen Veränderungen der Vermögenswerte werden – auf Intervention des Bundesrats – auch die sich ändernden Verbindlichkeiten, insbesondere Baukostenzuschüsse und Netzanschlusskostenbeiträge berücksichtigt. Der Kapitalkostenabzug wird von den Regulierungsbehörden im Verfahren zur Festsetzung der Erlösobergrenzen nach Maßgabe der neuen Anl. 2a zu § 6 ARegV ermittelt und mit dem Festlegungsbescheid für die gesamte nachfolgende Regulierungsperiode festgeschrieben. Ihm steht der nun nach Maßgabe des § 31 Abs. 1 Nr. 7 ARegV zu veröffentlichende Kapitalkostenaufschlag gemäß § 10a ARegV gegenüber. Auf Antrag des Netzbetreibers werden die Kapitalkosten für die nach dem Basisjahr getätigten Investitionen in die Erlösobergrenze aufgenommen, wobei nicht zwischen Ersatz-, Erweiterungs- und Umstrukturierungsmaßnahmen unterschieden wird. Er führt zu einer jährlichen, d.h. ohne Zeitverzug vorzunehmenden Anpassung der Erlösobergrenze gemäß § 4 Abs. 4 Satz 1 Nr. 1 ARegV. Der standardisiert ermittelte Aufschlag umfasst die kalkulatorischen Kosten nach §§ 6–8 StromNEV/GasNEV; für die Berechnung der kalkulatorischen Eigenkapitalverzinsung wird jedoch nicht auf die unternehmensindividuelle Finanzierungsstruktur abgestellt, sondern es kommt eine pauschale Gewichtung mit 40 % Eigen- und 60 % Fremdkapitalzinssatz mit den im Basisjahr geltenden Zinssätzen zum Ansatz (§ 10a II ARegV).

Der aggregierte Wert des Kapitalkostenaufschlags, in den somit sowohl Ersatz- als auch Erweiterungsinvestitionen einfließen, lässt einen konkreten Rückschluss auf die Höhe beabsichtigter Modernisierungs- oder Wartungsmaßnahmen des Netzbetreibers bzw. die Altersstruktur seines Netzes nicht zu, so dass insbesondere seine Wettbewerbssituation auf vorgelagerten Märkten, etwa bei der Beschaffung von Dienstleistungen, Gütern oder Kapital nicht beeinträchtigt wird. „Im Zusammenspiel" mit den nach § 31 Abs. 1 Nr. 9 ARegV – ebenfalls als Summenwert – zu veröffentlichenden Investitionsmaßnahmen nach § 23 ARegV folgt allenfalls die Kenntnis eines gewissen – vagen – Investitionsbedarfs, die sich aber nicht nachteilig auf eine Wettbewerbssituation der Netzbetreiber auswirken kann. Für die Stellung des Netzbetreibers im Konzessionswettbewerb ergibt sich auch bei einer Gesamtbetrachtung mit den nach § 31 Abs. 1 Nr. 6 und 9 ARegV zu veröffentlichenden Daten nichts anderes, da der Konzessionsinhaber der Gemeinde und damit seinen Mitbewerbern über die nur exemplarisch in der Neuregelung des § 46a EnWG genannten Daten hinaus u.a. ohnehin Auskünfte über die auf das Konzessionsgebiet bezogene mehrjährige Vermögens-, Ertrags-, Finanz- und Investitionsplanung geben muss.[68]

6. *§ 31 Abs. 1 Nr. 8 ARegV:* Dauerhaft nicht beeinflussbare Kostenanteile nach § 11 Abs. 2 ARegV sowie deren jährliche Anpassung nach § 4 Abs. 3 Satz 1 Nr. 2 ARegV als Summenwert

Ebenso wenig sind der Summenwert der dauerhaft nicht beeinflussbaren Kostenanteile nach § 11 Abs. 2 ARegV oder ihr nach § 4 Abs. 3 ARegV angepasster Wert Betriebs- und Geschäftsgeheimnisse.

Die im Katalog des § 11 Abs. 2 ARegV definierten Kostenanteile gelten als weder der Art noch der Höhe nach beeinflussbar, so dass sie einem Effizienzvergleich nicht zugänglich sind. Zu ihnen zählen etwa gesetzliche Abnahme- und Vergütungspflichten, Konzessionsabgaben, Betriebssteuern, die erforderliche Inanspruchnahme vorgelagerter Netzebenen, Kosten aus genehmigten Investitionsmaßnahmen, Mehrkosten für Erdkabel, vermiedene Netzentgelte, aus betrieblichen und tarifvertraglichen Vereinbarungen u.v.m. Diese Kostenanteile können während der Regulierungsperiode gemäß

[68] Vgl. nur: Gemeinsamer Leitfaden von Bundeskartellamt und Bundesnetzagentur zur Vergabe von Strom- und Gaskonzessionen und zum Wechsel des Konzessionsnehmers, (o. Fn. 53), S. 17 Rdnr. 40 lit. h.

§ 4 Abs. 3 S. 1 Nr. 2 ARegV jährlich angepasst werden. Bei ihnen geht der Verordnungsgeber davon aus, dass der Netzbetreiber keine maßgebliche Einflussmöglichkeit auf sie hat, so dass etwaige Anreize zu Kostensenkungen hier auch keine wesentliche Wirkung entfalten würden.[69]

Auch diese zu veröffentlichenden Werte entstammen schon nicht dem Unternehmen, sondern sind – wie die behördlich festgelegte Erlösobergrenze, deren Bestandteil sie sind – das Ergebnis der Prüfung durch die Regulierungsbehörde, die über die Anerkennung der in Ansatz gebrachten Kosten dem Grunde wie auch der Höhe nach entscheidet. Da auch hier nur die Höhe des gesamten Kostenblocks dauerhaft nicht beeinflussbarer Kosten offen zu legen ist, handelt es sich auch insoweit bloß um einen aggregierten Summenwert. Dieser aber lässt weder einen Rückschluss auf das zugrundeliegende Datenmaterial – die verschiedenen Kosten und Erlöse nach dem enumerativ ausgestalteten Katalog des § 11 Abs. 2 Nr. 1–17 ARegV – zu. Noch legt er im Verhältnis zu den beeinflussbaren Kostenanteilen ein konkretes Einsparpotential offen.[70] Schließlich spricht auch das Wesen dieser Kostenanteile, die als „dauerhaft nicht beeinflussbar" gelten, ersichtlich gegen ihre wettbewerbliche Relevanz.

Diese Wertung steht nicht im Widerspruch zu der Entscheidung des Kartellsenats des Bundesgerichtshofs vom 14.04.2015.[71] In dieser hat der Bundesgerichtshof lediglich festgehalten, dass es sich bei den von dem Altkonzessionär an die Kommune herauszugebenden kalkulatorischen Netzdaten, die u.a. Angaben zu den historischen Anschaffungs- und Herstellungskosten, dem Jahr ihrer Aktivierung, den kalkulatorischen Restwerten, den kalkulatorischen Nutzungsdauern für die laufende Abschreibung und den kalkulatorischen Restwerten enthalten (s.a. die Neuregelung des § 46a EnWG), in ihrer Gesamtheit um schützenswerte Geschäftsgeheimnisse handelt.[72]. Daraus folgt aber nicht, dass es sich bei dem Kostenblock der dauerhaft nicht beeinflussbaren Kosten als aggregiertem Summenwert um ein Geschäftsgeheimnis handelt.

7. *§ 31 Abs. 1 Nr. 9 ARegV:* Jährlich tatsächlich entstandene Kostenanteile nach § 11 Abs. 2 Satz 1 Nr. 6 ARegV als Summenwert

Auch der Summenwert der jährlich entstandenen Kostenanteile nach § 11 Abs. 2 Satz 1 Nr. 6 ARegV stellt kein schützenswertes Betriebs- und Geschäftsgeheimnis des Netzbetreibers dar.

[69] *Meyer/Paulus* in: Holznagel/Schütz (Hrsg.): ARegV, 2013, § 11 Rdnr. 54 ff.
[70] a.A.: *OLG Brandenburg*, a.a.O.
[71] *BGH*, EnWZ 2015, S. 328 ff. „Gasnetz Springe".
[72] *BGH*, a.a.O. Rdnr. 24 f.

Die Veröffentlichungspflicht betrifft genehmigte Investitionsmaßnahmen nach § 23 Abs. 6 und Abs. 7 ARegV, die dem Inhalt der Genehmigung nach (bereits) durchgeführt wurden und in der Regulierungsperiode kostenwirksam werden und für die die Genehmigung nicht aufgehoben worden ist.

Dass aus den zu veröffentlichenden Summenwerten ein konkreter Rückschluss auf die zukünftige Netzgestaltung, den Investitionsbedarf und damit auch auf die Vermögensstruktur des Netzbetreibers ermöglicht wird, ist nicht im Ansatz ersichtlich. Für Verteilernetzbetreiber besteht nach Maßgabe des § 23 Abs. 6, Abs. 7 ARegV ohnehin nur eine eingeschränkte Möglichkeit der Genehmigung ihrer Investitionsmaßnahmen, denn diese sind nur für – bereits erfolgte – Erweiterungs- und Umstrukturierungsinvestitionen und auch insoweit nur zu den enumerativ aufgezählten Zwecken vorgesehen; für die Maßnahmen nach § 23 Abs. 6 ARegV gilt zudem der Vorrang des Erweiterungsfaktors und eine Erheblichkeitsschwelle. Schließlich kommt auch hier der nunmehr eingeschränkte zeitliche Geltungsbereich hinzu, denn diese Möglichkeit haben Betreiber von Elektrizitäts- und Gasverteilernetzen mit Blick auf das neue Instrument des Kapitalkostenaufschlags ab der dritten Regulierungsperiode nicht mehr, § 34 Abs. 7 ARegV.

8. *§ 31 Abs. 1 Nr. 10 ARegV:* Jährlich tatsächlich entstandene Kostenanteile nach § 11 Abs. 2 Satz 1 Nr. 4 und 8 ARegV als Summenwert

Ebenso wenig stellen die Summenwerte der jährlich tatsächlich entstandenen Kostenanteile nach § 11 Abs. 2 S. 1 Nr. 4 und 8 ARegV Betriebs- und Geschäftsgeheimnisse dar.

Die Kosten aus der erforderlichen Inanspruchnahme der vorgelagerten Netzebenen (§ 11 Abs. 2 Satz 1 Nr. 4 ARegV) sind in der Praxis Teil der Kostenwälzung, im Rahmen derer die nachgelagerten Netzbetreiber die Netzentgelte an die vorgelagerten Netzbetreiber für die Inanspruchnahme des vorgelagerten Netzes zahlen.[73] Zu den vermiedenen Netzentgelten des § 11 Abs. 2 Satz 1 Nr. 8 ARegV zählen solche im Sinne von § 18 StromNEV, § 57 Abs. 3 EEG und § 6 Abs. 5 sowie § 13 Abs. 5 KWKG.

Die in Summe erstatteten Entgelte und die sich danach rechnerisch ergebenden vermiedenen Kosten der vorgelagerten Netz- oder Umspannebene erlauben schon keinen Einblick in „die Ausgestaltung des Netzes". Sie können keinerlei Aufschluss darüber geben, wieviele Betreiber dezentraler Erzeugungsanlagen sich im Netzbereich befinden, denn ihre Anzahl stellt keine dauerhafte Eigenschaft des Netzes dar, sondern kann sich – wie auch die jeweiligen tatsächlichen Einspeisemengen – permanent ändern. Hinzu kommt, dass das bei vermiedener Netznutzung dem Einspeisenden vom Netzbetreiber gezahlte Entgelt sich nach der eingespeisten Arbeit und Leis-

[73] *Meyer/Paulus* (o. Fn. 69), § 11 Rdnr. 69.

tung richtet und mit dem spezifischen Netzentgelt der vorgelagerten Ebene bewertet wird, so dass schon deshalb eine wettbewerbliche Relevanz nicht erkennbar ist. Schließlich sind die vermiedenen Netzentgelte vom Netzbetreiber aber auch im Internet zu veröffentlichen, so dass es auch an einer Nichtoffenkundigkeit der Information fehlt.

9. *§ 31 Abs. 1 Nr. 11 ARegV:* Volatile Kostenanteile nach § 11 Abs. 5 ARegV als Summenwert

Auch die als Summenwert zu veröffentlichenden volatilen Kostenanteile nach § 11 Abs. 5 ARegV sind nicht als Betriebs- und Geschäftsgeheimnisse des Netzbetreibers zu werten.

Nach § 11 Abs. 5 Satz 2 ARegV gelten Kosten für die Beschaffung von Verlustenergie als volatile Kostenanteile, die nach § 4 Abs. 3 Satz 1 Nr. 3 ARegV zu einer jährlichen Anpassung der Erlösobergrenzen führen können, sofern die zuständige Regulierungsbehörde dies nach § 32 Abs. 1 Nr. 4a ARegV festlegt. Eine entsprechende – inhaltlich nicht zu beanstandende – Festlegung haben die Bundesnetzagentur wie auch verschiedene Landesregulierungsbehörden für die Betreiber von Elektrizitätsverteilernetzen in ihrem Zuständigkeitsbereich auch für die derzeitige zweite Regulierungsperiode getroffen.[74] Danach passen diese die kalenderjährlichen Erlösobergrenzen gemäß § 4 Abs. 3 Nr. 3 ARegV um die Differenz aus den Verlustenergiekosten des Ausgangsniveaus des jeweiligen Basisjahres und den für das jeweilige Jahr ansatzfähigen Kosten an. Die ansatzfähigen Kosten ergeben sich aus der der Festlegung zur Erlösobergrenze zu Grunde liegenden Verlustenergiemenge, die unter Berücksichtigung von Effizienzgesichtspunkten auf Basis der Ist-Mengen des maßgeblichen Basisjahres ermittelt wurde, multipliziert mit dem entsprechenden Referenzpreis für das Kalenderjahr.[75]

Allein die Offenlegung des – noch dazu als Summenwert zu veröffentlichenden – Anpassungsbetrags lässt schon weder Rückschlüsse auf die tatsächlichen Beschaffungskosten des Netzbetreibers für Verlustenergie zu, noch ermöglicht sie – mangels Offenlegung der für die Subtraktion erforderlichen Ausgangsgröße, d.h. der Verlustenergiekosten des Ausgangsniveaus des maßgeblichen Basisjahres – eine Bewertung der Wirtschaftlichkeit des Netzbetreibers. Überdies hat dieser Netzbetreiber die tatsächlichen Verlustmengen und -preise der von ihm im Wege der Ausschreibung zu beschaffenden Verlustenergie gemäß § 17 Abs. 2 Ziffer 7 StromNZV fortlaufend

[74] Zu den in den Zuständigkeitsbereich der Bundesnetzagentur fallenden Elektrizitätsverteilernetzbetreibern *BGH*, RdE 2016, S. 462 ff. „Festlegung volatiler Kosten"; für den Zuständigkeitsbereich der LRB NRW *OLG Düsseldorf*, 5. Kartellsenat, RdE 2016, S. 362 Rdnr. 37 ff.; nachgehend BGH, Beschluss vom 12.06.2018 – EnVR 29/16.

[75] Vgl. https://www.wirtschaft.nrw/sites/default/files/asset/document/2015-09-09_bnetza_eog_hinweise_2016.pdf (zuletzt abgerufen am 18.05.2018).

auf seiner Internetseite zu veröffentlichen, so dass es insoweit auch an der Nichtoffenkundigkeit der Information und damit an einem Geheimhaltungsbedürfnis fehlt. Warum die vorgesehene Veröffentlichung der Kosten für die Beschaffung von Treibenergie Betriebs- und Geschäftsgeheimnisse berühren sollte, ist ebenso wenig ersichtlich.

10. § 31 Abs. 1 Nr. 12 ARegV: Ermittelte Kennzahlen zur Versorgungsqualität

Wettbewerblich nachteilige Schlussfolgerungen lassen auch die ermittelten Kennzahlen zur Versorgungsqualität nicht zu, die – nur – die durchschnittliche Versorgungsunterbrechung je angeschlossenen Letztverbraucher (SAIDI) und die durchschnittliche Versorgungsunterbrechung je angeschlossenen Bemessungsscheinleistungen (ASIDI) – jeweils innerhalb eines Kalenderjahres – widerspiegeln.

Bei diesen Kennzahlen handelt es sich um aggregierte Kennzahlen zur Nichtverfügbarkeit, die auf der Erfassung und Auswertung der nach § 52 EnWG erhobenen Datenreihen und der regulatorisch festgelegten ökonometrischen Bewertungsmethodik zur Bestimmung der Referenzwerte beruhen und daher lediglich das Ergebnis einer komplexen Bewertung darstellen.[76] Weder lassen sie einen Rückschluss darauf zu, durch welche Konzepte und Maßnahmen der einzelne Netzbetreiber bei welchem Aufwand seine Netzzuverlässigkeit erzielt hat noch, wie dringlich konkrete Investitionen in das Netz sind.[77] Die nach §§ 19, 20 ARegV ermittelten Kennzahlenvorgaben und die Abweichungen der Netzbetreiber von diesen Vorgaben waren daher auch schon nach § 31 Abs. 1 Satz 2 ARegV a.F. zu veröffentlichen.

VI. Fazit und Ausblick

Bei den im Katalog des § 31 ARegV aufgeführten Daten handelt es sich nur um hoch aggregierte Daten des Regulierungsprozesses, die spezifische Bedeutung in dem System der Anreizregulierung haben und, soweit sie infolge umfassender Transparenzvorgaben an die Netzbetreiber nicht ohnehin offenkundig sind, jedenfalls nicht geeignet sind, eine wettbewerbliche Stellung des Netzbetreibers insbesondere auf vor- und nachgelagerten Märkten, aber auch im Rahmen des „Wettbewerbs um das Netz“ nachhaltig zu beeinflussen. Daran ändert sich auch bei einer Gesamtbetrachtung aller Daten nichts; auch in einer Gesamtschau ist nicht zu erkennen, dass sie sich auf die Wettbewerbsfähigkeit des Netzbetreibers nachteilig auswirken könn-

[76] *BGH*, RdE 2014, S. 495 ff. „Stromnetz Berlin GmbH“.
[77] a.A.: *OLG Brandenburg*, a.a.O.

ten. Selbst wenn sie gewisse Anhaltspunkte für eine allgemeine Leistungsfähigkeit des Netzbetreibers geben könnten, handelt es sich dabei – auch mangels Detailtiefe – nur um einen hypothetischen und vagen Anhalt für die künftige geschäftliche Entwicklung, der keinerlei wettbewerbliche Relevanz zukommt. Im Übrigen gehen Umfang und Inhalt der zu veröffentlichenden Daten auch nicht über die Daten hinaus, die in Umsetzung der europarechtlichen Transparenzanforderungen nach europarechtlichen Regelungen von Netzbetreibern zu veröffentlichen sind.

Mit Spannung ist nicht nur die Entscheidung des Bundesgerichtshofs im Rechtsbeschwerdeverfahren zu erwarten, sondern auch die weitere Veröffentlichungspraxis der Bundesnetzagentur und der Landesregulierungsbehörden. Da der Katalog des § 31 Abs. 1 ARegV nicht abschließend gefasst ist,[78] können weitere Daten des Anreizregulierungsprozesses folgen. Aber auch im Übrigen hat die Bundesnetzagentur mit dem von ihr veröffentlichten Hinweispapier[79] zur künftigen Veröffentlichungspraxis deutlich Position für eine Erhöhung der Transparenz bei der nach § 74 EnWG gebotenen Veröffentlichung von Entscheidungen unter Wahrung wirtschaftlich sensibler Informationen bezogen.

[78] „Die Regulierungsbehörde veröffentlicht auf ihrer Internetseite netzbetreiberbezogen in nicht anonymisierter Form insbesondere…“.

[79] *Bundesnetzagentur*, Hinweispapier zu Umgang und Reichweite zulässiger Schwärzungen bei der Veröffentlichung von Entscheidungen der Bundesnetzagentur in den Bereichen Elektrizität und Gas, 13.03.2017, abrufbar unter https://www.bundesnetzagentur.de/SharedDocs/Downloads/DE/Sachgebiete/Energie/Unternehmen_Institutionen/Netzentgelte/Transparenz/Hinweispapier_Schwaerzungen.html (zuletzt abgerufen am 18.05.2018).

Die „Verböserung" der Festlegung von Erlösobergrenzen als Folge gerichtlicher Beschwerdeverfahren

Thomas Burmeister*

I. Problembeschreibung

Für Betreiber von Strom- und Gasversorgungsnetzen ist seit Inkrafttreten der Beschleunigungsrichtlinien für Strom und Gas vom 26. Juni 2003[1] in jedem EU-Mitgliedstaat eine strenge Regulierung vorgeschrieben. Während die Vorgängerregelungen, die Binnenmarktrichtlinien von 1996 bzw. 1998, mit dem verhandelten Netzzugang (§ 6 EnWG 1998)[2] noch eine Alternative zur Regulierung zuließen, ist diese mit Inkrafttreten des novellierten EnWG vom 7. Juli 2005[3] auch in der Bundesrepublik Deutschland entfallen. Wesentlicher Aspekt der Regulierung der Energieversorgungsnetze ist dabei, dass der Netzanschluss und der Netzzugang einschließlich der Bedingungen und Tarife sowie die Bedingungen für den Bezug von Ausgleichsleistungen (Regelenergie) einer Regulierung unterliegen. Im Kern werden damit die Bereiche angesprochen, die aufgrund des natürlichen Monopols der Netzbetreiber keinem wesentlichen Wettbewerb ausgesetzt sind.[4]

Die Regulierung der Netzentgelte nach § 21 ff. EnWG ist kostenbasiert und erfolgt mehrstufig: In einem ersten Schritt ermittelt die zuständige Regulierungsbehörde die Kosten des Netzbetriebs.[5] Zu diesem Zweck konkretisieren die StromNEV und die GasNEV[6] nähere Einzelheiten zur Bestimmung der Kosten. In einem zweiten Schritt werden diese Kosten von der Regu-

* Rechtsanwalt bei White & Case LLP, Düsseldorf.

1 Richtlinien 2003/54/EG, ABl. Nr. L 176, S. 37 und 2003/55/EG, ABl. Nr. L 176, S. 57.

2 Siehe dazu *Büdenbender*, EnWG, 2003, § 6 Rdnr. 6.

3 BGBl. I S. 1970.

4 *Büdenbender/Rosin*, Energierechtsreform 2005, 2005, S. 51.

5 Zuständig ist gemäß § 54 Abs. 1 EnWG die Bundesnetzagentur bzw. für Netzbetreiber mit jeweils weniger als 100.000 unmittelbar oder mittelbar angeschlossenen Kunden gemäß § 54 Abs. 2 EnWG die Landesregulierungsbehörde.

6 Verordnung über die Entgelte für den Zugang zu Elektrizitätsversorgungsnetzen (Stromnetzentgeltverordnung – StromNEV), BGBl I 2005, 2225 und Verordnung über die Entgelte für den Zugang zu Gasversorgungsnetzen (Gasnetzentgeltverordnung – GasNEV), BGBl I 2005, 2197.

lierungsbehörde auf ihre Anerkennungsfähigkeit überprüft, d. h. sie müssen gemäß § 21 Abs. 2 EnWG insbesondere den Kosten eines effizienten und strukturell vergleichbaren Netzbetreibers entsprechen.[7] Seit dem 1. Januar 2009 wird diese Kostenorientierung ergänzt um die Anreizregulierung, deren Grundlagen in § 21a EnWG sowie der ARegV[8] geregelt sind. Nach der Anreizregulierungsmethode der ARegV werden den Netzbetreibern für jedes Jahr einer fünfjährigen Regulierungsperiode Erlösobergrenzen vorgegeben, d. h. Obergrenzen der zulässigen Gesamterlöse aus den Netzentgelten, die während der Regulierungsperiode nur unter engen Voraussetzungen angepasst werden können. Die Bestimmung der Erlösobergrenzen erfolgt in Anwendung einer in Anlage 1 zur ARegV vorgegebenen Regulierungsformel, deren zentrales Element die individuelle Effizienzvorgabe ist. Diese wiederum ergibt sich aus einem Effizienzvergleich, der von der Regulierungsbehörde durchzuführen ist.[9]

Die nach dieser Maßgabe durchgeführte Bestimmung der Erlösobergrenzen wird von den Regulierungsbehörden von Amts wegen eingeleitet (§ 2 ARegV) und endet gemäß § 29 Abs. 1 EnWG, § 32 Abs. 1 Nr. 1 ARegV mit der individuellen Festlegung der Erlösobergrenzen für jeden einzelnen Netzbetreiber. Diese Festlegung stellt einen Verwaltungsakt dar,[10] gegen den gemäß § 75 EnWG Beschwerde beim zuständigen Oberlandesgericht erhoben werden kann. Angesichts der Vielzahl komplexer rechtlicher und ökonomischer Fragestellungen, die in eine Festlegung von Erlösobergrenzen einfließen, ist es nicht selten, dass Netzbetreiber und Regulierungsbehörden unterschiedlicher Auffassung über einzelne Punkte sind. Dabei kann es sich um branchenweit diskutierte Grundsatzfragen handeln oder um Streitthemen aus dem individuellen Sachverhalt des betroffenen Netzbetreibers.

Können sich Netzbetreiber und Regulierungsbehörde über die verbliebenen Streitpunkte nicht einigen, muss der Netzbetreiber prüfen, ob er gerichtlich gegen die Festlegung vorgeht. Hierfür wird er zunächst wirtschaftliche Bedeutung und rechtliche Erfolgsaussichten bewerten müssen und entscheiden, ob die Durchführung eines häufig aufwändigen Beschwerdeverfahrens sich „lohnt". Darüber hinaus muss aber auch in den Blick genommen werden, ob mit der Durchführung des Beschwerdeverfahrens zusätzliche Risiken

[7] *Büdenbender*, Die Korrekturfaktoren des § 21 Abs. 2–4 EnWG für die kostenbasierte Netzentgeltregulierung, RdE 2008, S. 69.

[8] Verordnung über die Anreizregulierung der Energieversorgungsnetze (Anreizregulierungsverordnung), BGBl I 2007, 2529.

[9] *Elspas/Rosin/Burmeister*, Netzentgelte zwischen Kostenorientierung und Anreizregulierung, RdE 2007, S. 329, 330.

[10] *BGH*, Beschluss vom 23. Januar 2018, EnVR 5/17 – Stadtwerke Wedel GmbH, Rdnr. 17.

verbunden sind, weil der Bescheid noch einmal überprüft wird. Zu untersuchen ist dabei zunächst, ob die Regulierungsbehörde an bestimmten Punkten der Kostenprüfung noch weiteres Kürzungspotenzial identifizieren könnte, z.B., weil sie im Rahmen einer eher pauschalen Vorgehensweise von einer Detailprüfung abgesehen hatte. Denkbare Risiken können auch aus anhängigen Beschwerdeverfahren anderer Netzbetreiber resultieren, wenn diese Verfahren grundsätzliche Fragestellungen betreffen und deren Ergebnisse auf alle Netzbetreiber übertragbar sind. Vor diesem Hintergrund stellt sich regelmäßig die Frage, ob als Ergebnis eines in Bezug auf die Festlegung der Erlösobergrenzen geführten Beschwerdeverfahrens eine Verschlechterung der Erlösobergrenzen eintreten kann, d. h. ob die Erlösobergrenze nach dem Gerichtsverfahren niedriger liegen kann als die ursprüngliche Festlegung der Regulierungsbehörde.

Ob und in welchem Umfang dieser häufig als „Verböserung“ bezeichnete Nachteil eintreten kann, wird nachfolgend näher untersucht. Dabei werden zunächst die Grundsätze des allgemeinen Verwaltungsverfahrens- und Verwaltungsprozessrechts zu dieser Thematik zusammengefasst (**II.**). Sodann wird herausgearbeitet, ob das Beschwerdegericht eine derartige Verböserung vorgeben kann (**III.**). Schließlich wird untersucht, welchen Spielraum die Regulierungsbehörde hat, eine Verböserung vorzunehmen, wenn sie vom Beschwerdegericht zu einer Neubescheidung verpflichtet wird (**IV.**).

II. Verböserung im allgemeinen Verwaltungsrecht

Unbeschadet der spezialrechtlichen Regelung in EnWG und den hierzu erlassenen Verordnungen handelt es sich bei der Festlegung der Erlösobergrenzen um ein Verwaltungsverfahren, bei dem sich Staat (Regulierungsbehörde) und Bürger (Netzbetreiber) gegenüberstehen.

1. Verwaltungsverfahren

Für das Verwaltungsverfahren gilt gemäß § 68 Abs. 1 EnWG der Amtsermittlungsgrundsatz, wonach die Regulierungsbehörde alle Ermittlungen führen und alle Beweise erheben kann, die erforderlich sind. Dies ist Ausfluss des allgemeinen Untersuchungsgrundsatzes, nachdem die Behörde den Sachverhalt von Amts wegen ermittelt, vgl. § 24 Abs. 1 VwVfG. Verwaltungsverfahren unterscheiden sich damit grundlegend von Zivilprozessen, die vom Verhandlungs- bzw. Beibringungsgrundsatz beherrscht werden, wonach es im wesentlichen Aufgabe der Parteien ist, die entscheidungserheblichen Tatsachen beizubringen.

Der Untersuchungsgrundsatz folgt aus dem Prinzip der Gesetzmäßigkeit der Verwaltung sowie der Gewährleistung effektiven Rechtsschutzes gemäß

Art. 19 Abs. 4 GG.[11] Folge des Untersuchungsgrundsatzes ist es damit auch, dass die mit der Überprüfung von Verwaltungsakten befassten Behörden oder Gerichte von Amts wegen dazu in der Lage sind, die gesamte Tatsachengrundlage des Verwaltungsakts zu überprüfen und gegebenenfalls neu zu bewerten. Dementsprechend ist es grundsätzlich nicht ausgeschlossen, dass dies zu einer neuen und möglicherweise für den Betroffenen nachteiligeren rechtlichen Bewertung führt.

In allgemeinen Verwaltungsverfahren wird dieses Risiko einer Verböserung des Verwaltungsaktes als reformatio in peius bezeichnet. Eine solche liegt (nur)[12] vor, wenn die Widerspruchsbehörde eine vom Betroffenen angegriffene belastende Entscheidung im Rahmen des Widerspruchsverfahrens verschärft oder eine erteilte Begünstigung, die vom Widerspruchsführer als zu gering angegriffen wird, ganz oder zum Teil wieder entzieht.[13] Die VwGO, in der die wesentlichen Voraussetzungen des Widerspruchsverfahrens geregelt sind, enthält keine ausdrückliche Vorgabe zu Zulässigkeit oder Verbot der reformatio in peius. § 79 Abs. 2 VwGO setzt vielmehr die Möglichkeit der reformatio in peius voraus, ohne ihre Zulässigkeit zu bestimmen. Auch die Rechtsschutzgarantie des Art. 19 Abs. 4 GG steht der Verböserung im Widerspruchsverfahren nicht entgegen, da dieses Verfahren angesichts des ausreichenden Rechtsschutzes durch die Verwaltungsgerichte keinen verfassungsrechtlich abgesicherten Rechtsbehelf darstellt.[14] Mangels allgemeiner Regelung richtet sich daher die Zulässigkeit einer reformatio in peius im Widerspruchsverfahren maßgeblich nach dem jeweils anzuwendenden materiellen Recht.[15] Für Entscheidungen der Bundesnetzagentur nach dem EnWG ist allerdings ohnehin kein Widerspruchsverfahren vorgesehen. Das Risiko einer Verböserung im Rahmen des Widerspruchsverfahrens stellt sich daher für die Festlegung von Erlösobergrenzen in dieser Form nicht.

2. *Verwaltungsgerichtliche Verfahren*

Bei der Überprüfung eines Verwaltungsakts im verwaltungsgerichtlichen Verfahren ist eine Verböserung dagegen ausgeschlossen. Dies ergibt sich aus dem Grundsatz, dass das Gericht zwar nicht an die Fassung der Anträge gebunden ist, aber über das Klagebegehren nicht hinausgehen darf, § 88 VwGO. Dies ist Folge des auch im Verwaltungsprozess gelten-

[11] *Kallerhoff/Fellenberg,* in: Stelkens/Bonk/Sachs, VwVfG, 9. Aufl. 2018, § 24 Rdnr. 1; *Schenke,* in: Kopp/Schenke, VwGO, 23. Aufl. 2017, § 86 Rdnr. 1.

[12] *Kastner*, HK-VerwR, 4. Aufl. 2016, § 68 VwGO Rdnr. 27.

[13] *Dolde/Porsch,* in: Schoch/Schneider/Bier, Verwaltungsgerichtsordnung, 33. EL Juni 2017, § 68 Rdnr. 47.

[14] *Dolde/Porsch* (o. Fn. 13), § 68 Rdnr. 48.

[15] BVerwG NVwZ 1987, 215; NVwZ 1999, 1218 (1219); *Dolde/Porsch* (o. Fn. 13), § 68 Rdnr. 49.

den Dispositionsgrundsatzes, wonach der Kläger mit seinem Begehren den Streitgegenstand bestimmt. Das Gericht darf dem Kläger daher weder mehr, noch der Art nach etwas anderes (aliud) zusprechen. Dadurch wird grundsätzlich ausgeschlossen, dass das Gericht auf eine Klage hin zum Nachteil des Klägers eine von diesem nicht beantragte Entscheidung zu seinem Nachteil trifft.[16] Auch dies resultiert aus der Rechtsschutzgarantie des Art. 19 Abs. 4 GG, denn dadurch wird verhindert, dass Rechtsschutz aus Sorge vor einer möglichen Verschlechterung des bislang Erreichten nicht ausreichend gesucht wird. Dies gilt nach dem EuGH aus diesen Gründen auch gegenüber Gemeinschaftsrecht, denn ein Richter sei nicht verpflichtet, von Amts wegen eine Vorschrift des Gemeinschaftsrechts anzuwenden, wenn er infolge einer derartigen Anwendung den im einschlägigen nationalen Recht verankerten Grundsatz des Verbots der reformatio in peius durchbrechen müsste.[17] Im Klageverfahren kommt somit der Grundsatz „ne ultra petita" zum Ausdruck, während darüber hinaus für Berufung und Revisionsverfahren eine reformatio in peius für unzulässig erklärt wird.[18]

Eine Einschränkung dieses Grundsatzes ergibt sich jedoch insbesondere bei wertmäßig bestimmbaren Begehren gegenüber den Verwaltungsbehörden. Dies betrifft Fälle, in denen der Kläger, dem von der Behörde ein bestimmter Betrag (oder das Recht, von Dritten einen bestimmten Betrag zu fordern) zugesprochen wurde, vor Gericht einen höheren Betrag begehrt. Insofern ist anerkannt, dass das streitgegenständliche Begehren des Klägers lediglich das „Mehr" im Vergleich zum behördlichen Bescheid ist.[19] Insbesondere im Steuerrecht gilt allerdings, dass das Gericht bei der Prüfung eines Steuerbescheids nicht daran gehindert ist, die einzelnen Besteuerungsgrundlagen in tatsächlicher oder rechtlicher Hinsicht günstiger oder ungünstiger zu beurteilen, als dies in dem angefochtenen Bescheid geschehen ist. Dadurch kann es zu einer Saldierung einzelner Positionen kommen, sodass der Kläger zwar in einigen Positionen gewinnen mag, dieses Obsiegen aber durch die Verschlechterung in anderen Positionen wieder relativiert wird.[20] Eine derartige Saldierung entspricht dem Untersuchungsgrundsatz, der es dem Gericht erlaubt, den Sachverhalt von Amts wegen zu ermitteln. Solange der insgesamt festgesetzte Betrag nicht unterschritten wird, ist die Saldierung auch mit dem Verböserungsverbot aufgrund der Bindung an das Klagebegehren (im Steu-

[16] *Schenke* (o. Fn. 11), § 88 Rdnr. 1, 6 f.

[17] *EuGH*, EuZW 2009, S. 92 – Heemskerk und Schaap.

[18] *Ortloff/Riese,* in: Schoch/Schneider/Bier, Verwaltungsgerichtsordnung, 33. EL Juni 2017, § 88 Rdnr. 10; *Porz*, HK-VerwR, 4. Aufl. 2016, § 68 VwGO, Rdnr. 27.

[19] *OVG RP*, Urteil vom 28. April 2004, NVwZ-RR 2004, S. 723.

[20] *BFH*, Urteil v. 1.12.2010, XI R 46/08, Rdnr. 53; *Lange,* in: Hübschmann/Hepp/Spitaler, AO/FGO, 246. EL Februar 2018, § 96 FGO Rdnr. 198.

errecht: § 96 FGO) vereinbar. Vor diesem Hintergrund gilt diese Zulässigkeit einer Saldierung auch im allgemeinen Verfahrensrecht.[21]

Damit lässt sich zunächst festhalten, dass eine Verböserung in Gerichtsverfahren unter das dem Betroffenen ursprünglich von der Behörde zugesprochene Niveau grundsätzlich ausgeschlossen ist. Jenseits dessen ist eine Verböserung insbesondere bei wertmäßig bestimmbaren Streitgegenständen denkbar, wenn das Gericht einzelne positive und negative Positionen saldiert und dabei den ursprünglich festgesetzten Betrag nicht unterschreitet.

III. Verböserung im Beschwerdeverfahren nach § 75 EnWG

Dem Netzbetreiber steht gegen die Festlegung der Erlösobergrenzen die beim zuständigen Oberlandesgericht zu erhebende Beschwerde nach § 75 EnWG zu. Zu klären ist daher zunächst, ob dem Netzbetreiber bereits durch die abschließende Gerichtsentscheidung eine Verschlechterung seiner bisherigen Position droht.

1. Grundsätze des Energieprozessrechts

Mit den §§ 75 ff. enthält das EnWG ein eigenständiges Energieprozessrecht für Entscheidungen der Regulierungsbehörden nach diesem Gesetz. Die Vorschriften entsprechen ihrem Wortlaut nach und in ihrer Konzeption weitgehend den §§ 63 ff. GWB. Damit erfolgte eine Anlehnung an die bewährten Verfahrensregeln des GWB unter Einbeziehung bestimmter Regelungen im TKG.[22] Obwohl die Tätigkeit der Regulierungsbehörden verwaltungsrechtlicher Art ist, bestimmt sich der Rechtsschutz somit nicht nach dem Verwaltungsprozessrecht der VwGO, sondern folgt den Spezialregelungen des EnWG. Diese stellen demnach eine besondere Form des Verwaltungsrechtsschutzes dar, der durch die Zuweisung an die Zivilgerichte an die Stelle der Klage vor dem Verwaltungsgericht tritt. Gegen die Beschwerdeentscheidung des Oberlandesgerichts steht dem Beschwerdeführer noch die Rechtsbeschwerde zum Bundesgerichtshof zu, sofern das Oberlandesgericht diese zulässt, § 86 Abs. 1 EnWG. Bezogen auf das Klagesystem vor den Verwaltungsgerichten entspricht die Beschwerde damit der Klage und die Rechtsbeschwerde der Revision.[23]

[21] *VGH München*, Beschl. v. 11.4.1994 – 20 AE 92.40159, BeckRS 1994, 16411; *Sachs*, in: Stelkens/Bonk/Sachs, VwVfG, 9. Aufl. 2018, § 48 Rdnr. 51, 76, 120.

[22] BT-Drucks. 616/04, S. 47; amtliche Begründung zum Gesetzentwurf der Bundesregierung vom 13. August 2004, BT-Drucks. 15/3917, S. 72.

[23] *Burmeister/Michaelis*, in: Rosin et al, EnWG-Praxiskommentar, 8. EL August 2016, § 75 Rdnr. 6.

Im Vergleich zu den detaillierten Vorgaben etwa der ZPO oder der VwGO enthält das EnWG in seinen prozessrechtlichen Abschnitten 2 und 3 des Teils 8 nur wenige grundsätzliche Vorgaben. In § 85 EnWG wird lediglich in Bezug auf einzelne verfahrensrechtliche Regelungen die entsprechende Geltung von Vorschriften der ZPO angeordnet. § 85 EnWG ist allerdings nicht abschließend. Ob ergänzend weitere Vorschriften der ZPO oder der VwGO anwendbar sind, hängt dann vom konkreten Fall ab. Nachdem es sich bei dem Beschwerdeverfahren um eine besondere Form des Verwaltungsrechtsschutzes handelt, kommt dabei der (analogen) Anwendung von Vorschriften der VwGO eine besondere Bedeutung zu.[24]

Mit der Beschwerde gegen die Festlegung der Erlösobergrenzen wehrt sich der Netzbetreiber in der Regel gegen unterschiedliche Einzelpositionen und rügt z.B. die rechtswidrige Kürzung von Kostenanteilen durch die Regulierungsbehörde oder die fehlerhafte Anwendung bestimmter Methoden wie etwa die Bestimmung des Effizienzwerts. Sein Begehren ist daher, vor Gericht eine höhere als die bislang festgelegte Erlösobergrenze zu erstreiten. Statthaft ist deshalb die Verpflichtungsbeschwerde gemäß § 75 Abs. 3 EnWG, denn eine bloße Aufhebung der Erlösobergrenze im Rahmen der Anfechtungsbeschwerde würde seinem Begehren nicht gerecht.

2. *Bindung an das Begehren der Beschwerde*

Ein Widerspruchsverfahren ist im EnWG wie dargestellt nicht vorgesehen, sodass sich die Frage einer reformatio in peius im engeren Sinne nicht stellt. Fraglich ist aber, welche Grenzen für die Gerichte bestehen. Angesichts der Vielzahl von Einzelthemen, die in die Festlegung einer Erlösobergrenze einfließen, ist diese Fragestellung von erheblicher praktischer Relevanz. So mag ein Netzbetreiber vielleicht nur wegen einzelner, sehr individueller Aspekte, bei denen er keine Einigung mit der BNetzA erzielen konnte, eine Beschwerde gegen die Festlegung der Erlösobergrenzen einlegen. Angesichts hunderter Netzbetreiber sind aber stets verschiedene Beschwerdeverfahren zu Erlösobergrenzen bei den Gerichten anhängig. Es werden daher regelmäßig neue Entscheidungen veröffentlicht, mit denen eine Klärung zum Teil grundsätzlicher Fragen herbeigeführt wird. Nachteilige Entscheidungen könnten dann in das Beschwerdeverfahren eines Netzbetreibers einfließen, ohne dass er die entsprechenden Punkte selbst in seinem Verfahren thematisiert hat.

Vor diesem Hintergrund ist von Bedeutung, ob und in welchem Umfang der Netzbetreiber davor geschützt ist, dass das Beschwerdegericht durch die Überprüfung weiterer Punkte die einmal zugesprochene Erlösobergrenze verschlechtert. Wie im allgemeinen Verwaltungsprozessrecht gilt dabei auch

[24] *BGH*, Beschluss vom 11.11.2008 – EnVR 1/08 – citiworks, Rdnr. 9.

im Energieprozessrecht gemäß § 82 Abs. 1 EnWG der Untersuchungsgrundsatz. Eine ausdrückliche Bindung an das mit der Beschwerde geltend gemachte Begehren entsprechend der Regelung in § 88 VwGO zum Klagebegehren enthält das EnWG allerdings nicht. Wie bereits dargestellt handelt es sich dabei allerdings um einen allgemeinen Grundsatz des Verwaltungsprozessrechts, der unter anderem Ausfluss der Rechtsschutzgarantie in Art. 19 Abs. 4 GG ist.

Folgerichtig hat der BGH auch für das EnWG klargestellt, dass das Gericht auch im Beschwerdeverfahren nach §§ 75 ff. EnWG an das Begehren des Beschwerdeführers gebunden ist. Maßgeblich ist danach der prozessuale Anspruch, also die erstrebte, im Rechtsmittelantrag zum Ausdruck gebrachte Rechtsfolge sowie der Sachverhalt, aus dem sich diese Rechtsfolge ergeben soll.[25] Streitgegenständlich ist damit das vom Beschwerdeführer im Rahmen seines Verpflichtungsbegehrens (§ 75 Abs. 3 S. 1 EnWG) geltend gemachte „Mehr" im Vergleich zur bislang festgelegten Erlösobergrenze. Eine Verschlechterung unterhalb dieses Niveaus durch das Gericht würde daher eine Abweichung von diesem Begehren und damit einen Verstoß gegen die dargelegten Grundsätze bedeuten. Das Gericht ist deshalb nicht berechtigt, den beschwerdeführenden Netzbetreiber durch eine Entscheidung im Vergleich zu seiner Position vor Einlegung der Beschwerde schlechter zu stellen.[26]

3. *Saldierung einzelner Positionen*

Zulässig dürfte dagegen die Saldierung einzelner Positionen sein. Das Gericht ist zwar an das Begehren des Beschwerdeführers gebunden, im Rahmen des Amtsermittlungsgrundsatzes jedoch berechtigt, eine umfassende Ermittlung des Sachverhalts vorzunehmen. Zwar ist das Gericht nicht verpflichtet, Feststellungen der Regulierungsbehörde, die im Beschwerdeverfahren nicht angegriffen worden sind, von Amts wegen zu überprüfen.[27] Gleichwohl bilden einzelne Elemente der Erlösobergrenze nach der Rechtsprechung des BGH grundsätzlich keinen selbstständigen Streitgegenstand. Das Gericht ist deshalb berechtigt, der Beschwerde stattzugeben, wenn es die vom Beschwerdeführer angeführte Begründung für unzutreffend, die Beschwerde aber aus anderen tatsächlichen oder rechtlichen Gründen für zulässig und begründet hält. Dabei sollen sogar solche Elemente des zugrunde liegenden Sachverhalts zu berücksichtigen sein, auf die sich der Beschwerdeführer erst nach Ablauf der Frist zur Beschwerdebegründung gestützt hat.[28]

[25] *BGH*, Beschluss vom 6. November 2012, EnVR 101/10 – E.ON Hanse AG, Rdnr. 27 unter Hinweis auf *BVerwG*, Urteil vom 31. August 2011, 8 C 15/10, BVerwGE 140, S. 290 Rdnr. 20.

[26] *Boos* in: Danner/Theobald, Energierecht, 95. EL Oktober 2017, § 83 EnWG Rdnr. 23.

[27] *BGH*, Beschluss vom 21. Juli 2009, EnVR 12/08, Rdnr. 20.

[28] *BGH*, Beschluss vom 6. November 2012, EnVR 101/10 – E.ON Hanse AG, Rdnr. 230.

Daraus folgt aber umgekehrt, dass auch im Energierecht eine dem Steuerrecht vergleichbare Saldierung positiver und negativer Positionen durch das Gericht zulässig ist. Das Gericht könnte also zu einzelnen Kostenpositionen eine strengere Sicht einnehmen, als dies in der bislang festgelegten Erlösobergrenze der Fall war; diese Verschlechterung würde dann ein Obsiegen des Beschwerdeführers in anderen Punkten wertmäßig wieder reduzieren. Untergrenze ist dabei nach den dargelegten allgemeinen prozessrechtlichen Grundsätzen jedoch jeweils das ursprünglich festgelegte Niveau der Erlösobergrenzen.

In der Praxis dürfte eine Saldierung durch das Gericht jedoch eher selten sein. Unterliegt der Netzbetreiber, wird seine schlicht zurückgewiesen, ohne dass sich die Frage nach einer Saldierung stellt. Im Falle des Obsiegens des Netzbetreibes kommt regelmäßig nur ein Bescheidungsausspruch in Betracht, denn es ist den Gerichten in der Regel nicht möglich, konkrete Positionen unter Korrektur der einzelnen Rechnungsposten selbst festzusetzen. Diese Praxis hat der BGH bereits frühzeitig unter Hinweis auf die Rechtsprechung der Verwaltungsgerichte bestätigt, die bei komplexen Sachverhalten der Behörde unter Beachtung der Rechtsauffassung des Gerichts die Umsetzung der Entscheidung in einen Verwaltungsakt überlassen.[29] Wenn die Gerichte eine Position ermitteln, bei der die Regulierungsbehörde zugunsten des Netzbetreibers zu viel anerkannt hat, beschränken sie sich daher typischerweise auf die Feststellung, dass der Netzbetreiber insoweit nicht beschwert sei.[30] Auch in diesem Fall nimmt das Gericht also keine Verschlechterung durch Saldierung vor.

4. *Bindung an bestandskräftige Teile*

Darüber hinaus kommt eine Verschlechterung selbst im Rahmen der Saldierung nicht in Betracht in Bezug auf Punkte, die nicht streitgegenständlich sind. Auch im Rahmen eines Verpflichtungsbegehrens ist insofern denkbar, einen Verwaltungsakt nur teilweise anzugreifen. Die nicht angegriffenen Teile sind dann bestandskräftig und der Kontrolle durch das Gericht entzogen. In Bezug auf die Festlegung der Erlösobergrenzen könnte eine solche Teilbarkeit hinsichtlich einzelner Kostenpositionen, zumindest aber in Bezug auf einzelne abgrenzbare Bestandteile der Regulierungsformel in Betracht gezogen werden.[31]

[29] *BGH*, Beschluss vom 14. August 2008, KVR 39/07 – Vattenfall, Rdnr. 76; *BGH*, Beschluss vom 14. August 2008, KVR 34/07, Rdnr. 4 ff.

[30] So z.B. zum Umlaufvermögen *BGH*, Beschluss vom 23. Juni 2009, EnVR 19/08, Rdnr. 23.

[31] So noch *Burmeister/Brill/Becker*, in: Rosin et al, EnWG-Praxiskommentar, Stand 3. EL 2012, § 83 Rdnr. 32.

Dies setzt allerdings voraus, dass der Verwaltungsakt teilbar ist. Eine solche Teilbarkeit ist gegeben, wenn der verbleibende, nicht angefochtene Teil als selbstständiger Verwaltungsakt bestehen kann, ohne seine ursprüngliche Bedeutung zu ändern. Steht der verbleibende Teil in einem untrennbaren Zusammenhang mit der Gesamtentscheidung, ist eine Teilbarkeit und damit auch eine Teilanfechtung ausgeschlossen.[32] Der BGH schien ursprünglich eine solche Teilbarkeit von Entgeltgenehmigungen nach § 23a EnWG nicht auszuschließen, wenn er ausführte, dass der Umfang der rechtlichen Kontrolle durch den Netzbetreiber bestimmt wird, der regelmäßig nur bestimmte Punkte der Entgeltberechnung zur Überprüfung durch die Gerichte stellt. Folgerichtig lautete dann auch der Entscheidungstenor, dass der streitgegenständliche Bescheid aufgehoben wurde, *„soweit der Entgeltgenehmigungsantrag abgelehnt worden ist“*.[33]

Später präzisierte der BGH jedoch seine Rechtsprechung zum Streitgegenstand in Beschwerdeverfahren gegen die Festlegung von Erlösobergrenzen gemäß § 4 ARegV und stellte fest, dass der Streitgegenstand gerade nicht auf einzelne Feststellungen beschränkt ist, die der Entscheidung der Regulierungsbehörde zugrunde liegen. Streitgegenstand sei vielmehr wie bereits dargestellt der prozessuale Anspruch, also die erstrebte Rechtsfolge (eine für ihn günstigere Erlösobergrenze) und der zugrunde liegende Sachverhalt (die ursprünglich festgelegte Erlösobergrenze).[34] Darauf Bezug nehmend vertritt das OLG Düsseldorf die Auffassung, dass eine Teilanfechtung der Festlegung von Erlösobergrenzen mangels Teilbarkeit nicht in Betracht komme.[35] Insofern bleibt es aber jedenfalls bei dem allgemeinen Grundsatz, dass die Entscheidung des Gerichts nicht zu einer Erlösobergrenze führen darf, die unter dem bislang festgelegten Niveau liegt.

IV. Verböserung durch Regulierungsbehörde bei Neubescheidung

Obsiegt ein Netzbetreiber zumindest teilweise vor Gericht, hat die Regulierungsbehörde dies nach Rechtskraft der abschließenden Gerichtsentscheidung umzusetzen. Zu klären ist deshalb, ob und in welchem Umfang die Regulierungsbehörde dann die ursprünglich festgelegten Erlösobergrenzen zum Nachteil des Netzbetreibers verschlechtern kann oder sogar muss.

[32] *BVerwG*, NVwZ-RR 1993, 225; *OLG Düsseldorf*, Beschl. v. 09.11.2016 – VI-3 Kart. 88/15, Rdnr. 24; *Pietzcker*, in: Schoch/Schneider/Bier, VwGO, 31. EL 2016, § 42 Rdnr. 13 m.w.N.

[33] *BGH*, Beschluss vom 14. August 2008, KVR 39/07 – Vattenfall, Tenor und Rdnr. 77.

[34] *BGH*, Beschluss vom 6. November 2012, EnVR 101/10 – E.ON Hanse AG, Rdnr. 28.

[35] *OLG Düsseldorf*, Beschluss vom 23. September 2015, VI-3 Kart 113/13 [V], Rdnr. 44.

1. Bindungswirkung des Bescheidungsausspruchs

Der Netzbetreiber begehrt mit einer Verpflichtungsbeschwerde gemäß § 75 Abs. 3 EnWG die Festlegung einer höheren Erlösobergrenze. Soweit der Netzbetreiber obsiegt, spricht das Beschwerdegericht gemäß § 83 Abs. 4 EnWG die Verpflichtung der Regulierungsbehörde aus, die beantragte Entscheidung vorzunehmen. Wie bereits dargestellt kommt aber nach der Rechtsprechung des BGH in Beschwerdeverfahren hinsichtlich der Kalkulation der Netzentgelte im Falle des Obsiegens des Netzbetreibers regelmäßig nur ein Bescheidungsausspruch in entsprechender Anwendung von § 113 Abs. 5 S. 2 VwGO in Betracht. In diesen Fällen ist es den Gerichten meist nicht möglich, unter Korrektur der einzelnen Rechnungspositionen auf konkrete Netznutzungsentgelte zu erkennen.[36] Diese zur Entgeltgenehmigung nach § 23a EnWG vom BGH bestätigte Vorgehensweise wird seit Beginn der Anreizregulierung auch in Beschwerdeverfahren über Erlösobergrenzen praktiziert.[37]

Durch einen derartigen Bescheidungsausspruch wird mit Rechtskraft festgestellt, dass die Ablehnung oder Unterlassung der begehrten Erlösobergrenze den Netzbetreiber in seinen Rechten verletzt und er einen Anspruch auf Bescheidung der von ihm beanspruchten Positionen unter Beachtung der Rechtsauffassung des Gerichts hat. Die Rechtskraft umfasst dabei nicht nur die Verpflichtung der Behörde, überhaupt neu zu entscheiden. Sie ist vielmehr an die vom Gericht ausgesprochene Rechtsauffassung gebunden, wobei diese Rechtauffassung nicht nur aus dem Tenor der Entscheidung, sondern auch aus den tragenden Gründen zu ermitteln ist.[38] Gemäß § 121 VwGO gilt die Bindungswirkung dabei, soweit über den Streitgegenstand entschieden worden ist. In Bezug auf den Streit über die Festlegung der Erlösobergrenzen erstreckt sie sich also auf diejenigen Punkte, über die das Gericht in seinen tragenden Gründen entschieden hat. Insoweit ist es der Regulierungsbehörde daher grundsätzlich nicht mehr gestattet, mit derselben Begründung zu denselben Punkten zum Nachteil des Netzbetreibers zu entscheiden.

In zeitlicher Hinsicht ist zu beachten, dass die Regulierungsbehörde mit Rückwirkung auf den ursprünglichen Zeitpunkt des erstmaligen Wirksamwerdens der angegriffenen Festlegung der Erlösobergrenzen entscheidet.[39] Da die Erlösobergrenzen gemäß § 4 Abs. 2 ARegV zu Beginn jeder Regu-

[36] *BGH*, Beschluss vom 14. August 2008, KVR 34/07, Rdnr. 4 ff.

[37] *BGH*, Beschluss vom 28. Juni 2011, EnVR 48/10 – EnBW Regional AG: Im Tenor wird die Bundesnetzagentur verpflichtet, den Netzbetreiber *„unter Beachtung der Rechtsauffassung des Senats neu zu bescheiden“*.

[38] *BVerwGE* 29, 1, 3; *Wolff*, in: Sodan/Ziekow, Verwaltungsgerichtsordnung Großkommentar, 4. Aufl. 2014, § 113 Rdnr. 448.

[39] Vgl. *BGH*, Beschluss vom 14. August 2008, KVR 34/07, Rdnr. 8 zu der entsprechenden Konstellation bei der Entgeltgenehmigung nach § 23a EnWG; *Missling*, in: Danner/Theobald, Energierecht, 95. EL Oktober 2017, § 23a EnWG Rdnr. 225.

lierungsperiode für jedes Kalenderjahr der gesamten Regulierungsperiode zu bestimmen sind, wird die Neubescheidung jeweils auf den Beginn der Regulierungsperiode zurückwirken. Damit gilt im Grundsatz zunächst, dass die Bundesnetzagentur die Erlösobergrenzen noch einmal insgesamt neu festzulegen hat, dabei aber zugunsten des Netzbetreibers diejenigen Punkte berücksichtigen muss, hinsichtlich derer er vor Gericht obsiegt hat.

2. *Verböserungsfälle*

Nicht abschließend geklärt ist bislang, ob und in welchem Umfang die Regulierungsbehörden eine Veränderung derjenigen Positionen vornehmen dürfen, über die nicht mit Bindungswirkung im gerichtlichen Verfahren entschieden wurde. Jenseits der bislang eher pauschalen Rechtsprechung zu dieser Thematik sind daher verschiedene Sachverhaltskonstellationen in den Blick zu nehmen.

a) Keine gerichtliche Klärung

Auf einen diesbezüglichen Feststellungsantrag eines Netzbetreibers hat das OLG Düsseldorf zur Entgeltgenehmigung nach § 23a EnWG entschieden, dass die Regulierungsbehörde *„im Rahmen der Neubescheidung an einer „Verböserung“ anderer, nicht angegriffener Kalkulationsansätze und Berechnungsmethoden nicht gehindert“* sei. Diese wären nicht Gegenstand der gerichtlichen Prüfung gewesen, weshalb der Senatsbeschluss insofern keine Bindungswirkung entfalte.[40] Der BGH hat diese Rechtsprechung ohne vertiefte Auseinandersetzung mit der Thematik bestätigt und lediglich auf die Möglichkeit des Widerrufs der Entgeltgenehmigung nach § 23a Abs. 4 S. 1 EnWG verwiesen.[41]

Diese sehr pauschale Sichtweise mag zutreffend sein, soweit damit der im konkreten Verfahren vom Netzbetreiber gestellte uneingeschränkte Antrag auf Feststellung des Verbots einer Verböserung zurückgewiesen wurde.[42] Der Antrag enthält keinerlei Einschränkungen oder Bezugnahmen auf bestimmte Sachverhaltskonstellationen und diente offenbar nur der erwünschten Klärung der Thematik durch die Gerichte. Die entsprechende Begründung des OLG Düsseldorf entspricht insoweit den dargestellten Grundsätzen des all-

[40] *OLG Düsseldorf*, Beschluss vom 24. Oktober 2007, VI-3 Kart 8/07, Rdnr. 114.

[41] *BGH*, Beschluss vom 25. September 2008, EnVR 81/07, Rdnr. 24 (in der Rechtsbeschwerde zu einem Parallelverfahren zu der in voranstehender Fußnote genannten Entscheidung des OLG Düsseldorf).

[42] In der Beschwerdeinstanz lautete der Antrag: *„es dürfen die übrigen Kalkulationsansätze und Berechnungsmethoden nicht zu Lasten der Antragstellerin gegenüber den dem Bescheid vom 12.12.2006 zu Grunde liegenden Kalkulationsansätzen und Berechnungsmethoden verändert werden“*, *OLG Düsseldorf*, Beschluss vom 24. Oktober 2007, VI-3 Kart 3/07, Rdnr. 9.

gemeinen Verwaltungsprozessrechts, wonach der Bescheidungsausspruch nur in Bezug auf die vom Gericht behandelten Themen Bindungswirkung entfaltet.

Ein generelles und absolutes Verböserungsverbot besteht daher für die Regulierungsbehörden bei der Neubescheidung in der Tat nicht. Entscheidend ist somit, ob und unter welchen Voraussetzungen die Regulierungsbehörde bei der von ihr infolge des Beschwerdeverfahrens vorzunehmenden Neubescheidung hinsichtlich der Punkte, die nicht Gegenstand des Gerichtsverfahrens waren, von ihrer ursprünglich festgelegten Erlösobergrenze abweichen kann.

b) Änderung der Sach- und Rechtslage

Entsprechend dem Grundsatz der Gesetzmäßigkeit der Verwaltung hat die Regulierungsbehörde bei der Neubescheidung die zu diesem Zeitpunkt maßgebliche Sach- und Rechtslage zu beachten. Die objektive Sach- und Rechtslage zum Zeitpunkt des Erlasses des Verwaltungsakts ist entscheidend für seine rechtliche Beurteilung.[43] Hat sich die Sach- und Rechtslage somit im Vergleich zu dem Zeitpunkt des ursprünglichen Erlasses der Festlegung der Erlösobergrenzen geändert, muss dies von der Regulierungsbehörde bei der Neubescheidung beachtet werden. Dies betrifft sogar diejenigen Punkte, über die das Gericht mit Bindungswirkung entschieden hat, denn ändert sich die Sach- und Rechtslage nach Erlass der Entscheidung zum Nachteil des Netzbetreibers, so entfällt diese Bindungswirkung.[44]

Zu beachten ist aber, dass diese Änderung nur ex nunc ab dem Zeitpunkt zu berücksichtigen ist, zu dem sie wirksam wird. Eine erst zu einem bestimmten Zeitpunkt im Laufe der Regulierungsperiode eingefügte gesetzliche Neuregelung kann deshalb nicht über den Umweg der Neubescheidung bereits auf den Beginn der Regulierungsperiode zurückwirken. Ebenso kann eine erst im Laufe der Regulierungsperiode eingetretene geänderte Sachlage nicht im Rahmen der Neubescheidung rückwirkend auf den Beginn der Regulierungsperiode berücksichtigt werden. Dies folgt aus der Natur der Festlegung der Erlösobergrenzen als Verwaltungsakt mit Dauerwirkung. Derartige Verwaltungsakte können durch spätere Sach- oder Rechtsänderungen rechtswidrig werden, auch wenn sie ursprünglich rechtmäßig waren.[45]

Für die Festlegung der Erlösobergrenzen bedeutet dies, dass eine spätere Änderung der Sach- und Rechtslage grundsätzlich im Rahmen der Neubescheidung infolge eines Gerichtsverfahrens zu berücksichtigen ist. Es ist allerdings im Einzelfall genau zu prüfen, auf welchen Zeitpunkt diese Änderung wirkt und ob sie tatsächlich rückwirkend zu Beginn der Regulierungs-

[43] *Sachs* (o. Fn. 21), § 44 Rdnr. 16.
[44] *Wolff* (o. Fn. 38), § 113 Rdnr. 449; *Schenke* (o. Fn. 11), § 113 Rdnr. 214.
[45] *Stelkens*, in: Stelkens/Bonk/Sachs, VwVfG, 9. Aufl. 2018, § 35 Rdnr. 223.

periode berücksichtigt werden darf. In der Regel wird daher eine derartige Änderung nur ex nunc ab ihrem Wirksamwerden überhaupt berücksichtigt werden können.

c) Berücksichtigung neuer Rechtsprechung

Eine andere Situation ergibt sich, wenn seit der ursprünglichen Festlegung der Erlösobergrenzen neue (höchstrichterliche) Rechtsprechung ergangen ist, aus der eine abweichende Bewertung des seinerzeit entschiedenen Sachverhalts folgt. Zwar wird dies regelmäßig nur von Bedeutung sein, wenn der Bundesgerichtshof zugunsten der Netzbetreiber entschieden hat, da ansonsten die Position der Regulierungsbehörden bestätigt wird, die bereits Eingang in die festgelegten Erlösobergrenzen gefunden hat. Dennoch ist theoretisch auch der umgekehrte Fall denkbar, etwa wenn festgestellt wird, dass eine bestimmte Prüfpraxis der Regulierungsbehörden weniger streng war, als gesetzlich gefordert.[46]

Während förmliche Gesetzesänderungen erst mit ihrer Verkündung Wirksamkeit erlangen und grundsätzlich für die Zukunft (ex nunc) gelten, beansprucht die Gesetzesauslegung nach Maßgabe der höchstrichterlichen Rechtsprechung nicht erst für die Zukunft, sondern bereits für die Vergangenheit (ex tunc) Geltung. Die Grundsätze über den zeitlichen Geltungsbereich von Gesetzen finden keine Anwendung auf die höchstrichterliche Rechtsprechung.[47] Dies ergibt sich daraus, dass das Ziel der Auslegung durch die Gerichte die Erfassung des Regelungsinhalts der Gesetze ist, d. h. die Ermittlung des Willens des historischen Gesetzgebers, so wie er im Gesetz seinen Ausdruck gefunden hat. Es kommt somit auf den der Norm vom Gesetzgeber ursprünglichen mit gegebenen, „subjektiven" Sinn an.[48] Die höchstrichterliche Rechtsprechung klärt also die dem Gesetz von Beginn an innewohnende Bedeutung.

Vor diesem Hintergrund sind Fälle denkbar, in denen zwischenzeitlich festgestellt wurde, dass eine Norm zulasten der Netzbetreiber nachteiliger wirkt, als dies von der Regulierungsbehörde ursprünglich praktiziert wurde. Bei der Neubescheidung muss die an die Rechtslage gebundene Regulierungsbehörde dann diese Rechtsprechung umsetzen. Insoweit dürfte dem Netzbetreiber auch in Bezug auf den ursprünglich festgelegten Mindestbetrag kein Vertrauen zustehen. Die materielle Gerechtigkeit kann zwar typischerweise zurücktreten, wenn das Prinzip der Rechtssicherheit in Form bestandskräftiger Verwaltungsakte Vorrang genießt. Vorliegend ist aber der Verwaltungsakt gerade nicht bestandskräftig und die Regulierungsbehörde im Rahmen

[46] Vergleiche z.B. zur pauschalen Kürzung des Umlaufvermögens, *BGH*, Beschluss vom 23. Juni 2009, EnVR 19/08, Rdnr. 23.

[47] *BGH*, Urteil vom 23. November 1964, II ZR 180/61.

[48] *Hillgruber*, in: Maunz/Dürig, 78. EL 2016, Art. 97 GG Rdnr. 57.

der Gesetzmäßigkeit der Verwaltung gehalten, die geltende Rechtslage zu beachten. Voraussetzung ist allerdings, dass tatsächlich eine von den Regulierungsbehörden zugunsten der Netzbetreiber praktizierte Vorgehensweise für rechtswidrig erklärt wird.[49]

Angemerkt sei, dass dies nicht nur zu Lasten, sondern insbesondere auch zugunsten der Netzbetreiber gilt. Aus diesem Grund lässt es der Bundesgerichtshof auch zu, dass ein Netzbetreiber sein Begehren, eine höhere Erlösobergrenze zu erlangen, im Gerichtsverfahren auch nachträglich noch mit weiteren Aspekten begründet.[50] Dies gilt auch für die im Anschluss an das Gerichtsverfahren folgende Neubescheidung durch die Regulierungsbehörden.

d) Neue Einschätzung der Regulierungsbehörde

Denkbar ist auch, dass sich weder die Sach- und Rechtslage noch die Rechtsprechung geändert haben, sondern lediglich die Regulierungsbehörde ihre Auffassung zu einer bestimmten Position fortentwickelt hat.[51] Wenn es sich um eine Position handelt, die nicht von der Bindungswirkung des Bescheidungsausspruchs umfasst ist, könnte die Regulierungsbehörde sich veranlasst sehen, diesen Punkt bei der Neubescheidung zum Nachteil des Netzbetreibers zu verschlechtern.

Eine derart weitgehende Verböserung ist jedoch unzulässig. Dies ergibt sich zunächst schon aus dem Grundsatz der Selbstbindung der Verwaltung. Der Grundsatz der Selbstbindung der Verwaltung ist Ausdruck des allgemeinen Gleichheitssatzes des Art. 3 Abs. 1 GG. Aus diesem folgt, dass die zuständige Behörde ihr Ermessen in gleichliegenden Fällen in gleicher Weise auszuüben hat. Das bedeutet, dass gleichgelagerte Sachverhalte nicht unterschiedlich behandelt werden dürfen. Die Behörde darf nicht ohne sachlichen Grund im Einzelfall von einer bestehenden Verwaltungspraxis abweichen.[52] Der Grundsatz der Selbstbindung der Verwaltung ist auch bei Regulierungs-

[49] Dies war letztlich bei dem in Fn. 46 genannten Beispiel der Kürzung des Umlaufvermögens gar nicht der Fall: Die Regulierungsbehörden hatten eine pauschale Kürzung des Umlaufvermögens vorgenommen und der Netzbetreiber empfand diese als zu weitgehend. Der BGH stellte dann fest, der Netzbetreiber habe gar kein Umlaufvermögen nachgewiesen und könne sich deshalb nicht über die Kürzung auf ein pauschales Niveau beschweren. Darin lag aber keine Feststellung, dass die pauschale Kürzung der Regulierungsbehörde rechtswidrig war, auch wenn die Bundesnetzagentur dies im Nachgang stets – unzutreffend – behauptet hat.

[50] *BGH*, Beschluss vom 6. November 2012, EnVR 101/10 – E.ON Hanse AG, Rdnr. 28.

[51] Im Laufe der 2. Regulierungsperiode gelangte die Beschlusskammer 9 (Netzentgelte Gas) beispielsweise zu der Meinung, der Nachweis des Umlaufvermögens müsse über die Vorlage einer Kosten- und Erlösrechnung erfolgen. Dieser bei der ursprünglichen Festlegung der Erlösobergrenzen nicht geforderte Nachweis wurde nun in Fällen verlangt, in denen es aufgrund von Gerichtsverfahren zu einer Neubescheidung kam.

[52] *BVerwG*, NJW 1957, 1412; NJW 1979, 561; *Kirchhof*, in: Maunz/Dürig, GG, 78. EL. 2016, Art. 3 Rdnr. 285; *Sachs* (o. Fn. 21), § 40 Rdnr. 123.

entscheidungen der Bundesnetzagentur zu beachten.[53] Für die Festlegung der Erlösobergrenzen folgt daraus, dass die Regulierungsbehörde nicht ohne Weiteres ihre Meinung zur Behandlung bestimmter Kostenpositionen ändern und dies nur gegenüber einigen Netzbetreibern umsetzen kann, ohne dass sich an der Sach- oder Rechtslage etwas geändert hat. Die Regulierungsbehörde muss sich vielmehr an die Praxis halten, die in gleichgelagerten Fällen angewendet wurde. Eine Änderung dieser Praxis könnte dann allenfalls zur nächsten Regulierungsperiode für alle betroffenen Netzbetreiber gleichermaßen erfolgen.

Eine Abweichung von der bisherigen Prüfpraxis wäre zudem auch unzulässig, weil die Änderung der Rechtsmeinung der Regulierungsbehörde und die daraus resultierende geänderte Entscheidungspraxis für den Netzbetreiber zu keinem Zeitpunkt erkennbar war. Insofern ähnelt die Situation der vom BGH bereits entschiedenen unterschiedlichen Behandlung der Netzbetreiber bei der Korrektur von Fehlern in der Erlösobergrenze. In jener Konstellation ist auf Seiten der Regulierungsbehörde ein vom Netzbetreiber nicht erkennbarer Fehler bei der Berechnung der Effizienzwerte aufgetreten. Die Korrektur dieses Fehlers sollte dann nur in denjenigen Fällen erfolgen, in denen die Festlegung der Erlösobergrenzen noch nicht bestandskräftig war. Diese Unterscheidung zwischen bestandskräftigen und nicht bestandskräftigen Festlegung von Erlösobergrenzen hält der BGH für nicht sachgerecht.[54]

Auch vorliegend konnte der Netzbetreiber bei Einlegung der Beschwerde und Durchführung des Gerichtsverfahrens nicht absehen, dass die Bundesnetzagentur zu bestimmten Punkten eine andere Position einnehmen würde und diese Fragestellung daher gar nicht zum Gegenstand des Gerichtsverfahrens machen. Zwar wird zum Teil vertreten, dass Vertrauen eines Beschwerdeführers in den Bestand des Verwaltungsaktes sei weniger schutzwürdig, wenn er den Verwaltungsakt selbst vor Gericht angegriffen hat.[55] Gleichwohl sprechen Gesichtspunkte des Vertrauensschutzes dagegen, eine – zumal auf den Beginn der Regulierungsperiode zurückwirkende – Verböserung zu Lasten des Netzbetreibers aufgrund einer bloß geänderten Einschätzung oder anderen Prüfmethodik vorzunehmen. In Bezug auf die nicht im gerichtlichen Beschwerdeverfahren diskutierten Punkte ist die Situation insoweit vergleichbar mit der nachträglichen Änderung einer Festlegung gemäß § 29 Abs. 2 EnWG. Hierzu hat der BGH festgestellt, dass diese Regelung, anders als die allgemeinen Vorschriften der §§ 48, 49 VwVfG, keine ausdrücklichen Regelungen zum Vertrauensschutz enthält. Gleichwohl sind Gesichtspunkte des Vertrauensschutzes im Rahmen der Ermessensabwägung zu berücksich-

[53] *BGH*, Beschl. vom 23.06.2009 – EnVR 19/08, Rdnr. 8 f.

[54] *BGH*, Beschluss vom 23. Januar 2018, EnVR 5/17 – Stadtwerke Wedel GmbH, Rdnr. 22.

[55] *Sachs* (o. Fn. 21), § 48 Rdnr. 149.

tigen, weshalb Änderungen nach § 29 Abs. 2 S. 1 EnWG in der Regel nur mit Wirkung für die Zukunft angeordnet werden können.[56]

Ähnlich verhält es sich vorliegend, wenn die Regulierungsbehörde ohne Änderung der Sach- und Rechtslage oder neue höchstrichterliche Rechtsprechung eine bloß geänderte Einschätzung zum Anlass nehmen würde, bei der Neubescheidung eine Verböserung einzelner Positionen vorzunehmen.[57] Unter Berücksichtigung der voranstehenden Erwägungen zum Grundsatz der Selbstbindung der Verwaltung ist daher eine Verböserung der Festlegung der Erlösobergrenzen im Rahmen der Neubescheidung aufgrund einer nur geänderten Rechtsauffassung bei unveränderter Sach- und Rechtslage unzulässig.

V. Ergebnis

Bei näherer Betrachtung lässt sich feststellen, dass das Risiko einer Verböserung der ursprünglich festgelegten Erlösobergrenze infolge der Durchführung eines gerichtlichen Beschwerdeverfahrens auf einige wenige Konstellationen beschränkt ist. Dabei ist eine unmittelbare Verschlechterung durch die Entscheidung des Gerichts bereits grundsätzlich ausgeschlossen. Nach allgemeinen prozessualen Grundsätzen ist das Gericht an das Begehren des Beschwerdeführers gebunden und darf hiervon nicht zu seinen Lasten abweichen.

Die Regulierungsbehörde kann dagegen bei der Neubescheidung im Nachgang zu einem (teilweisen) Obsiegen des Netzbetreibers weitere Änderungen an der ursprünglich festgelegten Erlösobergrenze vornehmen. Dies setzt allerdings voraus, dass eine Änderung der Sach- oder Rechtslage eingetreten ist, die von der Regulierungsbehörde berücksichtigt werden muss. Dabei ist genau in den Blick zu nehmen, ob und insbesondere ab wann sich diese Änderung auf die Neufestlegung der Erlösobergrenzen für die laufende Regulierungsperiode überhaupt auswirkt.

Eine uneingeschränkte Verböserung droht dem Netzbetreiber daher nur, wenn seit der ursprünglichen Festlegung der Erlösobergrenzen höchstrichterliche Rechtsprechung ergangen ist, mit der die bisherige Prüfpraxis der Regulierungsbehörden zu Lasten der Netzbetreiber korrigiert wird. Dieser Fall dürfte in tatsächlicher Hinsicht aber ausgesprochen selten sein, weil aufgrund der Natur der prozessualen Konstellation die Vorgehensweise der

[56] *BGH*, Beschluss vom 12. Juli 2016, EnVR 15/15 – Unbefristete Genehmigung, Rdnr. 29 ff.

[57] In diesem Sinne auch *BGH*, Beschluss vom 12. Juli 2016, EnVR 15/15 – Unbefristete Genehmigung, Rdnr. 37 ff.

Regulierungsbehörden vor Gericht entweder bestätigt oder zugunsten der Netzbetreiber korrigiert wird.

Eine über diese Konstellationen hinausgehende Verböserung zulasten des Netzbetreibers ist unzulässig. Insbesondere ist es der Regulierungsbehörde verwehrt, bei unveränderter Sach- und Rechtslage eine bloß geänderte Einschätzung zur Prüfpraxis zum Anlass zu nehmen, bei der Neubescheidung die Erlösobergrenze zu verschlechtern.

Die Billigkeitskontrolle von Netznutzungsentgelten

Jürgen Kroneberg*

I. Einleitung

Seit Beginn der Liberalisierung des Energiemarktes im Jahr 1998 ist die Billigkeitskontrolle von Netznutzungsentgelten gemäß § 315 BGB immer wieder im Blickpunkt der Zivilrechtsprechung[1] und Literatur[2]. Ulrich Büdenbender hat eine Vielzahl von wissenschaftlichen Beiträgen zum Thema der *Kontrolle der Energiepreise*[3] insbesondere auch der Netzentgelte veröffentlicht[4]. Vor diesem Hintergrund liegt es nahe, in der Festschrift zu seinem 70. Geburtstag einen Überblick über die Billigkeitskontrolle der Netznutzungsentgelte gem. § 315 BGB und die damit verbundene Parallelität der regulatorischen- und der zivilgerichtlichen Billigkeitskontrolle gem. § 315 BGB zu geben.

* Vorsitzender des Aufsichtsrats u.a. der EEX AG und der ECC AG, Of Counsel bei White & Case LLP, Düsseldorf.

[1] *BGH,* BGHZ 164, 336 ff. (Stromnetznutzungsentgelt I); *BGH,* ZNER 2006, 136 ff. (Stromnetznutzungsentgelt II); *BGH,* ZNER 2008, 154 ff.; (Stromnetznutzungsentgelt III); *BGH,* RdE 2010, 385ff. (Stromnetznutzungsentgelt IV); *BGH,* NJW 2012, 3092 ff. (Stromnetznutzungsentgelt V).

[2] *Metzger*, Energiepreise auf dem Prüfstand: Zur Entgeltkontrolle nach Energie-, Kartell- und Vertragsrecht, ZHR 172 (2008) 458 ff.; *Rieke*, Zivilrechtliche Auswirkungen der Netzentgeltregulierung, Festschrift für das OLG Celle, 2011, S. 431 ff.; *Kling*, Die Rechtskontrolle von Netzentgelten im Energierechtssektor, 2013, S. 117 ff.; *Fricke*, Die gerichtliche Kontrolle von Entgelten der Energiewirtschaft, 2014, S. 570 ff.; *Mohr*, Sicherung der Vertragsfreiheit durch Wettbewerbs- und Regulierungsrecht, 2015, S. 823 ff.; *Säcker*, Effektiver Rechtsschutz vor den Zivilgerichten, Festschrift für Wolfgang Krüger, S. 455 ff.; *Grünberg*, RdE 2018, 53 ff.

[3] *Büdenbender*, Die Kartellaufsicht in der Energiewirtschaft, 1995; ders., Die Zulässigkeit der Preiskontrolle von Fernwärmeversorgungsverträgen nach § 315 BGB, 2005, S.183 ff.; *ders.* Die Bedeutung der Preismissbrauchskontrolle nach § 315 in der Energiewirtschaft, NJW 2007, 945ff.; *ders.*, Die Kartellrechtliche Kontrolle der Fernwärmepreise, 2011; *ders.*, Die Rechtsprechung des BGH zu Preisanpassungen in der Elektrizitäts- und Gaswirtschaft; ZIP 2017, 1041 ff.

[4] *Büdenbender*, Die Kontrolle von Durchleitungsentgelten in der leitungsgebundenen Energiewirtschaft; *ders.*, Die preisrechtliche Behandlung von Netznutzungsentgelten, ZIP 2003, 931 ff.; *ders.*, Verbändevereinbarungen im Energierecht, 2003; *ders.*, Kartellrechtliche Kontrolle der Netznutzungsentgelte nach dem Vergleichsmarktprinzip, 2004; *ders.* Anmerkung zu BGH Urteil EnZR 105/10 (StromnetznutzungsentgeltV), EWiR 2013, 3 f.

Mit den letzten *BGH* Urteilen[5] zur Indizwirkung von Netzentgeltgenehmigungen im Rahmen der Billigkeitskontrolle und dem Nichtannahmebeschluss des *BVerfG*[6] ist die bisherige gefestigte Zivilrechtsprechung zur Billigkeitskontrolle von genehmigten Netznutzungsentgelten zu einem vorläufigen Abschluss gebracht worden. Das *BVerfG* hat die Indizwirkung der Entgeltgenehmigungen der Regulierungsbehörden im Rahmen der Billigkeitskontrolle aus verfassungsrechtlicher Sicht nicht beanstandet.

Das *BVerfG* betont, dass der Gesetzgeber *„mit der Entscheidung für die ex-ante Regulierung der Rechtssicherheit im Gegensatz zum individuellen Kostenfeststellungsinteresse ein größeres Gewicht zugebilligt“* habe.[7] Durch das behördliche Genehmigungsverfahren würde das einseitige Leistungsbestimmungsrecht aus § 315 BGB beschränkt. Es finde bereits eine öffentlichrechtliche Überprüfung der Netzentgelte statt. Aus diesem Grunde sieht es die vom *BGH* aufgestellten Anforderungen an die Darlegungen zur Erschütterung der Indizwirkung nicht als sachfremd an. Unter diesen eingeschränkten Voraussetzungen wird die zivilgerichtliche Billigkeitskontrolle der von einer Regulierungsbehörde genehmigten Netznutzungsentgelte vom *BVerfG* nicht in Frage gestellt.[8]

Demgegenüber hat der *EuGH*[9] in seinem Urteil am 9. November 2017 auf dem Eisenbahnsektor eine andere Richtung eingeschlagen. Er hat die Parallelität von zivilgerichtlicher Billigkeitskontrolle der Eisenbahnnetzinfrastrukturentgelte und der Überwachung durch die Regulierungsstelle als unionsrechtswidrig angesehen. Es stützt die Annahme der Unionsrechtswidrigkeit vor allem auf eine Analyse der speziellen europäischen Regelungen der Eisenbahnzugangsrichtlinie 2001/14/EG und der Eisenbahnrichtlinie 2012/34/EU. Dazu gehöre unionsrechtlich u. a. die garantierte Unabhängigkeit der Eisenbahninfrastrukturbetreiber und deren weiter Gestaltungsspielraum bei der Festlegung ihrer Entgelte. Weiterhin weist der *EuGH* auf die institutionelle Doppelzuständigkeit bei der Prüfung der Wegeentgelte hin, nämlich auf der einen Seite die exklusive Zuständigkeit der Regulierungsstelle und auf der anderen Seite die Billigkeitskontrolle der Zivilgerichte. Letztere würden bei ihrer zivilrechtlichen Prüfung funktionale Verwaltungstätigkeiten ausüben und damit als zweite Regulierungsstelle auftreten. Der *EuGH* sieht darin einen unionsrechtswidrigen Eingriff der Zivilgerichte in die Zuständigkeit der Regulierungsstelle.[10]

Sind diese Ausführungen des *EuGH* übertragbar auf den Energiesektor oder handelt es sich um eine sektorenspezifische Analyse der unionsrecht-

[5] u.a. *BGH*, RdE 2016, 401 ff.; zur Indizwirkung auch *BGH*, NJW 2012, 3092 ff.
[6] *BVerfG*, N&R 2018, 45 ff.
[7] *BVerfG*, N&R 2018, 45 (47 Rn. 37).
[8] *BVerfG*, N&R 2018, 45 (47 Rn. 38).
[9] *EuGH*, N&R 2018, 50 ff.
[10] *EuGH*, N&R 2018, 50 ff. (55 Rn. 103).

lichen Anforderungen an den Eisenbahnsektor? Bevor diese Frage weiterverfolgt wird, wird zunächst ein kurzer Überblick über die Entwicklung der Rechtsprechung zur Billigkeitskontrolle von Netzentgelten in den letzten zwei Jahrzenten gegeben werden. Vor diesem Hintergrund wird dann anschließend die Übertragbarkeit der unionsrechtlichen Ausführungen des *EuGH* Urteils auf den Energiesektor in einem kurzen Überblick schwerpunktmäßig unter bestimmten rechtlichen Aspekten beleuchtet.

II. Die zivilrechtliche Billigkeitskontrolle vor Einführung des EnWG 2005

Gesetzlicher Ausgangspunkt für die zivilrechtliche Billigkeitskontrolle der Netzentgelte ist § 315 BGB. Danach soll die einseitige Leistungsbestimmung durch den Bestimmungsberechtigten nach billigem Ermessen erfolgen. Das *„billige Ermessen"* ist in zweierlei Hinsicht zu konkretisieren: es gibt erstens nicht die eine *„richtige Entscheidung"*, der Bestimmungsberechtigte hat einen Ermessensspielraum. Das Ermessen muss zweitens *DER BILLIGKEIT* entsprechen. Dieser Maßstab ist Rahmen der Überprüfung von Tarifpreisen/ Netzentgelten kein individueller, sondern er muss aus der typischen Interessenlage der Vertragsparteien, der Netznutzer und den für dessen Ausgestaltung maßgeblichen energierechtlichen Vorgaben gewonnen werden.[11]

Die ersten Entscheidungen des *BGH*[12] bezogen sich auf den Zeitraum der Verbändevereinbarung Strom II plus vom 13. Dezember 2001[13]. Sie enthielten grundsätzliche Weichenstellungen im Hinblick auf die Billigkeitskontrolle von Netzentgelten, deren Kalkulation auf der für einen bestimmten Zeitraum verrechtlichten Kalkulationsmethode der Anlage 3 der Verbändevereinbarung Strom II plus vom Dezember 2001[14] beruhten (§ 6 Abs. 1 S. 5 EnWG 2003). Bei Einhaltung der Verbändevereinbarung wurde danach bis zum 31.12.2003 die Erfüllung der Bedingungen guter fachlicher Praxis vermutet.[15] Der *BGH* hat den Netzbetreibern bei der Bildung der allgemeinen Entgelte für die Netznutzung nach Anlage 3 der Verbändevereinbarung Strom II plus ein vertraglich eingeräumtes oder ein von Gesetzes wegen bestehendes einseitiges Leistungsbestimmungsrecht zuerkannt. Weder aus

[11] *BGH*, ZNER 2008, 154 ff. (Stromnetznutzungsentgelt III).

[12] *BGH*, BGHZ 164, 336 ff. (Stromnetznutzungsentgelt I); *BGH*, ZNER 2006, 136 ff. (Stromnetznutzungsentgelt II); *BGH*, ZNER 2008, 154 ff. (Stromnetznutzungsentgelt III) und *BGH*, RdE 2010, 385 ff. (Stromnetznutzungsentgelt IV).

[13] Verbändevereinbarung Strom II plus in Franz Jürgen Säcker (Hrsg.), Reform des Energierechts, 2003 S. 234 ff.

[14] Anlage 3 der Verbändevereinbarung II plus in Franz Jürgen Säcker (Hrsg.), Reform des Energierechts, 2003 S. 241 ff.

[15] *BGH*, BGHZ 164, 336 (345 f.) (Stromnetznutzungsentgelt I).

dem Günstigkeitsprinzip noch aus der Bindung an die gute fachliche Praxis ergäben sich Preisfindungskriterien, die ein Ermessen bei der Ermittlung, Ausgestaltung und Gewichtung der preisbildenden Faktoren ausschließen würden.[16] Die Darlegungs- und Beweislast obliege dem Netzbetreiber als Inhaber des Leistungsbestimmungsrechtes für die Billigkeit des Netzentgelts auch bei Vorliegen einer Preisgenehmigung[17] nach § 12 BTOElt[18].

Der *BGH* folgte daher nicht der Rechtsauffassung des *KG Berlin*[19]. Das *KG Berlin* bejahte ausdrücklich die Indizwirkung der Tarifgenehmigung im Hinblick auf die Billigkeit und Angemessenheit der Tarife. Es sei daher regelmäßig von der Ordnungsmäßigkeit der behördlichen Tarifgenehmigung auszugehen.

Nach Auffassung des BGH beschränkte sich die öffentliche Wirkung der Genehmigung auf das Verhältnis der Behörde zum Genehmigungsempfänger und sei für die privatrechtliche Überprüfung einseitig festgesetzter Entgelte am Maßstab des § 315 Abs. 3 BGB nicht präjudiziell.[20] Ihr möge zwar ein gewisses Indiz für die Billigkeit der Tarife zukommen.[21] Sie entbinde den Netzbetreiber aber nicht von seiner Darlegungslast, sondern könne allenfalls bei der abschließenden Bewertung der Billigkeit der Tarife maßgebliche Bedeutung erlangen.[22]

III. Die zivilrechtliche Billigkeitskontrolle unter EnWG 2005

Unter dem EnWG 2005 wurde die Netzentgeltgenehmigung gem. § 23a EnWG eingeführt. Es war das Ziel des Gesetzgebers, mit der Einführung der ex-ante Kontrolle rechtssichere Bedingungen des Netzzugangs für Netzbetreiber und Netznutzer zu schaffen. Die genehmigten Entgelte sollten zu

[16] *BGH*, BGHZ 164, 336, 341.

[17] Preisgenehmigung beinhaltet auch die Genehmigung der Netzentgelte: *Ulrich Büdenbender*, Die preisrechtliche Behandlung vom Netznutzungsentgelten, ZIP 2003, 931 ff.; a.A. *Arndt. Schebstadt*, Anmerkung zu *BGH* Urteil Stromnetznutzungsentgelt I, MMR 2006, 157 ff.

[18] *BGH*, NJW 2003, 1449 ff.

[19] *KG Berlin*, ZNER 2002, 209: Dagegen mit Recht: *Säcker*, Die Tarifpreisgenehmigung gemäß § 12 BTOElt und ihre Bedeutung für Preiserhöhungsbegehren nach § 315 BGB, in: Säcker [Hrsg.], Reform des Energierechts, 2003, S.165 ff.: er verweist u.a. auf das 14. Hauptgutachten 2000/2001 der Monopolkommission, Netzwettbewerb durch Regulierung, Rn. 118 ff., das zu dem Ergebnis kommt, dass die Länder mit der Tarifpreisaufsicht überfordert seien.

[20] *BGHZ* 115, 311 (317); 164, 336 (343).

[21] *BGHZ* 164, 336 (344).

[22] *BGHZ* 164, 336 (344).

Rechtssicherheit als Voraussetzung für funktionierenden Wettbewerb führen[23].

Damit stellte sich die Frage, welche Rolle jetzt das Vorliegen einer Netzentgeltgenehmigung der Regulierungsbehörde gem. § 23a EnWG im Rahmen der Billigkeitskontrolle der Netzentgelte spielen würde. Findet eine erneute Überprüfung der genehmigten Netzentgelte gem. § 315 Abs. 3 S. 2 BGB durch die Zivilgerichte statt? Wie ist das Verhältnis der Regulierungskontrolle durch die Regulierungsbehörden zur Billigkeitskontrolle durch die Zivilgerichte?

In der Literatur[24] und vereinzelt in der Rechtsprechung[25] ist eine Billigkeitskontrolle von genehmigten Netzentgelten abgelehnt worden. Die Billigkeitskontrolle würde zu einer Aufweichung des Überprüfungsmonopols der Regulierungsbehörden und zu einer nicht hinnehmbaren Beeinträchtigung der Rechtssicherheit führen. Das Vorhandensein sowie Sinn und Zweck des regulatorischen Kontrollinstrumentariums würden gegen eine Billigkeitskontrolle sprechen.[26]

Der *BGH*[27] hat diese Frage in seinem Urteil vom 15. Mai 2012 differenziert beantwortet. Er verneint weiterhin ein ausschließliches Überprüfungsmonopol der Regulierungsbehörden und bejaht die parallele Billigkeitskontrolle gem. § 315 Abs. 3 BGB durch die Zivilgerichte. Damit hielt er an seiner bisherigen Rechtsprechung fest und erklärt § 315 BGB auch auf regulierte Entgelte für anwendbar. Dies erfordere das Gebot des effektiven Rechtsschutzes für den Netznutzer.

Die Anwendung des § 315 BGB sei nicht durch Regelungen des EnWG ausgeschlossen, da § 111 EnWG lediglich das Verhältnis zum GWB regele, nicht aber auch das Verhältnis der behördlichen Entgeltregulierung zur zivilgerichtlichen Billigkeitskontrolle nach § 315 BGB.

Er wiederholt, dass die öffentlich-rechtliche Wirkung der Genehmigung sich auf das Verhältnis der Regulierungsbehörde zum Netzbetreiber beschränke. Die Möglichkeiten des Netznutzers, die Netzentgeltgenehmigung gerichtlich überprüfen zu lassen, sei nur eingeschränkt energierechtlich gegeben.

Er schränkt jedoch die zivilgerichtliche Billigkeitskontrolle unter Hinweis auf die Neutralität der Regulierungsbehörden ein und misst den Netzentgeltgenehmigungen der Regulierungsbehörden eine gegenüber der Preisgenehmigung der Preisgenehmigungsbehörden weitergehende Indizwirkung bei.

[23] BT-Drucks. 15/3917, 85.

[24] *Kühne*, Gerichtliche Entgeltkontrolle im Energierecht; NJW 2006, 654 ff; ders., Die (Energie-)regulatorische Entgeltgenehmigung und ex-post-Billigkeitskontrolle, Festschrift für Joachim Bornkamm, 2014, S. 211 ff.; *Schebstadt*, Anmerkung zu *BGH* Urteil Stromnetznutzungsentgelt I, MMR 2006,157 ff.; *Wolf*, RdE 2011, 261 f.

[25] *OLG Naumburg*, RdE 2011, 233 ff.

[26] *Kühne*, Gerichtliche Entgeltkontrolle im Energierecht, NJW 2006, 655 f.

[27] *BGH*, NJW 2012, 3092 ff. (Stromnetznutzungsentgelt V).

Danach kann sich der Netzbetreiber in *„einem ersten Schritt“* auf die Entgeltgenehmigung nach § 23a EnWG stützen. *„Diese stellt aufgrund der engen Vorgaben der Entgeltkontrolle nach den energiewirtschaftsrechtlichen Vorschriften und der damit verbundenen Prüftiefe durch die (neutralen) Regulierungsbehörden ein gewichtiges Indiz für die Billigkeit und Angemessenheit der genehmigten Entgelte dar“.*[28]

An die Darlegungslast des Netznutzers stellt der *BGH* damit hohe Anforderungen. Er muss darlegen und beweisen aus welchen Gründen die behördlich genehmigten Netzentgelte überhöht sein sollten. So sei im Rahmen der Billigkeitskontrolle zu prüfen, ob diese auf unrichtigen Tatsachenangaben des Netzbetreibers in den Antragsunterlagen beruhen, deren Fehlerhaftigkeit im Genehmigungsverfahren nicht aufgedeckt worden ist.

Das *OLG Düsseldorf*[29] hat die Anforderungen des *BGH* noch weiter konkretisiert. Der Netznutzer ist danach mit allen Argumenten ausgeschlossen, die sich auf die generellen Schwächen der Datenerhebung sowie die generelle Dichte und Tiefe der Prüfung durch die Bundesnetzagentur beziehen. Er muss darlegen und beweisen, dass das verlangte Entgelt beim Netzbetreiber zu einem *„unvertretbar hohen marktwirtschaftlich nicht mehr zu rechtfertigenden Gewinn führt“*.[30] Das *OLG* hat damit die Hürden für die Netznutzer zur Erschütterung der Indizwirkung noch weiter definiert.

Der *BGH* und das *OLG Düsseldorf* unterstreichen mit ihren Ausführungen zur Indizwirkung die Zielsetzung, die zivilrechtliche Überprüfung von Netzentgelten auf einzelne wenige Ausnahmefälle zu beschränken. Sie stellen daher hohe Anforderungen an die Substantiierungslast der Netznutzer.

Diese bedeuten in der Tat für die Netznutzer hohe inhaltliche Hürden. In der Literatur sind diese Anforderungen daher als zu hoch kritisiert worden[31]. So werde nach Auffassung von Franz Jürgen Säcker dem Stromkunden dadurch der effektive Rechtsschutz verwehrt.[32] Die Billigkeitskontrolle des § 315 BGB sei für den Netznutzer zwar theoretisch möglich, die prozessuale Umsetzung aber faktisch unzumutbar. Angesichts der Massenhaftigkeit der Prüfungen von ca. 900 Stromnetzbetreibern könnten Fehlentscheidungen der Regulierungsbehörden nicht ausgeschlossen werden. Aus diesem Grunde sieht er trotz der Unabhängigkeit, Neutralität und der Objektivität der Regulierungsbehörden in deren Entgeltgenehmigung kein *„gewichtiges Indiz“*, sondern allenfalls ein *„schwaches Indiz“* für die Angemessenheit der vom Netzbetreiber geforderten Entgelte. Allerdings leuchte ihm die Rechtsprechung dann ein, wenn der Netznutzer gemäß § 66 Abs. 2 Nr. 3 EnWG

[28] *BGH*, NJW 2012, 3092, (3095).
[29] *OLG Düsseldorf*, RdE 2015, 38 f.
[30] *OLG Düsseldorf*, RdE 2015, 38, (39).
[31] *Säcker*, Festschrift für Wolfgang Krüger, 2017, S. 455 ff.
[32] *Säcker*, Festschrift für Wolfgang Krüger, 2017, S. 455 ff.

ein Recht auf Beiladung zum Entgeltgenehmigungsverfahren nach § 23a EnWG hätte.

Es ist richtig, dass die vom *BGH* aufgestellten Hürden von den Netznutzern schwer zu überwinden sind. Diese stehen als beweisbelastete Parteien außerhalb des behördlichen Prüfungsverfahrens und kennen als Außenstehende weder die Genehmigungsunterlagen noch den Genehmigungsbescheid. Diese Situation auf Seiten der Netznutzer wird vom *BGH* aber zu Recht in Kauf genommen, um die Rechtskontrolle über den Zivilrechtsweg gem. § 315 BGB bewusst einzuschränken.[33]

Die Einführung der ex-ante Regulierung durch die Regulierungsbehörden hat das Ziel, rechtsichere Bedingungen für Netzbetreiber und für Netznutzer zu schaffen. Die von den Regulierungsbehörden erteilte Netzentgeltgenehmigung soll eine Richtigkeitsgewähr über die vom Netzbetreiber erhobenen Netzentgelte mit der Möglichkeit der Regulierungskontrolle in einem rechtstaatlichen gerichtlichen Verfahren bis zum *BGH* bieten. Vor diesem Hintergrund hat der *BGH* zutreffend die Genehmigungsentscheidung als ein gewichtiges Indiz der neutralen Regulierungsbehörde angesehen und hohe Anforderungen an die Darlegungslast des Netznutzers aufgestellt. Er hat nicht – wie das OLG Naumburg[34] – den Schritt in Richtung Abschaffung der Billigkeitskontrolle von genehmigten Netzentgelten getan, sondern unter Bezugnahme auf seine bisherige Rechtsprechung zur Billigkeitskontrolle den Netznutzern hohe Anforderungen an ihre Geltendmachung aufgestellt.

Durch die den Netznutzern obliegende hohe Substantiierungslast aufgrund der Indizwirkung wird vermieden, dass allein durch die Vorlage oftmals sehr theoretischer Vergleichsmarktanalysen von Sachverständigen die Indizwirkung der Netzentgeltgenehmigung erschüttert werden kann. Vergleichsmarktanalysen beruhen in der Regel auf von Gutachtern eigenständig theoretisch gesetzten Vergleichsparametern. Sie ersetzen allein durch eigene Annahmen diejenigen der Regulierungsbehörden. Würden Vergleichsmarktanalysen zur Erschütterung der Indizwirkung ausreichen, würde über den Weg der zivilgerichtlichen Billigkeitskontrolle regelmäßig erneute Überprüfungen der genehmigten Netzentgelte unter vollkommen anderen Prämissen eröffnet werden können. Die vom *BGH* und den *Oberlandesgerichten* definierte Ausnahme würde zur Regel werden. Es bestände dann die Gefahr, dass die Zivilgerichte bei ihren Entscheidungen über die Höhe der angemessenen Entgelte gem. § 315 Abs. 3 BGB im Ergebnis die Funktion einer zweiten Regulierungsbehörde wahrnehmen würden. Ferner wären dann bei mehreren Klagen vor unterschiedlichen Zivilgerichten sehr unterschiedliche Urteile

[33] Anmerkungen zum *BGH* Urteil *Büdenbender*, EWiR 2013, 3 f.; *Linsmeier*, NJW 2012, 3092 (3095); *Wollschläger*, EnWZ 2012, 38 ff.: *Böhme, Schellberg* N&R, 2012, 284 (285); Götz N& R, 2012, 286 (288).

[34] *OLG Naumburg*, RdE 2011, 233 ff.

im Hinblick auf die Höhe der angemessenen Netzentgelte in Bezug auf einen Netzbetreiber möglich.

Das *BVerfG* hat die vom *BGH* und mehreren Oberlandesgerichten vertretene Indizwirkung der Netzentgeltgenehmigung und deren Anforderungen an die Substantiierung ihrer Erschütterung im Rahmen der Billigkeitskontrolle gem. § 315 BGB einfachrechtlich nicht beanstandet. Diese Anforderungen würden nicht auf sachfremden Erwägungen beruhen und eine unter keinen Umständen mehr zu vertretene Auslegung des § 315 Abs. 3 BGB beinhalten. Verstöße gegen die zivilprozessuale Waffengleichheit (Art. 3 Abs. 1 i. V. m. Art. 20 Abs. 3 GG) und eine Verletzung der Rechtsschutzgarantie (Art. 2 Abs. 1 i. V. m. Art. 20 Abs. 3 GG) seien nicht begründet worden.

Mit der grundsätzlichen Akzeptanz der – wenn auch erheblich eingeschränkten – zivilgerichtlichen Überprüfung der genehmigten Netzentgelte gem. § 315 BGB hat das *BVerfG* aus verfassungsrechtlicher Sicht grundsätzlich keine Bedenken gegen diese Form der Parallelität von Regulierungs- und Billigkeitskontrolle gesehen.

IV. Die zivilrechtliche Billigkeitskontrolle von Eisenbahninfrastrukturnutzungsentgelten

In den letzten Jahren ist auf dem Eisenbahnsektor die parallele Anwendbarkeit der zivilgerichtlichen Billigkeitskontrolle von Infrastrukturnutzungsentgelten neben dem sektorspezifischen Eisenbahnregulierungsrecht aus unionsrechtlicher Sicht sehr kontrovers diskutiert worden. Ein Teil der Literatur[35] sah darin eine Verletzung des unionsrechtlich festgelegten Aufsichtsmonopols der nationalen Regulierungsstelle und der garantierten Unabhängigkeit der Eisenbahninfrastrukturbetreiber. Demgegenüber verneinte ein anderer Teil[36] eine Verdrängung der Billigkeitskontrolle durch das sektorspezifische Regulierungsrecht. Ebenso haben auch das *KG Berlin*[37],

[35] *Ludwigs*, Zivilgerichtliche Billigkeitskontrolle nach § 315 BGB und europäisches Eisenbahnregulierungsrecht, 2013; *ders.* EWS 2013, 409 ff. *Leitzke*, Das Unionsrecht und das Recht auf Billigkeit, N&R 2013, 70 ff.; *Bredt/Faßbender*, Zu den zivilrechtlichen Leistungspflichten und Minderungsrechten aus einem Eisenbahninfrastrukturnutzungsvertrag, IR, 2009, S. 142 ff.; *Bredt*, Zivilgerichtliche Prüfung von Eisenbahninfrastrukturentgelten, N&R 2009, S. 235 ff.

[36] *Kühling*, Zivilrechtliche Eisenbahnentgeltkontrolle-Auffangordnung für die öffentlich-rechtliche Regulierung im AEG? DVBl 2014, 1158 ff.; *Koenig/Meyer*, Zivilgerichtliche Billigkeitskontrolle nach § 315 BGB neben dem Eisenbahnregulierungsrecht, N&R 2015, S. 219 ff.; *Bremer/Höppner*, Gerichtliche Billigkeitskontrolle von Infrastrukturentgelten im Eisenbahnsektor, N&R Beilage 1/2010; *Ostendorf*; Urteilsanmerkung, NVwZ 2012, S. 189 ff.

[37] *KG Berlin*, Urteil vom 29.10.2012, Az. 2 U 10/09 Kart.

weitere Oberlandesgerichte[38] und auch der *BGH*[39] keine Anhaltspunkte für eine Unvereinbarkeit mit Unionsrecht gesehen. Aus diesem Grunde hat der *BGH*[40] die Beschwerden gegen die Nichtzulassung der Revision in mehreren Beschlüssen ohne Begründung zurückgewiesen. Das *BVerfG*[41] hat in dieser Vorgehensweise des *BGH* eine Verletzung des Rechts der Beschwerdeführerin auf den gesetzlichen Richter nach Art. 101 Abs. 1 Satz 2 GG gesehen. Es hätte nahegelegen, die Notwendigkeit eines Vorabentscheidungsersuchens an den *EuGH* zu prüfen, um die Frage der Anwendbarkeit der zivilrechtlichen Billigkeitskontrolle neben den eisenbahnrechtlichen Vorschriften zur Entgeltregulierung aus Sicht des Unionsrechts zu klären. Der *BGH*[42] hat mit Beschluss vom 7. Juni 2016 diese Frage dann schließlich dem *EuGH* vorgelegt[43]. Dabei hat er in seiner Begründung darauf hingewiesen, dass nach ihrem Sinn und Zweck die Eisenbahnzugangsrichtlinie 2001/14/EG einer *„zweigleisigen"* nationalen Regelung nicht entgegenstehe. Ferner sehe er in der Anwendung des § 315 BGB keine Verletzung der Unabhängigkeit der Geschäftsführung der Eisenbahninfrastrukturunternehmen nach Art. 4 Abs. 1 der Richtlinie.

Vor diesem Ersuchen des *BGH* hatte bereits das *LG Berlin* mit Beschluss vom 3. November 2015 ein Vorabentscheidungsersuchen an den *EuGH* gerichtet. Aufgrund dieses Ersuchens hat der *EuGH*[44] in seinem Urteil vom 9. November 2017 entschieden, dass die zivilgerichtliche Kontrolle von Eisenbahn-Wegeentgelten gemäß § 315 BGB in die Zuständigkeit der Regulierungsstelle eingreife und nicht in Einklang mit dem Unionsrecht, d.h. mit der Richtlinie 2001/14/ EG insbesondere deren Art. 4 Abs. 5 und deren Art. 30 Abs. 1, 3, 5 und 6 in der durch die Richtlinie 2004/49/EG geänderten Fassung, stehe. Nach Auffassung des *EuGH* kann daher das Eisenbahnunternehmen *CTL Logistics* nicht zivilgerichtlich die teilweise Rückzahlung von Stornierungs- und Änderungsentgelten gegenüber der DB Netz AG gem. §§ 812,315 BGB geltend machen. Der *EuGH* ist damit nicht dem Schlussantrag des Generalanwalts *Paolo Mengozzi* vom 24. November 2016 gefolgt. Dieser hat in der zivilgerichtlichen Billigkeitskontrolle keinen Verstoß gegen Unionsrecht gesehen.[45]

[38] *OLG München*, WuW/E DE-R 3608-3620; *OLG Düsseldorf*, Urteil vom 9.12.2015 Az. VI-U (Kart) 3/15.

[39] *BGH*, NVwZ 2012, 189 ff.

[40] *BGH*; Beschluss vom 11.12.2012-KZR 17/12.

[41] *BVerfG*, N&R 2016 S.48 ff.

[42] *BGH*, N&R 2016, 246 ff.

[43] Der *BGH* hat nach dem *EuGH*-Urteil sein Vorabentscheidungsersuchen nicht aufrechterhalten: Beschluss des Präsidenten des Gerichtshofes v. 23.1.2018, ECCLI:EU:C:2018:16.

[44] *EuGH*, N&R 2018, 50 ff.

[45] Schlussanträge des Generalanwalts *Paolo Mengozzi* vom 24.11.2016, Rs C-489/15, ECLI:EU:C:2016:90; dazu *Specht*, IR 2017, 88 f.

Der *EuGH* stellt bei der Beurteilung der Unionsrechtwidrigkeit u.a. auf folgende Argumente ab.[46] So sieht er die auf den Einzelfall abstellende zivilgerichtliche Billigkeitskontrolle im Widerspruch zu dem in Art. 4 Abs. 5 der Richtlinie 2001/14/EG niedergelegten Grundsatz der Gleichbehandlung von Eisenbahnunternehmen. Des Weiteren würde sie gegen die in der Richtlinie garantierte Unabhängigkeit der Infrastrukturbetreiber verstoßen (Art. 4 Abs. 1 Richtlinie 2001/14/EG). Es würde in einem nicht mit den Zielen der Richtlinie in Einklang zu bringendem Maße der Spielraum des Infrastrukturbetreibers bei der Kalkulation der Entgelte durch die zivilgerichtliche Festlegung der Wegeentgelte eingeschränkt. Die zivilgerichtliche Billigkeitskontrolle würde ferner dazu führen, dass Zivilgerichte unmittelbar die Vorschriften des Eisenbahnregulierungsrechts anwenden und somit in die ausschließliche Zuständigkeit der Regulierungsstelle (Art. 30 Richtlinie 2001/14/EG) eingreifen würden. Hinzu komme die Möglichkeit der gütlichen Beilegung dieser zivilgerichtlichen Verfahren ohne Beteiligung der Regulierungsstelle. Darin würde ein Verstoß gegen Art. 30 Abs. 3 S. 2 und 3 der Richtlinie 2001/14/EG liegen. Danach seien Verhandlungen der Parteien nur unter Aufsicht der Regulierungsstelle zulässig. Im Ergebnis würde die Billigkeitskontrolle dazu führen, dass zwei Rechtswege unkoordiniert nebeneinanderständen. Auf der einen Seite wäre die verwaltungsgerichtliche Überprüfung der Entscheidungen der Regulierungsstelle und auf der anderen Seite die Billigkeitskontrolle der Zivilgerichte.

Der *EuGH* betont weiterhin, dass der verbindliche Charakter der Entscheidungen der Regulierungsstelle durch die Billigkeitskontrolle missachtet würde (Art. 30 Abs. 5 Richtlinie 2001/14/EG). So gelten die Entscheidungen der Regulierungsstelle für alle Betroffenen des Eisenbahnsektors, für Verkehrsunternehmen und auch für die Infrastrukturbetreiber. Die Wirkungen der Urteile der Zivilgerichte wären demgegenüber auf die Parteien des jeweiligen Rechtsstreits begrenzt. Dies verstoße gegen den unionsrechtlichen Gleichheitsgrundsatz.

V. Abschaffung der Billigkeitskontrolle auf dem Eisenbahnsektor durch das ERegG

Vor diesem *EuGH* Urteil reagierte der Gesetzgeber bereits auf die rechtlichen und politischen Diskussionen auf dem Eisenbahnsektor. Ausdrücklich hat er die zivilgerichtliche Billigkeitskontrolle in dem am 2. September 2016 in Kraft getretenen ERegG für die in § 33 Abs. 2 und in § 45 Abs. 2 S. 3 ERegG aufgeführten Fälle – u. a. bei genehmigten Netzentgelten – ausge-

[46] *EuGH*, N&R, 2018, 50 ff. (Rn. 70 ff.)

schlossen. In der Begründung des Gesetzesentwurfes[47] erläuterte er, dass ein geringerer als der genehmigte Preis aufgrund der sehr heterogenen Nachfragestruktur nach Trassen im Eisenbahnsektor geeignet wäre, den Wettbewerb zu beeinträchtigen. Die genehmigten Entgelte sollten daher keiner zusätzlichen Billigkeitskontrolle durch die Zivilgerichte unterliegen. Dieser Auffassung folgte der Ausschuss für Verkehr und digitale Struktur[48] und hob hervor, dass bei genehmigten Entgelten nur der Weg zu den Verwaltungsgerichten eröffnet sein soll. Rechtssicherheit bestehe, wenn die genehmigten Entgelte nicht nachträglich noch zivilrechtlich angegriffen werden könnten. Es greife daher die Privilegierung des Ausschlusses von § 315 BGB.

Demgegenüber hat sich der Bundesrat[49] in seiner Stellungnahme für eine Beibehaltung der Billigkeitskontrolle zur Gewährleistung eines effektiven Rechtsschutzes ausgesprochen. Er wies ausdrücklich darauf hin, dass diese auch im Energiebereich beibehalten wurde.

Die Monopolkommission hat sich in ihrem Sondergutachten 76[50] für eine Wiedereinführung der Billigkeitskontrolle im ERegG ausgesprochen. Nach ihrer Auffassung bedarf es zur Wahrung eines effektiven Rechtsschutzes neben der Anwendung des Verwaltungsrechtes auch der Möglichkeit, nach Zivilrecht vorzugehen. Eine derartige Wiedereinführung ist nach der Entscheidung des *EuGH* jetzt nicht mehr möglich.

VI. Auswirkungen des *EuGH* Urteils auf den Energiesektor

Diese politische Diskussion im Rahmen der Novellierung des ERegG hat keine politischen Reaktionen des Gesetzgebers auf dem Energiesektor ausgelöst. Eine gesetzliche Abschaffung der Billigkeitskontrolle ist trotz mehrfacher Novellierungen des EnWG in den vergangenen Jahren für den Energiesektor nicht vorgenommen worden. Der Bundesrat hat sogar ausdrücklich darauf hingewiesen, dass die Billigkeitskontrolle im Energiebereich beibehalten worden sei, da der § 111 EnWG unverändert geblieben sei. Dabei hätte es in den letzten Jahren angesichts der Entscheidungen des *BGH* zur Billigkeitskontrolle auf dem Energiesektor nahegelegen, dass gerade von der Politik oder auch von der Bundesnetzagentur derartige Anregungen zur Novellierung des § 111 EnWG gekommen wären, um die parallele Rechtskontrolle wie auf dem Eisenbahnsektor gesetzlich auszuschließen. Dies könnte dafür-

[47] Gesetzentwurf vom 4.5. 2016, BT-Drucks. 18/8334, S. 205.

[48] Beschlussempfehlung und Bericht vom 6.7.2016 BT-Drucksache 18/9099, S. 22.

[49] Stellungnahme des Bundesrates vom 18.3.2016, BR-Drucks. 22/16 (Beschluss), S. 26 f.

[50] Monopolkommission Sondergutachten 76, Bahn 2017, Wettbewerbspolitische Baustellen, S. 21 f.; ebenso schon gegen eine Abschaffung der Billigkeitskontrolle in Sondergutachten 69, Bahn 2015: Wettbewerbspolitik aus der Spur, S. 40.

sprechen, dass zumindest aus gesetzgeberischer Sicht kein Handlungsbedarf für eine Änderung gesehen wurde.

Auch in der rechtwissenschaftlichen Literatur ist vereinzelt auf die Problematik hingewiesen worden.[51] In der höchstrichterlichen Rechtsprechung ist die Übertragbarkeit vom Eisenbahnsektor auf den Energiesektor nicht thematisiert worden. Selbst das *BVerfG*[52] ist in seiner Entscheidung zur Indizwirkung in keiner Weise auf die Diskussion auf dem Gebiet des europäischen Eisenbahnrechts und möglicher rechtlicher Parallelitäten eingegangen, obwohl es mit der Frage der möglichen Unionsrechtswidrigkeit auf dem Eisenbahnsektor befasst war und es als für den *BGH* naheliegend angesehen hat, die Notwendigkeit eines Vorabentscheidungsersuchens an den *EuGH* zu prüfen.

In der Praxis wird es wohl kaum noch Altfälle geben, bei denen es um die zivilgerichtliche Billigkeitskontrolle gemäß § 23a EnWG genehmigter Netzentgelte geht. Die Netzentgeltgenehmigung wurde durch die Einführung der Anreizregulierung im Jahre 2009 abgeschafft. Seitdem genehmigt die Regulierungsbehörde dem Netzbetreiber keine Entgelte mehr, sondern sie gibt ihm Erlösobergrenzen vor, die dieser anschließend in Netznutzungsentgelte gemäß §17 Abs. 1 ARegV umzusetzen hat. Diese unterliegen daher seitdem keiner ex-ante Kontrolle durch die Regulierungsbehörden mehr.

Die Übertragbarkeit der Rechtsprechung des *EuGH* auf diese beiden Konstellationen wird in der Literatur kontrovers diskutiert. So wird teilweise davon ausgegangen, dass in beiden Konstellationen, sowohl im Falle der genehmigten als auch der gem. § 17 ARegV von den Unternehmen festgesetzten Netzentgelte, die zivilgerichtliche Billigkeitskontrolle nicht mit den sekundärrechtlichen Vorgaben des Unionsrechts vereinbar sei.[53] Demgegenüber betont *König*, dass eine zivilgerichtliche Entgeltkontrolle bei den gem. § 17 ARegV von den Netzbetreibern gebildeten Netzentgelten weiterhin geboten sei.[54] Da sich die regulierungsbehördliche Genehmigung nicht auf die konkrete Entgelthöhe beziehe, könne diese auch keine Indizwirkung hinsichtlich der Angemessenheit und Billigkeit des Netzentgelts entfalten.

Die Frage der Fortsetzung des Individualrechtsschutzes durch die Billigkeitskontrolle auch nach der Entscheidung des *EuGH* kann in diesem Bei-

[51] *Kühne*, Die (Energie)regulatorische Entgeltgenehmigung und ex-post- Billigkeitskontrolle, Festschrift für Joachim Bornkamm, 2014, S. 211 ff; *Ludwigs*, Grenzen für eine nationale Energiepolitik im Binnenmarkt, EnWZ 2013, 483 ff.; a.A. *Koenig/Meyer*, N&R 2015, 215 ff.

[52] *BVerfG*, N&R 2018, 45 ff.

[53] *Ludwigs*, Anmerkung zum Urteil des EuGH vom 9. November 2017, N&R 2018, 55 ff.; *Berg*, RdE 2018, 184 ff.; *Fricke*, Die Billigkeitskontrolle von regulierten Netzentgelten, N&R 2018, 66 ff.

[54] *König*, Anmerkung zum Beschluss des BVerfG vom 26. September 2017, N&R 2018, 47 ff.

trag nicht umfassend und abschließend geklärt werden. Es sollen im Folgenden schwerpunktmäßig nur einige Aspekte beleuchtet werden, die bei einer umfassenden Bewertung eine Rolle spielen könnten. Vor allem sollen die unterschiedlichen rechtlichen Vorgaben des Eisenbahnrechts und der zivilgerichtlichen Billigkeitskontrolle auf dem Eisenbahnsektor gegenüber dem Energiesektor verdeutlicht werden.

1. *Gewährleistung der Unabhängigkeit der Geschäftsführung*

Ein kennzeichnendes Element der europäischen Konzeption der Eisenbahnregulierung ist die Gewährleistung der Unabhängigkeit der Geschäftsführung des Infrastrukturbetreibers gemäß Art. 4 Abs. 1 Eisenbahnzugangsrichtlinie 2001/14/EG. Diese Zielsetzung setzt nach Auffassung des *EuGH* einen gewissen Spielraum der Geschäftsführung bei der Berechnung der Höhe und der Erhebung der Entgelte voraus, um davon gestaltend als Geschäftsführungsinstrument Gebrauch machen zu können.[55]

Eine derartige europarechtliche Gewährleistung der Unabhängigkeit der Geschäftsführung der Netzbetreiber fehlt in der Elektrizitätsbinnenmarktrichtlinie 2009/72/EG. *Fricke*[56] sieht dennoch das Fehlen dieser Gewährleistung bei seiner Analyse der Ausstrahlungswirkung des *EuGH* Urteils als unerheblich an. Entscheidende Erwägung des *EuGH* sei nicht die Unabhängigkeit an sich, sondern die daraus abgeleitete Möglichkeit, die Netzentgelte nach wettbewerbsökonomischen Aspekten zu ermitteln. Die Richtlinie ziele auf eine möglichst effiziente Nutzung der Stromnetze ab, indem die Netzentgelte so gestaltet werden sollen, dass sie Anreize für Investitionen in die Lebensfähigkeit der Netze setzen (Art. 37 Abs. 6 lit. a der Richtlinie), sowie Effizienz der Netze, die Marktintegration und die Versorgungssicherheit fördern (Art. 37 Abs. 8 der Richtlinie) fördern. Dies verdeutliche, dass sich die Stromnetzentgelte genauso wie die Bahnnetzentgelte an Knappheitssignalen ausrichten sollen.

Es ist fraglich, ob diese Regelungen der Elektrizitätsbinnenmarktrichtlinie vergleichbar mit der Gewährleistung der Unabhängigkeit der Geschäftsführung auf dem Bahnsektor sind.[57] Art. 37 der Elektrizitätsbinnenmarktrichtlinie gibt den Regulierungsbehörden Vorgaben für die Gestaltung der Festsetzung und Genehmigung der Netzentgelte. Die betriebswirtschaftliche Kalkulation der Netzentgelte unter den vorgegebenen regulatorischen Rahmenbedingungen ist eine unternehmerische Entscheidung der Netzbetreiber, die jeder Geschäftsführung innewohnt. Sie bedeutet aber wohl keine mit dem Bahnsektor vergleichbare europarechtliche Hervorhebung der Unabhängig-

[55] *EuGH*, N&R, 2018, 50 (51 Rn. 38 f.).
[56] *Fricke*, N&R 2018, 66 (67 ff.).
[57] So aber *Fricke*, N&R 2018, 66, (67).

keit der Geschäftsführung auf dem Energiesektor, auf die gerade der *EuGH* in seinem Urteil abgestellt hat.

2. *Billigkeitskontrolle auf dem Eisenbahnsektor*

Ein weiteres wichtiges Argument für den *EuGH* war die zivilgerichtliche Rechtsprechung im Rahmen der Billigkeitskontrolle auf dem Eisenbahnsektor.[58] Aus Sicht des Gerichts handele es sich um eine Billigkeitsrechtsprechung, die sich auf den Einzelfall ohne einheitliche Kriterien beziehe, die von Fall zu Fall je nach Vertragszweck und den Interessen der Parteien des Rechtstreits angewandt würden. Es würde bei der Anwendung von § 315 BGB auf die Wirtschaftlichkeit des individuellen Vertrages und nicht auf die Festlegung der Entgelte anhand einheitlicher Kriterien abgestellt Aus diesem Grunde könne die Regulierung und die Billigkeitskontrolle bei der Anwendung bei ein und demselben Vertrag zu widersprüchlichen Ergebnissen führen.[59] In diesem Zusammenhang verwies der *EuGH* auch auf die nicht durch höchstrichterliche Rechtsprechung harmonisierten Entscheidungen unabhängiger Zivilgerichte hin.[60] Mit der Überprüfung der Entscheidung der Regulierungsstelle und der Billigkeitskontrolle ständen zudem zwei Rechtswege unkoordiniert nebeneinander.

Dieser zusammengefasste Überblick verdeutlicht, dass sich die vom *EuGH* beurteilte zivilgerichtliche Billigkeitskontrolle auf dem Eisenbahnsektor von derjenigen auf dem Energiesektor erheblich unterscheidet. Der *BGH* hat dort die zivilgerichtliche Billigkeitskontrolle unter Hinweis auf die Neutralität der Regulierungsbehörden eingeschränkt und der Netzentgeltgenehmigung eine weitgehende Indizwirkung beigemessen[61]. Aufgrund der aufgestellten hohen Anforderungen an ihre Erschütterung, die auch aus verfassungsrechtlicher Sicht durch das *BVerfG* bestätigt wurde, gibt es auf dem Energiesektor für die Altfälle genehmigter Netzentgelte eine höchstrichterliche Klärung des Umfangs und des Inhalts der zivilgerichtlichen Billigkeitskontrolle. Bisher sind diese Hürden in den Altfällen – soweit ersichtlich – nicht überwunden worden.

Eine vollkommen andere Rechtslage liegt bei den gem. § 17 ARegV von den Netzbetreibern festgelegten Entgelten vor. Seit Anfang 2009 genehmigt die Regulierungsbehörde keine Entgelte mehr, sondern gibt den Netzbetreibern die Erlösobergrenzen vor. Die behördliche Genehmigung bezieht sich daher nicht mehr auf die konkrete Entgelthöhe. Sie kann daher keine Indizwirkung hinsichtlich der Angemessenheit und Billigkeit des Entgelts

[58] *EuGH*, N&R, 2018, 50 (53 Rn. 73).
[59] *EuGH*, N&R, 2018, 50 (53 Rn. 75).
[60] *EuGH*, N&R, 2018, 50 (53 Rn. 87).
[61] zur Indizwirkung oben unter Ziff. III.

entfalten[62]. In dem genehmigten Rahmen der Erlösobergrenzen werden von den Netzbetreibern die Netzentgelte umgesetzt. Diese Festsetzung erfolgt auf der Grundlage der gesetzlichen Bestimmungen der Strom-/Gasnetzentgeltverordnungen. Maßstab einer zivilgerichtlichen Billigkeitskontrolle der Netzentgelte ist daher ausschließlich die Einhaltung dieser energierechtlichen Vorgaben im Rahmen der Erlösobergrenzen. Die Kalkulation der Netzentgelte erfolgt daher nach einheitlichen gesetzlichen Regeln. Es werden daher nicht – wie der *EuGH* bei der Billigkeitskontrolle der Entgelte auf dem Eisenbahnsektor betont – materielle die Äquivalenz der Leistungen betreffende Kriterien angewandt.

3. Überprüfungsmonopol der Regulierungsstelle

Ein weiterer wichtiger Aspekt ist der Hinweis des *EuGH* auf die ausschließliche Zuständigkeit der Regulierungsstelle nach Artikel 30 der Eisenbahnzugangsrichtlinie 2001/14/EG. Er befürwortet daher europarechtlich ein alleiniges Überprüfungsmonopol der Regulierungsstelle.[63] Dieses Monopol würde unterstrichen durch Art. 30 Abs. 3 der Eisenbahnzugangsrichtlinie. Danach seien Verhandlungen zwischen Antragsteller und einem Betreiber der Infrastruktur nur zulässig, sofern sie unter Aufsicht der Regulierungsstelle erfolgen würden. In Zivilverfahren auf der Grundlage von § 315 BGB wären demgegenüber gütliche Einigungen ohne Beteiligung der Regulierungsstelle nicht ausgeschlossen.[64] Weiterhin würde die Uniformität der Kontrolle durch die zuständige Regulierungsstelle unter Umständen durch höchstrichterliche Rechtsprechung nicht harmonisierte Entscheidungen unabhängiger Zivilgerichte unterlaufen. In offenkundigem Widerspruch zu dem mit Art. 30 der Richtlinie 2001/14/EG verfolgten Ziel bestünden dann zwei unkoordinierte Rechtswege, der Verwaltungs- und Zivilrechtsweg, nebeneinander.

Fraglich ist, ob diese Sichtweise des *EuGH* für den Eisenbahnsektor vergleichbar ist mit dem Energiesektor.[65] Hier gibt es zwar ebenfalls gem. Art. 35 Abs. 1 der Elektrizitätsbinnenmarktrichtlinie 2009 die europäische Vorgabe einer unabhängigen Regulierungsbehörde. Es gibt aber wichtige Unterschiede. So gibt es keine dem Art. 30 Abs. 3 der Eisenbahnzugangsrichtlinie entsprechende Regelung auf dem Energiesektor. Es können daher im Zivil-

[62] *Kling*, Die Rechtskontrolle von Netzentgelten im Energierechtssektor, S. 126 f. bejaht die Anwendbarkeit des § 315 BGB auf Netznutzungsentgelte im System der Anreizregulierung; ebenso *Böhme, Schellberg*, N&R, 2012, 284 f.; *Götz*, N&R 2012, 286 f.; *König*, N&R 2018, 47 (50); a.A. *Kühne*, Die (Energie-)regulatorische Entgeltgenehmigung und ex-post-Billigkeitskontrolle, Festschrift für Joachim Bornkamm, 2014, S. 211(218 f.);

[63] *EuGH*, N&R,50 (54 Rn. 86 f.).

[64] *EuGH*, N&R,50 (54 Rn. 98).

[65] Bejahend: *Berg*, RdE 2018, 185 (192 f.); *Ludwigs*, N&R 2018, 55 (58 f.); *Fricke*, N&R 2018, 66 (70 f.).

verfahren Vereinbarungen zwischen Netzbetreibern und Netznutzern ohne Beteiligung der Regulierungsbehörde getroffen werden. Weiterhin hat der *BGH* unter Hinweis auf die Neutralität der Regulierungsbehörden die zivilgerichtliche Billigkeitskontrolle durch die Annahme der Indizwirkung der genehmigten Netzentgeltgenehmigungen entscheidend eingeschränkt. Er hat kaum zu überwindende Anforderungen an ihre Erschütterung aufgestellt. Es geht daher – wenn überhaupt – nur noch um wenige Altfälle vor 2009 genehmigter Netzentgelte. Aus diesem Grunde besteht die vom *EuGH* für den Eisenbahnsektor beschriebene Gefahr nicht harmonisierter Entscheidungen der Zivilgerichte auf dem Energiesektor nicht. Die Gerichtswege sind auf dem Energiesektor auch nicht unkoordiniert. In beiden Fällen ist es ausschließlich der Zivilrechtsweg.

Nach Einführung der Anreizregulierung geht es ferner nur um die Überprüfung der vom Netzbetreiber selbständig zu bestimmenden Entgelte, die nach den Strom-/Gasnetzentgeltverordnungen von ihm zu kalkulieren sind. Die von den Regulierungsbehörden genehmigten Erlösobergrenzen sind der Rahmen für die gesamten Entgelte des Netzbetreibers.

4. *Verstoß gegen das Diskriminierungsverbot*

Angesichts dieser dargestellten Unterschiede ist es abschließend ebenfalls fraglich, ob vor diesem Hintergrund die Ausführungen des *EuGH* zum Diskriminierungsverbot so übertragbar sind. Der *EuGH* sieht eine Ungleichbehandlung darin, dass die zivilgerichtlichen Urteile nur zwischen den Parteien gelten. Er betont auch in diesem Zusammenhang wieder die Vielzahl nicht harmonisierter Entscheidungen der Zivilgerichte und geht damit von einer anderen Situation aus. Ob er dies auch annehmen würde, wenn die Billigkeitskontrolle nur die vom Netzbetreiber in der Anreizregulierung im Rahmen der Erlösobergrenzen festgelegten Netzentgelte betrifft, erscheint fraglich. Hinzu kommt, dass nach einer Beanstandung der Höhe des Netzentgelts der Netzbetreiber reagieren und die Netzentgelte für alle anpassen würde.

VII. Fazit

Mit den *BGH* Urteilen[66] zur Indizwirkung von Netzentgeltgenehmigungen im Rahmen der Billigkeitskontrolle und dem Beschluss des *BVerfG*[67] sind entscheidende Weichen gestellt worden. Aufgrund der vom *BVerfG* nicht beanstandeten hohen Anforderungen, die der *BGH* an die Erschütterung der Indizwirkung gestellt hat, wird es bei den Altfällen Netznutzern

[66] *BGH*, RdE 2016, 401 ff.
[67] *BVerfG*, N&R 2018, 45 ff.

wohl kaum gelingen diese Hürden zu überwinden. Diese Fälle werden daher weitgehend abgeschlossen sein.

Es bleibt die zivilgerichtliche Billigkeitskontrolle der vom Netzbetreiber im Rahmen der Erlösobergrenzen gem. § 17 ARegV bestimmten einzelnen Netzentgelten.

Ob angesichts der in diesem Beitrag nur schwerpunktmäßig nicht abschließend in einem Überblick dargestellten Unterschiede zwischen dem Energie- und Eisenbahnsektor vom *EuGH*[68] die zivilgerichtliche Billigkeitskontrolle gem. § 315 BGB der im Rahmen der genehmigten Erlösobergrenzen vom Netzbetreiber festgelegten Netzentgelte als europarechtswidrig angesehen wird, ist mit einem Fragezeichen zu versehen. Endgültig kann nur der *EuGH* die Antwort darauf geben.

[68] *EuGH*, N&R 2018, 50 ff.

Zivilgerichtliche Billigkeitskontrolle von Netzentgelten auf dem Prüfstand des Verfassungs- und Europarechts

Markus Ludwigs*

I. Einführung

Das Energierecht bildet fraglos ein Herzstück im beeindruckend weit gefassten, vom Familienrecht über das Arbeits- und das Schuldrecht bis hin zum Kartell- und Regulierungsrecht reichenden *Œuvre* von *Ulrich Büdenbender*. Beginnend mit einem Beitrag zur Rolle der Energieversorgungsunternehmen im Verfahren des einstweiligen Rechtsschutzes aus dem Jahr 1976[1] hat er über einen Zeitraum von mehr als vierzig Jahren das sich herausbildende junge Rechtsgebiet durch eine Fülle grundlegender Beiträge befruchtet.[2] Dabei befasste sich der Jubilar mit unzähligen Facetten des Energierechts und verstand es in besonderer Weise, seine langjährigen praktischen Erfahrungen aus der Energiewirtschaft mit der Perspektive des Wissenschaftlers zu vereinen. Ein Schwerpunkt der Publikationen *Büdenbenders* lag auf Fragen der Preiskontrolle in der Elektrizitäts- und Gaswirtschaft.[3] Vor diesem Hintergrund mögen die folgenden Ausführungen zur zivilgerichtlichen Billig-

* Inhaber des Lehrstuhls für Öffentliches Recht und Europarecht an der Julius-Maximilians-Universität Würzburg. Das Manuskript ist auf dem Stand vom 30.03.2018.

[1] *Büdenbender*, DVBl. 1977, 679.

[2] Vgl. nur exemplarisch aus den mehr als 20 einschlägigen Monographien: *Büdenbender*, Energierecht, 1982; *Büdenbender*, Schwerpunkte der Energierechtsreform 1998, 1999; *Büdenbender/Heintschel von Heinegg/Rosin*, Energierecht I, 1999; *Büdenbender*, EnWG. Kommentar, 2003; *Büdenbender/Rosin*, KWK-AusbauG. Kommentar, 2003; *Büdenbender/Rosin*, Energierechtsreform 2005, 2005; *Büdenbender/Rosin*, Einführung eines Ownership Unbundling bzw. Independent System Operator in der Energiewirtschaft, 2007; *Büdenbender*, Materiellrechtliche Entscheidungskriterien der Gemeinden bei der Auswahl des Netzbetreibers in energiewirtschaftlichen Konzessionsverträgen, 2011; zuletzt *Büdenbender*, Rechtsfragen des § 11 Abs. 2 Nr. 9 ARegV für die Netzentgeltregulierung, 2014.

[3] Siehe z.B. *Büdenbender*, ZIP 2003, 931; *Büdenbender*, Zulässigkeit der Preiskontrolle von Fernwärmeversorgungsverträgen nach § 315 BGB, 2005; *Büdenbender*, ZWeR 2006, 233; *Büdenbender*, NJW 2007, 2945; *Büdenbender*, NJW 2009, 3125; *Büdenbender*, in: Jahrbuch des Umwelt- und Technikrechts 2011 (UTR 110), S. 363; *Büdenbender*, EWiR 2013, 3; *Büdenbender*, NJW 2013, 3601; *Büdenbender*, NJW 2017, 299; *Büdenbender*, ZIP 2017, 1041; zuletzt *Büdenbender*, in: FS Schmidt-Preuß, 2018, 785.

keitskontrolle von Netzentgelten auf sein Interesse stoßen. Aktuellen Anlass für eine Befassung bieten zwei Entscheidungen des BVerfG und des EuGH aus dem Jahr 2017. Dort wurde zum einen die Verfassungskonformität der Judikatur zur Indizwirkung einer regulierungsbehördlichen Entgeltgenehmigung im Rahmen der Billigkeitskontrolle nach § 315 BGB hinterfragt.[4] Zum anderen erklärte der Gerichtshof die Anwendung von § 315 BGB auf Netzentgelte im Eisenbahnsektor für unionsrechtswidrig, was eine Diskussion hinsichtlich der Übertragbarkeit auf den Energiebereich ausgelöst hat.[5] Im Folgenden soll zunächst ein kurzer Überblick zum Stand der Netzentgeltkontrolle nach § 315 Abs. 3 BGB durch die Zivilgerichte im Energiesektor gegeben werden (II.), bevor die Fragen nach ihrer Verfassungskonformität (III.) und der Vereinbarkeit mit dem Unionsrecht (IV.) beleuchtet werden. Auf dieser Grundlage lässt sich abschließend prognostizieren, welchen Entwicklungspfad die zivilgerichtliche Billigkeitskontrolle von Infrastrukturentgelten künftig einschlagen wird (V.).

II. Stand der Rechtsprechung im Energiesektor

1. *Entwicklungslinien der BGH-Judikatur*

Im Ausgangspunkt gilt es zunächst, sich des Stands der Rechtsprechung zur Billigkeitskontrolle nach § 315 Abs. 3 BGB im Energiesektor zu vergewissern.[6] Mit dem EnWG 2005 wurden die Netzentgelte erstmals einer *ex-ante*-Regulierung unterworfen.[7] Anders als in den Bereichen Telekommunikation und Post entschied sich der Gesetzgeber indes nicht für ein System der Fixpreisgenehmigung, so dass eine Übertragung der zu § 37 TKG bzw. § 23 PostG entwickelten Grundsätze über den Ausschluss der zivilgerichtlichen Billigkeitskontrolle[8] ausscheiden musste.[9] Vielmehr waren die regulierten Energienetzbetreiber im Rahmen des bis 31. Dezember 2008 geltenden Einzelentgeltgenehmigungsverfahrens frei darin, niedrigere als die genehmigten Entgelte zu verlangen (§ 23a Abs. 2 S. 2 EnWG). Hieraus resul-

[4] BVerfG (K), EnWZ 2018, 79.

[5] EuGH, Rs. C-489/15, ECLI:EU:C:2017:834 – CTL Logistics.

[6] Zum Folgenden bereits *Ludwigs*, Zivilgerichtliche Billigkeitskontrolle nach § 315 BGB und europäisches Eisenbahnregulierungsrecht, 2014, S. 26 ff.; zuletzt *Baur*, in: Baur/Salje/Schmidt-Preuß (Hrsg.), Regulierung in der Energiewirtschaft, 2. Aufl. 2016, Kap. 117 Rdnr. 98 ff.; *Fricke*, Die gerichtliche Kontrolle von Entgelten der Energiewirtschaft, 2015, S. 349 ff.; *Grüneberg*, RdE 2018, 53.

[7] Zum System der Entgeltregulierung im Energiesektor: *Ludwigs*, Unternehmensbezogene Effizienzanforderungen im Öffentlichen Recht, 2013, S. 154 ff., 164 ff., 280 ff. m.w.N.

[8] Zum TK-Sektor: *Ludwigs* (o. Fn. 6), S. 25 f.; s. auch BGH, NJW 2007, 3344 (3345); zur Paralleljudikatur im Postsektor: BGH, NVwZ-RR 2008, 154 Rdnr. 31 ff.

[9] Wie hier *Geppert/Helmes*, MMR 2007, 564 (564 f., 568).

tierte die für eine Anwendung von § 315 BGB notwendige unternehmerische Entscheidungsfreiheit.[10] Durch das Inkrafttreten der sog. Anreizregulierung (§ 21a EnWG) am 1. Januar 2009 hat sich der Preissetzungsspielraum der Netzbetreiber sogar noch erweitert. Das der Anreizregulierungsverordnung (ARegV)[11] zugrunde liegende Konzept einer *Revenue-Cap*-Regulierung zeichnet sich gerade dadurch aus, dass nur Erlösobergrenzen vorgegeben werden, die dem Netzbetreiber bewusst Spielraum für eine Steigerung der Kosteneffizienz belassen.[12] Vor diesem Hintergrund ist im Schrifttum betont worden, dass § 315 BGB „erst recht für die Entgelte gelten [muss], die nach der ARegV von den Netzbetreibern unter Einhaltung der Erlösobergrenzen kalkuliert werden".[13]

Trotz des derart identifizierten Spielraums der Netzbetreiber bei der Entgeltberechnung war lange Zeit umstritten, ob neben der Regulierungsaufsicht (mit nachgeschaltetem gerichtlichem Rechtsschutz) noch Raum für § 315 BGB verbleibt.[14] Die Diskussion ebbte jedoch ab, nachdem sich in fünf höchstrichterlichen Entscheidungen eine gefestigte Judikatur herausgebildet hatte.[15] Fundamentale Bedeutung kommt vor allem einem Urteil des BGH vom 15. Mai 2012 zu.[16] Dort standen erstmalig Stromnetznutzungsverträge auf dem Prüfstand, die nach dem Übergang vom verhandelten zum *regulierten*

[10] Vgl. auch BGH, NJW 2012, 3092 Rdnr. 20; ebenso *Büdenbender*, ET 8/2006, 60 (62); *Kling*, Die Rechtskontrolle von Netzentgelten im Energiesektor, 2013, S. 126; kritisch *Fricke* (o. Fn. 6), S. 354 f., der stattdessen auf die sog. Monopolpreisrechtsprechung rekurriert.

[11] Anreizregulierungsverordnung vom 29.10.2007, BGBl. I S. 2529; zuletzt geändert durch Gesetz v. 17.7.2017, BGBl. I S. 2503.

[12] *Rieke*, in: FS 300 Jahre OLG Celle, 2011, S. 431 (445); näher *Kling* (o. Fn. 10), S. 126 f. m.w.N.

[13] *Götz*, N&R 2012, 286 (288); s. auch *Böhme/Schellberg*, N&R 2012, 284 (285); dagegen aber *Kühne*, in: FS Bornkamm, 2014, S. 211 (218 f.), unter Rekurs auf die Rechtsbindung (s. § 17 ARegV) bei der Umsetzung der Erlösobergrenze in das einzelne Netzentgelt.

[14] Dafür z.B. *Dreher*, ZNER 2007, 103 (105); *Grigoleit/Götz*, ZNER 2009, 224 (225); *Kling*, ZHR 177 (2013), 90 (120 ff.); dagegen *Baur/Pritzsche/Garbers*, Anreizregulierung nach dem EnWG 2005, S. 79; *Bork*, JZ 2006, 682 (684); *Kühne*, NJW 2006, 654 (655 f.); *Metzger*, ZHR 172 (2008), 458 (470); *Säcker*, ZNER 2007, 114 (116); *Wolf*, RdE 2011, 261 (262).

[15] BGHZ 164, 336 (341); BGH, NJW-RR 2006, 915 Rdnr. 12 f.; BGH, NJW 2008, 2175 Rdnr. 23 ff.; BGH, NJW 2011, 212 Rdnr. 17 f.; BGH, NJW 2012, 3092 Rdnr. 14 ff., 17 ff. Zur hiervon zu trennenden Frage einer Billigkeitskontrolle der *Endkundenentgelte* instruktiv *Baur* (o. Fn. 6), Kap. 117 Rdnr. 42 ff., 54 ff.; aus der restriktiveren BGH-Judikatur vgl. z.B. BGHZ 171, 374 Rdnr. 17; BGHZ 172, 315 Rdnr. 31 ff.; BGHZ 176, 362 Rdnr. 14 ff., 26 f., 28 ff.; eingehend *Fricke* (o. Fn. 6), S. 361 ff.

[16] BGH, NJW 2012, 3092 Rdnr. 17 ff.; hierzu *Böhme/Schellberg*, (o. Fn. 13), 284; *Büdenbender*, EWiR 2013, 3; *Götz* (o. Fn. 13); *Wolf*, RdE 2012, 386; *Wollschläger*, EnWZ 2012, 38; zuletzt *Kühne* (o. Fn. 13), 214 ff.

Netzzugang im EnWG 2005 geschlossen worden waren.[17] Der BGH gelangte zu dem Befund, dass auch die gemäß § 23a EnWG genehmigten Netzentgelte einer zivilgerichtlichen Billigkeitskontrolle unterliegen.[18] Zur Begründung stützte sich der Kartellsenat auf viererlei Erwägungen: *Erstens* habe der Gesetzgeber in § 111 Abs. 1 S. 1 EnWG zwar die §§ 19 und 20 (sowie später auch § 29) GWB, nicht aber den einschlägigen § 315 BGB ausgeschlossen.[19] *Zweitens* beschränke sich die rein öffentlich-rechtliche Wirkung der Entgeltgenehmigung auf das Verhältnis der Behörde zum Netzbetreiber und entfalte wegen des bloßen Höchstpreischarakters keine privatrechtsgestaltende Wirkung gegenüber den Netznutzern.[20] *Drittens* verfolgten die Netzentgeltregulierung nach dem EnWG und die zivilgerichtliche Billigkeitskontrolle trotz des überindividuellen Maßstabs in § 315 BGB unterschiedliche Ziele.[21] *Viertens* weise das EnWG schließlich Rechtsschutzdefizite auf, weil der Netznutzer u.a. keinen Anspruch auf Beiladung zum behördlichen Entgeltregulierungsverfahren habe und der Zugang zur gerichtlichen Kontrolle durch die Beschwerdebefugnis nach § 75 Abs. 2 EnWG eingeschränkt werde.[22]

2. *Indizwirkung einer Netzentgeltgenehmigung*

Die Bedeutung der somit im Grundsatz bejahten ergänzenden Billigkeitskontrolle nach § 315 Abs. 3 BGB erfährt freilich eine gewisse Relativierung durch die von den Fachgerichten propagierte Indizwirkung einer regulierungsbehördlichen Netzentgeltgenehmigung. Sowohl im Grundsatzurteil vom 15. Mai 2012 als auch in einem hieran anknüpfenden Beschluss aus dem Jahr 2015 hat der BGH der Genehmigung nach § 23a EnWG die Rolle als „gewichtiges Indiz“ für die Billigkeit und Angemessenheit der genehmigten Netzentgelte zugesprochen.[23] Dies begründete das Gericht mit den engen Vorgaben der Entgeltkontrolle nach den energiewirtschaftsrechtlichen Vorschriften und der damit verbundenen Prüftiefe durch die neutralen Regulierungsbehörden. Der Netzbetreiber könne sich zur Darlegung der Billigkeit der von ihm verlangten Netzentgelte in einem ersten Schritt auf die erteilte Netzentgeltgenehmigung berufen. Es obliege dann dem Netznutzer, im Einzelnen darzulegen, weshalb die behördlich genehmigten Netzentgelte überhöht sein sollen. Insoweit könne er etwa geltend machen, dass die Regulierungsbehörde gegen Vorschriften des EnWG oder der StromNEV bzw.

[17] Näher zu den Entwicklungsstufen der Regulierung im Energiesektor: *Ludwigs* (o. Fn. 6), Kap. 6 Rdnr. 1 ff., 5 ff., 13 ff., 19 ff.

[18] BGH, NJW 2012, 3092 Rdnr. 17 ff.

[19] BGH, NJW 2012, 3092 Rdnr. 20.

[20] BGH, NJW 2012, 3092 Rdnr. 20.

[21] BGH, NJW 2012, 3092 Rdnr. 23.

[22] BGH, NJW 2012, 3092 Rdnr. 24 ff.

[23] Zum Folgenden BGH, NJW 2012, 3092 Rdnr. 36; BGH, RdE 2016, 401 Rdnr. 4 f.

GasNEV verstoßen habe oder dass die Entgeltgenehmigung auf unrichtigen Tatsachenangaben des Netzbetreibers in den Antragsunterlagen beruhe, deren Fehlerhaftigkeit im Genehmigungsverfahren nicht aufgedeckt worden sei.[24] Sofern es dem Netznutzer gelinge, die indizielle Wirkung der Entgeltgenehmigung zu erschüttern, müsse der Netzbetreiber seine Kostenkalkulation vorlegen und im Einzelnen näher erläutern. In diesem Rahmen habe dann der Tatrichter zu prüfen, ob im Hinblick auf die Genehmigungsunterlagen eine Anordnung zu deren Vorlage nach § 142 ZPO in Betracht kommt.[25]

Noch ungeklärt ist dagegen, inwieweit auch der Festlegung von Erlösobergrenzen im Sinne von § 4 ARegV eine Indizwirkung für die zivilgerichtliche Billigkeitskontrolle beizumessen ist. Dagegen spricht zwar der bereits angesprochene erhöhte Preisgestaltungsspielraum der Netzbetreiber im Rahmen der Anreizregulierung. Dafür lässt sich aber neben der durch die ARegV geschaffenen normativen Regelungsdichte auch die Gleichstellung von Einzelgenehmigung und Erlösobergrenzen-Festlegung im Rahmen der Rechtfertigungsfiktion des § 30 Abs. 1 S. 2 Nr. 5 Hs. 3 EnWG anführen. Es erscheint daher naheliegender, dass der BGH seine zu § 23a EnWG entwickelten Grundsätze im Grundsatz übertragen wird.[26] Zugleich hat der Jubilar allerdings überzeugend angemerkt, dass die Indizwirkung der regulierungsbehördlich festgelegten Gesamterlösobergrenze für die daraus abgeleiteten Einzelentgelte geringer sein dürfte als bei einer auf die Entgelte bezogenen Einzelentgeltgenehmigung nach § 23a EnWG.[27]

III. Zivilgerichtliche Billigkeitskontrolle auf dem Prüfstand des Verfassungsrechts

Mit der Indizwirkung regulierungsbehördlichen Handelns für die Billigkeitskontrolle nach § 315 BGB hatte sich jüngst auch das BVerfG zu beschäftigen.[28] Den Hintergrund bildeten vier Urteilsverfassungsbeschwerden gegen fachgerichtliche Entscheidungen im Zusammenhang mit genehmigten Stromnetzentgelten. In den Ausgangsverfahren hatte die Beschwerdeführerin erfolglos auf Rückzahlung der Differenz zwischen dem tatsächlich gezahlten und dem gemäß § 315 Abs. 3 S. 2 BGB als billig festzustellenden Netzentgelt geklagt. Die Zivilgerichte stützten ihre Klageabweisung maßgeblich auf die nicht erfolgte Erschütterung der Indizwirkung der Entgeltgenehmigung

[24] BGH, NJW 2012, 3092 Rdnr. 23; BGH, RdE 2016, 401 Rdnr. 5.

[25] BGH, NJW 2012, 3092 Rdnr. 36; BGH, RdE 2016, 401 Rdnr. 5.

[26] Siehe hierzu bereits *Ludwigs* (o. Fn. 6), S. 28 mit Fn. 74 m.w.N.; gänzlich ablehnend *Kühne* (o. Fn. 13), 218 f.

[27] *Büdenbender* (o. Fn. 16), 4.

[28] BVerfG (K), EnWZ 2018, 79; dazu insb. *König*, N&R 2018, 47; s. auch *Grüneberg* (o. Fn. 6), 53; *Missling*, EnWZ 2018, 82.

nach § 23a EnWG. Die Beschwerdeführerin machte demgegenüber mit ihren Verfassungsbeschwerden geltend, ihr seien nicht erfüllbare Anforderungen hinsichtlich des Nachweises der Unbilligkeit auferlegt worden. Konkret rügte sie insbesondere eine Verletzung des Willkürverbots (Art. 3 Abs. 1 GG), der prozessualen Waffengleichheit (Art. 3 Abs. 1 i.V.m. Art. 20 Abs. 3 GG) und der Rechtsschutzgarantie (Art. 2 Abs. 1 i.V.m. Art. 20 Abs. 3 GG). Vom BVerfG wurden die Verfassungsbeschwerden indes mangels Vorliegens der Voraussetzungen nach § 93a Abs. 2 BVerfGG nicht zu Entscheidung angenommen.

1. Kernaussagen des BVerfG

Im Nichtannahmebeschluss vom 26. September 2017 weist die 1. Kammer des Ersten Senats zunächst darauf hin, dass den Verfassungsbeschwerden aufgrund des zwischenzeitlich erfolgten Wechsels zum System der Anreizregulierung von vornherein *keine grundsätzliche Bedeutung* zukomme (§ 93a Abs. 2 lit. a BVerfGG).[29] Für außer Kraft getretenes oder geändertes Recht bestehe regelmäßig kein über den Einzelfall hinausgehendes Interesse an einer Klärung der Verfassungsmäßigkeit. Des Weiteren hätten die Verfassungsbeschwerden keine hinreichende Erfolgsaussicht, so dass ihre Annahme auch nicht zur *Durchsetzung der Rechte* der Beschwerdeführerin angezeigt sei (§ 93a Abs. 2 lit. b BVerfGG).[30] Von deren Seite werde schon nicht dargelegt, inwieweit sie dem Grundsatz der Subsidiarität der Verfassungsbeschwerde genügt habe. Insoweit fehle es an einem Vorbringen zu konkreten Bemühungen um Beiladung zu den jeweiligen Genehmigungsverfahren der beklagten Netzbetreiberinnen sowie im Hinblick auf die Beschaffung der zur Erschütterung der Billigkeit begehrten Informationen im Wege eines Antrags nach § 7 Abs. 1 des Informationsfreiheitsgesetzes (IFG).[31]

Im Weiteren bemängelt das BVerfG, der Vortrag der Beschwerdeführerin lasse die *Möglichkeit einer Grundrechtsverletzung* nicht hinreichend substantiiert erkennen. Hierfür mangele es bereits an einer zureichenden Auseinandersetzung mit den angegriffenen Entscheidungen.[32] Aber auch in der Sache bleibt die Kammer hinsichtlich der gerügten Verletzungen von Grundrechten und grundrechtsgleichen Rechten kritisch und stützt sich insoweit auf dreierlei Erwägungen:[33] Zum Ersten wird mit Blick auf einen Verstoß gegen Art. 3 Abs. 1 GG in seiner Ausprägung als Willkürverbot betont, dass die

[29] BVerfG (K), EnWZ 2018, 79 Rdnr. 17.
[30] BVerfG (K), EnWZ 2018, 79 Rdnr. 18 ff.
[31] BVerfG (K), EnWZ 2018, 79 Rdnr. 21.
[32] BVerfG (K), EnWZ 2018, 79 Rdnr. 25.
[33] Auf die weiteren Rügen einer Verletzung des Rechts auf den gesetzlichen Richter (Art. 101 Abs. 1 S. 2 GG) und des Anspruchs auf rechtliches Gehör (Art. 103 Abs. 1 GG) geht das BVerfG nicht ein; BVerfG (K), EnWZ 2018, 79 Rdnr. 10, 14, 27 ff.

von den Zivilgerichten angenommene Indizwirkung der kostenorientierten Entgeltgenehmigungen schon einfachrechtlich nicht unvertretbar sei.[34] Die Beschwerdeführerin habe nicht aufgezeigt, dass die konkret von ihr geforderten Darlegungen zur Erschütterung der Indizwirkung und die an die Substantiierung gestellten Anforderungen auf sachfremden Erwägungen beruhten und eine unter keinen Umständen mehr vertretbare Auslegung des § 315 Abs. 3 BGB darstellen könnten. Zum Zweiten sei auch eine Verletzung der prozessualen Waffengleichheit (Art. 3 Abs. 1 i.V.m. Art. 20 Abs. 3 GG) nicht in zureichender Weise dargelegt.[35] Der Beschwerdeführerin sei es schon nicht gelungen, das behauptete Informationsungleichgewicht substantiiert genug aufzuzeigen. Überdies habe sie sich nicht in der gebotenen Tiefe mit entgegenstehenden Rechten wie dem Schutz der Betriebs- und Geschäftsgeheimnisse der beklagten Netzbetreiberinnen auseinandergesetzt. Zum Dritten werde auch eine Verletzung der Rechtsschutzgarantie aus Art. 2 Abs. 1 i.V.m. Art. 20 Abs. 3 GG nicht genügend begründet.[36] Insoweit fehle es an einer substantiierten Auseinandersetzung der Beschwerdeführerin mit dem Maßstab des billigen Ermessens im Rahmen von § 315 Abs. 3 BGB. Ebenso wenig werde die Begründung der Indizwirkung hinreichend in den Blick genommen. Diese beruhe primär darauf, dass die Genehmigungsentscheidung nach Maßgabe der engen Vorgaben der energiewirtschaftlichen Vorschriften und in der damit verbundenen Prüftiefe durch die neutrale Regulierungsbehörde getroffen werde. Die Beschwerdeführerin übergehe zudem Sinn und Zweck der *ex-ante*-Entgeltgenehmigung, die zur Gewährleistung rechtssicherer Netzzugangsbedingungen geschaffen worden sei. Letztlich gelinge es ihr nicht aufzuzeigen, dass die Annahme der Indizwirkung auf sachfremden Erwägungen beruhen könnte.

2. *Kritische Würdigung*

Die Entscheidung des BVerfG hat im Schrifttum neben Zustimmung[37] auch differenzierte Kritik[38] erfahren. Hinterfragt wird bereits die Ablehnung einer *grundsätzlichen Bedeutung der Verfassungsbeschwerden* im Sinne von § 93a Abs. 2 lit. a BVerfGG.[39] *Prima facie* liegt insoweit der Einwand nahe, dass sich die Problematik der Indizwirkung – wie unter II.2. gezeigt – auch im Rahmen des Systems der Anreizregulierung weiter stellen wird.[40] Zu

[34] BVerfG (K), EnWZ 2018, 79 Rdnr. 28 ff.
[35] BVerfG (K), EnWZ 2018, 79 Rdnr. 31 ff.
[36] BVerfG (K), EnWZ 2018, 79 Rdnr. 34 ff.
[37] Vgl. *Grüneberg* (o. Fn. 6).
[38] Siehe insb. *König* (o. Fn. 28), 49 f.; z.T. auch *Missling* (o. Fn. 28).
[39] *König* (o. Fn. 28), 49; *Missling* (o. Fn. 28), 82 f.
[40] Soweit *Missling* (o. Fn. 28), ergänzend darauf hinweist, dass § 23a EnWG „mitnichten außer Kraft getreten ist“, trifft dies zwar im Hinblick auf die von der Anreizregulierung

bedenken ist allerdings, dass dort aufgrund des erhöhten Preisgestaltungsspielraums der Netzbetreiber kontrovers diskutiert wird, ob nicht schon einfachrechtlich eine andere Ausgangslage vorliegt. Vor diesem Hintergrund erscheint es schlüssig, wenn das BVerfG auf den Regelfall des Fehlens einer grundsätzlichen Bedeutung bei außer Kraft getretenem oder geändertem Recht rekurriert. Nicht zu überzeugen vermag es jedenfalls, wenn die knappen Ausführungen dahingehend gedeutet werden, dass die Darlegungs- und Beweislast im Rahmen der Billigkeitskontrolle von Netzentgelten seit Inkrafttreten der Anreizregulierung *allein* beim Netzbetreiber liegt.[41] Hierfür lässt sich dem Beschluss zum einen nichts positiv entnehmen. Zum anderen erscheint ein entsprechender Rückschluss aus der Verneinung der Grundsatzannahme fragwürdig, weil sich auch vermittelnde (aber gleichwohl von der Rechtslage nach § 23a EnWG abweichende) Positionen, wie die vom Jubilar vertretene abgeschwächte Indizwirkung,[42] denken lassen.

Des Weiteren ist mit Blick auf die vom BVerfG infrage gestellte Wahrung des Grundsatzes *der Subsidiarität der Verfassungsbeschwerde* zwar zutreffend auf den dabei angelegten strengen Maßstab hingewiesen worden.[43] Dieser entspricht indes der ständigen Rechtsprechung, wonach ein Betroffener *alle* ihm zur Verfügung stehenden verfahrensrechtlichen Möglichkeiten ergreifen muss, um den geltend gemachten Grundrechtsverstoß in dem unmittelbar mit ihm zusammenhängenden sachnächsten Verfahren zu verhindern oder zu beseitigen.[44] Insoweit hat die Kammer mithin lediglich unter

ausgenommenen Sonderfälle (hierzu näher *Franke*, in: Kment [Hrsg.], EnWG-Kommentar, 2015, § 23a Rdnr. 4) in der Sache zu. Nach ständiger Rechtsprechung des BVerfG mangelt es an der grundsätzlichen Bedeutung i.S.v. § 93a Abs. 2 lit. a BVerfGG aber auch dann, wenn es sich um eine „besondere Fallkonstellation" oder einen „seltenen Einzelfall" handelt (vgl. *Scheffczyk*, in: BeckOK BVerfGG, 4. Edition 2017, § 93a Rdnr. 29; aus der Judikatur: BVerfG [K], NJW-RR 2010, 1474 Rdnr. 14; BVerfGE 90, 22 [25]). Dies wird man vorliegend für die wenigen Unternehmen, auf die sich der Anwendungsbereich des § 23a EnWG reduziert hat (s. auch *Missling* [o. Fn. 28]), annehmen können.

[41] *König* (o. Fn. 28), 49.

[42] Vgl. bereits den Nachweis in Fn. 27.

[43] *König* (o. Fn. 28), 49.

[44] BVerfG (K), EnWZ 2018, 79 Rdnr. 20, unter exemplarischem Rekurs auf BVerfGE 108, 341 (348); BVerfGE 112, 50 (60); BVerfGE 134, 242 (285); aus der Lit. z.B. *Detterbeck*, in: Sachs (Hrsg.), GG-Kommentar, 8. Aufl. 2018, Art. 94 Rdnr. 20. Zu den nur restriktiv anerkannten Ausnahmen vom Grundsatz der Subsidiarität der Urteilsverfassungsbeschwerde nach Maßgabe des Kriteriums der Zumutbarkeit vgl. *Bethge*, in: Maunz/Schmidt-Bleibtreu/Klein/Bethge, BVerfGG-Kommentar, 52. EL 2017, § 90 Rdnr. 418 f.; mangels *offensichtlicher Aussichtslosigkeit* eines Antrags auf Beiladung zum Entgeltgenehmigungsverfahren nach § 23a EnWG bzw. eines Antrags nach § 7 Abs. 1 IFG war vorliegend kein Anwendungsfall gegeben.

eine etablierte, nicht zuletzt der Funktionsfähigkeit des Verfassungsgerichts dienende[45] Judikatur subsumiert und diese konsequent fortgeführt.[46]

Zuzustimmen ist dem BVerfG überdies, wenn es den *Schutz der Betriebs- und Geschäftsgeheimnisse* der beklagten Netzbetreiberinnen hervorhebt.[47] Diese stehen in nach- und vorgelagerten Märkten sowie in Bereichen wie dem Effizienzvergleich und den Konzessionsvergaben untereinander im Wettbewerb. Hinzu kommt die Konkurrenz mit anderen Unternehmen in Bereichen wie Beschaffung oder bei Lieferanten, Kapitalgebern sowie beim Personal.[48] Hiermit korrespondierend hatte der Erste Senat bereits in einer grundlegenden, zum Telekommunikationssektor ergangenen Entscheidung über den Schutz von Betriebs- und Geschäftsgeheimnissen vom 14. März 2006 klargestellt, dass eine den Wettbewerb beeinflussende staatliche Maßnahme als Eingriff in Art. 12 Abs. 1 GG zu würdigen ist, soweit sie das betroffene Unternehmen in seiner beruflichen Tätigkeit behindert.[49]

Prinzipiell überzeugen können schließlich auch die Ausführungen der Kammer zur Indizwirkung der Entgeltgenehmigung für die Billigkeitskontrolle im Rahmen von § 315 BGB.[50] Treffend erscheint hier vor allem der Hinweis auf die Einschränkung des Leistungsbestimmungsrechts der Netzbetreiber durch die öffentlich-rechtliche Wirkung der Entgeltgenehmigung gemäß § 23a EnWG. Dies gilt umso mehr, als die Genehmigung von einer neutralen und durch enge gesetzliche Vorgaben gesteuerten Regulierungsbehörde erlassen wird.[51] Wenn demgegenüber im Schrifttum die knappe Begründung der Kammer zum Vorwurf der Unwiderlegbarkeit der Indizwirkung gerügt wird,[52] ist dies zwar einerseits im Hinblick auf die wenige Zeilen umfassenden Ausführungen des Gerichts[53] nachvollziehbar. Andererseits hatte es die Beschwerdeführerin mit ihrem pauschalen Vortrag verpasst, den Vorwurf argumentativ zu untermauern. Im Übrigen zeigt die Kammer im Rahmen der Ausführungen zur Subsidiarität mögliche Alternativwege

45 Vgl. zur Funktion des Subsidiaritätserfordernisses bereits BVerfGE 9, 3 (7 f.); st. Rspr.

46 Zustimmend auch *Grüneberg* (o. Fn. 6), 57, unter ergänzendem Hinweis auf die Übertragbarkeit der Kernaussage aus BGH, NJW 2015, 3648 Rdnr. 14 ff. (zur kartellrechtlichen Überprüfung von Trinkwasserpreisen), wo unter bestimmten Voraussetzungen ein außerhalb des Anwendungsbereichs von § 29 VwVfG liegendes und im pflichtgemäßen Ermessen der Behörde (§ 40 VwVfG) stehendes Akteneinsichtsrecht anerkannt wurde.

47 Ebenso *Missling* (o. Fn. 28), 84; neutral *König* (o. Fn. 28), 49.

48 BVerfG (K), EnWZ 2018, 79 Rdnr. 33.

49 BVerfGE 115, 205 (229 f.); in den Ausgangsverfahren stand die regulierungsbehördliche Festsetzung der Entgelte für den Zugang zur Teilnehmeranschlussleitung (als Musterbeispiel für ein *natürliches Monopol*) auf dem Prüfstand.

50 Im Ergebnis auch *Missling* (o. Fn. 28), 83 f.; differenzierend *König* (o. Fn. 28), 50.

51 BVerfG (K), EnWZ 2018, 79 Rdnr. 36 f.

52 *König* (o. Fn. 28), 50.

53 BVerfG (K), EnWZ 2018, 79 Rdnr. 30.

der Informationsbeschaffung auf,[54] die gegebenenfalls über eine verfassungs- bzw. unionsrechtskonforme Auslegung der einschlägigen Bestimmungen geschärft werden könnten (s. hierzu noch unter IV.2.).

Vermag der Nichtannahmebeschluss nach alledem sowohl im Ergebnis als auch in weiten Teilen der Begründung zu überzeugen, bleibt abschließend zu betonen, dass sich das BVerfG hier allein mit der Frage der Indizwirkung auseinanderzusetzen hatte. Nicht auf dem Prüfstand stand also die Zulässigkeit der ergänzenden Billigkeitskontrolle als solche.[55] Hieraus wiederum folgt zugleich, dass im Falle einer Bejahung der nachfolgend zu analysierenden Unionsrechtswidrigkeit kein Konflikt zwischen Verfassungs- und Europarecht drohen würde.

IV. Paradigmenwechsel im Lichte des Europarechts

Ungeachtet der derart zu bejahenden Verfassungskonformität einer Indizwirkung von Netzentgeltgenehmigungen im Rahmen der Billigkeitskontrolle bleibt mithin die Frage zu beantworten, inwieweit eine Anwendung von § 315 BGB auf Netzentgelte auch mit dem Unionsrecht vereinbar ist. Anlass für eine nähere Betrachtung liefert die zum *Eisenbahnsektor* ergangene EuGH-Entscheidung in der Rechtssache *CTL Logistics* vom 9. November 2017.[56] Die Luxemburger Richter gelangten hier – in diametraler Abweichung von den Schlussanträgen des Generalanwalts[57] – zu dem Befund, dass die Eisenbahnzugangsrichtlinie 2001/14/EG[58] einer zivilgerichtlichen Billigkeitskontrolle der Wegeentgelte im Eisenbahnverkehr entgegensteht.[59]

[54] An der Effektivität zweifelnd aber *Missling* (o. Fn. 28), 83; vgl. zum vermeintlich fehlenden Zugriff der Netznutzer auf die zur Erschütterung der Indizwirkung notwendigen Informationen „im Normalfall" auch *König* (o. Fn. 28), 50, unter Rekurs auf *Säcker*, in: FS Krüger, 2017, 455 (461 ff.) und *Götz* (o. Fn. 13), 288.

[55] Siehe auch *König* (o. Fn. 28), 50.

[56] EuGH, Rs. C-489/15, ECLI:EU:C:2017:834 – CTL Logistics; hierzu *Bremer/Scheffczyk*, NZKart 2018, 121; *Gerstner*, EuZW 2018, 74; *Ludwigs*, N&R 2018, 55; *Mietzsch/Uhlenhut/Keding*, IR 2018, 57; *Neun/Schlichting*, IWRZ 2018, 32; *Staebe*, EuZW 2018, 118. Vgl. im Vorfeld bereits einen Unionsrechtsverstoß bejahend *Leitzke*, N&R 2013, 70; *Ludwigs*, EWS 2013, 409; *Ludwigs*, (o. Fn. 6); *Ludwigs*, N&R 2017, 56; s. auch *Gersdorf*, Entgeltregulierung im Eisenbahnsektor, 2015, S. 118 ff.; dagegen *Kühling*, DVBl 2014, 1558 (1560 ff.); ferner *Koenig/Meyer*, N&R 2015, 219 (220 ff.).

[57] GA *Mengozzi*, Rs. C-489/15, ECLI:EU:C:2016:901; hierzu *Specht*, IR 2017, 88.

[58] Richtlinie 2001/14/EG des Europäischen Parlaments und des Rates v. 26.2.2001 über die Zuweisung von Fahrwegkapazität der Eisenbahn und die Erhebung von Entgelten für die Nutzung von Eisenbahninfrastruktur, ABl. 2001, Nr. L 75/29; aufgehoben durch die Richtlinie 2012/34/EU des Europäischen Parlaments und des Rates v. 21.11.2012 zur Schaffung eines einheitlichen europäischen Eisenbahnraums, ABl. 2012, Nr. L 343/32.

[59] Vgl. jetzt auch § 45 Abs. 2 S. 3 des seit dem 2.9.2016 geltenden neuen Eisenbahnregulierungsgesetzes (ERegG), der im Hinblick auf die genehmigten Entgelte der Schienenwe-

1. *Kernaussagen des EuGH*

Zur Begründung der Unionsrechtswidrigkeit einer Anwendung von § 315 BGB stützt sich der EuGH sowohl auf materielle als auch auf institutionelle Erwägungen.[60]

In *materieller Hinsicht* nimmt der Gerichtshof insbesondere Bezug auf das eisenbahnrechtliche *Diskriminierungsverbot* sowie die *Maßstabsexklusivität* des sektorspezifischen Entgeltsystems. Zum einen kollidiere die zivilgerichtliche Billigkeitskontrolle mit der in Art. 4 Abs. 5 der Eisenbahnzugangsrichtlinie 2001/14/EG geforderten Gleichbehandlung der Eisenbahnverkehrsunternehmen.[61] Das Abstellen auf den individuellen Vertrag bei § 315 BGB verkenne, dass eine Gleichbehandlung aller Eisenbahnunternehmen im Rahmen der Entgeltpolitik nur dann gewährleistet sei, wenn die Entgelte anhand einheitlicher Kriterien festgelegt werden. Zum anderen werde das Eisenbahnregulierungsrecht durch einen typisierenden Ansatz geprägt, während sich die Billigkeitskontrolle nach § 315 BGB durch materielle, die Äquivalenz der Leistung betreffende Kriterien auszeichne.[62]

In *institutioneller Hinsicht* rekurrieren die Luxemburger Richter vor allem auf eine Verletzung der Unabhängigkeit des Infrastrukturbetreibers sowie die ausschließliche Zuständigkeit der Regulierungsstelle. Zum einen beschränke die zivilgerichtliche Festlegung des Entgelts nach § 315 BGB den in Art. 4 Abs. 1 RL 2001/14/EG vorausgesetzten Entgeltberechnungsspielraum des Betreibers der Infrastruktur in unvereinbarem Maße.[63] Zum anderen liege bei Deckungsgleichheit der eisenbahnrechtlichen Anforderungen mit den Vorgaben des § 315 BGB ein Eingriff der Zivilgerichte in die durch Art. 30 RL 2001/14/EG geforderte ausschließliche Zuständigkeit der Regulierungsstelle (mit *einem* nachgeschalteten Rechtsweg) vor.[64]

gebetreiber für das Erbringen des sog. Mindestzugangspakets eine nicht widerlegliche Fiktion der Billigkeit i.S.d. § 315 BGB begründet. Gleiches gilt gemäß § 33 Abs. 2 S. 3 ERegG für die genehmigten Entgelte der Betreiber der Schienenwege, die nach § 2 ERegG von den Vorschriften zur Entgeltbildung für Schienenwege befreit sind, sowie für die genehmigten Entgelte der Betreiber von Personenbahnhöfen. Siehe hierzu noch *Ludwigs*, N&R 2018, 55 (58), wonach eine zivilgerichtliche Billigkeitskontrolle von Infrastrukturentgelten im Eisenbahnsektor bei richtlinienkonformer Auslegung auch im Übrigen (d.h. bei anderen Serviceeinrichtungen als Personenbahnhöfen) ausscheiden muss.

[60] Für eine nähere Analyse der auf insgesamt sieben Erwägungen gestützten Argumentation des EuGH vgl. bereits *Ludwigs*, (o. Fn. 59), 56 f.

[61] EuGH, Rs. C-489/15, ECLI:EU:C:2017:834 Rdnr. 70 ff., 89 f. – CTL Logistics.

[62] EuGH, Rs. C-489/15, ECLI:EU:C:2017:834 Rdnr. 72 – CTL Logistics.

[63] EuGH, Rs. C-489/15, ECLI:EU:C:2017:834 Rdnr. 77 ff. – CTL Logistics.

[64] EuGH, Rs. C-489/15, ECLI:EU:C:2017:834 Rdnr. 86 – CTL Logistics.

2. *Übertragbarkeit auf den Energiesektor*

Unmittelbar nach Verkündung des *CTL Logistics*-Urteils ist dessen Sprengkraft erkannt und die Frage einer Übertragbarkeit auf den Energiesektor artikuliert worden.[65] Bis dato stand die Vereinbarkeit einer Anwendung von § 315 BGB auf Netzentgelte mit den Binnenmarktrichtlinien Strom[66] und Gas[67] überhaupt noch nicht im Fokus der Zivilgerichte. Im Schrifttum wurde zwar bereits vor geraumer Zeit auf die Problematik hingewiesen,[68] ohne dass dies aber auf Widerhall gestoßen wäre. Dieses „unionsrechtliche Desinteresse“ dürfte sich nunmehr im Lichte der EuGH-Entscheidung vom 9. November 2017 grundlegend wandeln.[69]

Im Ausgangspunkt ist allerdings festzuhalten, dass sich die Argumentation des EuGH nicht undifferenziert auf den Energiesektor übertragen lässt. Insbesondere fehlt im europäischen Energierecht ein Art. 4 Abs. 1 der Eisenbahnzugangsrichtlinie 2001/14/EG[70] entsprechendes Unabhängigkeitspostulat der Netzbetreiber bei der Entgeltberechnung.[71] Darüber hinaus erscheint auch eine Verletzung des energierechtlichen Diskriminierungsverbots aus Art. 32 Abs. 1 Strom-RL 2009/72/EG bzw. Gas-RL 2009/72 zweifelhaft. Zu bedenken ist insoweit, dass die Billigkeitskontrolle nach § 315 BGB abweichend vom Eisenbahnsektor[72] gerade nicht durch einen *individuellen Maßstab* gekennzeichnet ist. Vielmehr betont der BGH für den Energiesektor, dass der Maßstab der Billigkeit in § 315 BGB im Rahmen der Überprüfung von Netzentgelten „kein individueller [ist], sondern (...) aus der typischen Interessenlage des Netznutzungsverhältnisses und den für dessen Ausgestaltung maßgeblichen gesetzlichen Vorgaben gewonnen werden [muss]“.[73] Schließlich wird im Lichte der vom BGH anerkannten Indizwirkung der Entgeltgenehmigung nach § 23a EnWG auch das energierechtliche Entgeltsystem durch eine zivilgerichtliche Billigkeitskontrolle zumindest nicht grundlegend infrage gestellt.

[65] *Ludwigs* (o. Fn. 59), 58 f.; *Neun/Schlichting* (o. Fn. 56), 33; *Staebe* (o. Fn. 56), 122.

[66] Richtlinie 2009/72/EG des Europäischen Parlaments und des Rates v. 13.7.2009 über gemeinsame Vorschriften für den Elektrizitätsbinnenmarkt und zur Aufhebung der Richtlinie 2003/54/EG, ABl. 2009, Nr. L 211/55.

[67] Richtlinie 2009/73/EG des Europäischen Parlaments und des Rates v. 13.7.2009 über gemeinsame Vorschriften für den Erdgasbinnenmarkt und zur Aufhebung der Richtlinie 2003/55/EG, ABl. 2009, Nr. L 211/94.

[68] Siehe nur *Ludwigs,* EnWZ 2013, 483 (487 f.); auf die Strukturvergleichbarkeit von Eisenbahn- und Energieregulierungsrecht hinweisend auch *Kühne* (o. Fn. 13), 221, der ein Übergreifen der Kritik auf den Energiebereich für „wahrscheinlich“ hält.

[69] Vgl. zum Folgenden auch schon *Ludwigs* (o. Fn. 59), 58 f.

[70] Siehe jetzt auch Art. 29 Abs. 1 der neuen Eisenbahnrichtlinie 2012/34/EU (Fn. 58).

[71] Darauf hinweisend bereits *Ludwigs* (o. Fn. 68), 487.

[72] Vgl. insoweit BGH, NVwZ 2012, 189 Rdnr. 17.

[73] BGH, NJW 2008, 2175 Rdnr. 21; BGH, NJW 2012, 3092 Rdnr. 23.

Nachhaltige Zweifel an der Unionsrechtskonformität einer zivilgerichtlichen Billigkeitskontrolle der Netzentgelte im Energiesektor wecken allerdings spezifisch die Ausführungen im *CTL Logistics*-Urteil zur ausschließlichen Zuständigkeit der Regulierungsstelle. Der Gerichtshof betont insoweit, dass die exklusive Zuständigkeit nach Art. 30 Abs. 1 S. 1 der Eisenbahnzugangsrichtlinie 2001/14/EG („*eine* Regulierungsstelle")[74] verletzt werde, wenn die nationalen Zivilgerichte bei der Beurteilung der Berechnungsmodalitäten und der Höhe der Entgelte im Rahmen der Billigkeitskontrolle gemäß § 315 BGB die Vorschriften der sektorspezifischen Bereichsregelung anwenden. Wirft man nun einen vergleichenden Blick auf den Energiesektor, so lässt sich ein Zweifaches festhalten: Zum einen ist auch dort die organisationsrechtliche Einzigkeit der Zuständigkeit unionsrechtlich vorgegeben. Ausweislich von Art. 35 Abs. 1 Strom-RL 2009/72/EG bzw. Art. 39 Abs. 1 Gas-RL 2009/73/EG benennen die Mitgliedstaaten auf nationaler Ebene nur „*eine einzige* nationale Regulierungsbehörde".[75] Zum anderen verdeutlicht eine Analyse der überkommenen BGH-Judikatur zu § 315 BGB, dass die sektorspezifischen Regelungen im Zentrum der Billigkeitskontrolle stehen. Paradigmatisch hierfür stehen die Ausführungen im grundlegenden Urteil vom 15. Mai 2012. Die einschlägige Passage lautet wie folgt:

> „Der Maßstab der Billigkeit in § 315 BGB ist im Rahmen der Überprüfung von Netzentgelten kein individueller, sondern muss aus der typischen Interessenlage des Netznutzungsverhältnisses und den für dessen Ausgestaltung maßgeblichen gesetzlichen Vorgaben gewonnen werden (...). Dieser Maßstab wird – entsprechend der Rechtsprechung des *Senats* zum EnWG 1998 (...) – durch §§ 21 ff. EnWG konkretisiert. Danach wird das Ermessen in mehrfacher Hinsicht gebunden. Neben der Beachtung des – hier nicht relevanten – Diskriminierungsverbots muss sich die Entgeltbildung daran orientieren, dass die Regulierung einer möglichst sicheren, preisgünstigen, verbraucherfreundlichen, effizienten und umweltverträglichen leitungsgebundenen Versorgung der Allgemeinheit mit Elektrizität und Gas (§ 1 Abs. 1 EnWG) und darüber hinaus der Sicherstellung eines wirksamen und unverfälschten Wettbewerbs (§ 1 Abs. 2 EnWG) dienen soll. Die Entgelte für den Netzzugang müssen unter anderem angemessen sein (§ 21 Abs. 1 EnWG) und dürfen keine Kosten oder Kostenbestandteile enthalten, die sich ihrem Umfang nach im Wettbewerb nicht einstellen würden (§ 21 Abs. 2 Satz 2 EnWG). Sie müssen die in der Stromnetzentgeltverordnung bzw. Gasnetzentgeltverordnung enthaltenen Regelungen zur Ermittlung der Entgelte einhalten."[76]

[74] Hervorhebung v. *Verf.*; s. auch schon GA *Jääskinen*, Rs. C-545/10, ECLI:EU:C:2012:791 Rdnr. 107 – Kommission/Tschechien; noch deutlicher jetzt Art. 55 Abs. 1 S. 1 der neuen Eisenbahnrichtlinie 2012/34/EU (Fn. 58), wonach die Mitgliedstaaten verpflichtet sind „eine *einzige* nationale Regulierungsstelle" einzurichten (Hervorhebung v. *Verf.*).

[75] Hervorhebung durch *Verf.*

[76] BGH, NJW 2012, 3092 Rdnr. 34; BGH, RdE 2016, 401 Rdnr. 4; diese Anforderungen wiederholend zuletzt *Grüneberg* (o. Fn. 6), 56; zustimmend *Büdenbender* (o. Fn. 16), 4; s. aber auch *Kühne* (o. Fn. 13), 215, der mit Recht hinterfragt, worin dann noch der vom BGH behauptete eigenständige Anwendungsbereich des § 315 Abs. 3 BGB bestehen soll.

Hieraus erhellt, dass die Zivilgerichte in diesem Rahmen als eine Art zweite Regulierungsstelle handeln.[77] Das Verdikt der Unionsrechtswidrigkeit einer ergänzenden Billigkeitskontrolle erscheint vor diesem Hintergrund unumgänglich. Gefordert ist vielmehr eine Konzentration des Rechtsschutzes auf das Beschwerdeverfahren nach §§ 75 ff. EnWG. Dabei sollten zugleich bestehende Rechtsschutzlücken geschlossen werden.[78] Zu denken ist insoweit vor allem an den auch vom BGH[79] als Defizit empfundenen mangelnden Rechtsanspruch des Netznutzers auf Beiladung zum behördlichen Regulierungsverfahren.[80] Insoweit könnte neben einem Tätigwerden des Gesetzgebers an eine Auslegung von § 66 Abs. 2 Nr. 3 EnWG (genauer: der dortigen Erheblichkeitsschwelle und des eingeräumten Ermessens) im Lichte des verfassungs- und unionsrechtlich geforderten effektiven Rechtsschutzes gedacht werden.[81] Klarzustellen ist aber auch, dass etwaige Rechtsschutzlücken nicht zur Rechtfertigung des Verstoßes gegen die Richtlinienvorgaben herangezogen werden.[82] Gefordert (und möglich) ist vielmehr beides: die Wahrung der in Art. 35 Abs. 1 Strom-RL 2009/72/EG bzw. Art. 39 Abs. 1 Gas-RL 2009/73/EG verankerten organisationsrechtlichen Einzigkeit der regulierungsbehördlichen Zuständigkeit und die von Art. 37 Abs. 12, 16 Strom-RL 2009/72/EG bzw. Art. 41 Abs. 12, 16 Gas-RL 2009/73/EG vorausgesetzte Gewährleistung eines effektiven Rechtsschutzes.

V. Fazit: *Quo vadis*, zivilgerichtliche Billigkeitskontrolle?

Nach dem überzeugend begründeten Beschluss des BVerfG vom 26. September 2017 ist aus berufenem Munde die Erwartung geäußert worden, hiermit sei der „Schlussstein" auf die Rechtsprechung des BGH zur Billigkeitskontrolle von regulierten Strom- und Gasnetzentgelten gesetzt und ein weiteres Kapitel des Energiewirtschaftsrechts geschlossen worden.[83] Keine zwei Monate später könnte sich diese Aussage im Lichte der *CTL Logistics*-Entscheidung des EuGH als trügerisch erweisen. Die dort für den Eisenbahnsektor entwickelte Argumentation zur Unionsrechtswidrigkeit

[77] *Ludwigs* (o. Fn. 68), 487 f.; *Ludwigs* (o. Fn. 59), 59.

[78] *Ludwigs* (o. Fn. 59), 59.

[79] Nachweis in Fn. 22; die weitergehende Kritik des BGH im Hinblick auf eine Einschränkung der gerichtlichen Kontrolle durch die Beschwerdebefugnis nach § 75 Abs. 2 EnWG muss dagegen vor dem Hintergrund der gegenüber § 42 Abs. 2 VwGO erweiterten Rechtsschutzeröffnung zweifelhaft erscheinen; vor einer Überspannung des Gebots umfassenden Rechtsschutzes durch den BGH warnt auch *Kühne* (o. Fn. 13), (216).

[80] Ebenso *König* (o. Fn. 28), 50.

[81] In diese Richtung auch *Kühne* (o. Fn. 13), 216, der für eine „Ermessensbeschränkung in Richtung auf eine Rechtspflicht" plädiert.

[82] A.A. wohl *König* (o. Fn. 28), 50.

[83] *Grüneberg* (o. Fn. 6), 53, 57.

einer Anwendung von § 315 Abs. 3 BGB auf Infrastrukturnutzungsentgelte erscheint zumindest partiell auf den Energiesektor übertragbar und spricht für eine vollständige Aufgabe der ergänzenden Billigkeitskontrolle. Vor diesem Hintergrund dürfte es nur eine Frage der Zeit sein, bis ein Instanzgericht sein Vorlagerecht an den EuGH nach Art. 267 Abs. 2 AEUV wahrnimmt oder der BGH seine Vorlagepflicht gemäß Art. 267 Abs. 3 AEUV erfüllt. In diesem Sinne liefert die Thematik einen weiteren Beleg für die Dynamik des vom Jubilar maßgeblich mitgeprägten und zunehmend europäisierten Rechtsgebiets des Energierechts.

Netzentgeltkontrolle im Energiesektor vor und nach der Entscheidung des EuGH vom 9.11.2017 (N&R 2018, 45 ff.)

FRANZ JÜRGEN SÄCKER*

I. Problemstellung

Während die Preiskontrolle bei offenen Märkten in den Fällen marktbeherrschender Stellungen Aufgabe der Kontrollbehörden ist (Art. 102 AEUV, § 19 GWB), unterliegen Netzmärkte mit natürlichem Monopolcharakter der Preiskontrolle der nationalen Regulierungsbehörden; ohne dass dadurch allerdings die Anwendung von Art. 102 AEUV bei grenzüberschreitenden Sachverhalten ausgeschlossen ist. Die nachfolgenden Ausführungen beschränken sich auf die Netzentgeltkontrolle im Energiesektor. Diese Darlegungen sind meinem Kollegen Büdenbender gewidmet, der durch seine Veröffentlichungen die Rechtsfragen der zivil-, kartell- und regulierungsrechtlichen Kontrolle und Anpassung der Strom-, Gas- und Fernwärmepreise wissenschaftlich als einer der ersten grundlegend durchleuchtet hat.

II. Die Überprüfung der Netznutzungsentgelte im Energiesektor

1. *Kontrolle nach § 23a EnWG i.V. mit §§ 21 und 56 EnWG*

a) Grundsätze

Soweit heute nicht die Vorschriften der AnreizregulierungsVO als lex specialis eingreifen (s.u. II. 2.), gilt § 23a EnWG. Netzzugangsentgelte, die die Obergrenze einer nach § 23a Abs. 2 und 4 EnWG erteilten Genehmigung nicht überschreiten, gelten im Rahmen eines Missbrauchsverfahrens nach § 30 EnWG gem. § 30 Abs. 1 S. 2 Nr. 5 Hs. 2 EnWG als sachlich gerechtfertigt. Das gilt auch für grenzüberschreitende Energielieferungen. Hat die Bundesnetzagentur im Verfahren nach § 23a EnWG die Vereinbarkeit der Netznutzungsentgelte für grenzüberschreitende Energietransporte gemäß § 56 EnWG mit den einschlägigen EU-Verordnungen festgestellt, so kön-

* Der Verfasser ist Akademischer Direktor des Instituts für Energie- und Regulierungsrecht Berlin.

nen diese im Rahmen eines späteren Missbrauchsverfahrens nach § 30 EnWG ebenfalls nicht angegriffen werden.[1]

Stellt die Bundesnetzagentur dagegen fest, dass die geforderten Entgelte, gemessen an den Grundsätzen des § 21 Abs. 2 EnWG i.V. mit den Vorschriften der Strom- oder Gas-Netzentgeltverordnung, nicht genehmigungsfähig sind, so muss die Behörde ein Missbrauchsverfahren gemäß §§ 65, 30 Abs. 2 S. 3 Nr. 1 i.V. mit Abs. 1 S. 2 Nr. 1 EnWG einleiten und das Unternehmen verpflichten, die Zuwiderhandlung abzustellen, d.h. das missbräuchlich überhöhte Entgelt auf das gemäß § 21 Abs. 2 EnWG gerechtfertigte Entgelt abzusenken, wenn das EVU nicht freiwillig bereit ist, gemäß der behördlichen Vorgabe seine Netznutzungsentgelte zu senken.[2]

Die Missbrauchsverfügung kann allerdings nur für die Zukunft ergehen. Eine gegen die Verfügung gerichtete Beschwerde hat gemäß § 76 EnWG keine aufschiebende Wirkung, es sei denn, die aufschiebende Wirkung wird auf Antrag vom Gericht angeordnet werden (§ 76 Abs. 2 EnWG). Schon vor Abschluss des gerichtlichen Verfahrens kann die Bundesnetzagentur einstweilige Maßnahmen treffen, wenn sich dieses etwa wegen unvollständiger Angaben länger hinzieht (vgl. § 72 EnWG).[3] Eine auf den Zeitpunkt des Inkrafttretens des Gesetzes bzw. auf den Ablauf der gesetzlichen Antragsfrist (01.11.2005) zurückwirkende Missbrauchsverfügung sieht das Gesetz nicht vor. Zwar ordnet § 30 Abs. 2 S. 2 EnWG an, dass die Regulierungsbehörden den Missbrauch wirksam bekämpfen müssen; daraus lässt sich aber nicht ableiten, dass die Verfügung auch rückwirkend ergehen kann. Eine rückwirkende Verfügung könnte nämlich nur den Inhalt haben, dass der Netzbetreiber für die Vergangenheit das missbräuchlich vereinnahmte Netznutzungsentgelt an seine Kunden mit Zinsen zurückzahlen müsste. Ein solcher Verwaltungsakt wäre jedenfalls zu unbestimmt; er könnte nicht vollstreckt werden, da weder die Namen der Kunden noch die Zeiträume, für die (etwa bei Wohnungswechsel) Entgelte zurückgezahlt werden müssen, noch die konkrete Höhe des Geldbetrages feststehen.[4]

Den Regulierungsbehörden steht als wirksames Instrument aber gemäß § 33 EnWG die Möglichkeit offen, den aus dem Missbrauch in der Vergangenheit erzielten Gewinn abzuschöpfen. Ebenso können die Kunden den zu viel gezahlten Betrag gemäß § 812 Abs. 1 S. 1 BGB zurückfordern, da der

[1] Vgl. *Weyer*, in: Säcker, Berliner Kommentar zum Energierecht, Bd. I/1, 4. Aufl. 2018, § 30 Rn. 27 ff.

[2] Vgl. *Säcker/Meintzenbach*, in: Berliner Kommentar zum Energierecht, Bd. I/1, 4. Aufl. 2018, § 21 Rdnr. XXX.

[3] Vgl. dazu *Roesen/Johanns*, in: Berliner Kommentar zum Energierecht, Bd. I/2, 4. Aufl., § 76 Rdnr. 18.

[4] Vgl. dazu *Säcker*, N&R 2004, S. 46 ff.; *ders.*, in: Festschrift für Bornkamm, 2014, S. 275 ff.; *Steffens*, in: Säcker, Berliner Komm. zum Energierecht, 3. Auflage 2018, § 23a EnWG, Rdnr. 18.

Vertrag seit dem Wirksamwerden des EnWG nur mit dem zulässigen und nicht mit einem missbräuchlich überhöhten Entgelt zustande fort gilt.[5] Die Kunden können diese Summe alternativ aber auch gemäß § 32 Abs. 3 EnWG als Schadensersatz zurückfordern.

Stellen Konkurrenten oder Kunden bei der Bundesnetzagentur einen Antrag auf Einleitung eines Missbrauchsverfahrens gegen den Netzbetreiber nach § 31 EnWG wegen überhöhter Netznutzungsentgelte, so kann die Bundesnetzagentur den Netzbetreiber, der missbräuchlich überhöhte Zugangsentgelte fordert, nur dann verpflichten, die Zuwiderhandlung abzustellen, wenn zuvor die nach § 23a EnWG erteilte Genehmigung aufgehoben ist (§ 31 Abs. 1 S. 3 EnWG). Aus § 23a Abs. 4 S. 3 EnWG lässt sich die Wertung entnehmen, dass die Bundesnetzagentur den Genehmigungsbescheid nur aufheben kann, wenn sie sich gemäß § 23a Abs. 4 S. 1 EnWG den Widerruf ausdrücklich vorbehalten hat bzw. wenn er auf unrichtigen Angaben i.S. von § 23a Abs. 4 S. 3 Nr. 2 EnWG beruht. Da der Netzbetreiber einen Rechtsanspruch auf die Genehmigung seiner Preise hat, wenn diese in Übereinstimmung mit § 21 Abs. 2 EnWG und den Bestimmungen der einschlägigen Rechtsverordnungen (StromNEV, GasNEV) gebildet sind, kann ein Widerrufsvorbehalt (als Nebenbestimmung und besondere Art der auflösenden Bedingung i.S. von §§ 36 Abs. 2 Nr. 3, 49 Abs. 2 Nr. 1 VwVfG) eine Beseitigung des Verwaltungsaktes nur dann vorsehen, wenn dafür die im EnWG vorgesehenen Gründe vorliegen.

b) Einschränkungen auf regulierungsbasierte Kriterien?

Nach der Entscheidung des EuGH vom 9.11.2017[6] kommt eine gerichtliche Korrektur der behördlichen bzw. der in Vollzug dieser Verfügung getroffenen unternehmerischen Entscheidung aber nur in Betracht, wenn diese aus vom EU-Recht vorgegebenen regulierungsrechtlichen Gründen als rechtswidrig anzusehen ist. Das Gericht darf daher keine außer-regulierungsrechtlichen, etwa zivilrechtlichen Gründe zur Überprüfung verwenden, weil das – insbesondere im Verhältnis zu anderen Netzkunden – zur Diskriminierung und zur Beeinträchtigung der Regulierungsziele führen könnte.

Für den Privatrechtler wie auch für die Rechtsprechung des Bundesgerichtshofs mag die Entscheidung des EuGH jedenfalls auf den ersten Blick ein Schlag ins Gesicht sein; denn der Bundesgerichtshof hatte in Überein-

[5] Ebenso *Kühne* (RdE 2000, S. 1 ff.). *Kühne* ist allerdings insofern inkonsequent, als er vertragsrechtliche Sanktionen wegen des Verstoßes gegen § 19 GWB gemäß § 134 BGB bejaht, die Anwendung von § 315 BGB aber ablehnt, obgleich unstreitig ist, dass vertragliche Normen wie die §§ 305 ff. BGB durch § 19 GWB nicht verdrängt werden, sondern in Idealkonkurrenz nebeneinanderstehen; näher dazu *Säcker*, Neues Energierecht, 2. Aufl. 2003, S. 135, 154 ff.

[6] EuGH, Urteil v. 9.11.18, EnWZ 2018, S. 73.

stimmung mit der herrschenden Literatur die Kontrolle einseitig gestalteter Entgelte, und zwar auch der Netznutzungsentgelte, zu einer Kernaufgabe des Privatrechts erklärt.[7] § 315 BGB ist eine Fundamentalnorm des Privatrechts, keine Norm lediglich am Rande oder an der Peripherie des Privatrechts.[8]

Im Privatrecht kommen Einigungen durch übereinstimmende Willenserklärungen zustande. Wo eine Partei einseitig das Verhältnis von Leistung und Gegenleistung ändern kann, bedarf es des Schutzes der diesem Bestimmungsrecht ausgesetzten Partei durch die Einschaltung von Gerichten, die die einseitige Festlegung korrigieren können. § 315 BGB wurzelt somit im Zentrum der Privatautonomie und nimmt mit ihr am Schutz durch Art. 2 Abs. 1 GG und durch die europäische Sozial- und Grundrechtscharta teil.[9]

Um die Einschränkung dieses fundamentalen Prinzips zu kompensieren, bedarf es eines funktional gleichwertigen Instruments, das dem Einzelnen statt einer ex-post Kontrolle eine Partizipation am Entscheidungsinhalt selbst ermöglicht. Dies kann verwaltungsrechtlich mit Hilfe der Beiladung geschehen. Insoweit muss das EnWG im Wege einer weiten Auslegung des § 31 EnWG bzw. de lege ferenda durch eine klare Gesetzesvorschrift ergänzt werden.[10] Das Beiladungsverfahren muss dabei nicht so ausgestaltet werden, dass die Behörden alle denkbaren in ihrer Rechtsposition betroffenen Personen zum Verfahren beilädt; sie kann sich nach der zutreffenden Rechtsprechung des Bundesgerichtshofs[11] auf sachgerecht ausgewählte Teilnehmer beschränken, um das Verfahren bei unter Umständen mehr als 1000 Teilnahmeinteressenten praktikabel zu halten. Alle Übrigen haben aber die Möglichkeit, soweit sie rechtlich betroffen sind, die Entscheidung der Behörde im verwaltungsgerichtlichen Verfahren direkt anzugreifen. So hat der Bundesgerichtshof bei verweigerter Beiladung zum Fusionskontrollverfahren bereits klar entschieden.[12] Wer potentiell in seinen Rechten betroffen ist, dem kann der Rechtsschutz nicht verwehrt werden. Das Bundesverwaltungsgericht hat eine Beiladung zum behördlichen Verfahren nach § 12 BTOElt abgelehnt, weil es einen funktionierenden Rechtsschutz gem. § 315 BGB gebe.[13] Wenn der Europäische Gerichtshof nunmehr den ergänzenden Rechtsschutz mittels § 315 BGB bei regulatorischen Preiskontrollentscheidungen ablehnt, hat

[7] Vgl. BGH, Urteil v. 8.3.16, EnZR 72/4; näher dazu *Markert*, in: Berliner Kommentar zum Energierecht, Bd. I, 4. Aufl. 2018, Anhang I zu § 39 EnWG.

[8] Vgl. *Säcker/Mengering*, N&R 2017, S. 73 ff.; ferner *N. Fricke*, Die gerichtliche Kontrolle von Entgelten der Energiewirtschaft. Eine Untersuchung zu § 315 BGB, 2015; *Antoniou*, Die Kontrolle einseitiger Preisanpassungsrechte in Dauerschuldverhältnissen am Beispiel langfristiger Energielieferverträge, 2018, S. 117 ff.

[9] Vgl. *Säcker*, in: Festschrift für Schmidt-Preuß, 2018.

[10] Vgl. bereits *Säcker*, N&R 2008, 134 ff.

[11] Vgl. *Säcker*, in Festschrift für Hirsch, 2008, S. 323 ff.

[12] BGH, Beschl. v. 7.11.2006, KVR 37/05 = BGHZ 169, 370, Rn. 11, 18 ff.

[13] BVerwG E 95, 133, 138; dazu *Säcker*, Neues Energierecht, 2. Aufl. 2003, S. 325 ff. m.w.N.

dies zur Konsequenz, dass dann das behördliche Verfahren für eine unmittelbare Teilhabe der in ihren Rechten betroffenen Netznutzer geöffnet werden muss (näher dazu unter III.).

c) Umsetzung der behördlichen Entscheidung

aa) Konsequenzen bei nicht entflochtenen EVU

Wenn das Unternehmen unverändert am überhöhten Entgelt festhält, wird der bestehende Vertrag gemäß § 134 BGB i.V. mit § 115 Abs. 1a EnWG unwirksam, da der überhöhte Teil des Netznutzungsentgeltes in den Preis eingeflossen ist, der dem Kunden vom EVU in Rechnung gestellt ist. Der Vertrag ist allerdings – entgegen § 139 BGB – nach zutreffender Auffassung bei Vereinbarung eines überhöhten Entgeltes nicht (total) nichtig, sondern nur teilnichtig.[14] Der Preis reduziert sich auf das rechtlich zulässige Entgelt. Vom vereinbarten Vertragspreis ist das Netznutzungsentgelt abzuziehen, soweit es nach der (bestandskräftigen) Entscheidung der Bundesnetzagentur gegen § 21 EnWG verstößt.[15]

Die Regulierungsbehörden haben ihre Entscheidung, soweit bei kleineren Unternehmen kein Legal Unbundling erforderlich war (vgl. §§ 6 ff. EnWG), an das rechtlich nicht entflochtene EVU zu richten. Dieses ist – ggf. gemäß § 30 EnWG – von der Regulierungsbehörde zu verpflichten, nicht nur in der unternehmensinternen Kalkulation die für die Netznutzung veranschlagten Kosten zu senken, sondern es muss auch den das Netznutzungsentgelt enthaltenden All-inclusive-Preis um den zu hohen Teil des kalkulatorischen Netznutzungsentgelts reduzieren.

Diese Wertung bewegt sich im Einklang mit den allgemeinen Wertungen des Zivilrechts. Selbst ein schwerwiegender interner Kalkulationsirrtum, der das Unternehmen zur Vereinbarung eines zu niedrigen Preises veranlasst hat, führt nicht automatisch zur Korrektur des Vertragspreises. Der Irrtum berechtigt als Irrtum über den Preis nicht einmal zur Anfechtung der Willenserklärung wegen Irrtums nach § 119 Abs. 1 oder Abs. 2 BGB.[16] Ein Recht zur Preiskorrektur besteht vielmehr nur, wenn dies in einer Preisanpassungsklausel wirksam vereinbart ist und die verlangte Preiskorrektur mit § 315 BGB vereinbar ist.

Dieser Grundsatz erfährt allerdings bei Vorliegen folgender Voraussetzungen einige Einschränkungen: Wenn die BNetzA bzw. die Landesregulierungsbehörden die Senkung des beantragten Netznutzungsentgelts anordnen

[14] Einzelheiten bei *Säcker/Jaecks*, in: Münchener Kommentar zum europäischen und deutsches Wettbewerbsrecht, 2. Aufl. 2016, Art. 81 Rn. 645 ff.; 688 ff.

[15] Näher *Meintzenbach*, in: Berliner Kommentar, 4. Aufl. 2018, Bd. I/1, § 21a Rdnr. 39 ff.

[16] Nähere Nachweise bei *Armbrüster*, in: MünchKomm BGB, 8. Aufl. 2018, § 119 Rdnr. 130 ff.

bzw. die beantragten Preise nicht in voller Höhe genehmigen, weil den Netzkosten netzfremde Kostenelemente (z.B. nicht erforderliche Werbe- oder Repräsentationskosten, zu hoher Anteil an den produktionsunabhängigen Gemeinkosten) zugerechnet worden sind, die sich bei sachgerechter Abgrenzung als Vertriebskosten darstellen, kann das Unternehmen prüfen, ob ihm eine vertraglich vereinbarte Wirtschaftsklausel erlaubt, eine Erhöhung des Energielieferpreises im Wege der Vertragsanpassung geltend zu machen, der die auf Grund der „Umschichtung" erhöhten Vertriebskosten umfasst. Besteht keine solche Anpassungsklausel, kommt eine Berufung auf den Wegfall der Geschäftsgrundlage in aller Regel nicht in Betracht; denn mangels gravierender Störung liege ein unter § 313 Abs. 1 oder Abs. 2 BGB zu subsumierender Fall nicht vor.[17]

bb) Konsequenzen bei rechtlich entflochtenen EVU

Bei rechtlich entflochtenen Unternehmen mit getrennter Netzgesellschaft ist die Rechtslage der Rückabwicklung der überhöhten Netzentgelte in mancher Hinsicht komplizierter:

Die Verfügung der BNetzA ergeht hier gegenüber der Netzgesellschaft. Hat die Konzern-Netzgesellschaft der Konzernmuttergesellschaft überhöhte Netznutzungsentgelte in Rechnung gestellt und sind diese in die Kalkulation der in den Energielieferverträgen festgelegten „All-Inclusive-Preise" eingegangen, so sind nicht nur die Netznutzungsentgelte gegenüber der Konzernmutter zu senken, sondern auch die von dieser ihren Grundversorgungskunden in Rechnung gestellten Preise, und zwar um den überhöhten Betrag, da § 19 GWB im Grundversorgungsverhältnis eingreift; denn diese sind dann als Folge der an die Netztochter gezahlten überhöhten Transportentgelte missbräuchlich überhöht. Hier ist dann das Kartellamt gefordert (vgl. § 111 Abs. 3 EnWG).[18]

Die Vertriebsgesellschaft ist auf der Einkaufsseite kostenmäßig entlastet, wenn sie ein geringeres Netznutzungsentgelt für den Transport der Energie zu ihren Kunden an die Netzgesellschaft zahlen muss. Erhöhen sich aber gleichzeitig erforderliche Kosten, die der Vertriebsgesellschaft zur Last fallen, so ist dies im Rahmen einer Saldierung von preissenkenden und preiserhöhenden Faktoren zu berücksichtigen.[19]

§ 21a EnWG i.V. mit der Anreizregulierungsverordnung erlaubt zwar keine direkte Price-Cap-Kontrolle, sondern hat sich für das sog. Revenue-Cap-Verfahren entschieden, wobei die Erlösobergrenze durch unternehmen-

[17] Vgl. dazu *Säcker*, in: Festschrift für Schroeder, 2018.

[18] Näher *Säcker*, in: Berliner Kommentar zum Energierecht, 4. Aufl., Bd. I 2018, § 111 Rdnr. 17.

[19] Vgl. BGH, Urteil v. 8.3.16; ferner *Mengering*, Die Entgeltregulierung im Telekommunikations- und Energierecht, 2017, S. 190 ff., 381 ff.

sindividuelle Effizienzvorgaben festgestellt wird.[20] Die sich daraus ergebenden Rechtsschutzfragen sind im Folgenden mitbehandelt.

d) Begrenzung des Rechtsschutzes durch eine Indizwirkung der Behördenentscheidung für den privatrechtlichen Folgeprozess zwischen Netzbetreiber und Netzkunden

Wenn ein Netzbetreiber die sein Unternehmen betreffende Effizienzkontrolle nach §§ 21, 21a EnWG für zu niedrig angesetzt hält, kann er die Entscheidung der Regulierungsbehörde gerichtlich angreifen und hat hier vollen Rechtsschutz nach den dafür vom EnWG aufgestellten regulierungsrechtlichen Maßstäben.[21] Entspricht die Entscheidung der Behörde seinen Erwartungen, so wird er das sich daraus ergebende Entgelt an den Netzkunden (trotz des Höchstpreischarakters der behördlichen Entscheidung) an den Kunden voll weitergeben. Der Netzkunde kann dann das ihm gegenüber auf der Grundlage der Behördenentscheidung vom Netzbetreiber in Rechnung gestellte Entgelt seinerseits gerichtlich angreifen, muss aber im Prozess nach der vom BVerfG[22] gebilligten bisherigen Rechtsprechung des BGH[23] hinnehmen, dass die Gerichte der Behördenentscheidung indizielle Richtigkeitsvermutung beimessen, die es dem Netzbetreiber im Prozess erlaubt, sich auf diese Indizwirkung zurückzuziehen und keinen konkreten Nachweis seiner die Entgelthöhe rechtfertigenden Kosten zu liefern.[24]

2. *Kontrolle der Netznutzungsentgelte gemäß Art. 102 AEUV*

§ 111 Abs. 3 EnWG untersagt den Kartellbehörden nicht die Prüfung der Netznutzungsentgelte gemäß Art. 102 AEUV. Die ursprüngliche Fassung des § 111 Abs. 3 EnWG verbot eine Kontrolle nach Art. 102 AEUV, musste aber als „Redaktionsversehen" zurückgenommen werden, weil ein Mitgliedsstaat nicht eine Norm des EU-Rechts ganz oder teilweise von der Anwendung ausschließen kann.[25] Es ist daher dem Aufgreifermessen der Kontrollbehörden überlassen, ob sie, wenn sie sich auf Art. 102 AEUV als Ermächtigungsgrundlage für ein Missbrauchsverfahren stützen, nur gegen die nach ihrer Ansicht überhöhten Netznutzungsentgelte oder zugleich auch gegen sonstigen antikompetitive Preiselemente vorgehen.

[20] Vgl. *Berndt*, Die Anreizregulierung in den Netzwirtschaften, 2011, S. 149 ff.
[21] Vgl. dazu OLG Düsseldorf, 22.3.2018 – VI – 3 Karl.
[22] BVerfG vom 26.9.2017 – 1 BvR 2491/16 – EnWZ 2018, S. 79 ff.
[23] BGH, EnZR 72/14.
[24] Zur Kritik an der Rechtsprechung vgl. *Säcker*, in: Festschrift Krüger, 2017, S. 456 ff.
[25] Näher dazu *Säcker*, in: Berliner Kommentar zum Energierecht, 4. Aufl., Bd. I 2018, § 111 Rn. 17 ff.

Der Bundesgerichtshof hat in seiner Entscheidung vom 10.2.2004[26] eine solche Zweigleisigkeit ausdrücklich gebilligt und trotz einer Tarifgenehmigung durch die Bundesnetzagentur der Klage eines Kunden gemäß § 823 Abs. 2 BGB i.V. mit Art. 102 AEUV Recht gegeben. Ebenso hat der EuGH keine Bedenken, direkt Art. 102 AEUV im Bereich der durch sekundäres EU-Recht regulierten Infrastrukturbereiche anzuwenden, wenn das regulierungsrechtliche Vorgehen nationaler Behörden hinter den Anforderungen von Art. 102 AEUV zurückbleibt.[27]

III. Die Zukunft der Netzentgeltkontrolle nach der Entscheidung des Europäischen Gerichtshofs vom 9.11.2017

Mit dem die Entscheidungspraxis des Bundesgerichtshofes billigenden Beschluss des Bundesverfassungsgerichts vom 26.9.2017[28] hat die im Prinzip anerkannte und für notwendig erachtete zivilgerichtliche Kontrolle von Netznutzungsentgeltentscheidungen der BNetzA – von evidenten Verfahrensfehlern abgesehen – faktisch ihr Ende gefunden.[29] In dem an die Verfassungsbeschwerdeführer vom Bundesverfassungsgericht gerichteten Vorwurf, sie hätten keine „konkreten Bemühungen unternommen", zu den jeweiligen Genehmigungsverfahren der beklagten Netzbetreiberinnen beigeladen zu werden[30], kommt aber für die Zukunft positiv zum Ausdruck, dass das Bundesverfassungsgericht dem Rechtsschutz der von den Entscheidungen der BNetzA betroffenen Netznutzer kein Ende bereiten wollte, sondern auf Antrag eine Beiladung zum behördlichen Verfahren – entgegen der bisherigen Behörden- und Gerichtspraxis – für geboten erachtet. Wäre es anders, so wäre der Hinweis des Gerichts als zynisch zu werten; denn es hätte damit dem Beschwerdeverfahren einen Weg gewiesen, der nach der bisherigen Praxis verschlossen ist. Der Hinweis auf die Beiladung kann daher nur als Fingerzeig verstanden werden, in Zukunft an Stelle des de facto verschlossenen privatrechtlichen Rechtswegs den öffentlich-rechtlichen Rechtsweg einzuschlagen, was allerdings zur Folge hat, dass sich die Überprüfung auf Rechtsfehler beschränken muss, die sich auf die Entscheidung der Behörde zum Nachteil der Netznutzer ausgewirkt haben. Aspekte eines besseren privatrechtlichen Ausgleiches i.S. von § 315 BGB spielen in diesem Verfahren keine Rolle, da die Regulierungsbehörde bei ihrer Entscheidung § 315 BGB nicht zu berücksichtigen hat.

[26] BGH, WuW/E DER, 1305 ff.; näher dazu *Säcker*, AöR 130 (2005), S. 180 ff.
[27] Eingehend dazu *Mengering*, aaO., S. 136 ff. mit umfassenden Nachweisen.
[28] BVerfG, 26.9.2017, EnWZ 2018, S. 79 ff.
[29] Dazu kritisch *Säcker*, in: Festschrift für W. Krüger, 2017, S. 455 ff.
[30] BVerfG, 26.9.2017, EnWZ 2018, S. 79 ff.

Insoweit nimmt der Beschluss des Bundesverfassungsgerichts – jedenfalls im Ergebnis – die sechs Wochen später ergangene Entscheidung des Europäischen Gerichtshofs vorweg.[31] Der EuGH verwirft eine privatrechtliche Kontrolle der regulierungsrechtlichen Entgeltentscheidung auch im Folgeprozess zwischen Netzbetreiber und Netznutzer, weil er darin eine störende Einwirkung auf den EU-rechtlich eingeräumten Abwägungs- und Entscheidungsspielraum des Infrastrukturnetzbetreibers durch außerregulierungsrechtliche Gesichtspunkte sieht.

Die dafür vom EuGH gegebene Begründung ist allerdings wenig überzeugend. Der EuGH schöpft seine Argumente bzgl. der Gefahr einer Beeinträchtigung des an übergeordnete Gemeinwohlaspekte gebundenen Abwägungsspielraums des Infrastrukturnetzbetreibers aus einer überholten Darstellung der gerichtlichen Kontrolle gemäß § 315 BGB.[32] Die Kontrolle von Netzentgelten gemäß § 315 BGB im Rahmen der Billigkeitsprüfung des bilateralen Netznutzungsvertrages knüpft heute nicht mehr an individuelle Billigkeitsmaßstäbe an. Sie setzt vielmehr an den Kriterien an, die auch für die Überprüfung der alle Netznutzer berührenden behördlichen Entscheidung gelten.[33] Dass die Entscheidung der Behörde (bzw. bei der Anreizregulierung die Vorgaben der Behörde) ein gewichtiges Indiz für die Billigkeit der vom Netzbetreiber getroffenen Entscheidung darstellt, ergibt sich schon aus der Aussage des BGH, dass die Kriterien richterlicher Billigkeitskontrolle nach § 315 Abs. 3 S. 2 BGB inhaltlich identisch sind mit den Inhaltskriterien der behördlichen Entscheidung; denn diese habe sich an den Maßstäben des § 21 EnWG und damit an Preisen eines effizient handelnden Unternehmens auszurichten, das im Wettbewerb nur angemessene, wettbewerbsanaloge Preise fordern darf.[34] Wenn diese EU-konformen Maßstäbe auch die Maßstäbe des § 315 BGB sind, so basiert die Auffassung des EuGH, die Kontrolle nach § 315 BGB könne zu einer die regulatorischen Kriterien verwässernden individuellen Billigkeitskontrolle führen, die die am Regulierungsrecht orientierte Abwägung aus dem Gleichgewicht bringe, auf einem antiquierten Verständnis des § 315 BGB.

Offenbar verfolgt der EuGH – unabhängig von der Verkennung der aktuellen Auslegung des § 315 BGB – das Ziel, die in Übereinstimmung mit dem EU-Recht getroffenen Regulierungsentscheidungen vor jeder außerregulierungsrechtlich motivierten Verwässerung zu schützen. Ihn treibt die Sorge um billigkeitsgetriebene Klagen von Netzkunden vor den Zivilgerichten auf Entgeltminderung gegen den Netzbetreiber, in denen er die Beeinträchtigung der exklusiven EU-Maßstäbe des Regulierungsrechts sieht, verbunden mit

[31] BVerfG, aaO. (Fn. 30).
[32] Vgl. EuGH, 9.11.2017, N&R 2018, S. 50.
[33] BGH, aaO.
[34] Vgl. BGH, 18.10.11, WuW 2011, 1255.

dem Zwang des Netzbetreibers, bei verlorenen Zivilprozessen permanent seine an allgemeinen Interessen orientierte Entscheidung „nachsteuern" zu müssen.

Dieser Aspekt ist für den EuGH in der Begründung seiner Entscheidung zum Eisenbahnregulierungsrecht so grundlegend, dass kein ernsthafter Zweifel daran bestehen kann, dass der EuGH genauso entscheiden würde, wenn er über die Zulässigkeit von Klagen, gestützt auf § 315 BGB, entscheiden müsste, die die Entgeltgenehmigung der BNetzA im Energiesektor direkt oder indirekt zum Gegenstand haben. Denn auch die Strom- und Gasnetzbetreiber haben bei ihren Entscheidungen (genauso wie die Eisenbahnwegebetreiber), wenn sie die nach § 4 Abs. 1 ARegV von der BNetzA festgelegten Obergrenzen für die zulässigen Gesamterlöse aus Netzentgelten in konkrete Nutzungsentgelte umzusetzen haben, oder wenn sie um die Optimierung beim Ausbau der Netze ringen, einen Gestaltungsspielraum („Regulierungsermessen"), der nicht durch Eindringen außerregulierungsrechtlicher Erwägungen in Individualrechtsprozessen beeinträchtigt werden soll.[35] Insbesondere den großen Flächen-Verteilnetzbetreibern wachsen im Rahmen des Vierten Energiepakets („Clean Energy for all Europeans") neue Aufgaben bei der Integration dezentraler und zentraler erneuerbarer Energien in das Energiewirtschaftssystem unter Beachtung des tertiären EU-Rechts (E-Codizes) zu, die angesichts ihrer Komplexität mit mindestens so vielen Abwägungs- und Gestaltungsspielräumen verbunden sind wie die Aufgaben der Eisenbahn-Infrastrukturwegebetreiber.

VI. Zusammenfassung

1.) Nach Ansicht des Europäischen Gerichtshofs unterliegen die regulierungsbedingten Eingriffe in das privatrechtliche Synallagma von Leistung und Gegenleistung beim Netznutzungsvertrag – über die Möglichkeit der gerichtlichen Beschwerde gegen die Regulierungsentscheidung hinaus – keiner weiteren, außerregulierungsrechtliche Kriterien beachtenden privatrechtlichen Kontrolle, z.B. nach § 315 BGB. Der Europäische Gerichtshof hat dies zwar explizit nur für das Verhältnis der EU-rechtlichen Bahninfrastrukturregulierungsvorschriften zu § 315 BGB festgestellt. Da es das erkennbare Ziel des Urteils ist, den Inhalt einer auf europäischem Regulierungsrecht basierenden behördlichen Regulierungsentscheidung vor abweichenden nationalen Entscheidungen zu schützen, verwirft der EuGH zusätzliche vertragsrechtliche Kontrollen nach nationalem Recht.[36] Der Europäische Gerichtshof will, wie er unter Bezugnahme auf seine Entscheidung zur Unwirksamkeit

[35] *König*, N&R 2018, S. 50 ff.
[36] EuGH, 3.12.2009, EnWZ 2010, S. 109 ff.

von § 9a TKG deutlich macht, jede nationale Einwirkung auf die durch das europäische Regulierungsrecht vorgegebenen Entscheidungs- und Abwägungsstrukturen ausschließen. So, wie er **Vor**strukturierungen der im EU-Regulierungsrecht definierten Abwägungsspielräume zwischen Investitions- und Wettbewerbsschutz durch den nationalen Gesetzgeber für EU-widrig hält, so lehnt er in seinem Beschluss von November 2017 auch nachträgliche Einwirkungen auf den EU-rechtlich festgelegten Rahmen durch nationale Vorschriften rigoros ab.

2.) Der Vorrang der auf sekundärem EU-Recht basierenden behördlichen Regulierungsentscheidung gilt nicht gegenüber primärem EU-Wettbewerbsrecht (Art. 101 ff., 107 ff. AEUV).

Rechts- und Anwendungsfragen des Strommarktgesetzes

Peter Rosin, Jana Michaelis, Kristin Spiekermann und Christina Will*

Prof. Dr. Ulrich Büdenbender hat in seiner herausragenden Karriere als Unternehmensjurist, Personalvorstand der RWE AG, ordentlicher Professor an der Technischen Universität Dresden und als erfolgreicher Rechtsanwalt eine Reihe von Lehrbüchern, Monographien und Aufsätzen mit Bezug zu **Strom-Erzeugungsanlagen** veröffentlicht. Exemplarisch sei hier insbesondere die grundlegende Monographie „Bindungs- und Präklusionswirkung von Teilentscheidungen nach dem BImschG und AtG" genannt, die er im Jahre 1979 in der damals von Prof. Dr. Dr. Rudolf Lukes herausgegebenen, bekannten Schriftenreihe Recht, Technik, Wirtschaft zusammen mit dem leider viel zu früh verstorbenen Dr. Ulrich Mutschler, dem späteren Chefjustitiar der RWE Energie AG und Vorstand der RWE Umwelt GmbH, veröffentlichte. Ein anderes Beispiel ist das mehr als 1000 Seiten umfassende Lehrbuch Energierecht I, Recht der Energieanlagen, welches Ulrich Büdenbender u.a. mit einem der Autoren dieses Aufsatzes verfasste und das im Jahre 1999 bei de Gruyter erschien, also bei dem Verlag, der sich auch dieser Festschrift angenommen hat.

Der vom Jubilar somit juristisch vielfach aufgearbeitete Erzeugungsbereich ist in Deutschland seit Jahrzehnten einem grundlegenden Wandel ausgesetzt. Es ist deshalb zunächst geboten, sich die **historische Entwicklung der Stromerzeugung in Deutschland** vor Augen zu führen, um auch die juristischen Entwicklungen in diesem Bereich besser erfassen zu können (**I.**). Die aktuellen Normen betreffend Erzeugungsanlagen im Energiewirtschaftsgesetz (EnWG) beziehen sich dabei auf den heutigen Kraftwerksbestand. Eine Einordnung und Bewertung des bestehenden Rechtsrahmens setzt deshalb nicht nur die Darstellung der historischen Entwicklung, sondern insbesondere auch eine **Bestandsaufnahme des aktuellen Kraftwerksparks** voraus (**II.**). Von besonderer Bedeutung für den derzeitigen Kraftwerkspark sind die durch das Strommarktgesetz vom 26. Juli 2016 in das EnWG eingefügten Rechtsnormen. Denn diese Vorschriften sollen u.a. dazu beitragen,

* Die Autoren sind Rechtsanwälte und Partner bzw. Local Partner bei White & Case LLP, Düsseldorf.

dass durch eine unkontrollierte Stilllegung von (unrentablen) Kraftwerken nicht die Versorgungssicherheit gefährdet wird. Es ist deshalb zunächst erforderlich, sich einen **Überblick** über die durch **das Strommarktgesetz** in das EnWG eingefügten Normen zu verschaffen (**III.**). In der Praxis werden im Zusammenhang mit den §§ 13a ff. EnWG eine Reihe von Aspekten diskutiert, wovon nachfolgend einige **relevante Rechts- und Anwendungsfragen** erörtert werden (**IV.**). Dabei wird auch der durchaus praxisrelevanten Frage nachgegangen, ob die durch das Strommarktgesetz in das EnWG eingefügten Normen als **Regulierung der Erzeugungsanlagen** bezeichnet werden können (**V.**). Der Beitrag schließt mit einem **Fazit** (**VI.**).

I. Historische Entwicklung der Stromerzeugung in Deutschland

Die historische Entwicklung der Stromerzeugung in Deutschland zeigt, dass die Stromerzeugungsanlagen in den letzten 200 Jahren einem **ständigen Wandel** ausgesetzt waren, der sowohl auf die technisch fortschreitende Entwicklung als auch auf ein wiederholtes Umdenken in Gesellschaft und Politik zurückzuführen ist. Die Anfänge der deutschen Energiegewinnung gehen auf **Wasserkraft** zurück, eine Form der regenerativen Energiegewinnung, die auch heute im Zuge der Energiewende – nach zwischenzeitlichem Rückgang Mitte des 20. Jahrhunderts – wieder stärker in den Fokus rückt. Bereits ab Mitte des 19. Jahrhunderts wurde Wasserkraft in Deutschland zur Erzeugung von Strom eingesetzt, lange bevor über „alternative" Formen der Energiegewinnung nachgedacht wurde. Wasserkraft ermöglichte insbesondere die Elektrifizierung ländlicher Gebiete und trieb als Energielieferant die industrielle Entwicklung voran. Elektrifizierung, Industrialisierung und die Fortentwicklung der Wasserkraft bedingten sich hierbei gegenseitig.[1] Betrieben wurden diese Wasserkraftanlagen überwiegend von Privatpersonen, die aus Kleinstanlagen mit einer elektrischen Leistung von bis zu einem Megawatt den Strom zur Eigenversorgung gewannen.[2]

Parallel zur technisch fortschreitenden Entwicklung der Wasserkraft und der Ausbreitung kleiner Wasserkraftanlagen in ganz Deutschland wurde die Bedeutung von Strom durch die **Erfindung der Glühlampe** von Edison und die Erfindung des **Gleichstromsystems** im Jahr 1879 entscheidend forciert[3], sodass sich in den Jahren bis 1884 einzelne Stromerzeugungsanlagen schnell

[1] *Agentur für Erneuerbare Energien*, 20 Jahre Förderung von Strom aus Erneuerbaren Energien in Deutschland – eine Erfolgsgeschichte, Renews Spezial Ausgabe 41/September 2010, abrufbar unter https://www.unendlich-viel-energie.de/media/file/171.41_Renews_Spezial_20_Jahre_EE-Strom-Foerderung.pdf (zuletzt abgerufen am 16.05.2018), S. 18.

[2] *Agentur für Erneuerbare Energien* (o. Fn. 1), S. 19.

[3] *Theobald*, in: Schneider/Theobald, Handbuch zum Recht der Energiewirtschaft: Die Grundsätze der neuen Rechtslage, 1. Aufl. 2003, § 1 Rdnr. 46.

in Deutschland verbreiteten. Es handelte sich häufig um Blockanlagen, die für eine größere Leistung konzipiert wurden und eine Spannung von 65–100 Volt Gleichstrom erbringen konnten. 1882 ging die erste deutsche Blockstation von Paul Reißer in Stuttgart in Betrieb. Diese konnte Strom für 30 Glühlampen erzeugen. Die ersten elektrischen Straßenlampen Berlins erleuchteten etwa zu dieser Zeit die Leipziger Straße, den Potsdamer Platz und die Kochstraße.[4]

Diese ersten, häufig mit Wasserkraft betriebenen, „Elektrizitätswerke" entstanden aufgrund **privater Initiative**. Zu diesem Zeitpunkt gab es auf Länder- oder Staatsebene noch keine Pläne für ein national funktionierendes System der Stromversorgung,[5] sodass zunächst viele private Kleinkraftwerke entstanden. Da es für die räumliche Ausdehnung und die Fortleitung des Stroms notwendig war, private und öffentliche Wege in Anspruch zu nehmen, war ein Zusammenwirken mit den Gemeinden, die über das Eigentum an den öffentlichen Wegen und Straßen verfügten, unerlässlich. Gegen Zahlung von Konzessionsabgaben gestatteten die Gemeinden die Wegenutzung in Konzessionsverträgen. So nahmen die Kommunen Einfluss auf die Gestaltung der Stromversorgung oder konnten die Stromversorgung in eigener Regie übernehmen. Auf diese Weise entstand im Jahr 1884 auch die erste öffentliche Stromversorgung in Berlin.

Vor dem Hintergrund, dass die Gründung der ersten Elektrizitätsversorgungsunternehmen in Deutschland zunächst aufgrund kommunaler und privater Initiative in kleinflächigen Strukturen erfolgte, konnten ländliche Gebiete oder kleinere Gemeinden von den Anfängen der Elektrifizierung zunächst nicht profitieren. Strom war in den Anfängen der deutschen Energiegeschichte eher eine lokale Angelegenheit.[6] Auf lokaler Ebene kam es in den Jahren 1897 und 1898 in Preußen auch zur **Gründung der RWE**, dessen Vorstand der Jubiliar viele Jahre angehörte: Die damalige Elektrizität-Aktien-Gesellschaft verpflichtete sich in einem Vertrag mit der Stadt Essen zum Aufbau einer Stromversorgung, zu deren Finanzierung am 25. April 1898 die Rheinisch-Westfälische-Elektrizitätswerk-AG (RWE) in Essen gegründet wurde. An dieser Gründung waren verschiedene Kommunen beteiligt, sodass mit Gründung der RWE gleichzeitig auch der Grundstein für das spätere deutsche Verbundnetz gelegt wurde.

Um auch eine Elektrifizierung der ländlichen Gebiete zu ermöglichen, entstanden um die Jahrhundertwende die ersten Überlandzentralen, die von einem Kraftmittelpunkt aus ein größeres räumliches Gebiet mit elektrischer

[4] *Oberschwäbische Elektrizitätswerke*, Die Geschichte des Stroms, abrufbar unter http://www.oew-energie.de/Pages/geschichte/geschichte-des-stroms.php (zuletzt abgerufen am 16.05.2018).

[5] *Haberzettel*, in: Heuraux, Die deutsche Energiewirtschaft, 2004, Kap. I, S.30.

[6] *Haberzettel*, in: Heuraux, (o. Fn. 5).

Energie versorgen konnten. Mit fortschreitender technischer Entwicklung wurde es zudem möglich, größere Kraftwerke bei sinkenden spezifischen Kosten zu errichten.[7] 1905 ging dann die erste 50 Kilovolt Stromleitung in Deutschland in Betrieb, sodass erstmalig Strom auch über gewisse Strecken geleitet werden konnte.[8]

Mit der Vergrößerung der Kraftwerke einher ging ein erhöhter Strombedarf der Bevölkerung, sodass im Jahre 1909 die Planungen für den Bau des **Kraftwerks Weisweiler** begannen, dem ersten Kohlekraftwerk in Deutschland. Bereits fünf Jahre später, am 1. September 1914, war es möglich, eine regelmäßige und grundlastfähige Stromerzeugung zu gewährleisten, wobei zur Befeuerung damals noch auf Braunkohle aus dem Tagebau „Zukunft" zurückgegriffen wurde. Das Kraftwerk Weisweiler hat heute eine Leistung von 2.097 MW (netto)[9], während in den Anfängen die Leistung lediglich 12 MW betrug, eine Steigerung der Leistung des Kraftwerks um das knapp 200-fache zu verzeichnen ist.

Zwei Jahre nach Inbetriebnahme des Kraftwerks Weisweiler (1917) wurden von *Fischinger* die ersten Seile für Hochspannungs-Freileitungen entwickelt,[10] sodass erstmals Strom über weitere Strecken transportiert werden konnte. Ein weiterer wichtiger Entwicklungsschritt bei der Stromerzeugung war in diesem Zusammenhang der Übergang von Kolbendampfmaschinen auf Dampfturbinen, welche bis heute in Kraftwerken eingesetzt werden.

Die Stromerzeugung in Deutschland war zu diesem Zeitpunkt überwiegend privatwirtschaftlich organisiert; erste Versuche einer zentralen Steuerung der Energiewirtschaft durch den Staat scheiterten in der Weimarer Republik. Das „Gesetz betreffend die Sozialisierung der Elektrizitätswirtschaft" vom 31. Dezember 1919 trat nie in Kraft. Dieses Gesetz sah vor, alle Wirtschaftszweige – einschließlich der Energiewirtschaft – der öffentlichen Kontrolle zu unterstellen. Somit blieb es in der Weimarer Republik zunächst dabei, dass sowohl Stadtwerke als auch private Elektrizitätsversorgungsunternehmen die Energieversorgung in Deutschland durchführten.[11] Demnach waren die Anfänge der Energieversorgung – wie dies auch heute wieder der Fall ist – **wettbewerblich** organisiert. Auf diese Weise bildeten sich in Preußen in den zwanziger Jahren mehrere große Unternehmen. Hierzu zählt insbesondere RWE, VEW, Preußen Elektra, Bewag und HEW.

Eine Abkehr vom Wettbewerb erfolgte mit **Einführung des Energiewirtschaftsgesetzes (EnWG) im Jahre 1935**. Im Zuge dieses Gesetzes kam es

[7] *Theobald* (o. Fn. 3), § 1 Rdnr. 48.

[8] *Walker*, in: Natürlich, Ausgabe 8/2008, abrufbar unter http://www.natuerlich-online.ch/magazin/artikel/meilensteine-der-energiegeschichte/ (zuletzt abgerufen am 16.05.2018).

[9] *Kohlekraftwerke.de*, Braunkohlekraftwerk Weisweiler, abrufbar unter http://www.kohlekraftwerke.de/kraftwerke/weisweiler.html (zuletzt abgerufen am 16.05.2018).

[10] *Oberschwäbische Elektrizitätswerke* (o. Fn. 4).

[11] *Theobald* (o. Fn. 3), § 1 Rdnr. 49.

erstmalig zu einer reichseinheitlichen Regelung der Energieversorgung. Das EnWG von 1935 war in Deutschland **mehr als 60 Jahre** in Kraft.

Parallel zu der Verabschiedung des Energiewirtschaftsgesetzes begann die industrielle Nutzung von **Gasturbinen**. Im Jahre 1938 entdeckte der deutsche Chemiker *Otto Hahn* zusammen mit *Fritz Straßmann* die Kernspaltung,[12] die den Grundstein für die späteren Kernkraftwerke legte.

Einen erheblichen Einschnitt in die Entwicklung der deutschen Energieversorgung stellte der zweite Weltkrieg dar. Die Kriegszerstörungen betrafen Kraftwerke und Übertragungsanlagen, sodass der Verbundbetrieb zwischen den Netzen der großen Versorgungsunternehmen 1945 weitestgehend unterbrochen und lediglich eine beschränkte Versorgung in einzelnen Gebieten möglich war. Im Zuge des Wiederaufbaus basierte die Stromerzeugung und das Wirtschaftswunder auf Kohlekraftwerken, diese stellten maßgeblich die Stromversorgung der Bevölkerung sicher.

Im Jahre 1960 ging in Deutschland das erste **Ölkraftwerk** der Welt in Schilling in Betrieb[13] und nur ein Jahr später das erste **Versuchs-Kernkraftwerk** mit einer elektrischen Leistung von 16 MW bei Kahl am Main.[14] 1966 wurde in Gundremmingen A das erste deutsche Kernkraftwerk in der BRD fertiggestellt und nahm den Betrieb auf. Der deutsche Kraftwerkspark bestand zu diesem Zeitpunkt überwiegend aus konventionellen Erzeugungsanlagen auf Grundlage eines breiten, hauptsächlich fossilen Energieträger-Mixes. Im Rheinland wurde Energie in Braunkohlekraftwerken erzeugt, im Ruhrgebiet, im Saarland sowie in den Küstenregionen und entlang der Binnenwasserstraßen wurde Strom aus Steinkohle produziert. Gaskraftwerke verteilten sich über die Bundesrepublik Deutschland, während Kernkraftwerke in den Folgejahren überwiegend an Flussläufen entstanden, da sie einen hohen Bedarf an Kühlwasser aufweisen.[15]

Den nächsten Wandel in der Energieversorgung in Deutschland brachten die sog. Ölkrise, drängende Umweltprobleme und der Konflikt um die Atomkraft in den 1970er und 1980er Jahren mit sich. Die Bundesrepublik Deutschland setzte nach der **Ölkrise** ab den siebziger Jahren des letzten Jahrhunderts vermehrt auf die Errichtung von Kernkraftwerken. Vor dem Hintergrund des hohen CO_2-Ausstoßes konventioneller Erzeugungsanlagen wurde in Deutschland erstmals die Windenergie als eine – wenn auch zunächst untergeordnete – Möglichkeit wahrgenommen, um die Importabhängigkeit von Öl und Gas zu verringern und die Umwelt vor schädlichem CO_2-Ausstoß zu bewahren. Die Bundesregierung unterstützte zunächst

[12] *Walker*, in: Natürlich, Ausgabe 8/2008 (o. Fn. 8).
[13] *Oberschwäbische Elektrizitätswerke* (o. Fn. 4).
[14] *Oberschwäbische Elektrizitätswerke* (o. Fn. 4).
[15] *Das Umweltbundesamt*, abrufbar unter http://www.umweltbundesamt.de (zuletzt abgerufen am 16.05.2018).

insbesondere die Grundlagenforschung mit Beträgen im dreistelligen Millionenbereich.[16] Neben der staatlichen Förderung war für die Entwicklung der Windenergie das Stromeinspeisungsgesetz vom 1. Januar 1991 von großer Bedeutung, da die darin festgelegte Einspeisevergütung das Interesse von Investoren an der Windenergie wachsen ließ.[17] In der Folge entstand in Deutschland eine zunehmend **professionelle Windenergiebranche**, deren Entwicklung auch durch kommerzielle Interessen vorangetrieben wurde.[18] Nach Erlass des Stromeinspeisungsgesetzes wurden die Windenergieanlage auf Helgoland und der Windpark Westküste als die beiden größten Windparkanlagen Deutschlands mit einer elektrischen Leistung von 1,2 MW in Betrieb genommen.[19] Zwar enthielt das 1991 in Kraft getretene Stromeinspeisungsvergütungsgesetz auch Vergütungssätze für Strom aus Photovoltaik; diese waren jedoch zu niedrig angesetzt, sodass Förderprogramme des Bundes zusätzliche Anreize für den Bau von PV-Anlagen setzen mussten.

Heute stellen **Wind- und Sonnenenergie** eine der wichtigsten erneuerbaren Energieträger dar, deren Ausbau maßgeblich auf die Einführung des EEG im Jahre 2000 zurückzuführen ist, das Betreibern und Investoren von erneuerbaren Energieerzeugungsanlagen bis heute einen weitgehend verlässlichen und langfristigen Rahmen für die Stromerzeugung bietet. Dieses Gesetz ermöglichte innerhalb weniger Jahre – wenn auch mit Hilfe von enormen Subventionen – den Ausbau der erneuerbaren Energien von einer Nischentechnologie zu einer der wichtigsten Stromerzeugungsquellen in Deutschland. Neben Wind- und Solarenergie leisten Biomasse und Wasserkraft einen wertvollen Beitrag zur nachhaltigen Energieversorgung.[20] Parallel zum Ausbau der erneuerbaren Energien begannen in Deutschland Diskussionen um den Kohleausstieg, zu dem sich die Bundesregierung schon 2015 auf dem G7-Gipfel in Elmau bekannte. Das EEG 2017 sieht nun in den §§ 13 ff. eine schrittweise Abschaltung alter Kraftwerke vor, sodass auf lange Sicht in Deutschland (wieder) ausschließlich regenerative Erzeugungsanlagen bestehen.

Hinsichtlich der Kernenergie wurde bereits im Jahr 2002, verfolgt von der damaligen rot-grünen Bundesregierung und vertraglich zwischen der Bundesrepublik Deutschland und den Kernkraftwerksbetreibern im Konsens vorbereitet, erstmals der Ausstieg aus der Kernenergie in der Elektrizitätserzeugung beschlossen und gesetzlich umgesetzt. Diese Regelung wurde gerichtlich nicht angegriffen. Durch die 13. Novelle des AtG von 2011 in

[16] *Agentur für Erneuerbare Energien* (o. Fn. 1), S. 23 f.
[17] *Agentur für Erneuerbare Energien* (o. Fn. 1), S. 26.
[18] *Agentur für Erneuerbare Energien* (o. Fn. 17).
[19] *Oberschwäbische Elektrizitätswerke* (o. Fn. 4).
[20] *Bundesministerium für Wirtschaft und Energie*, Erneuerbare Energien, abrufbar unter https://www.bmwi.de/Redaktion/DE/Dossier/erneuerbare-energien.html (zuletzt abgerufen am 16.05.2018).

Konsequenz der Reaktorkatastrophe von Fukushima/Japan wurde die kurz zuvor im Jahr 2010 beschlossene und gesetzlich verankerte Verlängerung der zulässigen Laufzeiten von Kernkraftwerken, verglichen mit der Regelung von 2002, vollständig zurückgenommen und darüber hinaus gegenüber der Rechtslage von 2002 sogar noch verschlechterte. Beschlossen wurde der Ausstieg aus der Kernenergienutzung mit vom Alter der Kernkraftwerke abhängigen unterschiedlichen Restlaufzeiten längstens bis zum 31. Dezember 2022. Das Bundesverfassungsgericht (BVerfG) hat sich mit Urteil vom 6. Dezember 2016[21] zum Ausstieg aus der Kernenergie geäußert. Das Gericht hat den Ausstieg zwar dem Grunde nach gebilligt, mangels hinreichender Übergangsregelungen jedoch teilweise für verfassungswidrig erklärt. Dem Gesetzgeber wurde in Konsequenz der insoweit festgestellten Verfassungswidrigkeit eine Frist zur Korrektur bis zum 30. Juni 2018 auferlegt.

Die historische Entwicklung zeigt, dass Deutschland einen **grundlegenden Wandel** im Erzeugungsbereich durchläuft, welcher maßgeblich auf einen Wandel der technischen, gesellschaftlichen und politischen Anschauungen zurückzuführen ist. Aufgrund des hohen CO_2-Ausstoßes konventioneller Kraftwerke ist mit Blick auf die Reduzierung der Treibhausgasemissionen ein Anteil der erneuerbaren Energien am Bruttostromverbrauch von mindestens 80 % bis zum Jahr 2050 geplant.[22] Langfristig soll Strom in Deutschland ausschließlich aus regenerativen Energiequellen stammen. Die Energieversorgung in Deutschland kehrt insoweit also zu ihren Ursprüngen zurück.

II. Bestandsaufnahme des aktuellen Kraftwerksparks

Der Erzeugungsbereich in Deutschland ist – wie soeben dargestellt wurde – seit Jahrzehnten einem **grundlegenden Wandel** ausgesetzt. Ende 2016 betrugen die installierten Gesamterzeugungskapazitäten (Nettowerte) 212,0 Gigawatt (GW). Hiervon waren 107,5 GW den nicht erneuerbaren Energieträgern und 104,5 GW den erneuerbaren Energieträgern zuzurechnen.[23] Der Anteil erneuerbarer Energieträger war damit bereits Ende 2016 nahezu genauso groß wie der Anteil nicht erneuerbarer Energieträger. Dabei besteht zwischen diesen beiden Arten aber ein grundsätzlicher Unterschied: Während der Anteil erneuerbarer Energieträger beständig wächst, ist ein Zubau im Bereich der nicht erneuerbaren Energieträger kaum zu verzeich-

[21] *BVerfG*, Az. 1 BvR 282/11, NJW 2017, 113.

[22] Klimaschutzplan 2050, Klimaschutzpolitische Grundsätze und Ziele der Bundesregierung, S. 7, abrufbar unter http://www.bmu.de (zuletzt abgerufen am 16.05.2018).

[23] *BNetzA/BKartA*, Monitoringbericht 2017, abrufbar unter https://www.bundesnetzagentur.de/SharedDocs/Downloads/DE/Allgemeines/Bundesnetzagentur/Publikationen/Berichte/2017/Monitoringbericht_2017.pdf?__blob=publicationFile&v=3 (zuletzt abgerufen am 16.05.2018), S. 51.

nen. Der Zuwachs erneuerbarer Energieträger betrug im Jahr 2016 6,7 GW; im Jahr 2015 lag er bei 7,5 GW.[24] Die nicht erneuerbaren Energieträger nahmen im Jahr 2016 lediglich um 0,4 GW zu. Der Großteil des Leistungszuwachses der nicht Erneuerbaren war dabei auf den Energieträger Erdgas zurückzuführen; dieser verzeichnete eine Steigerung von 1,3 GW. Der Energieträger Steinkohle wies erstmals seit 2012 einen Rückgang der Leistung auf. Dieser begründete sich insbesondere mit den Stilllegungen der Kraftwerke Westfalen C und Kraftwerk Hafen in Bremen. In den Jahren zwischen 2012 und 2016 verzeichnete der Energieträger Steinkohle einen Leistungszuwachs, der sich im Wesentlichen mit Inbetriebnahmen von Kraftwerken begründete, die noch vor dem Ausstieg aus der Kernenergie geplant worden waren.[25]

Während die installierte elektrische Erzeugungsleistung der erneuerbaren Energieträger in den Jahren 2011 bis 2016 von 66.477 MW auf 104.453 MW anstieg, wuchs der Bereich der nicht erneuerbaren Energieträger lediglich marginal von 102.574 MW auf 107.580 MW. In Summe stieg die gesamte installierte elektrische Erzeugungsleistung von 169.051 MW in 2011 auf 212.033 MW in 2016 an, was die dramatischen Veränderungen auf dem deutschen Erzeugungsmarkt plastisch verdeutlicht.[26]

War der Anteil zwischen nicht erneuerbaren und erneuerbaren Energieträgern Ende 2016 noch nahezu ausgeglichen, so verändert er sich beständig weiter zu Gunsten der erneuerbaren Energieträger. Schon in ihrem Monitoringbericht 2017 haben die *Bundesnetzagentur (BNetzA)* und das *Bundeskartellamt (BKartA)* darauf hingewiesen, dass bereits seit Anfang des Jahres 2017 die nicht erneuerbaren Energieträger weiter zurückgegangen sind. Grund hierfür waren die Stilllegungen der Steinkohlekraftwerke in Voerde, Herne und in Marl, sowie des Mineralölkraftwerkes in Brunsbüttel.[27]

BNetzA und *BKartA* unterteilen die 104,8 GW Erzeugungsleistung mit nicht erneuerbaren Energieträgern (Stand November 2017) weiter in Kraftwerke, die am Strommarkt teilnehmen (93,9 GW) und Kraftwerke, die außerhalb des Strommarktes agieren (10,9 GW). Die außerhalb des Strommarktes agierenden Kraftwerke werden im Monitoringbericht 2017 weiter wie folgt unterteilt:

- 6,9 GW: Kraftwerke in der Netzreserve (systemrelevante Kraftwerke gemäß §§ 13 b Abs. 4, 13 b Abs. 5 EnWG, die schon heute nur auf Anforderung der ÜNB betrieben werden).
- 0,9 GW: Kraftwerke in der Sicherheitsbereitschaft.
- 3,1 GW: Vorläufig stillgelegte Kraftwerke.

[24] *BNetzA/BKartA* (o. Fn. 23).
[25] *BNetzA/BKartA* (o. Fn. 23), S. 52.
[26] *BNetzA/BKartA* (o. Fn. 23), S. 53.
[27] *BNetzA/BKartA* (o. Fn. 23), S. 53.

Bei den obigen Kraftwerken der Netzreserve handelt es sich um solche Kraftwerke, die aus Gründen des sicheren Netzbetriebes nicht stillgelegt werden durften, obwohl eine vorläufige oder endgültige Stilllegung angezeigt wurde. In der Netzreserve befinden sich gegenwärtig Erdgaskraftwerke (3,0 GW), Steinkohlekraftwerke (2,3 GW) und mit Mineralölprodukten befeuerte Anlagen (1,6 GW). Gemäß § 13 g EnWG wurden die Braunkohlekraftwerke Buschhaus, Neurath C, Niederaussem E und F, Friemersdorf P und Q sowie Jänschwalde E und F ab dem 1. Oktober 2016 schrittweise in die sogenannte Sicherheitsbereitschaft überführt (Überführung der Braunkohlekraftwerke Buschhaus Block D bis zum 1. Oktober 2016, 352 MW und der Braunkohlekraftwerke Friemersdorf P und Q bis zum 1. Oktober 2017 562 MW).

Bei den vorläufig stillgelegten Kraftwerken handelt es sich um Erdgaskraftwerke (2,6 GW), um Braunkohlekraftwerke (0,3 GW) und Mineralölkraftwerke (0,2 GW).[28] Dabei lässt sich feststellen, dass der Großteil der zur Stilllegung angemeldeten Kraftwerke in Süddeutschland gelegen ist.[29]

Der Monitoringbericht 2017 weist einen wahrscheinlichen Zubau von 2.345 MW Erzeugungskapazitäten nicht erneuerbarer Energieträger aus. Dabei handelt es sich um die Energieträger Steinkohle (1.055 MW), Erdgas (883 MW) und sonstige Energieträger (35 MW). Dabei ist allerdings zu berücksichtigen, dass das Steinkohlekraftwerk Datteln mit einer geplanten Bruttoleistung von 1100 MW in diesen Daten ebenfalls enthalten sein dürfte.[30] Ob dieses überhaupt jemals in den Dauerbetrieb gehen wird, erscheint derzeit fraglich, weil auch dieses Kraftwerk das berühmte T24-Problem hat und schon vor Inbetriebnahme umfassend saniert werden muss.

Als **Fazit** lässt sich festhalten, dass die erneuerbaren Energien bezogen auf die installierte Leistung die konventionelle Stromerzeugung überholt haben. Der Abstand wird sich weiter vergrößern. Gleichwohl haben konventionelle Kraftwerke weiterhin eine große Bedeutung, da die elektrische Arbeit, die durch regenerative Erzeugungsanlagen produziert wird, sehr volatil ist. Man kann die konventionelle Energieerzeugung deshalb durchaus als das Rückgrat der Versorgungssicherheit bezeichnen.

[28] *BNetzA/BKartA* (o. Fn. 23), S. 58.
[29] *BNetzA/BKartA* (o. Fn. 23), S. 59.
[30] *BNetzA/BKartA* (o. Fn. 23), S. 60.

III. Überblick über die Regelungen des Strommarktgesetzes mit Bezug zu Erzeugungsanlagen

Von besonderer Bedeutung für die konventionellen Kraftwerke in Deutschland sind die durch das Gesetz zur Weiterentwicklung des Strommarktes (Strommarktgesetz) vom 26. Juli 2016[31] in das EnWG eingefügten Rechtsnormen. Der Gesetzgeber sah die **Notwendigkeit einer Reform des Strommarktes**, da der Strommarkt eine „*Phase des Übergangs*"[32] durchlaufe:

> „*Erneuerbare Energien übernehmen mehr Verantwortung in der Stromversorgung, die Nutzung der Kernenergie in Deutschland endet im Jahr 2022 und die europäischen Märkte für Strom wachsen weiter zusammen. Dabei haben insbesondere die Verwirklichung des europäischen Strombinnenmarktes, der Ausbau der erneuerbaren Energien und die Liberalisierung der Strommärkte zu einem zeitweise erheblichen Überangebot an Kapazitäten im Bereich der Stromerzeugung geführt. Diese Überkapazitäten führen in Kombination mit derzeit niedrigen Brennstoff- und Kohlendioxidpreisen zu niedrigen Strompreisen am Großhandelsmarkt.*"[33]

Auch in einer solchen **Übergangsphase** müsse der Strommarkt Versorgungssicherheit gewährleisten sowie Einspeisung und Entnahme von Strom synchronisieren. Dazu sei zum einen sicherzustellen, dass ausreichend Kapazitäten zum Ausgleich von Angebot und Nachfrage vorhanden sind (**Vorhaltefunktion**); zum anderen müsse der Strommarkt durch **Preissignale** jederzeit gewährleisten, dass vorhandene Kapazitäten zur richtigen Zeit und im erforderlichen Umfang kontrahiert und eingesetzt werden (**Einsatzfunktion**).[34] Die erforderliche Reform werde – so die Gesetzesbegründung – durch das Strommarktgesetz umgesetzt.[35] Darüber hinaus sollte das Strommarktgesetz durch die schrittweise (vorläufige) Stilllegung von Braunkohlekraftwerken mit einer Gesamtleistung von 2,7 GW einen Beitrag zur Erreichung des – mittlerweile aufgegebenen – Klimaschutzziels 2020[36] leisten.

Das Strommarktgesetz selbst entwickelte sich zu einem wahren „*Regelungsungetüm*"; die Bundestagsdrucksache 18/7317 vom 20. Januar 2016, in der der Entwurf des Strommarktgesetzes nebst Begründung enthalten ist, umfasst 178 Seiten! In das EnWG wurde durch dieses Artikelgesetz in

[31] BGBl. I. 2016 v. 29. Juli 2016, 1786.

[32] Bt-Drucks. 18/7317, S. 1.

[33] Bt-Drucks. 18/7317, S. 1.

[34] Bt-Drucks. 18/7317, S. 1.

[35] Das Strommarktgesetz basiert insbesondere auf dem Grün- und dem Weißbuch „*Ein Strommarkt für die Energiewende*", die das *BMWi* im Oktober 2014 und Juli 2015 veröffentlicht hat. Zugleich wurden mit diesem Gesetz Inhalte der am 8. Juni 2015 von den Energieministern von 12 europäischen Staaten unterzeichneten gemeinsamen Erklärung zu regionaler Kooperation bei der Gewährleistung von Stromversorgungssicherheit im Rahmen des Energiebinnenmarktes umgesetzt, vgl. Bt-Drucks. 18/7317, S. 1.

[36] Absenkung der Treibhausgasemissionen bis 2020 im Vergleich zu 1990 um 40 %.

den §§ 13 bis 13j EnWG eine Vielzahl von neuen Vorschriften mit Bezug zu Erzeugungsanlagen eingefügt, wobei teilweise existierende Rechtsnormen überarbeitet wurden. Nach der Begründung enthält das Strommarktgesetz eine *„grundlegende Überarbeitung, Neustrukturierung und sprachliche Vereinfachung"* der §§ 13 ff. EnWG.[37] De facto wurde auf über 20 Seiten Gesetzestext (Bundestagsdrucksache) ein **Sammelsurium von Normen** mit Bezug zu Erzeugungsanlagen eingefügt, dessen juristische Qualität mehr als fragwürdig ist. Die schon für sich gesehen außerordentlich komplexen Regelungen sollen zudem nach den §§ 13 h–j EnWG noch durch eine Vielzahl von Rechtsverordnungen des *BMWi* und durch zahlreiche Festlegungen der *BNetzA* ergänzt werden; de facto wurden Festlegungsbefugnisse in bisher kaum dagewesenen Umfang zugunsten der Regulierungsbehörde geschaffen.[38] Es ist schon jetzt absehbar, dass es zu zahlreichen Rechtsstreitigkeiten über die Reichweite und Auslegung der Normen kommen wird. Nachfolgend wird ein Überblick über diesen „Flickenteppich" an Regelungen gegeben.

1. Kraftwerke im Rahmen der Systemverantwortung der Netzbetreiber nach § 13 EnWG

§ 13 EnWG ist mit dem Titel *„Systemverantwortung der Betreiber von Übertragungsnetzen"* überschrieben. Faktisch dient die Norm insbesondere auch dazu, die Reihenfolge der verschiedenen **Maßnahmen des Kraftwerkseinsatzes** zur Beseitigung von Gefährdungen und Störungen der Sicherheit oder Zuverlässigkeit des Elektrizitätsversorgungssystems klarzustellen und diese Möglichkeiten von den anderen Mitteln der Übertragungsnetzbetreiber (ÜNB) abzugrenzen. Die ÜNB sind bei einer Gefährdung oder Störung der Sicherheit oder Zuverlässigkeit des Elektrizitätsversorgungssystems gemäß § 13 Abs. 1 EnWG berechtigt und verpflichtet, die folgenden Maßnahmen durchführen:

- netzbezogene Maßnahmen, insbesondere Netzschaltungen (§ 13 Abs. 1 Nr. 1 EnWG)
- marktbezogene Maßnahmen, insbesondere Regelenergie, abschaltbare und zuschaltbare Lasten, Engpassmanagement (§ 13 Abs. 1 Nr. 2 EnWG)
- Einsatz zusätzlicher Reserven gemäß § 13 Abs. 1 Nr. 3 EnWG, insbesondere
  - Netzreserve nach § 13d EnWG
  - Kapazitätsreserve nach § 13e EnWG

In diesem Instrumentenkasten der ÜNB spielen Kraftwerke mit einer Nennleistung ab 10 Megawatt (vgl. § 13a Abs. 1 S. 1 EnWG), sieht man von

[37] Bt-Drucks. 18/7317, S. 85.

[38] *Stelter/Ipsen*, Das Gesetz zur Weiterentwicklung des Strommarktes (Strommarktgesetz), EnWZ 2016, 483 (485).

den netzbezogenen Maßnahmen nach § 13 Abs. 1 Nr. 1 EnWG einmal ab, im Rahmen von **Redispatch-Maßnahmen** naturgemäß eine besondere Rolle: So wird Regelenergie von ihnen geliefert und auch das Engpassmanagement kann sie betreffen; auch die in § 13 Abs. 1 Nr. 3 EnWG genannten Reserven werden von Kraftwerken gebildet.

Nach § 13 Abs. 2 S. 1 EnWG sind die ÜNB im Rahmen der Zusammenarbeit nach § 12 Abs. 1 EnWG berechtigt und verpflichtet, **sämtliche** Stromeinspeisungen, Stromtransite und Stromabnahmen in ihren Regelzonen den Erfordernissen eines sicheren und zuverlässigen Betriebs des Übertragungsnetzes anzupassen oder diese Anpassung zu verlangen, wenn sich eine **Gefährdung** oder **Störung** der **Sicherheit oder Zuverlässigkeit des Elektrizitätsversorgungssystems** durch die vorgenannten Maßnahmen nach § 13 Abs. 1 EnWG nicht oder nicht rechtzeitig beseitigen lässt. Eine Gefährdung der Sicherheit oder Zuverlässigkeit des Elektrizitätsversorgungssystems liegt dabei gemäß § 13 Abs. 4 EnWG vor, wenn örtliche Ausfälle des Übertragungsnetzes oder kurzfristige Netzengpässe zu besorgen sind oder zu besorgen ist, dass die Haltung von Frequenz, Spannung oder Stabilität durch die ÜNB nicht im erforderlichen Maße gewährleistet werden kann. Auch hiervon können Kraftwerke natürlich betroffen sein: So kann der ÜNB auf Grundlage dieser Vorschrift in Verbindung mit § 13a Abs. 1 S. 1 EnWG insbesondere verlangen, dass ein Kraftwerksbetreiber seine Einspeisung in das Netz entsprechend den Anweisungen des ÜNB anpasst, also verringert oder erhöht. Dabei kann der ÜNB nach § 13a Abs. 1 S. 2 Nr. 1 EnWG auch auf Anlagen zugreifen, die derzeit nicht einspeisen oder beziehen bzw. erst betriebsbereit gemacht werden müssen. Ferner kann der ÜNB vom Anlagenbetreiber die Verschiebung einer geplanten Revision verlangen, vgl. § 13a Abs. 1 S. 2 Nr. 2 EnWG. Während dem Einsatz von Kraftwerken durch die ÜNB nach § 13 Abs. 1 Nr. 2 und 3 EnWG regelmäßig ausdrückliche vertragliche Vereinbarungen zu Grunde liegen, ist dies bei § 13 Abs. 2 EnWG nicht der Fall.

§ 13 Abs. 3 S. 1 EnWG legt mit dem Verweis auf die Vorrangregelungen zugunsten von Anlagen zur Erzeugung von Strom aus Erneuerbaren Energien und aus Kraft-Wärme-Kopplung eine **Einsatzreihenfolge** der Erzeugungskapazitäten bei notwendigen Maßnahmen nach § 13 Abs. 1 und 2 EnWG fest. Daraus folgt im Falle von notwendigen Abschaltungen, dass diese Anlagen zuletzt vom Netz gehen müssen, bei notwendigen Zuschaltungen hingegen, dass diese vorrangig zu berücksichtigen sind. Eine Einschränkung von dem bestehenden Vorrangprinzip gilt nach Satz 2 zugunsten von nicht vorrangberechtigten Anlagen, sofern in Bezug auf diese vertraglichen Vereinbarungen zur Reduzierung der Einspeiseleistung bestehen. Dies gilt allerdings nur, soweit das EEG und das KWKG das Abweichen vom Vorrangprinzip ausnahmsweise zulassen, so in § 11 Abs. 3 S. 1 EEG im Hinblick auf die bessere Integration einer EE-Anlage in das Netz oder aber in §§ 3

Abs. 3 KWKG i.V.m. § 13 Abs. 6a EnWG zur Reduzierung der Wirkleistungseinspeisung und zur Aufrechterhaltung der Wärmeversorgung. Soweit die betreffenden Vereinbarungen nach den genannten Vorgaben wirksam sind, ist der Einsatz vertraglicher Vereinbarungen zur Einspeisung von Strom aus erneuerbaren Energien oder Kraft-Wärme-Kopplung erst nach Ausschöpfung der vertraglichen Vereinbarungen zur Reduzierung der Einspeisung aus nicht vorrangberechtigten Anlagen zulässig. Sofern Maßnahmen nach § 13 Abs. 2 EnWG erforderlich sind, stellt § 13 Abs. 3 S. 3 EnWG klar, dass bei deren Umsetzung die Vorgaben des EEG zum Einspeisemanagement in § 14 EEG sowie die Härtefallregelung in § 15 EEG einzuhalten sind.

Von den genannten Vorgaben kann nach § 13 Abs. 3 S. 4 und 5 EnWG gleichwohl in besonderen Ausnahmefällen abgewichen werden, so insbesondere, wenn der ÜNB zur Gewährleistung der Sicherheit und Zuverlässigkeit des Elektrizitätsversorgungssystems auf die Mindesteinspeisung aus bestimmten Anlagen angewiesen ist und keine technisch gleich wirksamen anderen Maßnahmen verfügbar machen kann (netztechnisch erforderliches Minimum). Den ÜNB trifft in diesen Fällen eine unverzügliche Anzeigepflicht gegenüber der *BNetzA*, im Zuge derer das Vorliegen der besonderen Gründe nachzuweisen ist.

2. *Vergütung von Redispatch-Maßnahmen*

Die Vergütung der zuvor beschriebenen klassischen **Redispatch-Maßnahmen** ist in § 13a Abs. 2 bis 5 EnWG geregelt. Dabei ist zunächst darauf hinzuweisen, dass § 13a Abs. 1 EnWG Anlagenbetreiber kraft Gesetzes unmittelbar zu einer Mitwirkung an Redispatch-Maßnahmen verpflichtet. Ein vorheriger Vertragsschluss wie bei § 1 Abs. 2 NetzResV ist nicht erforderlich.[39] Zudem stellen die durch das StrommarktG eingefügten Änderungen bei Redispatch-Maßnahmen klar, dass von den Redispatch-Maßnahmen nach § 13a Abs. 1 S. 1 EnWG auch der Wirkleistungsbezug erfasst wird. Das OLG Düsseldorf hatte zur Redispatch-Festlegung der *BNetzA* entschieden, dass die den ÜNB eingeräumte Befugnis zur Anweisung eines Wirkleistungsbezugs nach zuvor geltender Rechtslage nicht von den Redispatch-Regelungen erfasst sei. Um sicherzustellen, dass die ÜNB im Rahmen von Redispatch-Maßnahmen gegenüber den Betreibern von Anlagen zur Speicherung elektrischer Energie, insbesondere von Pumpspeicherkraftwerken, auch die Ab- und Zuschaltung von Pumpen anfordern können, ist auch der Wirkleistungsbezug von der Regelung erfasst.[40]

[39] *OLG Düsseldorf*, Beschluss vom 28.04.2015, Az. VI-3 Kart 313/12 (V), Rdnr. 99 f. – zitiert nach juris.

[40] BT-Drucks. 18/8915 vom 22.06.2016, S. 30.

Kern der Vergütungsregelung ist, dass der Betreiber der Anlage wirtschaftlich weder besser noch schlechter gestellt werden soll, als er ohne die Maßnahme stünde (vgl. § 13a Abs. 2 S. 1 EnWG). Eine Besser- oder Schlechterstellung von angeforderten Erzeugungsanlagen könnte zu einer nicht unerheblichen Verzerrung des Strommarktes führen.[41] Im Wesentlichen gehen die erfolgten Änderungen gegenüber der Vorgängerregelung im Wesentlichen auf die mit Beschluss vom 28. April 2015 erfolgte Aufhebung der Redispatch-Festlegung der *BNetzA*[42] durch das *OLG Düsseldorf*[43] zurück. In § 13a Abs. 2 S. 2 EnWG sind die Bestandteile einer angemessenen Vergütung im Einzelnen aufgezählt. Hierzu gehören:

- die **notwendigen** Auslagen für die tatsächlichen Anpassungen der Einspeisung (Erzeugungsauslagen) oder des Bezugs (Nr. 1),
- der **Werteverbrauch der Anlage** für die tatsächlichen Anpassungen der Einspeisung oder des Bezugs (anteiligen Werteverbrauch) (Nr. 2),
- die nachgewiesenen **entgangenen Erlösmöglichkeiten,** wenn und soweit diese die Summe der nach den Nummern 1 und 2 zu erstattenden Kosten übersteigen (Nr. 3), und
- die notwendigen Auslagen für die **Herstellung der Betriebsbereitschaft** nach Absatz 1 Satz 2 Nummer 1 oder die Verschiebung einer geplanten Revision nach Absatz 1 Satz 2 Nummer 2 (Nr. 4).

Um dem in Satz 1 aufgestellten Grundsatz volle Geltung zu verschaffen, ist in § 13a Abs. 2 S. 3 EnWG festgehalten, dass dem zuständigen ÜNB ersparte Aufwendungen zu erstatten sind.

Die Bestimmung des nach vorstehender Nr. 2 zu ersetzenden **anteiligen Werteverbrauchs** erfolgt nach Maßgabe der Konkretisierung in § 13a Abs. 3 EnWG. Danach wird aus dem Quotienten der handelsrechtlichen Restwerte und den handelsrechtlichen Restnutzungsdauern eine Jahresabschreibung abgeleitet, die dem Werteverbrauch der Anlage bei normaler Auslastung entspricht. Der Anteil des Werteverbrauchs, der durch die jeweilige Redispatch-Maßnahme verursacht worden ist, ergibt sich aus dem Verhältnis der für die Maßnahme anrechenbaren Betriebsstunden und den für die Anlage bei der Investitionsentscheidung **geplanten** jährlichen Betriebsstunden. Das Abstellen auf die geplanten Betriebsstunden ist kritisch zu bewerten. Insoweit ist zu berücksichtigen, dass zum Zeitpunkt der Planung allgemein von einer wesentlich höheren Betriebsstundenzahl ausgegangen wurde als dies heute noch realisiert werden kann. Wiederum in Konsequenz des in § 13a Abs. 2

[41] BT-Drucks. 18/7317, S. 87.

[42] Beschluss der Beschlusskammer 6 der *Bundesnetzagentur* vom 30. Oktober 2012 (BK6-11/098).

[43] *OLG Düsseldorf*, Beschluss vom 28. April 2015, Az. VI-3 Kart 331/12 (V), 3 Kart 331/12 (V), – zitiert nach juris.

S. 1 EnWG verankerten Grundsatzes sind Kosten, die dem Betreiber auch ohne die Anforderung durch den ÜNB entstehen, explizit werden Betriebsbereitschaftsauslagen und Verzinsung des gebundenen Kapitals genannt, nicht erstattungsfähig.

In § 13a Abs. 5 S. 1 EnWG hat der Gesetzgeber die rückwirkende Anwendung der Vergütungsregelungen in den Absätzen 2 bis 4 ab dem 1. Januar 2013 festgelegt. Bis zum 30. April 2015 soll allerdings nur dann eine rückwirkende Anwendung dieser Regelungen erfolgen, wenn **keine Schlechterstellung** des Anlagenbetreibers gegenüber der von den ÜNB tatsächlich gezahlten Vergütung erfolgt; insoweit hat der Gesetzgeber hier ein **gesetzliches Verschlechterungsverbot** verankert. Die Neuregelung unterscheidet sich inhaltlich von der bisherigen Rechtslage insbesondere durch die Berücksichtigung von Erzeugungsauslagen und die Berücksichtigung von entgangenen Erlösmöglichkeiten.

3. Exkurs: Entwicklung der Redispatchmaßnahmen durch die ÜNB

Redispatch-Maßnahmen sind bedauerlicherweise von großer Bedeutung in der Netzwirtschaft geworden.[44] Während das Kalenderjahr 2015 im Vergleich zu dem Kalenderjahr 2014 einen sehr hohen Redispatch-Bedarf aufwies, konnte im Kalenderjahr 2016 ein Rückgang der Redispatch-Maßnahmen verzeichnet werden. Im Jahr 2015 wurden der *BNetzA* strom- und spannungsbedingte Redispatchmaßnahmen mit einer Gesamtdauer von 15.811 Stunden gemeldet, im Jahr 2014 waren es lediglich 8.543 Stunden.[45] Zurückzuführen war die hohe Anzahl der Redispatch-Maßnahmen im Jahr 2015 auf die vorzeitige Abschaltung des AKW Grafenrheinfeld einen hohen Windenergieanlagenzubau, ein relativ windreiches Wetter sowie Netzbaumaßnahmen.[46] Im Vergleich hierzu belief sich die Gesamtdauer der strom-und spannungsbedingten Redispatch-Maßnahmen im Jahr 2016 auf 13.339 Stunden,[47] sodass die Gesamtdauer der Redispatch-Maßnahmen um insgesamt 2.472 Stunden gegenüber dem Jahr 2015 gesunken ist.

[44] *Rutloff*, Redispatch und „angemessene Vergütung" – Präjudizien für den Strommarkt 2.0?, NVwZ 2015, 1086.

[45] *BNetzA/BKartA*, Monitoringbericht 2016, abrufbar unter https://www.bundesnetzagentur.de/SharedDocs/Downloads/DE/Allgemeines/Bundesnetzagentur/Publikationen/Berichte/2016/Monitoringbericht_2016.pdf?__blob=publicationFile&v=3 (zuletzt abgerufen am 21.05.2018), S. 98.

[46] *BNetzA/BKartA*, Monitoringbericht 2016 (o. Fn. 45).

[47] *BNetzA/BKartA*, Monitoringbericht 2017, abrufbar unter https://www.bundesnetzagentur.de/SharedDocs/Downloads/DE/Allgemeines/Bundesnetzagentur/Publikationen/Berichte/2017/Monitoringbericht_2017.pdf?__blob=publicationFile&v=3 (zuletzt abgerufen am 21.05.2018), S. 106, 107.

Die Menge der **Einspeisungsreduzierungen** umfasste im Jahr 2014 ein Gesamtvolumen von ca. 6.256 GWh, im Vorjahr (2015) waren es 7.994 GWh,[48] im Jahr 2014 umfasste die Menge der Einspeisungsreduzierungen lediglich 2.600 GWh.[49] Der Anteil der Absenkung von Einspeiseleistung durch Redispatch-Maßnahmen bezogen auf die Gesamterzeugung aus nicht-erneuerbaren Energieträgern betrug im Jahr 2016 1,5 Prozent (im Vorjahr: 1,9 Prozent, 2014: 0,6 Prozent).

Die zum Ausgleich getätigten Anpassungen durch **Einspeiseerhöhungen** beliefen sich im Jahr 2016 auf 5.219 GWh,[50] im Jahr 2015 auf insgesamt 8.006 GWh (2014: 2.597 GWh),[51] sodass hier im Vergleich zum Vorjahr 2015 ein Rückgang von 3.961 GWh zu verzeichnen ist. Die Summe aus Einspeisereduzierungen und Einspeiseerhöhungen betrug im Jahr 2016 rund 11.475 GWh,[52] im Jahr 2015 waren es 15.436 GWh,[53] im Jahr 2014 lediglich 5.197 GWh.[54] Gegenüber dem Jahr 2015 sank die Summe aus Einspeisereduzierungen und Einspeiseerhöhungen somit um 3.961 GWh. Der im Jahr 2016 niedrigere Wert der Einspeiseerhöhung im Vergleich zur Einspeisereduzierung ergibt sich vorrangig aus dem Einsatz von Netzreservekraftwerken, welche zusätzlich zum Ausgleich der getätigten Anpassungen herangezogen werden.[55] Die im Kalenderjahr 2016 von Netzreservekraftwerken bereitgestellte Menge betrug rund 1.209 GWh.[56]

Insgesamt reduzierte sich der Redispatch-Bedarf im Jahr 2016 daher um etwa ein Viertel gegenüber dem Vorjahr 2015. Hiermit einher geht ein deutlicher Rückgang der Kosten für Redispatch-Maßnahmen von 412 Mio. Euro (2015) auf rund 220 Mio. Euro (2016).

4. Stilllegung von Anlagen

§§ 13b und 13c EnWG beinhalten ein komplexes und umfassendes Regelungsgefüge zur vorläufigen und endgültigen Stilllegung von Anlagen. Während § 13b EnWG zahlreiche Detailregelungen und Definitionen betreffend die Rechte und Pflichten von ÜNB und Anlagenbetreiber im Falle einer geplanten vorläufigen oder endgültigen Stilllegung beinhaltet, regelt § 13c EnWG die Vergütung des Anlagenbetreibers in beiden Fällen.

48 *BNetzA/BKartA*, Monitoringbericht 2017 (o. Fn. 47).
49 *BNetzA/BKartA*, Monitoringbericht 2016 (o. Fn. 45).
50 *BNetzA/BKartA*, Monitoringbericht 2017 (o. Fn. 47).
51 *BNetzA/BKartA*, Monitoringbericht 2016 (o. Fn. 45).
52 *BNetzA/BKartA*, Monitoringbericht 2017 (o. Fn. 47).
53 *BNetzA/BKartA*, Monitoringbericht 2017 (o. Fn. 47).
54 *BNetzA/BKartA*, Monitoringbericht 2016 (o. Fn. 45).
55 *BNetzA/BKartA*, Monitoringbericht 2017 (o. Fn. 47).
56 *BNetzA/BKartA*, Monitoringbericht 2017 (o. Fn. 47).

Ausgangspunkt der Regelungen ist zunächst die in § 13b Abs. 1 S. 1 EnWG verankerte Verpflichtung aller Betreiber von Erzeugungs- und Speicheranlagen mit einer Nennleistung ab 10 Megawatt, ihrem jeweils systemverantwortlichen ÜNB vorläufige und endgültige Stilllegungen ihrer Anlage oder Teilen der Anlage möglichst frühzeitig, mindestens jedoch **12 Monate** vor der geplanten Stilllegung anzuzeigen und dabei anzugeben, ob und inwieweit die Stilllegung aus rechtlichen, technischen oder betriebswirtschaftlichen Gründen erfolgen soll. Die Definitionen für vorläufige und endgültige Stilllegungen sind in § 13b Abs. 3 EnWG enthalten, wobei die Abgrenzung maßgeblich danach vorzunehmen ist, ob die Betriebsbereitschaft der Anlage **innerhalb eines Jahres** wiederhergestellt werden kann (dann vorläufige Stilllegung) oder nicht (endgültige Stilllegung). Anlagen, deren vorläufige oder endgültige Stilllegung nach den Regelungen in § 13b EnWG verboten ist, müssen vom Anlagenbetreiber in einem betriebsbereiten Zustand gehalten werden bzw. deren Betriebsbereitschaft ist auf Anforderung des ÜNB wiederherzustellen, vgl. § 13b Abs. 4 S. 3, 4 sowie Abs. 5 S. 11 EnWG.

Sofern ein Weiterbetrieb der Anlage technisch und rechtlich möglich ist, ist nach § 13b Abs. 1 S. 2 EnWG eine vorläufige oder endgültige Stilllegung der Anlage ohne vorherige Anzeige und vor Ablauf der 12-monatigen Anzeigefrist **verboten**. Daraus folgt umgekehrt, dass eine vorläufige oder endgültige Stilllegung auch ohne Anzeige und vor Ablauf der Frist zulässig ist, wenn der Weiterbetrieb aus technischen oder rechtlichen Gründen nicht möglich ist. Nach § 13b Abs. 1 S. 3 EnWG kann der ÜNB dem Anlagenbetreiber mitteilen, dass er von der geplanten Stilllegung keine Gefährdung oder Störung der Sicherheit oder Zuverlässigkeit des Elektrizitätsversorgungssystems erwartet. In diesen Fällen kann die Anlage auch vor Ablauf der Frist stillgelegt werden.

§ 13b Abs. 2 EnWG regelt für die vorläufige und die endgültige Stilllegung einheitlich das Prozedere nach Eingang der Anzeige bei dem ÜNB. Dieser muss nach § 13b Abs. 2 S. 1 EnWG unverzüglich prüfen, ob die Anlage systemrelevant ist und das Ergebnis seiner Prüfung ebenso unverzüglich sowohl dem Anlagenbetreiber als auch der *BNetzA* mitteilen. Die Frage der Systemrelevanz erfordert nach § 13b Abs. 2 S. 2 EnWG eine **zweistufige Prüfung**: Zum einen im Hinblick auf das Vorliegen einer hinreichenden Wahrscheinlichkeit einer nicht unerheblichen Gefährdung oder Störung der Sicherheit oder Zuverlässigkeit des Elektrizitätsversorgungssystems, zum anderen im Hinblick auf das Nichtvorliegen anderer angemessener Maßnahmen zur Beseitigung der Gefährdung oder Störung. Die Prüfung erfolgt im Wesentlichen unter Heranziehung der in § 13b Abs. 2 S. 3 und 4 EnWG genannten Systemanalyse der ÜNB, dem Bericht der *BNetzA* nach § 3 der Netzreserveverordnung sowie die Liste systemrelevanter Gaskraftwerke nach § 13f Absatz 1 EnWG.

Während die initialen Anzeigepflichten und die Prüfung der Systemrelevanz durch den ÜNB für die vorläufige und die endgültige Stilllegung weitgehend einheitlich ausgestaltet sind, bestehen zwischen beiden Stilllegungsvarianten Unterschiede, wenn es um die Dauer und die konkreten Anforderungen des Stilllegungsverbotes geht. Nach § 13b Abs. 4 EnWG erfolgt im Falle einer geplanten vorläufigen Stilllegung die Ausweisung als systemrelevant **zeitlich beschränkt** für die Dauer von bis zu 24 Monaten; Verlängerungen um jeweils weitere bis zu 24 Monate erfolgen nur bei erneuter Anzeige einer geplanten vorläufigen Stilllegung und andauernder Systemrelevanz der betreffenden Anlage. Demgegenüber sind endgültige Stilllegungen von Anlagen zur Erzeugung oder Speicherung elektrischer Energie mit einer Nennleistung ab 50 Megawatt unabhängig von einer weiteren Anzeige des Anlagenbetreibers auch nach Ablauf der in der Anzeige genannten Frist nach Absatz 1 Satz 1 verboten. Voraussetzungen sind insoweit, dass der systemverantwortliche ÜNB die Anlage als systemrelevant ausweist, die Ausweisung durch die *BNetzA* genehmigt worden ist und ein Weiterbetrieb technisch und rechtlich möglich ist. Eine starre zeitliche Begrenzung der Ausweisung als systemrelevant auf jeweils 24 Monate gilt hier nicht. Zwar gilt dieser Zeitraum nach § 13b Abs. 5 S. 9 EnWG im Regelfall als geeignet; er kann aber unter dem Gesichtspunkt einer besonderen Systemrelevanz der Anlage, nachgewiesen durch eine Systemanalyse des ÜNB und bestätigt durch die *BNetzA*, im Einzelfall auch länger ausfallen. Die Anpassung des Zeitraums der Systemrelevanzausweisung soll den Bedürfnissen der Praxis Rechnung tragen. Dem Gesetzgeber erschien insbesondere aus betrieblichen Gründen ein weitreichender Zeitraum angemessen, um die Arbeitnehmer, die in entsprechenden Kraftwerken tätig sind, für die Dauer der Systemrelevanz weiter zu beschäftigen. Es soll dadurch ein Zugewinn an wirtschaftlicher und beruflicher Planungssicherheit für Kraftwerksbetreiber und Beschäftigte erreicht werden.[57] Offen bleibt in der Regelungssystematik des Gesetzgebers hingegen, welche Rechtsfolgen sich insoweit bei geplanten endgültigen Stilllegungen im Bereich einer Nennleistung ab 10 Megawatt bis 50 Megawatt ergeben.

Die **Vergütung** bei geplanten Stilllegungen von Anlagen ist in § 13c EnWG geregelt. Absätze 1 und 2 betreffen die Vergütung bei vorläufigen Stilllegungen, Absätze 3 und 4 die Vergütung bei endgültigen Stilllegungen. Ausgangspunkt für beide Fälle ist das Vorliegen einer **angemessenen** Vergütung. In beiden Fällen werden **Betriebsbereitschaftsauslagen**, die sich nach § 13b Abs. 1 S. 1 Nr. 1 EnWG im Wesentlichen aus den einmaligen Kosten zur Herstellung der Betriebsbereitschaft und einem Leistungspreis für die Bereithaltung der betreffenden Anlage zusammensetzen, erstattet, wenn und soweit diese anfallen und der Vorhaltung und dem Einsatz als Netzreserve dienen, vgl. § 13c Abs. 1 S. 1 Nr. 1, S. 2, Abs. 3 S. 1 Nr. 2 EnWG. Ebenso

[57] BT-Drucks. 18/7317, S. 90.

werden in beiden Fällen **Erzeugungsauslagen** im Wege eines Arbeitspreises, der die notwendigen Auslagen für eine Einspeisung der Anlage abdeckt, erstattet, vgl. § 13b Abs. 1 S. 1 Nr. 2, S. 4, Abs. 3 S. 1 Nr. 3 EnWG. Dies gilt gleichermaßen für den **anteiligen Werteverbrauch** nach § 13b Abs. 1 S. 1 Nr. 3, S. 3, Abs. 3 S. 1 Nr. 4 EnWG, der maßgeblich auf Basis der handelsrechtlichen Restwerte und Restnutzungsdauern in Jahren zu bemessen ist. Anders als im Falle von geplanten vorläufigen Stilllegungen ist der Werteverbrauch bei geplanten endgültigen Stilllegungen nach § 13b Abs. 3 S. 3 EnWG nur bei tatsächlichem Einsatz der Anlage als Netzreserve erstattungsfähig. Zusätzlich zu den genannten Kosten sind bei geplanten endgültigen Stilllegungen nach § 13b Abs. 3 S. 1 Nr. 1 EnWG **Erhaltungsauslagen** zu ersetzen, soweit diese tatsächlich anfallen und dem Einsatz als Netzreserve zu dienen bestimmt sind. Anders als für vorläufige Stilllegungen ist für endgültige Stilllegungen explizit geregelt, dass **weitergehende Kosten** nicht erstattungsfähig sind, vgl. § 13b Abs. 3 S. 4 EnWG.

Nach vorher geltender Rechtslage bestand bei geplanten vorläufigen Stilllegungen von Anlagen, die aufgrund ihrer Systemrelevanz Teil der Netzreserve geworden waren, ein **Verbot der Rückkehr an den Strommarkt** für einen Zeitraum von fünf Jahren. Dieses Rückkehrverbot sollte zunächst auf vier Jahre reduziert werden.[58] Im weiteren Verlauf des Gesetzgebungsverfahrens wurde es dann an die Dauer der Ausweisung der Systemrelevanz einer Anlage geknüpft, wenn sich eine Anlage mehr als 24 Monate in der Netzreserve befindet. Durch diese Kopplung sollen unsachgemäße Ergebnisse vermieden werden. Zum einen für den Fall, dass die Systemrelevanz einer Anlage und damit der Anspruch auf Kostenerstattung vor Ablauf der Vier-Jahresfrist entfallen wäre; zum anderen sollte verhindert werden, dass der Betreiber der stillzulegenden Anlage nicht immer in Zeiten geringer wirtschaftlicher Erlösmöglichkeiten die vorläufige Stilllegung anzeigt, um sich in der Netzreserve zu optimieren und anschließend wieder kurzfristig an den Strommarkt zu wechseln.[59]

Sofern die Anlage nach Ablauf der Dauer der Systemrelevanz wieder eigenständig an den Strommärkten eingesetzt wird, ist der **Restwert** der investiven Vorteile, die der Anlagenbetreiber erhalten hat, zu erstatten. Im Falle einer endgültigen Stilllegung einer Anlage ist der Restwert der investiven Vorteile bei wiederverwertbaren Anlagenteilen vom Anlagenbetreiber zu erstatten, soweit diese Bestandteile der gezahlten Erhaltungs- und Betriebsbereitschaftsauslagen waren, vgl. § 13b Abs. 4 S. 2 EnWG. Für beide Fälle wird immerhin klargestellt, dass der Restwert zu dem Zeitpunkt maßgeblich ist, ab dem die Anlage wieder eigenständig am Markt eingesetzt bzw. nicht mehr als Netzreserve vorgehalten wird, vgl. § 13b Abs. 2 S. 2, 3, Abs. 4 S. 3 EnWG.

[58] BT-Drucks. 18/7317 v. 20.01.2016, S. 58.
[59] BT-Drucks. 18/8915 v. 22.06.2016, S. 31.

Nach § 13b Abs. 5 EnWG werden die aus der Vergütung der Anlagenbetreiber resultierenden Kosten der ÜNB durch Festlegung der *BNetzA* auf Basis freiwilliger Selbstverpflichtungen als verfahrensregulierte Kosten anerkannt.

§ 13b Abs. 1 bis 5 sowie § 13c Abs. 1 bis 5 EnWG gelten nicht für die nach § 13g EnWG stillzulegenden Braunkohlekraftwerke, vgl. § 13e Abs. 6 und § 13c Abs. 6 EnWG. Dies wiederum erscheint insofern teilweise unpassend, als in § 13g EnWG und insbesondere in der Begründung zu dieser Norm vielfach die Begriffe vorläufige und endgültige Stilllegung genutzt werden, was auch insoweit Bedenken an der stringenten Systematik der Neuregelungen hervorruft.

5. *Netzreserve*

Die Netzreserve ist mit Inkrafttreten des Strommarktgesetzes nunmehr in § 13d EnWG geregelt. **Zweck der Netzreserve** ist nach § 13d Abs. 1 S. 1 EnWG die Gewährleistung der Sicherheit und Zuverlässigkeit des Elektrizitätsversorgungssystems insbesondere für die Bewirtschaftung von Netzengpässen, die Spannungshaltung sowie die Sicherstellung eines möglichen Versorgungswiederaufbaus.

Die Netzreserve wird gemäß § 13d Abs. 1 S. 2 EnWG gebildet aus Anlagen gemäß § 13a Abs. 1 S. 2 Nr. 1 EnWG, die derzeit nicht betriebsbereit sind und auf Grund ihrer Systemrelevanz auf Anforderung der Betreiber von Übertragungsnetzen wieder betriebsbereit gemacht werden müssen, systemrelevanten Anlagen, für die die Betreiber eine vorläufige oder endgültige Stilllegung nach § 13b Abs. 1 S. 1 angezeigt haben und geeigneten Anlagen im europäischen Ausland. Dabei erfolgt die Bildung der Netzreserve von Anlagen nach §§ 13a Abs. 1 S. 2 Nr. 1 und 13b Abs. 1 S. 1 EnWG auf der Basis von Verträgen zwischen den ÜNB und den Anlagenbetreibern in Abstimmung mit der *BNetzA* nach Maßgabe der Bestimmungen der Netzreserveverordnung.

Nach § 13d Abs. 2 EnWG können Anlagen, die als Netzreserve zur Verfügung stehen müssen, unter den Voraussetzungen des § 13e EnWG sowie den Vorgaben der derzeit im Legislativprozess befindlichen Kapazitätsreserveverordnung (**„KapResV“**) nach § 13h EnWG[60] auch an dem Verfahren der Beschaffung der Kapazitätsreserve teilnehmen. Sofern die betreffenden Anlagen den Zuschlag im Rahmen des Beschaffungsverfahrens erhalten, richtet sich die Höhe der Vergütung gemäß § 13d Abs. 2 S. 2 EnWG ausschließlich nach den Bestimmungen zur Kapazitätsreserve. Daneben müssen diese Anlagen weiterhin auf Anweisung der ÜNB ihre Einspeisung nach § 13a Absatz 1 EnWG sowie § 7 der Netzreserveverordnung (**„NetzResV“**) anpassen.

[60] Referentenentwurf zur Verordnung zur Regelung des Verfahrens der Beschaffung, des Einsatzes und der Abrechnung einer Kapazitätsreserve vom 30. April 2018 – KapResV.

6. *Kapazitätsreserve*

Der Zweck der Kapazitätsreserve besteht gem. § 13e EnWG in der Vorhaltung von **Reserveleistung zum Ausgleich von Leistungsbilanzdefiziten.** In § 13e EnWG wurde der Begriff der Erzeugungsanlage durch den Begriff „Anlage" ersetzt. Damit sollte klargestellt werden, dass grundsätzlich auch Lasten an der Kapazitätsreserve teilnehmen können. Allerdings müssen alle Anlagen dieselben technischen (Bereitstellungszeiten, etc.) und rechtlichen (Rückkehr- und Vermarktungsverbot) Anforderungen erfüllen.[61] Nach § 13e Abs. 1 S. 2 EnWG soll die Kapazitätsreserve ab dem Winterhalbjahr 2017/2018 schrittweise im Rahmen eines von den ÜNB durchzuführenden Beschaffungsverfahrens gebildet werden, wobei das Ausschreibungsverfahren ab dem Jahr 2017 in regelmäßigen Abständen durchgeführt werden soll. Ab dem Winterhalbjahr 2018/2019 umfasst die Kapazitätsreserve 2 GW; ab dem Winterhalbjahr 2020/2021 erstreckt sie sich auf 2 GW vorbehaltlich einer Anpassung im Zuge einer Überprüfung durch das BMWi nach § 13e Abs. 5 EnWG.

Die jährliche Vergütung, welche die Anlagenbetreiber auf Basis des Beschaffungsverfahrens erhalten, umfasst nach § 13e Abs. 3 S. 2 EnWG alle Kosten, einschließlich der Kosten für die Vorhaltung der Anlage sowie den Werteverbrauch durch den Einsatz der Anlage. Daneben erfolgt nach § 13e Abs. 2 S. 3 EnWG eine **gesonderte Erstattung** der Kosten für die Einspeisungen, soweit diese durch den Einsatz in der Kapazitäts- oder Netzreserve verursacht sind, der variablen Instandhaltungskosten, der Kosten für die jederzeitige Sicherstellung der Brennstoffversorgung sowie der Kosten der Herstellung oder Aufrechterhaltung der Schwarzstartfähigkeit sowie der Fähigkeit zur Blindleistungseinspeisung ohne Wirkleistungseinspeisung. Insbesondere die Kosten der Brennstoffversorgung sind für diejenigen Anlagenbetreiber von erheblicher Bedeutung, die einen größeren Brennstofftransport realisieren müssen. Die Kosten werden im Detail durch die nach § 13h EnWG zu erlassende KapResV[62] konkretisiert.

Die ÜNB können die Kosten nach § 13e Abs. 4 EnWG als **dauerhaft nicht beeinflussbare Kosten** im Rahmen der Netzkosten geltend machen. Die unterschiedliche Höhe der Kosten wird zwischen den ÜNB ausgeglichen, um sie deutschlandweit zu vereinheitlichen. Für Anlagen der Kapazitätsreserve gibt es nach § 13e Abs. 4 EnWG sowohl ein umfassendes **Vermarktungsverbot** als auch ein **Rückkehrverbot**. Diese Verbote sind dabei anlagenbezogen, so dass sie auch bei einer Umstrukturierung oder einem Anlagenverkauf greifen sollen.

[61] BT-Drucks. 18/8915 vom 22.06.2016, S. 32.

[62] Referentenentwurf zur Kapazitätsreserve (o. Fn. 60).

7. Systemrelevante Gaskraftwerke

Die ÜNB können Gaskraftwerke ab 50 MW als systemrelevante Gaskraftwerke gem. § 13f EnWG ausweisen, soweit sonst eine Einschränkung der Gasversorgung der Anlage zu einer nicht unerheblichen Gefährdung oder Störung der Stromversorgung führen würde. Die Ausweisung, die nur mit Genehmigung durch die *BNetzA* zulässig ist, soll den Zeitraum von 24 Monaten nicht überschreiten. Soweit die Ausweisung einer Anlage als systemrelevant genehmigt worden ist, muss der Anlagenbetreiber, soweit technisch und rechtlich möglich und wirtschaftlich zumutbar, eine Absicherung der Leistung durch Inanspruchnahme der vorhandenen Möglichkeiten für einen Brennstoffwechsel vornehmen. Die damit verbundenen Mehrkosten des Anlagenbetreibers sind durch den ÜNB zu erstatten, wobei die diesbezüglichen Kosten des ÜNB durch Festlegung der *BNetzA* zu einer freiwilligen Selbstverpflichtung der ÜNB als verfahrensregulierte Kosten anerkannt werden.

8. Stilllegung von Braunkohlekraftwerken

In § 13g EnWG wird nunmehr zur Reduzierung der CO_2-Emissionen die vorläufige Stilllegung der in Abs. 1 S. 1 Nr. 1 bis 4 EnWG genannten Braunkohlekraftwerke angeordnet. Ab dem in § 13g Abs. 1 S. 1 EnWG jeweils genannten Tag der Stilllegung dürfen die jeweiligen Anlagen für 4 Jahre **nicht endgültig stillgelegt** werden. Danach hat eine endgültige Stilllegung zu erfolgen. Ab dem genannten Stilllegungstag dürfen die Anlagen nach § 13g Abs. 2 EnWG ausschließlich für Anforderungen der ÜNB nach § 1 **Abs. 6 Elektrizitätssicherungs-VO**[63] zur Verfügung stehen (sog. Sicherheitsbereitschaft). Ein Einsatz ist danach nur noch *„zur Deckung des lebenswichtigen Bedarfs an Elektrizität"* zulässig. Die Begründung spricht hier davon, dass nur noch ultima-ratio-Einsatz dieser Anlagen möglich sei; zuvor müssten alle Möglichkeiten nach § 13 Abs. 1 und 2 EnWG ausgeschöpft sein[64].

Während der Sicherheitsbereitschaft muss eine Anlage nach § 13g Abs. 3 S. 1 EnWG innerhalb von 10 Tagen nach Vorwarnung durch den ÜNB betriebsbereit sein und nach Herstellung der Betriebsbereitschaft innerhalb von 11 Stunden auf Mindestteilleistung und innerhalb von 13 Stunden auf Nettonennleistung gehen können.

§ 13g Abs. 4 EnWG enthält weitere Anforderungen für die Sicherheitsbereitschaft, so in Bezug auf die Stromerzeugung in den betroffenen Anlagen, die Führung der erzeugten Strommengen in Bilanzkreisen und die Informa-

[63] Verordnung zur Sicherung der Elektrizitätsversorgung in einer Versorgungskrise (Elektrizitätssicherungsverordnung – EltSV) vom 26. April 1982 i.d.F. vom 26. Juli 2016.

[64] Bt-Drucks. 18/7317, S. 103.

tion der Marktteilnehmer. Eine Veräußerung der erzeugten Strommengen am Strommarkt ist untersagt.

Da die somit bestehenden Verpflichtungen der Anlagenbetreiber einen **Eingriff** in deren Grundrechte, insbesondere in Art. 14 GG, mit sich bringen, erfolgt eine Kompensation des Eingriffs im Wege einer nach § 13g Abs. 5 bis 7 EnWG festzulegenden Vergütung. Die Vergütung für Sicherheitsbereitschaft und Stilllegung umfasst die Erlöse, die mit der stillzulegenden Anlage in den Strommärkten erzielt worden wären abzgl. der kurzfristigen variablen Erzeugungskosten. Die konkrete Höhe ergibt sich aus der **Formel in der Anlage zum EnWG**. Zusätzlich werden dem Anlagenbetreiber im Falle einer Vorwarnung oder Anforderung nach § 13g Abs. 5 S. 6 EnWG Erzeugungsauslagen erstattet.

Eine vorzeitige endgültige Stilllegung ist bei Anzeige durch den Anlagenbetreiber beim ÜNB spätestens ein halbes Jahr zuvor zum Ende des ersten Jahres der Sicherheitsbereitschaft gegen Zahlung einer pauschalen Abschlussvergütung möglich. Die Abschlussvergütung entspricht im Wesentlichen der Vergütung, die dem Betreiber der Anlage im ersten Jahr der Sicherheitsbereitschaft erstattet wurde. Ansonsten ist bei dauerhaftem Wegfall der Voraussetzungen der Sicherheitsbereitschaft eine jederzeitige endgültige Stilllegung möglich. Der Vergütungsanspruch entfällt mit endgültiger Stilllegung der Anlage. Eine Abschlussvergütung erhält der Anlagenbetreiber in diesen Fällen nicht, vgl. § 13g Abs. 6 S. 4 EnWG.

Die Höhe der Vergütung wird durch die *BNetzA* nach Maßgabe von § 13g Abs. 7 EnWG festgesetzt. Die Zahlung soll in monatlichen Abschlägen im Voraus erfolgen. Es erfolgt eine gesonderte Erstattung der Erzeugungsauslagen. Die mit der Vergütung verbundenen Kosten der ÜNB gelten weitgehend als dauerhaft nicht beeinflussbarer Kostenanteil im Rahmen der Anreizregulierung. Das BMWi prüft schließlich bis zum 30. Juni 2018 die erzielten CO_2-Einsparungen. Gegebenenfalls müssen die Betreiber Vorschläge für weitere Einsparungen vorlegen, die insgesamt dazu führen müssen, dass dadurch zusammen mit der Stilllegung der stillzulegenden Anlagen 12,5 Mio. Tonnen CO_2 im Jahr 2020 zusätzlich eingespart werden. Die zusätzlichen Einsparanforderungen der Anlagenbetreiber sind dabei jedoch auf 1,5 Mio. Tonnen CO_2 begrenzt. Sollte eine Einigung zu den zusätzlichen Maßnahmen nicht zustande kommen, kann die Bundesregierung nach Anhörung der Betreiber durch Rechtsverordnung nach § 13i Absatz 5 weitere Maßnahmen zur Kohlendioxideinsparung in der Braunkohlewirtschaft erlassen.

9. *Verordnungsermächtigungen und Festlegungskompetenzen*

In §§ 13h bis j EnWG sind weitere umfassende Verordnungsermächtigungen für das BMWi sowie Festlegungskompetenzen für die *BNetzA* vorgesehen, von denen, wie bei der KapazitätsreserveVO[65] Gebrauch gemacht wurde.

IV. Einzelne Rechts- und Anwendungsfragen des Strommarktgesetzes

Das durch das Strommarktgesetz in das EnWG eingefügte Sammelsurium von Normen wirft eine Vielzahl von Rechtsfragen auf. Nachfolgend werden einzelne dieser Fragestellungen näher in den Blick genommen. So folgt die Bildung der Netzreserve und der Einsatz der Kraftwerke der Netzreserve auf Grundlage von **zivilrechtlichen Verträgen zwischen Anlagenbetreibern und ÜNB**, die in Abstimmung mit der *BNetzA* nach Maßgabe der Bestimmungen der Netzreserveverordnung geschlossen werden, vgl. § 13d Abs. 3 S. 1 EnWG. Es ist deshalb geboten, sich mit den **Inhalten der Netzreserveverträge** näher auseinanderzusetzen. Die gesetzlichen Vorgaben sind insoweit überschaubar; im Wesentlichen werden die Vertragsinhalte *„in Abstimmung"* mit der *BNetzA* durch ÜNB und Anlagenbetreiber **ausgestaltet (1.)**. Von besonderer Bedeutung für den Anlagenbetreiber ist die Höhe der *„angemessenen Vergütung"*, die er für die Vorhaltung der Anlage vom ÜNB erhält. Den in § 13c EnWG enthaltenen Regelungen betreffend die Vergütung bei geplanten Stilllegungen von Anlagen liegt dabei ein **fehlerhafter methodischer Ansatz** zu Grunde. Unabhängig hiervon stellen sich zahlreiche Fragen im Zusammenhang mit der Bestimmung der angemessenen Vergütung **(2.)**.

1. *Inhalte der Netzreserveverträge*

Gemäß § 13d Abs. 3 S. 1 EnWG erfolgen unbeschadet der gesetzlichen Verpflichtungen die Bildung der Netzreserve und der Einsatz der Anlagen der Netzreserve auf Grundlage **von Verträgen** zwischen ÜNB und Anlagenbetreibern in Abstimmung mit der *BNetzA* nach Maßgabe der Bestimmungen der Netzreserveverordnung. Dies bedeutet letztlich zunächst nichts anders, als dass zwischen Anlagenbetreibern und ÜNB ein **zivilrechtlicher Vertrag** geschlossen wird, der zum einen zum Inhalt hat, dass die betreffende Anlage Bestandteil der Netzreserve wird; zum anderen muss der entsprechende Vertrag Regelungen hinsichtlich des konkreten Einsatzes der betreffenden Anlage im Rahmen der Netzreserve beinhalten. In der Praxis

[65] Referentenentwurf zur Kapazitätsreserve (o. Fn. 60).

werden diese Verträge regelmäßig als **Netzreserveverträge** bezeichnet. Für ihre Inhalte gibt es vergleichsweise wenige **gesetzliche Vorgaben** (**a**). Im Wesentlichen werden die **Vertragsinhalte** in der Praxis *„in Abstimmung"* mit der *BNetzA* durch die Parteien **ausgestaltet** (**b**). Ein bislang nicht diskutiertes Problem ist, ob die **Netzreserveverträge AGB** darstellen und welche Rechtsfolgen sich daraus ergeben könnten; in diesem Zusammenhang stellt sich insbesondere auch die Frage, welche Bedeutung der in § 13d Abs. 3 S. 1 EnWG enthaltenen Vorgabe zukommt, wonach die Netzreserveverträge in Abstimmung mit der *BNetzA* zu vereinbaren sind (**c**).

a) Gesetzliche Vorgaben

Die gesetzlichen Vorgaben für die Vertragsinhalte der Netzreserveverträge durch das EnWG und die Netzreserveverordnung (NetzResV) sind überschaubar.

Vertragspartner der ÜNB können nach der gesetzlichen Konzeption lediglich **Betreiber von Anlagen der Netzreserve** sein, vgl. § 13d Abs. 3 S. 1 EnWG. Dies sind gemäß § 13d Abs. 1 S. 2 EnWG Betreiber von systemrelevanten Anlagen im Inland oder geeigneten Anlagen im Ausland.

Der Abschluss der Netzreserveverträge erfolgt gemäß § 13d Abs. 3 S. 1 EnWG *„unbeschadet der gesetzlichen Verpflichtungen"* und *„nach Maßgabe der Bestimmungen der Netzreserveverordnung"*. *„Unbeschadet der gesetzlichen Verpflichtungen"* bedeutet letztlich nichts anderes, als dass die gesetzlichen Bestimmungen vorrangig sind. Anders ausgedrückt: Der Inhalt der Netzreserveverträge darf nicht gegen die gesetzlichen Verpflichtungen verstoßen; diese sind also von den Parteien **nicht abdingbar**. *„Nach Maßgabe der Bestimmungen der Netzreserveverordnung"* ist an sich ein überflüssiger Hinweis, da auch die Regelungen der Netzreserveverordnung jedenfalls materielle gesetzliche Regelungen darstellen und damit bereits von dem einleitenden Satzteil des § 13d Abs. 3 S. 1 EnWG erfasst werden. Der somit an sich überflüssige Hinweis auf die Geltung der Netzreserveverordnung soll vermutlich klarstellen, dass der vom 27. Juni 2013 – und damit weit vor Inkrafttreten des Strommarktgesetzes – datierenden Netzreserveverordnung, die nach Inkrafttreten des Strommarktgesetzes lediglich durch Art. 4 des Gesetzes zur Änderung der Bestimmungen zur Stromerzeugung aus Kraft-Wärme-Koppelung und zur Eigenversorgung vom 22. Dezember 2016[66] modifiziert wurde, auch für die Regelungen des Strommarktgesetzes Geltung zukommen soll.

Bei näherer Betrachtung wird jedoch deutlich, dass die Netzreserveverordnung den Inhalt der Netzreserveverträge nur vergleichsweise geringfügig weiter präzisiert, so dass der Verweis auf die Netzreserveverordnung

[66] BGBl. 2016 I Nr. 65 vom 28. Dezember 2016, S. 3106.

für die Praxis faktisch auch aus diesem Gesichtspunkt weitgehend leerläuft. Dies ergibt sich zunächst schon aus dem in § 1 Abs. 1 NetzResV geregelten **Anwendungsbereich** der Verordnung, der keinen unmittelbaren Bezug zu möglichen Vertragsinhalten aufweist. Diese regelt vielmehr das Verfahren der Beschaffung der Netzreserve, den Einsatz von Anlagen in der Netzreserve nach § 13d Abs. 1 EnWG sowie Anforderungen an Anlagen in der Netzreserve auf Grundlage von § 13i Abs. 3 Nr. 2 EnWG. § 13i Abs. 3 Nr. 2 EnWG bezieht sich dabei zwar auf Verträge, konkret geht es aber lediglich um Verträge über den Erwerb von Ab- und Zuschaltleistung aus ab- und zuschaltbaren Lasten – dies hat aber mit der Netzreserve, wie sie in § 13d Abs. 1 S. 2 EnWG definiert ist, nichts zu tun, sodass auch an dieser Stelle wieder einiges durcheinandergeht.

§ 1 Abs. 2 NetzResV stellt dann noch einmal klar, dass die Bildung einer Netzreserve auf Grundlage des Abschlusses von Verträgen zwischen ÜNB und Anlagenbetreiber nach Abstimmung mit der *BNetzA* über die Nutzung bestimmter Anlagen gemäß den Bestimmungen der §§ 2–9 erfolgt und dass es sich hierbei um ein **vertragliches Schuldverhältnis** handelt. Der Klammerzusatz *„vertragliches Schuldverhältnis"* spricht dafür, dass die Nutzung der Netzreserve nicht im Rahmen eines gesetzlichen Schuldverhältnisses erfolgen kann. Anders gewendet: Ohne Abschluss eines Vertrages kann danach keine Nutzung einer Anlage im Rahmen der Netzreserve erfolgen. Hierfür spricht auch § 1 Abs. 2 S. 2 NetzResV: Danach erfolgt der Einsatz der Anlagen der Netzreserve *„dann"* auf Grundlage der abgeschlossenen Verträge. Es soll also zunächst der zivilrechtliche Vertragsschluss und dann der Einsatz der Anlage erfolgen. Es stellt sich deshalb die interessante Frage, auf welcher Grundlage der – nach der gesetzlichen Konzeption ja verpflichtende – Einsatz eines für die Gewährleistung der Versorgungssicherheit erforderlichen Kraftwerks in der Netzreserve erfolgen soll, wenn die Parteien sich über einen Vertrag nicht einigen können. Vermutlich wird der ÜNB dann auf einen Vertragsschluss klagen müssen oder man gesteht ihm ein Leistungsbestimmungsrecht nach § 315 BGB zu.

Wenig systematisch bestimmt sodann § 1 Abs. 2 S. 3 NetzResV in diesem Zusammenhang, dass die Bildung der Netzreserve vorrangig zur Nutzung der gesetzlichen Bestimmungen zum Umgang mit geplanten Stilllegungen von Anlagen erfolgt. Dieser Satz hat allenfalls insoweit einen Bezug zu den Netzreserveverträgen als man ihn so verstehen kann, dass Netzreserveverträge *„vorrangig"* mit Anlagenbetreibern im Sinne des § 13d Abs. 1 S. 2 Nr. 2 EnWG abgeschlossen werden sollen, also mit systemrelevanten Anlagen, für die die Betreiber eine vorläufige oder endgültige Stilllegung nach § 13b Abs. 1 S. 1 EnWG angezeigt haben.

Keinen Anwendungsbereich dürfte mittlerweile die in § 1 Abs. 3 NetzResV enthaltene **Übergangsregelung** mehr haben. Danach blieben bestehende Verträge und Optionen, welche von ÜNB in Abstimmung mit der

BNetzA für die Nutzung von Reservekraftwerken für die Winter 2011/2012 und 2012/2013 abgeschlossen wurden, durch die Vorgaben der Netzreserveverordnung unberührt.

Aussagen in Bezug auf Netzreserveverträge enthält sodann § 4 NetzResV. Die darin enthaltenen Vorgaben passen aber nicht (mehr) für die nach dem Strommarktgesetz zu bildende Netzreserve. Sie sind vielmehr auf den Fall zugeschnitten, dass die ÜNB zusätzlichen Bedarf an Erzeugungskapazität für die Netzreserve benötigen und Betreiber von Anlagen gemäß § 4 Abs. 2 S. 1 NetzResV ihr Interesse am Abschluss eines Netzreservevertrages zur Aufnahme ihrer Anlagen in die Netzreserve bekunden. In diesem Fall besteht gemäß § 4 Abs. 2 S. 3 NetzResV kein Rechtsanspruch auf Abschluss eines Vertrages. § 4 Abs. 3 NetzResV gibt vor, dass bis zum 15. September die Netzreserveverträge abgeschlossen sein müssen, sofern diese Anlagen im folgenden Winterhalbjahr benötigt werden. Für Erzeugungsanlagen, die an sich hätten stillgelegt werden sollen und die einen **Rechtsanspruch** auf Abschluss der entsprechenden Verträge haben, können diese Vorgaben offensichtlich nicht einschlägig sein.

Allgemeingültige Vorgaben zum Vertragsschluss enthält § 5 NetzResV. § 5 Abs. 1 S. 1 NetzResV legt dabei zunächst fest, mit **welchem ÜNB** der Anlagenbetreiber den Netzreservevertrag abzuschließen hat: Der Abschluss von Verträgen mit Anlagenbetreibern erfolgt durch den ÜNB, in dessen Regelzone die betreffende Anlage angeschlossen ist. Ein regelzonenübergreifender Abschluss eines Netzreservevertrages ist danach **nicht zulässig**. Die Vertragsdauer eines solchen Vertrages kann gemäß § 5 Abs. 1 S. 3 NetzResV bis zu 24 Monate betragen; in begründeten Fällen können die Vertragspartner auch eine längere Laufzeit vereinbaren.

§ 5 Abs. 2 NetzResV bestimmt sodann die **Zulässigkeitsvoraussetzungen** für den Abschluss eines Netzreservevertrages. Zulässig ist der Abschluss eines Netzreservevertrages zunächst nur dann, wenn die betreffende Anlage systemrelevant im Sinne von § 13b Abs. 2 S. 2 EnWG ist. Dies steht im Einklang mit § 13d Abs. 1 S. 2 Nr. 1 und 2 EnWG; § 13d Abs. 1 S. 2 Nr. 3 EnWG sieht diese Einschränkung aber nicht für *„geeignete Anlagen im europäischen Ausland"* vor. Man wird deshalb zu dem Ergebnis kommen müssen, dass § 5 Abs. 2 NetzResV nur für **inländische Anlagen** gelten kann; dies wird durch die Sonderregelung in § 5 Abs. 3 NetzResV für ausländische Anlagen bestätigt.

Eine inhaltliche Vorgabe enthält § 5 Abs. 2 S. 2 Nr. 2 NetzResV. Danach muss sich der Anlagenbetreiber verpflichten, die für die Netzreserve genutzte Anlage nach Ablauf des Vertrags bis zur endgültigen Stilllegung **nicht mehr an den Strommärkten** einzusetzen. Diese Vorgabe kann nur für Anlagen gelten, deren **endgültige Stilllegung** nach § 13b Abs. 1 S. 1 EnWG angezeigt worden war. Denn eine Anzeige zur vorläufigen Stilllegung sieht die Möglichkeit eines Einsatzes an den Strommärkten nach Ablauf des Vertrages selbstverständlich grundsätzlich vor. Auch in Bezug auf Anlagen, die für eine endgültige Stilllegung angezeigt waren, erscheint die Zulässigkeit einer derartigen Verpflichtung mit Blick auf Art. 14 GG aber zumindest zweifelhaft. Denn es sind durchaus Situationen denkbar, bei denen ein Anlagenbetreiber eine Anlage zur endgültigen Stilllegung anzeigt, der Strommarkt sich dann aber dreht und ein Weiterbetrieb der Anlage nach Ablauf des Netzreservevertrages ökonomisch sinnvoll erscheint. Die zwingende Einforderung einer vertraglichen Regelung, der zu Folge die Anlage auch beispielsweise in einem solchen Fall nicht mehr betrieben werden darf, erscheint jedenfalls bedenklich.[67]

Hinsichtlich der Kosten bestimmt § 6 NetzResV, dass der Umfang der Kostenerstattung in den jeweiligen Verträgen auf Grundlage der Kostenstruktur der jeweiligen Anlage nach Abstimmung mit der *BNetzA* festgelegt wird, vgl. § 6 Abs. 2 S. 1 NetzResV. Hierauf wird unten noch näher einzugehen sein.

Nach alldem ist festzuhalten, dass die in § 13d Abs. 3 S. 1 EnWG enthaltene Vorgabe, wonach die Netzreserveverträge *„nach Maßgabe der Bestimmungen der Netzreserveverordnung"* zu schließen sind, **weitgehend inhaltsleer** ist. Die Netzreserveverordnung enthält noch nicht einmal eine bloße Aufzählung der Vertragsinhalte, wie sie zum Beispiel in der Stromnetzzugangsverordnung für den Netznutzungsvertrag (§ 24 StromNZV) den Lieferantenrahmenvertrag (§ 25 StromNZV) oder den Bilanzkreisvertrag (§ 26 StromNZV) enthalten ist.

b) Ausgestaltung der Vertragsinhalte durch die Parteien „in Abstimmung" mit der Bundesnetzagentur

Aufgrund der wenigen gesetzlichen Vorgaben werden die Inhalte der Netzreserveverträge im Wesentlichen durch die Parteien bestimmt. Dabei werden sie in weiten Teilen durch den ÜNB, der ja zahlreiche solcher Verträge abschließen muss, entworfen. Nachfolgend werden einige wesentliche Inhalte von Netzreserveverträgen skizziert:

Netzreserveverträge beginnen zumeist mit der Bestimmung des **Vertragsgegenstands**. Hier wird dann zunächst klargestellt, ob der betreffende Vertrag ausschließlich einen Einsatz der jeweiligen Anlage im Rahmen der Netzreserve nach § 13d EnWG vorsieht oder ob auch ein zusätzlicher Einsatz nach § 13 Abs. 1 Nr. 2 EnWG vorgesehen ist. Letztlich sind die Übergänge zwischen dem Einsatz nach § 13 Abs. 1 Nr. 2 EnWG (Redispatch) und Nr. 3

[67] Verfassungsrechtliche Aspekte werden in dieser Ausarbeitung grundsätzlich aus Raumgründen nicht näher behandelt, vgl. dazu beispielsweise *Rutloff*, Redispatch und „angemessene Vergütung" – Präjudizien für den Strommarkt 2.0?, NVwZ 2015, 1090 ff.

(Netzreserve) fließend; Divergenzen finden sich im Wesentlichen bei den Regelungen zur angemessenen Vergütung. In der Praxis wird der Vertragsgegenstand teilweise wie folgt formuliert:

„Gegenstand des vorliegenden Vertrages sind Regelungen zu vorbereitenden Maßnahmen, Einsatz und Vergütung des Kraftwerks gemäß § 13a Abs. 1 und § 13c EnWG in Verbindung mit den §§ 7, 9 NetzResV. Hierbei wird insbesondere
– die ggf. erforderliche (Wieder-)Herstellung der Betriebsbereitschaft der Anlage,
– die betriebsbereite Vorhaltung der Anlage,
– die Einsätze der Anlage nach § 13a Abs. 1 und § 13c EnWG und
– der anteilige Werteverbrauch
durch den Anlagenbetreiber sowie die hierfür vom ÜNB zu zahlende angemessene Vergütung auf Basis des EnWG und der NetzResV festgelegt."

Sodann finden sich zumeist Regelungen betreffend die **(Wieder-)Herstellung der Betriebsbereitschaft.** Denn die Wiederherstellung der Betriebsbereitschaft im Falle einer nicht betriebsbereiten Anlage (§ 13d Abs. 1 Nr. 1 EnWG) bzw. die Herstellung der Betriebsbereitschaft bei einer zur Stilllegung vorgesehenen Anlage, bei der der Anlagenbetreiber aufgrund der geplanten Stilllegung vielleicht nicht das Optimum an notwendigen technischen Maßnahmen durchgeführt hat, ist Voraussetzung für einen Einsatz der Anlage durch den ÜNB. Die entsprechende gesetzliche Verpflichtung zur Wiederherstellung der Betriebsbereitschaft ergibt sich aus § 13b Abs. 4 S. 3 EnWG (geplante vorläufige Stilllegung) bzw. in leicht abgewandelter Form aus § 13b Abs. 5 S. 11 EnWG (geplante endgültige Stilllegung). Regelmäßig vereinbaren die Parteien in einer Anlage zum Vertrag, unter welchen Voraussetzungen die Betriebsbereitschaft gegeben ist und welche Maßnahmen im konkreten Fall zur (Wieder)Herstellung der Betriebsbereitschaft durchzuführen sind. Die ÜNB verlangen dabei teilweise die Erfüllung der folgenden Voraussetzungen, damit **Betriebsbereitschaft** vorliegt:

- Technischer Zustand der Anlage, der einen jederzeitigen Betrieb ermöglicht.
- Vorliegen der erforderlichen Genehmigungen.
- Verfügbarkeit des für die Betriebsbereitschaft erforderlichen Personals.
- Vorhandensein bzw. Beschaffung sämtlicher für den Einsatz erforderlichen Brenn-, Hilfs- und Zusatzstoffe in einem für den Einsatz erforderlichen Zustand.

Darüber hinaus wird vereinbart, **welche konkreten Schritte** zur Herstellung bzw. zum Erhalt der Betriebsbereitschaft des Kraftwerks notwendig und durchzuführen sind. Dies kann sich auf die Durchführung einer geplanten Revision beschränken, wobei man dann in Erwägung ziehen wird, die erforderlichen Revisionsmaßnahmen (z.B. Kesseldruckprobe, Sanierung Stahlbau und Gummierung in den Wäschern, Wartung an verschiedenen Sensoren) festzuschreiben; es kann aber z.B. auch der Austausch einer Gasturbine erforderlich sein.

Die Parteien müssen sich ferner in dem Netzreservevertrag darüber verständigen, welcher technische Anlagenzustand vom Anlagenbetreiber **vorgehalten** werden muss. Dies setzt zunächst die Abstimmung technischer Randbedingungen voraus. Es werden also z.B. Daten wie Mindestleistung, maximaler Lastgradient, Anforderungszeit bis zur Netzsynchronisation, Mindestbetriebszeit oder Anforderungszeit bis zur Netztrennung festgelegt. Zu diesem Themenkomplex gehören aber auch die Bereithaltung und Qualifikation des für den Kraftwerksbetrieb erforderlichen Personals. Im Rahmen der Vorhaltung der Betriebsbereitschaft sind ferner u.a. Aspekte zu klären wie

- ob der Anlagenbetreiber berechtigt ist, Betriebsführungsverträge mit Dritten abzuschließen,
- in welchem Umfang Wartungs- und Instandhaltungsmaßnahmen sowie Ersatz- Erneuerungs-, und Umbaumaßnahmen durchzuführen sind,
- die Planung und Durchführung von zukünftigen Revisionen,
- Erbringung von rechtlich vorgeschrieben oder durch Behörden angeordnete Prüfungen,
- Versicherungsschutz der Anlage (insbesondere Vorliegen einer Maschinen- sowie Haftpflichtversicherung) oder
- Deckung des Stromeigenbedarfs.

Zwischen den Parteien müssen in dem Netzreservevertrag ferner in jedem Fall Details hinsichtlich des **Anlageneinsatzes** geregelt werden. Dazu gehört insbesondere die Regelung, inwieweit der Anlagenbetreiber ausschließlich den **Einsatzanforderungen** des ÜNB unterliegt und wie diese Einsatzanforderungen gegenüber dem Anlagenbetreiber vom ÜNB kommuniziert werden. Ebenfalls ist festzulegen, unter welchen Voraussetzungen der Anlagenbetreiber von diesen Einsatzanforderungen **abweichen** darf. Darüber hinaus sind Regelungen betreffend die Durchführung von Probestarts notwendig. Zu bestimmen sind ferner Details der Einspeisung, z.B. betreffend die Frage, in welchen Bilanzkreis geliefert wird und wie mit den für den Einsatz der Anlage erforderlichen CO_2-Zertifikaten umgegangen wird. Ebenso muss geregelt werden, in welchen Fällen der Anlagenbetreiber von der **Leistungspflicht befreit** wird bzw. wann eine Leistungseinschränkung gegeben ist. Derartige Leistungseinschränkungen bzw. Leistungsbefreiungen können sich z. B. aus der Durchführung von rechtlich vorgeschriebenen Prüfungen (Kalibrierungen), durch Wartung, Instandhaltung sowie notwendige Revisionen ergeben.

Bei einem Kohlekraftwerk wird es erforderlich sein, die zur Herstellung bzw. zum Erhalt der Betriebsbereitschaft des Kraftwerks erforderlichen Mengen an Brenn-, Hilfs- und Zusatzstoffen, die in den Lagern am Kraftwerksstandort vorzuhalten sind (Mindestmengen), festzuschreiben: dies betrifft insbesondere die erforderliche Menge an Steinkohle, schwerem und leichtem Heizöl, Kalkstein und Ammoniak. Dabei bedarf es auch einer Regelung, was mit diesen Stoffen geschieht, wenn das Kraftwerk wieder in den Strommarkt zurückkehrt oder endgültig stillgelegt wird.

Von besonderer Relevanz sind darüber hinaus die Regelungen zur **Kostenerstattung.**[68] Dabei ist zwischen den verschiedenen Arten (Betriebsbereitschaftsauslagen, Erzeugungsauslagen und anteiliger Werteverbrauch) zu differenzieren. Soll der Vertrag für mehrere mögliche Ausweisungen der Systemrelevanz gelten, so ist zu beachten, dass es für jede Periode grundsätzlich eine erneute Vereinbarung der angemessenen Vergütung in Abstimmung mit der *BNetzA* geben muss. Deswegen sind Regelungen erforderlich, nach denen z. B. die für die erste Periode vereinbarte angemessene Vergütung lediglich vorläufig auch für die zweite Periode gilt und nach Vereinbarung der für die zweite Periode maßgeblichen angemessenen Vergütung eine Spitzabrechnung erfolgt. In diesem Zusammenhang kann ferner erwogen werden, eine spezielle Anpassungsregelung für den Fall aufzunehmen, dass die vereinbarte angemessene Vergütung nicht mehr „passt", weil sich z.B. die Einsatzanforderungen grundlegend geändert haben. Sinnvoll kann darüber hinaus sein, eine Reglung dergestalt aufzunehmen, dass bei einer rechtskräftigen Entscheidung eines Gerichts oder einer bestandskräftigen Entscheidung der *BNetzA*, die gegenüber den Vertragspartnern oder gegenüber Dritten ergeht, und aus der folgt, dass die angemessene Vergütung, die der ÜNB nach diesem Vertrag an den Anlagenbetreiber zu zahlen hat, zu gering oder zu hoch ist, eine entsprechende Anpassung für die Zukunft erfolgt. Ebenso erscheint es sinnvoll, eine rückwirkende Anpassung bei einer derartigen Konstellation zu vereinbaren.

Abgerundet werden die Netzreserveverträge durch die im Netzgeschäft üblichen Haftungsklauseln, durch Gerichtsstandregelungen, salvatorische Klauseln etc. Die Laufzeit wird grundsätzlich an die Dauer der Ausweisung der Systemrelevanz gekoppelt; häufig wird der Vertrag aber auch für einen längeren Zeitraum geschlossen, was dann die soeben schon beschriebene spezielle Regelung hinsichtlich der Vergütung erforderlich macht. Eine Wirtschaftsklausel findet sich ebenfalls üblicherweise in Netzreserveverträgen; bei einer an einer einmaligen Ausweisung der Systemrelevanz orientierten Laufzeit von dann regelmäßig zwei Jahren hat diese Regelung wenig Relevanz.

c) Netzreserveverträge als AGB?

Wie dargelegt, enthalten weder das EnWG noch die NetzResV hinreichend konkrete Vorgaben in Form vorformulierter Regelungen für den Inhalt der Netzreserveverträge. Der Inhalt und insbesondere die konkrete Ausgestal-

[68] Vgl. hierzu sogleich unter 2.

tung der einzelnen Vertragsklauseln der Netzreserveverträge werden daher im Wesentlichen durch die ÜNB und die Anlagenbetreiber bestimmt. Da die ÜNB – anders als der jeweilige Anlagenbetreiber – zahlreiche Netzreserveverträge abschließen, sind es allerdings typischerweise die ÜNB, welche die Verträge entwerfen und sie in einer Vielzahl von Fällen verwenden. Aus zivilrechtlicher Sicht erscheinen die Regelungen der Netzreserveverträge daher auf den ersten Blick grundsätzlich als nichts anderes als Allgemeine Geschäftsbedingungen.

aa) Allgemeine Geschäftsbedingungen im unternehmerischen Geschäftsverkehr

Allgemeine Geschäftsbedingungen sind alle für eine Vielzahl von Verträgen vorformulierten Vertragsbedingungen, die eine Vertragspartei (Verwender) der anderen Vertragspartei bei Abschluss eines Vertrags stellt, § 305 Abs. 1 BGB. „**Vorformuliert**" sind Vertragsbedingungen dann, wenn sie zeitlich vor dem Vertragsabschluss formuliert vorliegen, um in künftige Verträge einbezogen zu werden. Erstellt daher der ÜNB einen Vertragsentwurf, ist das Tatbestandsmerkmal des Vorformulierens erfüllt. Auch das Kriterium der mehrfachen Verwendung dürfte für die meisten Übertragungsnetzbetreiber typischerweise erfüllt sein, schließen sie doch in der Regel mehrere Netzreserveverträge ab. Letztlich kommt es dabei auch nicht auf eine tatsächlich mehrfache Verwendung an. Entscheidend ist vielmehr die Absicht des Verwenders, die Klauseln mehrfach zu verwenden[69] und nach der Rechtsprechung sollen bereits formelhafte Klauseln bis zum Beweis des Gegenteils den Anschein einer Mehrverwendungsabsicht erwecken.[70]

Schließlich handelt es sich nur dann um AGB, wenn die Klauseln der anderen Vertragspartei „**gestellt**" und nicht zwischen den Parteien ausgehandelt wurden. Eine Vertragsbedingung gilt als von jener Partei gestellt, die sie in die Verhandlungen eingeführt hat bzw. der die Einführung zuzurechnen ist, wobei dies für jeden Vertrag und jede Klausel gesondert festgestellt werden muss. Der Verwender selbst kann, wenn er eine Klausel gestellt hat, sich niemals auf deren Unwirksamkeit berufen.[71] Von einem Aushandeln geht der BGH in seiner seit langem etablierten Rechtsprechung hingegen dann aus, wenn der Verwender der AGB den „gesetzesfremden Kerngehalt" der einzelnen Klausel ernsthaft zur Disposition gestellt hat. An einem Stellen der vorformulierten Vertragsbedingungen fehlt es allerdings dann, wenn die Einbeziehung der Klausel das Ergebnis der freien Entscheidung desjenigen

[69] *BGH* NJW-RR 2002, 13, 14.

[70] *BGH* NJW-RR 2004, 814 (815); *OLG Hamm* NJW 2013, 392. *Basedow* in MüKoBGB § 305 Rdnr. 17

[71] *BGH* NJW 1998, 2280.

ist, der mit dem Verwendungsvorschlag konfrontiert wird.[72] Voraussetzung dafür soll nach der Rechtsprechung des BGH allerdings sein, dass der Vertragspartner in der Auswahl der in Betracht kommenden Vertragstexte frei ist und insbesondere die Gelegenheit erhält, alternativ eigene Textvorschläge einzubringen und diese auch effektiv durchzusetzen. Diese strengen Vorgaben des BGH machen es umso wichtiger, den Verhandlungsverlauf zwischen den Parteien genau zu dokumentieren, um im Streitfall den Nachweis erbringen zu können, dass der anderen Partei die Möglichkeit gegeben wurde, eigene Klauselvorschläge vorzubringen und durchzusetzen. Gelingt dies nicht, wird das Gericht die jeweilige Klausel als AGB werten und auf ihre Angemessenheit prüfen. Der **Kontrollmaßstab** für AGB im unternehmerischen Geschäftsverkehr ist ausschließlich § 307 BGB, denn §§ 308, 309 BGB finden nach § 310 Abs. 1 S. 1 BGB mit Ausnahme der Regelungen zur Fälligkeit, keine Anwendung. Darüber hinaus ist bei der Anwendung des § 307 BGB auf die im Handelsverkehr geltenden Gebräuche und Gewohnheiten angemessen Rücksicht zu nehmen, § 310 Abs. 1 2. Hs BGB. Ungeachtet dessen wendet der BGH die Rechtsgedanken der Klauselkataloge weitgehend auch im unternehmerischen Geschäftsverkehr an und begründet dies mit der Indizwirkung, welche die Klauselkataloge hätten.[73]

Gerade im **Geschäftsverkehr zwischen Unternehmen** ist das AGB-Recht bzw. dessen strenge Handhabung durch den BGH ein maßgeblicher Grund für die „Flucht" in ausländisches, in erster Linie englisches Recht.[74] Denn es ist insbesondere ausländischen Investoren und Geschäftspartnern nur schwer zu vermitteln, dass Verträge, die zwischen zwei Unternehmen zum Teil monatelang und unter beiderseitiger Beteiligung von externen Beratern und Anwälten ausgehandelt werden, dem Risiko der Unwirksamkeit unterliegen, weil sie an den gleichen Maßstäben gemessen werden, wie ein Vertrag zwischen einem Unternehmen und einem vollkommen geschäftsunerfahrenen Verbraucher. Die mit dem AGB-Recht angestrebte Zielsetzung wird damit im Ergebnis verfehlt. Denn Verträge, die dem deutschen Recht nicht mehr unterliegen, können auch nicht mehr nach den ABG-rechtlichen Vorgaben kontrolliert werden.

Da Netzreserveverträge jedoch in Abstimmung mit der *BNetzA* und unter Berücksichtigung der Vorgaben des EnWG bzw. der ResKV geschlossen werden müssen, kommt eine Flucht in eine andere Rechtsordnung daher für die Parteien kaum in Betracht.

[72] *BGH,* NJW 2016, 1230, 1231; BGH, NJW 2010, 1131.

[73] *BGH* NJW 2007, 3775.

[74] Vergleiche hierzu zuletzt *Maier-Reimer*, AGB-Recht im unternehmerischen Rechtsverkehr – Der BGH überdreht die Schraube, NJW 2017, 1 ff.

bb) Vereinbarung in Abstimmung mit der Bundesnetzagentur

Die Verträge werden „in Abstimmung mit der Bundesnetzagentur" geschlossen, § 13d Abs. 3 S. 1 EnWG. Dies wirft die Frage auf, ob und wenn ja, welchen Einfluss dieses Abstimmungserfordernis hat. § 13d Absatz 3 Satz 1 EnWG stellt zunächst wie bislang § 1 Absatz 2 der bisherigen Reservekraftwerksverordnung klar, dass die Bildung der Netzreserve und der Einsatz der Anlagen der Netzreserve unbeschadet der gesetzlichen Verpflichtungen auf Grundlage des Abschlusses von Verträgen zwischen den Betreibern von Übertragungsnetzen und den Anlagenbetreibern nach Abstimmung mit der *BNetzA* erfolgt. Gegenüber der geltenden Rechtslage ist mit der Regelung keine Änderung verbunden.[75] Allerdings war bereits in § 1 ResKV nicht klargestellt, was sich konkret hinter dem Begriff „in Abstimmung" verbirgt.

Der Begriff „abstimmen" ist juristisch nicht eindeutig einzuordnen.[76] Insbesondere folgt aus dem Begriff keineswegs zwingend eine Genehmigungspflicht durch die *BNetzA*. Vielmehr wird nach dem allgemeinen Sprachgebrauch als Synonym für „Abstimmung" auch der Begriff „Koordination" oder „Absprache" verwendet. Der Begriff könnte mithin dahingehend verstanden werden, dass vorliegend die Parteien den Netzreservevertrag verhandeln und die *BNetzA* in einer lediglich koordinierenden Funktion bei diesen Verhandlungen zugegen ist. Andererseits enthält § 13c EnWG an weiteren Stellen Anhaltspunkte dafür, dass die Begriffsverwendung „nach Abstimmung" eine weiterreichende Kontroll- bzw. Einwirkungsbefugnis der *BNetzA* auf die Verhandlungen selbst und deren Ergebnisse haben könnte. So wird beispielsweise in § 13c Abs. 1 S. 1 Nr. 1b 4. Hs EnWG ausgeführt, dass die *BNetzA* die der Anlage zurechenbaren Gemeinkosten eines Betreibers bis zu einer Höhe von fünf Prozent der übrigen Kosten dieser Nummer pauschal anerkennen kann. Der *BNetzA* kommt damit – wenn auch an einer ungewöhnlichen Stelle innerhalb der Gesetzessystematik – eine Prüfungs- und Genehmigungsbefugnis zu. Des Weiteren werden nach § 13c Abs. 5 EnWG die durch die Abs. 1–4 entstehenden Kosten der ÜNB durch Festlegung zu einer freiwilligen Selbstverpflichtung nach § 11 Abs. 2 S. 4 und § 32 Abs. 1 Nr. 4 ARegV als verfahrensregulierte Kosten anerkannt. Geht man davon aus, dass die BNetzA im Hinblick auf die Regulierung der Netznutzungsentgelte umfassende, in StromNEV und ARegV niedergelegte Befugnisse hat und Sinn und Zweck der Entgeltregulierung die Vermeidung missbräuchlich überhöhter Entgelte ist, so läge es nahe, der *BNetzA* als „Annex-Befugnis" zur Befugnis zur Festlegung einer freiwilligen Selbstverpflichtung auch die Befugnis zur **Prüfung** und letzt-

[75] BT-Drs. 18/7317, S. 96.

[76] Vgl. auch zum Begriff Abstimmung in der Redispatch-Festlegung der Bundesnetzagentur (BK8-12-019) *OLG Düsseldorf*, Beschluss vom 28.04.2015, VI-3 Kart 313/12 [V], Rdnr. 157.

lich **Genehmigung** der in den Netzreserveverträgen vereinbarten Vergütung zuzugestehen. Dies ist zwar nach dem Wortsinn „nach Abstimmung" juristisch nicht zwingend, aber auch der Kartellsenat des OLG Düsseldorf hat in seiner Redispatch-Entscheidung ausgeführt, dass der Begriff Abstimmung, wie er in der streitgegenständlichen Festlegung der *BNetzA* enthalten war, im Sinne einer Genehmigung- oder Anzeigepflicht gemeint sei.[77] Ungeachtet der juristischen Einordnung der Begriffsbedeutung deutet die *BNetzA* in ihrer Verwaltungspraxis den Begriff „nach Abstimmung" tatsächlich so, dass dieser eine umfassende Prüfungs- und Genehmigungsbefugnis im Hinblick auf die Angemessenheit der in den Netzreserveverträgen zu vereinbarenden Vergütung zukommt.

cc) Entfallen der AGB-rechtlichen Inhaltskontrolle?

Unterstellt man, dass das Tatbestandsmerkmal „in Abstimmung" als eine Genehmigungsbefugnis der *BNetzA* zu verstehen ist, wirft dies die Frage auf, ob eine solche „Genehmigung" durch die *BNetzA* das Erfordernis einer AGB-rechtlichen Kontrolle entfallen lassen kann.

Grundsätzlich gelten die §§ 305 ff. BGB für alle vorformulierten Bedingungen zu privatrechtlichen Verträgen. Der Umstand, dass die Verwendung der Bedingungen im Einzelfall einer öffentlich-rechtlichen Genehmigung bedarf, wirkt sich nicht zwingend auf das Erfordernis einer Prüfung nach §§ 305 ff. BGB aus,[78] denn auch eine behördliche Genehmigung oder Empfehlung ändert (zunächst) nicht den vertraglichen Charakter von AGB.[79] Die Anwendung der §§ 305 ff. BGB auch in diesen Fällen liegt in dem Umstand begründet, dass die Kontrolle nach dem AGB-Recht und die Genehmigung durch eine Behörde typischerweise vollkommen unterschiedliche Zielrichtungen verfolgen. Der Inhaltskontrolle steht daher auch die Genehmigung der Klauseln durch die zuständige Behörde nicht entgegen,[80] weil sich der Prüfungsmaßstab und Zweck der behördlichen Genehmigung wesentlich von der Überprüfung nach den Vorgaben des AGB-Rechts unterscheiden. Der Gesetzgeber hat deshalb auch bewusst darauf verzichtet, im AGB-Recht Sonderregelungen für (behördlich) genehmigte AGB vorzusehen.[81]

Anders stellt sich die Situation allerdings dar, wenn es sich nicht lediglich um die Genehmigung eines zivilrechtlichen Vertrags durch eine Behörde handelt, sondern wenn der Inhalt des Vertrags durch eine Rechtsnorm oder eine verbindliche behördliche Entscheidung vorgegeben wird. Denn in einem

[77] *OLG Düsseldorf*, Beschluss vom 28.04.2015, VI-3 Kart 313/12 [V], Rdnr. 157.
[78] *BGHZ* 86, 284; BGH NJW 2007, 997, 3344.
[79] *Roloff* in: Erman, BGB, 15. Aufl. 2017, § 305 BGB, Rdnr. 4.
[80] *BGH*, NJW 2007, 997; bereits zum AGB-Gesetz *BGHZ* 86, 284 [288f., 291] = NJW 1983, 1322.
[81] *BGH* NJW 1983, 1322.

solchen Fall sind beide Vertragsparteien an die gesetzlich oder behördlich vorgegebenen Formulierungen gebunden. Damit greift allerdings der mit dem AGB-Recht verfolgte Schutzzweck ins Leere. Die Inhaltskontrolle nach dem AGB-Recht soll dazu dienen, die einseitige Ausnutzung privatautonomer Gestaltungsmacht zu verhindern.[82] Wenn aber der Verwender, infolge bindender behördlicher Entscheidung über seine Geschäftsbedingungen keinen Spielraum für privatautonome Gestaltung mehr hat, ist auch für eine AGB-rechtliche Inhaltskontrolle kein Raum mehr.[83] Damit ist der Kreis kontrollfähiger Klauseln auf solche Bestimmungen in AGB beschränkt, die von Rechtsvorschriften abweichen oder diese ergänzen. Daran fehlt es zum einen bei sog. „deklaratorischen Klauseln", die lediglich den Inhalt der einschlägigen gesetzlichen Vorschriften wiederholen.[84] Hier verbietet sich eine gerichtliche Inhaltskontrolle schon deshalb, weil es nicht Aufgabe des Richters sein kann, die in der wiedergegebenen Norm vollzogene gesetzliche Interessenbewertung inhaltlich zu hinterfragen. Die Inhaltskontrolle nach §§ 305 ff. BGB ist aber auch dann ausgeschlossen, wenn die behördliche Aufsicht und Genehmigung die abschließende und verbindliche Gestaltung der Rechtsbeziehungen der Vertragsbeteiligten bewirkt und damit den privatautonomen Spielraum des Verwenders beseitigt.[85]

Eine AGB-rechtliche Inhaltskontrolle der Angemessenheit vertraglicher Regelungen scheidet deshalb aus, wenn die Regulierungsbehörde Vertragsinhalte verbindlich vorgibt.[86] So beruht beispielsweise der Musternetznutzungsvertrag auf einer Festlegung der *BNetzA*, die einen einheitlichen Mindeststandard für die Netznutzung im Bereich der Energieentnahme gewährleistet, § 29 Abs. 1 EnWG i.V.m. § 27 Abs. 1 Nr. 7, 9. 11 bis 15, 17, 19 und 22 StromNZV sowie den §§ 24 und 25 StromNZV. Nach § 27 Abs. 1 Nr. 15 StromNZV kann die Regulierungsbehörde zur Durchsetzung eines effizienten Netzzugangs und der in § 1 Abs. 1 EnWG genannten Zwecke und unter Beachtung der Anforderungen eines sicheren Netzbetriebs Entscheidungen durch Festlegung nach § 29 Abs. 1 EnWG zu den Inhalten der Verträge nach den §§ 24–26 StromNZV treffen.[87] Anders stellt sich die Situation jedoch bei einer nicht verbindlichen Regelung durch die Regulierungs-

[82] *BGHZ* 126, 326, 332.

[83] Gleiches gilt für eine auf § 315 Abs. 3 BGB beruhende Billigkeitsprüfung. So hat der Senat die Billigkeitskontrolle gem. § 315 Abs. 3 BGB für die nach § 4 Abs. 1 des Gesetzes über die Regulierung der Telekommunikation und des Postwesens v. 14.9.1994 (BGBl. I, S. 2325, 2371 – PTRegG) durch das seinerzeitige Bundesministerium für Post und Telekommunikation genehmigten Leistungsentgelte im Monopolbereich der Telekommunikation ausgeschlossen, *BGH* NJW 1998, 3188, 3192.

[84] *BGH* NJW 1984, 2161; 2001, 2014; NJW-RR 2004, 1124.

[85] *BGHZ* 105, 160, 161 ff.; 73, 114, 116 f.

[86] *Danner/Theobald/Hartmann* EnWG § 20 Rdnr. 53–57; *BGH* MDR 2014, 1380 (individuell nicht verhandelbare Infrastrukturentgelte).

[87] *OLG Düsseldorf* Beschluss vom 15.3.2017 – VI-3 Kart 109/15 (V).

behörde dar.[88] Unverbindliche Regelungen führen nicht zu einem Verlust der privatautonomen Vertragsgestaltungsfreiheit. Trotz Involvierung der Regulierungsbehörde steht die Ausgestaltung der Vertragsklauseln in diesen Fällen im Ermessen des Verwenders. Ein Beispiel für einen Fall der nicht verbindlichen Beteiligung der Regierungsbehörde stellt die Kooperationsvereinbarung Gas dar. So erhält die *BNetzA* beispielsweise die jeweils aktualisierte Fassung der Kooperationsvereinbarung Gas (einschließlich der Musterverträge) zur Kenntnis, macht jedoch keine verbindlichen Vorgaben zu deren Inhalt, weshalb die auf dieser Basis geschlossenen Verträge (z.B. Ein- und Ausspeisungsvertrag) durch den Verweis auf die Involvierung der *BNetzA* nicht der Prüfung nach dem AGB-Recht entzogen sind.

Der aufgezeigte rechtliche Hintergrund stellt die Parteien eines Reservenetzvertrags vor eine ganze Reihe von Problemen. Geht man in Übereinstimmung mit dem OLG Düsseldorf von einer verbindlichen Genehmigungsbefugnis der *BNetzA* aus – eine Sichtweise, die jedenfalls bislang höchstrichterlich nicht bestätigt wurde – erstreckt sich diese auf die Angemessenheit der in den Netzreserveverträgen zu vereinbarenden Vergütung. Daher können allenfalls jene Klauseln der AGB-rechtlichen Inhaltskontrolle entzogen sein, welche die Vergütung dergestalt regeln, dass den Parteien kein eigener Gestaltungsspielraum mehr zukommt. Alle übrigen vertraglichen Regelungen, unterliegen selbst dann der AGB-rechtlichen Kontrolle, wenn die *BNetzA* in den Vorgang des Vertragsschlusses involviert war und den Inhalt der Verträge kannte. Dies gilt dann, wenn es die Regulierungsbehörde selbst war, die eine bestimmte Klausel vorgeschlagen hat, die sich der Verwender des Vertragsentwurfs zu eigen gemacht hat.

Entscheidend für die Frage, ob eine vertragliche Klausel des Netzreservevertrags der Inhaltskontrolle nach §§ 305 ff. BGB unterliegt ist damit allein, ob die Klausel auf einer verbindlichen Vorgabe der *BNetzA* beruht und damit die privatautonome Gestaltungsfreiheit der Parteien ausgeschlossen hat. Ist das nicht der Fall und kann die Klausel nach den beschriebenen strengen Maßstäben des BGH auch nicht als individuell ausgehandelt angesehen werden, muss der Verwender damit rechnen, dass sie im Falle eines Rechtsstreits einer Angemessenheitskontrolle unterworfen wird, § 307 BGB.

2. *Vergütung bei geplanten Stilllegungen von Anlagen (§ 13c EnWG)*

Ist dem Anlagenbetreiber die vorläufige oder endgültige Stilllegung seines Kraftwerks aufgrund der vom ÜNB festgestellten Systemrelevanz der Anlage untersagt und muss er dem ÜNB sein Kraftwerk quasi als eine Art *„Netzbetriebsmittel"* zur Gewährleistung der Versorgungssicherheit zur Verfügung stellen, so ist die Höhe der vom ÜNB nach § 13c Abs. 1 bzw. Abs. 3 EnWG

[88] *Roloff* in: Erman (o. Fn. 79), Rdnr. 40.

zu zahlenden angemessenen Vergütung für den Anlagenbetreiber natürlich von entscheidender Bedeutung. Den in § 13c EnWG enthaltenen Regelungen betreffend die Vergütung bei geplanten Stilllegungen von Anlagen liegt allerdings ein gravierender **fehlerhafter methodischer Ansatz** zu Grunde (**a.**). Unabhängig hiervon stellen sich zahlreiche Fragen im Zusammenhang mit der **Bestimmung der angemessenen Vergütung** (**b.**).

a) Fehlerhafter methodischer Ansatz

Wie oben bereits herausgearbeitet, bestimmt § 13d Abs. 3 S. 1 EnWG, dass die Bildung und der Einsatz der Netzreserve auf Grundlage des Abschlusses von Verträgen zwischen Anlagenbetreibern und ÜNB in Abstimmung mit der *BNetzA* nach Maßgabe der Bestimmung der Netzreserveverordnung erfolgt. § 1 Abs. 2 NetzResV stellt klar, dass es sich hierbei um ein vertragliches Schuldverhältnis handelt. Mithin erfolgt auch die **Zahlung der angemessenen Vergütung** durch den ÜNB an den Anlagenbetreiber gemäß § 13c Abs. 1 oder Abs. 3 EnWG auf **zivilrechtlicher Grundlage**. Man müsste mithin vermuten, dass Anlagenbetreiber und ÜNB auch die Höhe der angemessenen Vergütung auf Basis der gesetzlichen Vorgaben verhandeln können.

§ 13c Abs. 5 EnWG bestimmt allerdings, dass die durch die Absätze 1 bis 4 entstehenden Kosten der ÜNB durch Festlegung der *BNetzA* zu einer **freiwilligen Selbstverpflichtung** (FSV) der ÜNB nach § 11 Abs. 2 S. 4 und § 32 Abs. 1 Nr. 4 ARegV in der jeweils geltenden Fassung **als verfahrensregulierte Kosten** nach Maßgabe der hierfür geltenden Vorgaben anerkannt werden. Dies hat für die ÜNB den großen Vorteil, dass die nach dieser Regelung von der *BNetzA* als verfahrensregulierte Kosten anerkannten Beträge als dauerhaft nicht beeinflussbare Kostenanteile im Sinne des § 11 Abs. 4 ARegV gelten und deshalb jährlich angepasst werden und jährlich in der angepassten Höhe in die Netznutzungsentgelte einfließen. Der ÜNB kann die von der *BNetzA* im Rahmen der FSV ihm gegenüber anerkannten Kosten somit quasi an seine Netzkunden *„durchreichen“*. Dies führt dazu, dass der ÜNB in dem Netzreservevertrag keine abweichenden Kosten mit dem Anlagenbetreiber vereinbart, als ihm die *BNetzA* im Rahmen der verfahrensregulierten Kosten anerkennt. Aufgrund dieser speziellen Konstellation ist es in der regulatorischen Praxis so, dass die *BNetzA* die Gespräche mit dem Anlagenbetreiber über die als angemessene Vergütung im Sinne des § 13c Abs. 1 und Abs. 3 EnWG *„anzuerkennenden“* Kosten führt. Dies geschieht letztlich aus Gründen der Praktikabilität. Denn es ergibt faktisch wenig Sinn, dass der ÜNB zunächst eine angemessene Vergütung mit dem Anlagenbetreiber verhandelt und dann im Nachhinein feststellt, dass die von ihm als angemessen erachteten Kosten von der *BNetzA* im Rahmen des § 13c Abs. 5 EnWG nicht anerkannt werden. Vor diesem Hintergrund ergibt eine frühe Einbeziehung der *BNetzA* in die Gespräche zwischen Anlagenbetreiber und ÜNB unzweifelhaft Sinn.

Die Konzeption dieses **Dreiecksverhältnisses** durch den Gesetzgeber, bestehend aus einer Mischung von zivilrechtlichem und öffentlich-rechtlichem Rechtsverhältnis, führt aber unter Rechtsschutzgesichtspunkten zu einem verheerenden Ergebnis für den Anlagenbetreiber. Denn der Anlagenbetreiber steht lediglich in einem zivilrechtlichen Rechtsverhältnis mit dem ÜNB. Ein unmittelbares öffentlich-rechtliches Rechtsverhältnis zur *BNetzA* sieht die Konzeption des Gesetzgebers nicht vor. Mithin kann sich der Anlagenbetreiber gegen eine zu geringe angemessene Vergütung nur auf dem mühsamen Zivilrechtsweg gegen den ÜNB auf der Grundlage des § 315 BGB wehren. Dieser Weg wird aber nicht nur durch die Aussagen des BVerfG[89] und des BGH[90] erheblich erschwert. Hier kommt noch die besondere Konstellation hinzu, dass der ÜNB sich im Rahmen eines zivilgerichtlichen Verfahrens vermutlich auf die Position zurückziehen wird, dass im Rahmen des (gesetzlich nicht vorgesehenen) Trilogs gegenüber dem Anlagenbetreiber faktisch eine Art Prüfung der Kosten des Anlagenbetreibers durch die *BNetzA* auf der Grundlage des § 13c Abs. 5 EnWG stattgefunden habe. Der ÜNB wird sich also vermutlich auf eine Art Legitimationswirkung der im Rahmen des § 13c Abs. 5 EnWG durchgeführten Kostenkontrolle berufen.

Dieses Dilemma lässt sich für den Anlagenbetreiber nur auf einem Weg lösen: Der Anlagenbetreiber muss zu dem nach § 13c Abs. 5 EnWG durchzuführenden öffentlich-rechtlichen Verwaltungsverfahren hinzugezogen werden, um den Konstruktionsfehler des Gesetzgebers zu beseitigen. Hierfür gibt es verschiedene dogmatische Ansätze. Man könnte zunächst die Auffassung vertreten, dass der Anlagenbetreiber in dem Verfahren den Status eines **Betroffenen** gemäß § 66 Abs. 2 Nr. 2 EnWG innehat und eine Beteiligung bereits aus diesem Grund vorliegt. Denn jedenfalls faktisch richtet sich das Verfahren nach § 13c Abs. 5 EnWG (auch) gegen den Anlagenbetreiber. Alternativ könnte man einen Fall der **notwendigen Beiladung** annehmen. Die Unterscheidung zwischen einer notwendigen und einer einfachen Beiladung ist zwar dem Wortlaut des § 66 Abs. 2 Nr. 3 EnWG nicht unmittelbar zu entnehmen. Sie ergibt sich aber nach herrschender Meinung aus einer entsprechenden Anwendung des § 13 Abs. 2 S. 2 VwVfG.[91] Eine notwendige Beiladung liegt vor, wenn der Ausgang des Verfahrens **rechtsgestaltende Wirkung** für den Beiladungspetenten hat.[92] Dies bedeutet konkret, dass

[89] Nichtannahmebeschlüsse des BVerfG vom 26. September 2017, Az. 1 BvR 1486/16, 1 BvR 1487/16, 1 BvR 2490/16 und 1 BvR 2491/16.

[90] U.a. BGH, Beschlüsse vom 8. März 2016, Az. EnZR 50/14 und EnZR 72/14 sowie BGH Urteil vom 15. Mai 2012, RdE 2012 382 ff. – *Stromnetznutzungsentgelt V.*

[91] Vgl. *Bachert/Elspaß* in: Rosin u.a. EnWG (2014), § 66 Rdnr. 34; *Hanebeck* in: Britz/Hellermann/Hermes, EnWG (2015), § 66 Rdnr. 12

[92] *Hanebeck*, in: Britz/Hellermann/Hermes, EnWG (2015), § 66 Rdnr. 12.

durch eine möglicherweise ergehende Entscheidung Rechte des Beiladungspetenten begründet, aufgehoben oder verändert werden.[93] Vorliegend wird durch die Festlegung der FSV gegenüber dem ÜNB faktisch unmittelbar in das Recht des Anlagenbetreibers zur Geltendmachung seiner angemessenen Vergütung gegenüber dem ÜNB eingegriffen. Denn faktisch bestimmt die FSV die angemessene Vergütung des Anlagenbetreibers.

Dem kann man auch nicht entgegenhalten, dass es bei der Vergütung der Netzreserve an einer unmittelbar privatrechtsgestaltenden Wirkung der behördlichen Entscheidung der *BNetzA* fehle und es sich deshalb gerade nicht um einen sogenannten privatrechtsgestaltenden Verwaltungsakt handele. Würde man argumentieren, dass der Gesetzgeber sich für ein unberührtes Privatrechtsverhältnis zwischen Kraftwerksbetreiber und Übertragungsnetzbetreiber sowie für ein davon vollständig getrenntes Verwaltungsrechtsverhältnis allein zwischen ÜNB und *BNetzA* entschieden habe, so würde dies im Widerspruch zu den Faktizitäten stehen und die Rechte des Anlagenbetreibers massiv beschneiden und damit auch im Widerspruch zu Art. 19 Abs. 4 GG stehen. Es ist auch nicht so, dass die *BNetzA* mit ihrer Entscheidung allein die Rechtsposition der ÜNB verändert. Eine solche Auffassung übersieht, dass nach § 13d Abs. 3 S. 1 EnWG die zivilrechtlichen Verträge nur „in Abstimmung" mit der *BNetzA* vereinbart werden dürfen; dies gilt natürlich auch für die in diesen Verträgen zu regelnde angemessene Vergütung. Dies unterscheidet die hier vorliegende Konstellation auch von derjenigen, die für die Netzentgeltgenehmigung nach § 23a EnWG sowie für die Situation nach § 13a EnWG gilt.

Sieht man den Anlagenbetreiber hingegen weder als Betroffenen im Sinne des § 66 Abs. 2 Nr. 2 EnWG, noch als notwendig Beizuladenden an, so müsste der Anlagenbetreiber in jedem Fall nach § 66 Abs. 2 Nr. 3 EnWG im Wege der **einfachen Beiladung** an dem verwaltungsbehördlichen Verfahren zwischen ÜNB und *BNetzA* nach § 13c Abs. 5 EnWG beteiligt werden. Gemäß § 66 Abs. 2 Nr. 3 EnWG sind Personen oder Personenvereinigungen zu Verfahren der *BNetzA* beiladungsberechtigt, deren Interessen durch die Entscheidung erheblich berührt werden. Hierfür genügt grundsätzlich jedes Interesse rechtlicher, wirtschaftlicher oder auf § 1 EnWG gründender Art.[94] Erheblich ist eine Interessensberührung, wenn sie nicht nur entfernt oder geringfügig ist.[95] Die Auswirkungen müssen von solchem Gewicht für die berührten Interessen sein, dass es bei wertender Betrachtungsweise angemessen erscheint, dem Beizuladenden die aus der Beteiligung resultierenden Rechte einzuräumen.[96] Jedenfalls dies ist bei der hier vorliegenden

[93] Vgl. *Kopp/Ramsauer*, VwVfG Kommentar § 13 Rdnr. 39 ff.
[94] *OLG Düsseldorf*, Beschluss vom 07.04.2006, Az.: VI-3 Kart 162/06 [V].
[95] *OLG Düsseldorf*, Beschluss vom 18.03.2015, Az.: VI-3 Kart 186/14 [V].
[96] *OLG Düsseldorf*, Beschluss vom 18.03.2015, Az.: VI-3 Kart 186/14 [V].

Konstellation offensichtlich der Fall. Der Anlagenbetreiber wird insbesondere in seinen wirtschaftlichen Interessen erheblich berührt. Denn eine Entscheidung der *BNetzA* nach § 13c Abs. 5 EnWG wird – wie dargestellt – stets unmittelbar Auswirkung auf die vom Anlagenbetreiber zu vereinnahmende Vergütung für die Vorhaltung der Erzeugungsanlagen haben. Ist eine Berührung von Interessen festgestellt, liegt die Entscheidung über eine Beiladung im pflichtgemäßen Ermessen der Behörde.[97] Hier ist das Ermessen der *BNetzA* regelmäßig auf null reduziert. Eine solche Ermessensreduzierung auf null liegt immer dann vor, wenn alle bis auf eine der grundsätzlich eröffneten Handlungsmöglichkeiten ermessensfehlerhaft und damit rechtswidrig wären.[98] So liegt der Fall hier: Eine fehlende Beiladung würde dem Anlagenbetreiber die Möglichkeit versagen, seine Interessen im Verwaltungsverfahren geltend zu machen und eine für ihn nachteilige Entscheidung nötigenfalls auch gerichtlich überprüfen zu lassen. Dies wäre mit dem Anspruch auf effektiven Rechtsschutz nicht zu vereinbaren.

Eine alternative Lösung bestünde ansonsten noch darin, das Abstimmungserfordernis mit der *BNetzA* als eigene Genehmigung der angemessenen Vergütung des Anlagenbetreibers zu interpretieren. Dann könnte sich dieser auch gegen die Entscheidung der Regulierungsbehörde unmittelbar wehren.

Will man der vorstehend skizzierten Rechtsauffassung nicht folgen, so gibt es nur eine sinnvolle Möglichkeit: Der Gesetzgeber muss dann seine misslungene Konzeption ändern und das EnWG modifizieren.

b) Bestimmung der angemessenen Vergütung

Ausgangspunkt der Bestimmung der angemessenen Vergütung im Falle der an sich geplanten Stilllegung einer Anlage ist zunächst die **Differenzierung zwischen geplanter vorläufiger und endgültiger Stilllegung**. Denn das EnWG regelt zahlreiche Details hinsichtlich der vom ÜNB an den Anlagenbetreiber zu zahlenden Vergütung, die an diese Differenzierung geknüpft sind (**aa.**). Unabhängig hiervon ist es lohnenswert, einen Blick auf den unbestimmten Rechtsbegriff der ***„angemessenen Vergütung"*** zu werfen, der sowohl in § 13c Abs. 1 EnWG als auch in § 13c Abs. 3 EnWG verwendet wird (**bb.**). Schließlich stellen sich in der Praxis zahlreiche Einzelfragen im Zusammenhang mit der Ermittlung der zu vergütenden **Betriebsbereitschaftsauslagen** (**cc.**) sowie der **anderen Kostenpositionen** (**dd.**).

[97] *OLG Düsseldorf*, Beschluss vom 07.04.2006, Az.: VI-3 Kart 162/06 [V].
[98] *Sachs* in: Stelkens/Bonk/Sachs, VwVfG, Kommentar (2014), § 40 Rdn. 102a.

aa) Ausgangspunkt: Differenzierung zwischen geplanter vorläufiger und endgültiger Stilllegung

Die Ausgestaltung der angemessenen Vergütung hängt zunächst maßgeblich davon ab, ob es sich um eine Vergütung für den Fall einer geplanten vorläufigen oder endgültigen Stilllegung handelt. Zur Erinnerung: Bei **geplanten vorläufigen Stilllegungen** umfasst die angemessene Vergütung nach § 13c Abs. 1 S. 2 EnWG

1. die für die Vorhaltung und die Herstellung der Betriebsbereitschaft notwendigen Auslagen (**Betriebsbereitschaftsauslagen**); im Rahmen der Betriebsbereitschaftsauslagen
   b. werden die **einmaligen Kosten** für die **Herstellung der Betriebsbereitschaft** der Anlagen berücksichtigt; Kosten in diesem Sinn sind auch die Kosten erforderlicher immissionsschutzrechtlicher Prüfungen sowie die Kosten der Reparatur außergewöhnlicher Schäden, und
   c. wird ein **Leistungspreis** für die **Bereithaltung** der betreffenden Anlagen gewährt; hierbei werden die Kosten berücksichtigt, die dem Betreiber **zusätzlich** und **fortlaufend** aufgrund der Vorhaltung der Anlage für die Netzreserve nach § 13d EnWG entstehen; der Leistungspreis kann als pauschalisierter Betrag (Euro je Megawatt) zu Vertragsbeginn auf Grundlage von jeweils ermittelten Erfahrungswerten der Anlagen festgelegt werden; die *BNetzA* kann die der Höhe zurechenbaren Gemeinkosten eines Betreibers bis zu einer Höhe von 5 % der übrigen Kosten dieser Nummer pauschal anerkennen; der Nachweis höherer Gemeinkosten durch den Betreiber ist möglich;
2. die **Erzeugungsauslagen**
3. **den anteiligen Werteverbrauch.**

Im Unterschied hierzu kann der Betreiber einer Anlage, deren **endgültige Stilllegung** nach § 13b Abs. 5 S. 1 EnWG verboten ist, als angemessene Vergütung für die Einhaltung der Verpflichtungen nach § 13b Abs. 5 S. 11 EnWG von dem jeweiligen ÜNB gemäß § 13c Abs. 3 S. 1 EnWG die folgenden Kosten geltend machen:

1. die Kosten für erforderliche Erhaltungsmaßnahmen nach § 13b Abs. 5 S. 11 EnWG (**Erhaltungsauslagen**),
2. die **Betriebsbereitschaftsauslagen** im Sinne von § 13b Abs. 1 S. 1 Nr. 1 und S. 2 EnWG,
3. **Erzeugungsauslagen** im Sinne von Abs. 1 S. 1, 2 und 4 und
4. **Opportunitätskosten** in Form einer angemessenen Verzinsung für bestehende Anlagen, wenn und soweit eine verlängerte Kapitalbindung in Form von Grundstücken und weiterverwertbaren technische Anlagen oder Anlagenteilen aufgrund der Verpflichtung für die Netzreserve besteht.

Bei einer zur endgültigen Stilllegung angezeigten Anlagen **unterscheidet** sich im Fall der Feststellung der Systemrelevanz die Vergütung also im Vergleich zu dem Fall einer geplanten vorläufigen Stilllegung in den Positionen Erhaltungsauslagen (Nr. 1) und Opportunitätskosten (Nr. 4). **Erhaltungsauslagen** (endgültige Stilllegung, Nr. 1) sind dabei in dem Sinne den Auslagen für die (einmalige) Herstellung der Betriebsbereitschaft vorgelagert, als dass die dafür anfallenden Auslagen lediglich der Schaffung eines Anlagenzustandes dienen, der eine Anforderung zur weiteren Vorhaltung oder Wiederherstellung der Betriebsbereitschaft ermöglichen soll, vgl. § 13b Abs. 5 S. 11 EnWG. Es handelt sich also bei der Erhaltung um einen der Betriebsbereitschaft vorgelagerten Anlagenzustand; hierunter kann zum Beispiel eine Konservierung fallen.

Opportunitätskosten sind nicht real entstandene Kosten, die sich durch eine entgangene Nutzungsmöglichkeit knapper Ressourcen, z.B. einem entgangenen Gewinn oder einer entgangenen Zahlung aufgrund einer alternativen Verwendung ergeben.[99] Sie werden jedenfalls im Fall der vorläufigen Stilllegung nicht ersetzt, was das *OLG Düsseldorf* mit Blick auf § 13 Abs. 1b EnWG a.F. in einem obiter dictum für zutreffend erachtet hat.[100] In der Literatur wurde dies vereinzelt ohne nähere Ausführungen kritisch gesehen.[101] Im Falle einer endgültigen Stilllegung ist eine verlängerte Kapitalbindung bei Grundstücken und anderen weiterverwertbaren technischen Anlagen oder Anlagenteilen über den beabsichtigten Stilllegungszeitraum hinaus gegeben, die der Anlagenbetreiber im Falle der sofortigen Stilllegung vermieden hätte. **Weiterverwertbar** sind dabei alle technischen Anlagenteile, die nach der endgültigen Stilllegung der Anlage ausgebaut und in einer anderen Anlage verwendet werden können. Der Anlagenbetreiber hat die Weiterverwertbarkeit der technischen Anlagenteile nachzuweisen. Für das in diesen Positionen gebundene Kapital wird daher eine marktangemessene Verzinsung als Ausgleich für entgangene Verwendungsmöglichkeiten erstattet. Die Regelung stellt aber darüber hinaus klar („*wenn und soweit*"), dass darüber hinaus gehende Opportunitäten nicht erstattet werden.

bb) Begriff der „angemessenen Vergütung"

Trotz dieser gesetzlichen Konkretisierung der vom ÜNB zu zahlenden Vergütung ist es lohnenswert, einen Blick auf den unbestimmten Rechtsbegriff der „*angemessenen Vergütung*" zu werfen, der sowohl in § 13c Abs. 1 EnWG als auch in § 13c Abs. 3 EnWG verwendet wird. Denn dann wird ein weiterer „*Lapsus*" des Gesetzgebers deutlich.

[99] *Ottmar Schneck*, Lexikon der Betriebswirtschaft (2000), S. 699f.

[100] *OLG Düsseldorf*, Beschluss vom 28.04.2015, Az. VI-3 Kart 313/12 (V), Rdnr. 132 ff.

[101] *Rutloff*, Redispatch und „angemessene Vergütung" – Präjudizien für den Strommarkt 2.0?, NVwZ 2015, 1086, 1088.

Der Begriff der *„angemessenen Vergütung"* ist im Grundsatz über einen bloßen Auslagenersatz hinausgehend zu verstehen.[102] Dies legt bereits der Wortlaut nahe. Denn bei einem engen Verständnis hätte es nahegelegen, den Begriff *„Aufwendungsersatz"*, *„Auslagen"*, *„variable Kosten"* oder eine ähnliche Formulierung zu wählen.[103] Das *OLG Düsseldorf* hat in seiner Redispatch-Entscheidung vom 28. April 2015 mit Blick auf die damaligen Redispatch-Regelungen in § 13 Abs. 1a EnWG überzeugend nachgewiesen, dass die Bezeichnung *„Vergütung"* im Energierecht regelmäßig in einem weiten Sinne verstanden wird.[104] Es hat deshalb den Begriff *„angemessenen Vergütung"* in § 13 Abs. 1a EnWG a.F. im Ergebnis weit interpretiert und auch deshalb die sog. Redispatch-Festlegung der *BNetzA* aufgehoben.

Schon damals hat der *Senat* aber im Rahmen seiner systematischen Interpretation auf den Unterschied zwischen § 13 Abs. 1a EnWG a.F. (Redispatch) und § 13 Abs. 1b EnWG a.F. (vorläufige Stilllegung), der weitgehend dem aktuellen § 13c Abs. 1 EnWG (vorläufige Stilllegung) entspricht, hingewiesen. Ausdrücklich heißt es:

> *„Ferner zeigt ein Vergleich zwischen § 13 Abs. 1a EnWG und § 13 Abs. 1b EnWG, dass mit „angemessener Vergütung" nicht eine bloße Erstattung variabler Kosten gemeint sein kann. … . Die Vorschrift (Anmerkung: § 13 Abs. 1b EnWG) schränkt den Begriff der „angemessenen Vergütung" – anders als in § 13 Abs. 1a EnWG – einengend auf „Auslagen" ein (vgl. auch § 11 Abs. 2 ResKV). Dies ist auch sachgerecht, weil bei einer an sich stillzulegenden Anlage keine Opportunitätskosten mehr entstanden wären (vgl. Beschlussempfehlung des Ausschusses für Wirtschaft und Technologie, BT-Drs. 17/11705, S. 45). Nach § 13 Abs. 1b EnWG werden auch Kosten für die Vorhaltung der Betriebsbereitschaft, also die entstehenden Fixkosten, erstattet (§ 11 Abs. 2 Nr. 2 S. 2 ResKV)."*[105]

Diese Überlegungen gelten für § 13c Abs. 1 EnWG weiter. Im Rahmen des § 13c Abs. 1 EnWG hat der Gesetzgeber den Begriff der *„angemessenen Vergütung"* verschiedentlich eindeutig als **bloßen Auslagenersatz** konkretisiert; so werden Betriebsbereitschafts<u>auslagen</u> und Erzeugungs<u>auslagen</u> ersetzt. Zudem heißt es in § 9 Abs. 2 Nr. 2 NetzResV ausdrücklich, dass der **Grundsatz der Auslagenerstattung** gilt. Auch bei der endgültigen Stilllegung (§ 13c Abs. 3 EnWG) wird von Erhaltungs<u>auslagen</u>, Betriebsbereitschafts<u>auslagen</u> und Erzeugungs<u>auslagen</u> gesprochen. Warum im Unterschied zur vorläufigen Stilllegung bei der endgültigen Stilllegung nicht auch explizit der Grundsatz der Auslagenerstattung statuiert wird, bleibt das Geheimnis des Gesetzgebers. Das gleiche Prinzip, Verwendung des unbestimmten und an sich weiten Rechtsbegriffs der *„angemessenen Vergütung"* und dann Konkretisierung desselben durch eine Aufzählung in § 13a Abs. 2 EnWG, hat der Gesetzgeber im Nachgang der Entscheidung des *OLG Düsseldorf* jetzt auch

[102] *OLG Düsseldorf*, Beschluss vom 28.04.2015, Az. VI-3 Kart 313/12 (V), Rdnr. 120.
[103] *OLG Düsseldorf*, Beschluss vom 28.04.2015, Az. VI-3 Kart 313/12 (V), Rdnr. 122.
[104] *OLG Düsseldorf*, Beschluss vom 28.04.2015, Az. VI-3 Kart 313/12 (V), Rdnr. 123.
[105] *OLG Düsseldorf*, Beschluss vom 28.04.2015, Az. VI-3 Kart 313/12 (V), Rdnr. 132 ff.

beim Redispatch verwendet. Dies hätte man dogmatisch sicher sauberer lösen können, anstatt dieses seltsame Konstrukt zu perpetuieren und auszuweiten.

cc) Betriebsbereitschaftsauslagen

Betriebsbereitschaftsauslagen sind – wie oben herausgearbeitet – sowohl im Fall der vorläufigen als auch der endgültigen Stilllegung zu erstatten; § 13c Abs. 3 S. 1 Nr. 2 EnWG (endgültige Stilllegung) verweist insoweit auf § 13c Abs. 1 Nr. 1 und Satz 2 EnWG (Betriebsbereitschaftsauslagen im Fall der vorläufigen Stilllegung). Nach § 13c Abs. 1 Nr. 1a) EnWG werden im Fall der geplanten vorläufigen Stilllegung zunächst die **einmaligen Kosten** für die **Herstellung der Betriebsbereitschaft** der Anlage erstattet. Hierunter fallen gemäß § 13c Abs. 1 Nr. 1 a) 2. Hs. EnWG in jedem Fall die Kosten erforderlicher immissionsschutzrechtlicher Prüfungen sowie die Kosten der Reparatur außergewöhnlicher Schäden. Bereits aus dem zweiten Halbsatz folgt, dass *„einmalige Kosten"* nicht bedeuten kann, dass diese Kosten während der Ausweisung der Systemrelevanz nur ein einziges Mal unter dem Begriff *„Kosten zur Herstellung der Betriebsbereitschaft"* anfallen können. Denn auch die Kosten für immissionsschutzrechtliche Prüfungen und die Kosten der Reparatur außergewöhnlicher Schäden fallen sicherlich **mehrmals** an. Man wird deshalb beispielsweise jede größere Reparatur bzw. jede immissionsschutzrechtliche Prüfung während der Dauer der Ausweisung als *„einmalig"* ansehen müssen. Wird also der Austausch einer Turbine nach der erstmaligen Herstellung der Betriebsbereitschaft erforderlich, so sind die entsprechenden Kosten auch als *„Kosten zur Herstellung der Betriebsbereitschaft"* anzusehen. Unter den Begriff sind also all die Kosten zu subsumieren, die während der Ausweisung der Systemrelevanz *„einmalig"* anfallen und erforderlich sind, um die Betriebsbereitschaft (wieder) herzustellen. Es sind mithin nicht nur die Kosten zur Herstellung der Betriebsbereitschaft erfasst, die vor der erstmaligen Herstellung der Betriebsbereitschaft anfallen, sondern auch solche Kosten, die zu einem späteren Zeitpunkt (einmalig) entstehen. Auch den Materialien lässt sich entnehmen, dass die Kosten für die Wiederherstellung der Betriebsbereitschaft aufgrund von Schäden an der Anlage (z.B. Austausch der Turbine) als Teil der Betriebsbereitschaftsauslagen erstattet werden.[106]

Neben den einmaligen Kosten für die Herstellung der Betriebsbereitschaft wird im Rahmen der Betriebsbereitschaftsauslagen zusätzlich nach § 13c Abs. 1 Nr. 1 b) EnWG ein **Leistungspreis** für die **Bereithaltung** der betreffenden Anlagen gewährt. Dieser erfasst also die Kosten, die anfallen, wenn die Betriebsbereitschaft hergestellt worden ist. Aus dem systematischen Vergleich mit § 13c Abs. 1 Nr. 1 a) EnWG ergibt sich, dass hierunter nicht die

[106] BT-Drucks. 18/7317, S. 173.

„einmalig" anfallenden Kosten, sondern solche, die dauerhaft oder beständig anfallen, zu fassen sind. Gemeint sind damit insbesondere die **Fixkosten**, die dadurch verursacht werden, dass die Anlage für Anforderungen des ÜNB einsatzbereit gehalten werden kann. Es werden dabei jedoch nur die Kosten berücksichtigt, die dem Betreiber **zusätzlich** und **fortlaufend** aufgrund der Vorhaltung der Anlage für die Netzreserve nach § 13d EnWG entstehen. Dieses Erfordernis wiederholt § 9 Abs. 2 Nr. 2 NetzResV, wonach ebenfalls ausschließlich die Auslagen berücksichtigt werden, die dem Betreiber **zusätzlich** aufgrund der Bereitstellung der Anlage für von den Betreibern von Übertragungsnetzen angeforderten Systemsicherheitsmaßnahmen entstehen. Nicht erstattungsfähig sind Auslagen, die auch im Fall einer vorläufigen Stilllegung oder im Hinblick auf eine spätere Rückkehr an die Strommärkte angefallen wären, sowie Opportunitätskosten. Grundsätzlich sollen damit sog. *„Sowieso"*-Kosten, die der Anlagenbetreiber auch bei einer Stilllegung gehabt hätte, nicht erstattet werden.[107]

Welche Kosten **zusätzlich** und **fortlaufend** aufgrund der Vorhaltung der Anlage für die Netzreserve nach § 13d EnWG entstehen, ist bei **Einzelkosten** bzw. direkt zuzuordnenden Kosten vergleichsweise einfach zu ermitteln. Kostenträgereinzelkosten sind verursachungsgemäß für die einzelnen Kostenträger zu ermitteln. So könnte der Personalaufwand für den Pförtner am Kraftwerkstor oder den Ingenieur, der ausschließlich für das stillzulegende Kraftwerk arbeitet, direkt der betreffenden Erzeugungsanlage zugeordnet werden. Darf das Kraftwerk wegen durch den ÜNB festgestellter Systemrelevanz nicht stillgelegt werden, so ist klar, dass der betreffende Personalaufwand zusätzlich und fortlaufend kausal durch die Vorhaltung der Anlage für die Netzreserve nach § 13d EnWG entsteht. Gleiches gilt für die Kosten des Wartungsvertrags mit einem Dritten, der im Falle der Stilllegung gekündigt worden wäre und jetzt aufgrund der Ausweisung als systemrelevantes Kraftwerk beibehalten werden muss.

Viel schwieriger ist die Situation bei **Gemeinkosten**. Die *BNetzA* kann im Rahmen des Leistungspreises die **Gemeinkosten** bis zu einer Höhe von 5 % der übrigen Kosten dieser Nummer **pauschal** anerkennen. Dieser Betrag wird aber im Regelfall aus Sicht des Anlagenbetreibers keine angemessene EnWG-Vergütung darstellen. Ausdrücklich bestimmt § 13c Abs. 1 Nr. 1 b) 2. Hs., EnWG dass der Nachweis höherer Gemeinkosten durch den Betreiber möglich ist. In diesem Zusammenhang lässt sich allerdings feststellen, dass gerade der Nachweis, dass Gemeinkosten für den Anlagenbetreiber zusätzlich und fortlaufend aufgrund der Vorhaltung der Anlage für die Netzreserve nach § 13d EnWG entstehen, schwierig zu führen sein kann. Vergleichsweise unproblematisch ist dies möglich, wenn das Unternehmen vor Anzeige der geplanten Stilllegung z.B. einen Vorstandsbeschluss gefasst hat, in dem der

[107] BT-Drucks. 18/7317, S. 173.

durch die geplante Stilllegung vorgesehene Personalabbau dargestellt ist. Kann das entsprechende Personal jetzt nicht abgebaut werden, sondern muss stattdessen wegen der Systemrelevanz weiter vorgehalten werden, so ist klar, dass der entsprechende Personalaufwand erstattungsfähig ist. Gleichwohl kann es dem Anlagenbetreiber in der Praxis passieren, dass die *BNetzA* auch dann die Beschlüsse hinterfragt; dies kann z.B. der Fall sein, wenn der beschlossene Personalabbau über einen längeren Zeitraum gestreckt wird oder die Kausalität zwischen den abzubauenden FTEs und einzelnen Personen nicht klar darzulegen ist, weil z.B. noch keine konkrete Sozialauswahl vorgenommen wurde oder Mitarbeiter in Teilzeit arbeiten. Einfacher ist es, wenn das Kraftwerk, welches stillgelegt werden sollte, in einer eigenen Gesellschaft organisiert ist und die Gemeinkosten (Buchhaltung, Lohnabrechnung, Rechtsberatung etc.) über einen Dienstleistungsvertrag mit der Muttergesellschaft abgerechnet werden. Denn dann wird vergleichsweise simpel nachweisbar sein, dass der Dienstleistungsvertrag im Fall einer vorläufigen oder endgültigen Stilllegung gekündigt oder aber zumindest in seinem Leistungsumfang verringert worden wäre. Schwierig wird hingegen die Situation, wenn eine Gesellschaft mehrere Kraftwerksstandorte hat, die alle nur als Betriebsstätten organisiert und nicht in eigene Gesellschaften ausgelagert sind. In diesem Fall werden Gemeinkosten regelmäßig verrechnet und es wird dann gegenüber der *BNetzA* erforderlich sein, die notwendige Transparenz zu schaffen. All dies könnte dafürsprechen, Kraftwerke frühzeitig auszugliedern, um so eine eindeutige Nachweisführung hinsichtlich der Kosten zu ermöglichen, wenn man die Möglichkeit von Kraftwerksstilllegungen sieht.

Der Instandhaltungsaufwand wird ebenso wie die Kosten für die Wiederherstellung der Betriebsbereitschaft aufgrund von Schäden an der Anlage (z.B. Austausch der Turbine) als Teil der Betriebsbereitschaftsauslagen erstattet.[108] Die Kosten für den Verschleiß oder die Behebung von Korrosionsschäden an einzelnen Anlagenteilen sind sowohl aufgrund der Vorhaltung wie aufgrund des Einsatzes in der Netzreserve erstattungsfähig. Will man sie nicht den Betriebsbereitschaftsauslagen zuordnen, so fallen sie jedenfalls unter die Erzeugungsauslagen.[109]

Der Leistungspreis für die Betriebsbereitschaftsauslagen kann dabei gemäß § 13c Abs. 1 Nr. 1b 2. Hs. EnWG als **pauschalisierter Betrag** (Euro je Megawatt) zu Vertragsbeginn auf Grundlage von jeweils ermittelten Erfahrungswerten der Anlagen festgelegt werden. In der Praxis wird sehr häufig ein derartiger pauschaler Wert als Leistungspreis festgelegt; denn so entfällt oder verringert sich der Aufwand für eine Einzelabrechnung.

Gemäß § 13c Abs. 1 S. 2 EnWG sind Betriebsbereitschaftsauslagen zu erstatten, wenn und soweit diese **ab dem Zeitpunkt der Ausweisung der**

[108] BT-Drucks. 18/7317, S. 173.
[109] BT-Drucks. 18/7317, S. 173.

Systemrelevanz der Anlage durch den ÜNB anfallen und der Vorhaltung mit dem Einsatz als Netzreserve im Sinne von § 13 Abs. 1 S. 1 EnWG zu dienen bestimmt sind. Der Anlagenbetreiber kann einen Anspruch auf Kostenerstattung somit ab dem Zeitpunkt geltend machen, ab dem die Systemrelevanzprüfung abgeschlossen und die Anlage als systemrelevant ausgewiesen wurde. Betriebsbereitschaftsauslagen, die vor der Stilllegungsanzeige anfallen, vom Anlagenbetreiber aber erst nach der Ausweisung als systemrelevant in Rechnung gestellt werden, werden nicht erstattet.

Nimmt der Anlagenbetreiber den ÜNB auf Zahlung der Betriebsbereitschaftsauslagen in Anspruch, darf ab diesem Zeitpunkt die Anlage für die Dauer der Ausweisung als systemrelevant durch den ÜNB ausschließlich nach Maßgabe der von dem ÜNB angeforderten Systemsicherheitsmaßnahmen betrieben werden. Eine ähnliche Regelung gilt in § 13c Abs. 4 S. 1 EnWG für den Anlagenbetreiber, der eine endgültige Stilllegung gemäß § 13c Abs. 4 S. 1 EnWG angezeigt hatte. Nach Inanspruchnahme der Betriebsbereitschaftsauslagen darf die Anlage bis zu ihrer endgültigen Stilllegung ausschließlich nach Maßgabe der von den ÜNB angeforderten Systemsicherheitsmaßnahmen betrieben werden; zusätzlich gilt die gleiche Rechtsfolge, wenn der Anlagenbetreiber die Erhaltungsauslagen (Nr. 1) in Anspruch nimmt.

dd) Andere Kostenpositionen

Neben den Betriebsbereitschaftsauslagen erhalten die Anlagenbetreiber auch die **Erzeugungsanlagen** für die tatsächlichen Anpassungen der tatsächlichen Einspeisungen erstattet. Auch Erzeugungsauslagen sind sowohl im Fall der vorläufigen als auch der endgültigen Stilllegung zu erstatten; § 13c Abs. 3 S. 1 Nr. 3 EnWG (endgültige Stilllegung) verweist insoweit auf § 13c Abs. 1 Nr. 2 und Satz 2 EnWG (Betriebsbereitschaftsauslagen im Fall der vorläufigen Stilllegung). Im Rahmen der Erzeugungsauslagen wird gemäß § 13c Abs. 1 S. 4 (i.V.m. § 13c Abs. 3 S. 1 Nr. 3 EnWG bei der geplanten endgültigen Stilllegung) ein **Arbeitspreis** in Form der notwendigen Auslagen für eine Einspeisung der Auslage gewährt.

Erzeugungsauslagen in diesem Sinne sind die notwendigen Auslagen für eine konkrete Einspeisung der Anlage bei Abruf und Probestart. Hierzu gehören insbesondere die Kostenpositionen Brennstoff (Kohle, Gas, Zündöl, Startstrom etc.), CO_2-Kosten, Hilfs- und Betriebsstoffe (Kalksteinmehl, sonstige Chemikalien, Wasser inkl. Aufbereitung), Entsorgungskosten und sonstige variable Kosten der Einspeisung.[110] Darunter sind auch die variablen Instandhaltungskosten zu fassen, d.h. die Mehrkosten für zusätzliche Instandhaltung einschließlich der Kosten für zusätzlichen Verschleiß und

[110] Vgl. auch BT-Drucks. 18/7317, S. 105.

möglicher Reparaturkosten. Insofern werden die anteiligen Kosten für Wartungs- und Reparaturmaßnahmen, die auf die Anpassung der Einspeisung zurückzuführen sind, ebenso wie die Kosten für den Verschleiß von Anlagenteilen, die durch die Betriebsbereitschaft der Anlage entstehen, erstattet.[111] Maßstab für die Bestimmung der Erzeugungsauslagen sind die Wiederbeschaffungskosten.[112]

Ferner ist im Rahmen der vorläufigen Stilllegung der **anteilige Werteverbrauch** nach § 13c Abs. 1 S. 1 Nr. 3 EnWG zu ersetzen. Gemäß § 13c Abs. 1 S. 3 1. Hs. EnWG sind Grundlage für die Bestimmung des anteiligen Werteverbrauchs die handelsrechtlichen Restwerte und handelsrechtlichen Restnutzungsdauern in Jahren. Diese Werte sind vergleichsweise einfach zu ermitteln. Kritisiert wird hingegen zu Recht die in § 13c Abs. 1 S. 3 zweiter Hs EnWG enthaltene Vorgabe: Danach ist für die Bestimmung des anteiligen Werteverbrauchs für die Anlage oder einzelner Anlagenteile als Schlüssel das Verhältnis aus den anrechenbaren Betriebsstunden im Rahmen von Maßnahmen nach § 13a Abs. 1 S. 2 EnWG und den für die Anlage bei der Investitionsentscheidung betriebswirtschaftlich geplanten Betriebsstunden zugrunde zu legen. Es soll also bei den anrechenbaren Betriebsstunden ein erhöhter Werteverbrauch auf Grund des Anfahrens der Anlage durch die sog. äquivalenten Betriebsstunden berücksichtigt werden. Dahinter steht die Annahme, dass durch die jeweilige Anforderung der Erzeugungsanlage ein zusätzlicher Werteverbrauch verursacht wird, der zu erstatten ist.[113] Kritisiert wird dabei, im Hinblick auf die Bestimmung des anteiligen Werteverbrauchs auf die bei Investitionsentscheidungen zugrunde gelegten Betriebsstunden abzustellen. Mit der Energiewende sei es zu einer starken Verschiebung der tatsächlich zu erwartenden Betriebsstunden im Verhältnis zu den Betriebsstunden bei Investitionsentscheidungen gekommen, ohne dass dies in den Verantwortungsbereich der betroffenen Kraftwerksbetreiber fiele.[114]

§ 13c Abs. 2 S. 2 EnWG sieht schließlich bei der vorläufigen Stilllegung vor, dass der **Restwert der investiven Vorteile**, die der Betreiber der Anlage erhalten hat, zu erstatten ist, wenn die Anlage nach Ablauf der Dauer der Ausweisung als systemrelevant wieder eigenständig an den Strommärkten eingesetzt wird. Da im Falle der geplanten endgültigen Stilllegung ein Wiedereintritt in den Strommarkt nach der Konstruktion des Gesetzgebers nicht vorgesehen ist, ist die entsprechende Regelung im Fall der geplanten endgültigen Stilllegung abgewandelt: Dort heißt es, dass im Fall der endgültigen Stilllegung der Restwert der investiven Vorteile bei wiederverwertba-

[111] BT-Drucks. 18/7317, S. 173.
[112] BT-Drucks. 18/7317, S. 91.
[113] BT-Drucks. 18/7317, S. 87.
[114] *Stelter/Ipsen*, Das Gesetz zur Weiterentwicklung des Strommarktes (Strommarktgesetz), EnWZ 2016, 483 (485).

ren Anlagenteilen, die der Betreiber der Anlage im Rahmen der Erhaltungsauslagen und der Betriebsbereitschaftsauslagen erhalten hat, zu erstatten ist. **Wiederverwertbar** sind dabei alle technischen Anlagenteile, die nach der endgültigen Sillllegung der Anlage ausgebaut und in einer anderen Anlage verwendet werden können. Maßgeblich ist im Falle einer vorläufigen Stilllegung der Restwert zu dem Zeitpunkt, ab dem die Anlage wieder eigenständig an den Strommärkten eingesetzt wird (§ 13c Abs. 2 S. 3 EnWG) bzw. im Fall der geplanten endgültigen Stilllegung der Zeitpunkt ab dem die Anlage nicht mehr als Netzreserve vorgehalten wird (§ 13c Abs. 4 S. 3 EnWG).

V. Strommarktgesetz als „Regulierung"

1. Der Begriff der „Regulierung"

Zur Klärung der Frage, ob die durch das Strommarktgesetz in das EnWG implementierten Vorschriften eine Regulierung der Erzeugungsanlagen darstellt, ist zunächst zu untersuchen, was unter dem Begriff Regulierung zu verstehen ist.[115] Dabei kann freilich schon aus Gründen des Umfangs eine umfassende Analyse des Begriffs an dieser Stelle nicht erfolgen. Vielmehr wird für die Beantwortung der hier aufgeworfenen Frage, eine grobe Systematisierung des Begriffsverständnisses vorgenommen, die insbesondere auf den Kontext leitungsgebundener Wirtschaften abzielt. Dafür soll in einem ersten Schritt die Begrifflichkeit selbst im Kontext des allgemeinen Sprachgebrauchs betrachtet werden (a.), um sodann einen Blick darauf zu werfen, was die Ökonomie unter Regulierung versteht (b.). In einem dritten Schritt wird der Begriff der Regulierung im Rechtssinn – konkret im Recht der leitungsgebundenen Sektoren – näher beleuchtet (c.).

a) Der Begriff der Regulierung im Gemeingebrauch

Im allgemeinen Sprachgebrauch wird der Begriff der Regulierung unterschiedlich verwendet. Betrachtet man den reinen Wortsinn des Begriffs der Regulierung, stellt dieser nach dem Duden ein Synonym für „Ordnung" und „Steuerung"[116] dar. Das Verb „regulieren" bedeutet *„nach bestimmten Gesichtspunkten gestalten, ordnen; bei etwas für einen festen, gewünschten Ablauf sorgen; regeln in ordnungsgemäßen Bahnen verlaufen; einen festen,*

[115] Allgemein zu den verschiedenen Bedeutungen des Begriffs der Regulierung vgl. auch *Züll,* Regulierung im Gemeinwesen, 2014, S. 6 ff.; *Hardach,* Die Regulierung der Energieversorgungsnetze, 2010, S. 29 ff.

[116] *Duden,* abrufbar unter https://www.duden.de/rechtschreibung/Regulierung (zuletzt abgerufen am 22.05.2018).

geordneten Ablauf haben; sich regeln".[117] Darüber hinaus kann „regulieren" auch in einem technischen Kontext verwendet werden, wobei es dann „*einrichten, einstellen, regeln, steuern; (...) abgleichen; (...) justieren*"[118] bedeutet.

Konkreter definiert etwa die Bundeszentrale für politische Bildung „Regulierung" als „*direkte Eingriffe des Staates in Marktabläufe und die staatliche Beeinflussung des Verhaltens von Unternehmen durch Vorschriften zur Erreichung bestimmter, im allgemeinen Interesse stehender Ziele (Gegenteil: Deregulierung)*".[119] Als Beispiele für Regulierung werden in diesem Zusammenhang sodann die Beschränkung der Niederlassungsfreiheit von Ärzten oder Gewerbefreiheit im Handwerk genannt.[120] Ferner könne Regulierung mit einem Versagen der Marktkräfte begründet werden, wobei ein Marktversagen dann gegeben sei, wenn Angebot und Nachfrage alleine nicht zu gewünschten Ergebnissen führten.[121] Ähnlich wird der Begriff der Regulierung auch im Brockhaus beschrieben. Dort heißt es unter dem Stichwort „Regulierung (Wirtschaft)" Regulierung sei „*die Verhaltensbeeinflussung von Unternehmen durch staatliche Vorschriften, um wirtschaftspolitisch erwünschte Marktergebnisse herbeizuführen.*"[122]

Im allgemeinen Sprachgebrauch wird der Begriff „Regulierung" bzw. „regulieren" mithin sowohl im technischen, als auch im ordnungspolitischen Sinne verwendet, wobei stets der Zweck der Ordnung oder Steuerung einer bestimmten Materie adressiert wird.

b) Der Begriff der Regulierung in der Ökonomie

Versucht man sich der Bedeutung des Begriffes der Regulierung im Rechtssinne anzunähern, ist der ökonomische Hintergrund dieser Begrifflichkeit von besonderer Bedeutung. Denn der Begriff der Regulierung stellt gerade keinen genuinen Rechtsbegriff dar, sondern entstammt eigentlich dem wirtschaftswissenschaftlichen Kontext.[123] So verstehen Ökonomen darunter – kurz gefasst – ein „*ordnungspolitisches Eingreifen des Staates in das Wirtschaftsgeschehen*".[124]

[117] *Duden*, abrufbar unter https://www.duden.de/rechtschreibung/regulieren (zuletzt abgerufen am 22.05.2018).

[118] *Duden*, abrufbar unter https://www.duden.de/rechtschreibung/regulieren (zuletzt abgerufen am 22.05.2018).

[119] *Bundeszentrale für politische Bildung*, Duden Wirtschaft von A bis Z – Regulierung, Bonn 2016, abrufbar unter http://www.bpb.de/nachschlagen/lexika/lexikon-der-wirtschaft/20504/regulierung (zuletzt abgerufen am 14.05.2018).

[120] *Bundeszentrale für politische Bildung*, Duden Wirtschaft von A bis Z (o. Fn. 120).

[121] *Bundeszentrale für politische Bildung*, Duden Wirtschaft von A bis Z (o. Fn. 120).

[122] *Brockhaus,* Regulierung (Wirtschaft), abrufbar unter https://brockhaus.de/ecs/enzy/article/regulierung-wirtschaft (zuletzt abgerufen am 14.05.2018).

[123] *Ruthig*, in: Arndt/Fetzer et. al., TKG, 2015, § 2 TKG Rdnr. 5.

[124] *Kiefer*, 2005, S. 377.

So wird aus ökonomischer Perspektive seit ca. drei Jahrzehnten das Ziel verfolgt, Wettbewerb auch in eigentlich monopolgeprägten Strukturen zu ermöglichen. So herrschte bis in die 1980/1990iger Jahre in Europa die Auffassung vor, dass es sich bei netzgebundenen Versorgungsleistungen – wie Strom und Gas, Telekommunikation, Post und Eisenbahn – um natürliche Monopole handele, in denen kein Wettbewerb möglich sei. Von einem natürlichen Monopol spricht man dabei grundsätzlich *„wenn die in einem Markt nachgefragte Menge von einem einzigen Anbieter aufgrund seiner Technologie und Kostenstruktur zu niedrigeren Kosten produziert werden kann als von jeder größeren Anzahl von Unternehmen.“*[125] Im Bereich der leitungsgebundenen Versorgungsleistungen – wie bei der Bereitstellung von insbesondere Strom, Gas und Telekommunikation – kommt erschwerend hinzu, dass jeweils nur ein Leitungsnetz zur Verfügung steht.

Ob Wettbewerb im ökonomischen Sinn grundsätzlich – und damit auch im Energieleitungsbereich – möglich ist, hängt dabei wesentlich davon ab, ob Markteintritts- bzw. Marktaustrittsbarrieren vorhanden sind.[126] Die Grundannahme lautet insoweit, dass sich Wettbewerb umso besser entfalten wird, je geringer die Markteintrittsbarrieren sind.[127] Gibt es in einem monopolistisch geprägten Sektor also keine oder nur geringe Markteintrittsbarrieren, wäre auch ein Monopolist gehalten, sich effektiv zu verhalten, da ansonsten Dritte auf Grund der geringen Hemmschwelle zum Markteintritt ebenfalls in den monopolistisch geprägten Sektor drängen könnten.[128] Im Netzbereich bedeutet dies, dass unter ökonomischen Gesichtspunkten durch den ordnungspolitischen Rahmen ermöglicht werden muss, dass insbesondere in den Sparten Erzeugung und Vertrieb, welche der monopolhaften Netzsparte vor- bzw. nachgelagert sind, auch Dritten ein Zugang zu jenen Sparten ermöglicht wird.[129] Um dies zu erreichen, wurde etwa vorgeschlagen, in gewissen zeitlichen Abständen die monopolgeprägten Infrastrukturen zu versteigern bzw. auszuschreiben.[130] Darüber hinaus kam man zu dem Ergebnis, dass eine bloße *ex post* Kontrolle eines auf Grundlage der kartellrechtlichen *essential facilities-doctrine* gewährten Netzzugangs für Dritte kein ausreichend effektives Mittel zur Gewährleistung eines Netzzugangs darstelle.[131] Vielmehr seien bereits aus der *ex ante*-Perspektive Regelungen zu treffen, die geeignet seien, Wettbewerb in monopolgeprägten Strukturen zu ermöglichen.[132]

[125] *Köber*, in: Immenga/Mestmäcker, Wettbewerbsrecht, 2016, VIII Rdnr. 2.
[126] *Haucap/Coenen*, in: ARegV, 2013, Einf. Rdnr. 69 m.w.N.
[127] *Haucap/Coenen*, in: ARegV, 2013, Einf. Rdnr. 70.
[128] *Haucap/Coenen*, in: ARegV, 2013, Einf. Rdnr. 70.
[129] *Haucap/Coenen*, in: ARegV, 2013, Einf. Rdnr. 72.
[130] *Köber*, in: Immenga/Mestmäcker, (o. Fn. 126), Rdnr. 5 mit Verweis auf die *Chicago School* nach *Demsetz* JLE 11 (1968) S. 55 ff.
[131] *Köber*, in: Immenga/Mestmäcker, (o. Fn. 126), Rdnr. 5.
[132] *Köber*, in: Immenga/Mestmäcker, (o. Fn. 126), Rdnr. 5.

c) Begriff der Regulierung im Rechtssinn

Einzug in das Gesetzeswerk und damit in die Jurisprudenz fand der Begriff in den 1980/1990er Jahren.[133] Denn das ökonomischen Erwägungen entstammende Streben nach (mehr) Wettbewerb in monopolartigen Strukturen bedurfte der Umsetzung in rechtliche Vorgaben. Dabei musste jedoch beachtet werden, dass es allgemeinhin für erforderlich erachtet wurde, dass jene Bereiche zur Gewährleistung der Daseinsvorsorge in staatlicher Hand zu liegen hätten. Schon auf Grund europäischer Vorgaben folgte jedoch in zweierlei Hinsicht ein Paradigmenwechsel.

Während Wettbewerb im Bereich der Daseinsvorsorge noch bis in die 1990iger Jahre durch die Vorgaben des (allgemeinen) nationalen und europäischen Kartellrechtes determiniert wurde,[134] traten an diese Stelle bereichsspezifische Vorgaben des Europäischen Rechts. So wurde insbesondere durch die Richtlinie 96/92/EG des Europäischen Parlaments und des Rates vom 19. Dezember 1996 betreffend gemeinsame Vorschriften für den Elektrizitätsbinnenmarkt[135] („Strombinnenmarkt-RL") die Stärkung des Wettbewerbs im Bereich der leitungsgebundenen Versorgung mit Strom vorangetrieben.[136] Was in Europa Neuland war, hatte zuvor bereits als *„regulation"* im US-amerikanischen Recht an Bedeutung gewonnen.[137] Denn dort war im Energiebereich schon länger ein Recht auf Durchleitung Dritter festgeschrieben.[138]

Ferner muss Regulierung im Rechtssinne vor dem Hintergrund der Privatisierung der Daseinsvorsorge gesehen werden.[139] Herzstück jener Privatisierung der Daseinsvorsorge war dabei, dass die einst staatlichen Monopole – etwa im Telekommunikationsbereich – nun in die Hände Privater gelangten, der Staat jedoch fortan die Aufsicht über die Art und Weise der Leistungserbringung durch die Private gewährleisten musste. Der Staat wechselt mithin aus der Rolle des Leistungserbringers in die Rolle der Kontroll- bzw. Regulierungsinstanz.[140] *Hermes* sieht insoweit ein Alternativverhältnis zwi-

[133] *Ruthig*, in: Arndt/Fetzer et. al., TKG, 2015, § 2 TKG Rdnr. 5; *Köber*, in: Immenga/Mestmäcker, (o. Fn. 126), Rdnr. 1.

[134] Vgl. hierzu etwa *Gamm*, Der Kartellrechtliche Ausnahmebereich für die Versorgungswirtschaft in der Rechtsprechung, S. 11 ff., in: *Bauer*, Deregulierung und Regulierung durch nationales und europäisches Kartellrecht, 1993.

[135] Richtlinie 96/92/EG des Europäischen Parlaments und des Rates vom 19.12.1996 betreffend gemeinsame Vorschriften für den Elektrizitätsbinnenmarkt, Abl. L 27 vom 30.01.1997, S. 20 ff.

[136] *Köber*, in: Immenga/Mestmäcker, (o. Fn. 126), Rdnr. 1.

[137] Vgl. hierzu *Bröner*, Stromdurchleitung: Anregung aus US-Regulierung?, 1998, S. 38 ff.

[138] *Bröner*, Stromdurchleitung: Anregung aus US-Regulierung?, 1998, S. 38 ff.

[139] *Ruthig*, in: Arndt/Fetzer (o. Fn. 134), Rdnr. 5.

[140] *Umbach*, in: Umbach/Clemens, GG, 2002, Art. 87f Rdnr. 20; *Ruthig*, in Arndt/Fetzer (o. Fn. 134), Rdnr. 5.

schen staatlichem Monopol einerseits sowie staatlicher Aufsicht über jene Monopole andererseits.[141] Als Begründung für Regulierung wird dabei regelmäßig ein **Marktversagen** herangezogen.[142] Denn die eigentliche, technisch und infrastrukturelle Monopolstruktur blieb auch nach dem beschriebenen Paradigmenwechsel weg von der (staatlichen) Leistungserbringung hin zur Leistungserbringung durch Dritte unverändert. Um die – nach wie vor bestehende – Monopolgefahr zu bannen und einen Wettbewerb in den monopolgeprägten Strukturen zu ermöglichen und perspektivisch zu erhalten, sollte eine (staatliche) Regulierung erfolgen.[143]

Dies vorausgeschickt, stellt sich die Frage, wie der Begriff „Regulierung" als Rechtsbegriff zu verstehen ist. Ausgangspunkt für die Beantwortung dieser Frage muss das Gesetzeswerk selbst bilden. Zwar wird die Begrifflichkeit aktuell in keinem der einschlägigen energiewirtschaftlichen Gesetze legal definiert. Allerdings greift etwa das Energiewirtschaftsgesetz in § 1 Abs. 2 EnWG – und damit in unmittelbarem Zusammenhang mit den Zielsetzungen des EnWG in § 1 Abs. 1 EnWG – den Begriff der Regulierung auf. Dort heißt es:

> *„Die **Regulierung** der Elektrizitäts- und Gasversorgungsnetze dient den Zielen der Sicherstellung eines wirksamen und unverfälschten Wettbewerbs bei der Versorgung mit Elektrizität und Gas und der Sicherung eines langfristig angelegten leistungsfähigen und zuverlässigen Betriebs von Energieversorgungsnetzen."*[144]

Eine vergleichbare Regelung enthält § 2 Abs. 2 TKG. Dies ist insbesondere deshalb bemerkenswert, da § 3 Nr. 13 TKG 1996 Regulierung explizit definierte als

> *„Maßnahmen, die zur Erreichung der in § 2 Abs. 2 genannten Ziele ergriffen werden und durch die das Verhalten von Telekommunikationsunternehmen beim Angebot von Telekommunikationsdienstleistungen, von Endeinrichtungen oder von Funkanlagen geregelt werden, sowie die Maßnahmen, die zur Sicherstellung einer effizienten und störungsfreien Nutzung von Frequenzen ergriffen werden".*

§ 2 Abs. 2 TKG 1996, auf welchen sich die vorstehende Legaldefinition bezieht, legte die Ziele der Regulierung sodann u.a. als Wahrung der Interessen der Telekomunikations- und Funkwesennutzer (Nr. 1), die Sicherstellung eines chancengleichen und funktionsfähigen Wettbewerbs (Nr. 2), sowie einer flächendeckenden Grundversorgung (Nr. 3) fest. Die gesetzliche Definition der Regulierung in § 3 Nr. 13 TKG 1996 stellte also umfassend auf „Maßnah-

[141] *Hermes,* Staatliche Infrastrukturverantwortung, S. 300; *Ruthig,* in Arndt/Fetzer et al., 2015, § 2 TKG Rdnr. 5.

[142] *Theobald*, in Danner/Theobald, Energierecht, Stand: Oktober 2017, § 1 EnWG Rdnr. 30.

[143] *Picot*, Ziele, Formen und Herausforderung der Regulierung, 63. Deutscher Betriebswirtschaftler-Tag 2009, S. 8.

[144] § 1 Abs. 2 EnWG.

men“ ab. Dies verdeutlicht, dass Regulierung im Rechtssinn durch Gesetz, untergesetzliche Normen – wie Rechtsverordnungen oder Festlegungen – oder Verwaltungsakten und deren Vollzug vorgenommen werden.[145] Bei den mit der Regulierung i.S.d. § 3 Nr. 13 TKG 1996 i.V.m. § 2 Abs. 2 TKG 1996 verfolgten Zielen fällt jedoch auf, dass die Regulierung i.S.d. TKG nicht bloß dem Missbrauch eines Monopols entgegen wirken sollte.[146]

Dass Regulierung vielgestaltigere Ziele als den Missbrauch einer Monopolstellung verfolgen kann, findet auch in der rechtswissenschaftlichen Literatur Niederschlag: Dort wird der Begriff der Regulierung sehr unterschiedlich verstanden, was gerade als Konsequenz seiner Vielschichtigkeit angesehen wird.[147] Regulierungsrecht wird dabei rechtsdogmatisch als Ausprägung des Wirtschaftsverwaltungsrechts eingeordnet.[148] Als äußerer Ordnungsrahmen für jegliche Aktivität auf dem Markt könne Regulierungsrecht auch als „Marktordnungsrecht“ bezeichnet werden.[149] Allerdings könne der Begriff aufgrund seiner Weite stets nur in Abhängigkeit zu den konkreten Umständen definiert werden.[150] Andere beschreiben den Begriff dahingehend, dass Regulierung das Setzen und Durchsetzen von verbindlichen Regeln bedeute.[151] Teilweise wird dies dahin konkretisiert, dass man unter Regulierung einen staatlichen Eingriff verstehe, der sich nicht auf die gesamte Wirtschaft, sondern spezifisch auf bestimmte Sektoren (sog. **sektorspezifische Regulierung**) erstreckt.[152]

d) Zwischenfazit

Als Zwischenfazit kann festgehalten werden, dass der Begriff der Regulierung im herkömmlichen Sinne stets vor dem Hintergrund der Ermöglichung und Sicherung von Wettbewerb in spezifischen monopolgeprägten Strukturen bzw. Sektoren gesehen werden muss. Hinzu tritt die staatliche Pflicht zur Gewährleistung der Daseinsvorsorge, welche in den leitungsbezogenen Leistungen auch von Privaten vorgenommen wird, die wiederum vom Staat beaufsichtigt werden. Regulierung kann dabei durch jegliche Form des legislativen bzw. exekutiven staatlichen Handelns erfolgen. Die wesentlichen

[145] *Theobald*, in: Danner/Theobald, Energierecht, § 1 EnWG Rdnr. 36.

[146] *Hardach*, Die Anreizregulierung der Energieversorgungsnetze, 2010, S. 29.

[147] *Wenzel*, Begriff der Regulierung und Regulierungstheorien, in: Selbstorganisation und Public Value.

[148] *Lismann*, NVwZ 2014, 691 (691).

[149] *Lehmann*, in: Münchner Kommentar zum BGB, Bd. 12, 2018, A. Rdnr. 58 zur Regulierung im internationalen Finanzmarktrecht.

[150] *Brenner*, EuR 2014. 671 (675).

[151] *Puppis*, 2010, S. 49.

[152] *Picot*, Ziele, Formen und Herausforderung der Regulierung, 63. Deutscher Betriebswirtschaftler-Tag 2009, S. 3. *Hardach*, Die Anreizregulierung der Energieversorgungsnetze, 2010, S. 31.

Merkmale des Begriffs der Regulierung im Rechtssinne sind damit geprägt durch eine durch Marktversagen geprägte Sektorspezifizität, die Gemeinwohlzielverwirklichung und die regulierungsbehördliche Überwachung bzw. Steuerung auf der Grundlage von Rechtsnormen.[153]

2. *§§ 13 ff. EnWG als Regulierung der Energieerzeugungsanlagen?*

In der neueren Literatur finden sich vielfach Stimmen, die in Bezug auf die Regelungen der §§ 13 ff. EnWG von einer „Kraftwerksregulierung" bzw. einer „Regulierung der Erzeugungsanlagen" sprechen.[154] Tatsächlich ist infolge der Energiewende neben die ursprünglich primäre Zielsetzung der wettbewerblichen Öffnung der monopolistisch geprägten Energieinfrastrukturen mehr und mehr der Erhalt und der Ausbau dieser Infrastrukturen für die Gewährleistung der Versorgungssicherheit in den Fokus gerückt.[155] Konventionellen Kraftwerken kommt auch zukünftig eine große Bedeutung für die Gewährleistung der Versorgungssicherheit zu. Insbesondere infolge der bislang nicht vollständig realisierten Netzausbauprojekte sind zunehmend Netzengpässe zu besorgen, weshalb die Vorhaltung jederzeit verfügbarer Kapazitäten für die System- und Versorgungssicherheit erforderlich ist.[156] In der Praxis kommen damit mehr und mehr konventionelle Stromerzeugungsanlagen zum Einsatz, um die Sicherheit oder Zuverlässigkeit des Elektrizitätsversorgungssystems in den jeweiligen Regelzonen der ÜNB zu gewährleisten. Die §§ 13 ff. EnWG gestalten diesen Einsatz normativ aus. Dabei beinhalten die §§ 13 ff. EnWG zweifelsohne auch konkrete Vorgaben in Bezug auf die Vorhaltung und den Einsatz von Anlagen zur Erzeugung elektrischer Energie, was die bereits zitierten Stimmen in der Literatur wohl dazu veranlasst, von *„ersten Umrissen einer Kraftwerksregulierung"*[157] bzw. einer *„neuen Erscheinungsform"*[158] von Regulierung auszugehen. Doch stellt sich die Frage, ob diese Begrifflichkeit im Kontext des Normengefüges des EnWG tatsächlich zutreffend ist.

[153] *Riewe*, Kapazitätsmechanismen – Perspektiven des Wettbewerbs- und Kartellrechts, EWerK 3/2016, 229 (230) unter Verweisung auf *Kirchhof/Korte/Magen*, Öffentliches Wettbewerbsrecht, § 1 Rdnr. 6.

[154] So z.B. *Möstl*, Rechtsfragen der Kraftwerksregulierung, EnWZ 2015, 243 ff.; *Riewe*, Kapazitätsmechanismen – Perspektiven des Wettbewerbs-und Kartellrechts, EWeRK 2016, 229 ff. oder *Chaaban/Godron*, Das neue Strommarktgesetz: Was ändert sich für stillgelegte Kraftwerke in der Netzreserve? ER 2016, 106 (107).

[155] *Möstl*, Rechtsfragen der Kraftwerksregulierung, EnWZ 2015, 243 (243).

[156] *Chaaban/Godron*, das neue Strommarktgesetz: Was ändert sich für stillgelegte Kraftwerke in der Netzreserve? ER 2016, 106 (107).

[157] *Möstl*, Rechtsfragen der Kraftwerksregulierung, EnWZ 2015, 243 (243).

[158] *Riewe*, Kapazitätsmechanismen – Perspektiven des Wettbewerbs-und Kartellrechts, EWeRK 2016, 229 (230).

Einen ersten Anhaltspunkt hierfür kann die Beantwortung der Frage liefern, worin konkret das eigentlich regulierungsbedürftige sektorspezifische (Markt)Versagen besteht und welche Akteure Adressaten des entsprechenden legislativen oder exekutiven Eingriffs seitens des Staates zur Behebung des (Markt-)Versagens sind. Wie bereits zuvor unter Punkt III. herausgearbeitet, ist mit den §§ 13 ff. EnWG eine Vielzahl von neuen Vorschriften mit Bezug zu Erzeugungsanlagen in das EnWG eingefügt worden. § 13 EnWG, der mit dem Titel *„Systemverantwortung der Betreiber von Übertragungsnetzen"* überschrieben ist, legt die Reihenfolge der verschiedenen Maßnahmen des Kraftwerkseinsatzes zur Beseitigung von Gefährdungen und Störungen der Sicherheit oder Zuverlässigkeit des Elektrizitätsversorgungssystems fest. Die Vorschriften der §§ 13 ff. EnWG dienen damit der Sicherheit und Zuverlässigkeit des Elektrizitätsversorgungssystems. Sämtliche Regelungen zielen also darauf ab, Störungen der in den Verantwortungsbereich der ÜNB fallenden Verpflichtung zur Gewährleistung der Sicherheit und Zuverlässigkeit des Elektrizitätsversorgungssystems zu korrigieren.

Zudem sind die Normen gesetzessystematisch eingebettet in Teil 3 Abschnitt 1 des EnWG, der mit *„Regulierung des Netzbetriebs – Aufgaben der Netzbetreiber"* überschrieben ist. Insoweit ist es konsequent, dass zur Gewährleistung der Systemsicherheit verpflichtet und damit „Regulierungs-Adressaten" die ÜNB sind. § 12 Abs. 1 S. 1 EnWG normiert die Systemverantwortung der ÜNB und regelt in Abs. 3 S. 1 ausdrücklich, dass die ÜNB dauerhaft die Fähigkeit des Netzes sicherzustellen haben, die Nachfrage nach Übertragung von Elektrizität zu befriedigen und insbesondere durch Bereitstellung von entsprechender Übertragungskapazität und Zuverlässigkeit des Netzes zur Versorgungssicherheit beizutragen haben. Dabei wird den ÜNB in den §§ 13 ff. EnWG konzeptuell das Recht zugestanden, hierfür auf bestimmte Kraftwerkskapazitäten zuzugreifen. Die Anlagenbetreiber nehmen also im Falle des Einsatzes ihrer Anlagen nach Maßgabe der §§ 13 ff. EnWG Funktionen war, die an sich vom ÜNB durchzuführen wären, nämlich für ein stabiles und ausreichend leistungsfähiges Übertragungsnetz zu sorgen.[159] Denn nur allein weil die ÜNB aufgrund der sich verändernden Stromerzeugung noch nicht die erforderlichen Leitungen errichtet haben, sind die Maßnahmen nach den §§ 13 ff. EnWG und damit die Inanspruchnahme von Kraftwerken erforderlich.[160] All dies spricht dafür, dass es vorliegend nicht um eine Regulierung von Erzeugungsanlagen geht, sondern vielmehr um eine Regulierung der ÜNB bzw. ihres Elektrizitätsversorgungsnetzes im Hinblick auf die ihnen obliegende Systemverantwortung, mithin um Netzregulierung.

[159] Siehe insoweit zum Redispatch-Fall auf Basis des § 13 Absatz 1a. S. 1 EnWG a.F. auch OLG Düsseldorf, Beschluss vom 28.04.2015, VI-3 Kart 313/12 [V], Rdnr. 144.

[160] Vgl. *OLG Düsseldorf*, Beschluss vom 28.04.2015, VI-3 Kart 313/12 [V], Rdnr. 144.

Dabei darf freilich nicht außer Acht gelassen werden, dass nicht sämtliche Normen der §§ 13 ff. EnWG ausschließlich die ÜNB adressieren. Vielmehr beinhalten die §§ 13b und 13c EnWG ein komplexes und umfassendes Regelungsgefüge zur vorläufigen und endgültigen Stilllegung von Anlagen sowie deren Vergütung. Insoweit adressiert § 13b Abs. 1 S. 1 EnWG zunächst die Betreiber von Anlagen zur Erzeugung oder Speicherung elektrischer Energie mit einer Nennleistung ab 10 Megawatt und verpflichtet diese, vorläufige oder endgültige Stilllegungen ihrer Anlagen oder von Teilkapazitäten ihrer Anlagen dem systemverantwortlichen ÜNB und der *BNetzA* anzuzeigen. Infolge dieser Anzeigepflicht der Anlagenbetreiber muss der ÜNB sodann nach § 13b Abs. 2 S. 1 EnWG unverzüglich prüfen, ob die Anlage systemrelevant ist und das Ergebnis seiner Prüfung ebenso unverzüglich sowohl dem Anlagenbetreiber als auch der *BNetzA* mitteilen. Sofern die Anlage systemrelevant ist im Sinne des § 13b Abs. 2 S. 2 EnWG, darf der Anlagenbetreiber diese weder vorläufig noch endgültig stilllegen. Für das Aufrechterhalten einer Anlage, die nach den Plänen des Anlagenbetreibers eigentlich stillgelegt werden sollte, kann der Anlagenbetreiber vom ÜNB eine angemessene Vergütung verlangen, vgl. § 13c EnWG. Obwohl also ein Anlagenbetreiber aus Gründen des unwirtschaftlichen Betriebs seiner konventionellen Anlage veranlasst sein kann, diese stillzulegen, kann er durch die Vorschrift des § 13b EnWG verpflichtet sein, von einer Stilllegung absehen zu müssen. Damit findet zwar in gewisser Weise eine staatlich gelenkte Einwirkung auf Erzeugungskapazitäten statt.[161] Hierbei muss jedoch berücksichtigt werden, dass es sich nur um solche Erzeugungskapazitäten handelt, die für die Gewährleistung bzw. die Aufrechterhaltung eines sicheren Energieversorgungsnetzes erforderlich sind. Es geht damit nicht um sämtliche Erzeugungskapazitäten, die im Wettbewerb vermarktet werden, sondern vielmehr um (netz)systemrelevante Erzeugungskapazitäten, auf die den ÜNB normativ ein Zugriffsrecht im EnWG eingeräumt wird. In dem Moment also, in dem die entsprechenden Erzeugungsanlagen als systemrelevant zu qualifizieren sind, fallen sie in den „Instrumentenkasten" des ÜNB zur Sicherstellung der Systemverantwortung. Sie werden in der Gesetzessystematik quasi zu Netzbetriebsmitteln. Damit aber handelt es sich bei der Ausgestaltung der §§ 13 ff. EnWG sowohl materiell-rechtlich als auch gesetzessystematisch um eine Form der Netzregulierung.

Auch *Möstl* erkennt zutreffend, dass die von ihm bezeichnete „Kraftwerksregulierung" regelungstechnisch noch nicht als eine eigenständige Regulie-

[161] Siehe insoweit auch *Riewe*, Kapazitätsmechanismen – Perspektiven des Wettbewerbs-und Kartellrechts, EWeRK 2016, 229 (230).

rung unmittelbar gegenüber den Kraftwerksbetreibern konzipiert sei, sondern vielmehr als *„eine Art unselbstständiger Teilaspekt der übergreifenden Netzregulierung firmiere"*[162]. Damit aber erscheint es gerade naheliegend, davon auszugehen, dass wir jedenfalls im gegenwärtigen Stadium noch weit von einer Kraftwerksregulierung oder einer Regulierung der Erzeugungsanlagen entfernt sind und dass die Vorschriften der §§ 13 ff. EnWG vielmehr der Netzregulierung zuzuordnen sind. Dabei ist *Möstl* zuzugeben ist, dass das Regulierungsrecht mehr und mehr um planerische Elemente angereichert wird und somit den primär verfolgten Fokus der Schaffung von Wettbewerb in der leitungsgebundenen Energie verlässt. Dass aber daneben auch die Systemsicherheit und damit die Zuverlässigkeit der Energieversorgung Sinn und Zweck der Netzregulierung darstellt, wird durch einen Blick in § 1 Abs. 2 EnWG verdeutlicht, wonach die Regulierung der Elektrizität- und Gasversorgungsnetze den Zielen der Sicherstellung eines wirksamen unverfälschten Wettbewerbs bei der Versorgung mit Elektrizität und Gas und der Sicherung eines langfristig angelegten leistungsfähigen und zuverlässigen Betriebs von Energieversorgungsnetzen dient. Gerade letzteres bezwecken die §§ 13 ff. EnWG.

3. Regulierungsermessen der Bundesnetzagentur im Rahmen der §§ 13 ff. EnWG?

Sind die Regelungen der §§ 13 ff. EnWG nach der hier vertretenen Auffassung als solche der Netzregulierung einzuordnen, stellt sich unweigerlich die Frage, ob die *BNetzA* auch in diesem Zusammenhang das ihr in anderen Zusammenhängen von der Rechtsprechung explizit zugesprochene **Regulierungsermessen** zukommt.

Der BGH hat sich bereits in einigen Entscheidungen mit der Frage auseinandergesetzt, ob der *BNetzA* in Bezug auf einzelne Aspekte ihrer Regulierungstätigkeit ein Einschätzungs- und Auswahlspielraum zusteht. Im Hinblick auf den Effizienzvergleich nach den §§ 12 ff. ARegV hat der BGH in seiner Grundsatzentscheidung vom 21. Januar 2014[163] ausgeführt, dass der mit der Durchführung des Effizienzvergleichs betrauten Regulierungsbehörde bei der Auswahl der einzelnen Parameter und Methoden ein Spielraum zustehe, der in einzelnen Aspekten einem Beurteilungsspielraum, in anderen Aspekten einem Regulierungsermessen gleichkomme.[164] Dabei hat der BGH explizit offen gelassen, ob und inwieweit es sich bei den der Regu-

[162] *Möstl*, Rechtsfragen der Kraftwerksregulierung, EnWZ 2015, 243 (244).
[163] *BGH*, Beschluss vom 21.01.2014, EnVR 12/12 – *Stadtwerke Konstanz.*
[164] *BGH*, Beschluss vom 21.01.2014, EnVR 12/12, Rdnr. 10 – *Stadtwerke Konstanz.*

lierungsbehörde eröffneten Spielräumen um einen Beurteilungsspielraum auf der Tatbestandsseite der Norm oder um ein Regulierungsermessen auf der Rechtsfolgenseite handelt, weil die für diese beiden Kategorien geltenden Kontrollmaßstäbe sich eher verbal und weniger in der Sache unterschieden.[165] Das Vorliegen eines der Behörde zustehenden Regulierungsermessens hat die Rechtsprechung u.a. auch in Bezug auf die Festlegung der Eigenkapitalzinssätze gem. § 7 StromNEV/GasNEV[166] und die Festlegung des Qualitätselements gem. § 18 ff. ARegV[167] angenommen.

Ob der *BNetzA* auch im Rahmen der §§ 13 ff. EnWG ein derartiger, dann wohl ebenfalls als Regulierungsermessen zu bezeichnender Entscheidungsspielraum zukommt, hängt zunächst davon ab, inwieweit die *BNetzA* im Gefüge der §§ 13 ff. EnWG überhaupt befugt ist, behördlich tätig zu werden. Denn nur wo das materielle Recht der Verwaltung einen Einschätzung- und Auswahl-Spielraum überlässt, kann die Behörde diesen nach ihrem Ermessen ausfüllen.

Zunächst ist die *BNetzA* im Rahmen des Verfahrens zur Ausweisung von Erzeugungsanlagen als systemrelevant, die endgültig stillgelegt werden sollen, befugt, über den Antrag auf Genehmigung der Ausweisung des ÜNB zu entscheiden, § 13b Abs. 5 S. 2–11 EnWG. Gemäß § 13b Abs. 5 S. 4 EnWG hat die *BNetzA* den Antrag zu genehmigen, wenn die Anlage systemrelevant nach Abs. 2 S. 3 ist. Es handelt sich mithin um eine gebundene Entscheidung, ein Ermessen steht der *BNetzA* insoweit also nicht zu. Allerdings kann die Behörde die Genehmigung gemäß § 13b Abs. 5 S. 5 EnWG unter Bedingungen erteilen und mit Auflagen verbinden. Schon aufgrund der Formulierung „kann“ hat die *BNetzA* also ein Ermessen, ob und wenn ja mit welcher Art von Auflagen und Bedingungen sie die Genehmigung verbindet.

Des Weiteren ist gemäß § 13b Abs. 4 S. 4 EnWG der Umfang der Vergütung nach Abs. 3 in den jeweiligen Verträgen zwischen Betreibern der Anlagen und den ÜNB auf Grundlage der Kostenstruktur der jeweiligen Anlage *„nach Abstimmung“* mit der *BNetzA* festzulegen. Wie bereits oben unter IV.1 erörtert, werden die Inhalte dieser Netzreserveverträge im Wesentlichen durch die Parteien bestimmt. Neben Details hinsichtlich des Anlageneinsatzes und der Wiederherstellung der Betriebsbereitschaft sind insbesondere die Regelungen zur Vergütung von großer Bedeutung. Zwar wird in § 13c Abs. 1 S. 1 Nr. 1–3 und in Abs. 3 S. 1 Nr. 1–4 EnWG verhältnismäßig ausführlich geregelt, welche Auslagen des Anlagenbetreibers im Rahmen der *„angemes-*

165 *BGH,* Beschluss vom 21.01.2014, EnVR 12/12, Rdnr. 26 – *Stadtwerke Konstanz.*

166 *BGH,* Beschluss vom 27.01.2015, EnVR 37/13 – *ONTRAS Gastransport GmbH; BGH,* Beschluss vom 27.01.2015, EnVR 39/13 – *Thyssengas GmbH.*

167 *BGH,* Beschluss vom 22.07.2014, EnVR 59/12 – *Stromnetz Berlin GmbH.*

senen Vergütung“ zu berücksichtigen sind. Allerdings wird der Umfang der Vergütung „*auf Grundlage der Kostenstruktur der jeweiligen Anlage nach Abstimmung mit der Bundesnetzagentur*“ festgelegt. Fraglich ist, was unter dem Begriff „*nach Abstimmung*“ im vorliegenden Fall zu verstehen ist. Wie bereits oben unter bb) ausgeführt, ist der Begriff „abstimmen“ juristisch nicht eindeutig einzuordnen.[168] Allerdings kann vertreten werden, dass die Begriffswendung „nach Abstimmung“ eine Genehmigungspflicht auslöst, siehe dazu ausführlich oben unter bb). Dies ist zwar nach dem Wortsinn „*nach Abstimmung*“ juristisch nicht zwingend, aber auch der Kartellsenat des OLG Düsseldorf hat in seiner Redispatch-Entscheidung ausgeführt, dass der Begriff *Abstimmung*, wie er in der streitgegenständlichen Festlegung der *BNetzA* enthalten war, im Sinne einer Genehmigung-oder Anzeigepflicht gemeint sei.[169]

Ungeachtet der juristischen Einordnung der Begriffsbedeutung deutet die *BNetzA* in ihrer Verwaltungspraxis den Begriff „*nach Abstimmung*“ tatsächlich so, dass ihr eine umfassende Prüfungs- und Genehmigungsbefugnis im Hinblick auf die Angemessenheit der in den Netzreserveverträgen zu vereinbarenden Vergütung zukommt. Wenn der *BNetzA* also eine entsprechende Prüfungs- und Genehmigungsbefugnis im Hinblick auf die Angemessenheit der Vergütung zukommt, würde dies dafür sprechen, dass ihr demzufolge hinsichtlich der Frage, was angemessen ist und welche Kriterien hierfür erfüllt sein müssen, ein gewisser Beurteilungsspielraum, mithin ein Regulierungsermessen, zukommt.[170] Denn obwohl § 13c EnWG die anerkennungsfähigen Auslagen des Anlagenbetreibers näher beschreibt und abgrenzt, bleiben im Detail doch einige Fragen offen, vgl. dazu nur oben unter IV. 2. b).

Damit kann abschließend festgehalten werden, dass der *BNetzA* trotz fehlender eindeutiger gesetzlicher Befugnis im EnWG in Bezug auf die in den Netzreserveverträgen zu regelnde „*angemessene Vergütung*“ ein Spielraum zustehen dürfte, der in der Praxis einer Art Regulierungsermessen entsprechen dürfte.

[168] Vgl. auch zum Begriff Abstimmung in der Redispatch-Festlegung der Bundesnetzagentur (BK8-12-019) *OLG Düsseldorf*, Beschluss vom 28.04.2015, VI-3 Kart 313/12 [V], Rdnr. 157.

[169] *OLG Düsseldorf*, Beschluss vom 28.04.2015, Az. VI-3 Kart 313/12 [V], Rdnr. 157.

[170] So auch das OLG Düsseldorf in Bezug auf die nach § 13 Abs. 1a S. 3 EnWG a. F. durch die *BNetzA* festzulegenden Kriterien einer angemessenen Vergütung, Beschluss vom 28.04.2015, VI-3 Kart 313/12 [V], Rdnr. 104.

VI. Fazit

Das StrommarktG stellt nach Auffassung des BMWi die größte Reform des Strommarktes seit der Liberalisierung der Energiemärkte dar.[171] Eine juristische Würdigung jedenfalls der Regelungen betreffend Erzeugungsanlagen in §§ 13 ff. EnWG muss vernichtend ausfallen: Ein unübersichtlicheres, schlechter strukturiertes und fehlerhafteres Regelungsgeflecht ist kaum vorstellbar; die Vorschriften erinnern an einen schwer zu durchdringenden Paragraphendschungel. Zugestehen kann man dem Gesetzgeber allenfalls, dass er vermutlich in der guten Absicht gehandelt hat, einen Beitrag zur Versorgungssicherheit leisten zu wollen. Gute Absicht sollte aber als Anspruch für die Qualität des Gesetzgebers nicht ausreichend sein. Man kann *Zinow*[172] und seiner Idee nur beipflichten: Es ist an der Zeit, dass eine Kommission – sinnvollerweise unter der Leitung des Jubilars – auch diesen unrühmlichen Teil des EnWG neu strukturiert.

[171] BMWi, Pressemitteilung v. 24.06.2016.
[172] *Zinow*, Digitalisierung – Abrissbirne für das deutsche Energierecht, S. 73 ff.

D. Energiekartellrecht und Arbeitsrecht

Die Bedeutung des Kartellrechts für den Energiesektor

Klaus Bacher*

Seit dem Inkrafttreten des Energiewirtschaftsgesetzes am 29. April 1998 – wenige Wochen, nachdem *Ulrich Büdenbender* seine Tätigkeit an der Universität Dresden aufgenommen hatte – sind die Betreiber von Elektrizitäts- und Gasnetzen verpflichtet, diskriminierungsfreien Zugang zu ihren Netzen zu gewähren. Zuvor war eine Kontrolle des Marktverhaltens von Netzbetreibern und Lieferanten im Wesentlichen nur auf der Grundlage des Gesetzes gegen Wettbewerbsbeschränkungen möglich. Dessen Regeln sind in diesem Bereich seither etwas in den Hintergrund getreten. In bestimmten Zusammenhängen kommt ihnen aber weiterhin praktische Bedeutung zu. Dementsprechend hatte sich der für beide Materien gleichermaßen zuständige Kartellsenat des Bundesgerichtshofs in den vergangenen Jahren wiederholt mit solchen Fragen zu befassen.

I. Ausgangslage und Marktbeteiligte

Gemäß § 185 Abs. 3 GWB stehen die Vorschriften des Energiewirtschaftsgesetzes der Anwendung der Regeln über den Missbrauch einer marktbeherrschenden Stellung (§§ 19 und 20 GWB) und der besonderen Bestimmung für Versorgungsunternehmen (§ 29 GWB) nicht entgegen, soweit in § 111 EnWG keine andere Regelung getroffen ist. Korrespondierend hierzu sieht § 111 Abs. 1 EnWG vor, dass die drei genannten Vorschriften nicht anzuwenden sind, soweit das Energiewirtschaftsgesetz oder eine auf dessen Grundlage erlassene Rechtsverordnung ausdrücklich abschließende Regelungen trifft.

Der Umfang, in dem das Kartellrecht danach anwendbar bleibt, hängt unter anderen von der Rolle der jeweiligen Marktbeteiligten ab.

* Richter des X. Zivilsenats und des Kartellsenats beim BGH in Karlsruhe.

1. Netzbetreiber

Der Betrieb der Netze und die Ausgestaltung der Nutzungsentgelte sind im Wesentlichen anhand des Energiewirtschaftsrechts und der auf dessen Grundlage ergangenen Verordnungen zu beurteilen.

§ 111 Abs. 2 EnWG sieht ausdrücklich vor, dass die Bestimmungen über die Regulierung des Netzzugangs und die auf dieser Grundlage erlassenen Rechtsverordnungen als abschließende Regelungen anzusehen sind. §§ 19 und 20 GWB werden also durch die Regelungen in §§ 11 bis 35 EnWG und die Bestimmungen der Anreizregulierungsverordnung, der Zugangsverordnungen und der Entgeltverordnungen verdrängt. Darüber hinaus sind gemäß § 111 Abs. 3 EnWG die nach § 20 Abs. 1 EnWG veröffentlichten Netzzugangsentgelte in Verfahren der Kartellbehörden als rechtmäßig zugrunde zu legen, soweit sich aus Entscheidungen der Regulierungsbehörde oder eines Gerichts nichts anderes ergibt.

Raum für die Anwendung kartellrechtlicher Vorschriften verbleibt danach nur in Randbereichen. Dazu gehört die Erhebung von Konzessionsabgaben durch Gemeinden, die zugleich als Netzbetreiber agieren oder mit einem Netzbetreiber wirtschaftlich verbunden sind. In diesen Konstellationen unterliegt jedenfalls die Ausübung der marktbeherrschenden Stellung, die sich aus dem Wegerecht der Gemeinde ergibt, der Kontrolle nach §§ 19 und 20 GWB. Als Adressat einer kartellrechtlichen Missbrauchsverfügung kommt dabei nicht nur die Gemeinde in Betracht, sondern auch ein mit ihr unternehmensrechtlich verbundener Netzbetreiber.[1]

2. Lieferanten

Hinsichtlich des Verhaltens von Lieferanten einschließlich deren Preisgestaltung bleibt für die Anwendung kartellrechtlicher Vorschriften deutlich mehr Raum. Das Recht auf diskriminierungsfreien Netzzugang hat insoweit zwar Wettbewerb ermöglicht. Ein Lieferant, der in einem Netz eine marktbeherrschende Stellung hat, ist aber weiterhin Normadressat des kartellrechtlichen Missbrauchsverbots. Mit der Sonderregelung in § 29 GWB, die dem Versorgungsunternehmen in Verfahren vor den Kartellbehörden die Darlegungs- und Beweislast hinsichtlich einer sachlichen Rechtfertigung für eine Ungleichbehandlung zuweist, steht sogar ein potentiell besonders einschneidendes Instrument zur Missbrauchskontrolle zur Verfügung.

[1] *BGH,* Beschluss vom 6. November 2012 – KVR 54/11, WuW/E DE-R 3879 = RdE 2013, 224 Rdnr. 15 ff. – Gasversorgung Ahrensburg.

3. *Gemeinden*

Gemeinden sind jedenfalls insoweit Adressaten der kartellrechtlichen Bestimmungen, als sie über das Monopol zur Nutzung öffentlicher Verkehrswege verfügen. Einige Aspekte der Vergabe von Wegerechten sind zwar in §§ 46 ff. EnWG geregelt. Diese Vorschriften standen aber jedenfalls in ihrer vor dem 3. Februar 2017 geltenden Fassung einer Anwendung des Kartellrechts nicht entgegen.[2] Dementsprechend wird das Verfahren zur (erneuten) Vergabe einer Konzession maßgeblich durch kartellrechtliche Vorgaben geprägt.

II. Marktbeherrschende Stellung

Anders als bei Kommunen und Netzbetreibern, die aufgrund der ihnen zustehenden Wegerechte, einer Konzession zur Nutzung dieser Rechte oder zumindest aufgrund ihrer faktischen Stellung in der Regel leicht als Monopolisten identifizierbar sind, kann die Frage, ob ein Lieferant von Elektrizität oder Gas marktbeherrschend ist, im Einzelfall Schwierigkeiten bereiten. Gewisse Erleichterung bieten einige allgemeine kartellrechtliche Werkzeuge, die der Bundesgerichtshof auch im Bereich der Energieversorgung anwendet.

1. *Unternehmensbegriff*

Einem Ausweichen in gesellschaftsrechtliche Konstruktionen steht die Verbundklausel in § 36 Abs. 2 EnWG entgegen. Danach sind unternehmensrechtlich verbundene Rechtsträger als einheitliches Unternehmen anzusehen. Diese Vorschrift gilt über ihren Wortlaut hinaus nicht nur für die Fusionskontrolle, sondern für den gesamten Anwendungsbereich des Gesetzes gegen Wettbewerbsbeschränkungen.[3]

Daraus ergibt sich die bereits erwähnte Rechtsfolge, dass ein von einer Gemeinde beherrschter Netzbetreiber ebenfalls Normadressat ist, wenn es um eine missbräuchliche Ausnutzung des gemeindlichen Monopols hinsichtlich der Nutzung öffentlicher Wege geht.[4]

Auch in sonstigen Fällen der missbräuchlichen Preisgestaltung muss sich ein Lieferant nicht nur an eigenem Verhalten messen lassen, sondern auch an demjenigen eines mit ihm verbundenen Unternehmens. So kann eine unzulässige Preisdifferenzierung auch dann vorliegen, wenn die Preisgestaltung

[2] *BGH*, Urteil vom 17. Dezember 2013 – KZR 66/12, BGHZ 199, 289 Rdnr. 17 – Stromnetz Berkenthin.

[3] *BGH*, Urteil vom 23. Juni 2009 – KZR 21/08, WuW/E DE-R 2739 Rdnr. 15 – Entega I.

[4] *BGH*, Beschluss vom 6. November 2012 – KVR 54/11, WuW/E DE-R 3879 = RdE 2013, 224 Rdnr. 15 ff. – Gasversorgung Ahrensburg.

eines Lieferanten für sich gesehen keine unterschiedliche Behandlung einzelner Kunden oder Kundengruppen vorsieht, aber von der Preisgestaltung eines mit ihm verbundenen Unternehmens abweicht.[5]

2. *Marktabgrenzung*

Die Abgrenzung der jeweils relevanten Märkte hat nach den auch in anderen Bereichen üblichen Methoden zu erfolgen, insbesondere also unter Berücksichtigung des Bedarfsmarktkonzepts.

Ausgehend davon hat der Kartellsenat des Bundesgerichtshofs – in ausdrücklicher Abgrenzung von einer potentiell missverständlichen Entscheidung des VIII. Zivilsenats – klargestellt, dass es in sachlicher Hinsicht keinen einheitlichen Markt für Wärmeenergie gibt, sondern gesonderte Märkte für die einzelnen Energieträger, also Gas, Heizöl, Elektrizität, Kohle und Fernwärme.[6]

Die räumliche Marktabgrenzung hat sich grundsätzlich an den jeweils betroffenen Netzen zu orientieren. Als relevanter Markt ist grundsätzlich nur das Netz anzusehen, an das der jeweilige Nachfrager angeschlossen ist. Dass der Versorger zugleich in anderen Gebieten tätig ist, ändert daran in der Regel nichts.[7]

3. *Marktbeherrschung*

Für die Frage, ob ein Lieferant innerhalb eines Marktes eine beherrschende Stellung hat, sind Besonderheiten des Energiewirtschaftsrechts häufig von ausschlaggebender Bedeutung. So hat der Bundesgerichtshof entschieden, dass ein früheres Versorgungsmonopol eines Anbieters jedenfalls dann auf eine fortbestehende Marktbeherrschung schließen lässt, wenn die deutliche Mehrheit der Verbraucher weiterhin von diesem bezieht.[8] Im konkreten Fall hielt der Bundesgerichtshof einen verbliebenen Kundenanteil von 70 % für ausreichend, um eine marktbeherrschende Stellung zu bejahen.

[5] *BGH*, Urteil vom 23. Juni 2009 – KZR 21/08, WuW/E DE-R 2739 Rdnr. 16 – Entega I.

[6] *BGH*, Urteil vom 29. April 2008 – KZR 2/07, BGHZ 176, 244 Rdnr. 12 – Erdgassondervertrag.

[7] *BGH*, Urteil vom 7. Dezember 2010 – KZR 5/10, WuW/E DE-R 3145 = RdE 2011, 183 Rdnr. 14 – Entega II.

[8] *BGH*, Urteil vom 7. Dezember 2010 – KZR 5/10, WuW/E DE-R 3145 = RdE 2011, 183 Rdnr. 15 – Entega II.

III. Diskriminierung

Einen vergleichsweise einfach zu beurteilenden Missbrauchstatbestand bildet das in § 19 Abs. 2 Nr. 3 GWB normierte Verbot, von gleichartigen Abnehmern ohne sachliche Rechtfertigung ungünstigere Preise oder sonstige Konditionen zu fordern als auf vergleichbaren Märkten.

1. Vergleichbarkeit von Märkten

Die danach maßgeblichen Kriterien der Vergleichbarkeit der Märkte und der Gleichartigkeit der Abnehmer dienen nach der ständigen Rechtsprechung des Bundesgerichtshofs nur einer groben Sichtung der als Vergleichsobjekt in Betracht kommenden Märkte.

Vergleichbarkeit ist deshalb schon dann anzunehmen, wenn zwischen zwei Märkten auf erste Sicht keine signifikanten Unterschiede bestehen, die eine deutlich unterschiedliche Beurteilung der Preisgestaltung rechtfertigen. Einzelne Unterschiede in der Marktstruktur sind in diesem Zusammenhang grundsätzlich unerheblich. Ihnen kommt nur für die Prüfung der sachlichen Rechtfertigung Bedeutung zu. Bei der Gasversorgung kann die Vergleichbarkeit von zwei Märkten deshalb in der Regel nicht schon im Hinblick auf unterschiedlich hohe Vertriebskosten verneint werden.[9]

2. Sachliche Rechtfertigung

Bei der Prüfung, ob eine unterschiedliche Behandlung sachlich gerechtfertigt ist, sind demgegenüber alle Besonderheiten der betroffenen Märkte zu berücksichtigen.

Besondere Bedeutung kommt hierbei der Frage zu, ob der Anbieter auch auf dem Vergleichsmarkt eine beherrschende Stellung einnimmt. Sofern dies nicht der Fall ist, können niedrigere Preise als in dem beherrschten Markt für einen Übergangszeitraum sachlich gerechtfertigt sein, wenn ein erfolgversprechender Zutritt zu dem Vergleichsmarkt anders nicht möglich erscheint.[10] Wie lange dieser Übergangszeitraum zu bemessen ist, dürfte von den jeweiligen Marktgegebenheiten abhängen. Im konkreten Fall hat der Bundesgerichtshof eine Zeitspanne von drei Jahren als noch zulässig angesehen. Angesichts des eher zögerlichen Wechselverhaltens von Strom- und Gaskunden dürfte im Einzelfall auch ein längerer Zeitraum in Betracht kommen.

[9] *BGH*, Urteil vom 7. Dezember 2010 – KZR 5/10, WuW/E DE-R 3145 = RdE 2011, 183 Rdnr. 17 ff. – Entega II.

[10] *BGH*, Urteil vom 7. Dezember 2010 – KZR 5/10, WuW/E DE-R 3145 = RdE 2011, 183 Rdnr. 26 ff. – Entega II.

Aus den besonderen Schwierigkeiten des Übergangs von einem Monopol zu einem Wettbewerbsmarkt kann sich auch in anderem Zusammenhang eine sachliche Rechtfertigung für eine Differenzierung ergeben. So hat es der Bundesgerichtshof als zulässig angesehen, dass ein Lieferant in einem von ihm beherrschten Gebiet unterschiedliche Preise anbietet, etwa unter einer Zweitmarke. Der Lieferant darf das günstigere Angebot aber nicht ohne sachlich gerechtfertigten Grund auf einzelne von mehreren vergleichbaren Versorgungsgebieten beschränken.[11]

IV. Preismissbrauch

Die Frage, ob die Preisgestaltung auf einer missbräuchlichen Ausnutzung der marktbeherrschenden Stellung beruht, ist in der Regel äußerst schwer zu beurteilen. Zu einer leichter fassbaren Sonderkonstellation gehören Fälle, in denen der Marktbeherrscher seine Preise unter Verstoß gegen gesetzliche Vorschriften bildet. Dies kommt vor allem bei der Ausgestaltung von Konzessionsabgaben in Betracht.

Nach der Rechtsprechung des Bundesgerichtshofs missbraucht eine Gemeinde ihre Marktmacht, wenn sie Konzessionsabgaben in einer rechtlich nicht zulässigen Höhe verlangt. Dieses Verbot gilt aufgrund der bereits erwähnten Verbundklausel in § 36 Abs. 2 GWB auch für einen von der Gemeinde beherrschten Netzbetreiber, der auf dem betroffenen Markt selbst als Lieferant tätig ist.[12] Ein solcher Netzbetreiber darf gemäß § 2 Abs. 6 KAV auch dann nur die niedrigere Konzessionsabgabe für die Belieferung von Sonderkunden mit Gas in Rechnung stellen, wenn er selbst nur Tarifkunden beliefert.[13]

Die aufgezeigten Grundsätze gelten auch für die Betreiber von Stromnetzen. Der Ansatz der höheren Konzessionsabgabe für die Belieferung von Tarifkunden ist dort aber nach § 2 Abs. 7 KAV zulässig, sofern die gemessene Leistung nicht mehr als 30 Kilowatt und der Jahresverbrauch nicht mehr als 30.000 Kilowattstunden betragen.

V. Konzessionsvergabe

Besonders stark durch kartellrechtliche Vorgaben geprägt ist die (erneute) Vergabe von Rechten zur Nutzung öffentlicher Wege.

[11] *BGH*, Urteil vom 7. Dezember 2010 – KZR 5/10, WuW/E DE-R 3145 = RdE 2011, 183 Rdnr. 57 ff. – Entega II.

[12] *BGH*, Beschluss vom 6. November 2012 – KVR 54/11, WuW/E DE-R 3879 = RdE 2013, 224 Rdnr. 36 ff. – Gasversorgung Ahrensburg.

[13] *BGH*, Beschluss vom 6. November 2012 – KVR 54/11, WuW/E DE-R 3879 = RdE 2013, 224 Rdnr. 22 ff. – Gasversorgung Ahrensburg.

1. Anwendbarkeit des Kartellrechts

§ 46 EnWG sieht schon seit längerem einen Anspruch auf diskriminierungsfreie Überlassung und eine maximale Vertragslaufzeit von zwanzig Jahren vor. Diese eher punktuelle Regelung steht einer Anwendung der §§ 19 und 20 GWB nicht entgegen. Bei der Vergabe einer Konzession unterliegt die Gemeinde deshalb dem kartellrechtlichen Diskriminierungs- und Behinderungsverbot.[14] Von besonderer Bedeutung ist dies insbesondere deshalb, weil während der Laufzeit eines Konzessionsvertrags eine Wegenutzung durch andere Netzbetreiber weitgehend ausgeschlossen ist, der Wettbewerb um das Netz sich also auf die erneute Vergabe der Konzession nach Beendigung eines Vertrags konzentriert.

Der Bundesgerichtshof hat aus §§ 19 und 20 GWB und aus den Bestimmungen des Energiewirtschaftsgesetzes inhaltliche und formelle Anforderungen an die Vergabeentscheidung abgeleitet. Der Gesetzgeber hat die Materie mit Wirkung vom 3. Februar 2017 in § 46 Abs. 4 Satz 2 bis 4 und Abs. 5 Satz 1, in § 46a Satz 3 und in § 47 EnWG teilweise neu geregelt. Die neuen Vorschriften haben nicht zu einer grundlegenden Änderung des Regelungskonzepts geführt, sondern die Rechtsprechung in weiten Teilen kodifiziert und durch zusätzliche Detailregelungen ergänzt. Eine Anwendung von §§ 19 und 20 GWB neben diesen Vorschriften dürfte weiterhin zulässig sein.

2. Anwendbarkeit der §§ 97 ff. GWB

Nicht einschlägig sind nach Auffassung des Gesetzgebers die Richtlinie 2014/23/EU über die Vergabe von Konzessionen – die möglicherweise weitergehende Anforderungen statuiert[15] – und die auf dieser Grundlage erlassenen vergaberechtlichen Vorschriften in §§ 97 ff. und 148 ff. GWB.

Der Gesetzgeber stützt diese Einschätzung auf Erwägungsgrund 16 der Richtlinie, wonach Vereinbarungen über die Gewährung von Wegerechten an öffentlichen Liegenschaften nicht als Konzessionen im Sinne der Richtlinie gelten sollten, sofern sie weder eine Lieferverpflichtung auferlegen, noch den Erwerb von Dienstleistungen durch den öffentlichen Auftraggeber oder den Auftraggeber für sich selbst oder für Endnutzer vorsehen.[16]

In der Literatur wird demgegenüber die Auffassung vertreten, übliche Konzessionsverträge würden von dieser Ausnahme nicht erfasst, weil die darin vorgesehene Pflicht des Nutzungsberechtigten zu Betrieb und War-

[14] BGH, Urteile vom 17. Dezember 2013 – KZR 66/12, BGHZ 199, 289 Rdnr. 17 – Stromnetz Berkenthin; KZR 65/12, WuW/E DE-R 4139–4153 = RdE 2014, 191 Rdnr. 16 – Stromnetz Heiligenhafen.

[15] Zu möglichen Abweichungen *Kupfer*, NVwZ 2017, 428 (433).

[16] Bundestags-Drucksachen 18/6281, S. 76 und 18/8184, S. 10.

tung des Netzes eine Dienstleistung für die Gemeinde betreffe, so dass die in Erwägungsgrund 16 normierte Gegenausnahme greife.[17]

Welche dieser Auffassungen zutrifft, dürfte vor allem von der Beantwortung der Fragen abhängen, ob die Übernahme einer vertraglichen Pflicht zur Erfüllung einer im öffentlichen Interesse liegenden Aufgabe als „Erwerb einer Dienstleistung" im Sinne von Erwägungsgrund 16 der Richtlinie zu qualifizieren ist und ob dies gegebenenfalls auch dann gilt, wenn sich eine vergleichbare Verpflichtung schon aus dem Gesetz ergibt. Ob und mit welchem Ergebnis diese Fragen Gegenstand einer gerichtlichen Entscheidung werden, bleibt abzuwarten.

Sollte sich die Regelung in §§ 46 ff. GWB danach als unionsrechtswidrig erweisen, dürfte es mit der Zielsetzung des Gesetzgebers kaum vereinbar sein, die §§ 97 ff. GWB in ihrer Gänze auf Konzessionsvergabeverfahren anzuwenden. In Frage kommt eher eine entsprechende (richtlinienkonforme) Anwendung einzelner Vorschriften, soweit dies zur Einhaltung der Richtlinie erforderlich ist.

3. *Pflichten der Gemeinde*

Nach § 46 Abs. 3 EnWG hat die Gemeinde das bevorstehende Ende eines Konzessionsvertrags mindestens zwei Jahre im Voraus öffentlich bekannt zu machen. Sie hat ferner Daten über die technische und wirtschaftliche Situation des Netzes zur Verfügung zu stellen, die für eine Bewertung des Netzes im Rahmen der Bewerbung erforderlich sind. Damit sie dieser Pflicht nachkommen kann, steht ihr nach § 46a EnWG ein entsprechender Auskunftsanspruch gegen den bisherigen Nutzungsberechtigten zu. Die Gemeinde darf diese Daten nur an Bieter weitergeben, nicht hingegen an die Öffentlichkeit.[18]

Interessenten, die sich innerhalb einer in der Bekanntmachung festzusetzenden Frist (die mindestens drei Kalendermonate betragen muss) melden, muss die Gemeinde neben den bereits erwähnten Daten zur Netzsituation auch die Auswahlkriterien für die Neuvergabe und deren Gewichtung mitteilen. Diese nunmehr in § 46 Abs. 4 Satz 4 EnWG ausdrücklich statuierte Pflicht hat der Bundesgerichtshof ursprünglich aus dem kartellrechtlichen Diskriminierungsverbot abgeleitet.[19]

Inhaltlich ist die Vergabeentscheidung gemäß § 46 Abs. 4 Satz 1 EnWG an den Zielen des § 1 Abs. 1 EnWG auszurichten. Darin liegt eine Konkretisie-

[17] *Weiß*, NVwZ 2014, 1415 (1419); *Tugendreich*, ZfBR 2014, 547 (552); *Hofmann/Zimmermann*, NZBau 2016, 71 (74); *Kupfer* (o. Fn 15).

[18] BGH, Urteil vom 14. April 2015 – EnZR 11/14, RdE 2015, 350 Rdnr. 28 – Gasnetz Springe.

[19] BGH, Urteile vom 17. Dezember 2013 – KZR 65/12, WuW/E DE-R 4139–4153 = RdE 2014, 191 Rdnr. 44 ff. – Stromnetz Heiligenhafen; KZR 66/12, BGHZ 199, 289 Rdnr. 35 – Stromnetz Berkenthin.

rung des kartellrechtlichen Diskriminierungsverbots, das den Normadressaten verpflichtet, seine Auswahlentscheidung allein nach sachlichen Kriterien zu treffen.[20]

Nach § 46 Abs. 4 Satz 2 EnWG darf die Gemeinde bei der Auswahl der Kriterien unter Wahrung netzwirtschaftlicher Anforderungen auch Angelegenheiten der örtlichen Gemeinschaft berücksichtigen. Bei der Gewichtung der Kriterien darf sie gemäß § 46 Abs. 4 Satz 3 EnWG ferner den Anforderungen des jeweiligen Netzgebiets Rechnung tragen. Danach ist es – wie schon nach früherem Recht[21] – grundsätzlich nicht zu beanstanden, wenn die Gemeinde ein Angebot besser bewertet, das es ihr erlaubt, auch nach der Konzessionsvergabe ein legitimes Interesse an der Ausgestaltung des Netzbetriebs zu verfolgen. Dazu zählen etwa Einflussmöglichkeiten, um die Effizienz, Sicherheit und Preisgünstigkeit des Netzbetriebs im Sinne der Gemeinde zu verbessern oder ihre Planungshoheit im Zusammenhang mit Erweiterungen oder Modernisierungen des Netzes abzusichern. Im Hinblick auf § 46 Abs. 6 EnWG, wonach die Vergabevorschriften für Eigenbetriebe der Gemeinden entsprechende Anwendung finden, ist es hingegen unzulässig, einen Bieter allein deshalb zu bevorzugen, weil die Gemeinde an ihm gesellschaftsrechtlich beteiligt ist.[22]

4. *Folgen eines Verstoßes*

Ein Verstoß gegen die in § 46 EnWG normierten Anforderungen führt grundsätzlich zur Nichtigkeit des Konzessionsvertrags.[23] Dies gereicht nicht nur dem unterlegenen Bewerber zum Vorteil, sondern auch dem bisherigen Nutzungsberechtigten. Diesem gegenüber kann ein Anspruch auf Übertragung oder Nutzungsüberlassung des Netzes aus § 46 Abs. 2 EnWG nur dann geltend gemacht werden, wenn mit dem neuen Nutzungsberechtigten ein wirksamer Vertrag zustande gekommen ist.[24]

Der Gesetzgeber hat diese gravierende Rechtsfolge durch weitgehende Rügeobliegenheiten der unterlegenen Bewerber abgemildert.

[20] BGH, Urteile vom 17. Dezember 2013 – KZR 66/12, BGHZ 199, 289 Rdnr. 36 ff. – Stromnetz Berkenthin; KZR 65/12, WuW/E DE-R 4139–4153 = RdE 2014, 191 Rdnr. 49 – Stromnetz Heiligenhafen.

[21] BGH, Urteil vom 17. Dezember 2013 – KZR 66/12, BGHZ 199, 289 Rdnr. 52 – Stromnetz Berkenthin.

[22] BGH, Urteil vom 17. Dezember 2013 – KZR 66/12, BGHZ 199, 289 Rdnr. 53 – Stromnetz Berkenthin

[23] BGH, Urteile vom 17. Dezember 2013 – KZR 66/12, BGHZ 199, 289 Rdnr. 103 ff. – Stromnetz Berkenthin; KZR 65/12, WuW/E DE-R 4139–4153 = RdE 2014, 191 Rdnr. 69 – Stromnetz Heiligenhafen.

[24] BGH, Urteil vom 17. Dezember 2013 – KZR 66/12, BGHZ 199, 289 Rdnr. 117 – Stromnetz Berkenthin.

Um eine solche Rüge zu ermöglichen, muss die Gemeinde den unterlegenen Bietern gemäß § 46 Abs. 5 Satz 1 EnWG rechtzeitig vor der Vergabe die Gründe für die vorgesehene Ablehnung ihres Angebots und den frühesten Zeitpunkt des beabsichtigten Vertragsschlusses mit dem ausgewählten Bieter mitteilen. Zwischen dieser Mitteilung und dem Vertragsschluss müssen, wie sich aus § 47 Abs. 6 EnWG ergibt, mindestens dreißig Kalendertage liegen.

Nach § 47 Abs. 1 EnWG kann ein Bieter eine Rechtsverletzung nur geltend machen, wenn er sie rechtzeitig gerügt hat. Die Länge der Frist hängt davon ab, in welchem Verfahrensstadium der Fehler zutage tritt.

Fehler, die bereits aus der Bekanntmachung gemäß § 46 Abs. 3 EnWG erkennbar sind, müssen nach § 47 Abs. 2 Satz 1 EnWG innerhalb der Frist gerügt werden, die die Gemeinde potentiellen Bietern gesetzt hat, um ihr Interesse an einer Teilnahme am Vergabeverfahren mitzuteilen. Für Fehler, die aus der Mitteilung der Vergabekriterien und deren Gewichtung hervorgehen, gilt gemäß § 47 Abs. 2 Satz 2 EnWG eine Frist von fünfzehn Kalendertagen. Für Fehler, die aus der Mitteilung über die beabsichtigte Vergabe ersichtlich sind, beträgt die Frist gemäß § 47 Abs. 2 Satz 3 EnWG dreißig Kalendertage; wenn der abgelehnte Bewerber innerhalb von einer Woche nach Zugang der Mitteilung Akteneinsicht beantragt, beginnt diese Frist gemäß § 47 Abs. 2 Satz 4 EnWG erneut zu laufen, sobald die Gemeinde die Akten zur Einsicht bereitgestellt hat.

Wenn die Gemeinde einer Rüge nicht abhilft, bleiben dem Bewerber gemäß § 47 Abs. 5 Satz 1 EnWG fünfzehn Kalendertage Zeit, um die Rechtsverletzung gerichtlich geltend zu machen. Dies hat vor den ordentlichen Gerichten zu geschehen, und zwar gemäß § 47 Abs. 5 Satz 2 und 3 EnWG durch Antrag auf Erlass einer einstweiligen Verfügung, wobei ein Verfügungsgrund nicht glaubhaft gemacht werden muss.

VI. Fazit

Je weiter die Regelungsdichte des Energiewirtschaftsrechts zunimmt, umso geringer wird die Bedeutung des kartellrechtlichen Missbrauchsverbots im Energiesektor. Wie die aufgezeigten Beispiele zeigen, darf die Bedeutung des Kartellrechts für diesen Bereich dennoch nicht unterschätzt werden. Daran wird sich in absehbarer Zeit wohl wenig ändern. Insbesondere Rechtsfragen im Zusammenhang mit der Neuvergabe von Konzessionen dürften die Gerichte noch geraume Zeit beschäftigen. *Ulrich Büdenbender* wird diese Entwicklung sicher auch weiterhin mit großer Aufmerksamkeit verfolgen.

Das wettbewerbsrechtliche Verbot von Marktmachtmissbräuchen unter Geltung des Strommarktes 2.0

Jochen Mohr*

I. Einleitung

Bereits in seiner Habilitationsschrift „Die Kartellaufsicht über die Energiewirtschaft" aus dem Jahr 1995 befasste sich *Ulrich Büdenbender* mit „Preisen und Geschäftsbedingungen als Gegenstand kartellbehördlicher und preisaufsichtsbehördlicher Kontrolle".[1] Vor diesem Hintergrund lag es nahe, in einem Beitrag zu seinen Ehren das wettbewerbsrechtliche Verbot von Marktmachtmissbräuchen in der Energiewirtschaft zu beleuchten, wie es sich nach der Neuregelung des Strommarktes im Jahr 2016 darstellt. In einem ersten Schritt ist auf übergreifende Grundsätze der Preisbildung im Energiesektor einzugehen, wie sie sich im neujustierten Strommarkt 2.0 darstellen. Der Schwerpunkt liegt auf den Börsenpreisen als Referenzwerten auch für die außerbörsliche Preisbildung (II.). Im Anschluss werden die dogmatischen Grundlagen eines Verbots von Marktmachtmissbräuchen in der Energiewirtschaft erörtert, wobei der Schwerpunkt auf der sektorspezifischen Regelung des § 29 GWB liegt (III.). Danach sind Gemeinsamkeiten und Unterschiede zwischen dem wettbewerbsrechtlichen Verbot von Marktmachtmissbräuchen und dem kapitalmarktrechtlich inspirierten Verbot von Marktmanipulationen gem. Art. 5 REMIT-VO (EU) Nr. 1227/2011 aufzuzeigen (IV.). Schließlich ist auf die Diskussion über einen Missbrauch von Marktmacht durch Zurückhaltung von konventionellen Erzeugungskapazitäten auf dem

* Inhaber des Lehrstuhls für Bürgerliches Recht, Wettbewerbsrecht, Energierecht, Regulierungsrecht und Arbeitsrecht an der Universität Leipzig. Der Beitrag befindet sich auf dem Stand 15. April 2018. Er gibt ausschließlich die persönliche und zudem vorläufige wissenschaftliche Ansicht des Verfassers wieder.

[1] *Büdenbender*, Die Kartellaufsicht in der Energiewirtschaft, 1995, S. 114 ff.; auch *ders.*, Kartellrechtliche Kontrolle der Netznutzungsentgelte nach dem Vergleichsmarktprinzip, 2004; *ders.*, Das kartellrechtliche Preismissbrauchsverbot in der aktuellen höchstrichterlichen Rechtsprechung, ZWeR 2006, S. 233; *ders.*, Die kartellrechtliche Kontrolle der Fernwärmepreise, 2011; zur Abgrenzung von § 315 BGB *Büdenbender*, Die Bedeutung der Preismissbrauchskontrolle nach § 315 BGB in der Energiewirtschaft, NJW 2007, S. 2945 (2946).

vom *Bundeskartellamt (BKartA)* abgegrenzten Erstabsatzmarkt für konventionell erzeugten Strom einzugehen. Dabei steht das praktisch bedeutsame public enforcement im Vordergrund (V.). Den Beitrag beschließt ein kurzes Fazit (VI).

II. Preisbildung auf den Energiemärkten

1. Strommarkt 2.0 versus eigenständiger Kapazitätsmarkt

Der Gesetzgeber hat den deutschen Strommarkt durch das Gesetz zur Weiterentwicklung des Strommarktes aus dem Juli 2016 neu ausgestaltet.[2] Nach Ansicht des *Bundesministeriums für Wirtschaft und Energie (BMWi)* handelt es sich um „die größte Reform seit der Liberalisierung der Energiemärkte in den neunziger Jahren" des letzten Jahrhunderts.[3] Die wohl zentrale Aussage des Gesetzes ist, dass es in Deutschland bis auf Weiteres keinen eigenständigen Markt für das Vorhalten von Leistung, also einen eigenständigen Kapazitätsmarkt geben wird.[4] Vielmehr sollen wettbewerblich gebildete Preise am bestehenden „Energy-only-Market" (missverständlich auch als „Arbeitsmarkt" bezeichnet) hinreichende Investitionssignale senden, soweit es zu Situationen von Knappheit kommt.[5] Im Gegensatz zu Arbeitsmärkten, auf denen erzeugte Elektrizität gehandelt wird, ergänzen oder ersetzen Kapazitätsmärkte (synonym: Leistungsmärkte) die Investitionssteuerung durch den Strompreis, um so die vorgehaltene Kapazitätsmenge passgenauer vorgeben zu können.[6] Die damit adressierte Unterscheidung zwischen Arbeits- und Kapazitätsmärkten bedeutet nicht, dass Erstere keine Leistungskomponenten enthalten. Denn auch auf Arbeitsmärkten müssen Energieversorgungsunternehmen die notwendigen Kapazitäten bereithalten, soweit der Strom tatsächlich geliefert werden soll, sei es durch eigene Erzeugung oder dessen Erwerb von Dritten (sog. Make-or-Buy-Entscheidungen).[7] Insbesondere der kurzfristige Stromhandel an der *EPEX Spot* ist auf eine tatsächliche Lieferung

[2] BGBl. I v. 29.7.2016, Nr. 37, S. 1786ff.; siehe auch *Mohr*, in: Säcker (Hrsg.), Berliner Kommentar zum Energierecht, Band 1, 4. Aufl. 2018, § 29 GWB Rdnr. 2d ff.

[3] *BMWi*, Strommarkt 2.0, Ein Strommarkt für die Energiewende, abrufbar unter http://www.bmwi.de/Redaktion/DE/Dossier/strommarkt-der-zukunft.html (zuletzt abgerufen am 1.4.2018).

[4] BT-Drucks. 18/7371 v. 20.1.2016, S. 75.

[5] *BNetzA/BKartA*, Monitoringbericht 2016, S. 389 f.; *BNetzA/BKartA*, Monitoringbericht 2017, S. 443; ausführlich *Monopolkommission*, Sondergutachten Energie 2017: Gezielt vorgehen, Stückwerk vermeiden, 2017, Rdnr. 62 ff.

[6] *Monopolkommission*, (o. Fn. 5), Rdnr. 44.

[7] *Mundt*, Marktmacht auf Kapazitätsmärkten, e/m/w Sonderdruck 5/2014, S. 4.

von Elektrizität ausgerichtet.[8] Dieser sog. Spothandel zielt auf ein kurzfristiges Gleichgewicht zwischen Erzeugung und Verbrauch ab. Er wird deshalb anders als der Terminmarkt physikalisch durch eine tatsächliche Lieferung in die Übertragungsnetze erfüllt.[9] Derzeit nutzen Anbieter und Nachfrager von Strom einerseits den Day-Ahead-Markt, der im Rahmen einer täglichen Auktion den Preis für jede Stunde des Folgetages bestimmt, und andererseits den Intraday-Markt, der rund um die Uhr kontinuierliche Gebote auf ihre Ausführbarkeit überprüft.[10]

Bei näherer Betrachtung basiert die Entscheidung für einen Strommarkt 2.0 und gegen einen eigenständigen Kapazitätsmarkt auf drei zentralen Annahmen:[11] Erstens gewährleistet für den Gesetzgeber bereits ein weiterentwickelter Strommarkt die sichere Versorgung der Menschen mit leitungsgebundener Elektrizität i.S.v. § 1 Abs. 1 EnWG, weil sich die benötigten Kapazitäten über die Marktmechanismen in ausreichendem Maße refinanzieren könnten. Zweitens begrenze ein weiterentwickelter Strommarkt die Kostenrisiken, da er die benötigten Kapazitäten und die für die Markt- und Systemintegration von EEG-Strom erforderlichen Lösungen kostengünstiger bereitstellen könne als ein Kapazitätsmarkt. Drittens setzten in einem Strommarkt 2.0 bereits die Marktpreissignale zureichende Anreize für innovative und nachhaltige Lösungen. Kapazitätsmärkte könnten demgegenüber die Marktpreissignale verzerren und den Wettbewerb der Flexibilitätsoptionen einschränken. Die normative Wertentscheidung für einen Strommarkt 2.0 kommt prägnant in § 1 Abs. 4 EnWG zum Ausdruck.[12] Um den Zweck des § 1 Abs. 1 Nr. 1 und 2 EnWG auf dem Gebiet der leitungsgebundenen Versorgung der Allgemeinheit mit Elektrizität zu erreichen, verfolgt das Energiewirtschaftsgesetz hiernach insbesondere die Ziele, die freie Preisbildung für Elektrizität durch wettbewerbliche Marktmechanismen zu stärken und den Ausgleich von Angebot und Nachfrage nach Elektrizität an den Strommärkten jederzeit zu ermöglichen.

Gegen die staatliche Initiierung eines eigenständigen Kapazitätsmarktes bringt das *BKartA* ergänzend vor, dass auf Kapazitätsmärkten erhebliche Potentiale für einen Missbrauch von Marktmacht bestünden.[13] Dies basiert

[8] *EPEX Spot*, Stellungnahme im Rahmen der Konsultation zur Erstellung eines Leitfadens für die kartellrechtliche Missbrauchsaufsicht in der Stromerzeugung, Paris, 31. Mai 2016, S. 2.

[9] *EPEX Spot* (o. Fn. 8), S. 2.

[10] So die Darstellung der *EPEX Spot* (o. Fn. 8), S. 2.

[11] BT-Drucks. 18/7371 v. 20.1.2016, S. 56.

[12] BT-Drucks. 18/7371 v. 20.1.2016, S. 75.

[13] *BKartA*, Stellungnahme zum Diskussionspapier des Bundesministeriums für Wirtschaft und Energie (Grünbuch) „Ein Strommarkt für die Energiewende", S. 8, abrufbar unter http://www.bundeskartellamt.de/SharedDocs/Publikation/DE/Stellungnahmen/Stellungnahme-Gr%C3%BCnbuch_BMWi_Strommarkt.pdf?__blob=publicationFile&v=2 (zuletzt abgerufen am 1.4.2018).

insbesondere auf der – insoweit plausiblen – Annahme, dass Kapazitätsmärkte regelmäßig deutlich enger seien als Arbeitsmärkte, weil erneuerbare Energien bislang nur in sehr eingeschränktem Umfang sichere Leistung bereitstellen könnten. Zwar sind erneuerbare Energien – worauf noch näher einzugehen ist – nach Ansicht des *BKartA* nicht Teil des Erstabsatzmarktes für Strom, der im Wesentlichen dem Stromarbeitsmarkt entsprechen soll. Sie übten aber dennoch einen relevanten Wettbewerbsdruck auf diesen Markt aus und beschränkten somit den Verhaltensspielraum der Marktteilnehmer. Auf einem Kapazitätsmarkt würde ein Wettbewerbsdruck durch erneuerbare Energien demgegenüber allenfalls in sehr beschränktem Maße bestehen. Ein Kapazitätsmarkt ist nach dem *BKartA* wohl auch deshalb enger als ein Arbeitsmarkt, weil die Teilnahme ausländischer Kraftwerke schwierig sei; denn Gebote ausländischer Erzeuger seien hier nur dann möglich, wenn gleichzeitig sichere Übertragungskapazität nach Deutschland zur Verfügung stehe. Sofern man in der bestehenden Übergangsphase bis zur vollständigen Markt- und Systemintegration der erneuerbaren Energien die Versorgungssicherheit zusätzlich absichern wolle, ist nach dem *BKartA* deshalb eine Kapazitätsreserve innerhalb des Energy-only-Markets ausreichend.[14] Insbesondere sei eine solche Reserve je nach konkreter Ausgestaltung weniger anfällig für den Missbrauch von Marktmacht.[15] Im Interesse der Funktionsfähigkeit des Strommarktes 2.0 wies das Amt allerdings schon früh darauf hin, dass die Kapazitätsreserve die freie Preisbildung am Strommarkt nicht verfälschen dürfe. Dies bedeute insbesondere, dass Reservekraftwerke nicht am Strommarkt eingesetzt werden dürften und die Kapazitätsreserve auch nur dann eingesetzt werde, wenn es am Strommarkt zu keinem Ausgleich von Angebot und Nachfrage komme.[16] In Übernahme und Fortführung dieser Überlegungen hat der Gesetzgeber im Rahmen des Strommarktgesetzes mit der Braunkohle-Sicherheitsbereitschaft gem. § 13g EnWG[17] und der Kapazitätsreserve gem. den §§ 13e, 13h EnWG ergänzende Regelungen zur Sicherung der Versorgung geschaffen.[18] Vor allem die Kapazitätsreserve soll einen Kapa-

[14] *BKartA* (o. Fn. 13), S. 7.

[15] *Hartog/Judith*, Marktmachtpotentiale auf dezentralen Leistungsmärkten, EnWZ 2015, S. 159 (163).

[16] *BKartA* (o. Fn. 13), S. 7; siehe auch schon *BMWi*, Ein Strommarkt für die Energiewende, Grünbuch, S. 52, abrufbar unter https://www.bmwi.de/Redaktion/DE/Downloads/G/gruenbuch-gesamt.pdf?__blob=publicationFile&v=1 (zuletzt abgerufen am 1.4.2018).

[17] Mit *Stelter/Ipsen*, Das Gesetz zur Weiterentwicklung des Strommarktes (Strommarktgesetz), EnWZ 2016, S. 483 (486), wird man das primäre Ziel der Sicherheitsbereitschaft in der Verminderung von CO_2-Emissionen sehen müssen; siehe auch BT-Drucks. 18/7317, S. 55.

[18] Die Kommission hatte zur KapResV gem. Art. 108 Abs. 2 AEUV ein Beihilfeverfahren eröffnet, vgl. *Kommission*, Staatliche Beihilfe SA.45852 (2017/N) – Deutschland Kapazitätsreserve C(2017) 2224 final, Brüssel 7.4.2017. Im Jahr 2018 wurde die Kapazitätsreserve mit Blick auf die von Deutschland gemachten Zusagen genehmigt, vgl. *Kommission*, Staat-

zitätsmarkt in der Übergangsphase des Strommarktes bis Mitte der 2020er Jahre überflüssig machen.[19] Nach § 13e Abs. 4 S. 1 EnWG dürfen Leistungen der Kapazitätsreserve lediglich außerhalb des Strommarktes vorgehalten und nur auf Anforderung der Übertragungsnetzbetreiber in das Stromnetz eingespeist werden, um die Funktionsweise des Strommarktes nicht zu behindern.[20] Gleichwohl befürchtet nicht nur die *Monopolkommission*, dass es zu nachteiligen Auswirkungen auf Wettbewerb und Handel komme.[21] So könne schon die Erwartung der sich in einer Engpasssituation am Spotmarkt einstellenden Marktpreise die Deckungsbeiträge von Kraftwerken beeinflussen. Werde eine Reserve bei Erreichen eines bestimmten Preises ausgelöst, könne dieser Preis im Stromgroßhandel wie eine Obergrenze für den Marktpreis wirken. Die *Monopolkommission* erachtet insbesondere die technischen Limits als zu niedrig, die den Eingriff der Reserve steuern (§ 25 Abs. 1 S. 1 Nr. 3 KapResV), da sie nicht am sog. Wert für Versorgungssicherheit (VoLL) und damit an der Höhe der maximalen Zahlungsbereitschaft für Strom am Markt ausgerichtet seien.[22] Diese Argumentation steht einer Kapazitätsreserve allerdings nicht grundsätzlich entgegen, sondern zielt vornehmlich auf ihre konkrete Ausgestaltung ab. Vor diesem Hintergrund hat die *EPEX Spot* darauf hingewiesen, dass die technischen Preisgrenzen am Strommarkt nur ein sog. „soft cap" darstellen, das je nach Bedarf angepasst werden könne.[23]

2. *Besonderheiten der Preisbildung im Stromsektor*

Die Preisbildung im Stromsektor ist durch produktspezifische Besonderheiten gekennzeichnet, die auch für die wettbewerbsrechtliche Missbrauchsaufsicht relevant sind.[24] Erstens ist Strom aus wirtschaftlichen Gründen noch immer praktisch nicht speicherbar,[25] weshalb reinen Handelsgeschäften eine geringere kompetitive Bedeutung zugemessen wird als in anderen Sektoren.[26]

liche Beihilfen: Kommission genehmigt sechs Kapazitätsmechanismen zur Gewährleistung der Stromversorgungssicherheit in Belgien, Deutschland, Frankreich, Griechenland, Italien und Polen – Factsheet, Brüssel, 7.2.2018, abrufbar unter https://ec.europa.eu/belgium/news/180207_electricite_de (zuletzt abgerufen am 1.4.2018).

[19] BT-Drucks. 18/7317 v. 20.1.2016, S. 96; siehe auch *Stelter/Ipsen* (o. Fn. 17), EnWZ 2016, S. 483 (486).

[20] BT-Drucks. 18/7317 v. 20.1.2016, S. 99.

[21] *Monopolkommission* (o. Fn. 5), Rdnr. 51, unter Hinweis auf das mittlerweile abgeschlossene Beihilfeverfahren der Kommission.

[22] *Monopolkommission* (o. Fn. 5), Rdnr. 51.

[23] *EPEX Spot* (o. Fn. 8), S. 7.

[24] *Becker/Blau*, Die Preismissbrauchsnovelle in der Praxis, 2010, Rdnr. 225.

[25] Siehe auch *Müsgens*, Ökonomische Besonderheiten des Energiemarktes, EnWZ 2017, S. 243.

[26] *Becker/Blau* (o. Fn. 24), Rdnr. 106.

So sei Händlern ein strategisches Herausnehmen von Elektrizität in sog. Off-peak-Zeiten und ein zusätzliches Anbieten in Peak-Zeiten kaum möglich.[27]

Zweitens muss die erzeugte Menge an Elektrizität in jedem Augenblick genauso groß sein wie die nachgefragte Menge, obwohl Letztere schwankt.[28] Weichen Einspeisungen oder Entnahmen von den entsprechenden Prognosen der Bilanzkreisverantwortlichen ab, bedarf es deshalb eines tatsächlichen Ausgleichs in Form der sog. Ausgleichsenergie. § 1a Abs. 2 EnWG hebt die zentrale Bedeutung des Bilanz- und Ausgleichsenergiesystems für den Strommarkt 2.0 hervor. § 13 Abs. 5 EnWG betont ergänzend, dass die Betreiber von Übertragungsnetzen auch in Situationen hoher Knappheit, in denen Netzbetreiber Zwangsmaßnahmen nach § 13 Abs. 2 EnWG vornehmen, Bilanzkreise abrechnen müssen, damit die Ausgleichsenergiepreise bei den Bilanzkreisverantwortlichen ankommen und diese zu einer genaueren Bewirtschaftung anreizen.[29]

Drittens erfolgt der Einsatz der Kraftwerke an der Strombörse nach den kurzfristigen variablen Grenzkosten, wobei die kostengünstigsten Kraftwerke zuerst zum Einsatz kommen.[30] Nach dem damit umschriebenen, allgemein anerkannten Konzept der Merit Order wird das Angebot von Strom auf einem idealtypischen Stromgroßhandelsmarkt schematisierend durch die der Höhe nach aufgereihten Grenzkosten der einzelnen Kraftwerke bzw. Kraftwerkstypen beschrieben.[31] Die Merit Order entscheidet somit über den Einsatz von Kraftwerken, aber auch über das Zustandekommen des Marktpreises für Elektrizität, der heute in der Regel der Börsenstrompreis ist.[32] Das Nachfrageverhalten spielt demgegenüber aufgrund der Inflexibilität der Verbraucher noch keine nennenswerte Rolle.[33] Da Elektrizität ein homogenes Gut ist, bestimmt sich der Börsenstrompreis auch nicht anhand der Kosten, die jedem einzelnen Anbieter für die Erzeugung des Stroms entstehen, sondern anhand eines Angebots-Gleichgewichtspreises, dem sog. Market Clearing Price.[34] Zur Deckung der Nachfrage werden zunächst die Kraftwerke mit den niedrigsten Grenzkosten eingesetzt, sodann die jeweils teureren Kraftwerke. Der Großhandelspreis wird auf diese Weise von den Grenz-

[27] *Becker/Blau* (o. Fn. 24), Rdnr. 106.

[28] *Müsgens* (o. Fn. 25), EnWZ 2017, S. 243; *Becker/Blau* (o. Fn. 24), Rdnr. 225.

[29] BT-Drucks. 18/7317, S. 54, krit. *Stelter/Ipsen* (o. Fn. 17), EnWZ 2016, S. 483 (484).

[30] *Ockenfels*, Strombörse und Marktmacht, et 5/2007, S. 44 (45); *Ockenfels/Grimm/Zoettl*, Strommarktdesign, 2008, S. 16 ff.

[31] *Mohr*, in: Säcker (Hrsg.), Berliner Kommentar zum Energierecht, Band 6, 4. Aufl. 2018, § 1 EEG Rdnr. 107.

[32] *Pritzsche/Vacha*, Energierecht, 2017, § 4 Rdnr. 166 ff.

[33] *BKartA*, Sektoruntersuchung Stromerzeugung/Stromgroßhandel, Abschlussbericht 2011, S. 20; *Monopolkommission*, Sondergutachten 59: Strom und Gas 2011: Wettbewerbsentwicklung mit Licht und Schatten, 2011, Rdnr. 538 ff.

[34] Dies entspricht auktionstheoretisch einer Uniform-Preisregel, vgl. *Mohr* (o. Fn. 31), § 1 EEG Rdnr. 107.

kosten des teuersten Kraftwerks bestimmt, das zur Deckung der Nachfrage noch erforderlich ist.[35] Dieses Grenzkraftwerk erwirtschaftet im ökonomischen Modell keinen Beitrag zur Deckung der Fixkosten.[36] Demgegenüber refinanzieren diejenigen produzierenden Kraftwerke auch Fixkosten, deren variable Kosten unterhalb des Clearingpreises liegen.[37] Die Merit Order stellt klassischer Weise auf die Grenzkosten ab, also auf die Kosten der Mengen änderung um eine marginale Einheit. Diese Grenzkosten sind wiederum weitgehend identisch mit den variablen Kosten der Kraftwerke.[38] Allerdings liegen in der Praxis regelmäßig keine strikt linearen Kostenverläufe vor.[39] Es erscheint deshalb erwägenswert, das Verhalten von Kraftwerksbetreibern durch inkrementelle Kosten zu beschreiben, die an die Kosten der Veränderung des Einsatzes einer Kapazitätsmenge anknüpfen und auch die Anfahrtskosten erfassen.[40]

3. *Investitionsförderung durch Spitzenlasttarifierung*

Wie gesehen, setzt der Strommarkt 2.0 als zentrale Funktionsbedingung voraus, dass die Preissignale auf dem Stromgroßhandelsmarkt nicht durch die Ausübung von Marktmacht verfälscht werden, sondern dass die Preise die zutreffenden Investitionssignale senden.[41] Vor diesem Hintergrund stellt § 1a Abs. 1 EnWG in Umsetzung der generellen Zielvorgabe des § 1 Abs. 4 Nr. 1 EnWG klar, dass sich der Preis für Elektrizität nach wettbewerblichen Grundsätzen frei am Markt bildet und die Höhe der Preise für Elektrizität am Großhandelsmarkt regulatorisch nicht beschränkt wird.[42] Die Sicherung eines wirksamen Wettbewerbs am Großhandelsmarkt stellt – was klarzustellen ist – keine derartige unzulässige Beschränkung dar, da sie erst die Funktionsvoraussetzungen für eine freie und unverfälschte Preisbildung sichert.[43] Folgerichtig schließt § 1a Abs. 1 EnWG die Kontrollkompetenz der Wettbewerbsbehörden nicht aus, was mit Blick auf das normhierarchisch überge-

[35] *Monopolkommission*, Sondergutachten 65, Energie 2013: Wettbewerb in Zeiten der Energiewende, 2013, Rdnr. 217; *Machate*, in: Bartsch/Röhling/Salje/Ulrich (Hrsg.), Stromwirtschaft, 2. Aufl. 2008, S. 449 f.

[36] *Monopolkommission* (o. Fn. 5), Rdnr. 55 mit Fn. 70.

[37] *Müsgens* (o. Fn. 25), EnWZ 2017, S. 243 (245).

[38] *Monopolkommission* (o. Fn. 5), Rdnr. 55; *Mohr*, (Fn. 2), § 29 GWB Rdnr. 179b.

[39] *Monopolkommission* (o. Fn. 5), Rdnr. 55.

[40] *Monopolkommission* (o. Fn. 5), Rdnr. 55 mit Fn. 70; näher *Monopolkommission* (o. Fn. 33), Rdnr. 491 ff.

[41] *BNetzA/BKartA*, Monitoringbericht 2016, S. 389 f.; *BNetzA/BKartA*, Monitoringbericht 2017, S. 443; ausführlich *Monopolkommission* (o. Fn. 5), Rdnr. 62 ff.

[42] BT-Drucks. 18/7317 v. 20.1.2016, S. 76.

[43] Zu den Funktionen des Wettbewerbs siehe *Mohr*, Sicherung der Vertragsfreiheit durch Wettbewerbs- und Regulierungsrecht, 2015, S. 220 ff.

ordnete Verbot von Marktmachtmissbräuchen gem. Art. 102 AEUV sowieso nicht möglich wäre.[44]

Die Systemkonformität einer Preiskontrolle anhand des Als-ob-Wettbewerbsmaßstabes ist nachfolgend nicht zu vertiefen. Bedeutsam ist vielmehr, dass ein Wettbewerbsgleichgewicht im Sinne der neoklassischen Wettbewerbstheorie,[45] bei dem sich ausschließlich Preise auf Höhe der Grenzkosten des letzten Grenzkraftwerks einstellen, hinsichtlich der bei maximaler Last preissetzenden Grenzkraftwerke keine Investitionen in Kraftwerkskapazität anreizt. Denn die Grenzkosten sind in der Praxis weitgehend mit den variablen Kosten der Stromproduktion gleichzusetzen.[46] Vielmehr erwirtschaften Betreiber von Grenzkraftwerken nur dann ihre Fixkosten und eine angemessene Verzinsung des eingesetzten Kapitals, wenn sie sog. Mark-ups im Sinne von Aufschlägen auf den Angebotspreis erzielen, die zu einem Börsenpreis über den Grenzkosten führen.[47] Auch für die anderen Kraftwerksbetreiber, deren variable Kosten unter dem Market-Clearing-Price liegen und die deshalb nach der Logik der Merit Order Deckungsbeiträge für ihre Fixkosten erwirtschaften, können die daraus zu erzielenden Margen im Einzelfall nicht auskömmlich sein, um alle Investitionskosten in Kraftwerkskapazität zu decken.[48] Auch Betreiber von Nicht-Spitzenlastkraftwerken können mit anderen Worten im jeweiligen Handelszeitraum darauf angewiesen sein, zur Refinanzierung ihrer Investitionskosten Mark-ups auf ihre Grenzkosten zu setzen. Mark-ups sind somit nicht per se ein Ausdruck wettbewerbswidriger Angebotspraktiken, sondern ganz im Gegenteil eine übliche Folge eines dynamisch wirksamen Wettbewerbs, der nicht nur Preise in Höhe der kurzfristigen Grenzkosten, sondern auch eine langfristig hinreichende Versorgung mit Elektrizität sichern soll.[49]

Die wettbewerbsrechtliche Problematik besteht nun darin, dass Mark-ups nicht nur ein Ausdruck einer wettbewerblichen Preisbildung bei Angebotsknappheit (sog. Typ-1-Mark-ups), sondern auch das Ergebnis eines Missbrauchs von Marktmacht sein können (sog. Typ-2-Mark-ups).[50] Wie man die beiden Mark-up-Typen unterscheidet, ohne die Bedingungen für einen auch langfristig wirksamen Wettbewerb über Gebühr zu beeinträchtigen, ist Gegenstand einer kontroversen Diskussion.

Im Ausgangspunkt besteht Einigkeit darüber, dass Typ-1-Mark-ups auftreten, wenn für die Stromerzeugung im Rahmen wettbewerblicher Markt-

[44] BT-Drucks. 18/7317 v. 20.1.2016, S. 76.

[45] Näher *Mohr* (o. Fn. 43), S. 240 ff.

[46] *Monopolkommission* (o. Fn. 5), Rdnr. 63.

[47] *BKartA* (o. Fn. 33), S. 26.

[48] *Müsgens* (o. Fn. 25), EnWZ 2017, S. 243 (245).

[49] Zur Bedeutsamkeit dynamischer Effizienzen *Mohr* (o. Fn. 43), S. 276.

[50] *Monopolkommission* (o Fn. 5), Rdnr. 73; näher *Monopolkommission*, Sondergutachten Energie 2015: Ein wettbewerbliches Design für die Energiewende, 2015, Rdnr. 386 ff.

verhältnisse nicht ausreichend Kapazität zur Verfügung steht, um in einem Moment hoher Last die Nachfrage zu Grenzkosten des teuersten Kraftwerks zu befriedigen.[51] In einer derartigen Situation überbieten sich die Nachfrager im wohlfahrtsökonomischen Modell so lange, bis einzelne von ihnen mit einem Lastabwurf reagieren und es zu einer Markträumung kommt. Eine derartige Preisbildung zu Hochlastzeiten wird auch als Spitzenlasttarifierung bezeichnet (sog. Peak-Load-Pricing), da die Preise über den variablen Grenzkosten des teuersten abgerufenen Kraftwerks liegen.[52] In der Rechtswirklichkeit ist die Nachfrage derzeit zwar noch wenig flexibel. Sie soll jedoch durch regulatorische Maßnahmen schrittweise erhöht werden. So hat der Gesetzgeber den Strommarkt 2.0 gem. § 1a Abs. 3 EnWG durch Flexibilitätsoptionen für Verbraucher ergänzt, etwa durch steuerbare Verbrauchseinrichtungen gem. § 14a EnWG.[53] Eine kompetitive Spitzenlasttarifierung bildet den Kern des aktuellen Strommarktdesigns, wie § 1a Abs. 1 EnWG verdeutlicht. Preisspitzen senden wichtige Investitionssignale, sofern die künftig erwarteten Deckungsbeiträge die Investitionskosten der Kraftwerksbetreiber refinanzieren. Zugleich sollen Preisspitzen den Nachfragern signalisieren, dass die Stromerzeugung in einer bestimmten Stunde mit besonders hohen Kosten verbunden ist, weshalb es sinnvoll sein kann, den Strombezug auf andere Zeiträume zu verschieben.[54]

4. Differenzierung von Typ-1- und Typ-2-Mark-ups

Da ein effizientes, auch das Refinanzieren von Grenzkraftwerken durch Typ-1-Mark-ups ermöglichendes Strommarktdesign einen wirksamen Wettbewerb im Stromgroßhandelsmarkt voraussetzt, ist eine sachgerechte, transparente und praktikable Differenzierung zwischen zulässigen und unzulässigen Verhaltensweisen geboten.[55] Dies nimmt auf übergeordnet-theoretischer Ebene die Erkenntnis auf, dass ein Recht gegen Wettbewerbsbeschränkungen nicht allein auf das ökonomisch richtige Ergebnis im Einzelfall blicken darf, sondern auch grundlegende rechtliche Wertungen wie die Rechtssicherheit, die Vorhersehbarkeit und die Justiziabilität beachten muss.[56] Lassen sich Typ-2-Mark-ups durch Ausübung von Marktmacht erzielen, werden die derzeit vorhandenen Überkapazitäten möglicherweise nicht abgebaut, son-

[51] *Monopolkommission* (o. Fn. 50), Rdnr. 386 ff.

[52] *Müsgens* (o. Fn. 25), EnWZ 2017, S. 243 (245).

[53] Näher *BNetzA*, Flexibilität im Stromversorgungssystem, Diskussionspapier, 2017, abrufbar unter https://www.bundesnetzagentur.de/SharedDocs/Downloads/DE/Sachgebiete/Energie/Unternehmen_Institutionen/NetzentwicklungUndSmartGrid/BNetzA_Flexibilitaetspapier.pdf?__blob=publicationFile&v=1 (zuletzt abgerufen am 1.4.2018).

[54] Zum Vorstehenden *Müsgens* (o. Fn. 25), EnWZ 2017, S. 243 (245 f.).

[55] Zum Folgenden *BNetzA/BKartA*, Monitoringbericht 2017, S. 443; *Monopolkommission* (o. Fn. 5), Rdnr. 71.

[56] *Mohr* (o. Fn. 43), S. 219 f.

dern langfristig durch ein überhöhtes Preisniveau finanziert.[57] Verhindern die Wettbewerbsbehörden im Wege der Preismissbrauchsaufsicht demgegenüber im Interesse eines dynamisch-effizienten Wettbewerbsprozesses erwünschte Typ-1-Mark-ups, unterbinden sie ein ausreichendes Investitionsniveau und gefährden damit die Versorgungssicherheit. Dabei können bereits unsichere Erwartungen über das Eingreifen der Wettbewerbsbehörden die Preisbildung und die Investitionstätigkeit beeinflussen.[58] In Übernahme eines entsprechenden Vorschlags des *BKartA*[59] hat das *BMWi* deshalb in seinem Weißbuch aus dem Jahr 2015 einen Leitfaden angekündigt, der die Zielrichtung, die Regeln für die Anwendung und die Reichweite der wettbewerbsrechtlichen Missbrauchsaufsicht verdeutlichen und damit Transparenz über die Bewertung von tatsächlich entstehenden Preisaufschlägen schaffen soll.[60] Zum Zeitpunkt der Erstellung dieses Beitrags lag der vorbenannte Leitfaden des *BKartA* noch nicht vor. Ergänzend fertigt das *BKartA* künftig einen Bericht über seine Monitoringergebnisse, damit die Unternehmen möglichst beurteilen können, ob sie marktbeherrschend sind und damit den wettbewerbsrechtlichen Missbrauchsverboten unterliegen (§ 48 Abs. 3 i.V.m. § 53 Abs. 3 GWB).[61]

III. Dogmatische Grundlagen des Verbots von Marktmachtmissbräuchen im Energiesektor

Bevor auf die Diskussion über einen Missbrauch von Marktmacht durch Zurückhaltung von Erzeugungskapazitäten eingegangen werden kann, sind zentrale dogmatische Grundlagen des wettbewerbsrechtlichen Missbrauchsverbots zu schildern.[62]

1. Sektorspezifisches Missbrauchsverbot gem. § 29 GWB

Im deutschen Recht enthält der am 22.12.2007 in Kraft getretene § 29 GWB ein sektorspezifisches Missbrauchsverbot, das die allgemeine Verhaltenskontrolle marktbeherrschender Unternehmen gem. Art. 102 AEUV und gem.

[57] Nachfolgend: *Monopolkommission* (o. Fn. 5), Rdnr. 71.

[58] *Monopolkommission* (o. Fn. 5), Rdnr. 71.

[59] *BKartA* (o. Fn. 13), S. 7.

[60] *BMWi*, Ein Strommarkt für die Energiewende – Ergebnispapier des Bundesministeriums für Wirtschaft und Energie (Weißbuch), 2015, S. 61, abrufbar unter https://www.bmwi.de/Redaktion/DE/Publikationen/Energie/weissbuch.pdf?__blob=publicationFile&v=29 (zuletzte abgerufen am 1.4.2018); siehe auch *BNetzA/BKartA*, Monitoringbericht 2016, S. 389.

[61] *BMWi* (o. Fn. 60), S. 61.

[62] Ausführlich *Mohr* (o. Fn. 2), § 29 GWB Rdnr. 1 ff.

§ 19 Abs. 2 Nr. 2 GWB für die leitungsgebundene Versorgung mit Strom und Gas ergänzt und punktuell modifiziert.[63] Die Vorschrift enthält ein Verbot von Ausbeutungsmissbräuchen zum Schutz der Marktgegenseite vor unangemessenen, nicht wettbewerblichen Entgelten und Geschäftsbedingungen,[64] von *Ulrich Büdenbender* auch als Verbot von Preisniveaumissbräuchen bezeichnet.[65] § 29 GWB dient damit einerseits dem Individualschutz der von einer Wettbewerbsbeschränkung betroffenen Marktteilnehmer.[66] Andererseits beschirmt die Regelung das öffentliche Interesse an einer Korrektur von Marktergebnissen infolge eines grob gestörten Wettbewerbsprozesses.[67] Im Zuge der 9. GWB-Novelle wurde die Geltung von § 29 GWB durch § 186 Abs. 1 GWB auf den Ablauf des 31.12.2022 verlängert.

Gem. § 29 S. 1 Nr. 1 GWB ist es einem Unternehmen verboten, als Anbieter von Elektrizität oder leitungsgebundenem Gas, mithin als Versorgungsunternehmen auf einem Markt, auf dem es eine marktbeherrschende Stellung innehat, diese Stellung missbräuchlich auszunutzen, indem es Entgelte oder sonstige Geschäftsbedingungen fordert, die ungünstiger sind als diejenigen anderer Versorgungsunternehmen oder von Unternehmen auf vergleichbaren Märkten, es sei denn, das Versorgungsunternehmen weist nach, dass die Abweichung sachlich gerechtfertigt ist. In Abgrenzung zum allgemeinen Verbot von Ausbeutungsmissbräuchen gem. § 19 Abs. 1, Abs. 2 Nr. 2 GWB erweitert § 29 Satz 1 Nr. 1 GWB somit einerseits die Vergleichsbasis, da die strukturelle Vergleichbarkeit der Unternehmen kein Tatbestandsmerkmal ist, sondern erst im Rahmen der Rechtfertigung zum Tragen kommt.[68] Andererseits enthält die Norm für wettbewerbsbehördliche Missbrauchsverfahren eine Umkehr der Darlegungs- und Beweislast zulasten des marktbeherrschenden Versorgungsunternehmens. Im Ergebnis begründet § 29 S. 1 Nr. 1 GWB damit schon dann einen Anfangsverdacht für eine Verfahrenseinleitung als Grundlage von Auskunftsbeschlüssen gem. § 59 Abs. 1 S. 1 Nr. 1, Abs. 6 GWB,[69] wenn die Entgelte des Zielunternehmens diejenigen eines

[63] Zum Zusammenhang zwischen Marktmacht und Missbrauch *Büdenbender*, Fernwärmepreise, (o. Fn. 1), S. 48.

[64] BT-Drucks. 16/5847 v. 27.6.2007, S. 11; *BGH*, NJW 2015, S. 3643 Rdnr. 23 – Calw II; *Körber*, in: Immenga/Mestmäcker (Hrsg.), GWB, Band 2, 5. Aufl. 2014, § 29 Rdnr. 10; *Koleva*, Die Preismissbrauchskontrolle nach § 29 GWB, 2013, S. 42 f.

[65] Zu § 19 GWB siehe *Büdenbender*, Fernwärmepreise, (o. Fn. 1), S. 58 f.

[66] *Mohr* (o. Fn. 43), S. 486 f.

[67] *Fuchs*, Die Anordnung von Wiedergutmachungszahlungen als Inhalt kartellbehördlicher Abstellungsverfügungen nach § 32 GWB?, ZWeR 2009, S. 176 (193 f.).

[68] *Mohr* (o. Fn. 2), § 29 GWB Rdnr. 52; siehe zu § 103 Abs. 5 S. 2 Nr. 2 GWG a. F. bereits *BGH*, WuW/E BGH 2967 (2971) – Strompreis Schwäbisch Hall (Weiterverteiler); a.A. *Büdenbender*, Kartellaufsicht, (o. Fn. 1), S. 147 ff.

[69] Siehe zu den Gaspreisverfahren *BKartA*, Tätigkeitsbericht 2007/2008, BT-Drucks. 16/13500, S. 114 f.

strukturell nicht offensichtlich unterschiedlichen Vergleichsunternehmens überschreiten.[70]

Verboten ist nach § 29 S. 1 Nr. 2 GWB zudem, dass ein Versorgungsunternehmen Entgelte fordert, die seine Kosten in unangemessener Weise überschreiten. Ein Missbrauchsverdacht kann also nicht nur durch eine Gegenüberstellung mit einem strukturell vergleichbaren Versorgungsunternehmen begründet werden (sog. externer Effizienzvergleich), sondern auch durch einen absolut überhöhten Preis (sog. interne Kosten- und Gewinnkontrolle).[71] Auf den ersten Blick bezieht sich § 29 S. 1 Nr. 2 GWB nicht auf die interne Kostenkalkulation der Normadressaten, sondern auf die geforderten Entgelte.[72] Die Kosten stellen aber einen ganz zentralen Parameter bei der Bestimmung der Missbräuchlichkeit dar, da sie die maßgebliche Bezugsgröße für die zulässigen Entgelte bilden.[73] Die Aufnahme der Kosten- und Gewinnkontrolle in den Katalog der Missbrauchstatbestände gem. § 29 S. 1 GWB beruht auf der Erkenntnis, dass der Nachweis eines Missbrauchs nach dem Vergleichsmarktkonzept an seine Grenzen stoßen kann, wenn auch die Vergleichsmärkte durch Marktbeherrschung gekennzeichnet sind (Problem des sog. Monopolpreisvergleichs).[74] Dasselbe gilt bei einem bundesweit abgegrenzten Markt wegen des Fehlens eines geeigneten Vergleichsmarktes.[75] Gleichwohl wurde die rechtstheoretisch auch bei § 19 Abs. 2 S. 2 GWB anerkannte interne Kosten- und Gewinnkontrolle von gewichtigen Stimmen als kaum praktikabel angesehen, schon weil es keine feste Korrelation von Kosten und Erlösen gebe.[76] Durch die Rechtsprechung des *BGH* zur Wasserpreiskontrolle konnten in den letzten Jahren jedoch eine Reihe von Detailfragen geklärt werden.[77] Insbesondere können – worauf noch einzugehen ist – zur Operationalisierung die Erkenntnisse aus der Regulierung der Stromnetzentgelte herangezogen werden.[78]

Gem. § 29 S. 2 GWB dürfen solche Kosten, die sich ihrem Umfang nach im Wettbewerb nicht einstellten, bei der Feststellung eines Missbrauchs im Sinne von § 29 S. 1 GWB nicht berücksichtigt werden. Die Regelung soll klarstellen, dass das für den Ausbeutungsmissbrauch geltende Als-Ob-Wettbe-

[70] *Mohr* (o. Fn. 2), § 29 GWB Rdnr. 100; *Becker/Blau* (o. Fn. 24), Rdnr. 122.

[71] BT-Drucks. 16/5847 v. 27.6.2007, S. 11.

[72] *BGH*, NJW 2015, 3643 Rdnr. 22 – Calw II.

[73] *BGH*, NJW 2015, 3643 Rdnr. 22 f. – Calw II.

[74] *Lücke*, in: Langen/Bunte (Hrsg.), Deutsches Kartellrecht, Band 1, 13. Aufl. 2018, § 29 GWB Rdnr. 37.

[75] *Becker/Blau* (o. Fn. 24), Rdnr. 221.

[76] *Monopolkommission*, Sondergutachten 47, Preiskontrollen in Energiewirtschaft und Handel? Zur Novellierung des GWB, 2007, S. 4 (12 ff.); siehe auch *Büdenbender*, Fernwärmepreise, (o. Fn. 1), S. 60 und 79; *ders.*, Netznutzungsentgelte, (o. Fn. 1), S. 32.

[77] *BGH*, NJW 2015, 3643 – Calw II; *BGH*, NJW 2012, 3243 – Calw; *BGH*, NJW 2010, 2573 – Wasserpreise Wetzlar.

[78] *BGH*, NJW 2015, 3643 Rdnr. 25 – Calw II.

werbskonzept auch den Maßstab für die Ansetzbarkeit von Kosten bildet.[79] Folglich dürfen Kosten, die ein Unternehmen bei funktionierendem Wettbewerb vermeiden oder nicht geltend machen würde bzw. nicht über die Preise abwälzen könnte, nicht zu seinen Gunsten berücksichtigt werden.[80] § 29 S. 2 GWB gilt für beide Tatbestandsalternativen des § 29 S. 1 GWB, hat insoweit aber eine unterschiedliche Funktion.[81] Im Rahmen des § 29 S. 1 Nr. 2 GWB greift die Regelung unmittelbar, weshalb antikompetitiv überhöhte Kosten im Rahmen der betrieblichen Kosten- und Erlösrechnung unberücksichtigt bleiben müssen. Demgegenüber ist bei Anwendung des Vergleichsmarktkonzepts gem. § 29 S. 1 Nr. 1 GWB auf Tatbestandsebene kein Raum für eine Kostenbetrachtung. Die Unternehmen können aber im Rahmen der sachlichen Rechtfertigung eine Kostenunterdeckung einwenden, soweit die Kosten nach § 29 S. 2 GWB effizient sind.[82] Dies entspricht der Rechtsprechung des *BGH*, wonach allein solche unternehmensindividuellen Kosten anzuerkennen sind, die auch nach Ausschöpfung aller zumutbaren Rationalisierungsreserven angefallen wären.[83] Gem. § 29 S. 3 GWB bleiben schließlich die §§ 19 und 20 GWB unberührt, weshalb diese Normen idealkonkurrierend anzuwenden sind. § 29 S. 3 GWB erwähnt das unionsrechtliche Missbrauchsverbot gem. Art. 102 AEUV nicht, da dieses dem nationalen Recht sowieso im Rang vorgeht.[84]

2. *Kontrollmaßstab*

In der wettbewerbsrechtlichen Missbrauchskontrolle ist zwischen dem Kontrollmaßstab und den Kontrollmethoden zu differenzieren.[85] Kontrollmaßstab des § 29 GWB ist wie gesehen der Grundsatz des Als-ob-Wettbewerbs.[86] *Ulrich Büdenbender* spricht mit Blick auf das public enforcement – inhaltlich übereinstimmend – von der „Funktion der Kartellaufsicht als Wettbewerbssurrogat."[87] Hiernach dürfen die von einem marktbeherrschenden Unternehmen geforderten Entgelte im Einzelfall nicht höher sein

[79] BT-Drucks. 16/5847 v. 27.6.2007, S. 11; krit. *Büdenbender*, Fernwärmepreise, (o. Fn. 1), S. 80.

[80] BT-Drucks. 16/5847 v. 27.6.2007, S. 11.

[81] *Röhling*, in: Busche/Röhling (Hrsg.), Kölner Kommentar zum Kartellrecht, Band 1: Deutsches Kartellrecht, § 29 GWB Rdnr. 66 f.

[82] *Mohr* (o. Fn. 2), § 29 GWB Rdnr. 138.

[83] *BGH*, WuW/E DE-R 375 ff. – Flugpreisspaltung; *BGH*, NJW 2010, 2573, 2579 – Wasserpreise Wetzlar; *BGH*, NJW 2012, 3243 Rdnr. 15 – Calw.

[84] *Schwensfeier*, in: Loewenheim/Meessen/Riesenkampff/Kersting/Meyer-Lindemann (Hrsg.), Kartellrecht, 3. Aufl. 2016, § 29 GWB Rdnr. 4.

[85] *Mohr* (o. Fn. 43), S. 492.

[86] *BGH*, NJW 2015, 3643 Rdnr. 22 – Calw II; *Mohr* (o. Fn. 43), S. 487.

[87] *Büdenbender*, Netznutzungsentgelte, (o. Fn. 1), S. 55.

als diejenigen Entgelte, die sich bei wirksamem Wettbewerb ergäben.[88] Auch dem Geschäftspartner gestellte Geschäftsbedingungen dürfen nicht von denjenigen abweichen, die sich bei wirksamem Wettbewerb ergäben, wobei die Kontrolle von allgemeinen Geschäftsbedingungen gem. den §§ 305 ff. BGB eine praktisch wichtige Vorfeldwirkung hat.[89] Demgegenüber unterfallen die Hauptleistungspflichten, mithin auch die Energiepreise, gem. § 307 Abs. 3 BGB nicht der AGB-rechtlichen Inhaltskontrolle. Vor diesem Hintergrund übernehmen die wettbewerbsrechtlichen Verbote von Preismissbräuchen funktional die Aufgabe, die der Inhaltskontrolle gem. § 307 Abs. 1 S. 1, Abs. 2 BGB bei allgemeinen Geschäftsbedingungen zukommt.[90] Wer infolge einer marktbeherrschenden Stellung faktisch einseitig die Vertragsbedingungen festlegen kann, hat – wie die AGB-Inhaltskontrolle des § 307 Abs. 1 S. 1, Abs. 2 BGB verdeutlicht – die Interessen der Marktgegenseite in „angemessenem Umfang" mit zu berücksichtigen.[91] Bringt er demgegenüber nur seine eigenen Interessen zur Geltung, missbraucht er seine Vertragsfreiheit.[92] Es liegt in privatrechtlicher Terminologie ein Fall „gestörter Vertragsparität",[93] einer unangemessenen Beeinträchtigung der Chancen zur beidseitig-materialen Selbstbestimmung der Vertragsparteien vor.[94]

Die wettbewerbsrechtliche Preismissbrauchsaufsicht anhand des Grundsatzes des Als-ob-Wettbewerbs erhebt damit, jedenfalls bei zutreffender Anwendung, keinen Anspruch auf Marktlenkung und Regulierung i.S.d. § 1a Abs. 1 EnWG.[95] Sie will anders als die energiewirtschaftliche Regulierung der Netzentgelte gerade keine Richtnormen für die gemeinwohlorientierte Ausübung der unternehmerischen Handlungsautonomie, sondern lediglich äußere Grenznormen für die eigennützige Ausübung der unternehmerischen Gestaltungsfreiheit marktbeherrschender Unternehmen setzen, damit diese ihre Freiheit nicht zulasten der Marktgegenseite nutzen.[96] Der Als-ob-Wettbewerb stellt damit keinen empirisch-ökonomischen Maßstab dar, sondern

[88] *BGH*, NJW 2015, 3643 Rdnr. 22 – Calw II; *BGH*, WuW/E DE-R 1513, 1516 – Stadtwerke Mainz; *BGH*, NJW 2010, 2573 Rdnr. 26 – Wasserpreise Wetzlar; *BGH*, NJW 2012, 3243 – Calw.

[89] Zur historischen Verortung der ABG-Kontrolle auch im Recht gegen Wettbewerbsbeschränkungen siehe *Mohr* (o. Fn. 43), S. 161 ff. mit Fn. 259.

[90] *Säcker*, Macht im Zivilrecht, in: Hauer/Rudkowski/Goren/Lahr/Oestreich/Renner/Schmidt/Schreiber (Hrsg.), Macht im Zivilrecht, Jahrbuch junger Zivilrechtswissenschaftler, 1. Aufl. 2013, S. 9 (20 ff.).

[91] *KG*, WuW/E OLG 1599, 1607 – Vitamin B 12.

[92] Wiederum *KG*, WuW/E OLG 1599, 1607 – Vitamin B 12.

[93] *BVerfG*, NJW 1994, 36 (38 f.).

[94] *Mohr* (o. Fn. 43), S. 497 i.V.m. S. 129 ff.

[95] Dazu *Podszun*, Paradigmenwechsel in der kartellbehördlichen Befugnisausübung: Grundlagen, Gefahren, Grenzen, ZWeR 2012, S. 48 (64 f.); *Lange*, Der Strommarkt 2.0 als Herausforderung für das Kartellrecht, WuW 2017, S. 434 ff.

[96] *Säcker*, Das Regulierungsrecht im Spannungsfeld von öffentlichem und privatem Recht, AöR 170 (2005), S. 180, 190.

enthält „das allgemeine Leitbild freien und lauteren Wettbewerbs“, also ein juristisches Leitbild der Auslegung.[97] Dies schließt es nicht aus, auf Erkenntnisse des Regulierungsrechts zur wettbewerbsanalogen Kalkulation von Kosten und Erlösen zurückzugreifen,[98] soweit diese mit den Wertentscheidungen des Gesetzgebers übereinstimmen.[99] Der für die Kostenkontrolle maßgebliche Begriff der „ökonomischen Theorien“ ist aber weit zu interpretieren, weshalb er die Grundsätze der StromNEV und GasNEV einbeziehen kann, aber auch andere Kalkulationsweisen.[100] Aus juristischer Sicht beinhalten die ökonomischen Wettbewerbstheorien damit Instrumente, um die normativen Wertungen der Wettbewerbsordnung mit ökonomischer Expertise in die Wirklichkeit zu transportieren.[101] Zugleich setzen die Vorschriften gegen Wettbewerbsbeschränkungen der Anwendung ökonomischer Theorien unübersteigbare Schranken.[102] In diesem Sinne zielt § 29 GWB auf einen Ausgleich zwischen ökonomisch richtigen Einzelfallergebnissen und der Vorhersehbarkeit und Durchsetzbarkeit von Rechtsnormen.[103]

Im vorliegenden Zusammenhang handelt ein marktbeherrschendes Unternehmen wettbewerbsanalog, wenn das von ihm geforderte Entgelt die effizienten Kosten deckt und es einen angemessenen, den Besonderheiten der jeweiligen Marktverhältnisse entsprechenden Gewinn erzielt. Dabei gilt der Erfahrungssatz, dass ein marktbeherrschendes Unternehmen bei hypothetisch wirksamem Wettbewerb die Ausübung seines anzuerkennenden Preisgestaltungsspielraums maßgeblich davon abhängig machen würde, welchen Erlös es erzielen müsste, um einerseits die bei Ausschöpfung von Rationalisierungsreserven zu erwartenden Kosten zu decken und eine möglichst hohe Rendite zu erwirtschaften, andererseits aber zu verhindern, dass Kunden wegen zu hoher Preise zu einem Wettbewerber abwanderten.[104] Denn bei wirksamem Wettbewerb kann ein Unternehmen am Markt keine beliebigen Kosten überwälzen (Ist-Kosten), sondern nur solche Kosten, die auch ein effizient produzierender

[97] *Fikentscher*, Als-ob-Wettbewerb und Mißbrauchsbegriff, 1971, S. 15 (17); *Mohr* (o. Fn. 43), S. 489.

[98] *BGH*, NJW 2015, 3643 Rdnr. 22 ff. – Calw II.

[99] *Mohr*, Bezweckte und bewirkte Wettbewerbsbeschränkungen gem. Art. 101 Abs. 1 AEUV, ZWeR 2015, S. 1 (7).

[100] *BGH*, NJW 2015, 3643 Rdnr. 25 – Calw II; speziell zur Anwendung der StromNEV auf die wettbewerbsrechtliche Preiskontrolle *Mohr*, in: Säcker (Hrsg.), Berliner Kommentar zum Energierecht, Band 3, 4. Aufl. 2018, StromNEV Vorbem. Rdnr. 40 ff.

[101] *Rittner/Dreher*, Europäisches und deutsches Wirtschaftsrecht, 3. Aufl. 2008, S. 355 f.

[102] *Immenga/Mestmäcker*, in: Immenga/Mestmäcker (Hrsg.), EU-Wettbewerbsrecht, 5. Aufl. 2012, Einl. D Rdnr. 1.

[103] *Schmidt*, More Economic Approach: Ökonomisches Modell oder Verbesserung der Rechtspraxis, in: Oetker/Joost/Paschke (Hrsg.), Festschrift für Franz Jürgen Säcker, 1. Aufl. 2011, S. 939 (947 f.).

[104] *BGH*, NJW 2015, 3643 Rdnr. 22 – Calw II; vgl. auch *Mohr* (o. Fn. 43), S. 490.

Wettbewerber haben würde (Soll-Kosten).[105] § 29 S. 2 GWB stellt in diesem Sinne klar, dass im Rahmen der Preismissbrauchskontrolle generell nur solche Kosten berücksichtigt werden können, die sich bei wirksamem Wettbewerb einstellen würden.[106] In den Worten *Ulrich Büdenbenders* sind „Kostensteigerungen im Widerspruch zu dem Prinzip einer effizienten Unternehmensführung [... auch] wegen Widerspruchs zu dem Ziel einer preisgünstigen Energieversorgung nach § 1 Abs. 1 EnWG nicht weitergabefähig".[107] Zu den effizienten Kosten zählen allerdings auch solche für notwendige Investitionen.[108] Denn auch marktbeherrschende Unternehmen müssen ihre effizienten Kraftwerksinvestitionen refinanzieren, wollen sie sich langfristig am Markt halten. Sofern die höheren Kosten im Rahmen einer Vergleichsbetrachtung im Einzelfall auf ungünstigen strukturellen Gegebenheiten beruhen, sind diese ebenfalls zugunsten des Marktherrschers zu berücksichtigen.[109]

Der Kontrollmaßstab des Als-ob-Wettbewerbs stimmt mit dem Prüfungsmaßstab des Art. 102 S. 2 lit. a AEUV überein.[110] Hiernach liegt ein Missbrauch einer beherrschenden Stellung auf dem Binnenmarkt oder auf einem wesentlichen Teil desselben durch ein oder mehrere Unternehmen insbesondere in „der unmittelbaren oder mittelbaren Erzwingung von unangemessenen Einkaufs- oder Verkaufspreisen oder sonstigen Geschäftsbedingungen", soweit dies dazu führen kann, den Handel zwischen den Mitgliedstaaten zu beeinträchtigen. Nach der Rechtsprechung des *Europäischen Gerichtshofs (EuGH)* dürfen marktmächtige Unternehmen insoweit keine Kosten ansetzen, die dadurch entstanden sind, dass notwendige Rationalisierungsmaßnahmen und dadurch Kostensenkungen unterblieben sind. Entscheidend ist vielmehr die Unternehmensstruktur eines effizienten Wettbewerbers.[111] Die effizienten Kosten schließen eine ausreichende Gewinnmarge für erforderliche Investitionsfinanzierungen sowie eine branchentypische Dividendenausschüttung mit ein.[112] Im Ergebnis lässt sich damit weder aus deutschem

[105] *Mohr* (o. Fn. 43), S. 490.

[106] *BGH*, NJW 2015, 3643 Rdnr. 23 – Calw II; *Heitzer*, Schwerpunkte der deutschen Wettbewerbspolitik WuW 2007, S. 854 (858).

[107] *Büdenbender*, Preisänderungen in Energielieferungsverträgen mit Tarif- und Grundversorgungskunden, NJW 2017, S. 299 (301).

[108] Mit Blick auf die Stromnetze *Mohr*, Anreizregulierung und Innovationen, RdE 2017, S. 273 ff.

[109] Siehe zur Zulässigkeit einer sachlichen Rechtfertigung im Rahmen der Vergleichsmarktprüfung *BGH*, WuW/E BGH 2967, 2972 – Strompreis Schwäbisch Hall; *BGH*, WuW/E BGH 3009, 3013 f. – Stadtgaspreis Potsdam.

[110] *Mohr* (o. Fn. 43), S. 491.

[111] *EuGH*, Slg. 1989, 2521, 2578 Rdnr. 42 – Tournier; *EuGH*, Slg. 1989, 2811, 2831 ff. Rdnr. 29 – SACEM.

[112] *Müller-Graff*, Sektorale kartellrechtliche Preiskontrolle im Lichte der Grundfreiheiten des Binnenmarktes, in: Müller/Osterloh/Stein (Hrsg.), Festschrift für Günter Hirsch zum 65. Geburtstag, 2008, S. 273 (274).

noch aus europäischem Wettbewerbsrecht ein allgemeiner Rechtssatz ableiten, wonach marktbeherrschende Unternehmen allein ihre Grenzkosten in Ansatz bringen dürften. Eine solche Vorgabe könnte damit allenfalls aus den Preisbildungsmechanismen an den Strombörsen folgen.

Nach überzeugender Ansicht kann die energiewirtschaftliche Preis- und Konditionenkontrolle durch die Wertungen des sektorspezifischen Regulierungsrechts operationalisiert werden.[113] Denn die regulierungsrechtliche Zugangs- und Entgeltkontrolle stellt in ihrem dogmatischen Kern kein eigenständiges Kontrollkonzept dar, sondern beinhaltet eine Konkretisierung des unionsrechtlichen Missbrauchsverbots gem. Art. 102 AEUV.[114] Sie ist in diesem Sinne eine sonderwettbewerbsrechtliche Ausprägung der Maßstäbe von Billigkeit und Angemessenheit.[115] Die Fundierung auch der sektorspezifischen Regulierung der Energienetze auf Art. 102 AEUV zeigt sich beim Anspruch auf Zugang zum Netz zu angemessenen Bedingungen, der einerseits auf die §§ 20 ff. EnWG gestützt werden kann, andererseits aber auch auf Art. 102 AEUV.[116]

3. Kontrollmethoden

a) Vergleichsmarktmethode

Vom Kontrollmaßstab des hypothetischen Wettbewerbspreises zu unterscheiden sind die methodischen Wege zu seiner Feststellung.[117] Im Rahmen der allgemeinen Missbrauchskontrolle ist hierfür jede geeignete Methode anwendbar, es besteht mithin kein Rangverhältnis.[118] Der wettbewerbsanaloge Preis kann deshalb durch eine Vergleichsmarktbetrachtung ermittelt werden, wie sie auch von § 29 S. 1 Nr. 1 GWB anerkannt wird.[119] Hiernach dient der bereinigte Vergleichspreis als indirekter Nachweis dafür, dass ein Entgelt in nämlicher Höhe vom Vergleichsunternehmen für eine Tätigkeit auf dem beherrschten Markt als kostendeckend inklusive einer angemesse-

[113] *BGH*, NJW 2015, 3643 Rdnr. 25 – Calw II; zu den dogmatischen Grundlagen *Mohr* (o. Fn. 43), S. 495; a.A. *Röhling* (o. Fn. 81), § 29 GWB Rdnr. 4 ff.

[114] *Meinzenbach*, Die Anreizregulierung als Instrument zur Regelung von Netznutzungsentgelten im neuen EnWG, 2008, S. 120; a.A. *Klaue/Schwintowski*, Preisregulierung durch Kartellrecht, EWeRK-Sonderheft, 2008, S. 10.

[115] *Otte*, BGH: Prüfung der Entgelte für die Benutzung der Eisenbahninfrastruktur – Stornierungsentgelt, LMK 2012, 327729; *Mohr* (o. Fn. 43), S. 495 ff.

[116] *Kommission*, Mitteilung nach Art. 27 Abs. 4 VO (EG) Nr. 1/2003 in der Sache AT.40461 – Verbindungsleitung zwischen Deutschland und Dänemark, ABl.EU Nr. C 118/20 v. 4.4.2018, Rdnr. 3 f.

[117] *Mohr* (o. Fn. 43), S. 92.

[118] *BGH*, NJW 2015, 3643 Rdnr. 22 – Calw II; *BGH*, NJW 2012, 3243 Rdnr. 12 ff. – Calw.

[119] *BGH*, NJW 2015, 3643 Rdnr. 22 – Calw II.

nen Eigenkapitalverzinsung angesehen wird („relative Preisüberhöhung“[120]). Strukturelle Kostenunterschiede sind durch Zu- oder Abschläge auf den Vergleichspreis zu berücksichtigen (sog. Korrekturzuschläge).[121] Der gewichtete Preis- bzw. Erlösvergleich dient im Ergebnis dazu, strukturellen Unterschieden Rechnung zu tragen, ohne absolute Kostenbeträge ermitteln zu müssen.[122]

b) Kosten- und Gewinnkontrolle

Ist ein Vergleich aufgrund struktureller Unterschiede der zu betrachtenden Märkte nicht praktikabel,[123] etwa aufgrund einer bundesweiten Marktabgrenzung, kann der Als-ob-Wettbewerbspreis auch durch eine interne Kosten- und Gewinnkontrolle anhand ökonometrischer Modellberechnungen ermittelt werden, wie sie § 29 S. 1 Nr. 2 zugrunde liegt.[124] Eine derartige Kosten- und Gewinnkontrolle ist auch bei § 19 GWB zulässig, selbst wenn sie dort nicht explizit erwähnt wird.[125] Die Prüfung kann sich auf einzelne Preise beziehen, aber auch auf die (Gesamt-) Erlöse.[126] Bei der Feststellung der zugrunde zu legenden Kosten sind zwei Prüfungsschritte zu unterscheiden:[127] Zum einen muss es sich um relevante Kosten i.S.d. § 29 S. 1 Nr. 2 GWB handeln. Zum anderen müssen diese Kosten nach § 29 S. 2 GWB berücksichtigungsfähig, mithin effizient sein.[128] Auf der Grundlage der hiernach anerkennenswerten Kosten verstößt ein marktbeherrschendes Versorgungsunternehmen gegen § 29 S. 1 Nr. 2 GWB, wenn seine Erlöse die Kosten in unangemessener Weise überschreiten. Unangemessen – synonym: unverhältnismäßig oder unbillig[129] – steht dabei für eine übermäßige Einschränkung der wirtschaftlichen Handlungsfreiheit anderer Marktteilnehmer.[130] Folgerichtig hat die Gewinnmarge eines Unternehmens für sich genommen

[120] *Dreher*, Die richterliche Billigkeitsprüfung bei einseitigen Preiserhöhungen aufgrund von Preisanpassungsklauseln in der Energiewirtschaft, ZNER 2007, S. 103 (112).

[121] *Weyer*, Vergleichsmarktbetrachtungen in der Preismissbrauchskontrolle, in: Oetker/Joost/Paschke (Hrsg.), Festschrift für Franz Jürgen Säcker, 1. Aufl. 2011, S. 999 (1007).

[122] *Mohr* (o. Fn. 2), § 29 GWB Rdnr. 50.

[123] *Baur*, in: Kontrolle von Marktmacht nach deutschem, europäischem und amerikanischem Kartellrecht, FIW-Schriftenreihe Heft 98, 1981, S. 131 (137).

[124] *BGH*, NJW 2012, 3243 Rdnr. 14 – Calw.

[125] *Büdenbender*, Fernwärmepreise, (o. Fn. 1), S. 60.

[126] Siehe zu § 19 Abs. 4 Nr. 2 GWB BGH, WuW/E DE-R 1513 – Stadtwerke Mainz.

[127] *Baron*, in: Jaeger/Kokott/Pohlmann/Schroeder/Kulka (Hrsg.), Frankfurter Kommentar zum Kartellrecht, Stand 2011, § 29 GWB Rdnr. 131.

[128] *Büdenbender*, NJW 2017, S. 299 (301).

[129] Zum Gleichklang zwischen wettbewerbsrechtlicher und vertragsrechtlicher Preiskontrolle siehe *Mohr* (o. Fn. 43), S. 823 ff.

[130] *Bechtold/Bosch/Brinker*, EU-Kartellrecht, 2. Aufl. 2014, Art. 101 AEUV Rdnr. 76; *Mohr* (o. Fn. 99), ZWeR 2015, S. 1 (6).

keinen Aussagewert.[131] Nach der Regierungsbegründung zu § 29 GWB soll sich die Prüfung des Verhältnisses von Gewinn und Kosten vielmehr an den üblichen Preisbildungsmechanismen im Wettbewerb orientieren:[132] Relevant seien die Ordnungsprinzipien einer Wettbewerbswirtschaft, sowie speziell mit Blick auf Nachfrager auch die im EnWG normierten Ziele einer effizienten und preiswerten Energieversorgung. Anders als bei einer Vergleichsmarktbetrachtung ist eine sachliche Rechtfertigung im Rahmen des § 29 S. 1 Nr. 2 GWB kein eigenständiges Tatbestandsmerkmal, sondern fließt mit in die Prüfung der Unangemessenheit ein.[133] Ebenfalls nicht einschlägig ist der bei § 29 S. 1 Nr. 1 GWB angewandte Erheblichkeitszuschlag, da das Merkmal der Unangemessenheit eine relevante Überschreitung der Kosten fordert.[134]

Mit Blick auf die Stromgroßhandelspreise ermöglicht § 29 S. 1 Nr. 2 GWB theoretisch sogar eine Überprüfung der Gebote marktbeherrschender Kraftwerksbetreiber an der Strombörse.[135] Darüber hinaus kann § 29 S. 1 Nr. 2 GWB aber auch hinsichtlich des indirekten Verlangens überhöhter Energiepreise durch eine physische und finanzielle Kapazitätszurückhaltung fruchtbar gemacht werden, soweit die Versorgungsunternehmen antikompetitiv-überhöhte Preisbildungsfaktoren ansetzen.[136] Nach der Klassifizierung des *BKartA* liegt eine physische Kapazitätszurückhaltung vor, wenn ein marktbeherrschendes Erzeugungsunternehmen Elektrizität aus tatsächlich verfügbaren Kapazitäten, die es zu einem Preis über den jeweiligen kurzfristigen Grenzkosten verkaufen könnte, ohne sachlichen Grund nicht am Markt anbietet.[137] Hiernach soll der Nichteinsatz von tatsächlich vorhandenen Kapazitäten durch marktbeherrschende Unternehmen einen Marktmachtmissbrauch indizieren, da die Unternehmen mit einem solchen Verhalten regelmäßig die Erwartung verbänden, durch die Verknappung der Angebotsmenge eine Verschiebung der Merit Order und damit einen höheren Spotmarktpreis zu erzielen. Eine Verschiebung der Merit Order mit der Folge, dass alle Anbieter von einem höheren Market Clearing Preis profitieren, kann nach dem *BKartA* allerdings auch dann eintreten, wenn Erzeuger Kapazitäten, die nach ihren Grenzkosten im Rahmen der Merit Order eigentlich zum Zuge kämen, dergestalt mit einem Aufschlag am Markt anbieten, dass

131 Siehe *Kommission* v. 23.7.2004, COMP/A.36.570/D3 Rdnr. 85 – Sundbusserne vs. Port of Helsingborg.

132 BT-Drucks. 16/5847 v. 27.6.2007, S. 11.

133 *Baron* (o. Fn. 127), § 29 GWB Rdnr. 140.

134 *Becker/Blau* (o. Fn. 24), Rdnr. 248.

135 *BKartA*, Konsultation zur Erstellung eines Leitfadens für die kartellrechtliche Missbrauchsaufsicht in der Stromerzeugung – Missbräuchliche Zurückhaltung von Stromerzeugungskapazitäten, 1.4.2016, S. 3.

136 *BKartA* (o. Fn. 33), S. 11; *Kleene*, in: PWC (Hrsg.), Regulierung in der deutschen Energiewirtschaft, Band II Strommarkt, 2017, S. 67; zur Dogmatik *BGH*, NJW 2015, 3643 Rdnr. 22 – Calw II.

137 *BKartA* (o. Fn. 33), S. 21 f.

diese Kapazitäten bei der Zusammenführung von Angebot und Nachfrage nicht bezuschlagt werden, woraus ebenfalls ein höherer Market Clearing Preis resultiert. In einem solchen Fall spricht das *BKartA* von einer finanziellen Kapazitätszurückhaltung,[138] durch das Setzen der oben thematisierten Mark-ups auf die Grenzkosten.

In methodischer Sicht hatte das *BKartA* zunächst offen gelassen, ob es sich bei einer physischen bzw. finanziellen Kapazitätszurückhaltung um eine Verknappung des Angebots oder um eine Modalität des Preishöhenmissbrauchs handelt.[139] Zuweilen wurden der Kapazitätszurückhaltung sogar Elemente eines Behinderungsmissbrauchs zugesprochen,[140] was allerdings eher fernliegt. Für eine Anwendung von § 29 S. 1 Nr. 2 GWB spricht, dass eine Kapazitätszurückhaltung intentional auf eine Erhöhung der Angebotspreise zielt, was dogmatisch als bezweckter Ausbeutungsmissbrauch durch Ausnutzung des unternehmerischen Preisgestaltungsspielraums zulasten der Marktgegenseite einzustufen ist.[141] Insoweit folgerichtig geht das *BKartA* in seiner „Konsultation eines Leitfadens zur missbräuchlichen Zurückhaltung von Kraftwerkskapazitäten" aus dem Jahr 2016 davon aus, dass § 29 S. 1 Nr. 2 GWB neben Art. 102 AEUV und § 19 GWB auf Kapazitätszurückhaltungen marktbeherrschender Unternehmen anwendbar ist, anders als das Vergleichsmarktkonzept gem. § 29 S. 1 Nr. 1 GWB.[142] Die wettbewerbsrechtliche Aufsicht solle auf dieser Grundlage verhindern, dass ein marktbeherrschendes Unternehmen die Durchschnittspreise im Stromgroßhandel künstlich erheblich in die Höhe treibt.[143]

4. *Praktische Relevanz der Preismissbrauchsaufsicht im Energiesektor*

Das theoretisch ambitionierte Konzept eines Verbots von Marktmachtmissbräuchen in der Energiewirtschaft gem. § 29 GWB steht in Kontrast zu seiner praktischen Wirksamkeit. Bei seiner Schaffung im Jahre 2007 sollte § 29 GWB vor allem dazu beitragen, die kompetitive Öffnung der den Energieversorgungsnetzen vor- und nachgelagerten, nicht spezifisch regulierten Märkte voranzutreiben.[144] Der Gesetzgeber reagierte damit auf eine Diskussion über Preismissbrauchspotenziale von Energieunternehmen beim Handel mit erstmals abgesetzter Elektrizität, die in Deutschland seit Mitte der 2000er

[138] *BKartA* (o. Fn. 33), S. 22.
[139] *BKartA* (o. Fn. 33), S. 11.
[140] *Becker/Blau* (o. Fn. 24), Rdnr. 248 a.E.
[141] Zur Dogmatik der bezweckten Wettbewerbsbeschränkung *Mohr* (o. Fn. 99), ZWeR 2015, S. 1 ff.
[142] *BKartA* (o. Fn. 135), S. 8.
[143] *BKartA* (o. Fn. 135), S. 3.
[144] *Mohr* (o. Fn. 43), S. 498 f.

Jahre geführt worden war.[145] Nach Einschätzung des Gesetzgebers zeigten sich die fortbestehenden Defizite bei der kompetitiven Öffnung der Energiemärkte insbesondere in hohen Energiepreisen, die sich nicht allein durch gestiegene Beschaffungskosten für Primärenergieträger und durch staatliche und staatlich veranlasste Abgaben rechtfertigen ließen,[146] sondern auch auf der Konzentration der Energiewirtschaft beruhten, wie sie sich paradigmatisch im Bereich der Erzeugung von Elektrizität zeige.[147] Wettbewerbliche Defizite sah der Gesetzgeber im Jahr 2007 zudem im Bereich der Versorgung von Letztverbrauchern mit Gas, welche durch unzureichende Durchleitungsmodelle hervorgerufen würden.[148] Letztere sind nicht Gegenstand dieses Beitrags.

Auf dem vom *BKartA* abgegrenzten Erstabsatzmarkt für konventionell erzeugten Strom kam es in den letzten Jahren zu einer merklichen Besserung des wettbewerblichen Umfelds. Folgerichtig stellte die *Monopolkommission* bereits für die Jahre 2015 und 2016 fest, dass keine marktmachtinduzierten Probleme vorgelegen hätten.[149] Auch das *BKartA* geht davon aus, dass die im Jahr 2007 identifizierten Probleme einer wettbewerblichen Öffnung der Energiemärkte heute nicht mehr in derselben Schwere nachweisbar seien.[150] So habe sich die Marktposition der vier großen Strom-Erzeugungsunternehmen aufgrund des erheblichen Zubaus von Erneuerbare-Energien-Anlagen, der europäischen Integration des deutschen Strommarktes sowie von Marktzutritten und des damit einhergehenden Einbruchs der Börsenstrompreise deutlich relativiert.[151] Das *BKartA* gesteht damit selbst zu, dass der staatlich gesteuerte Zubau von Erneuerbare-Energien-Anlagen die Wettbewerbsposition der konventionellen Erzeugungsunternehmen beeinflusst. Dann liegt es jedoch nahe, bereits den Erstabsatzmarkt für Elektrizität um den EEG-Strom zu erweitern. Hierauf ist zurückzukommen.[152] Allerdings erwarten Marktbeobachter wegen des Marktaustritts unrentabler konventioneller Kraftwerke, die sich nicht über die Merit Order des Strommarktes refinanzieren können, mittelfristig eine Erholung der Börsenpreise, weshalb eine abermalige Zunahme marktbeherrschender Stellungen und entsprechender Missbrauchspotentiale jedenfalls nicht ausgeschlossen wird.[153] Gleiches gilt

[145] So die *Monopolkommission* (o. Fn. 5), Rdnr. 43.
[146] BT-Drucks. 16/5847, S. 9.
[147] BT-Drucks. 16/5847, S. 9; *Homann*, Verschärfung des Energie-Kartellrechts?, ZRP 2008, S. 31.
[148] BT-Drucks. 16/5847, S. 9.
[149] *Monopolkommission* (o. Fn. 5), Rdnr. 127.
[150] *BNetzA/BKartA*, Monitoringbericht 2017, S. 28 (Elektrizität) und S. 294 ff. (Gas).
[151] Ebenso *Mundt* (o. Fn. 7), e/m/w Sonderdruck 5/2014, S. 4.
[152] Siehe unter V. 1.
[153] *Mundt* (o. Fn. 7), e/m/w Sonderdruck 5/2014, S. 4; ebenso *Monopolkommission* (o. Fn. 50), S. 50.

im Hinblick auf eine etwaige Neuordnung der Kraftwerkskapazitäten durch Unternehmenstransaktionen,[154] unabhängig von der Frage, ob diese der deutschen oder europäischen Fusionskontrolle unterfallen. Vor diesem Hintergrund soll die Missbrauchsaufsicht im Energiesektor auch gem. § 29 GWB nach übereinstimmender Ansicht von *BNetzA*, *BKartA*[155] und der *Monopolkommission*[156] den Strommarkt 2.0 langfristig absichern.

IV. Verbot des Marktmissbrauchs nach der REMIT-Verordnung

Ein künstliches, den Funktionsbedingungen einer wettbewerblichen Marktwirtschaft zuwiderlaufendes Beeinflussen der Energiegroßhandelspreise wird nicht nur durch Art. 102 AEUV und die §§ 19 Abs. 2, 29 GWB untersagt. Es existieren vielmehr eine Reihe weiterer Vorschriften, die Unternehmen ein Beeinflussen der Stromgroßhandelspreise verbieten.[157] Bedeutsam ist vorliegend das Verbot der Marktmanipulation gem. Art. 5 der REMIT-VO (EU) Nr. 1227/2011 als Unterfall eines sog. Marktmissbrauchs.[158] In Deutschland wird die Einhaltung des Marktmissbrauchsverbots gem. § 56 Abs. 1 S. 1 Nr. 4 EnWG von der *BNetzA* beaufsichtigt,[159] wohingegen für die Anwendung der Missbrauchsverbote gem. Art. 102 AEUV, §§ 19, 29 GWB gem. Art. 4 ff. VO (EG) Nr. 1/2003 und § 48 Abs. 2 GWB die Wettbewerbsbehörden zuständig sind.

Die REMIT-VO stellt nach Art. 1 Abs. 1 S. 1 Regeln für das Verbot missbräuchlicher Praktiken auf, die die Energiegroßhandelsmärkte beeinträchtigen. Der sachliche Anwendungsbereich bezieht sich nach Art. 2 Abs. 1 und 2 REMIT-VO auf den Handel mit Energiegroßhandelsprodukten („wholesale energy products“), soweit keine spezielleren Vorschriften für Energiegroßhandelsprodukte eingreifen, die Finanzinstrumente sind.[160] Für Letztere gilt seit dem Jahr 2016 die VO (EG) Nr. 596/2014 über Marktmissbrauch

[154] *Monopolkommission* (o. Fn. 5), Rdnr. 128.

[155] *BNetzA/BKartA*, Monitoringbericht 2017, S. 443.

[156] *Monopolkommission* (o. Fn. 5), Rdnr. 54 i.V.m. 57.

[157] *Monopolkommission* (o. Fn. 5), Rdnr. 54. Zu sonstigen börsenaufsichtsrechtlichen Vorschriften *Säcker*, Marktabgrenzung, Marktbeherrschung, Markttransparenz und Machtmissbrauch auf den Großhandelsmärkten für Elektrizität, 2011, S. 98 ff.

[158] *Mohr* (o. Fn. 2), § 29 GWB Rdnr. 49a ff. Zur Wechselwirkung von kartellrechtlichem Marktmachtmissbrauchsverbot und kapitalmarktrechtlichem Marktmissbrauchsverbot unter dem Gesichtspunkt der Rechtsverfolgung *Poelzig*, Private enforcement im deutschen und europäischen Kapitalmarktrecht, ZGR 2015, S. 801 ff.

[159] Näher *Bachert*, Befugnisse der Bundesnetzagentur zur Durchsetzung der REMIT-Verordnung, RdE 2014, S. 361; *von Hoff*, Registrierungs- und Meldepflichten ab 2015, EnWZ 2015, S. 18.

[160] *ACER*, Guidance on the application of REMIT, Updated 4th Edition 2016, p. 11.

(MAR), welche die frühere Marktmissbrauchsrichtlinie 2003/6/EG ersetzt.[161] Zu den börsengehandelten Energiederivaten, die nicht unter die REMIT-VO, sondern unter die MAR fallen, werden etwa die an der *EEX* getätigten Termingeschäfte gezählt.[162] Energiegroßhandelsprodukte sind gem. § 2 Nr. 4 Uabs. 1 REMIT-VO alle Verträge und Derivate, die den Verkauf, Kauf oder Transport von Strom und Gas zum Gegenstand haben, unabhängig davon, wo und wie sie gehandelt werden. Zu den Waren- und Derivatmärkten des Energiegroßhandelsmarktes zählen geregelte Märkte wie Börsen, aber auch multilaterale Handelssysteme, außerbörsliche Transaktionen (OTC) und bilaterale Verträge, die direkt oder indirekt über Broker abgewickelt werden.[163] Keine Energiegroßhandelsprodukte im vorgeschilderten Sinne sind nach Art. 2 Nr. 4 Uabs. 2 REMIT-VO lediglich Verträge über die Lieferung und die Verteilung von Strom oder Erdgas zur Nutzung durch Endverbraucher, soweit Letztere eine jährliche Verbrauchskapazität von weniger als 600 GWh haben, da derartige Verträge gegenüber Großhandelsverträgen weniger missbrauchsanfällig sein sollen.[164] Der persönliche Anwendungsbereich der REMIT-VO wird durch den Begriff der Marktteilnehmer i.S.d. Art. 2 Nr. 7 umrissen. Hierunter fällt jede Person, einschließlich eines Übertragungs- bzw. Fernleitungsnetzbetreibers, die/der an einem oder mehreren Energiegroßhandelsmärkten Transaktionen schließt oder einen Handelsauftrag erteilt, also auch ein Erzeugungsunternehmen gem. Art. 2 Nr. 2 RL 2009/72/EG und gem. Art. 2 Nr. 1 RL 2009/73/EG.[165] Im Ergebnis gelten die besonderen Verhaltenspflichten der REMIT-VO somit auch für Erzeugungsunternehmen beim Verkauf von Strom am Börsen-Spotmarkt.[166]

Die REMIT-VO will erreichen, dass Verbraucher und andere Marktteilnehmer Vertrauen in die Integrität der Strom- und Gasmärkte haben, dass die auf den Energiegroßhandelsmärkten gebildeten Preise ein faires und auf Wettbewerb beruhendes Zusammenspiel zwischen Angebot und Nachfrage widerspiegeln, und dass aus einem Marktmissbrauch keine unrechtmäßigen Gewinne gezogen werden können.[167] Vor diesem Hintergrund sollen stärker integrierte und transparentere Energiemärkte einen offenen und fairen Wettbewerb auf den Energiegroßhandelsmärkten zum Nutzen der Endverbraucher von Energie fördern.[168] Als Mittel dient dem europäischem Verordnungsgeber ein Verbot des Marktmissbrauchs, das sich aus einem Verbot

[161] *Poelzig*, Insider-und Marktmanipulationsverbot im neuen Marktmissbrauchsrecht, NZG 2016, S. 528.
[162] So *Konar*, Wettbewerbskonforme Stromgroßhandelspreise, 2015, S. 121.
[163] Erwägungsgrund 5 REMIT-VO.
[164] Erwägungsgrund 9 REMIT-VO.
[165] *ACER*, Guidance on the application of REMIT, Updated 4th Edition 2016, p. 17.
[166] *Konar* (o. Fn. 162), S. 124 oben.
[167] Erwägungsgrund 1 REMIT-VO.
[168] Erwägungsgrund 2 REMIT-VO.

von Insidergeschäften und einem solchen von Marktmanipulationen zusammensetzt.[169] Das im Rahmen dieses Beitrags besonders bedeutsame Verbot von Marktmanipulationen auf den Energiegroßhandelsmärkten ist in Art. 5 der REMIT-VO normiert, wobei der Aussagegehalt der Norm erst durch die „Begriffsbestimmungen" in Art. 2 Nr. 2 und Nr. 3 REMIT-VO deutlich wird. Im Ausgangspunkt sieht der Verordnungsgeber als Manipulation auf den Energiegroßhandelsmärkten solche Verhaltensweisen an, mit denen künstlich für ein Preisniveau gesorgt wird, das durch die Marktkräfte von Angebot und Nachfrage nicht gerechtfertigt ist, einschließlich der tatsächlichen Verfügbarkeit der Produktions-, Speicherungs- oder Transportkapazität und Transportnachfrage.[170] Bereits diese Legaldefinition legt nahe, dass eine Marktmanipulation auch in der Zurückhaltung von Kapazität durch Versorgungsunternehmen liegen kann. Diese Einschätzung wird durch Art. 2 Nr. 2 lit. a (ii) REMIT-VO bestärkt. Hiernach liegt eine Marktmanipulation u.a. im Abschluss einer Transaktion oder im Erteilen eines Handelsauftrags für Energiegroßhandelsprodukte, wodurch entweder falsche oder irreführende Signale für das Angebot von Energiegroßhandelsprodukten, die Nachfrage danach oder ihren Preis gesandt werden, oder der Preis eines oder mehrerer Energiegroßhandelsprodukte durch eine Person oder mehrere in Absprache handelnde Personen in der Weise beeinflusst oder zu beeinflussen versucht werden, dass ein künstliches Preisniveau erzielt wird, es sei denn, die Person, welche die Transaktion abgeschlossen oder den Handelsauftrag erteilt hat, weist nach, dass sie legitime Gründe dafür hatte und dass diese Transaktion oder dieser Handelsauftrag nicht gegen die zulässige Marktpraxis auf dem betreffenden Energiegroßhandelsmarkt verstößt.

Unter diese komplexe Definition fällt nach Ansicht der Regulierungsbehörden jedenfalls eine physische Kapazitätszurückhaltung durch Erzeugungsunternehmen,[171] mit der Folge, dass der Kreis der Normadressaten über das Verbot des Missbrauchs gem. Art. 102 AEUV, §§ 19, 29 GWB hinaus erweitert wird.[172] Das *BKartA* kritisiert demgegenüber, dass die Regulierungsbehörden über Art. 5 i.V.m. Art. 2 Nr. 2 lit. a (ii) REMIT-VO die Möglichkeit hätten, die Preissetzung und die Kosten aller, auch kleiner Erzeugungsunternehmen detailliert zu prüfen und preisrelevante Parameter zu definieren, was zu einer administrativ veranlassten Fehlsteuerung führen könne, die sich möglicherweise negativ auf die Investitionsbereitschaft kleinerer Anbieter im Erzeugungsbereich und damit auch ungünstig auf die Entwicklung der Markt-

[169] Erwägungsgrund 8 REMIT-VO; *Retsch*, Marktmissbräuchliche Regelungen des WpHG und der REMIT-VO im Stromspothandel, 2013, S. 26.

[170] Erwägungsgrund 13 S. 1 REMIT-VO; siehe auch *ACER*, Guidance on the application of REMIT, Updated 4th Edition 2016, p. 36.

[171] *ACER*, Guidance on the application of REMIT, Updated 4th Edition 2016, p. 38.

[172] *Konar* (o. Fn. 162), S. 215.

struktur auswirke.[173] Vergleichbaren Bedenken begegnet freilich – was noch zu zeigen ist – auch die Sichtweise des *BKartA*, systemrelevanten Versorgungsunternehmen das Setzen von Mark-ups als missbräuchlich zu untersagen.

Im Schrifttum werden der kapitalmarktrechtlich inspirierte Marktmissbrauch und der wettbewerbsrechtliche Marktmachtmissbrauch zuweilen nach der Relevanz marktstruktureller Gegebenheiten unterschieden:[174] Ein Marktmissbrauch liege vor, wenn typische Funktionen und Eigenschaften eines Handelsplatzes missbraucht würden, etwa die Preisbildung an einer Börse. Diese Missbrauchsformen könnten unabhängig von der Marktmacht eines Marktteilnehmers Platz greifen. Das Marktmissbrauchsverbot beziehe sich somit im Unterschied zur Missbrauchsaufsicht über marktmächtige Unternehmen auf jede Transaktion oder das Erteilen eines Handelsauftrags für Energiegroßhandelsprodukte, durch die der Marktpreis manipuliert oder versucht werde, diesen zu manipulieren.[175] Hiernach verstoße ein Marktmissbrauch gegen die Marktintegrität und verletze das Vertrauen der Marktteilnehmer in die entsprechenden Märkte, aber nicht notwendig auch den Wettbewerb auf diesen Märkten.[176] Nach vorzugswürdiger Ansicht soll die REMIT-VO trotz der formalen Anlehnung an das Kapitalmarktrecht vor allem einen wettbewerblichen Handel mit Stromprodukten auf den Großhandelsmärkten sichern.[177] Vor diesem Hintergrund ist die REMIT-VO zwar grundsätzlich in Anlehnung an die kapitalmarktrechtlichen Parallelvorschriften auszulegen. Es dürfen aber weder die Wertungen des Wettbewerbsrechts noch, soweit es um Fallgruppen der Irreführung geht, diejenigen des Lauterkeitsrechts umgangen werden. Zudem muss den Besonderheiten des Energiegroßhandels hinreichend Rechnung getragen werden, auf dem keine Privatanleger, sondern professionelle Marktteilnehmer tätig sind. Im Ergebnis dient damit sowohl ein Verbot des Marktmachtmissbrauchs als auch ein solches der Marktmanipulation bei allen Unterschieden im Detail[178] der Sicherung fairer Vertragsschlüsse durch ein Verbot der einseitigen Interessendurchsetzung zulasten anderer Marktteilnehmer, wenn auch auf unterschiedlichen konstruktiven Wegen.[179]

Auf den Gegenstand dieses Beitrags gewendet bedeutet dies einerseits, dass über den Tatbestand gegen Marktmanipulationen gem. Art. 5 REMIT-

[173] *BKartA* (o. Fn. 33), S. 287; dagegen *Konar* (o. Fn. 162), S. 215.

[174] *Retsch* (o. Fn. 169), S. 27.

[175] Vgl. auch *Monopolkommission* (o. Fn. 5), Rdnr. 54.

[176] *Retsch* (o. Fn. 169), S. 28.

[177] Siehe zum Folgenden auch *Konar* (o. Fn. 162), S. 182 ff.

[178] Zur unterschiedlichen Behandlung der Rechtsfigur der wirtschaftlichen Einheit als Sonderfall des Haftungsdurchgriffs durch den „corporate veil“ *Thomas*, Die sogenannte wirtschaftliche Einheit: Auslegungsfragen zur neu eingeführten akzessorischen Konzernhaftung im deutschen Kartellbußgeldrecht, AG 2017, S. 637 (638).

[179] *Mohr* (o Fn. 2), § 29 GWB Rdnr. 49c.

VO keine Verhaltensweisen untersagt werden dürfen, die in einer Marktwirtschaft im Interesse eines statisch und dynamisch effizienten Wettbewerbs als zulässig anerkannt sind. Hierzu gehört auf Seiten der Erzeuger von Elektrizität nicht nur die Deckung der Grenzkosten, sondern auch die Refinanzierung effizienter Investitionen. Andererseits erschweren die nicht an das Vorliegen von Marktmacht anknüpfenden und deshalb wohl leichter nachzuprüfenden Transparenzgebote und Manipulationsverbote der REMIT-VO[180] den Missbrauch einer marktmächtigen Stellung auf den Stromgroßhandelsmärkten, weshalb der noch vor wenigen Jahren geäußerte Generalverdacht gegen die Betreiber konventioneller Kraftwerke[181] heute eher abwegig erscheint.

V. Machtmissbrauch auf dem Markt für den erstmaligen Absatz von Elektrizität

1. *Problemstellung*

Schon die vorstehenden Ausführungen haben verdeutlicht, dass eine Missbrauchsaufsicht über die Strompreise komplexe Abwägungsentscheidungen erfordert.[182] Einerseits darf ihre Anwendung nicht dazu führen, dass wettbewerbliche Preisspitzen verhindert werden, da diese die Errichtung und den Betrieb von Kraftwerken refinanzieren müssen.[183] Andererseits dürfen marktbeherrschende Unternehmen ihre Marktmacht nicht dazu benutzen, antikompetitiv überhöhte Preise zu verlangen, indem sie die Preise unter missbräuchlicher Verwendung der Börsenmechanismen künstlich in die Höhe treiben.[184]

2. *Sachliche Marktabgrenzung*

a) Dogmatische Grundlagen

Normadressaten des § 29 GWB sind in Abgrenzung zu Art. 5 REMIT-VO nur solche Energieversorgungsunternehmen, die als Anbieter von Strom oder Gas marktbeherrschend sind. Nach allgemeinen Grundsätzen genügt für die Feststellung einer Marktbeherrschung entweder eine unabhängige Marktstel-

[180] Zu Art. 5 REMIT-VO *Konar* (o. Fn. 162), S. 183.

[181] *Becker*, Aufstieg und Krise der deutschen Stromkonzerne, 2010.

[182] *Kleene*, in: Autorenteam von PricewaterhouseCoopers (Hrsg.), Regulierung in der deutschen Energiewirtschaft, Band II Strommarkt, 2017, S. 67.

[183] *BDEW*, Stellungnahme zur Konsultation des BKartA zur Erstellung eines Leitfadens für die kartellrechtliche Missbrauchsaufsicht in der Stromerzeugung v. 1. April 2016, Berlin 31. Mai 2016, S. 4.

[184] Vgl. *BNetzA/BKartA*, Monitoringbericht 2017, S. 443.

lung gegenüber Wettbewerbern oder eine solche gegenüber Abnehmern.[185] In Fällen eines potentiellen Ausbeutungsmissbrauchs kann es spiegelbildlich auch auf die Abhängigkeit der Abnehmer ankommen.[186] In diesem Sinne sieht das *BKartA* ein Versorgungsunternehmen schon dann als marktbeherrschend an, wenn es aus Sicht der Verbraucher nach den Besonderheiten der Stromgroßhandelsmärkte ein unverzichtbarer Handelspartner, mithin pivotal ist. In Konsequenz dieses Konzepts erwägt das *BKartA* eine parallele Einzelmarktbeherrschung mehrerer Unternehmen.[187]

Grundlage der Feststellung einer marktbeherrschenden Stellung ist eine sachliche, räumliche und ggf. zeitliche Abgrenzung der relevanten Märkte.[188] Erst auf dieser Grundlage erfolgt eine Betrachtung der Marktposition des Versorgungsunternehmens, nach deutschem Recht anhand der allgemeinen Kriterien des § 18 GWB.[189] Bei der Marktabgrenzung handelt es sich um eine Rechtsfrage, auch wenn sie auf einer empirisch-realen Beurteilungsgrundlage basiert.[190] Es sind diejenigen Wettbewerbskräfte zu ermitteln, denen die beteiligten Unternehmen in dem maßgeblichen Zeitraum ausgesetzt sind.[191]

b) Sachliche Marktabgrenzung

Im Ausgangspunkt richtet sich die Abgrenzung der sachlich relevanten Produktmärkte nach dem Bedarfsmarktkonzept.[192] Im Einzelfall kann eine Ergänzung durch Einbeziehung von Anbietern ähnlicher Produkte erwogen werden, die innerhalb kurzer Zeit in der Lage und auch bereit sind, durch Umstellung ihrer Produktionskapazitäten in den Markt einzutreten.[193] Mit Blick auf die Erzeugung von Elektrizität als homogenes Gut spielt diese Angebotsumstellungsflexibilität aber keine tragende Rolle.[194]

Für die sachliche Marktabgrenzung sind im Stromsektor die eingangs geschilderten Besonderheiten der Energiemärkte zu beachten: Elektrizität ist derzeit noch nicht zu ökonomisch vertretbaren Konditionen speicherbar. Da das Wechselstromnetz mit einer konstanten Frequenz von 50 Hertz betrieben wird, muss immer dieselbe Menge an Strom ins Netz eingespeist werden, die

[185] *Füller*, Einzelmarktbeherrschung durch mehrere Unternehmen, in: Oetker/Joost/Paschke (Hrsg.), Festschrift für Franz Jürgen Säcker, 1. Aufl. 2011, S. 669 (671).

[186] *Becker/Engelsing*, Vom klassischen Strukturansatz zur Pivotalanalyse – Die Entwicklung des Marktbeherrschungsbefunds im Elektrizitätssektor, in: Oetker/Joost/Paschke (Hrsg.), Festschrift für Franz Jürgen Säcker, 1. Aufl. 2011, S. 561 (568).

[187] *BKartA* (o. Fn. 33), S. 18 und sodann S. 96 ff.; siehe auch *Judith*, in: Danner/Theobald (Hrsg.), Energierecht, 95. EL Oktober 2017, Abschnitt 160 Rdnr. 184 ff.

[188] *Mohr* (o. Fn. 2), § 29 GWB Rdnr. 73.

[189] *Lücke* (o. Fn. 74), § 29 GWB Rdnr. 10.

[190] *Säcker* (o. Fn. 157), S. 19.

[191] *BGH*, NZKart 2017, 242 Rdnr. 25 – VBL-Gegenwert II.

[192] *BGH*, WuW/E DE-R 1355, 1357 – Staubsaugerbeutelmarkt.

[193] *BGH*, NZKart 2017, 242 Rdnr. 25 – VBL-Gegenwert II.

[194] *Konar* (o. Fn. 162), S. 43.

zu diesem Zeitpunkt nachgefragt wird. Trotz der politisch intendierten Flexibilisierung ist die Nachfrage außerdem kurzfristig im Wesentlichen unelastisch. Schließlich sind die sachlich relevanten Märkte für den Stromtransport, soweit es die Aufsicht über die Bedingungen und Entgelte beim Netzzugang betrifft, gem. § 185 Abs. 3 GWB i.V.m. § 111 EnWG der Missbrauchskontrolle gem. den §§ 19, 29 GWB entzogen und einer regulierungsrechtlichen Ex-ante-Kontrolle nach den §§ 20 ff. EnWG unterstellt.[195] Die Transportnetze bleiben daher bei der sachlichen Marktabgrenzung außer Betracht, da sie jedenfalls bei einem funktionsfähigen Unbundling ohne spürbaren Einfluss auf das Wettbewerbsverhalten der Versorgungsunternehmen sind.

Im Kern unterscheidet das *BKartA* drei Marktstufen: Die Import- bzw. Erzeugungsstufe, die Distributionsstufe und die Letztverbraucherstufe.[196] Auf der vorliegend relevanten Import- und Erzeugungsstufe grenzt das Amt in Übereinstimmung mit dem *BGH*[197] einen sachlichen Markt für den erstmaligen Absatz von Elektrizität ab.[198] Auf diesem stehen sich überregionale Produzenten oder Importeure als Anbieter und regionale Weiterverteiler als Nachfrager gegenüber. Der Markt umfasst sämtliche Strommengen, die durch Kraftwerke in Deutschland erzeugt werden, sowie die dem deutschen Markt zur Verfügung stehenden Importmengen,[199] allerdings unter Ausklammerung von EEG-Strom und der Regelenergie.[200]

Insbesondere die Herausnahme von EEG-Strom aus dem relevanten Markt für den Erstabsatz von Elektrizität ist, insoweit mit der EU-*Kommission*,[201]

[195] *Büdenbender* (o. Fn. 1), ZWeR 2006, S. 233.

[196] *BKartA*, ZNER 2010, 200, 202 Rdnr. 29 – Integra/Thüga.

[197] *BGH*, WuW/E DE-R 2451 Rdnr. 14 ff. – E.ON/Eschwege.

[198] Vgl. *Becker/Engelsing* (o. Fn. 186), S. 561 (565).

[199] *BKartA*, ZNER 2010, 200, 202 Rdnr. 30 – Integra/Thüga.

[200] *BKartA* (o. Fn. 33), S. 73; zust. *Monopolkommission* (o. Fn. 33), Rdnr. 156; siehe zur – überzeugenden – Herausnahme der Regelenergie aus der Marktabgrenzung *Konar* (o. Fn. 162), S. 42.

[201] *EU-Kommission*, Beschl. v. 26.3.2007, COMP/M.4517 Rdnr. 11 – Iberdrola/Scottish Power: „The applicability of these previous findings to the notified transaction has been confirmed by the market investigation. In particular, it has been confirmed for Great Britain by market participants and the regulator alike that one should not make a distinction between the different sources of electric energy (gas-fired, coal-fired, nuclear and hydroelectric power stations, wind farms or others) within the market for electricity generation.“ Siehe speziell für Deutschland auch *EU-Kommission*, Beschl. v. 23.6.2009, COMP/M.5467 Rdnr. 24 – RWE/Essent; EU-Kommission (zunächst für die Niederlande): „However, in line with the Commission's decision in Iberdrola/Scottish Power no distinction is made between the different sources of electric energy within the wholesale electricity market.“ Sodann Rdnr. 231 ff. für Deutschland: „The notifying party considers, in line with the previous decision making practice of the Commission, the product market is the wholesale market for electricity (imports and generation of electricity for further resale). This market definition was in large part confirmed by the market investigation and the respondents furthermore stated in large part that there was no need for a further delineation of this market. [...] Based on the above, the relevant product market will be defined as the wholesale mar-

nicht überzeugend. Zum einen ist Elektrizität ein homogenes Gut, weshalb aus Sicht der Nachfrager beim konkreten Bezugsvorgang die Herkunft aus konventionellen oder aus erneuerbaren Quellen nicht erheblich ist. Insbesondere kann aus der überwiegenden Zustimmung der Bürger für eine ökologisch motivierte Energiewende nicht pauschal darauf geschlossen werden, dass diese in jedem Einzelfall nur Elektrizität aus erneuerbaren Energiequellen erwerben wollen, zumal dies mit Blick auf den europäischen „Stromsee" und seinen erheblichen Bestandteilen an atomar sowie konventionell erzeugter Energie sowieso nicht möglich ist. Zum anderen wird das Marktverhalten von Anbietern konventionell erzeugten Stroms durch den staatlich geförderten EEG-Strom nachhaltig beeinflusst. Zwar erfolgten die Erzeugung und Einspeisung von EEG-Strom früher losgelöst von der Nachfragesituation und den Preisen im Stromgroßhandel, da Betreiber von EEG-Anlagen den Strom stets unabhängig von der Marktsituation einspeisten und hierfür die gesetzlich vorgeschriebene Vergütung erhielten.[202] Auch vermarkteten die Übertragungsnetzbetreiber den EEG-Strom nach den speziellen Vorgaben der Ausgleichsmechanismusverordnung außerhalb des Strommarktes.[203] Dies änderte jedoch schon damals nichts daran, dass der eingespeiste EEG-Strom aufgrund der Merit Order einen preisdämpfenden Effekt auf konventionell erzeugten Strom hatte und damit für das Angebotsverhalten der Kraftwerksbetreiber bedeutsam war.[204] Mit Blick auf die Abgrenzung des relevanten Marktes war damit gerade nicht maßgeblich, ob EEG-Anlagenbetreiber und Übertragungsnetzbetreiber formal als „Wettbewerber" zu qualifizieren waren,[205] sondern ob der EEG-Strom unter materiellen Gesichtspunkten das Wettbewerbsverhalten konventioneller Anlagenbetreiber spürbar beeinflusste.[206] Letzteres stellt wie gesehen auch das *BKartA* nicht in Abrede; denn konventionelle Kraftwerke kommen in der Merit Order aufgrund des heute in den §§ 14 ff. EEG 2017 geregelten Einspeisevorrangs der erneuerbaren Energien, aber auch aufgrund von den Produktionskosten des EEG-Stroms von nahe Null regelmäßig erst nachrangig zum Zuge.[207] Hiervon ist wiederum nicht nur das kurzfristige Angebotsverhalten konventioneller Erzeuger betroffen, beeinflusst werden auch die langfristigen Investitionsentscheidungen.[208] Können die Kraftwerksbetreiber ihre effizienten Investitionen nicht

ket for electricity (imports and generation of electricity for further resale)." Siehe neuerdings auch *EU-Kommission*, Beschl. v. 22.9.2016, COMP/M.8056, Rdnr. 14 ff. – EPH/PPF Investments/Vattenfall Generation/Vattenfall Mining.

[202] *BKartA* (o. Fn. 33), S. 73.

[203] *BKartA* (o. Fn. 33), S. 73.

[204] *Säcker* (o. Fn. 157), S. 46 f.

[205] So *BKartA* (o. Fn. 33), S. 73.

[206] Ähnlich *Konar* (o. Fn. 162), S. 43.

[207] *BKartA* (o. Fn. 33), S. 73.

[208] *Säcker* (o. Fn. 157), S. 47.

über die „regulären“ Strompreise refinanzieren, und ist dies auch nicht über einen eigenen Kapazitätsmarkt möglich, sind sie nach der immanenten Logik des Strommarktes gehalten, Mark-ups auf ihre Grenzkosten zu setzen. Hierauf ist nachfolgend noch in Zusammenhang mit dem Missbrauch von Marktmacht durch finanzielle Kapazitätszurückhaltung einzugehen.

Perspektivisch ist die Abgrenzung eines eigenständigen Marktes für EEG-Strom jedenfalls wegen der von § 2 Abs. 2 EEG 2017 geforderten Marktintegration der erneuerbaren Energien ein Auslaufmodell.[209] Hiernach stehen Solar- und Windstrom aufgrund der Pflicht zur Direktvermarktung gem. § 20 Abs. 1 S. 1 Nr. 1 EEG 2017 in einem gesetzlich gewollten Konkurrenzverhältnis zu Strom aus konventionellen Kraftwerken.[210] Dasselbe gilt für die Strommengen, die von den Übertragungsnetzbetreibern zu vergüten sind, da auch diese Mengen gem. § 59 EEG 2017 über die Strombörse zu vermarkten sind.[211]

c) Räumliche Marktabgrenzung

In geographischer Hinsicht besteht der relevante Markt aus einem Gebiet, auf dem die beteiligten Unternehmen als Anbieter oder Nachfrager von Waren oder Dienstleistungen auftreten, in dem die Wettbewerbsbedingungen hinreichend homogen sind und das sich von den benachbarten Gebieten hinreichend unterscheidet.[212] Da Deutschland und Österreich eine gemeinsame Preiszone bilden, in der Handelsbeschränkungen in Form von Netzengpässen für die Preisbildung regulatorisch keine Rolle spielen, grenzte das *BKartA* bislang einen integrierten deutsch-österreichischen Erstabsatzmarkt ab.[213] Allerdings hat die *Agentur für die Zusammenarbeit der Energieregulierungsbehörden (ACER)* im September 2015 die Trennung der deutsch-österreichischen Preiszone empfohlen, da die Handelsvolumina an dieser Netzgrenze überproportional zum Netzausbau stiegen und hierdurch die Netzstabilität anderer Länder gefährdet sei.[214] Die *BNetzA* und die österreichische Regulierungsbehörde *E-Control* haben sich vor diesem Hintergrund auf eine Bewirtschaftung der Stromtransportkapazitäten an der deutsch-österreichischen Grenze ab dem 1.10.2018 geeinigt.[215] Dies führt ab diesem Zeitpunkt zu einer Aufspaltung der deutsch-österreichischen Preis-

[209] Siehe dazu *Mohr*, Integration der erneuerbaren Energien in wettbewerbliche Strommärkte – Direktvermarktung und Ausschreibung von Förderberechtigungen, RdE 2015, S. 433 ff.

[210] Ebenso *Kleene* (o. Fn. 182), S. 66.

[211] *Säcker* (o. Fn. 157), S. 46; *Konar* (o. Fn. 162), S. 43.

[212] *Säcker* (o. Fn. 157), S. 18.

[213] *BKartA* (o Fn. 33), S. 75 ff.

[214] *Monopolkommission* (o. Fn. 5), Rdnr. 22.

[215] *BMWi*, Bundesnetzagentur und E-Control einigen sich auf Engpassbewirtschaftung an der deutsch-österreichischen Grenze, Pressemitteilung v. 15.5.2017, abrufbar unter

zone und damit auch zu einer Trennung dieser Märkte.[216] Aufgrund der dann bundesweiten Abgrenzung des Marktes für den erstmaligen Absatz von Elektrizität ist eine Kontrolle nach dem Vergleichsmarktkonzept gem. § 29 S. 1 Nr. 1 GWB wegen des Fehlens eines adäquaten räumlichen Vergleichsmarktes immer noch nicht praktikabel.[217] Einschlägig ist aber die Kosten- und Gewinnkontrolle gem. § 29 S. 1 Nr. 2 GWB.

3. *Marktbeherrschung*

Ein Unternehmen verfügt über eine marktbeherrschende Stellung, wenn seine Verhaltensspielräume nicht hinreichend durch den Wettbewerb kontrolliert werden.[218] Das *BKartA* sieht ein Unternehmen auf dem Erstabsatzmarkt für Strom dann als marktbeherrschend an, wenn es ein unverzichtbarer Handelspartner, also pivotal bzw. systemrelevant ist.[219] Nach seiner Ansicht kann mit Blick auf die Besonderheiten der Strommärkte bei geringen Marktanteilen eine Situation eintreten, in der die Kapazität eines Unternehmens nicht durch freie Kapazitäten anderer Wettbewerber ersetzt werden kann. Sei ein Anbieter in diesem Sinne unverzichtbar, um die Nachfrage im Ganzen zu befriedigen, komme es bereits unterhalb hoher Marktanteile i.S.d. Vermutungstatbestands gem. § 18 Abs. 4 GWB zu einer relevanten Abhängigkeit der Abnehmer.[220] Theoretisch verfüge deshalb jeder Anbieter zu jedem Zeitpunkt, in dem seine eigene Kapazität notwendig sei, um die Gesamtnachfrage zu decken, über eine erhebliche Marktmacht.[221] Systemrelevante Anbieter könnten wiederum in einer konkreten Marktsituation eine Spitzenlasttarifierung strategisch auslösen und damit erhebliche Preisaufschläge erzielen.[222]

Konkret ermittelt das *BKartA* die Systemrelevanz eines Kraftwerksbetreibers in Anwendung des Residual-Supply-Index (RSI).[223] Die Kalkulation des RSI für ein Unternehmen A folgt der generalisierenden Form RSI_A = ([Marktkapazität] – [Kapazität des Unternehmens A]) / [Marktnachfrage].[224] In der Praxis wird die Marktkapazität häufig als Summe der regionalen Erzeugungskapazitäten im abgegrenzten Marktgebiet zuzüglich der Netto-Stromimporte im Betrachtungszeitraum abgebildet. Als Kapazität des Unter-

https://www.bmwi.de/Redaktion/DE/Pressemitteilungen/2017/20170515-bnetza-e-control-einigen-sich.html (zuletzt abgerufen am 1.4.2018).

216 *Monopolkommission* (o. Fn. 5), Rdnr. 22.

217 *Becker/Blau* (o. Fn. 24), Rdnr. 221.

218 *BGH*, NZKart 2017, S. 242 Rdnr. 25 – VBL-Gegenwert II.

219 *Becker/Engelsing* (o. Fn. 186), S. 561 (568); *Füller* (o. Fn. 185), S. 669 (677).

220 *BKartA* (o. Fn. 33), S. 97.

221 *BKartA* (o. Fn. 33), S. 97

222 *Monopolkommission* (o. Fn. 5), Rdnr. 66.

223 Grundlegend *Sheffrin*, Predicting Market Power Using the Residual Supply Index Presented to FERC Market Monitoring Workshop, December 3–4, 2002, S. 5.

224 *Säcker* (o. Fn. 157), S. 66.

nehmens A kann auf die Reservekapazitäten nach Abzug aller durch langfristige Liefervereinbarungen gebundenen Kapazitäten abgestellt werden.[225] Der errechnete Index gibt an, ob die im Markt verbleibende Kapazität ausreicht, um die Gesamtnachfrage zu decken, wenn Unternehmen A ausfällt. Ist der Index kleiner einer bestimmten Messzahl, wird Unternehmen A benötigt, um die Gesamtnachfrage im Markt zu decken; es ist dann ein unverzichtbarer (pivotaler) Anbieter.[226]

Auf der Grundlage der Erhebung des RSI grenzt das *BKartA* den Erstabsatzmarkt für Strom nicht kurzfristig ab, wie dies den Zeitpunkten der Intraday-Auktionen entspräche, sondern bezogen auf das ganze Jahr. Es sieht die Vermutung einer marktmächtigen Stellung erst dann als begründet an, wenn ein Unternehmen mehr als 5 Prozent eines Jahres systemrelevant war, also in 438 Stunden.[227] Zudem könne die Vermutung durch strukturelle Faktoren widerlegt werden, die darauf hindeuteten, dass das betroffene Unternehmen keine Möglichkeit gehabt habe, die Preise über das Wettbewerbsniveau anzuheben.[228] Demgegenüber ist die *Monopolkommission* der Ansicht, dass der Markt auf Basis einzelner Stunden- bzw. Viertelstundenprodukte abzugrenzen sei, da die Stromlieferungen zu unterschiedlichen Zeitpunkten wegen der sehr eingeschränkten Speicherbarkeit von Strom nicht im Wettbewerb stünden.[229] Auch ändere sich die Marktsituation wegen der kurzfristig schwankenden Nachfrage laufend, weshalb in einem bestimmten Lieferzeitpunkt durchaus Wettbewerb herrschen könne, wohingegen zum darauffolgenden Lieferzeitpunkt pivotale Marktmacht bestehe.[230] Das *BKartA* summiere Phasen strukturell relevanter Marktmacht auf, um anhand definierter Grenzen, die auf keiner theoretischen, empirischen oder gesetzlichen Grundlage basierten, die Marktbeherrschung festzulegen, was ökonomisch nicht vertretbar sei.[231]

Wie bereits erläutert, ist die Marktabgrenzung aber nicht allein nach ökonomischen Kriterien vorzunehmen. Vielmehr erfordert sie auch juristische Wertentscheidungen unter Berücksichtigung rechtsstaatlicher Gesichtspunkte wie der Rechtssicherheit, der Vorhersehbarkeit und der Justiziabilität.[232] Eine derartige Abwägung zwischen rechtlichen und ökonomischen Erkenntnissen ist einem Recht gegen Wettbewerbsbeschränkungen wesensimmanent.[233] Vor diesem Hintergrund kann beispielsweise die Vermutung

[225] *Säcker* (o. Fn. 157), S. 66.
[226] *Säcker* (o. Fn. 157), S. 66.
[227] *BKartA* (o. Fn. 33), S. 106 ff.
[228] *BKartA* (o. Fn. 33), S. 106.
[229] *Monopolkommission* (o. Fn. 5), Rdnr. 76.
[230] *Monopolkommission* (o. Fn. 5), Rdnr. 76.
[231] *Monopolkommission* (o. Fn. 5), Rdnr. 78.
[232] Zur Eigengesetzlichkeit des Rechts gegenüber der Wirtschaft *Mohr* (o. Fn. 43), S. 218.
[233] Näher *Mohr* (o. Fn. 99), ZWeR 2015, S. 1 ff.

einer marktmächtigen Stellung anhand des Marktanteils von Unternehmen als Kompromiss zwischen einer ökonomisch richtigen Anwendung des Wettbewerbsrechts und dem normativen Anliegen der Rechtssicherheit gedeutet werden.[234] Auf dieser Grundlage kann für die vom *BKartA* angestellte längerfristige Betrachtung der Systemrelevanz angeführt werden, dass Unternehmen eine realistische Möglichkeit haben müssen, ihre Eigenschaft als Normadressaten einzuschätzen und ihr Verhalten danach auszurichten. Letzteres ist bei einer viertelstundenbezogenen Betrachtung de facto unmöglich, weshalb diese aus juristischer Sicht ausscheidet.[235] Selbst eine 5 Prozent-Jahresgrenze lässt sich aus Unternehmenssicht wegen der Volatilität der erneuerbaren Energien und der begrenzten Aussagefähigkeit von Wetterprognosen kaum rechtssicher ex ante feststellen.[236] Demgemäß wird zuweilen sogar eine mehrjährige Betrachtung erwogen, um auf dieser Grundlage zu einem „stabilen und aussagefähigen Pivotalwert" zu gelangen.[237]

Die Sichtweise des *BKartA* ist insoweit überzeugend, als sie dem besonderen Stellenwert der rechtsstaatlichen Grundsätze von Rechtssicherheit und Vorhersehbarkeit für die präventive Steuerung des Verhaltens der Normadressaten angemessen Rechnung tragen will. Allerdings führt die Vermutung einer marktmächtigen Stellung bei Überschreiten eines 5 Prozent-Schwellenwertes pro Jahr im Ergebnis dazu, dass ein Versorgungsunternehmen nach Erreichen dieses Schwellenwerts auch dann als marktbeherrschend angesehen werden könnte, wenn es in der betrachteten Zeitperiode tatsächlich gar nicht (mehr) marktbeherrschend ist. Nach dem Konzept des *BKartA* wäre dem Unternehmen in einer solchen Situation gleichwohl das Setzen von Mark-ups auf die Grenzkosten untersagt, obwohl es die Verbraucher mangels Marktmacht gar nicht ausbeuten kann. Das Setzen eines Schwellenwerts birgt damit in Zusammenhang mit dem Konzept pivotaler Marktmacht die nicht zu unterschätzende Gefahr einer Fehlsteuerung der Märkte durch nicht gerechtfertigte regulatorische Eingriffe i.S.d. § 1a Abs. 1 EnWG in sich. Wollte man trotz dieser Bedenken am RSI als Indikator für Marktmacht festhalten, bliebe gar nichts anderes übrig, als eine zeitpunktbezogene Betrachtung anzustellen. Eine solche Vorgehensweise würde die Versorgungsunter-

[234] *Mohr* (o. Fn. 43), S. 432.

[235] Ebenso *EEX*, Stellungnahme, Konsultation des Bundeskartellamts zur Erstellung eines Leitfadens für die kartellrechtliche Missbrauchsaufsicht in der Stromerzeugung – Missbräuchliche Zurückhaltung von Stromerzeugungskapazität, Leipzig 31. Mai 2016, S. 4.

[236] Insoweit überzeugend *BDEW* (o. Fn. 183), S. 10; *Uniper*, Stellungnahme zur Konsultation zur Erstellung eines Leitfadens für die kartellrechtliche Missbrauchsaufsicht in der Stromerzeugung – Missbräuchliche Zurückhaltung von Stromerzeugungskapazitäten, Düsseldorf 31.5.2016, S. 2.

[237] So *EnBW*, Stellungnahme zur Konsultation zur Erstellung eines Leitfadens für die kartellrechtliche Missbrauchsaufsicht in der Stromerzeugung – Missbräuchliche Zurückhaltung von Stromerzeugungskapazität, Karlsruhe Mai 2016, S. 5.

nehmen allerdings vor die schon beschriebene Aufgabe stellen, das Vorliegen von Marktmacht ex ante viertelstundengenau zu prognostizieren, um ihr Verhalten entsprechend anzupassen. Dies ist faktisch unlösbar und steht deshalb in Wiederspruch zum Rechtsstaatsprinzip. Im Ergebnis ist der RSI damit ungeeignet, in einer dynamischen Marktwirtschaft als Indikator für Marktmacht zu dienen. Folgerichtig ist auch das – von der Rechtsprechung bislang nicht bestätigte – Konzept der parallelen Einzelmarktbeherrschung mehrerer Unternehmen abzulehnen.

4. Finanzielles Zurückhalten von Erzeugungskapazität als Ausbeutungsmissbrauch?

Wie bereits thematisiert, wird eine Missbrauchskontrolle marktbeherrschender Versorgungsunternehmen auf der Grundlage von § 29 S. 1 Nr. 2 GWB derzeit vor allem für die Zurückhaltung von Stromerzeugungskapazität diskutiert, konkret für eine sog. finanzielle Kapazitätszurückhaltung durch das Setzen von Mark-ups auf die Grenzkosten. Demgegenüber steht eine direkte Überprüfung der Höhe der Stromgroßhandelspreise oder einzelner Gebote der Kraftwerksbetreiber mangels praktischer Durchführbarkeit nicht im Fokus der Wettbewerbsbehörden.[238] Einschlägig kann insoweit jedoch das oben behandelte Verbot von Marktmanipulationen gem. Art. 5 REMIT-VO (EU) Nr. 1227/2011 sein.

Im Ausgangspunkt ist es weitgehend konsentiert, dass sich die Feststellung eines Marktmachtmissbrauchs gem. den Art. 102 AEUV, §§ 19, 29 GWB an den Preisbildungsmechanismen der Strombörse orientieren muss, wie sie klassischer Weise in der Merit Order zum Ausdruck kommen. Auf dieser Grundlage ist ein wettbewerbsrechtlich unzulässiger Marktmachtmissbrauch nach Ansicht des *BKartA* schon dann indiziert, wenn ein auf der Grundlage des RSI vermeintlich marktbeherrschendes Unternehmen Kapazitäten, welche es über den kurzfristigen Grenz- bzw. Inkrementalkosten verkaufen könnte, in der Erwartung zurückhält, durch eine Verschiebung der Merit-Order-Kurve eine Erhöhung des Spotmarktpreises zu erzielen.[239] Bei der wettbewerbsrechtlichen Beurteilung gilt es freilich zu beachten, dass die Preisbildung an der Strombörse nach der Merit Order aufgrund der staatlichen Förderung von EEG-Strom strukturell verzerrt ist, da die Betreiber von EEG-Anlagen den von ihnen produzierten Wind- und Solarstrom aufgrund der Grenzkosten von nahe Null besonders preisgünstig anbieten können. Zudem sind die Erneuerbare-Energien-Anlagenbetreiber aufgrund der staatlichen Förderung über die sog. Marktprämie auch nicht in gleichem

[238] Zustimmend *BDEW* (o. Fn. 183), S. 3.
[239] *BKartA* (o. Fn. 33), S. 10 f.

Maße wie die Betreiber konventioneller Kraftwerke gehalten, ihre Investitionskosten über die Strompreise zu refinanzieren. Soweit sich die Preismissbrauchsaufsicht deshalb – mit guten Gründen – an den etablierten und allseits konsentierten Preisbildungsmechanismen der Strombörse, insbesondere an der Merit Order orientiert, ist mit ins Kalkül zu nehmen, dass es für die Betreiber konventioneller Kraftwerke unter den Bedingungen der Energiewende immer schwieriger wird, ihre statisch und dynamisch-effizienten Vollkosten zu refinanzieren. Vor diesem Hintergrund sind sie notwendig auf das Setzen von Mark-ups auf die Grenzkosten angewiesen, was der Gesetzgeber durch die §§ 1 Abs. 4, § 1a Abs. 1 EnWG explizit gebilligt hat. Stellt sich das Setzen vor Mark-ups allerdings als betriebswirtschaftlich gebotene und volkswirtschaftlich erwünschte Verhaltensweise dar, kann es im Rahmen der wettbewerbsrechtlichen Beurteilung keine Rolle spielen, ob das Mark-up-setzende und damit – in der Diktion des *BKartA* – seine Kapazität finanziell zurückhaltende Unternehmen marktbeherrschend ist oder nicht. Denn ein Refinanzieren (nur) der statisch und dynamisch effizienten individuellen Vollkosten ist ein Ausdruck einer wettbewerblichen Preisbildung und nicht eines Missbrauchs von Marktmacht, wie die wettbewerbsanaloge Regulierung der Stromnetzentgelte zeigt.[240]

Erschwert wird die wettbewerbsrechtliche Beurteilung freilich dadurch, dass sich die Preise an der Strombörse wie gesehen nicht nach einem Pay-as-bid-Verfahren bilden, sondern nach der Merit Order als Uniform-Preisregel. Zu den anerkannten Vorteilen einer Preisbildung nach der Merit Order zählen eine relativ einfache und transparente Preisbildung, die Gleichbehandlung der Nachfrager sowie in kompetitiven Märkten das Erreichen von produktiver Effizienz.[241] Zudem – und dies erscheint vorliegend bedeutsam – sollen über die Preisbildung nach der Merit Order die zur Deckung der Stromnachfrage benötigten Kraftwerke ihre statisch und dynamisch effizienten Kosten über den Strompreis refinanzieren können. Aus diesem Grunde kann nicht allein ein vermeintlich finanzielles Zurückhalten von Kraftwerken in Form von Mark-ups auf die Grenzkosten über einen Missbrauch von Marktmacht entscheiden, sondern allein eine hierauf basierende Erhöhung der Marktpreise über das Niveau wie bei wirksamem Wettbewerb.[242] Der *BGH* hat in den Wasserpreisverfahren den allgemeingültigen Erfahrungssatz formuliert, dass ein marktbeherrschendes Unternehmen bei hypothetisch wirksamem Wettbewerb seinen anzuerkennenden Preisgestaltungsspielraum regelmäßig so ausüben wird, dass einerseits die bei Ausschöpfung von Rationalisierungs-

[240] Näher *Mohr*, Prinzipien und System der Entgeltregulierung am Beispiel der Stromnetzentgeltverordnung, in: Ludwigs (Hrsg.), Festschrift für Matthias Schmidt-Preuß, im Erscheinen 2018.

[241] *Ockenfels/Grimm/Zoettl* (o. Fn. 30), S. 17.

[242] Insoweit ähnlich *Uniper* (o. Fn. 236), S. 10.

reserven zu erwartenden Kosten gedeckt werden und eine möglichst hohe Rendite erwirtschaftet wird, andererseits aber verhindert wird, dass Kunden wegen zu hoher Preise zu einem Wettbewerber abwandern.[243]

Unabhängig von den vorstehenden Erwägungen gehören mit Blick auf die börslichen Preisbildungsmechanismen auch Opportunitäts- und Ausfallrisikokosten zu den anerkennenswerten Aufwandspositionen.[244] Für den Ansatz von Opportunitätskosten spricht insbesondere der systematische Zusammenhang von Day-ahead-Markt und Intraday-Markt. Hiernach kann eine Kapazitätszurückhaltung im Day-ahead-Markt betriebs- und volkswirtschaftlich effizient sein, sofern im Intraday-Markt höhere Renditen zu erwarten sind.[245] Auch können Kraftwerke in zulässiger Weise am Regelenergiemarkt eingesetzt werden.[246]

Das *BKartA* begründet seine Ansicht im Monitoringbericht 2017 ergänzend mit der ökonomischen Erkenntnis, dass von den Betreibern konventioneller Kraftwerke gesetzte Mark-ups den börslichen Markträumungspreis auf die Grenzkosten allein in Nicht-Knappheitssituationen beeinflussen könnten. Demgegenüber bildeten sich die vom Gesetzgeber erwünschten knappheitsbedingten Preisspitzen unabhängig von etwaigen Mark-ups auf die Grenzkosten entweder durch das Nachfrageverhalten der Verbraucher oder durch die Börse selbst in Form des technischen Limits.[247] Mark-ups am Stromgroßhandelsmarkt könnten somit auch durch tatsächliche, marktmachtunabhängige Knappheiten zustande kommen.[248] Knappheitsbedingte Preisspitzen bildeten sich völlig unabhängig von etwaigen Mark-ups in Geboten der Kraftwerksbetreiber.[249] Insoweit folgerichtig hätten die wettbewerbsrechtlichen Verbote eines Marktmachtmissbrauchs keine Auswirkungen auf knappheitsbedingte Preisspitzen,[250] wie sie nach § 1a Abs. 1 EnWG dem Konzept des Strommarktes 2.0 zugrunde liegen.

Auch diese Ausführungen sind kritisch zu überdenken. So begründet das *BKartA* das Vorliegen von Marktmacht mit der Pivotalität, also der Systemrelevanz in Knappheitssituationen. Knappheitsbedingte Preisspitzen sollen sich aber nicht aufgrund des Angebotsverhaltens der Kraftwerksbetreiber, sondern aufgrund des Nachfrageverhaltens der Verbraucher oder in Form des technischen Börsenlimits einstellen. Man wird hieraus nicht den Schluss ziehen können, dass marktbeherrschende Unternehmen den börslichen Markträumungspreis allein in Nicht-Knappheitssituationen beeinflussen könn-

243 *BGH*, NJW 2015, 3643 Rdnr. 22 – Calw II; vgl. auch *Mohr* (o. Fn. 43), S. 490.
244 Ebenso *BDEW* (o. Fn. 183), S. 4.
245 *BDEW* (o. Fn. 183), S. 4.
246 *EEX* (o. Fn. 235), S. 3.
247 *BKartA* (o. Fn. 135), S. 4 i.V.m. mit den Folien in der Anlage.
248 *BNetzA/BKartA*, Monitoringbericht 2017, S. 443.
249 *BKartA* (o. Fn. 135), S. 4.
250 *BKartA* (o. Fn. 135), S. 4.

ten, was im Ergebnis auf einen Widerspruch hinausliefe: Marktmacht setzt Knappheit voraus, bei Knappheit kann die Marktmacht nicht missbraucht werden. Vielmehr wird es marktbeherrschenden Versorgungsunternehmen theoretisch auch in Knappheitssituationen möglich sein, den Börsenpreis durch das physische oder finanzielle Zurückhalten von Kraftwerkskapazität noch weiter in die Höhe zu treiben, als er sich ohne die Kapazitätszurückhaltung einstellen würde. Ein derartiges Verhalten sollte aber – wie zuvor geschildert – nur dann als missbräuchlich bewertet werden, wenn die Kraftwerksbetreiber hierdurch Preise verlangen, die über dem hypothetischen Wettbewerbspreis im Sinne einer Refinanzierung ihrer effizienten Kosten liegen. Wollte man systemrelevanten Betreibern von Grenzkraftwerken demgegenüber einen Anspruch auf Refinanzierung ihrer statisch und dynamisch effizienten Kosten durch das Setzen von Mark-ups auf die Grenzkosten generell als finanzielle Kapazitätszurückhaltung untersagen, weil ansonsten wegen der Merit Order die Börsenpreise zulasten der Verbraucher übermäßig anstiegen, müsste man nochmals über einen Kapazitätsmarkt neben dem bestehenden Energy-only-Market nachdenken, über den dann die effizienten Investitionskosten ganz oder zum Teil refinanziert werden könnten.

VI. Fazit

Der Preismissbrauchskontrolle gem. § 29 GWB kommt nach dem Willen des Gesetzgebers die Aufgabe zu, den Strommarkt 2.0 vor missbräuchlichen Praktiken marktbeherrschender Unternehmen zu schützen. Die dogmatischen Grundlagen der Norm sind nicht zuletzt durch die Rechtsprechung des *BGH* weitgehend geklärt. Insbesondere kann zur Operationalisierung der Kosten- und Gewinnkontrolle gem. den §§ 19 Abs. 1, Abs. 2 Nr. 2, 29 S. 1 Nr. 2 GWB auf die Erkenntnisse des Regulierungsrechts zurückgegriffen werden, wie sie sich u.a. in den Netzentgeltverordnungen Bahn brechen. Demgegenüber begegnet die praktische Anwendung des § 29 GWB auch angesichts der Besonderheiten der Preisbildung an den Strombörsen erheblichen Schwierigkeiten. So grenzt das *BKartA* einen Markt für den erstmaligen Absatz von Elektrizität ohne Einbeziehung des EEG-Stroms ab, was den realen Wettbewerbsverhältnissen widerspricht. Vor allem aber ist das Konzept der pivotalen Marktmacht, festgestellt anhand des Residual Supply Index (RSI), in der Rechtswirklichkeit ungeeignet, die Unternehmen zu einem Verhalten wie bei wirksamem Wettbewerb anzuhalten, da sie ex ante gar nicht wissen, ob sie im Rahmen einer Ex-post-Betrachtung als marktmächtig eingestuft werden. Stellte man deshalb auf einen längeren Zeitraum ab, etwa auf 5 Prozent der Jahresstunden, behandelte man die betroffenen Unternehmen eventuell als marktbeherrschend, obwohl sie dies in der jeweiligen Zeiteinheit gar nicht sind. Man würde sie mit anderen Worten zu einem Nichtsetzen von

Mark-ups anhalten, obwohl ein solches Verhalten nach der aktuellen, durch ein zunehmendes Angebot von EEG-Strom gekennzeichneten Marktsituation einem individuell wettbewerbskonformen Verhalten entsprechen kann, um die gebotenen Investitionen in konventionelle Back-up-Kapazitäten zu refinanzieren. Im Ergebnis kann das Konzept des *BKartA* damit zu einer regulatorischen Fehlsteuerung der Märkte führen, die der Gesetzgeber durch die §§ 1 Abs. 4, 1a Abs. 1 EnWG gerade untersagen wollte.

Aufsichtsräte in kommunalen Energieversorgungsunternehmen

Aufsichtsräte in kommunalen Energieversorgungsunternehmen sind regelmäßig, zu groß und häufig zu teuer. Zudem sind die Einbindung von Kommunalpolitikern und die Umsetzung des Unbundling sorgfältig zu prüfen.

Thomas Hey*

I. Einleitung

Eine Recherche über Aufsichtsräte in kommunalen Energieversorgungsunternehmen hat ergeben, dass eine erhebliche Abweichung zu den gesetzlichen Bestimmungen, sowie zur Praxis in privaten Unternehmen besteht. So haben Energieunternehmen in der Rechtsform der GmbH, die weniger als 500 Beschäftigte haben, fast immer einen Aufsichtsrat, dessen Mitgliederzahlen sich häufig im zweistelligen Bereich bewegen. Dagegen richten entsprechende im privaten Eigentum stehende GmbHs sehr selten einen fakultativen Aufsichtsrat ein. Laut einer Studie der Friedrich-Schiller-Universität Jena fehlt sogar bei mehr als der Hälfte der Gesellschaften, die mehr als 500 Arbeitnehmer beschäftigen, in Deutschland ein Aufsichtsrat, obwohl sie zur Bildung eines solchen Gremiums gesetzlich verpflichtet sind.[1] Es gibt in vielen Energieversorgungsunternehmen damit Aufsichtsräte, obwohl es in vergleichbaren Gesellschaften keine geben würde. Bereits die Anzahl der Aufsichtsratsmitglieder in kommunalen Energieversorgungsunternehmen ist ungewöhnlich hoch. So gibt es Aufsichtsräte in kommunalen Unternehmen, die zum Teil fast so groß sind wie die Belegschaft selbst. Bedenkenswert ist hier, dass jedes Aufsichtsratsmitglied Kosten erzeugt. Da viele Energieunternehmen in Deutschland im Mit-(Eigentum) der öffentlichen Hand stehen[2],

* Rechtsanwalt Bird & Bird, Düsseldorf.

[1] http://www.faz.net/aktuell/wirtschaft/unternehmen/viele-mittelstaendler-haben-keinen-aufsichtsrat-13766705.html (zuletzt abgerufen am 16.05.18); https://www.uni-jena.de/Forschungsmeldungen/PM150826_Mitbestimmung_Bayer.html (zuletzt abgerufen am 16.05.18).

[2] *Hellermann*, in: Britz/Hellermann/Hermes (Hrsg.): EnWG Energiewirtschaftsgesetz Kommentar, 3. Aufl. 2015, § 109 Rdnr. 6.

ergeben sich hier Konflikte mit den Grundsätzen der Sparsamkeit und Wirtschaftlichkeit der Haushaltsordnungen der Länder. Es stellt sich die Frage, ob die gesetzlichen Vorschriften zur Bildung von Aufsichtsräten dem tatsächlichen Bedarf in kommunalen Unternehmen nicht gerecht werden oder ob die kommunalen Gebietskörperschaften aufgefordert werden müssen, die Aufsichtsratsbildung in Beteiligungen den gesellschafts- und kommunalrechtlichen Regelungen anzupassen. Eine dritte Option wäre, auf Länderebene Gesetze über die Bildung von Aufsichtsräten in Unternehmen mit kommunaler Beteiligung zu erlassen.

Spezifische Fragen zu Aufsichtsräten in Energieversorgungsunternehmen ergeben sich zudem bezüglich einer möglichen Amtsträgereigenschaft von Aufsichtsratsmitgliedern sowie möglichen Interessenskonflikten zwischen Aufsichtsrat und Politik. Spannend ist zudem, wie sich das Unbundling bei Energieunternehmen auf die Aufsichtsräte im Konzern mit Netzbetreibern und Stromlieferanten auswirkt.

II. Allgemeines zum Aufsichtsrat

1. Funktion

Ein Aufsichtsrat wird in Unternehmen gemäß § 111 Abs. 1 AktG vor allem zu dem Zweck gegründet, die Geschäftsführung zu überwachen und zu beraten.[3] Diese in Deutschland vorgesehene Differenzierung zwischen Vorstand und Aufsichtsrat stellt das dualistische System der Unternehmensführung dar.[4] Die Überwachungsfunktion ergibt sich für Aktiengesellschaften (AG) und Kommanditgesellschaften auf Aktien (über § 278 Abs. 3 AktG) bereits aus § 111 Abs. 1 AktG. Sie umfasst die Kontrolle von Rechtmäßigkeit, Zweckmäßigkeit und Wirtschaftlichkeit der Geschäftsführung.[5] Kontrollmaßstäbe sind im Gesetz beispielsweise in §§ 171, 172 S. 1 AktG über die Prüfung und Billigung von Jahresabschlüssen durch den Aufsichtsrat verankert. Des Weiteren muss der Vorstand dem Aufsichtsrat gemäß § 90 AktG über die dort genannten Themenbereiche Bericht erstatten. Zur präventiven Überwachung[6] steht dem Aufsichtsrat ein Zustimmungsvorbehalt in Form eines Vetorechts[7] für bestimmte Geschäfte zu, § 111 Abs. 4 S. 2 AktG. Die

[3] *Oetker,* in: Müller-Glöge/Preis/Schmidt (Hrsg.): Erfurter Kommentar zum Arbeitsrecht, 18. Aufl. 2018, § 111 AktG Rdnr. 2.

[4] *Austmann*, in: Hoffmann-Becking (Hrsg.): Münchener Handbuch des Gesellschaftsrechts Bd. 4, 4. Aufl. 2015, 15. Kapitel § 86 Rdnr. 1.

[5] *BGH*, BB 1991, S. 1068 ff. (1068).

[6] *Koch*, in: Hüffer/Koch, Aktiengesetz, 12. Aufl. 2016, § 111 Rdnr. 33.

[7] *Habersack*, in: Goette/Habersack/Kalss (Hrsg.): Münchener Kommentar zum Aktiengesetz, Bd. 2, 4. Aufl. 2014, § 111 Rdnr. 100.

vorgenannten Normen finden über § 52 Abs. 1 GmbHG auch für Aufsichtsräte in einer GmbH Anwendung.

In bestimmten Konstellationen vertritt der Aufsichtsrat die Gesellschaft. Die Vertretung der Gesellschaft obliegt grundsätzlich dem Vorstand, § 78 Abs. 1 S. 1 AktG. Befindet sich die Gesellschaft jedoch im Zustand der Führungslosigkeit, tritt der Aufsichtsrat gemäß § 78 Abs. 1 S. 2 AktG als Vertreter der Gesellschaft auf. Weitere Vertretungsregelungen gibt es bezüglich der Vertretung der Gesellschaft gegenüber Vorstandsmitgliedern in § 112 AktG und bei dem Prüfungsauftrag, den der Aufsichtsrat dem Abschlussprüfer gemäß § 111 Abs. 2 S. 3 AktG erteilt.

2. *Formen*

Zu unterscheiden sind fakultative und obligatorische Aufsichtsräte.

a) Obligatorischer Aufsichtsrat

Gesetzlich vorgeschrieben sind Aufsichtsräte für Aktiengesellschaften (§§ 95 ff. AktG), Kommanditgesellschaften auf Aktien (§ 278 Abs. 3 AktG iVm. §§ 95 ff. AktG) und Europäischen Aktiengesellschaften mit einem dualistischen System gemäß Art. 40 SE-VO. Es handelt sich um obligatorische Aufsichtsräte. Hinzu kommt gemäß § 1 Abs. 1 und 2 DrittelbG ein obligatorischer Aufsichtsrat für eine GmbH mit mehr als 500 Arbeitnehmern, sofern das Unternehmen nicht vom MitbestG oder MontanMitbestG erfasst ist. § 1 DrittelbG sieht außerdem ein Mitbestimmungsrecht für Arbeitnehmer im Aufsichtsrat einer AG, KGaA, GmbH und Genossenschaft mit mehr als 500 Arbeitnehmern vor. Nach § 4 Abs. 1 DrittelbG müssen dem Aufsichtsrat zu einem Drittel Arbeitnehmervertreter angehören.

Ein Mitbestimmungsrecht der Arbeitnehmer ergibt sich zudem gemäß § 1 Abs. 1 MitbestG bei einer AG, KGaA, GmbH und einer Genossenschaft, die mehr als 2.000 Arbeitnehmer beschäftigt.

Nach § 1 Abs. 1 und 2 MontanMitbestG ist ein Mitbestimmungsrecht der Arbeitnehmer auch in Aufsichtsräten einer AG oder GmbH mit mehr als 1.000 Arbeitnehmern vorgesehen, wenn es sich um ein Unternehmen des Bergbaus oder der Eisen und Stahl erzeugenden Industrie handelt, bzw. gemäß §§ 1 ff. MontanMitbestErgG bei Gesellschaften, die ein solches Unternehmen beherrschen.

b) Fakultativer Aufsichtsrat

Beschäftigt eine GmbH weniger als 500 Arbeitnehmer ist die Bildung eines Aufsichtsrates freiwillig.[8] Auch bei Vereinen ist ein fakultativer Aufsichtsrat möglich.[9]

3. Mitglieder

Die Bestellung der Aktionärsvertreter als Aufsichtsratsmitglieder erfolgt bei einer AG durch eine Wahl in der Hauptversammlung.[10] Bei einer GmbH erfolgt die Bestellung der Mitglieder innerhalb der Gesellschafterversammlung.[11] Eine andere Möglichkeit ist eine Entsendung der Mitglieder, § 101 Abs. 2 AktG.

Die Bestellung der Arbeitnehmervertreter bestimmt sich nach den Mitbestimmungsgesetzen bzw. deren Wahlordnungen, soweit diese auf das entsprechende Unternehmen anwendbar sind.[12]

Die Amtszeit der Aufsichtsratsmitglieder beträgt gemäß § 102 Abs. 1 AktG vier Jahre, wobei das Jahr in dem die Amtszeit beginnt nicht mitgerechnet wird. Eine vorzeitige Abberufung ist möglich, wenn die Mitglieder von der Hauptversammlung ohne Bindung an den Wahlvorschlag gewählt worden sind, § 103 Abs. 1 S. 1 AktG.

Die Aufsichtsratsmitglieder haben eine Treuepflicht gegenüber der Gesellschaft, die derjenigen der Geschäftsführer ähnelt.[13] Diese Treuepflicht findet bei obligatorischen Aufsichtsräten besondere Ausprägung in der Verschwiegenheitspflicht der Mitglieder, die sich für die AG und KGaA aus § 116 iVm. § 93 Abs. 1 S. 3 AktG ergibt. Ein Verstoß gegen diese Geheimhaltungspflichten wird in § 404 AktG sogar mit Freiheitsstrafen, zumindest aber mit einer Geldstrafe bedroht. Besonders bei kommunalen Aufsichtsratsmitgliedern besteht die Gefahr von Interessenskonflikten[14] zwischen der Verschwiegenheitspflicht der Aufsichtsratsmitglieder und den Berichtspflichten, die sie seitens der Gemeinde als kommunale Vertreter treffen.

[8] *Zöllner/Noack,* in: Baumbach/Hueck, Gesetz betreffend die Gesellschaften mit beschränkter Haftung, 21. Aufl. 2017, § 52 Rdnr. 21.

[9] *Arnold,* in: Säcker/Rixecker/Oetker/Limperg (Hrsg.): Münchener Kommentar zum Bürgerlichen Gesetzbuch, Bd. 1, 7. Aufl. 2015, § 32 Rdnr. 70.

[10] *Simons,* in: Hölters (Hrsg.): Aktiengesetz Kommentar, 3. Aufl. 2017, § 101 Rdnr. 8.

[11] *Giedinghagen,* in: Heidinger/Leible/Schmidt (Hrsg.): Kommentar zum Gesetz betreffend die Gesellschaften mit beschränkter Haftung (GmbHG-Gesetz), Bd. 2, 3. Aufl. 2017, § 52 Rdnr. 86.

[12] *Oetker* (o. Fn. 3), § 101 AktG Rdnr. 1.

[13] *Altmeppen,* in: Altmeppen/Roth, Gesetz betreffend die Gesellschaften mit beschränkter Haftung Kommentar, 8. Aufl. 2015, § 52 Rdnr. 32.

[14] *Schütz,* in: V. Schenck (Hrsg.): Der Aufsichtsrat §§ 95–116, 161, 170–172, 394 und 395 AktG Kommentar, Erstes Buch Viertel Teil 2. Abschnitt Exkurs 1 Rdnr. 29.

Die Verschwiegenheitspflicht gemäß § 116 iVm. § 93 Abs. 1 S. 3 AktG gilt nach § 52 GmbHG auch für Mitglieder eines fakultativen Aufsichtsrats einer GmbH.

Die Mindestzahl der Mitglieder beträgt gemäß § 95 S. 1 AktG drei Personen. Bezüglich der Höchstzahl stellt § 95 S. 4 AktG auf die Höhe des Grundkapitals einer Gesellschaft ab. Maximal sind danach 21 Aufsichtsratsmitglieder zulässig. Dies gilt gemäß § 95 AktG für die AG und über § 278 Abs. 3 AktG für die KGaA. Für einen obligatorischen Aufsichtsrat einer GmbH nach dem DrittelbG ist § 95 AktG gemäß § 1 Abs. 1 Nr. 3 DrittelbG ebenfalls anwendbar.

Findet das MitbestG auf ein Unternehmen Anwendung, richtet sich die Anzahl der Aufsichtsratsmitglieder gemäß § 7 MitbestG nach der Arbeitnehmerzahl. Nach § 7 Abs. 1 Nr. 3 MitbestG sind danach maximal 20 Aufsichtsratsmitglieder vorgesehen. Bei Unternehmen, die dem MontanMitbestG oder dem MitbestErgG unterfallen, beläuft sich die Höchstzahl der Aufsichtsratsmitglieder gemäß § 9 MontanMitbestG, beziehungsweise § 5 Abs. 1 MitbestErgG auf 21.

Für den fakultativen Aufsichtsrat einer GmbH verweist § 52 Abs. 1 GmbHG auf § 95 S. 1 AktG, sodass grundsätzlich eine Mindestgröße von drei Mitgliedern vorgesehen ist. Diese Regelung ist anwendbar, solange der Gesellschaftsvertrag oder ein Gesellschafterbeschluss nichts anderes vorsehen.[15] Eine zwingende gesetzliche Größenvorgabe[16] oder eine Beschränkung der Größe gibt es nicht[17].

4. Vorsitz

Der Vorsitzende und sein Stellvertreter werden gemäß § 107 Abs. 1 S. 1 AktG aus der Mitte des Aufsichtsrats durch diesen gewählt. Eine gesetzliche Vorschrift zur Amtszeit des Vorsitzenden gibt es nicht. Grundsätzlich erfolgt die Amtszeit des Vorsitzenden jedoch für die Dauer seiner Mitgliedschaft im Aufsichtsrat[18], wobei auch eine vorzeitige Abberufung und Niederlegung des Amtes möglich ist.[19]

Auch bezüglich der Aufgaben des Vorsitzenden fehlt es im Gesetz an Regelungen. Seine Befugnisse sind daher intern innerhalb des Aufsichtsrats festzulegen. Es wird jedoch vertreten, dass der Vorsitzende die Sitzungen des

[15] *Giedinghagen* (o. Fn. 11), § 52 Rdnr. 71.
[16] *Zöllner/Noack* (o. Fn. 8), § 52 Rdnr. 32.
[17] *Giedinghagen* (o. Fn. 11), § 52 Rdnr. 70.
[18] *Habersack* (o. Fn. 7), § 107 Rdnr. 28.
[19] *Tomasic*, in: Grigoleit (Hrsg.): Aktiengesetz Kommentar, § 107 Rdnr. 9.

Aufsichtsrats einberuft und leitet.[20] Zudem nimmt er Repräsentationsaufgaben wahr.[21]

III. Aufsichtsrat im Energieversorgungsunternehmen

Energieversorgungsunternehmen sind alle Unternehmen, die im Bereich der Lieferung von Energie oder dem Betrieb von Energieversorgungsnetzen tätig werden, beziehungsweise Eigentümer eines Energieversorgungsnetzes sind.[22] 2017 gab es deutschlandweit allein 1.260 Strom- und 960 Gaslieferanten.[23] An diesen Unternehmen sind sehr häufig kommunale Gebietskörperschaften beteiligt. So gab es im Jahr 2013 etwa 900 Stadt- und Gemeindewerke in Deutschland.[24] Dies folgt auch daraus, dass die Energieversorgung als Teil der kommunalen Daseinsvorsorge verstanden wird und damit zu den Aufgaben einer Gemeinde zählt.[25] Aus verschiedenen Gründen werden die Unternehmen der öffentlichen Hand größtenteils in Form einer GmbH geführt, darunter fallen zum Beispiel die Möglichkeiten einer flexibleren Unternehmungsführung oder haftungsrechtliche Gesichtspunkte.[26] Für Aufsichtsräte in kommunalen Energieversorgungsunternehmen ist daher überwiegend § 52 GmbHG anwendbar, beziehungsweise das DrittelbG, wenn im Unternehmen mehr als 500 Arbeitnehmer beschäftigt werden.

Das MontanMitbestG, sowie das MontanMitbestErgG finden bei Energieversorgungsunternehmen keine Anwendung, weil diese Unternehmen die Voraussetzungen des § 1 MontanMitbestG und der §§ 1 ff. MontanMitbestErgG nicht erfüllen.[27]

[20] *Oetker* (o. Fn. 3), § 107 AktG Rdnr. 5.

[21] *Oetker* (o. Fn. 3), § 107 AktG Rdnr. 5.

[22] Vgl. § 3 Nr. 18 EnWG.

[23] https://de.statista.com/statistik/daten/studie/173884/umfrage/zahl-der-unternehmen-in-den-einzelnen-marktbereichen-des-energiemarktes/ (zuletzt abgerufen am 16.05.18).

[24] *Theobald/Nill-Theobald,* Grundzüge des Energiewirtschaftsrechts – Die Liberalisierung der Strom- und Gaswirtschaft, 3. Aufl. 2013, S. 5.

[25] *BVerfG*, NJW 1990, S. 1783 ff. (1783); *Knauff*, Zurück zur kommunalen Daseinsvorsorge in der Energieversorgung?, EnWZ 2015, S. 51 ff. (53); *Mehde*, in: Maunz/Düring, Grundgesetz Kommentar, Stand der 81. Erg.-Lfg. (September 2017), Art. 28 II Rdnr. 93.

[26] *Schmidt,* in: Heidinger/Leible/Schmidt (Hrsg.): Kommentar zum Gesetz betreffend die Gesellschaften mit beschränkter Haftung (GmbHG-Gesetz), Bd. 1, 3. Aufl. 2017, § 1 Rdnr. 18; *Fleischer*, in: Fleischer/Goette (Hrsg.): Münchener Kommentar zum GmbHG, Bd. 1, 3. Aufl. 2018, § 1 Rdnr. 23.

[27] Vgl. S. 675.

1. *Erfordernis und Größe eines Aufsichtsrats in kommunalen Unternehmen*

In Nordrhein-Westfalen gibt es circa 20 Stadtwerke, die als AG organisiert sind oder die Rechtsform einer GmbH haben und mehr als 500 Arbeitnehmer beschäftigen. Bei diesen Stadtwerken ist die Einrichtung eines Aufsichtsrats gemäß §§ 95 ff. AktG, beziehungsweise § 1 Abs. 1 Nr. 3 DrittelbG obligatorisch. Abgesehen davon haben jedoch fast alle Stadt- und Gemeindewerke in Nordrhein-Westfalen einen Aufsichtsrat. Darunter zum Bespiel auch die Stadtwerke einer kreisangehörigen Stadt, bei denen 16 Personen beschäftigt sind.[28] Der Aufsichtsrat umfasst 14 Mitglieder.[29] Fraglich ist, wie dieses Verhältnis zu rechtfertigen ist.

Wie bereits festgestellt, ist die Bildung eines Aufsichtsrates bei einer GmbH mit weniger als 500 Arbeitnehmern keine Pflicht. Dennoch setzt der überwiegende Teil der kleinen Stadtwerke einen fakultativen Aufsichtsrat ein. Hintergrund könnte ein erhöhtes Kontrollbedürfnis bezüglich Unternehmen sein, an denen eine Gemeinde beteiligt ist. Durch eine Beteiligung der Gemeinde soll zudem deren Einflussnahme auf die privatrechtlich organisierten Gesellschaften ermöglicht werden, die mit der Erfüllung öffentlicher Aufgaben betraut worden sind. Dies ist schon deshalb erforderlich, um die ununterbrochene Legitimationskette zu wahren, die sich aus dem Demokratieprinzip ergibt.[30] Da die Unternehmen mit öffentlichen Geldern wirtschaften, steht eine ordnungsgemäße Geschäftsführung im besonderen Interesse der Bürger. Es besteht auch die Gefahr, dass die Gemeinden sich durch Einsetzen einer privatrechtlich organisierten Gesellschaft der öffentlichen Kontrolle entziehen.[31] Zur Überwachung der Geschäftsführung könnte die Einrichtung eines Aufsichtsrats daher sinnvoll sein. Als Vorteil eines fakultativen Aufsichtsrats wird zudem ein Input an Fachwissen genannt, der bei der Überwachung der Unternehmensleitung hilfreich sein kann.

Gegen einen fakultativen Aufsichtsrat sprechen jedoch regelmäßig die Kosten, die durch den Aufsichtsrat entstehen. Dazu gehört mindestens der Auslagenersatz. Ein solcher wird aus § 670 BGB analog abgeleitet und umfasst zum Beispiel Fahrtkosten.[32] Den Mitgliedern kann gemäß § 113 Abs. 1 AktG zudem eine Vergütung gezahlt werden, wobei die Norm jedoch keinen Anspruch gewährleistet.[33] Soll den Aufsichtsratsmitgliedern eine Vergütung gezahlt werden, so muss dies in der Hauptversammlung bzw. von

[28] https://www.kierspe.de/wAssets/docs/rat-verwaltung/ortsrecht-satzungen/Beteiligungen-Stand-2018-03-01.pdf (zuletzt abgerufen am 16.05.18).

[29] https://www.kierspe.de/wAssets/docs/rat-verwaltung/ortsrecht-satzungen/Beteiligungen-Stand-2018-03-01.pdf (zuletzt abgerufen am 16.05.18).

[30] *Zieglmeier*, Kommunale Aufsichtsratsmitglieder, LKV 2005, S. 338 ff. (339).

[31] *Weckerling-Wilhelm/Mirtsching*, Weisungsrechte in kommunalen Gesellschaften mit beschränkter Haftung, NZG 2011, S. 327 ff. (328).

[32] *Oetker* (o. Fn. 3), § 113 AktG Rdnr. 3.

[33] *Habersack* (o. Fn. 7), § 113 Rdnr. 9.

der Gesellschafterversammlung beschlossen oder durch die Satzung geregelt werden. Gerade in kommunalen Unternehmen wird den Aufsichtsratsmitgliedern statt einer Vergütung ein pauschales Sitzungsgeld gezahlt oder es werden nur die Aufwendungen erstattet.[34] Auch wenn die Höhe der Vergütung zwischen börsennotierten Unternehmen und kleineren Stadtwerken nicht vergleichbar ist, so lässt sich jedoch tendenziell in beiden Bereichen eine Steigerung der Vergütung[35] über die letzten Jahre feststellen. Betrachtet man beispielsweise die Geschäftsberichte eines Stadtwerkes im Kreis Unna, hat sich die Vergütung des Aufsichtsrats in den Jahren 2012 bis 2014 bei gleichbleibender Mitgliederzahl verdoppelt.[36]

Unabhängig von der Frage, ob ein Aufsichtsrat wirklich für jedes kleinere Unternehmen erforderlich ist, stellt sich ggf. die Frage nach der Erforderlichkeit der konkreten Größe des Aufsichtsrats. Bei fakultativen Aufsichtsräten einer GmbH existieren keine gesetzlichen Regelungen zur Mindestgröße des Aufsichtsrats. Die Anzahl der Mitglieder muss in der Satzung festgelegt werden.[37] Bei den Stadtwerken in Nordrhein-Westfalen bewegt sich die Zahl größtenteils im Bereich zwischen zehn und 20 Aufsichtsratsmitgliedern. Diese Zahl steht nicht immer im Verhältnis zu Größe und Umsatz des Unternehmens, was sich etwa im Vergleich der Stadtwerke der neuntgrößten Großstadt mit einem Umsatz von EUR 319.981.511,11 im Jahr 2015[38] mit den Stadtwerken einer mittleren kreisangehörigen Stadt, die einen Umsatz von EUR 34.510.028,46 im selben Zeitraum verbuchten[39], zeigt. Die Stadtwerke der ersten haben zurzeit 15 Aufsichtsratsmitglieder.[40] Die Stadtwerke der mittleren kreisangehörigen Stadt haben die Zahl der Aufsichtsratsmitglieder dagegen 2014 auf 18 erhöht.[41]

Die Notwendigkeit eines so großen Aufsichtsrates der Stadtwerke der zweiten Stadt lässt sich im Hinblick auf ein Kontrollbedürfnis nur schwer

[34] *V. Schenck* (o. Fn. 14), § 113 AktG Rdnr. 24.

[35] *Habersack*, Vorstands- und Aufsichtsratsvergütung – Grundsatz- und Anwendungsfragen im Lichte der Aktionärsrichtlinie, NZG 2018, S. 127 ff. (127); *Habersack* (o. Fn. 7), § 113 Rdnr. 7.

[36] https://www.stadtwerke-froendenberg.de/dokumente/EWF_GeschBer2012.pdf (zuletzt abgerufen am 16.05.18); https://www.stadtwerke-froendenberg.de/dokumente/EWF-GeschBericht2014.pdf (zuletzt abgerufen am 16.05.18).

[37] *Wicke*, Gesetze betreffend die Gesellschaften mit beschränkter Haftung (GmbHG) Kommentar, 3. Aufl. 2016, § 52 Rdnr. 4.

[38] https://www.stadtwerke-essen.de/fileadmin/user_upload/PDF/Geschaeftsbericht_Stadtwerke_Essen_2015.pdf (zuletzt abgerufen am 16.05.18).

[39] http://www.stadtwerke-goch.de/fileadmin/redakteur/Gesch%C3%A4ftsberichte/SWG_GB2015_Gesamtfinal_041016.pdf (zuletzt abgerufen am 16.05.18).

[40] https://www.stadtwerke-essen.de/das-unternehmen/ueber-uns/aufsichtsrat/ (zuletzt abgerufen am 16.05.18).

[41] https://www.goch.de/de/ris/66-2014-bestellung-von-mitgliedern-in-den-aufsichtsrat-der-stadtwerke-goch-unternehmensgruppe-gmbh-8298891/ (zuletzt abgerufen am 16.05.18).

verstehen. Würde es tatsächlich nur um das Erfordernis einer Überwachung der Geschäftsführung gehen, könnte diese Aufgabe ohne weiteres auch von der Hälfte der Mitglieder erfüllt werden. Auch wenn der Aufsichtsrat der Stadtwerke der Großstadt ebenfalls groß ist, so erwirtschafte das Unternehmen immerhin beinahe das Zehnfache im selben Zeitraum und dort scheint die Kontrolle durch den Aufsichtsrat mit weniger Aufsichtsratsmitgliedern zu funktionieren. Obwohl das Mitbestimmungsgesetz hier nicht anwendbar ist, lohnt ein Blick auf die Vorgaben zur Größe des Aufsichtsrates, die dort geregelt sind. Gemäß § 7 Abs. 1 MitbestG sind mindestens 16 Aufsichtsratsmitglieder bei mehr als 10.000 Arbeitnehmern vorgeschrieben. Die Stadtwerke der mittleren kreisangehörigen Stadt beschäftigten 2016 mit 18 Aufsichtsratsmitgliedern 116 Mitarbeiter.[42]

Weiterhin müssen landesrechtliche Vorschriften beachtet werden. Insbesondere bei der Größe von Aufsichtsräten in kommunalen Energieunternehmen droht ein Konflikt mit den Regelungen über den Haushalt der Länder. Zieht man die Gemeindeordnung und die Landeshaushaltsordnung von Nordrhein-Westfalen heran, so findet sich sowohl in § 7 Abs. 1 LHO NRW, als auch in § 75 Abs. 1 GO NRW der Grundsatz der Wirtschaftlichkeit und Sparsamkeit bei Haushaltsplänen.[43] Nach dem Grundsatz der Wirtschaftlichkeit muss stets ein angemessenes Verhältnis zwischen dem zu erreichenden Zweck und dem dafür verwendeten Mittel bestehen.[44] Entscheidend für die Gesellschaft ist die Kontrolle der Geschäftsführung. Um diesen Zweck zu erreichen, wird häufig ein Aufsichtsrat als Kontrollgremium gebildet. Des Weiteren sieht der Grundsatz der Sparsamkeit vor, dass die Mittel, die zur Aufgabenbewältigung erforderlich sind, auf das Notwendigste zu beschränken sind.[45] Die Aufgabenbewältigung ist auch hier die Überwachung der Geschäftsführung. Bildet eine privatrechtlich organisierte Gesellschaft, die im Eigentum der kommunalen Gebietskörperschaft steht, hierzu einen Aufsichtsrat, so muss sich dessen Größe an den Grundsätzen der Wirtschaftlichkeit und der Sparsamkeit messen lassen. Fraglich ist also, ob ein fakultativer Aufsichtsrat mit 12, 16 oder sogar 18 Mitgliedern wirklich erforderlich und dabei auch noch effizient sein kann. Man kann noch einen Schritt früher ansetzen und sich fragen, ob für die Überwachung der Geschäftsführung tatsächlich ein fakultativer Aufsichtsrat erforderlich ist. Nach dem GmbHG ist grundsätzlich die Gesellschafterversammlung

[42] http://www.stadtwerke-goch.de/fileadmin/redakteur/Gesch%C3%A4ftsberichte/SWGU_GB2016.pdf (zuletzt abgerufen am 16.05.18).

[43] Vgl. § 77 Abs. 2 BW GemO; § 92 Abs. 2 S. 1 HGO.

[44] *Klieve,* in: Dirnberger/Meyer/Schwarting (Hrsg.): Beck-Kommunalpraxis Nordrhein-Westfalen plus, PdK NW B-1, 11. Fssg. 2018, § 75 GO NRW, 1.4. Sparsamkeit.

[45] *Klieve* (o. Fn. 44), § 75 GO NRW, 1.4. Sparsamkeit.

für die Kontrolle der Geschäftsführung verantwortlich.[46] Es kann daher bereits hinsichtlich der Einrichtung eines fakultativen Aufsichtsrats zu einer Kollision mit den landesrechtlichen Grundsätzen kommen. Übersteigt die Zahl der Aufsichtsratsmitglieder dann auch noch eine angemessene Größe, bestehen Bedenken, ob solche Aufsichtsratsgrößen nicht aus haushaltsrechtlichen Grundsätzen bzw. dem Gebot der Sparsamkeit heraus nicht rechtskonform sein könnten. Zudem stellt sich die Frage, wie effizient ein Gremium ab einer gewissen Größe arbeiten kann. Je mehr Mitglieder ein Aufsichtsrat hat, desto schwieriger können sich beispielsweise Terminabsprachen, interne Zuständigkeiten und Fragen der Beschlussfähigkeit gestalten. Hinzu kommt ein steigender Kostenaufwand. Die Größe des Aufsichtsrats sollte sich generell an die konkreten Bedürfnisse der GmbH anpassen.[47] Eine allgemeine Empfehlung zur Größe lässt sich daher nicht aufstellen. Grundsätzlich wird jedoch eine ungerade Mitgliederanzahl sinnvoll sein, um bei Abstimmungen nicht zu Pattsituationen zu kommen.[48] Gegen eine Beschränkung auf die für die AG vorgeschriebene Mindestgröße von drei Personen könnte sprechen, dass zum Beispiel ein längerer krankheitsbedingter Ausfall eines Mitgliedes die Handlungsfähigkeit des Aufsichtsrats bereits beeinträchtigen könnte. Zum einen kann es bei wichtigen Entscheidungen und Meinungsverschiedenheiten zwischen zwei Personen zu Pattsituationen kommen, zum anderen verfügen die einzelnen Aufsichtsratsmitglieder möglicherweise über spezielle Kenntnisse, was eine Vertretung durch die übrigen Mitglieder ohne diese jeweiligen Kenntnisse erschwert. Je mehr Personen dem Gremium angehören, desto eher können Vertretungsfälle kompensiert werden. Auch die fachliche Diversität nimmt mit einer steigenden Mitgliederzahl zu. Die Höchstgrenze sollte grundsätzlich bei neun Personen gezogen werden, in Ausnahmefälle können bei komplexen Aufgaben auch zwölf Mitglieder oder mehr erforderlich sein.

Betrachtet man die Zusammensetzung von Aufsichtsräten in Stadtwerken, so fällt auf, dass diese größtenteils von Ratsmitgliedern der entsprechenden Gemeinde besetzt sind. Dies ist in einigen Gemeindeordnungen gesetzlich vorgeschrieben.[49] Es ist jedoch auch hier ein angemessenes Verhältnis zu wahren. Der Anteil der gemeindlichen Vertreter sollte sich dabei nach der Beteiligungsquote der Gemeinde am Unternehmen richten.[50] In der Presse wird oft moniert, die Mitgliedschaft in Aufsichtsräten diene vielen Kommu-

[46] *Liebscher*, in: Fleischer/Goette (Hrsg.): Münchener Kommentar zum GmbHG, Bd. 2, 2. Aufl. 2016, § 46 Rdnr. 189.

[47] *Altmeppen* (o. Fn. 13), § 52 Rdnr. 7.

[48] *Giedinghagen* (o. Fn. 11), § 52 Rdnr. 70.

[49] Vgl. Art. 92 Abs. 1 S. 1 Nr. 2 GO Bayern.

[50] *Zieglmeier* (o. Fn. 30), S. 339.

nalpolitikern bloß als zusätzliche Einnahmequelle.[51] Hierbei ist anzumerken, dass zumindest der Bürgermeister, der häufig geborenes Mitglied in Gremien von städtischen Unternehmen ist, seine Nebentätigkeiten gemäß § 17 KorruptionsbG anzeigen muss. Bezüglich der Zahl von Ratsmitgliedern in Aufsichtsräten sollten Gemeinden jedoch insgesamt die Frage prüfen, wie diese Praxis in den Augen der Öffentlichkeit wahrgenommen wird. Aus juristischer Sicht kann ein solches Vorgehen im Hinblick auf eine ungewöhnlich hohe Anzahl von Aufsichtsratsmitgliedern bedenklich sein, weil Konflikte mit dem Kommunalrecht drohen und bei übergroßen Aufsichtsräten ein Verstoß gegen Treuepflichten vorliegen kann[52]. Hinsichtlich des Umstandes, dass es sich bei den Aufsichtsratsmitgliedern um Ratsmitglieder handelt, werden Themen wie eine mögliche Weisungsgebundenheit und Interessenkonflikte zwischen der Arbeit im Rat und im Aufsichtsrat relevant. Ganz allgemein spricht jedoch nichts dagegen, dass Ratsmitglieder in Aufsichtsräten vertreten sind.

Auch die Mehrheitsverhältnisse des Rats können in manchen Fällen Einfluss auf die Größe des Aufsichtsrats haben. Dies zeigte sich zum Beispiel bei einer Vergrößerung des Aufsichtsrats der Stadtwerke einer mittleren Großstadt mit ca. 300.000 Einwohnern in 2014.[53] Es ist fraglich, was eine solche Vorgehensweise mit der ursprünglichen Funktion des Aufsichtsrats als Kontrollgremium zu tun hat.

2. *Probleme der Vorteilsannahme*

Die Tatsache, dass vorwiegend Kommunalpolitiker in Aufsichtsräten von städtischen Unternehmen mitwirken, führt zu einer weiteren Fragestellung: In der Funktion eines Aufsichtsratsmitglieds kann es zu Situationen kommen, in denen einer Person besondere Vorteile oder Zuwendungen zukommen. Bei Ratsmitgliedern ist hierbei sowohl bei der Gewährung eines Vorteils, als auch bei dessen Annahme Vorsicht geboten. Es sind die §§ 331 ff. StGB zu beachten. Diese Sonderdelikte knüpfen an die Eigenschaft als Amtsträger an. Amtsträger sind nach § 11 Abs. 1 Nr. 2 lit. a Alt. 1 StGB Beamte. Der Bürgermeister ist gemäß § 118 Abs. 2 S. 1 LBG NRW Wahlbeamter. Auch der Wahlbeamte fällt unter den Begriff des Beamten i.S.d. § 11 StGB[54]

[51] https://www.focus.de/politik/experten/kelle/der-aufsichtsrat-als-moppen-ausschuss-wie-sich-politiker-und-parteien-mit-einem-ehrenamt-ein-zubrot-sichern_id_4635706.html (zuletzt abgerufen am 16.05.18).

[52] *Giedinghagen* (o. Fn. 11), § 52 Rdnr. 70.

[53] http://www.general-anzeiger-bonn.de/bonn/stadt-bonn/Stadtrat-streitet-um-Sitze-article1498449.html (zuletzt abgerufen am 16.05.18).

[54] *Saliger,* in: Paeffgen (Hrsg.): Strafgesetzbuch, 5. Aufl. 2017, § 11 Rdnr. 19.

und kann sich durch die Annahme von materiellen oder immateriellen Vorteilen[55] strafbar machen.

Als Beispiel für einen solchen Vorteil kann die Teilnahme an Fortbildungsveranstaltungen genannt werden. Solche Fortbildungsmaßnahmen sind für eine erfolgreiche Wahrnehmung des Amts eines Aufsichtsratsmitglieds essenziell.[56] Führen mangelnde Kenntnisse und Fähigkeiten der Aufsichtsratsmitglieder zu Schäden der Gesellschaft, so haften die Mitglieder für diese gemäß §§ 93, 116 AktG sogar persönlich.[57] Es ist daher im Interesse der Beteiligten, sich kontinuierlich fortzubilden. Fraglich ist, wer die Kosten für die Fortbildungsmaßnahmen zahlen muss. §§ 93, 116 AktG beziehen sich zwar abstrakt auf die Pflicht zur stetigen Fortbildung. Die Normen können jedoch nicht als gesetzliche Kostentragungsregel angesehen werden. Der Deutsche Corporate Governance Kodex (DCGK) empfiehlt, dass die Unternehmen die Aufsichtsratsmitglieder bei ihren Fortbildungsmaßnahmen angemessen unterstützen sollen.[58] Eine entsprechende Empfehlung enthält der Public Corporate Governance Kodex Nordrhein-Westfalen (PCGK NRW) in Ziff. 4.5.1. Dafür spricht, dass auch die Unternehmen von einem starken Aufsichtsrat profitieren. Es wäre daher unangemessen, wenn die Kosten vollständig von den Aufsichtsratsmitgliedern getragen werden müssten. In angemessenem Rahmen kann es daher sinnvoll sein, dass Gesellschaften die Kosten für die erforderlichen Fortbildungskurse ihrer Aufsichtsräte tragen. Dabei muss bezüglich der finanziellen Lage der Gesellschaft und des Umfangs der Fortbildung sowie der Vergütung der Aufsichtsräte ein angemessenes Verhältnis bestehen.

Bei Unternehmen, an denen kommunale Gebietskörperschaften beteiligt sind, ist eine weitere Besonderheit zu beachten: In einigen Gemeindeordnungen ist geregelt, dass die Haftung der Aufsichtsratsmitglieder auf die Gemeinde übergeht, soweit sie die Gemeinde vertreten und nicht vorsätzlich oder grob fahrlässig handeln.[59] Im Hinblick auf die oben genannten landeshaushaltsrechtlichen Grundsätze der Wirtschaftlichkeit und Sparsamkeit ist es daher geboten, dass die kommunale Gebietskörperschaft die erforderlichen Maßnahmen trifft, um eine Haftung der Gemeinde zu vermeiden.[60] Zu diesen Maßnahmen zählt die Kostentragung für die kontinuierliche Fortbildung ihrer Aufsichtsratsmitglieder.

[55] *Heine/Eisele,* in: Schönke/Schröder, Strafgesetzbuch Kommentar, 29. Aufl. 2014, § 331 Rdnr. 14.

[56] *Bihr/Philippsen*, Qualitätsaspekte bei der Arbeit von Aufsichtsgremien – Grundsätze ordnungsgemäßer Überwachung für Aufsichtsräte, DStR 2011, S. 1133 ff. (1136); *V. Schenck* (o. Fn. 14), § 116 AktG Rdnr. 104.

[57] *Mutter* (o. Fn. 14), § 100 AktG Rdnr. 89.

[58] Vgl. Ziffer 5.4.5. DCGK.

[59] Vgl. § 113 Abs. 6 GO NRW; Art. 93 Abs. 3 GO Bayern; § 88 Abs. 6 GemO RP.

[60] *Weber-Rey/Buckel,* Corporate Governance in Aufsichtsräten von öffentlichen Unternehmen und die Rolle von Public Corporate Governance Kodizes, ZHR 2013, S. 13 ff. (34).

Grundsätzlich sollten daher die Gesellschaften, bzw. die beteiligten kommunalen Gebietskörperschaften für die Fortbildungskosten ihrer Aufsichtsratsmitglieder aufkommen. In solchen Fällen liegt kein Vorteil i.S.d. §§ 331 ff. StGB vor. Nimmt ein Wahlbeamter dagegen an einer Veranstaltung teil, die über das zur Fortbildung Erforderliche hinausgeht und wird diese von anderer Seite finanziert, so kann dabei der Eindruck einer Bestechlichkeit des Beamten entstehen.

3. *Weisungsabhängigkeit*

Bei Aufsichtsratsmitgliedern, die von einer Gemeinde entsandt werden, stellt sich häufig die Frage, ob diese bei ihrer Tätigkeit Weisungen der Gemeinde nachkommen müssen. Aus § 111 Abs. 5 AktG und §§ 116, 93 AktG wird hergeleitet, dass Aufsichtsratsmitglieder weisungsunabhängig sind und ausschließlich im Interesse des Unternehmens handeln.[61]

Da § 1 Abs. 1 Nr. 3 DrittelbG bezüglich der Rechte und Pflichten des Aufsichtsrats einer GmbH mit mehr als 500 Arbeitnehmern auf §§ 111, 116 AktG verweist und § 116 AktG wiederum auf § 93 AktG verweist, gilt dieser Grundsatz auch für Mitglieder eines obligatorischen Aufsichtsrats einer GmbH. Einen ähnlichen Verweis findet man in § 25 Abs. 1 Nr. 1 und 2 MitbestG, der die Rechte und Pflichten des Aufsichtsrats von AGs und GmbHs regelt, die vom MitbestG erfasst werden. Auch diese Aufsichtsratsmitglieder handeln daher weisungsunabhängig und ausschließlich im Interesse des Unternehmens.

Einen Verweis auf §§ 111, 116 und 93 AktG gibt es zudem in § 52 GmbHG. Soweit der Gesellschaftsvertrag nichts anderes bestimmt, gilt der Grundsatz der Weisungsfreiheit für den fakultativen Aufsichtsrat einer GmbH.[62]

Grundsätzlich sind entsandte Mitglieder nicht an Weisungen des Entsenders gebunden.[63] Etwas anderes ergibt sich jedoch häufig aus den jeweiligen Gemeindeordnungen. So sind die Vertreter der Gemeinde gemäß § 113 Abs. 1 GO NRW an Beschlüsse des Rats gebunden und haben im Interesse der Gemeinde zu handeln. Um diese Interessen durchzusetzen, werden die entsandten Aufsichtsratsmitglieder zum Teil an Weisungen gebunden, wie sie sich bei der Wahrnehmung ihrer Aufgabe verhalten sollen. Es kommt hier zu einer Kollision zwischen Gesellschaftsrecht und Kommunalrecht. Grundsätzlich brechen die bundesrechtlichen Vorschriften zum Gesellschaftsrecht die Regelungen des Landesrechts.[64] Das würde zu dem Ergebnis führen, dass die Aufsichtsratsmitglieder weisungsunabhängig sind.[65] Dafür spricht auch

[61] *BVerwG*, NJW 2011, S. 3735 ff. (3736).

[62] *BVerwG*, NJW 2011 (Fn. 61), S. 3736.

[63] *Habersack* (o. Fn. 7), § 101 Rdnr. 51.

[64] *Schwintowski*, Gesellschaftsrechtliche Bedingungen für entsandte Aufsichtsratsmitglieder in öffentlichen Unternehmen, NJW 1995, S. 1316 ff. (1317).

[65] *Giedinghagen* (o. Fn. 11), § 52 Rdnr. 174.

§ 113 Abs. 1 S. 4 GO NRW, der eine Ausnahme von der obengenannten Regelung zulässt, soweit eine abweichende gesetzliche Vorschrift, hier der § 52 GmbHG, existiert.[66] Gegen eine Weisungsabhängigkeit der kommunalen Vertreter spricht zudem, dass sich die Kommunen bei der Erfüllung ihrer Aufgaben bewusst für ein privates Unternehmen entscheiden. Konsequenterweise folgt daraus, dass nicht auf das Kommunalrecht abgestellt werden kann, sondern die gesellschaftsrechtlichen Regelungen Anwendung finden müssen.[67] Bei einem fakultativen Aufsichtsrat kann allerdings im Gesellschaftsvertrag vereinbart werden, dass die gesellschaftsrechtlichen Vorschriften keine Anwendung finden. Es sind hier eindeutige Regelungen im Gesellschaftsvertrag erforderlich, die anstelle dieser Normen gelten sollen.[68]

4. Interessenskonflikte

Wie unter dem Thema Weisungsgebundenheit festgestellt, sind entsandte Vertreter der Gemeinde sowohl den Interessen der Gemeinde, als auch denen des Unternehmens verpflichtet. Dies führt insbesondere dann zu Konflikten, wenn diese Interessen einander entgegenstehen. Ein Beispiel ist der bereits zitierte Fall der Siegener Versorgungsbetriebe GmbH, der am 31.08.2011 vom BVerwG entschieden wurde.[69] In diesem Fall wollten die Versorgungsbetriebe die Gaspreise erhöhen, der Gemeinderat wies seine Vertreter im Aufsichtsrat aber an, bei der nach dem Gesellschaftsvertrag erforderlichen Zustimmung gegen eine solche Erhöhung zu stimmen.[70]

Man könnte sich beispielsweise auch die Situation vorstellen, in der die Gemeinde niedrigere Stromkosten im Versorgungsgebiet anstrebt, um Gewerbetreibende anzulocken. Die niedrigeren Strompreise würden allerdings zu einer Minusbilanz für das lokale Energieversorgungsunternehmen führen. Die entsandten Aufsichtsratsmitglieder wären zwischen dem Interesse der Gemeinde, sich für Gewerbetreibende attraktiver zu gestalten und dem Interesse des Unternehmens, wirtschaftlich zu handeln, im Konflikt.

Der BGH hat entschieden, dass in solchen Konfliktfällen die Interessen des Unternehmens vorrangig zu wahren sind.[71]

Es gibt nur wenige gesetzliche Vorschriften, die das Spannungsverhältnis zwischen Gesellschafts- und Kommunalrecht betreffen. Zu nennen ist hier § 394 AktG, der sich auf die Berichte des entsandten Aufsichtsratsmitglieds bezieht, die gegenüber der Gebietskörperschaft zu erstatten sind. Die

[66] *BVerwG,* NJW 2011 (o. Fn. 61), S. 3736.
[67] *BVerwG,* NJW 2011 (o. Fn. 61), S. 3737; *VGH Kassel,* NVwZ-RR 2012, S. 566 ff. (569).
[68] *BVerwG,* NJW 2011 (o. Fn. 61), S. 3736.
[69] *BVerwG,* NJW 2011 (o. Fn. 61).
[70] *Heidel,* Zur Weisungsgebundenheit von Aufsichtsratsmitgliedern bei Beteiligung von Gebietskörperschaften und Alleinaktionären, NZG 2012, S. 48 ff. (49).
[71] *BGHZ* 36, 296 (301).

Berichtspflicht ist mit der Verschwiegenheitspflicht der Aufsichtsratsmitglieder in Einklang zu bringen. Grundsätzlich besteht für Aufsichtsratsmitglieder eine Verschwiegenheitspflicht, die sich aus § 116 S. 1 iVm. § 93 Abs. 1 S. 3 AktG ergibt. Inhaltlich erfasst diese Verschwiegenheitspflicht alle Informationen, deren Geheimhaltung objektiv im Interesse des Unternehmens steht.[72] Demnach dürften entsandte Aufsichtsratsmitglieder den Organen der Gemeinde grundsätzlich keine Auskünfte über vertrauliche Informationen des Unternehmens erteilen, auch wenn das Unternehmen im (Mit-)Eigentum der Gemeinde steht. Dem stehen allerdings Berichtspflichten des entsandten Mitglieds entgegen, die sich aus dem Gesetz, einer Satzung oder aufgrund eines Rechtsgeschäfts (z.B. ein Vertrag oder eine Nebenabrede)[73] ergeben können.[74] Um diesen Konflikt zwischen gemeindlichen Berichtspflichten und unternehmerischer Verschwiegenheitspflicht aufzulösen, sieht § 394 AktG eine Lockerung der Verschwiegenheitspflicht vor, soweit die vertraulichen Informationen wesentlich für den Bericht sind.[75] Dabei ist zu beachten, dass der Empfänger über den Inhalt dieser Auskünfte gemäß § 395 AktG Stillschweigen bewahren muss.

Die Vorschriften der §§ 394, 395 AktG sind über § 52 Abs. 1 GmbHG für den fakultativen Aufsichtsrat einer GmbH anwendbar. Durch den Gesellschaftsvertrag kann die Anwendbarkeit der Normen jedoch ausgeschlossen werden.[76]

5. *Unbundling*

Unbundling geht auf die Tatsache zurück, dass die Übertragungsnetze unter anderem in Deutschland von einigen wenigen großen Unternehmen betrieben wurden.[77] Um Energie an den Endkunden zu liefern, muss der produzierte Strom in diese Netze eingespeist werden. Daraus ergab sich ein sogenanntes natürliches Monopol dieser Energieversorgungsunternehmen.[78] In dem früheren System drohten unter anderem die Gefahr einer Diskriminierung von anderen Stromproduzenten, insbesondere im Bereich der erneuerbaren Energien, sowie ein fehlender Wettbewerb. Durch das Unbundling

[72] *Reichard*, Die Verschwiegenheitspflicht von Aufsichtsratsmitgliedern, GWR 2017, S. 72 ff. (72).

[73] *Müller-Michaels* (o. Fn. 10), § 394 Rdnr. 25.

[74] Vgl. § 394 S. 3 AktG.

[75] *Reichard* (o. Fn. 72), S. 73.

[76] *Schürnbrand*, in: Goette/Habersack/Kalss (Hrsg.): Münchener Kommentar zum Aktiengesetz, Bd. 6, 4. Aufl. 2017, § 394 Rdnr. 10.

[77] *Müller-Terpitz/Weigl*, Ownership Unbundling – ein gemeinschaftsrechtlicher Irrweg?, EuR 2009, S. 348 ff. (348).

[78] *Theobald*, in: Danner/Theobald (Hrsg.): Energierecht – Energiewirtschaftsgesetz mit Verordnungen, EU-Richtlinien, Gesetzesmaterialien, Gesetze und Verordnungen zu Energieeinsparung und Umweltschutz sowie andere energiewirtschaftlich relevante Rechtsregelungen, Bd. 1, Stand der 95. Erg.-Lfg. (Oktober 2017), S. 12.

soll demnach erreicht werden, dass die Stromnetze auch für andere Anbieter geöffnet werden.[79]

Bei der gesellschaftsrechtlichen Trennung (legal unbundling) müssen der Netzbetrieb und der Vertrieb bzw. die anderen Bereiche der Energieversorgung in getrennten Unternehmen organisiert werden.[80] Eine solche Trennung wird auch dann erreicht, wenn eine Holdinggesellschaft die einzelnen Sparten der Energieversorgung, den Vertrieb und die Netze, in getrennten Gesellschaften „unter sich" vereint.[81] Dabei darf der wesentliche Gedanke der Unabhängigkeit des Netzbetriebs von den anderen Bereichen des Energieversorgungsunternehmens jedoch nicht untergehen. Eine rein formale Trennung des Netzbetriebs durch die Einrichtung einer Tochtergesellschaft wird dem Gedanken des § 7 Abs. 1 EnWG nicht gerecht, wenn diese von einer Konzernholding gesteuert wird.[82] Um das Ziel des legal unbundling zu erreichen, wird der Einfluss der Konzernleitung durch das operationelle Unbundling gemäß § 7a EnWG beschränkt.[83]

Fraglich ist, wie sich dieses Erfordernis auf die Aufsichtsräte in den entsprechenden Unternehmen auswirkt. Zur Veranschaulichung kann folgendes Beispiel gebildet werden: es gibt eine GmbH, die für das Netzgeschäft zuständig ist und eine andere, die Aufgaben der Stromerzeugung oder des Vertriebs erfüllt. Diese GmbHs haben unter Umständen jeweils einen Aufsichtsrat und stehen im Eigentum einer Holdinggesellschaft. Diese Holdinggesellschaft verfügt wiederrum über einen Aufsichtsrat. Ein ähnliches System findet man etwa bei den Stadtwerken einer Großstadt in Nordrhein-Westfalen.[84]

Es ist unproblematisch, dass die Aufsichtsräte der konzernangehörigen Gesellschaften ihre jeweiligen Geschäftsführungen überwachen. Die Effektivität des legal unbundling könnte jedoch durch die Reichweite der Kontrollmaßnahmen des Aufsichtsrats einer Konzernholding gefährdet werden.

Grundsätzlich beziehen sich die Überwachungsmaßnahmen des Aufsichtsrats der Konzernholding nur auf die Geschäftsführung des Vorstands bzw. der

[79] *Markert*, in: Immenga/Mestmäcker (Hrsg.): Wettbewerbsrecht, Bd. 3, 5. Aufl. 2016, 2. Teil VII. Abschnitt Rdnr. 25.

[80] *Theobald/Theobald* (o. Fn. 24), S. 345 f.

[81] *de Wyl/Finke*, in: Schneider/Theobald (Hrsg.): Recht der Energiewirtschaft Praxishandbuch, 4. Aufl. 2013, Kapitel 2, § 4 C. III. Rdnr. 126; *Seitz/Werner*, Unbundling in der Energiewirtschaft: arbeitsrechtliche Fallstricke und Gestaltungsmöglichkeiten, BB 2005, S. 1961 ff. (1965).

[82] *Büdenbender*, Arbeitsrechtliche Regelungen der Energierechtsreform 2005, RdA 2006, S. 193 ff. (194).

[83] *Büdenbender* (o. Fn. 82); *de Wyl/Finke* (o. Fn. 81), Kapitel 2, § 4 C. IV. Rdnr. 129 f.

[84] https://www.swd-ag.de/ueber-uns/profil/ (zuletzt abgerufen am 16.05.18); https://www.netz-duesseldorf.de/media/netzgesellschaft_duesseldorf/gbericht/Geschaeftsbericht_2016.pdf (zuletzt abgerufen am 16.05.18).

Geschäftsführung.[85] Es handelt sich nicht um einen „Konzernaufsichtsrat“.[86] Der Vorstand der Muttergesellschaft ist jedoch unter anderem für die Beteiligungsverwaltung der konzernangehörigen Unternehmen zuständig.[87] Auch diesbezüglich muss der Aufsichtsrat die Arbeit des Vorstands kontrollieren.[88] Welchen Einfluss der Aufsichtsrat der Obergesellschaft in manchen Fällen haben kann, zeigt sich zum Beispiel bei konzernweiten Zustimmungsvorbehalten. Solche Zustimmungsvorbehalte, die sich bis auf die Tochtergesellschaften erstrecken, sind grundsätzlich zulässig.[89]

So ist es möglich, dass der Aufsichtsrat einer Konzernholding mittelbar auch die untergeordneten Konzerngesellschaften überwacht. So könnten der Netzbetrieb, die Energieerzeugung und der Vertrieb letztendlich doch wieder unter der Aufsicht eines Gremiums stehen. Dieser Umstand würde dem Sinn und Zweck des legal unbundling widersprechen. Ob es in der Praxis tatsächlich zu einer solchen Einflussnahme des Aufsichtsrats der Obergesellschaft kommt, kann allerdings nicht endgültig festgestellt werden, weil die konzernbezogenen Aufgaben der Unternehmensleitung und der damit einhergehende Umfang der Überwachung durch den Aufsichtsrat von den konkreten internen Regelungen des Konzerns abhängen.

Inwieweit der Einfluss der jeweiligen Aufsichtsräte einer Konzernholding reicht, ist in jedem Konzern unterschiedlich geregelt. Abstrakt besteht dabei die Gefahr, dass der Gedanke der Netzentflechtung in einer Holdinggesellschaft mit einem beherrschenden Aufsichtsrat nicht konsequent umgesetzt wird.

IV. Fazit

Unsere Recherche zeigt, wie unterschiedlich fakultative Aufsichtsräte in GmbHs mit kommunaler Beteiligung und GmbHs, die im privaten Eigentum stehen, etabliert werden. Problematisch ist dies vor allem im Hinblick auf die Kosten, die dadurch auf die kommunale Gebietskörperschaft zukommen.

Gegen die Einrichtung eines Aufsichtsrats bei kleineren Stadtwerken in der Rechtsform der GmbH spricht grundsätzlich die Tatsache, dass die Kontrolle der Geschäftsführung einer GmbH durch die Gesellschafterversammlung erfolgt, § 46 Nr. 6 GmbHG.[90] Die Einrichtung eines Aufsichtsrats wäre bei diesen Unternehmen nicht erforderlich. Sie kann jedoch sinnvoll sein,

[85] *Schütz* (o. Fn. 14), § 111 AktG Rdnr. 150.
[86] *Hambloch-Gesinn/Gesinn* (o. Fn. 10), § 111 Rdnr. 24.
[87] *Grigoleit/Tomasic* (o. Fn. 19), § 111 Rdnr. 13.
[88] *Grigoleit/Tomasic* (o. Fn. 19), § 111 Rdnr. 13; *Schütz* (o. Fn. 14), § 111 AktG Rdnr. 152.
[89] *Grigoleit/Tomasic* (o. Fn. 19), § 111 Rdnr. 58; *Koch* (o. Fn.6), § 111 Rdnr. 51.
[90] Siehe oben, S. 681.

wenn die Verwaltung der kommunalen Gebietskörperschaft dadurch entlastet wird. Die Anzahl der Aufsichtsratsmitglieder muss sich jedoch in einem angemessenen Rahmen bewegen. Mehr als drei Mitglieder sind hier nur selten zu rechtfertigen.

Bei den genannten Beispielen bezüglich der Zahl der Aufsichtsratsmitglieder im Verhältnis zur Arbeitnehmerzahl und Umsatzstärke des Unternehmens, in eine Kollision mit den Grundsätzen der Wirtschaftlichkeit und Sparsamkeit der Landeshaushaltsordnungen sorgfältig zu prüfen. In einem ersten Schritt ist zu empfehlen, dass die kommunalen Gebietskörperschaften ihre Praxis bezüglich der Bildung von Aufsichtsräten im Hinblick auf die Regelungen des DCGK und des PCGK überprüfen. Insbesondere die in Ziffer 5.6 DCGK empfohlene Effizienzprüfung sollte durchgeführt werden. In der Folge sollten die kommunalen Gebietskörperschaften ihre Gremienstruktur an die Richtlinien des jeweilig maßgeblichen Kodex anpassen. Bei Energieversorgungsunternehmen besteht regelmäßig eine Nähe zum PCKG, weil dieser sich auf Unternehmen bezieht, an denen das jeweilige Land beteiligt ist.

Bleibt ein Missverhältnis bestehen, ist das Einschreiten der jeweiligen Kommunalaufsichtsbehörde nicht auszuschließen. Grundsätzlich steht den Kommunen bei der Wahrung der Grundsätze der Landeshaushaltsordnung ein Entscheidungsspielraum zu, die Aufsichtsbehörde kann aber einschreiten, wenn die Ausübung dieses Spielraums nicht mehr vertretbar ist.[91] In Extremfällen könnte die Aufsichtsbehörde daher die in der Einleitung vorgeschlagene Aufforderung an die kommunalen Gebietskörperschaften aussprechen, sich bezüglich der Aufsichtsratsbildung ihrer Beteiligungen und der kommunalen Vorgaben entsprechend zu verhalten. Der Erlass eines weitergehenden Landesgesetzes ist unseres Erachtens nicht erforderlich, soweit die Grundsätze der Landeshaushaltsordnungen konsequent angewandt werden.

[91] *Klieve* (o. Fn. 44), § 75 GO NRW, 1.4. Sparsamkeit.

Das Spannungsverhältnis zwischen Verschwiegenheitspflicht und Berichtspflicht kommunaler Aufsichtsratsmitglieder

Jörg Kraffel*[1]

A. Einleitung

Die Zahl der in Privatrechtsform geführten Wirtschaftsunternehmen in öffentlicher Hand bzw. mit Beteiligung der öffentlichen Hand steigt weltweit stetig. Dabei sind die Eigentumsverhältnisse vielfältig, sie reichen von Mehrheits- und Minderheitsbeteiligungen unter Beteiligung von Privaten bis hin zu Alleinbeteiligungen. Der OECD[2] zufolge sind von den 2.000 weltweit größten Unternehmen 282 sogenannte „state-owned enterprises". Darunter werden Unternehmen gefasst, an denen der Staat mindestens zehn Prozent des stimmberechtigten Kapitals hält. Es handelt sich dabei laut OECD um die größte gemessene Zahl der letzten Jahrzehnte.

Auch in Deutschland wächst die Zahl derartiger Wirtschaftsunternehmen. Laut Beteiligungsbericht des Bundes 2017[3] hielten der Bund und seine Sondervermögen im Jahr 2016 unmittelbare Beteiligungen an 106 Unternehmen des öffentlichen und privaten Rechts. Von diesen Gesellschaften sind 58 Unternehmen dem Bund und 24 Unternehmen den Sondervermögen des Bundes zu zuordnen. Von den genannten 58 Gesellschaften ist der Bund an 43 Unternehmen mit mehr als 50 % beteiligt, wobei 24 Unternehmen große Kapitalgesellschaften im Sinne des § 267 HGB sind. Von den 15 Minderheitsbeteiligungen sind 60 % als große Kapitalgesellschaften zu klassifizieren.

* Rechtsanwalt bei White & Case LLP, Berlin.

1 In Zusammenarbeit mit Carla Anna Barbara Weinhardt, Rechtsanwältin bei White & Case LLP, Berlin.

2 OECD, Levelling the International Playing Field Between Public and Private Business: What have we Learnt so Far?, abrufbar unter http://www.oecd.org/corporate/C-MIN(2014)20-ENG.pdf; http://www.oecd.org/corporate/C-MIN(2014)20-ENG.pdf (zuletzt abgerufen am 26.03.2018).

3 Bundesministerium der Finanzen, Beteiligungsbericht des Bundes 2017, abrufbar unter http://www.bundesfinanzministerium.de/Content/DE/Standardartikel/Themen/Bundesvermoegen/Privatisierungs_und_Beteiligungspolitik/Beteiligungspolitik/Beteiligungsberichte/beteiligungsbericht-des-bundes-2017.pdf?__blob=publicationFile&v=6 (zuletzt abgerufen am 26.03.2018).

Überdies war der Bund mit mehr als 25 % an 469 Unternehmen mit einem Nennkapital von über 50.000 Euro mittelbar beteiligt.[4] Zu den bekanntesten Beteiligungen gehören die Deutsche Telekom AG und die Deutsche Bahn AG. Zudem öffnet sich der Bund für neue Geschäftsfelder und -ideen in den Bereichen Digitalisierung, Startup und Wagniskapital, beispielsweise über die High-Tech Gründerfonds Management GmbH.[5]

Hinzu kommen zahlreiche Unternehmen und Unternehmensbeteiligungen der Länder und Kommunen. Im Zuge der (Re-)Kommunalisierung sowie der Finanz- und Wirtschaftskrise 2008/2009 hat das gemeindliche Engagement in der Wirtschaft zugenommen. Das Angebotsspektrum der gemeindlichen Wirtschaftstätigkeit liegt im Wesentlichen im Bereich der Daseinsvorsorge und umfasst beispielsweise Krankenhäuser und den öffentlichen Nahverkehr.[6]

Wie in dem genannten Beispiel sind es meist Kommunen, die an Wirtschaftsunternehmen beteiligt sind. Die Möglichkeit für Kommunen, sich an Unternehmen zu beteiligen, eröffnet Art. 28 Abs. 2 Grundgesetz (GG). Der Grundsatz der kommunalen Selbstverwaltung bildet zugleich Grundlage und Grenze kommunaler Wirtschaftsbetätigung. Die Gemeinden sind berechtigt, alle Angelegenheiten der örtlichen Gemeinschaft im Rahmen der Gesetze eigenverantwortlich zu regeln. Die Selbstverwaltungsfreiheit gem. Art. 28 Abs. 2 GG ist jedoch örtlich begrenzt (sog. Örtlichkeitsprinzip). Die gemeindliche Wirtschaft muss danach eine Angelegenheit der örtlichen Gemeinschaft im Sinne von Art. 28 Abs. 2 GG sein. Diese Begrenzung wirtschaftlicher Betätigung durch den Staat dient zum einen dem Schutz des kommunalen Haushaltes vor Überforderung und Zweckentfremdung sowie zum anderen dem Schutz privater Unternehmen vor Konkurrenz durch die öffentliche Hand.

Die Kommunen sind regelmäßig über Beteiligungsgesellschaften an Gesellschaften in Privatrechtsform beteiligt, es bestehen dann entweder Mehrheits- oder Minderheitsbeteiligungen unter Beteiligungen von Privaten. Die

[4] Bundesministerium der Finanzen, Beteiligungsbericht des Bundes 2017, abrufbar unter http://www.bundesfinanzministerium.de/Content/DE/Standardartikel/Themen/Bundesvermoegen/Privatisierungs_und_Beteiligungspolitik/Beteiligungspolitik/Beteiligungsberichte/beteiligungsbericht-des-bundes-2017.pdf?__blob=publicationFile&v=6 (zuletzt abgerufen am 26.03.2018).

[5] Bundesministerium der Finanzen, Beteiligungsbericht des Bundes 2016, abrufbar unter http://www.bundesfinanzministerium.de/Content/DE/Standardartikel/Themen/Bundesvermoegen/Privatisierungs_und_Beteiligungspolitik/Beteiligungspolitik/Beteiligungsberichte/Beteiligungsbericht-2016.html (zuletzt abgerufen am 26.03.2018).

[6] Bundeskartellamt, Der Staat als Unternehmer – (Re-)Kommunalisierung im wettbewerbsrechtlichen Kontext – Tagung des Arbeitskreises Kartellrecht am 2. Oktober 2014, abrufbar unter https://www.bundeskartellamt.de/SharedDocs/Publikation/DE/Diskussions_Hintergrundpapier/Bundeskartellamt%20-%20Der%20Staat%20als%20Unternehmer.pdf?__blob=publicationFile&v=2 (zuletzt abgerufen am 26.03.2018).

Kommune kann jedoch auch sämtliche Anteile an einem Unternehmen in Privatrechtsform als sog. Eigengesellschaft halten, sodass das Unternehmen eine 100 %-ige Tochtergesellschaft der Kommune ist. Im letztgenannten Fall ist bevorzugter Unternehmensträger die GmbH, da damit eine Entlastung öffentlicher Haushalte und eine entsprechende Haftungsbegrenzung sowie zugleich eine effiziente Aufgabenerfüllung und Kontrolle der Gesellschaft erreicht werden kann. Zudem ermöglicht die Form der GmbH steuerliche, haushaltsrechtliche, finanzielle sowie personalpolitische Vorzüge, weil sie nicht in die gemeindliche Organisation und den Gemeindehaushalt integriert ist.

Kommunen entsenden regelmäßig kommunale Aufsichtsratsmitglieder in die entsprechenden Wirtschaftsunternehmen. Das Gesetz differenziert bei der Behandlung kommunaler Aufsichtsratsmitglieder nicht nach der Art der Beteiligung der Kommune an einer Gesellschaft.[7] Bei derartigen Beteiligungen kann es bei dem kommunalen Aufsichtsratsmitglied zu Interessenkonflikten kommen: Die widerstreitenden Interessen sind namentlich die der Gesellschaft auf der einen und die der Kommune auf der anderen Seite. Parallel zu den widerstreitenden Interessen verhalten sich die entsprechenden rechtlichen Regularien, die ihrerseits Ausdruck der Interessen sind. So besteht zwischen dem Gesellschaftsrecht einerseits und dem Kommunalrecht andererseits ein Spannungsverhältnis.

Konkret besteht ein solches Spannungsverhältnis zwischen dem auf Handlungsfreiheit ausgerichteten Privat- bzw. Gesellschaftsrecht und dem am Gemeinwohl orientierten öffentlichen Recht.[8] So stehen sich die gesellschaftsrechtliche Unabhängigkeit des Aufsichtsratsmandates und die öffentlich-rechtliche Weisungsgebundenheit des Aufsichtsratsmitgliedes gleichermaßen konträr gegenüber wie die gesellschaftsrechtliche Verschwiegenheitspflicht und die öffentlich-rechtliche Berichtspflicht des Aufsichtsratsmitglieds. Dieser Konflikt offenbart sich beispielsweise im Kontext geplanter Verkäufe von mehrgliedrigen Wirtschaftsunternehmen, an denen Kommunen beteiligt sind. Nicht selten kommt es zu Situationen, in denen geheimhaltungsbedürftige Informationen veröffentlicht werden. Dies kann die Durchführung derartiger Transaktionen konkret gefährden. Auch die Aktienrechtsnovelle 2016 hat das Spannungsverhältnis zwischen der Verschwiegenheitspflicht auf der einen Seite und der Berichtspflicht auf der anderen Seite nicht vollständig beseitigt.

[7] vgl. AktG, Viertes Buch Sonder-, Straf- und Schlussvorschriften, Überschrift 1. Teil „Sondervorschriften bei Beteiligung von Gebietskörperschaften“.

[8] So auch *Ganzer/Tremmel,* Die Verschwiegenheitspflicht der Aufsichtsratsmitglieder einer kommunalen Eigengesellschaft in der Rechtsform einer mitbestimmten GmbH – dargestellt anhand der Rechtslage in Bayern, GewArch, 2010, S. 141 ff. (146).

Der folgende Aufsatz zielt darauf ab, die Rechtslage hinsichtlich der konträren Pflichten kommunaler Aufsichtsratsmitglieder zu beleuchten. Dafür sollen zunächst die Möglichkeiten der Beteiligung einer Kommune an Wirtschaftsunternehmen aufgezeigt werden, bevor die Pflichtenstellung kommunaler Aufsichtsratsmitglieder betrachtet wird. Es soll insbesondere das Spannungsverhältnis zwischen der Weisungsgebundenheit und Berichtspflicht auf der einen Seite sowie der Unabhängigkeit und der Verschwiegenheitspflicht des kommunalen Aufsichtsratsmitglieds auf der anderen Seite dargestellt werden. Dabei werden die Ausführungen der Übersichtlichkeit wegen auf kommunale Beteiligungen an einer GmbH sowie auf das Land Nordrhein-Westfalen beschränkt. Abschließend werden mögliche Lösungsansätze für die Entspannung des Konflikts aufgezeigt.

B. Spannungsfeld zwischen Verschwiegenheitspflicht und Berichtspflicht kommunaler Aufsichtsratsmitglieder

I. Kommune als Gesellschafter

Die Prüfung der Zulässigkeit einer wirtschaftlichen Betätigung durch die Kommune unterliegt nach dem Kommunalwirtschaftsrecht[9] einer Schrankentrias.

In Anlehnung an die grundsätzlichen Aussagen der früheren Deutschen Gemeindeordnung aus dem Jahr 1935

1. muss ein öffentlicher Zweck die wirtschaftliche Betätigung der Gemeinde rechtfertigen (Zweckgebundenheit),
2. muss die Tätigkeit in einem angemessenen Verhältnis zur Leistungsfähigkeit der Gemeinde stehen (Angemessenheit), und
3. darf die Tätigkeit nicht durch private Unternehmen besser und wirtschaftlicher erledigt werden können.

Das Erfordernis eines öffentlichen Zweckes für die wirtschaftliche Betätigung der Gebietskörperschaft stellt eine aus dem Rechtsstaatsprinzip abgeleitete Begrenzung jeglicher Staatstätigkeit durch die Ausrichtung am Gemeinwohl dar.[10] Das BVerfG[11] verlangt die Verfolgung eines derartigen öffentlichen Zwecks für die wirtschaftliche Betätigung der öffentlichen Hand aufgrund des sog. Steuerstaatsprinzips, welches andere als die in Art. 105 ff. GG vorgesehenen Einnahmequellen ohne besondere sachliche Rechtfertigung ausschließt. Die Auslegung dieses unbestimmten Rechtsbegriffes obliegt der Einschätzung und Beurteilung der jeweiligen Gemeinde,

[9] Vgl. § 107 Abs. 1 GO NRW.
[10] *OVG Münster*, NVwZ 2008, S. 1031 ff. (1035).
[11] BVerfGE 78, 249 (266 f.).

da sie prognostische und planerische Elemente enthält.[12] Inwieweit von der handelnden Behörde nicht nur nach außen sondern auch nach innen ein solcher öffentlicher Zweck verfolgt wird, muss von der Behörde nicht kommuniziert werden und ist folglich auch nicht transparent. Kommunalaufsicht und Verwaltungsgerichte können nur eingeschränkt überprüfen, ob die Entscheidungsträger bei der Errichtung, Erweiterung oder Übernahme eines Unternehmens über das hinausgegangen sind, was für die örtliche Gemeinschaft sinnvoll und notwendig ist. Nach einer Negativabgrenzung liegt ein solcher öffentlicher Zweck allerdings jedenfalls dann nicht mehr vor, wenn eine Tätigkeit ausschließlich mit Gewinnerzielungsabsicht betrieben wird.[13]

Ferner muss die wirtschaftliche Betätigung nach Art und Umfang in einem angemessenen Verhältnis zu der Leistungsfähigkeit der Gemeinde stehen. Dieser vorausgesetzte Leistungsfähigkeitsbezug soll dem Schutz der Gemeinden vor finanzieller Überforderung dienen. Auch bei einer derartigen Angemessenheitsprüfung besteht zugunsten der Gemeinde eine Einschätzungsprärogative, die wiederum gerichtlich nur beschränkt überprüfbar ist.

Zudem darf sich der von dem kommunalen Unternehmen oder der mit der Beteiligung an einem solchen angestrebte Zweck „nicht besser und wirtschaftlicher auf andere Weise erreichen" lassen.[14] Auch insofern besteht zugunsten der jeweiligen Gebietskörperschaft ein weiter, durch die Rechtsprechung kaum überprüfbarer, Beurteilungsspielraum. So gilt das genannte Subsidiaritätsprinzip in vielen Gemeindeordnungen lediglich für ein „Tätigwerden außerhalb der kommunalen Daseinsvorsorge".[15]

Einem großen Teil der landesgesetzlichen Gemeindeordnungen[16] zufolge, muss das jeweilige Land in den Unternehmen mit öffentlicher Beteiligung „einen angemessenen Einfluss, insbesondere in einem Überwachungsorgan" erhalten. Laut der Gesetzesbegründung des § 108 Abs. 1 Nr. 6 GO NRW soll hierdurch die Verpflichtung der Gemeinden, sich Einwirkungs- und Kontrollmöglichkeiten auf ihre Unternehmen und Einrichtungen zu erhalten (sog. Ingerenzpflicht), normiert werden.[17] Eine entsprechende, angemessene Einflussnahmemöglichkeit soll jedenfalls dann bestehen, wenn sich der Anteil der Vertreter einer Kommune in den Organen an der Quote ihrer Beteiligung

[12] Vgl. *OVG Schleswig*, NordÖR 2013, S. 528 ff. (533).

[13] Vgl. Amtliche Begründung zu § 67 der Deutschen Gemeindeordnung vom 30. Januar 1935 (RGBl. I S. 49) – DGO –, abgedruckt in *Surén*, Gemeindewirtschaftsrecht, 1960, S. 139 f.

[14] *Heidel*, Zur Weisungsgebundenheit von Aufsichtsratsmitgliedern bei Beteiligung von Gebietskörperschaften und Alleinaktionären – Zugleich Besprechung des Urteils des BVerwG vom 31.8.2011, NZG 2012, 48 (48 f.).

[15] Vgl. etwa § 107 II Nr. 2 GO NRW.

[16] Jeweils § 65 Abs. 1 Nr. 3 sowie Abs. 4, Abs. 5, Abs. 6 der Regelungen der Haushaltsordnungen der Länder.

[17] *Held/Kotzea*, GO NRW, 11. Fassung 2018, PdK NW B-1, § 108, Rdnr. 4.4.

orientiert.[18] Zudem sollte in der Satzung ein Katalog von Zustimmungsvorbehalten des Aufsichtsrates vorgesehen werden. Derartige Einflussmöglichkeiten sollen außerdem nicht nur im Gesellschaftsvertrag oder der Satzung, sondern „in anderer Weise“, insbesondere in Konsortialverträgen, geregelt werden können.[19] Zugleich soll das zuständige Ministerium „darauf hinwirken“, dass die auf Veranlassung des Landes bestellten Mitglieder der Aufsichtsorgane auch die besonderen Interessen des Landes berücksichtigen.[20]

1. Kommunales Aufsichtsratsmitglied

Eine angemessene Einflussnahme kann beispielsweise durch kommunale Vertreter im Aufsichtsrat ausgeübt werden. Der Aufsichtsrat bildet gem. § 111 AktG bei der Aktiengesellschaft das Kontroll- und Überwachungsgremium über den Vorstand. Ihm obliegt insbesondere die Beratung und Überwachung der Geschäftsführung. Die Aufsichtsratsmitglieder können ihre Aufgaben gem. § 111 Abs. 5 AktG nicht durch andere wahrnehmen lassen, d.h. das Aufsichtsratsmandat ist persönlich und eigenverantwortlich auszuüben, sog. Unabhängigkeit des Aufsichtsratsmandates. Bei der Ausübung seines Mandates ist das Aufsichtsratsmitglied gem. § 116 i.V.m. § 93 Abs. 1 S. 2 AktG dem „Wohle der Gesellschaft“ verpflichtet.

Die Errichtung eines Aufsichtsrates ist innerhalb der von Kommunen bevorzugten Rechtsform der GmbH aufgrund des Bestehens der Gesellschafterversammlung als Kontroll- und Überwachungsorgan der Geschäftsführung nicht zwingend vorgesehen. Grundsätzlich steht es im Ermessen der Gesellschafter, ob sie einen Aufsichtsrat (fakultativ) bilden möchten. Etwas anderes gilt jedoch nach dem Drittelbeteiligungsgesetz (DrittelbG) oder dem Mitbestimmungsgesetz (MitbestG). Diese schreiben auch für die GmbH die Bildung eines Aufsichtsrates zwingend vor. Für Unternehmen, die vom Anwendungsbereich eines dieser Gesetze erfasst werden, wird ein sog. obligatorischer Aufsichtsrat errichtet, für den jedenfalls die Vorschriften über den Aufsichtsrat bei der AG über § 1 Abs. 1 Nr. 3 DrittelbG bzw. §§ 6 Abs. 2 S. 1, 25 Abs. 1 S. 1 Nr. 2 MitbestG entsprechend gelten.

Daneben besteht die Möglichkeit im Gesellschaftsvertrag die Bildung eines sog. fakultativen Aufsichtsrates vorzusehen. Durch einen solchen fakultativen Aufsichtsrat kann die Kommune die Geschäftsführung einer GmbH überwachen, indem sie eigene Mitglieder in das Organ entsendet und kraft Gesellschaftsvertrag dem Aufsichtsrat bestimmte Befugnisse der Gesell-

[18] *Gruber*, Modernes Haushalts- und Gemeindewirtschaftsrecht in der öffentlichen Verwaltung: Leitfaden für eine wirtschaftliche, effiziente und effektive Erfüllung kommunaler Aufgaben, 2002, 231 f.

[19] *Held/Kotzea* (o. Fn. 17), Rdnr. 4.4.

[20] *Heidel* (o. Fn. 14), S. 49.

schafterversammlung überträgt.[21] Den Mitgliedern eines fakultativen Aufsichtsrates einer GmbH obliegen gem. § 52 Abs. 1 GmbH i.V.m. § 111 AktG dieselben Rechte und Pflichten wie denen einer AG, sofern nicht der Gesellschaftsvertrag etwas anderes bestimmt.

Für Personengesellschaften, mithin auch für die vielfach im Rahmen von Beteiligungsgesellschaften genutzte Form der GmbH & Co. KG, greifen zwar die Bestimmungen des Drittelbeteiligungsgesetzes nicht. Allerdings können für die GmbH & Co. KG Vorschriften des Mitbestimmungsgesetzes relevant werden, etwa i.S.v. § 4 Abs. 1 MitbestG. Danach können die Arbeitnehmer der GmbH & Co. KG der GmbH zugerechnet werden, wenn die Gesellschafter bei der KG und der GmbH weitgehend identisch sind und bei den Gesellschaften insgesamt mehr als 2.000 Arbeitnehmer beschäftigt sind. In derartigen Konstellationen wiederum ist zwingend ein Aufsichtsrat zu bilden. Daneben kann die Errichtung eines Aufsichtsrates bzw. Beirates mit identischen Rechten und Pflichten auf freiwilliger Basis im Gesellschaftsvertrag einer Personengesellschaft vorgesehen werden.[22]

Gebietskörperschaften platzieren regelmäßig kommunale Aufsichtsratsmitglieder in den Aufsichtsrat der entsprechenden Unternehmen, an denen sie beteiligt sind. Hierdurch wird dem Erfordernis ausreichender kommunaler Einwirkungs- und Kontrollmöglichkeiten Rechnung getragen. Auf Veranlassung der Gebietskörperschaft werden kommunale Aufsichtsratsmitglieder entweder in den Aufsichtsrat gewählt oder aufgrund gesellschaftsvertraglicher Regelung entsandt. So ist gem. § 113 Abs. 3 S. 1 GO NRW die Gemeinde verpflichtet, „bei der Ausgestaltung des Gesellschaftsvertrages einer Kapitalgesellschaft darauf hinzuwirken, daß ihr das Recht eingeräumt wird, Mitglieder in den Aufsichtsrat zu entsenden (...)“. Die Auswahl der zu bestellenden Aufsichtsratsmitglieder richtet sich jeweils nach der Kommunalverfassung.

Soll ein kommunales Aufsichtsratsmitglied durch Wahl der Gesellschafterversammlung i.S.v. § 101 Abs. 1, 1. Alt. AktG bestellt werden, so schlägt die kommunale Gesellschafterin eine Person, die zuvor durch einen Beschluss der Gemeindevertretung nach den Grundsätzen der Verhältniswahl bestimmt worden ist, vor. Besteht nach dem Gesellschaftsvertrag ein Entsendungsrecht der Kommune gem. § 101 Abs. 2 AktG, so benennt ihr gesetzlicher Vertreter in der Gesellschafterversammlung die zu entsendenden Aufsichtsratsmitglieder, die zuvor durch einen Beschluss nach den Grundsätzen der Verhältniswahl durch die Vertretung bestimmt worden sind. Darüber hinaus

[21] *Altmeppen/Roth*, in: GmbH-Gesetz-Kommentar, 4. Auflage 2003, § 52, Rdnr. 17 ff., 54 ff.

[22] Siehe auch *Roth*, in: Baumbach/Hopt (Hrsg.): Handelsgesetzbuch-Kommentar, 37. Auflage 2016, § 114, Rdnr. 27.

können auch kommunale Aufsichtsratsmitglieder gem. § 104 AktG gerichtlich bestellt werden.[23]

Vielen Gemeindeordnungen zufolge dürfen sich Gemeinden regelmäßig nur dann an einer GmbH beteiligen, wenn durch den Gesellschaftsvertrag „sichergestellt“ ist, dass die Gemeinde ihren Aufsichtsratsmitgliedern Weisungen erteilen kann. Exemplarisch dafür ist etwa die Regelung in § 113 Abs. 1 S. 1 und 2 GO NRW:

> „Die Vertreter der Gemeinde in Beiräten, Ausschüssen, Gesellschafterversammlungen, Aufsichtsräten oder entsprechenden Organen von juristischen Personen oder Personenvereinigungen, an denen die Gemeinde unmittelbar oder mittelbar beteiligt ist, haben die Interessen der Gemeinde zu verfolgen. Sie sind an die Beschlüsse des Rates und seiner Ausschüsse gebunden (…).“

Der BGH[24] hingegen führt in seiner Leitentscheidung zu den Rechten einer Gemeinde als Aktionärin gegenüber ihren Aufsichtsratsmitgliedern wie folgt aus:

> „Entsandte Aufsichtsratsmitglieder haben dieselben Pflichten wie die gewählten Aufsichtsratsmitglieder. Als Angehörige eines Gesellschaftsorgans haben sie den Belangen der Gesellschaft den Vorzug vor denen des Entsendungsberechtigten zu geben und die Interessen der Gesellschaft wahrzunehmen, ohne an Weisungen des Entsendungsberechtigten gebunden zu sein.“

Nach dieser Rechtsprechung des BGH, die die sog. „Lehre vom Vorrang des Gesellschaftsrechts“[25] hervorgebracht hat, sind Aufsichtsratsmitglieder folglich allein dem Unternehmensinteresse verpflichtet und unterliegen keinerlei Weisungen.

Es wird deutlich: Das kommunale Aufsichtsratsmitglied sieht sich entgegenstehenden Interessen ausgesetzt. So ist ein kommunales Aufsichtsratsmitglied einerseits dem Unternehmensinteresse, andererseits dem gebietskörperschaftlichen Interesse verpflichtet. Diese Zerrissenheit spiegelt sich in den dem Aufsichtsratsmitglied im Rahmen seines Mandates auferlegten Rechten und Pflichten wider: einerseits obliegt ihm die persönliche Amtsausübung, im Rahmen derer er sich keinen fremden Weisungen unterwerfen darf und gegenüber der Gesellschaft zur Verschwiegenheit verpflichtet ist. Andererseits unterliegt das kommunal entsandte Aufsichtsratsmitglied Weisungen seiner Kommune und ist ihr gegenüber zur Berichterstattung verpflichtet.

[23] *Schall*, in: Spindler/Schilz (Hrsg.): Aktiengesetz-Kommentar, Bd. 2, 3. Auflage 2015, § 394, Rdnr. 4.

[24] BGHZ 36, 296 (306).

[25] *van Kann/Keiluweit*, Verschwiegenheitspflichten kommunaler Aufsichtsratsmitglieder in privatrechtlich organisierten Gesellschaften, DB 2009, 2251 (2252).

a) Verschwiegenheitspflicht von Aufsichtsratsmitgliedern

Die aus § 93 Abs. 1 S. 3 i.V.m. § 116 AktG abgeleitete Verschwiegenheitspflicht von Aufsichtsratsmitglieder stellt eine besondere Ausprägung der organschaftlichen Treuepflicht[26] dar. Sie gilt für jegliche Aufsichtsratsmitglieder unterschiedslos, unabhängig davon, von wem sie in den Aufsichtsrat gewählt bzw. entsandt wurden. Sie gilt grundsätzlich auch für Aufsichtsratsmitglieder eines fakultativen Aufsichtsrates einer GmbH, sofern gem. § 52 Abs. 1 GmbHG im Gesellschaftsvertrag nichts anderes bestimmt ist.

Sinn und Zweck dieser Verpflichtung ist das Ermöglichen einer vertrauensvollen Zusammenarbeit zwischen Geschäftsleitung und Aufsichtsrat im Interesse der Gesellschaft. Zugleich dient die Verschwiegenheitspflicht der Schadensprävention, da bei Veröffentlichung oder Weitergabe sensibler, geheimhaltungsbedürftiger Informationen dem Unternehmen ggf. erheblicher wirtschaftlicher Schaden droht. Durch das Gesetz zur weiteren Reform des Aktien- und Bilanzrechts, zu Transparenz und Publizität (Transparenz- und Publizitätsgesetz, TransPuG) hat der Gesetzgeber die Verschwiegenheitspflicht als Sonderregelung in § 116 S. 2 AktG ergänzt.[27] Das Aufsichtsratsmitglied hat insofern ein korporationsrechtliches Rechtsverhältnis zur Gesellschaft, das gleichermaßen Pflichten begründet, deren Verletzung zur Haftung gegenüber der Gesellschaft führt.[28] Für die Qualifikation einer Information als vertrauliche Angabe oder Geheimnis ist die Frage der vertraglichen oder gesetzlichen Offenbarungs- bzw. Mitteilungspflicht zunächst ohne Bedeutung.[29]

Die Pflicht der Aufsichtsratsmitglieder beinhaltet, über die ihnen durch ihre Tätigkeit im Aufsichtsrat bekannt gewordenen vertraulichen oder geheimen Vorgänge der Gesellschaft Stillschweigen zu bewahren[30] und Informationen nicht an nicht zu den Organmitgliedern der Gesellschaft gehörende Personen weiterzugeben. Die Pflicht zur Verschwiegenheit gilt für alle, dementsprechend auch kommunale Aufsichtsratsmitglieder gleichermaßen, ohne Rücksicht darauf, ob sie gewählt oder entsandt wurden. Sie beginnt mit der Wahl zum Aufsichtsratsmitglied und endet nicht etwa mit dem Ausscheiden aus dem Amt, sondern wirkt als Ausdruck der allgemeinen Treuepflicht nach und überdauert anders als die allgemeine Sorgfaltspflicht die Amtszeit des Aufsichtsratsmitglieds.

[26] Vgl. *Habersack*, in: Münchener Kommentar: Aktiengesetz, 4. Auflage 2017, § 116, Rdnr. 45.

[27] Vgl. auch *Krause*, Strafrechtliche Haftung des Aufsichtsrates, NStZ, 2011, 57 (63).

[28] Vgl. *Habersack* (o. Fn. 26) Rdnr. 1.

[29] BGH, BKR2016, 299 (301).

[30] Vgl. *Habersack* (o. Fn. 26) Rdnr. 49.

b) Verschwiegenheitspflicht als Korrelat zum Informationsrecht

Die Verschwiegenheitspflicht stellt ein Korrelat zum Informationsrecht der Aufsichtsratsmitglieder dar, welches wiederum für die effektive Wahrnehmung der Überwachungs- und Beratungsaufgabe durch den Aufsichtsrat unerlässlich ist.[31] Das Informationsrecht des Aufsichtsrates umfasst gem. § 90 AktG regelmäßige Berichte durch den Vorstand. Jedes Aufsichtsratsmitglied muss diejenigen Mindestkenntnisse haben oder sich aneignen, die es braucht, um alle normalerweise anfallenden Geschäftsvorgänge auch ohne fremde Hilfe verstehen und sachgerecht beurteilen zu können.[32]

Allerdings kann nicht ausgeschlossen werden, dass ein Aufsichtsratsmitglied trotz der Geheimhaltungspflicht seinen bestehenden Informationsanspruch missbräuchlich ausnutzt. Auch vermeintlich neutrale Aussagen über eigenes Abstimmungsverhalten lassen oftmals Rückschlüsse auf das Abstimmungsverhalten anderer Aufsichtsratsmitglieder zu.

Zum Schutze des Geheimhaltungsinteresses des Unternehmens will das TransPuG einem solchen Missbrauch entgegenwirken. Laut Gesetzesbegründung zum TransPuG[33] soll der Vorstand etwa eigenständig den Berichtszeitpunkt bestimmen können. Durch die Formulierung, dass die Berichte nicht stets, sondern nur möglichst rechtzeitig zu erstatten sind, erscheine ein ausreichendes Maß an Flexibilität gewährleistet. Ferner soll dem Vorstand das Recht zustehen, im Falle des Berichtsverlangens durch ein einzelnes Aufsichtsratsmitglied einen Bericht gänzlich zu verweigern, wenn die konkrete Gefahr des Missbrauchs, etwa des „Ausplauderns" von Interna und Geschäftsgeheimnissen, besteht.[34] Das Recht auf Berichterstattung darf zudem nicht zu einer unnötigen Störung der Geschäfte des Vorstands führen, weshalb dieses Recht beschränkt ist durch das allgemeine Schikaneverbot. Letzteres wird berührt, wenn der Aufsichtsrat Berichtsanforderungen zur Unzeit oder in überzogenem Umfang stellt, deren Erkenntnisgewinn gering ist und die zu einer unnötigen Behinderung der Geschäftsführung des Vorstands führen. Laut Gesetzgeber soll außerdem „querulatorisches oder schikanöses Verhalten" des Aufsichtsrats oder einzelner Mitglieder zu einem Recht des Vorstands zur Verweigerung der Informationsanforderung führen. So ist ein Berichtsverlangen insbesondere dann überzogen, wenn Berichte zu Themen angefordert werden, über die erst kürzlich berichtet wurde, ohne dass vernünftigerweise eine Änderung gegenüber dem zuvor erstatteten Bericht zu erwarten ist. Allerdings soll dem Vorstand grundsätzlich nicht das Recht zustehen, den Funktionsbezug angeforderter Informationen zur Überwachung durch den Aufsichtsrat zu überprüfen. Ausnahmsweise kann

[31] Vgl. *Habersack* (o. Fn. 26) Rdnr. 49.
[32] BGH, NJW 1983, 991 (991).
[33] BT-Drucksache 14/8769, S. 15.
[34] BT-Drucksache 14/8769, S. 14.

die Information bei offensichtlich fehlendem Bezug zur Gesellschaft und ihren verbundenen Unternehmen oder zur Funktion des Aufsichtsrats durch den Vorstand verweigert werden. Jedoch obliegt es in diesem Fall dem Vorstand, den fehlenden Bezug nachzuweisen. Grundsätzlich gilt, dass bei Informationsverlangen, die nur von einzelnen Aufsichtsratsmitgliedern gestellt werden, dem Vorstand im Regelfall eine größere Skepsis gestattet ist als bei Informationsverlangen des Gesamtaufsichtsrats.[35]

Die Möglichkeit der Informationsverweigerung des Vorstandes gegenüber dem Aufsichtsrat ist anders als etwa die Informationsverweigerung gegenüber Aktionären bzw. Gesellschaftern (§ 131 AktG bzw. § 51a Abs. 2 GmbHG) gesetzlich nicht verankert. Das bedeutet, dass von dieser Möglichkeit nur restriktiv und in engen Grenzen Gebrauch gemacht werden darf. Auch eine gerichtliche Entscheidung zu der genannten Problematik ist bisher nicht ergangen. Es entspricht jedoch allgemeiner Auffassung, dass der Vorstand berechtigt ist, bei Vorliegen der oben genannten, engen Voraussetzungen, einen Beschluss des Gesamtvorstands herbeizuführen und die Verweigerung des angeforderten Berichts zu beschließen. Dabei ist die Entscheidung des Vorstands wiederum in vollem Umfang gerichtlich überprüfbar, sodass die Gründe für die Informationsverweigerung genau dokumentiert und dem Aufsichtsratsvorsitzenden mitgeteilt werden sollten.[36]

c) Gegenstand der Verschwiegenheitspflicht

Die Aufsichtsratsmitglieder sind gem. §§ 93, 116 AktG „insbesondere zur Verschwiegenheit über erhaltene vertrauliche Berichte und vertrauliche Beratungen verpflichtet". Das Wort „insbesondere" impliziert eine nicht abschließende Aufzählung. Die Verschwiegenheitspflicht umfasst Geheimnisse der Gesellschaft. § 93 Abs. 1 S. 3 AktG nennt beispielhaft Betriebs- und Geschäftsgeheimnisse, mithin nicht allgemein bekannte Tatsachen, für die im Unternehmensinteresse ein Geheimhaltungsbedürfnis besteht[37] und die nur einem eng begrenzten Personenkreis bekannt sind. Sie dienen dem Schutz der Gesellschaft im Interesse ihrer Wettbewerbsfähigkeit und ihres Ansehens.[38] Darunter zu fassen sind etwa Informationen, die der Aufsichtsrat aufgrund seiner Informationsrechte erhalten hat, etwa aus Regelberichten (§ 90 Abs. 1 S. 1 AktG), Sonderberichten wie Berichten über bedeutende Geschäfte (§ 90 Abs. 1 S. 1 Nr. 4 AktG) oder Anforderungsberichten (§ 90 Abs. 3 S. 2 AktG) sowie aus Vorlageberichten und Finanzberichten.[39]

[35] *Manger*, Das Informationsrecht des Aufsichtsrats gegenüber dem Vorstand – Umfang und Grenzen, NZG 2010, S. 1255 ff. (1257).

[36] *Manger* (o. Fn. 35), S. 1258.

[37] BGHZ 64, S. 325 ff. (329).

[38] *Schaal*, in: Münchener Kommentar: Aktiengesetz, 4. Auflage 2017, § 404, Rdnr. 20.

[39] *Krause* (o. Fn. 27), S. 64 f.

Daneben fallen darunter beispielsweise wesentliche Personalentscheidungen sowie Ergebnisse und Inhalte von Vorstandssitzungen. Der Begriff umfasst auch geäußerte Absichten und Meinungen.[40] Insbesondere unterliegen auch Informationen im Zusammenhang mit konkreten Transaktionen der Vertraulichkeit.

Zugleich unterliegen vertrauliche Berichte und Beratungen des Aufsichtsrates selbst, ob mündlich oder schriftlich, der Verschwiegenheitspflicht. Darunter fallen etwa für den Aufsichtsrat bestimmte Mitteilungen und Stellungnahmen der Organmitglieder über Vorkommnisse, die den Organ- oder sonstigen Unternehmensbereich betreffen.[41] Als Konsequenz aus dem Grundsatz der vertrauensvollen Zusammenarbeit und der unbefangenen Meinungsbildung der Aufsichtsratsmitglieder[42] sind darüber hinaus sowohl ein etwaiger Abstimmungsgegenstand, das entsprechende Abstimmungsverhalten einzelner Aufsichtsratsmitglieder, etwaige Stellungnahmen und das Abstimmungsergebnis[43] geheim zu halten.

Umstritten ist, ob ein Aufsichtsratsmitglied befugt ist, sein eigenes Abstimmungsverhalten kundzutun. So gesteht eine Auffassung dem einzelnen Aufsichtsratsmitglied jedenfalls zu, das eigene Abstimmungsverhalten gegenüber Dritten, beispielsweise den Wählern, kundzutun.[44] Eine Rückausnahme bestehe lediglich dann, wenn aus der Auskunft bereits konkludent auf das Abstimmungsverhalten anderer Aufsichtsratsmitglieder geschlossen werden kann, etwa bei Aussagen wie „ich habe als Einziger (...)".[45] Die Gegenansicht sieht auch das eigene Abstimmungsverhalten als von der Verschwiegenheitspflicht umfasst an. Sie argumentiert, dass es unmöglich sei, über das eigene Abstimmungsverhalten zu berichten, ohne zugleich das Beschlussthema zu offenbaren.[46] Dieser Meinung ist im Interesse einer unbefangenen Meinungsbildung im Aufsichtsrat zuzustimmen. Die Aufweichung der Geheimhaltungspflicht könnte sonst zu erheblichen Unsicherheiten über ihre Grenzen führen. Dies würde eine offene Diskussion im Aufsichtsrat lähmen. So hat gleichermaßen der BGH bereits in seinem „Bayer-Urteil"[47] betont, dass eine unbefangene Meinungsäußerung und Meinungsbildung für eine sachgerechte Tätigkeit des Aufsichtsrates unerlässlich sind. Maßgebliches Kriterium für die Beurteilung der Vertraulichkeit ist stets das objektive Gesellschaftsin-

[40] BGHZ 64, 325 (329).

[41] Vgl. *Habersack* (o. Fn. 26) Rdnr. 54.

[42] BGH, NJW 1975, 1412 (1413).

[43] BGH, NJW 1975, 1412 (1412).

[44] *Säcker*, Aktuelle Probleme der Verschwiegenheitspflicht der Aufsichtsratsmitglieder, NJW 1986, 803 (807 f.).

[45] *Keilich/Brummer*, Reden ist Silber, Schweigen ist Gold – Geheimhaltungspflichten auch für die Arbeitnehmervertreter im Aufsichtsrat, BB 2012, 897 (898).

[46] *Krause* (o. Fn. 27), S. 65.

[47] BGHZ 64, 325 (332).

teresse an der Geheimhaltung. Dieses wird durch die Maßstäbe sachgemäßer Unternehmensführung bestimmt. Ein derartiges Geheimhaltungsinteresse der Gesellschaft ist dann zu bejahen, wenn der Gesellschaft durch die Offenbarung ein materieller oder immaterieller Schaden droht.[48] Darüber hinaus können sich individuelle Geheimhaltungsinteressen einer Gesellschaft auch aus dem jeweiligen Gesellschaftsvertrag bzw. der Satzung ergeben. Ein Geheimhaltungsinteresse ist zwingend Voraussetzung für die Begründung eines Geheimnisses. Es ist umstritten, ob daneben ein auf einem berechtigten wirtschaftlichen Interesse beruhender Geheimhaltungswille zur Begründung eines Geheimnisses erforderlich ist[49] oder ob ein sich aus dem Interesse des Unternehmens als Ganzem ergebender mutmaßlicher Wille des maßgeblichen Organs der Gesellschaft ausreichend ist[50]. Im Interesse der Einheitlichkeit der Rechtsordnung, insbesondere im Hinblick auf § 17 UWG und § 85 GmbHG, bei denen die Rechtsprechung durchweg einen Geheimhaltungswillen als unverzichtbares Merkmal des Geheimnisbegriffes fordert, ist ein solcher auch im Rahmen von §§ 93, 116, 394, 395 AktG als erforderlich anzusehen.[51] Auf diese Weise ist die Geheimnisqualität einer Information gerichtlich voll nachprüfbar.[52]

d) Verstoß gegen die Verschwiegenheitspflicht

Gegen die Verschwiegenheitspflicht verstößt, wer die genannte vertrauliche Information weitergibt. Dazu reicht auch, wenn vage Andeutungen, aus denen sich der Inhalt eines vertraulichen Vorgangs ableiten lässt, gemacht werden.[53] Die Prüfung der Voraussetzungen und Grenzen der Geheimhaltungspflicht hinsichtlich einzelner Informationen obliegt einzelfallabhängig jedem Aufsichtsratsmitglied im Rahmen seiner pflichtgemäßen Amtsausübung selbst. Es bestehen insoweit weder ein Beurteilungs- noch ein Ermessensspielraum.[54] Die Geheimnisqualität einer Information ist gerichtlich voll überprüfbar.[55]

Zugunsten der Gesellschaft besteht gem. § 93 Abs. 2 S. 2 AktG eine Beweislastumkehr. Das bedeutet, dass das Aufsichtsratsmitglied sowohl hinsichtlich des Nichtbestehens der Pflichtverletzung als auch des Verschuldens beweisbelastet ist. Die Aufsichtsratsmitglieder tragen gemäß §§ 116, 93 Abs. 2 S. 2 AktG i.V.m. § 52 GmbHG die Beweislast für die

[48] BGH, ZIP 1996, 1341 (1342).
[49] *OLG München*, NJW-RR 1988, 1495 (1496).
[50] *BGH*, NJW 1997, 1985 (1987).
[51] Vgl. *Schaal*, in: Münchener Kommentar: Aktiengesetz, 4. Auflage 2017, § 404, Rdnr. 27.
[52] *OLG Stuttgart*, NZG 2007, 72 (74).
[53] *OLG Stuttgart* (o. Fn. 52), S. 74.
[54] *OLG Stuttgart* (o. Fn. 52), S. 74.
[55] *OLG Stuttgart* (o. Fn. 52), S. 74.

Anwendung der gebotenen Sorgfalt.[56] Nichtsdestotrotz muss die Gesellschaft darlegen und beweisen, dass ihr durch das Verhalten des in Anspruch genommenen Aufsichtsratsmitglieds ein Schaden entstanden ist. Dazu gehören die Belegung des schadensstiftenden Verhaltens sowie die ziffernmäßige Höhe des entstandenen Schadens und der kausale Zusammenhang zwischen Verhalten und Schaden.[57] Ein pflichtwidriger Verstoß gegen die Verschwiegenheitspflicht kann Unterlassungs- und Regressansprüche auslösen. So haftet das Aufsichtsratsmitglied nach §§ 116, 93 i.V.m. § 52 GmbHG gegenüber der Gesellschaft, wenn es der Gesellschaft durch die Verschwiegenheitspflichtverletzung Schaden zugefügt hat. Daneben ist das unbefugte Offenbaren eines Geheimnisses der Gesellschaft bzw. dessen unbefugte Verwertung gem. § 404 AktG bzw. § 85 GmbHG strafbewehrt. Ein Geheimnis ist dann offenbart, wenn dem Empfänger der Erklärung ein Wissen vermittelt wird, das diesem noch verborgen ist oder von dem dieser jedenfalls noch keine sichere Kenntnis hatte. Ein Betriebsgeheimnis gilt dann als offenbart, wenn es daraufhin verwertet werden kann.[58] Neben den strafrechtlichen Konsequenzen droht dem entsandten Aufsichtsratsmitglied ggf. eine Abberufung i.S.v. § 113 Abs. 1 S. 3 GO NRW.

Für entsandte Gemeindevertreter im Aufsichtsrat sehen die Kommunalordnungen in der Regel eine Haftungsfreistellung vor. Das Kommunalrecht stellt entsandte Aufsichtsratsmitglieder einer kommunalen Gesellschaft von der Haftung für einfache und mittlere Fahrlässigkeit generell frei.[59] Zudem kann sich ein Aufsichtsratsmitglied im Zweifel darauf berufen, rechtmäßige Weisungen ausgeführt zu haben und sich so von jeglicher Haftung befreien.[60]

2. Berichtspflicht als Grenze der Verschwiegenheitspflicht

Eine Ausnahme von der oben genannten Verschwiegenheitspflicht von Aufsichtsratsmitgliedern macht das Aktiengesetz für Aufsichtsratsmitglieder, die von einer Gebietskörperschaft in den Aufsichtsrat gewählt oder entsandt wurden. Dabei werden unter Gebietskörperschaften neben Kommunen auch Bund, Länder, Gemeindeverbände oder die Europäische Union, nicht aber die mittelbare Staatsverwaltung, gefasst. Aufsichtsratsmitglieder eben jener Gebietskörperschaften unterliegen gem. § 394 S. 1 AktG hinsichtlich ihrer Berichte an die Körperschaft keiner Verschwiegenheitspflicht, soweit eine Berichtspflicht existiert. Zwar ist der Norm nicht zu entnehmen, dass die

[56] *Römermann* (Hrsg.), in: Münchener Anwaltshandbuch: GmbH-Recht, 3. Auflage 2014, § 18 Aufsichtsrat und Beirat, Rdnr. 81.

[57] *Spindler*, in: Münchener Kommentar: Aktiengesetz, 4. Auflage 2017, § 93, Rdnr. 185.

[58] Vgl. *Cierniak/Niehaus*, in: Münchener Kommentar: Strafgesetzbuch, 3. Auflage 2017, § 203, Rdnr. 51.

[59] Vgl. § 113 Abs. 6, S. 1 GO NRW.

[60] Vgl. § 113 Abs. 6, S. 2 GO NRW.

Gebietskörperschaft an einer Aktiengesellschaft bzw. der KGaA beteiligt sein muss. Jedoch ergibt sich das Beteiligungserfordernis zwingend aus der Gesetzessystematik. So befindet sich die Vorschrift des § 394 AktG im ersten Teil des vierten Buches des Aktiengesetzes unter der Überschrift „Sondervorschriften bei Beteiligung von Gebietskörperschaften“.[61] Unbeachtlich ist, ob es sich um eine unmittelbare oder mittelbare Beteiligung handelt. Auch über die erforderliche Höhe der Beteiligung trifft die Vorschrift keine Aussage. Mangels Angaben ist davon auszugehen, dass bereits eine Minderheitsbeteiligung ausreichend ist. Dies entspricht dem Sinn und Zweck der Vorschrift, wonach bei Aktiengesellschaften mit jedweder gebietskörperschaftlichen Beteiligung das Verhältnis zwischen Berichts- und Verschwiegenheitspflicht geregelt werden soll. Zwar richtet sich die Vorschrift unmittelbar nur an Mitglieder von Aufsichtsräten einer AG oder KGaA, sie ist jedoch auch auf Aufsichtsräte einer GmbH anwendbar, und zwar beim obligatorischen Aufsichtsrat zwingend, beim fakultativen Aufsichtsrat dispositiv.[62] Der Sinn und Zweck einer solchen Berichtspflicht besteht im Kontrollbedürfnis der Gebietskörperschaft über Vorgänge im Kontrollorgan des Unternehmens mit kommunaler Beteiligung.[63]

Lange Zeit war umstritten, woraus eine derartige Berichtspflicht kommunaler Aufsichtsratsmitglieder abgeleitet werden kann. Im Zuge der geplanten Aktienrechtsnovelle 2012 wurde erstmals die Einführung einer Sondervorschrift für Gesellschaften, an denen eine Gebietskörperschaft beteiligt ist, diskutiert. Die schließlich für 2014 geplante Aktienrechtsnovelle sah eine Berichtspflicht aus Gesetz, Satzung beamtenrechtlicher Weisungsgebundenheit oder Rechtsgeschäft vor. Entsprechend dem Gesetzesentwurf führte der Gesetzgeber aus, dass § 394 AktG das Verhältnis einer bestehenden Berichtspflicht eines auf Veranlassung einer Gebietskörperschaft in einen Aufsichtsrat gewählten oder entsandten Aufsichtsratsmitglieds zur grundsätzlichen Verschwiegenheitspflicht nach § 93 Absatz 1 Satz 2 und § 116 AktG regele. § 394 AktG begründe jedoch nicht selbst eine Berichtspflicht. Der neue Satz des § 394 AktG solle der Klarstellung dienen, dass eine Berichtspflicht eines solchen Aufsichtsratsmitglieds gegenüber der Gebietskörperschaft (deshalb die Bezugnahme auf Satz 1) auf Gesetz, Rechtsverordnung, Gesellschaftssatzung, aber auch auf einem Rechtsgeschäft beruhen kann. Eine Berichtspflicht könne also auch im Rahmen einer vertraglichen Vereinbarung, eines Auftrags oder einer Nebenabrede mit der Gebietskörperschaft begründet werden.

[61] So auch *Hüffer/Koch (Hrsg.),* in: Aktiengesetz-Kommentar, 12. Auflage 2016, § 394, Rdnr. 33.

[62] *Schall*, in: Spindler/Schilz (Hrsg.): Aktiengesetz-Kommentar, Bd. 2, 3. Auflage 2015, § 394, Rdnr. 4.

[63] *Schwintowski*, Gesellschaftsrechtliche Bindungen für entsandte Aufsichtsratsmitglieder in öffentlichen Unternehmen, NJW 1995, 1316 (1318).

Dabei spreche der neueingeführte Satz 3 des § 394 AktG ganz allgemein von „Rechtsgeschäft“, um alle denkbaren Varianten abzudecken.

Im Zuge der am 22.12.2016 verabschiedeten Aktienrechtsnovelle 2016 wurde schließlich § 394 S. 3 AktG neu eingefügt. Erklärtes Ziel des Gesetzgebers[64] war es, eine rechtliche Begründung für die Berichtspflicht von Aufsichtsräten, die von Gebietskörperschaften entsandt werden (§ 394 S. 1 AktG), zu schaffen.

Im Hinblick auf die Neueinführung des § 394 S. 3 AktG wurde vorgesehen, dass die Wörter „dem Aufsichtsrat in Textform mitgeteiltem“ eingefügt werden sollen.[65] Der entscheidende Unterschied zum 2014 geplanten § 394 S. 3 AktG ist mithin, dass die Berichtspflicht auch durch ein dem Aufsichtsrat „in Textform mitgeteiltes“ Rechtsgeschäft begründet werden kann. Nunmehr kann eine entsprechende Berichtspflicht eines kommunalen Aufsichtsratsmitgliedes auf Gesetz, Satzung oder auf einem dem Aufsichtsrat in Textform mitgeteilten Rechtsgeschäft ohne weitere gesetzliche Grundlage beruhen. Weitere Änderungen des bereits im Rahmen der Aktienrechtsnovelle 2014 geplanten § 394 S. 3 AktG sollten ausweislich der Beschlussempfehlung gerade nicht vorgenommen werden.

Die „Sondervorschriften bei Beteiligung von Gebietskörperschaften“ sind seit der Aktienrechtsnovelle 2016, als die Regelung des § 52 GmbHG um die Bezugnahme auf §§ 394, 395 AktG erweitert wurde, jedenfalls auf den fakultativen Aufsichtsrat einer GmbH anwendbar. Der Gesetzgeber wollte dadurch verhindern, dass die Mandatsträger der öffentlichen Hand dem Risiko einer Strafbarkeit gem. § 85 GmbHG wegen Verstoßes gegen die Verschwiegenheitspflicht ausgesetzt sind. Jedoch besteht die Möglichkeit einer weiteren Begrenzung der Verschwiegenheitspflicht im Rahmen der Satzung für Aufsichtsratsmitglieder und konsequenterweise auch für die in § 395 AktG genannten Berichtsempfänger.

Für den obligatorischen Aufsichtsrat einer mitbestimmten GmbH hingegen ist die Rechtslage auch nach der Aktienrechtsnovelle 2016 unklar. Eine Anpassung der Mitbestimmungsgesetze im Rahmen der Aktienrechtsnovelle 2016 erfolgte aus unerklärlichen Gründen nicht. Einerseits ließe sich aus einem Umkehrschluss herleiten, dass die §§ 394, 395 AktG auf einen obligatorischen Aufsichtsrat gerade nicht anwendbar sein sollen. Andererseits könnte argumentiert werden, dass die entsprechenden Mitbestimmungsgesetze auf die aktienrechtlichen Grundsätze über die Verschwiegenheit und damit inzident auch auf §§ 394, 395 AktG Bezug nehmen. Letztere Ansicht ist im Sinne eines „Erst-recht Schlusses“ vorzugswürdig. Es bedarf diesbezüglich dringend einer Klarstellung durch den Gesetzgeber.

[64] BT-Drucks. 18/6681, S. 2.
[65] BT-Drucks. 18/6681, S. 4.

a) Berichtspflicht aus Gesetz

Eine Berichtspflicht kann gem. § 394 S. 3, 1. Alt. AktG zunächst auf einem Gesetz beruhen. Ein solches ist in Art. 2 EGBGB legal definiert als „jede Rechtsnorm". Entsprechend fallen darunter neben Rechtsverordnungen etwa auch Landesgesetze wie Gemeindeordnungen oder Kommunalverfassungen.[66] Eine derartige Berichtspflicht kann folglich direkt aus der Kommunalverfassung resultieren, wie etwa aus § 113 Abs. 5 S. 1 GO NRW.

Die Norm schreibt vor, dass Vertreter der Gemeinde „den Rat über alle Angelegenheiten von besonderer Bedeutung frühzeitig zu unterrichten" haben. Normadressaten sind danach sämtliche „Vertreter der Gemeinde". Darunter werden sowohl die Vertreter der Gemeinde in juristischen Personen oder Personenvereinigungen des öffentlichen Rechts (z.B. Zweckverbänden oder Wasser- und Bodenverbänden) als auch in solchen des Privatrechts (Aktiengesellschaften, GmbH, Kommanditgesellschaften, Vereinen, Gesellschaften des Bürgerlichen Rechts) gefasst.[67] Folglich gelten auch und gerade kommunale Aufsichtsratsmitglieder, unabhängig davon, ob es sich um entsandte Vertreter oder solche handelt, die auf Vorschlag der Gemeinde von der Hauptversammlung gewählt worden sind, als sog. „Vertreter der Gemeinde".[68]

Unterschiedslos haben sie gem. § 113 Abs. 1 S. 1 GO NRW jeweils die „Interessen der Gemeinde zu verfolgen" und sind gem. § 113 Abs. 1 S. 2 GO NRW an die Beschlüsse des Rates und seiner Ausschüsse gebunden. Hier spiegelt sich zum einen das Erfordernis des § 108 Abs. 1 Nr. 6 GO NRW wieder, wonach das Land NRW in den Unternehmen mit öffentlicher Beteiligung „einen angemessenen Einfluss, insbesondere in einem Überwachungsorgan" erhalten muss. Zum anderen manifestieren sich hier die in § 109 GO NRW statuierten Wirtschaftsgrundsätze, wonach gem. Abs. 1 S. 1 Unternehmen und Einrichtungen so zu führen, zu steuern und zu kontrollieren sind, „dass der öffentliche Zweck nachhaltig erfüllt wird". Überdies sollen Unternehmen „einen Ertrag für den Haushalt der Gemeinde abwerfen, soweit dadurch die Erfüllung des öffentlichen Zwecks nicht beeinträchtigt wird" (S. 2). Gleichzeitig soll nach Abs. 2 der Jahresgewinn der wirtschaftlichen Unternehmen als Unterschied der Erträge und Aufwendungen so hoch sein, dass „außer den für die technische und wirtschaftliche Entwicklung des Unternehmens notwendigen Rücklagen mindestens eine marktübliche Verzinsung des Eigenkapitals erwirtschaftet wird".

Die Entsendung von kommunalen Aufsichtsratsmitgliedern in die Aufsichtsräte von Eigen- oder Beteiligungsgesellschaften, die mit weitgehenden

[66] *Müller-Michaelis*, in: Hölters: Aktiengesetz-Kommentar, 3. Auflage 2017, § 394, Rdnr. 24.

[67] *Held/Kotzea*, GO NRW, 11. Fassung 2018, PdK NW B-1, § 113, Rdnr. 4.1.

[68] *Held/Kotzea* (o. Fn. 67), Rdnr. 5.4.

Überwachungs- und Entscheidungskompetenzen über die wirtschaftlichen Unternehmen ausgestattet sind[69], eignet sich beispiellos für einen derartigen Einfluss sowie eine entsprechende Interessenvertretung. Für eine dezidierte Wahrnehmung der kommunalen Interessen ist eine frühzeitige Berichtspflicht, wie sie § 113 Abs. 5 S. 1 GO NRW statuiert, unabdingbar.

§ 113 Abs. 5 S. 2 GO NRW regelt allerdings, dass eine solche „Unterrichtungspflicht" nur dann besteht, „soweit durch Gesetz nichts anderes bestimmt ist". Erörterungsbedürftig ist deshalb, wie diese Vorschrift im Spannungsverhältnis zwischen Kommunalrecht und kommunalen Interessen auf der einen Seite und dem Privatrecht und unternehmerischen Interessen auf der anderen Seite und damit in Bezug auf das Verhältnis zwischen Berichtspflicht und Verschwiegenheitspflicht auszulegen ist.

aa) Lehre vom Verwaltungsgesellschaftsrecht

Im öffentlich-rechtlichen Schrifttum wird zuweilen die „Lehre vom Verwaltungsgesellschaftsrecht" vertreten. Danach soll das Gesellschaftsrecht im Lichte der Ingerenzpflichten verfassungskonform auszulegen sein.[70] Da die öffentliche Hand auch bei privatrechtlichem Handeln ihre Bindungen nicht abstreifen dürfe, müsse das allgemeine Gesellschaftsrecht zumindest bei Eigengesellschaften und Mehrheitsbeteiligungen der öffentlichen Hand in Richtung eines Verwaltungsgesellschaftsrechts modifiziert werden. Zwar seien die Wertungen des Gesellschaftsrechts soweit wie möglich zur Geltung zu bringen, jedoch seien bestimmte erweiterte Interventionsrechte der öffentlichen Hand unabdingbar, um eine Erfüllung der verfassungsrechtlichen Ingerenzpflichten zu gewährleisten.[71]

Der „Lehre vom Verwaltungsgesellschaftsrecht" ist insoweit zuzustimmen als mit der Vorschrift des § 113 Abs. 5 S. 1 GO NRW jedenfalls korrigierend in das Gesellschaftsrecht eingegriffen werden soll. Aufgrund der allgemeingültigen Definition eines „Gesetzes" in Art. 2 EGBGB (s.o.) wäre es jedoch systemwidrig zu argumentieren, dass § 113 Abs. 5 S. 2 GO NRW lediglich auf „das Gesetz" im Sinne der GO NRW abzielt. Vielmehr werden jedwede Rechtsnormen, und somit eben auch das AktG, als Begrenzung der kommunalen Berichtspflicht erfasst. Beteiligt sich eine Gebietskörperschaft an einer privatrechtlichen Gesellschaft, muss sie die damit verbundenen Grenzen der Einflussnahme respektieren.[72] Insoweit trägt die kommunalgesetzliche Vorschrift des § 113 Abs. 5 S. 2 GO NRW selbst dem auch von der Rechtspre-

[69] *Held/Kotzea* (o. Fn. 67), Rdnr. 4.1.

[70] Vgl. *Schürnbrand*, in: Münchener Kommentar: Aktiengesetz, 4. Auflage 2017, Vorbemerkung zu §§ 394, 395, Die Beteiligung von Gebietskörperschaften an Aktiengesellschaften mit Kommentierung der §§ 53, 54 Haushaltsgrundsätzegesetz (HGrG), Rdnr. 18.

[71] Vgl. *Schürnbrand* (o. Fn. 70) Rdnr. 18.

[72] Vgl. *Schürnbrand* (o. Fn. 70) Rdnr. 19.

chung anerkannten grundsätzlichen Vorrang des Gesellschaftsrechts Rechnung.

bb) Allgemeiner Vorrang des Gesellschaftsrechts

Ein solcher Vorrang des Gesellschaftsrechts ist von weiten Teilen der Rechtsprechung anerkannt. So vertrat das OVG Münster[73] die Auffassung, dass das Wohl der Gesellschaft den Weisungsrechten der Gemeinde an ihre Vertreter eine Grenze setze. Gleichsam argumentierte der BGH[74], dass Aufsichtsratsmitglieder ausschließlich dem Unternehmensinteresse verpflichtet seien und folglich keinen Weisungen unterlägen. Kommunale Aufsichtsratsmitglieder hätten „als Angehörige eines Gesellschaftsorgans (…) den Belangen der Gesellschaft den Vorzug vor denen des Entsendungsberechtigten zu geben und die Interessen der Gesellschaft wahrzunehmen, ohne an Weisungen (…) gebunden zu sein".

Ein solcher Vorrang folgt im Übrigen bereits zwingend aus dem aus Art. 31 GG abzuleitenden Grundsatz „Bundesrecht bricht Landesrecht". Ferner kann mit Art. 74 Abs. 1 GG argumentiert werden, dass landesgesetzliche Regelungen schon aus Kompetenzgründen ungeeignet sind, in das bundesrechtlich abschließend geregelte Gesellschaftsrecht einzugreifen. Es ist aus diesem Grund folgerichtig, wenn entsprechende Landesregeln unter dem Vorbehalt einer anderweitigen gesetzlichen Regelung stehen (vgl. § 113 Abs. 1 S. 5, Abs. 5 S. 2 GO NRW). Hätte der Landesgesetzgeber nur bestimmte gesetzliche Vorschriften als vorrangig anwendbar deklarieren wollen, so hätte er diese explizit benennen müssen. Der weite Begriff des „Gesetzes" hingegen eröffnet den Vorrang jedweden Gesetzes (s.o.) und damit auch des AktG bzw. GmbHG. Dahingehend ist auch der Public Corporate Governance Kodex des Landes Nordrhein-Westfalen, das „Regelwerk zur guten und verantwortungsvollen Führung von Unternehmen mit Landesbeteiligungen", zu verstehen. Gem. Unterpunkt 4.3.5 soll das vorsitzende Mitglied des Überwachungsorgans „auf die Einhaltung der Verschwiegenheitsregelung durch alle Mitglieder des Überwachungsorgans achten". Das zeigt, dass ausnahmslos auf die Verschwiegenheit der Aufsichtsratsmitglieder, mithin auch der kommunalen Aufsichtsratsmitglieder, zu achten ist.

Der grundsätzliche Vorrang des Gesellschaftsrechts und damit der Verschwiegenheitspflicht gilt auch in Bezug auf verbeamtete kommunale Aufsichtsratsmitglieder. Insoweit lässt sich gerade nicht argumentieren, dass eine Berichtspflicht jedenfalls für verbeamtete kommunale Aufsichtsratsmitglieder aufgrund einer beamtenrechtlichen Weisungsgebundenheit aus § 35 S. 1 und 2 BeamtStG bestehe. Auch wenn eine derartige weisungsgebun-

[73] *OVG Münster*, AG 2009, 840.
[74] BGHZ 36, 296 (306).

dene Berichtspflicht nicht ausdrücklich in § 394 S. 3 AktG vorgesehen ist, würde eine solche ja gerade auf einem in § 394 S. 3 AktG erwähnten Gesetz beruhen. Allerdings ist der Beamte gerade nicht im Rahmen seines dienstrechtlichen Pflichtenverhältnisses im Aufsichtsrat tätig. Darüber hinaus ist auch diesbezüglich der letzte Satz des § 35 BeamtStG zu berücksichtigen. Danach gilt eine derartige Weisungsgebundenheit nicht, „soweit die Beamtinnen und Beamten nach besonderen gesetzlichen Vorschriften an Weisungen nicht gebunden und nur dem Gesetz unterworfen sind". Dabei muss es sich um normative bundesgesetzliche Regelungen handeln, die als Gesetz oder Verordnung erlassen wurden. Das AktG wird diesen Anforderungen gerecht und stellt folglich ein solch beschränkendes Gesetz dar. In personeller Hinsicht erfasst dieser Ausnahmetatbestand u.a. Beamte, die teilweise konkrete Aufgaben wahrnehmen, bei deren Ausübung sie weisungsfrei sind. Dazu gehören eben auch verbeamtete kommunale Aufsichtsratsmitglieder, die in Aufsichtsräte gewählt oder entsandt wurden und bei deren Mandatsausübung sie gem. § 111 Abs. 6 AktG unabhängig sind. Durch deren Bestellungsakt wird die originäre Pflicht des einzelnen Aufsichtsratsmitgliedes begründet, das Wohl der Gesellschaft zum obersten Pflichten- und Verantwortungsmaßstab zu machen. Diese Verpflichtung wird im Übrigen durch den Sorgfaltsmaßstab der §§ 116, 93 AktG unterstrichen, wonach wiederum objektiver Maßstab nur das Interesse der Gesellschaft sein kann. Jegliche Bindung an fremde Interessen ist insoweit ausgeschlossen. Diese Ansicht spiegelt sich auch in Unterpunkt 4.8.1 des Public Corporate Governance Kodexes des Landes Nordrhein-Westfalen wieder. Danach haften Mitglieder des Überwachungsorgans dem Unternehmen gegenüber auf Schadensersatz, sofern sie die Sorgfalt eines ordentlichen und gewissenhaften Mitglieds des Überwachungsorgans schuldhaft verletzen. Bei unternehmerischen Entscheidungen soll jedoch dann keine Pflichtverletzung vorliegen, wenn das Mitglied des Überwachungsorgans vernünftigerweise annehmen durfte, auf der Grundlage angemessener Informationen zum Wohle des Unternehmens zu handeln.

cc) Spezieller Vorrang des Kommunalrechts hinsichtlich Berichtspflicht

Selbst wenn man von einem generellen Vorrang des Gesellschaftsrechts und damit grundsätzlichem Vorrang der Verschwiegenheitspflicht gegenüber dem Kommunalrecht und somit der Berichtspflicht ausgeht, so räumt das vorrangige Gesellschaftsrecht und insbesondere der im Zuge der Aktienrechtsnovelle neueingeführte Satz 3 des § 394 AktG selbst dem Kommunalrecht letztlich Vorrang ein. Zwar bestimmt, wie für den Ausnahmefall des § 113 Abs. 5 S. 2 GO NRW vorgesehen, das AktG grundsätzlich „etwas anderes" als die kommunalrechtlich vorgesehene Berichtspflicht, nämlich die Verschwiegenheitspflicht im Sinne von §§ 116, 93 AktG. Jedoch ist gerade „nichts anderes bestimmt" für Aufsichtsratsmitglieder, die auf Veranlassung einer Gebietskörperschaft in den Aufsichtsrat gewählt oder entsandt worden sind. Vielmehr unterliegen sie hinsichtlich der Berichte, die sie der Gebietskörperschaft zu erstatten haben, dann keiner Verschwiegenheitspflicht (§ 394 S. 1 AktG), wenn gesetzlich, wie vorliegend in § 113 Abs. 5 S. 1 GO NRW, eine Berichtspflicht statuiert ist.

Eine Rückausnahme von der vorrangigen Befugnis zur Berichterstattung und damit eine Verschwiegenheitspflicht besteht allerdings gem. § 394 S. 2 AktG für vertrauliche Angaben und Geheimnisse der Gesellschaft, namentlich Betriebs- oder Geschäftsgeheimnisse, wenn ihre Kenntnis für die Zwecke der Berichte nicht von Bedeutung ist. Darunter sind etwa Details über den Geschäftsbetrieb oder die Aufdeckung steuerlicher oder kartellrechtlicher Vorgänge zu fassen, es sei denn, dass sie auch für die Beteiligungsverwaltung erheblich sind.[75]

b) Berichtspflicht aus Satzung

Gem. § 394 S. 3 AktG kann eine Berichtspflicht des Aufsichtsratsmitgliedes gegenüber der Gebietskörperschaft auch aus der Satzung resultieren. Es handelt sich insoweit nicht um die von der ersten Tatbestandvariante erfasste kommunale Satzung sondern vielmehr um die Gesellschaftssatzung.[76] Insoweit ist eine Durchbrechung des Grundsatzes der Satzungsstrenge nach § 23 Abs. 5 AktG grundsätzlich zulässig.[77]

Dies gilt gleichermaßen für den Gesellschaftsvertrag einer GmbH mit fakultativem Aufsichtsrat gem. § 52 Abs. 1 GmbHG. Zum einen ist § 394 AktG gem. § 52 Abs. 1 GmbHG auf diesen entsprechend anwendbar, zum anderen schreibt die Norm selbst im letzten Halbsatz vor, dass im Gesellschaftsvertrag „ein anderes (als die in §§ 116, 93 AktG normierte Verschwiegenheitspflicht) bestimmt“ sein kann.

aa) Geschriebene Regelung

Die Satzung bzw. der Gesellschaftsvertrag können danach von §§ 93 Abs. 1, 116, S. 2 AktG abweichen und die Pflicht zur Geheimhaltung näher ausgestalten, verschärfen oder lockern. Nach der Rechtsprechung des BVerwG[78] genügt es allerdings nicht, dass der Gesellschaftsvertrag einer GmbH die Vorschriften des AktG pauschal abbedingt. Vielmehr muss der Gesellschaftsvertrag die gesetzliche Regelung durch eine andere Regelung ersetzen, die ihrerseits genügend bestimmt ist, um zusammen mit den nicht

[75] Vgl. *Schürnbrand*, in: Münchener Kommentar: Aktiengesetz, 4. Auflage 2017, § 394, Rdnr. 31.

[76] BT-Drs. 18/4349, S. 33.

[77] *Koch*, Aktienrechtsnovelle 2016, BOARD 2016, 251 (254).

[78] BVerwG, NVwZ 2012, 115 (116).

abbedungenen gesetzlichen Vorschriften u.a. die Befugnisse des Aufsichtsrates zweifelsfrei erkennen zu lassen. Im Einzelfall ist die diesbezügliche Regelung der Satzung bzw. des Gesellschaftsvertrages entsprechend den allgemeinen Auslegungsmethoden, mithin nach deren Wortlaut, Systematik und Sinn und Zweck auszulegen.

bb) Ungeschriebene Regelung

Für den Fall, dass die Satzung bzw. der Gesellschaftsvertrag keine entsprechende Regelung enthalten, ist fraglich, inwieweit eine Auslegung des Gesellschaftsvertrages zu einer Berichtspflicht des kommunalen Aufsichtsratsmitgliedes gegenüber der Kommune und damit zu einer Lockerung der Verschwiegenheitspflicht desselben führen kann.

Nach der Rechtsprechung des BVerwG[79] ist bei der Auslegung eines Gesellschaftsvertrages dessen normatives Umfeld in Rechnung zu stellen, weshalb diejenigen Vorschriften des Verfassungs- und Gesetzesrecht zu berücksichtigen sind, welche für die Gemeinde verbindlich sind. Es spräche eine tatsächliche Vermutung dafür, dass die Gemeinde die gesetzlichen Voraussetzungen für ihre Beteiligung an einer derartigen Gesellschaft einhalten wolle. Weil diese gesetzlichen Bestimmungen im Gesetzesblatt bekannt gemacht worden seien, stünde auch der gebotene Schutz des Rechtsverkehrs ihrer Berücksichtigung nicht entgegen. Konkret ergäbe sich das auszulegende Weisungsrecht aus § 108 Abs. 5 Nr. 2 GO NRW. Die Norm schreibt vor, dass die Gemeinde Unternehmen und Einrichtungen in der Rechtsform einer Gesellschaft mit beschränkter Haftung nur gründen oder sich daran beteiligen darf, wenn durch die Ausgestaltung des Gesellschaftsvertrags sichergestellt ist, dass der Rat den von der Gemeinde bestellten oder auf Vorschlag der Gemeinde gewählten Mitgliedern des Aufsichtsrats Weisungen erteilen kann, soweit die Bestellung eines Aufsichtsrates gesetzlich nicht vorgeschrieben ist (fakultativer Aufsichtsrat). Hinsichtlich der Weisungsgebundenheit wird gerade nicht zwischen entsandten und gewählten kommunalen Aufsichtsratsmitgliedern unterschieden. Außerdem gebiete auch das Demokratieprinzip aus Art. 20 Abs. 2 i.V.m. Art. 28 Abs. 1 GG, dass eine Gemeinde, wenn sie sich zum Betrieb einer Versorgungseinrichtung einer juristischen Person des Privatrechts bedient, durch Einwirkungs- und Kontrollrechte hinreichend Einfluss auf den Betreiber nehmen können müsse.

Diese Rechtsauffassung wird vom Verfasser wie auch von großen Teilen der Literatur[80] und der BGH-Rechtsprechung[81] nicht geteilt. Öffentlich-rechtliche Verpflichtungen verdrängen gerade nicht die Pflicht des kommunalen Aufsichtsratsmitgliedes, ausschließlich im Interesse des Unternehmens

[79] BVerwG, NVwZ 2012, 115 (116).
[80] *Heidel*, (o. Fn. 14), S. 50; *Grunewald*, ZGR 1995, S. 68 (85ff.).
[81] BGHZ 36, 296.

zu handeln. Gerade auch hinsichtlich kommunaler Aufsichtsratsmitglieder ist dem gesellschaftsrechtlichen Erfordernis der (Weisungs-)Unabhängigkeit des Aufsichtsrats gegenüber dem gemeindlichen Weisungsrecht des Gemeinderats Vorrang einzuräumen. Es liegt in der Hand der Kommune durch eine klare Satzungsregelung eine Berichtspflicht zu begründen. Der Gesetzgeber hat über die Regelung in § 394 S. 3 AktG der Kommune die Möglichkeit eröffnet, Berichtspflichten zu statuieren. Die Grundsätze der Rechtsklarheit und Rechtssicherheit sowie die grundlegende Funktion des Aufsichtsrats als Überwachungsorgan erfordern es, dass jedes Mitglied eines Aufsichtsrates stets weisungsungebunden ist und allein nach eigener, freier Verantwortung handeln kann, soweit nicht etwas anderes durch Gesetz, Satzungsregelung oder Rechtsgeschäft ausdrücklich geregelt ist. Gleichermaßen ist es abzulehnen, zwischen einer gesellschaftsrechtlichen Weisungsfreiheit eines gemeindlichen Aufsichtsratsmitglieds im Außenverhältnis und einer kommunalrechtlichen Weisungsgebundenheit im Innenverhältnis zu differenzieren, da damit die gesellschaftsrechtliche Weisungsfreiheit des Aufsichtsratsmitglieds unterlaufen und das Amt nicht mehr im Unternehmensinteresse ausgeübt würde.[82]

c) Berichtspflicht aus Rechtsgeschäft

Neben der statutarischen Grundlage für die Berichtspflicht kann eine solche gem. § 394 S. 3, 3. Alt. AktG auch auf einem „dem Aufsichtsrat in Textform mitgeteilten Rechtsgeschäft beruhen.“ Die Aufnahme dieser Formulierung war aus Sicht des Gesetzgebers[83] erforderlich, weil ansonsten vertragliche Absprachen für den Aufsichtsrat nicht ohne weiteres erkennbar seien. Dem Aufsichtsrat ist danach von dem Aufsichtsratsmitglied in Textform mitzuteilen, dass eine auf Rechtsgeschäft beruhende Berichtspflicht besteht.

Da die Einführung des § 394 S. 3 AktG zu einer Privilegierung von dem Staat zuzurechnenden Aufsichtsratsmitgliedern gegenüber Aufsichtsratsmitgliedern, die einer umfassenden Verschwiegenheitspflicht unterliegen, führt[84], kommt dem Schriftformerfordernis hinsichtlich der auf Rechtsgeschäft beruhenden Berichtspflicht und damit dem Transparenzgebot enorme Bedeutung zu. Nur so kann, jedenfalls in einem Unternehmen, in dem die Kommune lediglich anteilig beteiligt ist, eine kollegiale Zusammenarbeit erreicht werden.[85] Deshalb hat nicht nur die Mitteilung über das Rechtsgeschäft in Textform zu erfolgen, sondern auch das – an sich auch formlos gültige – Rechts-

[82] So auch *Hüffer/Koch* (o. Fn. 61), Rdnr. 29.
[83] BT-Drucksache, 18/6681, S. 12 f.
[84] So etwa *Stöber*, Die Aktienrechtsnovelle 2016, DStR 2016, 611 (616).
[85] *Bungert/Wettich*, Aktienrechtsnovelle 2012 – der Regierungsentwurf aus Sicht der Praxis, ZIP 2012, 297 (302).

geschäft selbst ist in Textform mitzuteilen.[86] Aus diesem Transparenzgebot folgt auch, dass ein – selbst schriftlich abgeschlossenes oder notariell beurkundetes – Rechtsgeschäft keine Berichtspflicht auslöst, solange es nicht gehörig mitgeteilt wurde.[87] Laut Gesetzesbegründung[88] stellen sowohl eine vertragliche Vereinbarung als auch ein Auftrag oder einer Nebenabrede mit der Gebietskörperschaft ein Rechtsgeschäft i.S.v. § 394 S. 3 AktG dar.

3. Inhaltliche Grenzen der Berichtspflicht

Die dem kommunalen Aufsichtsratsmitglied auferlegte Berichtspflicht darf im berechtigten Interesse der Gesellschaft nicht grenzenlos sein. Deshalb gilt die Verpflichtung zur Berichterstattung gem. § 394 S. 2 AktG nicht für vertrauliche Angaben und Geheimnisse der Gesellschaft, „wenn ihre Kenntnis für die Zwecke der Berichte nicht von Bedeutung ist". Es obliegt im Einzelfall wiederum dem Aufsichtsratsmitglied, zu entscheiden, inwieweit der Zweck der Berichterstattung die Aufnahme eines potentiellen Geheimnisses in den Bericht erfordert. Ein Beurteilungs- bzw. Ermessensspielraum wird ihm dabei nicht zu teil.

Zweck des Berichts ist es, der Gebietskörperschaft die für die Beteiligungsverwaltung notwendigen Kenntnisse zu übermitteln und dieser sowie der Rechnungsprüfungsbehörde die haushaltsrechtliche Prüfung der wirtschaftlichen Betätigung i.S.v. § 44 HGrG zu ermöglichen. Es bedarf insofern auch solcher Informationen, die der Gebietskörperschaft die Möglichkeiten planender und auf die Unternehmensziele einwirkender Tätigkeit verschaffen.[89] Nicht zu den Berichtszwecken gehören dagegen Details über den Geschäftsbetrieb oder die Aufdeckung steuerlicher oder kartellrechtlicher Vorgänge, es sei denn, dass sie auch für die Beteiligungsverwaltung erheblich sind.[90]

Es liegt angesichts der Gesetzessystematik nahe, dass die inhaltliche Grenze der Berichtspflicht nicht disponibel ist. Dies folgt schon daraus, dass das Gesetz selbst in § 394 S. 2 AktG die Grenzen der Berichtspflicht zieht, indem festgelegt wird, dass solche Inhalte vertraulich zu behandeln sind, deren Kenntnis für die Zwecke der Berichte nicht von Bedeutung ist.

4. Personelle Grenzen der Berichtspflicht

Neben der inhaltlichen Grenze der Berichtspflicht besteht auch eine personelle Grenze. Die jeweils eine Berichtspflicht statuierende Grund-

[86] *Kersting*, in Zöllner/Noack (Hrsg.): Kölner Kommentar zum Aktiengesetz, 3. Auflage 2013, § 394, Rdnr. 143.

[87] *Jaeger*, in: Ziemons/Jaeger (Hrsg.): BeckOK GmbHG, 33. Edition, Stand: 01.11.2017, § 52, Rdnr. 73.

[88] BT-Drucksache 18/4349, S. 33.

[89] Vgl. *Schürnbrand* (o. Fn. 75), Rdnr. 31.

[90] Vgl. *Schürnbrand* (o. Fn. 75), Rdnr. 31.

lage benennt zumeist auch den berechtigten Berichtsadressaten. Keinesfalls handelt es sich dabei – anders als der Wortlaut des § 394 S. 1 AktG suggerieren könnte – ausschließlich um die Exekutive, die die Eigentümerfunktion über die Gebietskörperschaft ausübt. Vielmehr wird die personelle Grenze der Berichtspflicht durch den legitimen Kreis der befugten Berichtsadressaten gem. § 395 Abs. 1 S. 1 AktG gezogen. Darunter fallen gem. § 395 Abs. 1 AktG nur „Personen, die damit betraut sind, die Beteiligungen einer Gebietskörperschaft zu verwalten oder für eine Gebietskörperschaft die Gesellschaft, die Betätigung der Gebietskörperschaft als Aktionär oder die Tätigkeit der auf Veranlassung der Gebietskörperschaft gewählten oder entsandten Aufsichtsratsmitglieder zu prüfen". Dies umfasst das kommunale Vertretungsorgan und das Beteiligungsmanagement sowie die Organe der örtlichen und überörtlichen Rechnungsprüfung (z.B. Rechnungshöfe und Gemeindeprüfungsämter) sowie die ressortinterne Leitungsebene des für die Beteiligungsverwaltung zuständigen Ministeriums, Abgeordnete oder Gemeinderatsmitglieder, denen im Rahmen zuständiger Ausschüsse die Kontrolle der Beteiligungsverwaltung sowie die „Prüfung der Gesellschaft" i.S.v. § 104 LHO obliegt. Dagegen besteht eine Berichtspflicht nicht gegenüber dem Gemeinderat bzw. dem Parlament als Plenum.[91] Auch ist eine einzelne Fraktion oder ein einzelnes Stadt- oder Gemeinderatsmitglied nicht legitimer Berichtsempfänger. Ebenso wenig darf die Information der Öffentlichkeit, etwa auf Pressekonferenzen oder Wahlveranstaltungen, mitgeteilt werden.

Zugleich wird zum Schutze des Unternehmens gesetzlich die Verschwiegenheitspflicht, der der Berichterstatter gem. §§ 93, 116 AktG unterliegt, auch dem befugten Berichtsempfänger auferlegt (§ 395 AktG). Die dienstrechtliche Stellung des letzteren ist insoweit unbeachtlich. Darüber hinaus besteht gem. § 395 Abs. 2 AktG ein Veröffentlichungsverbot bzgl. vertraulicher Angaben und Geheimnisse der Gesellschaft, wenn sie in Prüfungsergebnisse eingegangen sind. Insoweit ist die Norm auf die Berichterstattung der Rechnungsprüfungsbehörden gegenüber den gesetzgebenden Körperschaften zugeschnitten und dient der Klarstellung, weil derartige Berichte als sog. Parlamentsdrucksache allgemein zugänglich sind. In der Praxis müssen derartige Prüfbemerkungen anonymisiert werden.[92]

Die Verschwiegenheitspflicht zulasten des Berichtsempfängers entfällt gem. § 395 Abs. 1 HS 2 für Mitteilungen, die im dienstlichen Verkehr ausgetauscht worden sind. Diese Begrifflichkeit entstammt dem Beamtenrecht (§ 67 Abs. 2 Nr. 1 BBG) und umfasst Angaben, Auskünfte, Vorlagen innerhalb des zuständigen Ressorts sowie auf Anforderung auch gegenüber

[91] *Wilting*, Weitergabe von vertraulichen Informationen im Rahmen der §§ 394, 395 AktG, AG 2012, 529 (533, 535 ff.).

[92] So auch *Hüffer/Koch (Hrsg.)*, in: Aktiengesetz-Kommentar, 12. Auflage 2016, § 395, Rdnr. 8.

anderen Behörden, sofern sie mit der Verwaltungsangelegenheit unmittelbar befasst sind.

Infolge einer entsprechenden Auslegung von § 395 Abs. 1 HS 2 AktG werden auch Mitteilungen, die innerhalb der für Verwaltung oder Prüfung von Beteiligungen konkret zuständigen Dienststellen gemacht werden, erfasst. Dagegen wird eine Übermittlung jedweder Berichte an parlamentarische (Kontroll-)Gremien von § 395 Abs. 1 HS 2 nicht erfasst.[93]

Für den Fall, dass eine mit der Verwaltung oder Prüfung gem. § 395 Abs. 1 AktG betraute Person gegen ihre Verschwiegenheitspflicht verstößt, stellt dies eine Amtspflichtverletzung i.S.v. § 839 BGB i.V.m. Art. 34 GG dar, wofür die jeweilige Gebietskörperschaft haftbar ist. Zudem besteht die Möglichkeit der Strafbarkeit nach §§ 203 Abs. 2, 353b StGB sowie disziplinarrechtlicher Folgen.[94]

C. Zusammenfassung

Das Spannungsverhältnis zwischen dem kommunalen Interesse an einer Berichterstattung durch das kommunale Aufsichtsratsmitglied auf der einen Seite und dem Interesse der Gesellschaft an der Geheimhaltung vertraulicher Informationen durch das kommunale Aufsichtsratsmitglied auf der anderen Seite hat der Gesetzgeber mit der Einführung der §§ 394, 395 AktG weitestgehend aufgelöst. Auch wenn § 394 AktG selbst keine Berichtspflicht des kommunalen Aufsichtsratsmitgliedes statuiert, so sieht er die Begründung einer solchen Berichtspflicht durch ein Gesetz, eine entsprechende Satzungsregelung oder aber ein Rechtsgeschäft vor.

Sofern eine solche Berichtspflicht im Verhältnis zu einem kommunalen Aufsichtsratsmitglied etabliert werden soll, sei den entsprechenden Akteuren empfohlen, den Pflichtenkreis eindeutig zu definieren. Es obliegt ansonsten dem Aufsichtsratsmitglied selbst, die jeweilige Grenze des Erlaubten zu definieren. Es verwundert folglich nicht, dass einige Kommunen Handlungskataloge für Mitglieder von Aufsichtsräten in städtischen Unternehmen bzw. Unternehmen mit städtischer Beteiligung[95] und Bundesländer, wie etwa das Land Mecklenburg-Vorpommern, Leitfäden „für Qualifikation, Rechte und Pflichten der Aufsichtsratsmitglieder in kommunalen Unternehmen und Einrichtungen" veröffentlicht haben. So wird einem kommunalen Aufsichtsratsmitglied aus Mecklenburg-Vorpommern etwa empfohlen, sich bei Zweifeln

[93] So auch *Hüffer/Koch* (o. Fn. 92) Rdnr. 7.

[94] So auch *Hüffer/Koch* (o. Fn. 92), Rdnr. 9.

[95] Vgl. Landeshauptstadt Potsdam, Bereich Beteiligungsmanagement, Handlungskatalog für Mitglieder von Aufsichtsräten in städtischen Unternehmen bzw. Unternehmen mit städtischer Beteiligung der Landeshauptstadt Potsdam, abrufbar unter https://publicgovernance.de/media/Leitfaden_Stadt_Potsdam_2012.pdf (zuletzt abgerufen am 26.03.2018).

über Inhalt und Umfang der Verschwiegenheitspflicht vor einer Berichterstattung zunächst an den Vertreter der Kommune in der Gesellschafterversammlung und an die mit der Beteiligungsverwaltung beauftragten Personen zu wenden und Berichte zunächst in nicht-öffentlichen Sitzungen vorzutragen.[96]

Auch für die Gesellschaft ergeben sich aus dem Spannungsverhältnis zwischen Verschwiegenheits- und Berichtspflicht kommunaler Aufsichtsratsmitglieder Gefahren. Den Gesellschaftern sei deshalb geraten, ihre Gestaltungsfreiheit möglichst umfassend auszunutzen und in dem Gesellschaftsvertrag, der Satzung bzw. einem sonstigen Organisationsstatut klare Grenzen hinsichtlich der Entbindung eines kommunalen Aufsichtsratsmitglieds von der Verschwiegenheitspflicht gegenüber der Kommune zu ziehen, nicht zuletzt um im Schadensfall ihrer Beweislast nachkommen zu können. So sollten die entsprechenden Klauseln in der Satzung bzw. in dem Gesellschaftsvertrag in jedem Fall die berichtsfähigen Informationen sowie den Kreis der legitimen Berichtsempfänger konkret benennen. Im Streitfall ist entscheidend, ob im Zeitpunkt der Informationsweitergabe eine klare ermächtigende Satzungsgrundlage bestanden hat.[97] Die Aufnahme einer entsprechenden Klausel in der Satzung bzw. dem Gesellschaftsvertrag kann sowohl zugunsten des Aufsichtsratsmitglieds als auch zugunsten der Gesellschaft zu einer Entspannung des besprochenen Konflikts führen.

[96] Ministerium für Inneres und Sport Mecklenburg-Vorpommern, Leitfaden über Qualifikation, Rechte und Pflichten der Aufsichtsratsmitglieder in kommunalen Unternehmen und Einrichtungen, für Mitglieder in kommunalen Vertretungen, Aufsichtsratsmitglieder in kommunalen Unternehmen und Einrichtungen sowie Mitarbeiter in den Beteiligungsverwaltungen der Kommunen, abrufbar unter https://publicgovernance.de/media/Leitfaden_Mecklenburg-Vorpommern_2012.pdf, S. 8 (zuletzt abgerufen am 26.03.2018).

[97] *Koch*, Aktienrechtsnovelle 2016, BOARD 2016, 251 (254).

E. Varia

Zur Wahrscheinlichkeit im EnWG

Christoph Müller*

Das Wachstum der erneuerbaren Energien hat viele neue Herausforderungen für die Stromwirtschaft mit sich gebracht. Der Wandel von der Erzeugung elektrischer Energie in großtechnischen zentralen Kraftwerken hin zu dezentralen kleinteiligen Stromproduzenten fordert an vielen Stellen ein Umdenken in der Organisation der Branche. Dieser Anforderung wird „das System“ nicht immer gerecht und insbesondere bei der wichtigen Frage der Versorgungssicherheit verbleiben die Betrachtungsweise und die Analysemethoden in alten Denkmustern verhaftet.

I. Die Betrachtung der Versorgungssicherheit

Die aktuelle, letztlich noch aus einer Vor-Energiewende-Zeit kommende Betrachtung der Versorgungssicherheit eines Kraftwerksparks hat zwei wesentliche Eckpunkte. Erstens: Was passiert bei Ausfall des größten Blocks? Zweitens: Stehen zu einem Zeitpunkt in der Zukunft ausreichend Kraftwerkskapazitäten zur Deckung der Nachfrage zur Verfügung? Die Herangehensweise zur Beantwortung dieser beiden Fragen stützte sich auf die Struktur des damaligen Kraftwerksparks. Eine ausreichende Zahl vergleichsweise großer konventioneller Blöcke mit einer vergleichsweise geringen Ausfallwahrscheinlichkeit – ein in einem Augenblick laufender Block ist mit einer sehr hohen Wahrscheinlichkeit (annähernd 100 %) auch noch in der nächsten Minute am Netz. Auch die Wahrscheinlichkeit, dass ein heute verfügbarer Block noch morgen verfügbar ist, ist sehr hoch (~99 %). Selbst bei der Frage der Verfügbarkeit über das nächste Jahr haben konventionelle Kraftwerke mit rund 90 % sehr gute Wahrscheinlichkeiten für die Aussicht auf Produktion.

Bei der Betrachtung der Versorgungssicherheit eines Kraftwerksparks stellten die Übertragungsnetzbetreiber in der Dimensionierung der Regelenergie also sicher, den Ausfall des größten Blocks extrem kurzfristig ausgleichen zu können und begnügten sich ansonsten mit einer Betrachtung von Leistungs-

* Vorsitzender der Geschäftsführung der Netze BW GmbH.

bilanzen, die der Jahreshöchstlast gegenübergestellt wurden.[1] Die Leistungsbilanzen wurden dabei um die Ausfallwahrscheinlichkeiten korrigiert, d. h. ein 1.000 MW Block mit einer Ausfallwahrscheinlichkeit von 10 % (d. h. mit einer Verfügbarkeitswahrscheinlichkeit von 90 %) wurde in der Leistungsbilanz nur mit einer reduzierten Kapazität von 900 MW berücksichtigt.[2]

Die so bestimmte Leistungsbilanz gab somit den Erwartungswert für die zu einem zukünftigen Zeitpunkt aus dem Kraftwerkspark verfügbare Leistung an.[3] Dieses Vorgehen erscheint für den damaligen Kraftwerkspark aus zwei Gründen völlig angemessen. Erstens variieren bei einer hohen Anzahl von Blöcken (im deutschen Strommarkt Anfang der 2000er Jahre ca. 200[4]) mit hoher Verfügbarkeit die möglichen tatsächlichen Leistungssummen aus diesem Kraftwerkspark relativ eng um den Erwartungswert (d. h. die Standardabweichungen sind relativ gering). Zweitens war das konkrete Ereignis des Kraftwerksausfalls kaum prognostizierbar – ein schweres Leck in einer Versorgungsleitung im Kraftwerk, eine Schiffshavarie im Rhein mit den folgenden Einschränkungen der Kohleversorgung, ein Brand im Anschlusstransformator des Kraftwerks, eine aus welchen Gründen auch immer verschobene Revision – stochastische Ereignisse, die kaum einer systematischen Analyse zugänglich sind.

Diese in Anlehnung an die Struktur des Kraftwerksparks vielleicht im besten Sinne des Wortes konventionell zu nennende Denkweise in Bezug auf die Versorgungssicherheit eines Kraftwerksparks findet bis heute Anwendung, auch wenn sich die Struktur des Kraftwerksparks zumindest in Deutschland dramatisch geändert hat. So war auffallend, dass bei der Diskussion der Frage eines (Braun-) Kohleausstiegs im Rahmen der gescheiterten „Jamaika"-Koa-

[1] So wurde es den Übertragungsnetzbetreibern mit der Reform des Energiewirtschaftsgesetzes 2011 auch konkret aufgegeben (§ 12 (5) EnWG 2011). Siehe beispielsweise: *ohne Verfasser*, Bericht der deutschen Übertragungsnetzbetreiber zur Leistungsbilanz 2012 nach EnWG § 12 Abs. 4 und 5, Stand 28.09.2012.

[2] Vgl. *ohne Verfasser,* Bericht der deutschen Übertragungsnetzbetreiber zur Leistungsbilanz 2012 nach EnWG § 12 Abs. 4 und 5, Stand 28.09.2012, S. 5 ff.

[3] Die zeitliche Frage, wann für welchen Zeitpunkt in der Zukunft eine Prognose für die Verfügbarkeit eines Kraftwerksblocks gegeben werden soll, ist hier entscheidend. Ein Block, der heute läuft, läuft sehr(!) wahrscheinlich auch morgen. Im Weiteren wird ein Horizont von einem Jahr und mehr unterstellt, also eine Betrachtung Anfang des Jahres, ob ein Block zu einem Zeitpunkt im nächsten oder übernächsten Jahr verfügbar ist. Hierfür werden die Kraftwerksnichtverfügbarkeiten nach VGB PowerTech herangezogen, die auch die Revisionsprogramme beinhalten. Zu bedenken ist hier, dass in den Kraftwerken typischerweise Revisionspläne für mehrere Jahre in der Zukunft vorliegen, sich diese gleichzeitig auch immer wieder verschieben, sei es in der Optimierung mit ungeplanten Ausfällen, die große/ähnliche Reparaturen benötigen, sei es wegen der Verfügbarkeit von Revisionsdienstleistern und vielen anderen Gründen mehr. Vgl. *VGB PowerTech*, Verfügbarkeit von Wärmekraftwerken 1998–2006, VGB-TW-103-V, Essen 2007.

[4] Vgl. Eberhard Meller et.al. (Hrsgb.), Jahrbuch der europäischen Energie- und Rohstoffwirtschaft 2007, 2006, S. 391 ff.

litionsgespräche Ende 2017 die sich ergebenden Leistungsbilanzen eine prominente Rolle spielten.[5] Die Stromerzeugung aus Sonne und Wind kann mit ihrer Wetterabhängigkeit nur einen geringen Beitrag zu Leistungsbilanzen leisten. Ein Onshore-Windpark mit einer Leistung von 100 MW ist zu einem gegebenen Zeitpunkt im nächsten Jahr nur mit einem Erwartungswert von 20 MW verfügbar, und die Verfügbarkeitswahrscheinlichkeit ist mit 20 % so schlecht, dass es letztlich fahrlässig wäre, diese 20 MW als „gesicherte Kapazität" zu berücksichtigen.

Doch diese konventionelle Denkweise wird den erneuerbaren Energien nicht gerecht und bricht die Betrachtung zu früh ab. Anders als bei klassisch-konventioneller Erzeugung ist das Ereignis des „Kraftwerksausfalls" bei den erneuerbaren Energien einer systematisch(er)en Analyse zugänglich. Um mit einem zugegeben sehr banalen, aber plakativen Punkt anzufangen: Dass nachts keine Sonne scheint, ist kein ungeplanter Ausfall von PV-Erzeugung, sondern sehr gut und einfach prognostizierbar.

Im Weiteren sollen in Bezug auf zwei Punkte die Herausforderungen betrachtet werden, die ein Kraftwerkspark mit kleinteiliger erneuerbarer Erzeugung für die Versorgungssicherheit eines Kraftwerksparks bietet. Zum ersten die Notwendigkeit, die schon erfolgten Anpassungen des § 51 EnWG jetzt zügig in die Praxis umzusetzen und sich damit der wahrscheinlichkeitsorientierten Bestimmung der Versorgungssicherheit eines Kraftwerksparks analytisch zu nähern. Zweitens über die Analyse hinaus auch in der Praxis stärker auf wahrscheinlichkeitsorientierte Ansätze abzustellen, beispielhaft am diesbezüglichen Reformbedarf des § 13 EnWG.

II. Wahrscheinlichkeitsorientierte Ansätze bei der Messung der Versorgungssicherheit

Um sich den Unterschied zwischen einer statischen und einer wahrscheinlichkeitsorientierten Betrachtung von Versorgungssicherheit zu vergegenwärtigen, stelle man sich eine „kleine Stromwirtschaft" vor, in der es eine Nachfrage von 800 MW gibt und zwei 1000 MW Kohleblöcke, die mit einer Wahrscheinlichkeit von 90 % verfügbar sind. In der klassischen Leistungsbilanzlogik hätte diese Stromwirtschaft eine ausgesprochen gute Versorgungssicherheit – 800 MW ständen 1.800 MW „gesicherter" Leistung gegenüber – die denkbaren Kraftwerksausfälle durch eine entsprechende Reduzierung der Kraftwerkskapazität um 10 % schon berücksichtigt. Wahrscheinlichkeitsorientiert sieht die Situation aber dramatisch anders aus: Die Wahrscheinlichkeit der Situation, dass beide Kraftwerke nicht verfügbar sind, ist 1 %. Das heißt

[5] Vgl. beispielsweise *Mihm*, Energiepolitik bringt Jamaika-Sondierer zur Weißglut, in: Frankfurter Allgemeine Zeitung, 06.11.2017, S. 15.

in 87 Stunden im Jahr, in Summe also an fast vier Tagen, gibt es keine Stromproduktion.

Die Betrachtung des deutschen Kraftwerksparks mit seinen vielen Blöcken ist komplexer als die der „kleinen Stromwirtschaft" – die Mechanismen sind allerdings identisch.

Die Tabelle 1 gibt eine Übersicht über die Kapazitäten des deutschen Strommarkts Ende 2015.[6] Für die konventionellen Erzeugungsarten sind weiterhin die Ausfallwahrscheinlichkeiten angegeben.[7]

	Erzeugungs-kapazität (GW)	Ausfallwahr-scheinlichkeit	korrigierte Kapazität (GW)
Steinkohle einschl. Mischfeuerung	33,28	12%	29,29
Braunkohle	23,32	12%	20,52
Heizöl	2,51	9%	2,28
Gase	27,14	9%	24,69
Kernenergie	11,36	10%	10,22
Wasser	10,32	5%	9,80
Wind	44,53		
Photovoltaik	39,35		
Geothermie	0,03		
Biomasse	7,36	10%	6,62
Summe	199,19		103,43

Tabelle 1: Erzeugungskapazitäten des deutschen Kraftwerksparks

In Summe kann also aus dem deutschen Kraftwerkspark Ende 2015 mit einer Kapazität von 103 GW „gesichert", also mit Berücksichtigung der Ausfallwahrscheinlichkeiten, gerechnet werden.[8] Wie auch in der kleinen Stromwirtschaft gibt der wahrscheinlichkeitsorientierte Ansatz ein anderes Bild. Hier möchte man wissen, mit welcher Wahrscheinlichkeit der Kraftwerkspark eine gewisse Nachfrage bereitstellt. Hier ist damit schon ein erster Unterschied in der Herangehensweise sichtbar.

[6] Vgl. *Bundesministerium für Wirtschaft und Energie*, Statistisches Bundesamt, Arbeitsgruppe Erneuerbare Energien-Statistik (AGEE-Stat), Energiedaten, Tabelle 22, 02.01.2017.

[7] Vgl. *VGB PowerTech*, Verfügbarkeit von Wärmekraftwerken 1998–2006, VGB-TW-103-V, 2007, S. 25 ff.

[8] Der Beitrag der Erzeugungsarten „Wind" und „Photovoltaik" zu einer Leistungsbilanz wurde hier mit „null" angesetzt. Die Frage, ob es inhaltlich richtig ist, hier den dargebotsabhängigen Erzeugungsarten überhaupt keinen Beitrag zuzugestehen, kann weidlich diskutiert werden. Hier wurde aus Vereinfachungsgründen darauf verzichtet. Der vorhandene positive Beitrag erneuerbarer Energien zur Versorgungssicherheit zeigt sich insbesondere bei kurzfristigen Zeithorizonten und wird in Abschnitt 3 ausreichend gewürdigt.

- Bei der Leistungsbilanz wird gefragt, welche gesicherte Maximalkapazität aus dem Kraftwerkspark zu erwarten ist – ist diese (deutlich) größer als die maximale Nachfrage, ist eine gute Situation wohl gegeben – geringere Nachfragen als die maximale Nachfrage sollten dann leicht beherrschbar sein.
- Beim wahrscheinlichkeitsorientierten Ansatz wird berücksichtigt, dass natürlich auch in den Stunden (sehr) schwacher Last eine (geringere bzw. deutlich geringere) Wahrscheinlichkeit besteht, dass alles kolossal schlecht laufen kann und die Last nicht gedeckt wird.

Es interessiert also die Funktion der Wahrscheinlichkeit V(D) – die Wahrscheinlichkeit V, dass eine Nachfrage von D MW von dem Kraftwerkspark gedeckt wird. Rein praktisch lässt sich V(D) in einem schrittweisen Prozess bestimmen.[9] Zunächst stellt sich die Frage, mit welcher Wahrscheinlichkeit P(X) bei einem Kraftwerkspark genau X MW ausfallen. Dazu wird von einem „Dummykraftwerkspark“ ausgegangen, mit einem Kraftwerk von 0 MW, das entsprechend eine Nachfrage von 0 MW mit 100 % und alle höheren Nachfragen mit 0 % Wahrscheinlichkeit deckt, also P(0) = 1 und P(X>0) = 0. Dieser Kraftwerkspark wird jetzt Schritt für Schritt um jeden Block einzeln erweitert, wobei die Kurve dann für jeden einzelnen „Zwischenkraftwerkspark“ berechnet wird. Hat der hinzuzunehmende Kraftwerksblock eine Kapazität von C MW und eine Ausfallwahrscheinlichkeit von f, dann ergibt sich

$$p^{Neu}(X) = p^{Alt}(X) \cdot (1-f) + p^{Alt}(X-C) \cdot f \qquad \text{wenn } X \geq C,$$
$$p^{Neu}(X) = p^{Alt}(X) \cdot (1-f) \qquad \text{wenn } X < C.$$

P(X) gibt nun die Wahrscheinlichkeit an, dass genau X MW Leistung ausfallen, in welcher Kombination der ggf. zahlreich vorhandenen Blöcke auch immer. Für die Versorgungssicherheit interessiert nun, mit welcher Wahrscheinlichkeit V(D) eine Nachfrage von D MW bedient werden kann. Hierzu addiert man die Wahrscheinlichkeit aller Situationen, in denen (nur) so viele Kraftwerksblöcke ausfallen, dass D MW trotzdem noch bedient werden kann:

$$V(D) = \sum_{n=0}^{G-D} P(n)$$

[9] Eine Methode der Bestimmung gibt *Stoll*, Least-Cost Electric Utility Planning, 1989, S. 327 ff. Bei Interesse kann das Excel-Sheet vom Autor bezogen werden (chr.mueller@netze-bw.de).

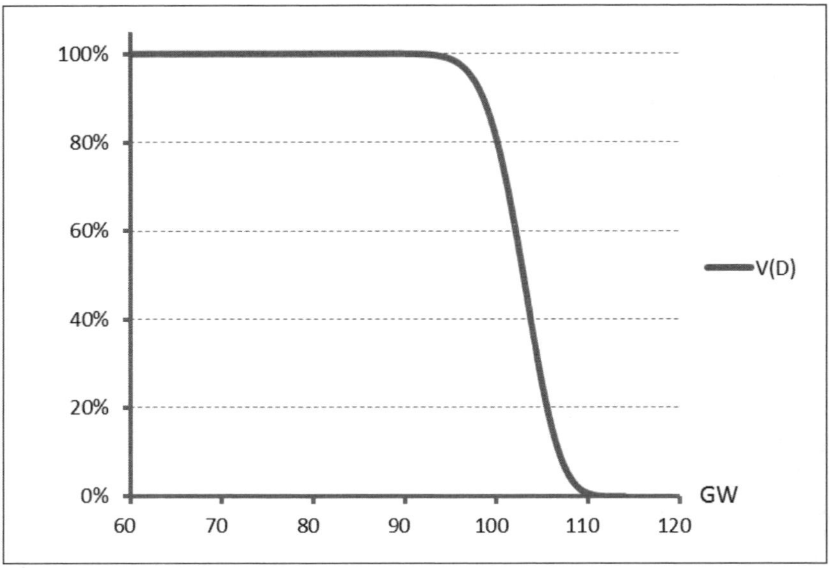

Abb. 1: Ausfallwahrscheinlichkeiten näherungsweise für den deutschen Kraftwerkspark 2015

Abbildung 1 gibt eine näherungsweise Bestimmung dieser Funktion V(D) für den deutschen Kraftwerkspark nach Tabelle 1.[10]

Geringe Lasten, also alle Nachfragen unter 90 GW, deckt ein Kraftwerkspark mit der Struktur von Tabelle 1 mit annähernd 100 % Wahrscheinlichkeit (die Excel-Berechnung weist erst für 72 GW eine Wahrscheinlichkeit von 99,9999999999994 % aus, also mit einer Wahrscheinlichkeit von 0,000000000000006 % würde es zu einem Lastabwurf kommen). Da hier nur die konventionelle Erzeugung (inkl. Wasser) aus Tabelle 1 mit in Summe (gerundet) 115 GW einbezogen wurde, ist die Wahrscheinlichkeit, dass 116 GW oder mehr Kraftwerkskapazität zur Verfügung steht, null Prozent bzw. – umgekehrt – eine Nachfrage von 116 GW wird mit 100 %iger Wahrscheinlichkeit nicht gedeckt.

Die im statischen Ansatz noch als gesichert angesehene gedeckte Last, 103 GW, wird nur mit einer Wahrscheinlichkeit von 50 % erreicht, d. h. mit einer Wahrscheinlichkeit von 50 % wird eine Last von 103 GW nicht gedeckt

[10] Für Abbildung 1 wurde vereinfacht angenommen, dass alle Blöcke eine Kapazität von 1 GW und eine Ausfallwahrscheinlichkeit nach Tabelle 1 haben. Bei Interesse kann das Excel-Sheet zur Berechnung der Kurve P(X) in Abbildung 1 vom Autor bezogen werden (chr.mueller@netze-bw.de).

werden können. Mit Hilfe der Funktion V(D) kann sich nun der Frage der gesicherten Versorgung anders genähert werden: Sieht man beispielsweise ein Versorgungssicherheitsniveau von 99 % als wünschenswert an, so sollte die maximale Nachfrage nicht über 94 GW liegen, bei 99,9 % nicht über 91 GW und bei 99,99 % nicht über 89 GW.

Vor dem Hintergrund der deutlichen Unterschiede zwischen statischen und wahrscheinlichkeitsorientierten Betrachtungsweisen der Versorgungssicherheit aus einem Kraftwerkspark kann es nur sehr begrüßt werden, dass der Gesetzgeber 2015 den Übertragungsnetzbetreibern aufgegeben hat, bei der Abschätzung der Versorgungssicherheit Wahrscheinlichkeiten zu berücksichtigen. „Bei der Messung der Versorgungssicherheit nach Satz 1 sollen wahrscheinlichkeitsbasierte Analysen vorgenommen werden.“ (§ 51 EnWG Abs. 4 Satz 3). Ein entsprechender Bericht ist zum 31. Juli 2018 vom Bundeswirtschaftsministerium erstmals vorzulegen. Die Übertragungsnetzbetreiber haben in ihrer 2017er Leistungsbilanz bereits eine Umstellung vorgenommen.[11] Hier wird jetzt die mit 95 % Wahrscheinlichkeit zur Verfügung stehende Gesamtkapazität des Kraftwerksparks als gesicherte Leistung angenommen, in dem Zahlenbeispiel oben damit also 97 GW statt 103 GW in vorherigen Berichten. Mit den diversen Prozentsätzen – 95 %, 99 %, 99,9 %, … – wird ein Problem deutlich, dass die Übertragungsnetzbetreiber in ihrem Bericht zur Leistungsbilanz offen adressieren: „[Es bedarf] der politischen Vorgabe eines Zielwerts des für Deutschland volkswirtschaftlich sinnvollen Versorgungssicherheitsniveaus.“[12] Die britische Regierung hat in den 1990er Jahren dem Übertragungsnetzbetreiber National Grid die Vorgabe gemacht, dass das Stromversorgungssystem einen „Halbjahrhundert-Winter“ schaffen müsste. Bei aller Komplexität, die eine derartige Vorgabe bei der Überführung in energiewirtschaftliche Zahlenwerke mit sich bringt, immerhin ein Ausgangspunkt, mit der bzw. die Übertragungsnetzbetreiber arbeiten kann bzw. können. Ob man in Deutschland eine ähnlich risikofreudige Vorgabe wählen würde, bleibt dahingestellt.[13]

[11] Vgl. *ohne Verfasser*, Bericht der deutschen Übertragungsnetzbetreiber zur Leistungsbilanz 2016–2020, Stand 31.10.2017, aus dem Internet unter www.netztransparenz.de/weitere-veroeffentlichungen/leistungsbilanzbericht (zuletzt abgerufen am 16.05.2018).

[12] Siehe: *ohne Verfasser*, Bericht der deutschen Übertragungsnetzbetreiber zur Leistungsbilanz 2016–2020, S. 28.

[13] Hier tut sich ein weiteres Themenfeld der wahrscheinlichkeitsorientierten Betrachtung auf. Wenn die Bundesnetzagentur vor einem Winter mitteilt, für den kommenden Winter sei die Stromversorgung gesichert, stellt sich die Frage, was für ein Winter hier gemeint ist. Für den Fall, dass von einem normalen Winter ausgegangen wird, ist die Wahrscheinlichkeit, dass der Winter schärfer/kälter wird und damit die Aussage der Bundesnetzagentur nicht mehr belastbar ist, immerhin 50 %.

Bei der Analyse der Versorgungssicherheit ist die deutsche Stromwirtschaft also durchaus auf dem richtigen Weg. Wenn man sich Sorgen um die Versorgungssicherheit macht und wenn durch den Umbau des Energiesystems die Versorgungssicherheit ein kritischeres Thema wird, dann ist eine genauere Analyse dringend geboten. Kritisch hinterfragen kann man, warum diese Analysen nur alle zwei Jahre durchgeführt werden. Die Betrachtung bisher wurde vollständig ohne die erneuerbaren Energien angestellt. Für die Frage, wie die Versorgungssicherheit im nächsten Jahr oder im nächsten Winter aussieht, ist dies auch durchaus angemessen. Für die Frage der Versorgungssicherheit in der nächsten Woche macht es einen dramatischen Unterschied, denn die Wetterprognosen lassen auf diese zeitliche Distanz immer noch ausreichend gute Prognosen zu. Dass bei der kurzfristigen Betrachtung der Versorgungssicherheit auch nach dem neuen § 51 EnWG immer noch stark „konventionell“ gedacht wird, zeigt insbesondere der § 13 EnWG.

III. Denkbare Anpassungen des § 13 EnWG für eine erneuerbare Energiewirtschaft

Der § 13 EnWG regelt die Systemverantwortung der Übertragungsnetzbetreiber und gibt ihnen im Störungsfall gewissermaßen eine „carte blanche“, alles zu unternehmen, um die Energieversorgung aufrecht zu halten. Beschränkt sind diese umfangreichen Eingriffsrechte allerdings auf unmittelbare Störungen. Selbst wenn aus dem Abstellen auf eine Gefährdung in § 13 Absatz 1 Satz 1 EnWG („Sofern die Sicherheit oder Zuverlässigkeit des Elektrizitätsversorgungssystems in der jeweiligen Regelzone gefährdet oder gestört ist, sind die Betreiber der Übertragungsnetze berechtigt und verpflichtet, die Gefährdung oder Störung zu beseitigen …“) noch eine zeitliche zukünftige Perspektive angenommen werden kann – eine erkannte Gefährdung könnte ja auch erst in einer Woche oder einem Monat real werden –, verlangt § 13 Absatz 4 doch klar eine unmittelbar vorliegende Gefährdung: „Eine Gefährdung der Sicherheit oder Zuverlässigkeit des Elektrizitätsversorgungssystems in der jeweiligen Regelzone liegt vor, wenn örtliche Ausfälle des Übertragungsnetzes oder kurzfristige Netzengpässe zu besorgen sind oder zu besorgen ist, dass die Haltung von Frequenz, Spannung oder Stabilität durch die Betreiber von Übertragungsnetzen nicht im erforderlichen Maße gewährleistet werden kann.“

In seiner Systematik ist der § 13 EnWG fast unverändert seit der großen Neufassung des Energiewirtschaftsgesetzes 2005. Ende 2004 stand der Ausbau der Windkraft in Deutschland bei 16,6 GW und der der Photovoltaik bei 1,1 GW. Die Situation in Bezug auf die Versorgungssicherheit war komfortabel. In Fällen hoher Last bzw. bei der Frage, ob die Kraftwerksparkkapazität ausreichend ist, konnte man sich beruhigt auf einen tendenziell überdimensi-

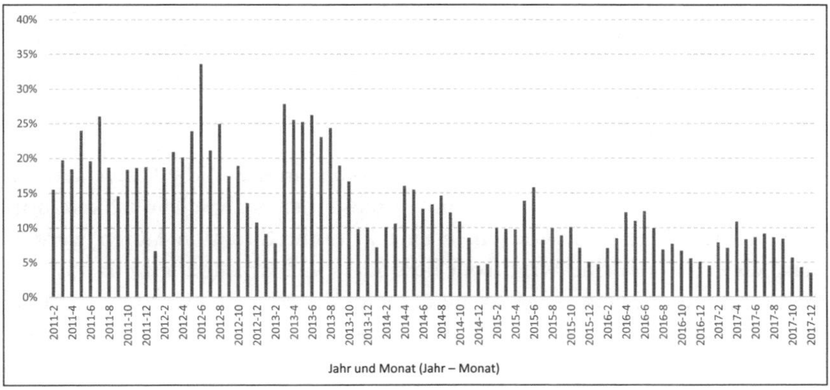

Abb. 2: Relativer Fehler der PV-Produktionsprognose in der Regelzone der TransnetBW GmbH (Vortag zu Ist)

onierten Kraftwerkspark abstützen.[14] Die Krisensituationen eines rein konventionellen Kraftwerksparks kommen aber tendenziell überraschend und sind nicht absehbar, insofern brauchte der § 13 EnWG nur auf unmittelbare Gefährdungssituationen abstellen. In den Erweiterungen und Ergänzungen des § 13 EnWG in den Folgejahren ging es schon um die Wechselwirkungen mit den neuen erneuerbaren Erzeugungsanlagen. Dies allerdings nur dahingehend, in welcher Form die Sonderrechte dieser Erzeugungsanlagen auch in Krisensituationen berücksichtigt werden mussten. Der anders gelagerten Prognostizierbarkeit von Kraftwerksnichtverfügbarkeiten bei erneuerbaren Energien wurde keine Rechnung getragen.

Ende 2017 lag die Kapazität der Winderzeugung bei rund 56 GW, die von Photovoltaik bei rund 42 GW – in Summe 98 GW Erzeugungskapazität waren also wetterabhängig und insofern in Grenzen in ihrer Erzeugung über die nächsten Tage und – eingeschränkt – auch Wochen prognostizierbar. Die Prognosequalität wird dabei fortlaufend besser. Dass dies nicht nur bei Wind so ist, sondern auch bei Photovoltaik, zeigt Abbildung 2.[15]

Die Daten für Abbildung 2 beruhen auf der Photovoltaikerzeugung in der Regelzone der TransnetBW GmbH, gewissermaßen dem „PV-Übertra-

[14] Dieser gut dimensionierte Kraftwerkspark machte auch kritische Netzsituationen einfach(er) beherrschbar. Im Extremfall musste man lediglich sämtliche erneuerbare Erzeugung abschalten – dann war alles wie vor der Energiewende und, das System vor der Energiewende wurde technisch beherrscht.

[15] Die Verbesserung der Windprognosen ist soweit hinlänglich bekannt, siehe beispielsweise *Synwoldt,* Dezentrale Energieversorgung mit regenerativen Energien: Technik, Märkte, kommunale Perspektiven, 2016, S. 333.

gungsnetzbetreiber“ in Deutschland.[16] Die Abbildung zeigt den Monatsdurchschnitt des Prognosefehlers der Vortagsprognose zur tatsächlichen PV-Produktion für den Zeitraum 2011 bis 2017 als Prozentwert von der jeweils in den Monaten installierten Kapazität. Gut zu erkennen ist, dass die Prognose fortlaufend besser wurde bzw. wird.[17]

Es sind also zunehmend Situationen denkbar, in denen die Übertragungsnetzbetreiber erkennen, dass sie mit wachsender Wahrscheinlichkeit über die nächsten Tage und Wochen in eine kritische Situation laufen werden, beispielsweise weil eine Windfront besonders viel Erzeugung in das System drücken wird oder eine sogenannte „Dunkelflaute“ zu befürchten ist. Stand heute dürften die Übertragungsnetzbetreiber aber erst handeln, wenn die Krisensituation tatsächlich eingetreten ist. Selbst wenn man den § 13 EnWG dahingehend interpretiert, dass die Übertragungsnetzbetreiber sehr wohl auf eine „sicher“ zu erwartende, aber noch nicht eingetretene Krisensituation handeln dürften, wird dies der Situation der aktuell schon bestehenden und zukünftig sich verstärkenden Herausforderungen im Bereich der Versorgungssicherheit nicht gerecht.

Die Natur von Wetterprognosen ist, bei aller erreichten Verbesserung, die, dass nur wahrscheinliche Entwicklungen prognostiziert werden. Es ist denkbar, dass die für nächste Woche erwartete Windfront früher, später, stärker oder schwächer kommt. Insofern wird es keine Situationen geben, in denen die Übertragungsnetzbetreiber für die nächste oder übernächste Woche „sicher“ eine krisenhafte Situation vorhersagen können. Vielmehr kommen wir dahin, dass die Übertragungsnetzbetreiber mit gewissen Eintrittswahrscheinlichkeiten eine kritische Situation erwarten. Nach dem heutigen § 13 EnWG dürften sie aber auf so eine absehbare Situation nicht mit Einsatz ihrer Sonderrechte nach § 13 EnWG tätig werden. Um es konkret zu machen: Ein Analyseergebnis, das aufzeigt, dass bei den aktuellen Verfügbarkeitsdaten der konventionellen Kraftwerke und der aktuellen bestehenden verfügbaren Wetterprognose mit 10 % Wahrscheinlichkeit in drei Wochen ein Versorgungsengpass zu befürchten ist, wird wohl keine § 13-EnWG-Maßnahmen der Übertragungsnetzbetreiber rechtfertigen.

Die Versorgungssicherheit des Kraftwerksparks ändert sich schon heute und zukünftig noch mehr buchstäblich mit dem Wetter. Insofern muss eine wahrscheinlichkeitsorientierte Analyse der Versorgungssicherheit zu einer fortlaufenden Übung werden. Zurzeit wird nicht täglich und systematisch durchgerechnet, wie hoch die Wahrscheinlichkeit der Lastdeckung am nächs-

[16] Die Daten werden von der TransnetBW GmbH fortlaufend veröffentlicht, www.transnetbw.de. Herzlichen Dank an Andreas Semmig für die Unterstützung für Bereitstellung und Aufarbeitung.

[17] Gut zu erkennen ist auch das saisonale Muster – mit der deutlich höheren PV-Produktion im Sommer steigt auch das Potential für Prognosefehler.

ten Tag bzw. über die nächsten Tage und Wochen ist. Dies kann in Zeiten der Massendatenverarbeitung eigentlich kein Problem der hier zu verarbeitenden großen Datenmengen und letztlich auch nicht der Datenverfügbarkeiten sein – es gibt diverse Anbieter von Wetterprognosen; über REMIT müssen die Ausfälle und Verfügbarkeiten konventioneller Kraftwerke gemeldet werden, und die Daten rund um die EEG-Erzeugung sind weitestgehend öffentlich.

Eine fortlaufende, tägliche, wahrscheinlichkeitsorientierte Betrachtung der Versorgungssicherheit eröffnet zusätzliche Handlungsoptionen. Zunächst ist es hier die allgemeine Binsenweisheit, dass einem in Kenntnis jeder eingetretenen Krise viele Dinge in den Kopf kommen, die man im Vorfeld hätte machen wollen. Eine fortlaufende Berechnung bietet hier einen Frühwarnindikator, um derartige Überlegungen nicht erst bei einer echt eingetretenen Situation, sondern schon bei hinreichender Wahrscheinlichkeit des Eintritts zu beginnen. Dieser zeitliche Vorlauf bietet auch mehr Flexibilität in der Reaktion. Um einmal Möglichkeiten des Handelns vorab aufzuzeigen: Kaum ein Industriebetrieb wird freiwillig seinen Strombezug ohne Kompensation einstellen. Dies sehend ist der Grundgedanke des § 13 gerade auch die Zwangsbewirtschaftung durch den Übertragungsnetzbetreiber, im Zweifel dann mit rollierenden Abschaltungen, um mit dieser härtesten Maßnahme die Nachfrage zu reduzieren und Schlimmeres zu verhindern.

Bei der verwandten Frage, ob es einen Preis gibt, zu dem ein Industriebetrieb freiwillig bereit wäre, beispielsweise in der nächsten Woche auf 50 % oder auch 90 % seines Bezugs zu verzichten, sieht die Situation anders aus. Anders als bei der rollierenden Abschaltung verliert dieser nicht seinen gesamten Bezug, sondern kann mit dem Restbezug zumindest einen Grundbetrieb aufrechterhalten. Weiterhin erhält er durch den bezahlten Preis eine Entschädigung, d. h. die Abschaltung ist gar nicht unbedingt zu seinem wirtschaftlichen Schaden. Wertvoll und wichtig ist hier der zeitliche Vorlauf – die Situation kommt nicht überraschend, sondern der Industriebetrieb hat ausreichend Zeit zur Vorbereitung.[18]

Für die Übertragungsnetzbetreiber hat der § 13 EnWG den großen Vorteil, dass er einen klaren Ursache-Wirkung-Zusammenhang hat: Es gibt eine konkrete und akute Krisensituation, man darf und muss die notwendigen

[18] Wie viel Vorlauf Unternehmen hier haben wollen bzw. brauchen, um für sich vertretbare und ggf. auch für den Übertragungsnetzbetreiber attraktive Angebote zu generieren, ist offen. Insofern hier nur ein anekdotisches Beispiel: Der Beginn der Weltwirtschaftskrise 2008 verlangte Unternehmen ein komplettes Umsteuern hin zu Produktionsreduktionen und Kurzarbeit in weniger als drei Wochen ab. Vgl. *Hambrecht*, im Interview mit *Hartmann/Seidlitz*, BASF-Chef Hambrecht fordert mehr Geld für alle, in: Welt, 14.12.2008). Ein kurzfristiges Umdisponieren in der Produktionsplanung aufgrund wirtschaftlichen Anreizes erscheint insofern möglich, zumal derartige Angebote freiwillig wären und nicht die brutalen und nachhaltigen Einschnitte wie in der Weltwirtschaftskrise darstellen.

Maßnahmen ergreifen, um das Gesamtsystem zu retten; die damit einhergehenden Kosten sind eindeutig von den Netznutzern zu (er)tragen. Bei einem wahrscheinlichkeitsorientierten Handeln ändert sich das, da im Nachhinein das Handeln ja ggf. unnötig war. Eine Situation, in der die Versorgungssicherheit in drei Wochen nur noch 90 % beträgt, mithin die Wahrscheinlichkeit eines Stromausfalls also bei 10 % liegt, wird man als nicht tragbar ansehen und entsprechende Maßnahmen von den Übertragungsnetzbetreibern erwarten. 90 % bedeutet aber auch, dass es in neun von zehn Fällen gut geht, mithin die Maßnahmen also unnötig waren. Wer trägt jetzt die Kosten für die ergriffenen Maßnahmen? Kann der Übertragungsnetzbetreiber diese Kosten im Rahmen der Netzentgeltkalkulation auch ansetzen, obwohl sie unnötig waren? Wie wird hier ein effizienter Netzbetrieb sichergestellt?

Auch hier kann die fortlaufende Kalkulation der wahrscheinlichkeitsorientierten Versorgungssicherheit helfen, denn die fortlaufende Berechnung macht es notwendig, sich mit den Ergebnissen auseinanderzusetzen und im Zusammenspiel von Politik, Regulierung und Übertragungsnetzbetreibern ein Niveau zu definieren, ab dem man handeln will. Um ein Praxisbeispiel zu nennen: Im Poolsystem des englischen Strommarkts der 1990er Jahre wurde täglich für jede halbe Stunde die sog. Loss of Load Probability (kurz LOLP) berechnet und daraus eine Vergütung für jedes in dieser halben Stunde verfügbare Kraftwerk abgeleitet. Bei steigender Ausfallwahrscheinlichkeit des Kraftwerksparks (also steigender LOLP) stieg damit der wirtschaftliche Anreiz verfügbar zu sein, auch ohne Produktion. Ob dieser Ansatz für eine Welt mit einem Kraftwerkspark mit einem hohen Anteil erneuerbarer Erzeugung der richtige ist, kann diskutiert werden. Auch fehlte damals ein Einbezug der Nachfrageseite als Flexibilitätspotential. Das Beispiel zeigt aber, dass fortlaufende Berechnungen der Versorgungssicherheit möglich sind und aus ihnen auch wirtschaftliche Handlungsoptionen abgeleitet werden können.[19]

Diesem Gedankengang folgend erscheint eine Erweiterung des Energiewirtschaftsgesetzes um folgende Punkte geboten:

- Die wahrscheinlichkeitsorientierte Betrachtung der Versorgungssicherheit soll nicht mehr nur alle zwei Jahre, sondern fortlaufend bzw. täglich passieren und dabei einen gleitenden zeitlichen Horizont berücksichtigen. Wo steht die Versorgungssicherheit die nächsten Tage bzw. die nächsten Wochen und ggf. auch Monate? Ausgeführt werden sollte diese Analyse von der Bundesnetzagentur bzw. den Übertragungsnetzbetreibern unter enger Aufsicht der Bundesnetzagentur.

[19] Das Beispiel zeigt auch, dass es die Umstände sind, die zu einer genaueren Betrachtung der Versorgungssicherheit führen. Das britische Inselnetz war damals nur über ein Seekabel mit einer Kapazität von 2 GW mit dem europäischen Festland verbunden, war also praktisch autark bzw. in Krisensituation auf sich allein gestellt.

- Die Übertragungsnetzbetreiber können und sollen nicht nur bei unmittelbaren, sondern bereits bei als hinreichend wahrscheinlich angesehenen Krisensituationen handeln.
- Die Kosten, die den Übertragungsnetzbetreibern hierbei entstehen, müssen in der Netzentgeltberechnung als Netzkosten ansetzbar sein, auch wenn sich die ihnen zu Grunde liegenden Handlungen im Nachhinein als unnötig herausgestellt haben.

Es ist offensichtlich, dass sich ein derartiges System nur schwer „vom Fleck weg“ aufstellen lassen wird. Aktuell wissen wir nicht, welches Versorgungssicherheitsniveau (jenseits von „besonders hoch“) wir für unsere Volkswirtschaft haben wollen. Wir haben kein „Fahrgefühl“ dafür, welche Kosten mit der Sicherstellung dieses Versorgungssicherheitsniveaus einhergehen. Vor dem Hintergrund, welche Bedeutung die Versorgungssicherheit für die Volkswirtschaft hat, ist dies bedenklich, insbesondere, wenn man im Rahmen einer Energiewende die Grenzen der Versorgungssicherheit austestet.

IV. Fazit

Die Betrachtung der Versorgungssicherheit, wie sie aktuell im deutschen Strommarkt vorgenommen wird, ist noch sehr in den Analysemustern der Vor-Energiewende-Zeit verhaftet und wird so den neuen Herausforderungen nicht gerecht. Dargebotsabhängige Erzeugungsquellen wie Wind oder Photovoltaik haben eine (deutlich) schlechtere Verfügbarkeit als konventionelle Kraftwerke, sind dafür aber in deutlich größerem Umfang Prognoseansätzen zugänglich. Entsprechend ist eine stärkere Berücksichtigung von wahrscheinlichkeitsorientierten Ansätzen notwendig, um diese Vorteile auch bei der Bestimmung und dem Erhalt der Versorgungssicherheit zu berücksichtigen.

Eine fortlaufende wahrscheinlichkeitsorientierte Bestimmung der Versorgungssicherheit eines Kraftwerksparks führt zu einer intensiveren Auseinandersetzung mit dem gewünschten Niveau an Versorgungssicherheit, bietet frühzeitige Möglichkeiten der Erkennung von Krisensituationen und eröffnet damit mehr Möglichkeiten, auf diese angemessen zu reagieren. Eine Erweiterung des § 13 EnWG, der in der aktuellen Fassung nur auf akute Krisensituationen abstellt, erscheint notwendig und sinnvoll, um auch potentielle Krisensituationen frühzeitig zu erkennen und den Übertragungsnetzbetreibern die Möglichkeit zu geben, nicht nur auf akute, sondern auch auf wahrscheinliche Krisen reagieren zu können.

Neben der energiewirtschaftlichen Grundlagenarbeit erscheinen auch energierechtlich an einigen Stellen neue Wege notwendig. Der Jurist beispielsweise kennt zwar Prognosen, aber nicht den Umgang mit bzw. das

Handeln auf Basis von konkreten Wahrscheinlichkeiten. Bei dem, was wir uns an Umbau des Energieversorgungssystems vorgenommen haben, erscheint es gerade bei der Versorgungssicherheit besonders wichtig, diese Grundlagenarbeit zu leisten. Auch in dieser Debatte wird man um jeden Teilnehmer dankbar sein, der nicht nur seine eigene Profession in exzellenter Weise beherrscht, sondern auch zwischen den Welten von Recht und Wirtschaft wandeln kann und mit profunder, in der Praxis gewonnener Kenntnis und persönlicher Autorität weit über die rechtlichen Aspekte hinaus wertvolle Hinweise und Beiträge geben kann. Dieses energiewirtschaftliche und energierechtliche Universalgenie, das mit sicherer Hand, klarem Blick und einer Prise vermittelnden Humors der Politik und den Unternehmen den Weg zeigt, ist vielleicht ein Traum. Doch niemand kommt diesem Traum so nahe wie Prof. Dr. Ulrich Büdenbender.

Der (energie-)rechtliche Rahmen für Elektromobilität

Maximilian Emanuel Elspas und Karoline Mätzig*

I. Einleitung

Die Mitgliedstaaten der Klimarahmenkonvention der Vereinten Nationen, die Europäische Union und die Bundesrepublik Deutschland sind seit Jahrzehnten darum bemüht, zum Schutz der Umwelt und des Klimas die sogenannten Treibhausgasemissionen zu reduzieren. Im Zentrum der Bemühungen steht dabei die Reduktion des Treibhausgases CO_2. Dieses hat zwar verglichen mit den anderen Treibhausgasen[1] die geringste Treibhausgaswirkung, jedoch den größten Verbreitungsgrad, weil es neben der natürlichen Produktion durch die Atmung von Tieren und Menschen auch durch die Verbrennung von fossilen Primärenergieträgern und Kraftstoffen künstlich geschaffen wird. Die Elektromobilität kann daher einen bedeutenden Beitrag zur CO_2-Reduktion leisten, insbesondere, wenn der zum Antrieb der Elektrofahrzeuge verwendete Strom aus erneuerbaren Energien gewonnen wird.

Auf internationaler Ebene ist als bedeutender Meilenstein für den Klimaschutz das Kyoto-Protokoll von 1997 zu nennen.[2] In dessen Nachfolge haben die Mitgliedstaaten der Klimarahmenkonvention der Vereinten Nationen nun auf ihrer 21. Klimakonferenz in Paris am 11. Dezember 2015 das Übereinkommen von Paris verabschiedet. Eines der wesentlichen Ziele des Übereinkommens ist die Begrenzung des Anstiegs der globalen Durchschnittstemperatur auf deutlich unter 2°C gegenüber dem vorindustriellen Niveau. Dadurch sollen die Risiken und Auswirkungen des Klimawandels deutlich reduziert werden.[3] Die Klimapolitik der Europäischen Union

* Herr Elspas ist Rechtsanwalt und Partner bei BEITEN BURKHARDT, München, Frau Mätzig ist Rechtsanwältin bei PwC, Hamburg.

1 Methan, Distickstoffoxid, teilhalogenierte Kohlenwasserstoffe, perfluorierte Kohlenwasserstoffe und Schwefelhexalfluorid.

2 Protokoll von Kyoto zum Rahmenübereinkommen der Vereinten Nationen über Klimaänderungen vom 11.12.1997, in Kraft getreten am 16.02.2005; abrufbar unter http://unfccc.int/cop3/ (zuletzt abgerufen am 31.07.2018); Vgl. ausführlich zum Kyoto Protokoll *Lamprecht*, Kyoto-Gipfel hat deutliches Signal gesetzt, 1998, S. 6 ff.

3 Präambel und Art. 2 Abs. 1 lit. a) des Pariser Klimaschutzübereinkommen, das am 12.12.2015 auf der UN-Klimakonferenz in Paris verabschiedet worden ist; abrufbar unter

nimmt ihren Ausgangspunkt im Europäischen Programm für den Klimaschutz des Jahres 2000, mit dem die Umsetzung der im Rahmen des Kyoto-Protokolls eingegangenen Verpflichtungen geregelt wurde. Die Europäische Union hat ihre Klimaschutzbemühungen in den nachfolgenden Jahren konsequent fortgesetzt und bereits im März 2015 in Vorbereitung auf die Pariser Klimakonferenz den Vereinten Nationen ihren Beitrag zum Pariser Abkommen mitgeteilt. Danach verpflichten sich die EU-Mitgliedstaaten bis 2030 zu einer gesamteuropäischen Emissionsreduktion von mindestens 40 % verglichen mit 1990. Dieses aktuelle EU-Klimaschutzziel wird flankiert von einem Erneuerbare-Energien- und einem Energieeffizienzziel. Erneuerbare Energien sollen bis 2030 mindestens 27 % des EU-Endenergieverbrauchs decken und der Primärenergieverbrauch soll bis 2030 um mindestens 27 % gesenkt werden im Vergleich zu einer Entwicklung ohne Effizienzmaßnahmen.[4] Die Klimaschutzbemühungen der Bundesrepublik Deutschland reichen sogar zurück bis zum Anfang der 90er Jahre des letzten Jahrhunderts.[5] Seither gewinnt der Klimaschutz in der Bundesrepublik Deutschland politisch immer mehr an Bedeutung und es wird versucht international eine Vorreiterrolle einzunehmen. Im Anschluss an das Übereinkommen von Paris hat die Bundesregierung daher am 14. November 2016 den Klimaschutzplan 2050 beschlossen.[6] In Fortsetzung ihrer bisherigen Klimaschutzpolitik wurden auch in diesem Klimaschutzplan ambitionierte Ziele und Zwischenziele zur Reduktion der Treibhausgasemissionen festgeschrieben. Danach sollen die Treibhausgasemissionen bis zum Jahr 2050 um mindestens 80–95 % gegenüber 1990 gesenkt werden und bis zum Jahr 2030 um mindestens 55 %. Flankierend dazu soll der Anteil der erneuerbaren Energien bis 2050 auf 60 % am Endenergieverbrauch steigen und bis auf 30 % im Jahr 2030 sowie der Primärenergieverbrauch bis zum Jahr 2050 um 50 % gegenüber 2008 gesenkt werden.[7]

In dem Klimaschutzplan 2050 wurden erstmals auch Ziele für einzelne Wirtschaftszweige vorgegeben, zu denen neben der Energiewirtschaft der Verkehrsbereich gehört. In der Energiewirtschaft sollen durch den weiteren Ausbau der erneuerbaren Energien und den schrittweisen Rückgang der fossilen Energieversorgung die Emissionen bis 2030 um 61–62 % gegenüber

http://www.bmu.de/service/klima-klimaschutz-download/artikel/uebereinkommen-von-paris/ (zuletzt abgerufen am 31.07.2018).

[4] *BMU (Hrsg.)*, Klimaschutz in Zahlen, Ausgabe 2017, S. 16 ff.

[5] Am 13.06.1990 hatte das Bundeskabinett beschlossen, eine interministerielle Arbeitsgruppe (IMA) „CO_2-Reduktion" einzusetzen, der das Ziel vorgegeben wurde Vorschläge zu erarbeiten, wie in der Bundesrepublik Deutschland die CO_2-Emissionen bis zum Jahr 2005 um 25 % (bezogen auf das Basisjahr 1990) reduziert werden können.

[6] *BMU (Hrsg.)*, Klimaschutzplan 2050 – Klimaschutzpolitische Grundsätze und Ziele der Bundesregierung, November 2016.

[7] Vgl. *BMU* (o. Fn. 4), S. 20.

1990 reduziert werden. Im Verkehrsbereich sollen die Emissionen bis 2030 um 40–42 % reduziert werden durch alternative Antriebe, insbesondere auf Basis von Strom, mehr öffentlichen Personennahverkehr, Schienenverkehr sowie Rad- und Fußverkehr und eine zunehmende Verknüpfung der Verkehrsträger.[8]

Aufgrund dieser klimapolitischen Ziele verwundert es nicht, dass das Thema Elektromobilität immer mehr an Bedeutung gewinnt und eine dadurch verursachte Veränderung des Rechtsrahmens zu beobachten ist. Da die Veränderungen in der jüngeren Vergangenheit sehr zahlreich waren und verschiedenste Rechtsbereiche betreffen, soll aufbauend auf einer kurzen Darstellung der Potentiale der Elektromobilität (II.) nachfolgend ein Überblick über den rechtlichen Rahmen für Elektromobilität in Deutschland gegeben werden (III.). Daran anschließend folgt unter Berücksichtigung des Europarechts eine vertieftere Darstellung des energierechtlichen Rahmens für die Elektromobilität in Deutschland sowie eine Auseinandersetzung mit ausgewählten Rechtsproblemen, insbesondere der offenen Rechtsfragen zur rechtlichen Entflechtung vom Stromverteilernetzbetrieb (IV.).

II. Potentiale der Elektromobilität

In der Bundesrepublik Deutschland hatte der Verkehrssektor im Jahr 2015 am Treibhausgasausstoß einen Anteil von 17,7 % und innerhalb des Verkehrssektors resultieren die Emissionen zu 96 % aus dem Straßenverkehr.[9] Es liegt damit auf der Hand, dass die Elektromobilität einen wesentlichen Beitrag zur Verringerung der CO_2-Emissionen im Verkehrssektor und somit zur Erreichung der von der Bundesrepublik Deutschland zu erreichenden Klimaschutzziele leisten kann. Denknotwendig allerdings nur unter der Voraussetzung, dass der Strom zum Antrieb der Elektrofahrzeuge aus erneuerbaren Energien gewonnen wird.

Die Potentiale der Elektromobilität liegen aber nicht nur im Bereich Klimaschutz, sondern auch im Umweltschutz. Durch Elektrofahrzeuge können die Städte von Schadstoffen, Feinstaub und Lärm befreit werden und damit die Lebensqualität erheblich gesteigert werden. Die Relevanz dieses Problems zeigt sich an der momentanen Diskussion zum sog. Diesel- oder Abgasskandal, bei dem Autoherstellern vorgeworfen wird, illegale Abschalteinrichtungen in ihren Dieselfahrzeugen verbaut zu haben, um vorgeschriebene Emissionswerte lediglich auf dem Prüfstand einzuhalten.[10] Neben dem

[8] Vgl. *BMU* (o. Fn. 6), S. 33 ff.

[9] Der Verkehrsbereich ist somit in Deutschland der drittgrößte Verursacher von Emissionen, vgl. *BMU (Hrsg.)* (o. Fn. 4), S. 37.

[10] Vgl. dazu ausführlich *Borgeest*, Manipulation von Abgaswerten, 2017.

Umstand, dass der Skandal das Vertrauern der Verbraucher in die Automobilindustrie schwer beschädigt, tragen faktisch höhere Emissionswerte von Dieselfahrzeugen auch dazu bei, dass die Grenzwerte für Luftschadstoffe, die seit 2010 von der EU verbindlich vorgeschrieben sind,[11] in vielen deutschen Städten nicht eingehalten werden.[12] Dieser Missstand war jüngst Gegenstand einer Entscheidung des BVerwG,[13] das im Zuge einer Sprungrevision gegen ein Urteil des VG Düsseldorf[14] und gegen ein Urteil des VG Stuttgart[15] zur Zulässigkeit von beschränkten Fahrverboten für Dieselfahrzeuge im Rahmen von Maßnahmen nach dem jeweiligen Luftreinhalteplan zu entscheiden hatte. Das BVerwG kam zu dem Ergebnis, dass Fahrverbote für unsaubere Dieselfahrzeuge unter Wahrung der Verhältnismäßigkeit prinzipiell vor dem Hintergrund des Unionsrechts zulässig sind. Die Länder müssen daher bei der Fortschreibung ihrer Luftreinhaltepläne (vgl. § 47 BImSchG i.V.m. § 39 BImSchV) auch den Erlass von Fahrverboten in Betracht ziehen. In diesem Kontext gewinnen Fahrzeuge mit elektrischem Antrieb erheblich an Bedeutung, da sie im Gegensatz zu Dieselfahrzeugen keinerlei Schadstoffe ausstoßen.

Die Elektromobilität birgt allerdings nicht nur Potential im Bereich Klima- und Umweltschutz, sondern erfasst weitere zukunftsweisende Bereiche. So kann sie zur Sicherung der Energieversorgung beitragen, indem sie die Abhängigkeit von fossilen Brennstoffen verringert und die Einbeziehung von erneuerbaren Energien in die Energienutzung der Mobilität ermöglicht. Darüber hinaus kann die Effizienz des Stromnetzes verbessert werden, wenn Elektrofahrzeuge bzw. ihre Batterien als Stromspeicher in das Netz integriert werden. Dies bewirkt sowohl eine Effizienzsteigerung für erneuerbare Energien (Abbau von Erzeugungsspitzen), als auch für konventionelle Kraftwerke (Bereitstellung von Regelenergie). Auch beim Ausbau des Technologie- und Industriestandortes Deutschland kann die Elektromobilität Potential entfalten, wenn es gelingt die Elektrifizierung von Fahrzeugen in Kooperation mit den gut aufgestellten deutschen Automobilzulieferern voranzubringen und damit die Automobilindustrie als wichtige Exportbranche der deutschen Wirtschaft zu erhalten oder gar auszubauen. Letztlich sind Elektrofahrzeuge essentieller Bestandteil intelligenter und multimodaler Mobilitätskonzepte

[11] Richtlinie 2008/50/EG des Europäischen Parlaments und des Rates vom 21.05.2008 über Luftqualität und saubere Luft für Europa.

[12] *Faßbender*, Der Dieselskandal und der Gesundheitsschutz, NJW 2017, S. 1995 ff. (1995); *Klinger*, Das Jahr der Entscheidung im Luftqualitätsrecht, ZUR 2016, S. 1 ff. (2).

[13] *BVerwG*, Urteil vom 27.02.2018 – 7 C 26.16 und 7 C 30.17.

[14] *VG Düsseldorf*, NVwZ 2017, 899.

[15] *VG Stuttgart*, ZUR 2017, 620.

in der Zukunft, die individueller und besser angepasst an moderne Lebensräume höhere Lebensqualität in Ballungsräumen versprechen.[16]

III. Rechtlicher Rahmen für Elektromobilität

Wegen der verschiedenen und teilweise erheblichen Potentiale der Elektromobilität verwundert es nicht, dass sich Regelungen zur Elektromobilität in einer Vielzahl von Rechtsbereichen finden. Die Elektromobilität wird daher auch als juristisches Querschnittsthema bezeichnet.[17] Einige der wichtigsten (energie-)rechtlichen Regelungen sollen nachfolgend dargestellt werden. Dabei soll außerhalb des Energierechts vor allem ein Überblick über die Regelungen zur Förderung des Aufbaus der Ladeinfrastruktur und der Nutzung von elektrisch betriebenen Fahrzeugen gegeben werden.[18]

1. Förderprogramme des Bundes

Nicht zuletzt wegen des erheblichen Potentials der Elektromobilität im Bereich Klima- und Umweltschutz, versucht die Bundesregierung die Elektromobilität mit unmittelbaren finanziellen Zuwendungen zu fördern. Sie hat daher am 18. Mai 2016 auf Grundlage des Regierungsprogramms zur Elektromobilität[19] ein Marktanreizprogramm verabschiedet, dessen Zweck die Förderung des Markthochlaufs der Elektromobilität ist, mit dem Ziel von einer Millionen Elektroautos auf deutschen Straßen bis 2020.[20] Zu erwähnen sind insbesondere die zwei folgenden finanzwirksamen Maßnahmen dieses Marktanreizprogramms.[21]

[16] Vgl. zu den Potenzialen der Elektromobilität insgesamt auch „Nationaler Entwicklungsplan Elektromobilität der Bundesregierung", August 2009, S. 8 f.

[17] *Ludwigs/Huller*, Energierechtliche Implikationen der Förderung der Elektromobilität als Baustein der Energiewende, RdE 2017, S. 497 ff. (498).

[18] Nicht näher eingegangen werden kann im Rahmen des vorliegenden Beitrags auf die Berücksichtigung der Ladeinfrastruktur für elektrisch betriebene Fahrzeuge in der Bauleitplanung und im Bauordnungsrecht; siehe ausführlich zu diesem Thema *Harendt/Mayer*, Rechtsrahmen und Vorschläge zur Änderung für Ladeinfrastruktur im Neubau und Bestand, KommJur 2016, S. 161 ff. (163 ff.) und *Kment/Fechter*, Elektromobilisierung aktiv gestalten – Eine Betrachtung aus kommunaler Perspektive, RdE 2017, S. 385 ff. (387 f.).

[19] Regierungsprogramm Elektromobilität, Stand Mai 2011, abrufbar unter https://www.bmbf.de/files/programm_elektromobilitaet(1).pdf (zuletzt abgerufen am 31.07.2018).

[20] Vgl. hierzu https://www.bundesregierung.de/Content/DE/Infodienst/2016/05/2016-05-18-elektromobilitaet1/2016-05-18-elektromobilitaet.html (zuletzt abgerufen am 31.07.2018). Darüber hinaus bestehen diverse weitere Förderprogramme des Bundes, insbesondere im Bereich Forschung und Entwicklung von Elektromobilität.

[21] Zusätzlich wurden weitere Anreize durch Kfz-Steuerbefreiungen für elektrische Fahrzeuge gesetzt, hierzu näher unter Ziffer 2.

Die erste finanzwirksame Maßnahme ist die Förderung des Kaufs von Fahrzeugen mit Elektroantrieb (sog. Umweltbonus).[22] Die Maßnahme soll für mindestens 300.000 neue Elektrofahrzeuge zur Anwendung kommen. Dabei können private oder gewerbliche Käufer von neuen Elektrofahrzeugen seit Juni 2016 beim Bundesamt für Wirtschaft und Ausfuhrkontrolle (BAFA) einen Antrag auf Erhalt der Kaufprämie stellen. Die Höhe der Prämie beläuft sich auf 4.000 Euro für reine Elektrofahrzeuge und auf 3.000 Euro für Hybridfahrzeuge, die jeweils hälftig vom Bund und dem jeweiligen Autohersteller gezahlt werden. Der Listenpreis für das Basismodell des Fahrzeugs darf nicht über 60.000 Euro liegen. Mit Blick auf das Ziel von einer Millionen Elektroautos auf deutschen Straßen bis 2020 sind die Wirkungen des Programms kaum spürbar. Bis Ende Februar 2017 wurden nur 12.650 Anträge gestellt[23] und die Zahl der eingereichten Anträge verbesserte sich bis Ende Februar 2018 auf lediglich 54.274.[24] Dies zeigt zwar eine steigende Tendenz, macht aber immer noch nur knapp 1/6 des Volumens der Gesamt-Fördersumme von 1,2 Milliarden Euro aus. Es ist daher zu überlegen, die derzeit bis zum 30. Juni 2019 befristete Förderrichtlinie zu verlängern oder die zur Verfügung gestellten Fördergelder für andere Maßnahmen zu verwenden.

Als zweite Maßnahme soll das Bundesministerium für Verkehr und digitale Infrastruktur (BMVI) mit dem Förderprogramm zur Ladeinfrastruktur den Aufbau einer flächendeckenden, bedarfsgerechten und nutzerfreundlichen Ladeinfrastruktur für Elektrofahrzeuge unterstützen. Dazu ist die Subventionierung von mindestens 15.000 Ladesäulen vorgesehen. Das Programm ist am 1. März 2017 auf Grundlage der Förderrichtlinie Ladeinfrastruktur für Elektrofahrzeuge in Deutschland[25] mit einem Gesamtbudget von 300 Mio. Euro angelaufen. Zuständige Behörde für das Programm ist die Bundesanstalt für Verwaltungsdienstleistungen (BAV). Im Fokus steht die Förderung von sogenannten Schnellladestationen mit einem Budget von 200 Mio. Euro, die den Bau von 5.000 Ladestationen ermöglichen soll. Für den Ausbau der Normalladestation stehen 100 Mio. Euro zur Verfügung, die in den Bau von 10.000 Ladestationen fließen sollen.[26] Im Vergleich zum Umweltbonus,

[22] Rechtsgrundlage hierfür ist die Richtlinie des BMWi zur Förderung des Absatzes von elektrisch betriebenen Fahrzeugen (Umweltbonus) vom 29.06.2016, aktualisiert durch die gleichlautende Richtlinie vom 26.02.2018, Bundesanzeiger AT 02.03.2018 B1.

[23] Vgl. den vom BAFA mitgeteilten Antragsstand zum 28. Februar 2017 abrufbar unter: http://www.bafa.de/SharedDocs/Kurzmeldungen/DE/Energie/Elektromobilitaet/2017_02_zwischenbilanz.html (zuletzt abgerufen am 31.07.2018).

[24] *BAFA (Hrsg.)*, Elektromobilität (Umweltbonus) – Zwischenbilanz zum Antragsstand vom 28. Februar 2018, S. 2, abrufbar unter http://www.bafa.de/SharedDocs/Downloads/DE/Energie/emob_zwischenbilanz.pdf?__blob=publicationFile&v=27 (zuletzt abgerufen am 31.07.2018).

[25] *BMVI (Hrsg.)*, Förderrichtlinie Ladeinfrastruktur für Elektrofahrzeuge in Deutschland vom 13.02.2017.

[26] Pressemitteilung des BMVI vom 15.02.2017, Nr. 019/2017.

kann dieses Programm deutlich bessere Zahlen vorweisen. Im Rahmen des 1. Förderaufrufs vom 15. Februar 2017 wurden insgesamt 1.316 Anträge eingereicht, von denen 806 Anträge mit einem Gesamt-Fördervolumen von 45,5 Mio. Euro bewilligt wurden. Für den zweiten Förderaufruf vom 14. September 2017 gingen insgesamt 1.591 Anträge mit einem Gesamt-Fördervolumen von 135, 6 Mio. Euro ein.[27]

Neben dem Marktanreizprogramm vom 18. Mai 2016 hat die Bundesregierung anlässlich des oben angesprochenen Dieselskandals, auf dem zweiten Kommunalgipfel am 28. November 2017 das „Sofortprogramm Saubere Luft 2017–2020" in Höhe von 1 Milliarde Euro aufgelegt, das Maßnahmen für die Verbesserung der Luftqualität in deutschen Städten enthält.[28] Im Rahmen dieses Sofortprogramms werden belastete Städte und Kommunen durch neue bzw. geänderte Förderrichtlinien für mehr schadstoffarme Fahrzeugflotten, die Umstellung auf alternative Antriebe und mehr Ladeinfrastruktur für die Elektromobilität unterstützt. Der Maßnahmenkatalog enthält auch diverse Maßnahmen zur Elektrifizierung des Verkehrs.[29]

2. *Steuerrecht*

Auch mit steuerlichen Maßnahmen soll die Entwicklung der Elektromobilität in Deutschland gefördert werden. Hierzu dienen insbesondere Regelungen im Kraftfahrzeugsteuergesetz (KraftStG) und im Einkommensteuergesetz (EStG)[30] sowie im Stromsteuergesetz (StromStG).

a) Kraftfahrzeugsteuergesetz

Im KraftStG erfolgt durch die §§ 3d und 9 eine steuerliche Begünstigung für die Halter von Elektrofahrzeugen. Gemäß der Legaldefinition in § 9 Abs. 2 KraftStG, auf die auch § 3d KraftStG Bezug nimmt, sind dies nicht nur Fahrzeuge, die ausschließlich durch Elektromotoren angetrieben werden, sondern auch Fahrzeuge die ganz oder überwiegend aus mechanischen oder elektrochemischen Energiespeichern oder emissionsfrei betrie-

[27] *BMVI (Hrsg.)*, Förderrichtlinie Ladeinfrastruktur für Elektrofahrzeuge in Deutschland – Zwischenbilanz, Stand 15.03.2018, abrufbar unter https://www.bmvi.de/SharedDocs/DE/Anlage/G/zwischenbilanz-2018-03-15.pdf?__blob=publicationFile (zuletzt abgerufen am 31.07.2018).

[28] Pressemitteilung des BMVI vom 15.12.2017, Nr. 164/2017.

[29] Hervorzuheben ist insbesondere die Aktualisierung der Förderrichtlinie Elektromobilität des BMVI, die verstärkt auf den Ausbau von Elektromobilität im kommunalen Bereich setzt. Eng verknüpft mit dieser Maßnahme ist die Förderung der Anschaffung von Elektrobussen, nach der jüngst veröffentlichen Richtlinie des BMU.

[30] Beide Gesetzt sind jüngst noch einmal geändert worden, vgl. Gesetz zur steuerlichen Förderung von Elektromobilität im Straßenverkehr vom 07.11.2016, BGBl. I 2498, das am 17.11.2016 in Kraft getreten ist.

benen Energiewandlern gespeist werden.[31] Die Begünstigungen im KraftStG betreffen damit derzeit insbesondere batterieelektrische Fahrzeuge und wasserstoffbetriebene Brennstoffzellen-Fahrzeuge. Keine Begünstigung erhalten hingegen die Halter von Hybridelektrofahrzeugen und Plug-In-Hybridelektrofahrzeugen, weil diese Fahrzeugarten über einen herkömmlichen Verbrennungsmotor verfügen.[32]

Bei erstmaliger Zulassung in der Zeit vom 18. Mai 2011 bis 31. Dezember 2020 gewährt § 3d KraftStG für von der Legaldefinition des § 9 Abs. 2 KraftStG erfasste Elektrofahrzeuge aktuell für 10 Jahre eine vollständige Befreiung von der Kraftfahrzeugsteuer.[33] Diese zeitlich befristete Steuerbefreiung hat der Gesetzgeber jüngst ausgeweitet auf Fahrzeuge mit Verbrennungsmotoren, die in der Zeit vom 18. Mai 2016 bis 31. Dezember 2020 technisch angemessen und verkehrsrechtlich genehmigt zu reinen Elektrofahrzeugen im Sinne des § 9 Abs. 2 KraftStG umgerüstet worden sind.[34] Zwar wird die Steuerbefreiung für jedes (nachträglich umgerüstete) Elektrofahrzeug nur einmal gewährt, aber bei einem Halterwechsel innerhalb der 10 Jahresfrist kann der neue Halter die Steuerbefreiung fortführen.[35] Nach Ablauf der vollständigen Steuerbefreiung reduziert sich für Halter von Elektrofahrzeugen gemäß § 9 Abs. 2 KraftStG der Steuersatz zeitlich unbefristet um 50 %.

b) Einkommensteuergesetz

Im EStG finden sich konkrete Begünstigungen für Elektrofahrzeuge[36] und Plug-In-Hybridelektrofahrzeuge[37] in § 6 Abs. 1 Nr. 4 sowie den jüngst eingeführten § 3 Nr. 46 und § 40 Abs. 2 S. 1 Nr. 6 EStG.[38]

[31] Die wortgleiche Legaldefinition findet sich in § 6 Abs. 1 Nr. 4 S. 2 EStG.

[32] Im EStG werden allerdings auch Plug-In-Hybridelektrofahrzeuge begünstigt, vgl. nachfolgend lit. b).

[33] Durch Art. 1 des Gesetzes zur steuerlichen Förderung von Elektromobilität im Straßenverkehr vom 7.11.2016, BGBl. I 2498, wurde die Steuerbefreiung für Elektrofahrzeuge die ab dem 1.1.2016 zugelassen worden sind rückwirkend von fünf auf zehn Jahre verlängert. Vgl. ausführlich zur Entwicklung der Regelung des § 3d KraftStG *Kußmaul/Kloster*, Maßnahmen zur steuerlichen Förderung der Elektromobilität, BB 2016, S. 1817 ff. (1818).

[34] Vgl. § 3d Abs. 4 KraftStG, der durch Art. 1 des Gesetzes zur steuerlichen Förderung von Elektromobilität im Straßenverkehr vom 7.11.2016, BGBl. I 2498, eingefügt worden ist.

[35] Vgl. § 3d Abs. 2 KraftStG. Zeiten einer etwaigen Außerbetriebsetzung des Fahrzeugs bleiben gemäß § 3d Abs. 3 KraftStG bei der Ermittlung des 10 Jahreszeitraums allerdings außer Betracht.

[36] Die Legaldefinition ist wortgleich mit der in § 9 Abs. 2 KraftStG, siehe dazu oben lit. a).

[37] Die Begünstigungen nach dem KraftStG bestehen nur für Elektrofahrzeuge, siehe dazu oben lit. a).

[38] Vgl. Art. 2 Gesetz zur steuerlichen Förderung von Elektromobilität im Straßenverkehr vom 7.11.2016, BGBl. I 2498, das am 17.11.2016 in Kraft getreten ist.

Bereits im Jahr 2013 wurde durch § 6 Abs. 1 Nr. 4 EStG für Elektrofahrzeuge und Plug-In-Hybridelektrofahrzeuge ein einkommensteuerlicher Wettbewerbsnachteil beseitigt, der sich aus dem noch immer relativ hohen Einkaufspreis für solche Fahrzeuge ergibt.[39] Für die Bewertung von Wirtschaftsgütern, die nach § 4 Abs. 1 oder § 5 EStG als Betriebsvermögen anzusetzen sind, gilt grundsätzlich, dass die private Nutzung eines Kraftfahrzeugs, das mehr als 50 % betrieblich genutzt wird, für jeden Kalendermonat mit 1 % des inländische Listenpreises im Zeitpunkt der Erstzulassung zuzüglich der Kosten für Sonderausstattung einschließlich Umsatzsteuer anzusetzen ist. Bei der privaten Nutzung von Elektrofahrzeugen oder von Plug-In-Hybridelektrofahrzeugen, die vor dem 1. Januar 2023 angeschafft werden,[40] können jedoch der Listenpreis dieser Fahrzeuge und die darin enthaltenen Kosten des Batteriesystems im Zeitpunkt der Erstzulassung des Kraftfahrzeugs nach Maßgabe von § 6 Abs. 1 Nr. 4 S. 2 EStG reduziert werden.[41]

Zur steuerlichen Flankierung des Marktanreizpakets der Bundesregierung zur Förderung der Elektromobilität im Straßenverkehr wurden Ende 2016 mit § 3 Nr. 46 und § 40 Abs. 2 S. 1 Nr. 6 weitere Begünstigungstatbestände in das EStG aufgenommen,[42] allerdings zunächst befristet für den Zeitraum vom 1. Januar 2017 bis zum 31. Dezember 2020.[43]

Mit § 3 Nr. 46 wurde ein neuer Steuerbefreiungstatbestand in das EStG eingeführt. Zusätzlich zum ohnehin geschuldeten Arbeitslohn sind vom Arbeitgeber gewährte Vorteile für das elektrische Aufladen eines Elektrofahrzeugs oder Plug-In-Hybridelektrofahrzeugs an einer ortsfesten betrieblichen Einrichtung des Arbeitgebers oder eines mit diesem im Sinne des § 15 AktG verbundenen Unternehmens und für die zur privaten Nutzung überlassene betriebliche Ladevorrichtung von der Einkommensteuer befreit.[44] Die Steuerbefreiung gilt also insbesondere für Ladestrom, den der Arbeit-

[39] Vgl. Art. 2 Gesetz zur Umsetzung der Amtshilferichtlinie sowie zur Änderung steuerlicher Vorschriften vom 26.6.2013, BGBl. I 2013, 1809, wobei der Wortlaut des § 6 Abs. 1 Nr. 4 S. 3 EStG durch das StÄndG 2015, BGBl. I 2015, 1834 angepasst werden musste. Zu den Gründen der Anpassung *Kußmaul/Kloster* (o. Fn. 33), (1819).

[40] Diese zeitliche Einschränkung ergibt sich aus § 52 Abs. 12 S. 2 EStG.

[41] Für bis zum 31.12.2013 angeschaffte Kraftfahrzeuge um 500 Euro pro Kilowattstunde der Batteriekapazität, dieser Betrag mindert sich für in den Folgejahren angeschaffte Kraftfahrzeuge um jährlich 50 Euro pro Kilowattstunde der Batteriekapazität; die Minderung pro Kraftfahrzeug beträgt höchstens 10.000 Euro; dieser Höchstbetrag mindert sich für in den Folgejahren angeschaffte Kraftfahrzeuge um jährlich 500 Euro. Für im Jahr 2018 angeschaffte Fahrzeuge ergibt sich daher ein Minderungsbetrag von 250 Euro/kW und ein Höchstbetrag von 7.500 Euro.

[42] Vgl. Art. 2 Gesetz zur steuerlichen Förderung von Elektromobilität im Straßenverkehr vom 7.11.2016, BGBl. I 2498, das am 17.11.2016 in Kraft getreten ist.

[43] Vgl. § 52 Abs. 4 S. 10 und Abs. 37c EStG.

[44] Vgl. zu den Einzelheiten dieses Befreiungstatbestands auch das Schreiben des BMF vom 14.12.2016, BStBl. 2016 I 1446.

nehmer von seinem Arbeitgeber bezieht, nicht hingegen für Ladestrom, den ein Arbeitgeber an seine Geschäftsfreunde und Kunden abgibt.

Durch § 40 Abs. 2 S. 1 Nr. 6 EStG wurde die Möglichkeit geschaffen, dass der Arbeitgeber abweichend von § 40 Abs. 1 EStG die Lohnsteuer für geldwerte Vorteile aus der unentgeltlichen oder verbilligten Übereignung einer Ladevorrichtung für Elektrofahrzeuge oder Plug-In-Hybridelektrofahrzeuge sowie für Zuschüsse zu den Aufwendungen des Arbeitnehmers für den Erwerb und für die Nutzung dieser Ladevorrichtung pauschal mit 25 % erheben kann. Da die Regelung in ihrem eindeutigen Wortlaut die Übereignung einer Ladevorrichtung betrifft, ist eine Pauschalierung nicht zulässig, wenn dem Arbeitnehmer die Ladevorrichtung zeitweise unentgeltlich oder verbilligt zur Nutzung überlassen wird. In diesem Fall besteht jedoch für den Ladestrom die Möglichkeit einer Steuerbefreiung nach § 3 Nr. 46 EStG.[45]

c) Stromsteuergesetz

Für E-Busse im öffentlichen Personennahverkehr (ÖPNV) sieht § 9c StromStG eine Stromsteuerentlastung in Höhe von 9,08 Euro/MWh für Strom vor. Damit sind die im ÖPNV eingesetzten Elektro- und Plug-In-Hybridbusse mit den Schienenbahnen und Oberleitungsomnibussen gleichgesetzt, für die nach § 9 Abs. 2 StromStG ein ermäßigter Steuersatz in Höhe von 11,42 Euro gilt. Ökonomisch betrachtet unterscheidet sich das neue Entlastungsverfahren für E-Busse nicht von dem bereits geltenden ermäßigten Steuersatz (20,50 Euro abzüglich 9,08 Euro/MWh). Voraussetzung für das Entlastungsverfahren für nicht leitungsgebundene E-Busse ist jedoch die Verwendung von Strom, welcher zum Regelsteuersatz versteuert wird.

Nach §§ 9b und 10 StromStG kann ein Unternehmen des Produzierenden Gewerbes oder ein Unternehmen der Land- und Forstwirtschaft eine Steuerentlastung, -erstattung oder -rückvergütung beantragen für den Strom, den es für betriebliche Zwecke entnommen hat und zur Erzeugung von Licht, Wärme, Kälte, Druckluft und mechanischer Energie verbraucht hat. Allerdings wurden diese Regelungen mit Wirkung zum 1. Januar 2018 an die technologische Entwicklung angepasst.[46] Eine Steuerentlastung für Strom, der für Elektromobilität verwendet wird, ist nach §§ 9b Abs. 1 Satz 4, 10 Abs. 1 Satz 6 StromStG nunmehr ausdrücklich ausgeschlossen. Ergänzend hierzu wurde in § 2 Nr. 8 StromStG der Begriff Elektromobilität definiert als das Nutzen elektrisch betriebener Fahrzeuge, ausgenommen schienen- oder

[45] Vgl. ausführlicher zu dieser Möglichkeit der Lohnsteuerpauschalierung das Schreiben des BMF vom 14.12.2016, BStBl. 2016 I 1446 und *Leutner,* Die Förderung der Elektromobilität in Deutschland – Eine Bestandsaufnahme, RAW 1/2017, S. 31 ff. (32) sowie *Kußmaul/Kloster* (o. Fn. 33), (1920).

[46] Vgl. Art. 3 i.V.m. Art. 10 Abs. 1 des Zweiten Gesetzes zur Änderung des Energiesteuer- und Stromsteuergesetzes, BGBl. I 2017, 3299 ff.

leitungsgebundener Fahrzeuge. Schließlich wurde mit Blick auf die Elektromobilität der Katalog der Ermächtigungen zum Erlass von Durchführungsverordnungen in § 11 StromStG durch eine Neufassung von Satz 1 Nr. 3 StromStG erweitert. Nach § 11 S. 1 Nr. 3 wird das Bundesfinanzministerium ermächtigt, zur Durchführung des Stromsteuergesetzes durch Rechtsverordnung zur Sicherung des Steueraufkommens und der Gleichmäßigkeit der Besteuerung, zur Verfahrenserleichterung und zur Vermeidung unangemessener wirtschaftlicher Belastungen, Bestimmungen für die Elektromobilität zu erlassen. § 11 S. 1 Nr. 3a StromStG ermächtigt den Verordnungsgeber, die Begriffe der elektrisch betriebenen Fahrzeuge sowie der Ladepunkte näher zu bestimmen und den Kreis der elektrisch betriebenen Fahrzeuge einzugrenzen.

Auf dieser Grundlage wurde am 2. Januar 2018 die Stromsteuer-Durchführungsverordnung (StromStV) mit Blick auf die Elektromobilität angepasst.[47] Die Neuerungen sind überschaubar und sollen daher in der gebotenen Kürze dargestellt werden. Nach § 1c StromStV erfasst der Begriff der Elektromobilität nur die Nutzung von Batterieelektrofahrzeugen sowie von außen aufladbaren Hybridelektrofahrzeugen (Plug-In-Hybride) und schließt die Nutzung elektrisch betriebener Fahrzeuge, die nicht für den Straßenverkehr zugelassen sind und die ausschließlich auf einem Betriebsgelände eingesetzt werden, sowie elektrisch betriebener Fahrräder, die ausschließlich auf einem Betriebsgelände eingesetzt werden, hiervon aus. Im Ergebnis kann also der Strom, der vom Unternehmen entnommen wird, um elektrisch betriebene Fahrzeuge, die nicht für den Straßenverkehr zugelassen sind und ausschließlich auf einem Betriebsgelände eingesetzt werden, sowie elektrisch betriebene Fahrräder, die ausschließlich auf einem Betriebsgelände eingesetzt werden, aufzuladen, ebenfalls nach §§ 9b und 10 StromStG entlastet werden.

In § 1a Abs. 2 StromStV ist geregelt, dass derjenige, der ausschließlich nach § 3 StromStG zu versteuernden Strom bezieht und diesen ausschließlich zur Nutzung für die Elektromobilität als Letztverbraucher leistet, nicht als Versorger, sondern als Letztverbraucher gilt. Dies gilt jedoch nur dann, wenn ausschließlich von einem im Steuergebiet ansässigen Versorger bezogener Strom geleistet wird. Der Ladepunktbetreiber, der den Strom am Ladepunkt selbst bezieht und dem Fahrzeugnutzer gegenüber also die Umwandlung von elektrischer in chemische Energie vertraglich schuldet, ist folglich kein Versorger im Sinne des Stromsteuerrechts. Der Fahrzeugnutzer ist in diesem Fall stromsteuerrechtlich irrelevant. Auch diese rechtliche Klarstellung

[47] Vgl. Art. 3 Dritte Verordnung zur Änderung der Energie- und Stromsteuer-Durchführungsverordnung, BGBl. I 2018, 84 ff.; ausführlicher zu den Änderungen der Stromsteuer- und Energiesteuerregelungen insgesamt *Reuter*, Änderungen der EnergieStV und StromStV in Kraft getreten, VersorgW 2018, S. 80 ff.

ermöglicht und fördert den Aufbau von Ladeinfrastruktur durch die Privatwirtschaft.[48]

Zudem stellt § 17b Abs. 4a StromStV für Stromsteuerentlastungen nach § 9b StromStG klar, dass Strommengen, die für Elektromobilität verwendet wurden und wegen des Nichtvorhandenseins von Mess- oder Zähleinrichtungen nicht ermittelt werden können, mittels sachgerechter, von einem Dritten nachvollziehbarer Schätzung ermittelt werden dürfen.

3. Straßenverkehrsrecht

Rechtliche Regelungen zur Förderung der Elektromobilität finden sich auch im Bereich des Straßenverkehrs, der zu 96 % für die Treibhausgasemissionen im Verkehrssektor verantwortlich ist.[49] Auf Druck der Länder und Kommunen hat der Bundesgesetzgeber im Jahr 2015 das Elektromobilitätsgesetz (EmoG) erlassen.[50] Anders als der Name vermuten lässt, wird das Thema Elektromobilität mit diesem Gesetz allerdings nicht umfassend und abschließend geregelt. Vielmehr erschöpft sich das lediglich acht Paragraphen umfassende Gesetz in der Ermächtigung, für bestimmte elektrisch betriebene Fahrzeuge in Rechtsverordnungen Bevorrechtigungen im Straßenverkehr vorzusehen.

Elektrisch betriebene Fahrzeuge im Sinne des EmoG sind reine Batterieelektrofahrzeuge, Brennstoffzellenfahrzeuge sowie von außen aufladbare (sog. Plug-In-)Hybridelektrofahrzeuge,[51] die jedoch nur dann vom Anwendungsbereich des EmoG erfasst sind, wenn sie bestimmten auf europäischer Ebene festgelegten Fahrzeugklassen zugerechnet werden können.[52] Maßgebliches Kriterium um vom Anwendungsbereich des EmoG erfasst

[48] Initiative der Bundesregierung „Schaufenster Elektromobilität", Eckpunkte für den rechtlichen Rahmen der Elektromobilität – Überblick und Handlungserwägungen der Begleit- und Wirkungsforschung zum Schaufenster-Programm Elektromobilität, Januar 2017, S. 7; abrufbar unter http://schaufenster-elektromobilitaet.org/media/media/documents/dokumente_der_begleit__und_wirkungsforschung/EP34_Rechtlicher_Rahmen.pdf (zuletzt abgerufen am 31.07.2018).

[49] Vgl. *BMU* (o. Fn. 4), S. 37.

[50] Gesetz zur Bevorrechtigung der Verwendung elektrisch betriebener Fahrzeuge v. 05.06.2015 (BGBl. I S. 898).

[51] Diese Fahrzeugarten sind in § 2 EmoG näher definiert.

[52] Den Klassen M1 und N1 im Sinne des Anhangs II Teil A der Richtlinie 2007/46/EG des Europäischen Parlaments und des Rates vom 05.09.2007 zur Schaffung eines Rahmens für die Genehmigung von Kraftfahrzeugen und Kraftfahrzeuganhängern sowie von Systeme, Bauteilen und selbstständigen technischen Einheiten für diese Fahrzeuge (ABl. L 263 v. 09.10.2007, S. 1), die zuletzt durch die Richtlinie 2013/15/EU (ABl. L 158 v. 10.06.2013, S. 172) geändert worden ist und den Klassen L3e, L4e, L5e und L7e im Sinne des Anhangs I der Verordnung (EU) Nr. 168/2013 des Europäischen Parlaments und des Rates vom 15.01.2013 über die Genehmigung und Marktüberwachung von zwei- oder dreirädrigen und vierrädrigen Fahrzeugen (ABl. L 60 v. 02.03.2013, S. 52).

zu sein und damit in den Genuss einer Bevorrechtigung im Straßenverkehr gelangen zu können, ist somit die Antriebseinheit des Fahrzeugs. Vor dem Hintergrund der angestrebten klimapolitischen Ziele könnte es aber sinnvoll sein, die Bevorrechtigungen von Fahrzeugen im Straßenverkehr an die Erfüllung bestimmter Umwelt- und Klimakriterien zu knüpfen. Auf diese Weise könnte man für eine größere Anzahl von Fahrzeugen einen Anreiz setzen, die Effizienz zu steigern.[53] Aufgrund des eindeutigen Wortlauts der §§ 1 und 2 EmoG bedürfte es hierfür allerdings einer Änderung des Gesetzes.

Für vom Anwendungsbereich des EmoG erfasste elektrisch betriebene Fahrzeuge sieht der Gesetzgeber bestimmte Bevorrechtigungen vor, die vom BMVI und BMU in Rechtsverordnungen nach § 6 Abs. 1 Straßenverkehrsgesetz (StVG) näher bestimmt werden können. Die Bevorrechtigungen dürfen von der zuständigen Behörde allerdings nur gewährt werden, soweit dadurch die Sicherheit und Leichtigkeit des Verkehrs nicht beeinträchtigt werden.

Nach § 3 Abs. 4 EmoG sind Bevorrechtigungen möglich (i) für das Parken auf öffentlichen Straßen oder Wegen, (ii) bei der Nutzung von für besondere Zwecke bestimmten öffentlichen Straßen oder Wegen oder Teilen von diesen, (iii) durch das Zulassen von Ausnahmen von Zufahrtsbeschränkungen oder Durchfahrtsverboten und (iv) im Hinblick auf das Erheben von Gebühren für das Parken auf öffentlichen Straßen oder Wegen.[54] Da während des Gesetzgebungsverfahrens bei der Aufzählung dieser Bevorrechtigungen der Begriff „insbesondere“ gestrichen worden ist, handelt es sich nunmehr um eine abschließende Aufzählung möglicher Bevorrechtigungen, die nicht analogiefähig sind.

Nach § 4 EmoG dürfen die Berechtigungen nur für Fahrzeuge gewährt werden, die mit einer deutlich sichtbaren Kennzeichnung versehen sind. Die Art und Weise der Kennzeichnung kann in einer Rechtsverordnung nach § 6 Abs. 1 Nr. 2 StVG näher bestimmt werden. Es besteht für die Fahrzeughalter zwar keine Verpflichtung zur Kennzeichnung ihrer elektrisch betriebenen Fahrzeuge, aber nur wenn eine Kennzeichnung vorhanden ist, kann eine gewährte Bevorrechtigung zulässigerweise in Anspruch genommen werden.

Zur Umsetzung der nach dem EmoG möglichen Bevorrechtigungen wurde durch die 50. Verordnung zur Änderung straßenverkehrsrechtlicher Vorschriften[55] die Straßenverkehrsordnung (StVO) und die Fahrzeug-Zulassungsverordnung geändert. In der StVO wurde vor allem ein neuer § 39 Abs. 10 eingefügt sowie in § 45 ein neuer Absatz 1g und in § 46 ein neuer

[53] So auch *Maslaton/Hauk*, Das Elektromobilitätsgesetz (EmoG) – „Das wird schon klappen“, NVwz 2015, S. 555 ff. (559).

[54] Vgl. zum Umfang der Nutzung dieser Fördermöglichkeiten in der Praxis *Kment/Fechter* (o. Fn. 18), (389).

[55] Vom 15.09.2015, BGBl. I S. 1573.

Absatz 1a. In der Fahrzeug-Zulassungsverordnung wurde bezüglich der Kennzeichnung elektrisch betriebener Fahrzeuge ein neuer § 9a eingefügt.

Die Regelungen des EmoG sowie die darauf beruhenden Änderungen in der StVO und der Fahrzeug-Zulassungsverordnung sind alle zunächst beschränkt bis zum 31. Dezember 2026. Dies ist sachgerecht, da aufgrund der zu erwartenden Entwicklung der Elektromobilität bis dahin eine erhöhte Anzahl von elektrisch betriebenen Fahrzeugen im Straßenverkehr teilnehmen wird, sodass kein Grund mehr für eine bevorzugte Behandlung besteht.

4. Miet- und Wohnungseigentümerrecht

Im Bereich des Mietrechts und des Wohnungseigentümerrechts wäre im Hinblick auf die Ausstattung von privaten Kfz-Stellplätzen mit Ladestationen eine Förderung sinnvoll. Doch ist eine solche gesetzlich noch nicht umgesetzt worden.[56]

Im Mietrecht gilt bislang für den Einbau von für die Elektromobilität erforderlichen Einrichtungen keine privilegierende Sonderregelung, wie sie beispielsweise für Einrichtungen zur Herstellung von Barrierefreiheit in § 554a BGB vorgesehen ist. Auch im Wohnungseigentumsgesetz (WEG) wird dem einzelnen Wohnungseigentümer der Einbau einer Ladestation für sein Elektrofahrzeug an seinem Stellplatz dadurch erschwert, dass er regelmäßig, weil er die Zustimmung seiner Miteigentümer benötigt, auf Teile des Gemeinschaftseigentums baulich einwirken muss.

Um diesen Missstand zu beseitigen, wurde im Bundesrat auf Initiative von Bayern und Sachsen bereits im Herbst 2016 ein Gesetzentwurf beschlossen und dem Bundestag zugeleitet.[57] Danach sollte das Mietrecht dahingehend ergänzt werden, dass in einem neu geschaffenen § 554b BGB die in § 554a BGB enthaltene Regelung zur Förderung der Barrierefreiheit entsprechend für bauliche Veränderungen oder sonstige Einrichtungen gelten soll, die für die Installation einer Ladeeinrichtung für ein elektrisch betriebenes Fahrzeug im Sinne des § 2 EmoG erforderlich sind. Außerdem sollte § 22 WEG dahingehend ergänzt werden, dass der Eigentümer in einer Wohnungseigentümergemeinschaft für die Installation einer Ladeeinrichtung für ein elektrisch betriebenes Fahrzeug im Sinne des § 2 EmoG die Zustimmung seiner Miteigentümer nicht benötigt, wenn ein berechtigtes Interesse an der Maßnahme besteht und die Maßnahme nicht die Eigenart der Wohnanlage ändert.

Der Gesetzentwurf wurde in der vergangenen Legislaturperiode vom Bundestag allerdings nicht mehr beschlossen, sodass er wegen des Prinzips der sachlichen Diskontinuität neu eingebracht werden musste. Dies ist im

[56] Vgl. zu diesem Thema auch *Harendt/Mayer* (o. Fn. 18), (163 ff.).
[57] Vgl. BT-Drucks. 18/10256.

Januar dieses Jahres erfolgt.[58] Es bleibt abzuwarten, ob die Gesetzesvorlage beschlossen wird und damit weitere ausdrückliche Regelungen zur Förderung der Elektromobilität geschaffen werden.

IV. Energierechtlicher Rahmen für Elektromobilität und offene Rechtsfragen zur rechtlichen Entflechtung vom Stromverteilernetzbetrieb

Auch im Bereich des Energierechts sind die rechtlichen Rahmenbedingungen für Elektromobilität nicht in einem Gesetz enthalten. Vielmehr finden sich Regelungen zur Elektromobilität in verschiedenen energierechtlichen Vorschriften. Erschwerend kommt hinzu, dass die nationalen Vorschriften durch europäische Richtlinien flankiert werden und daher auch unter europarechtlichen Gesichtspunkten interpretiert werden müssen.

1. Energiewirtschaftsgesetz

Mit Erlass des Strommarktgesetzes vom 26. Juli 2016[59] fand ein Großteil der heute geltenden energiewirtschaftsrechtlichen Vorschriften zur Elektromobilität Eingang in das Energiewirtschaftsgesetz (EnWG). Die Novellierung stand im Zusammenhang mit der Umsetzung der europäischen Richtlinie 2014/94/EU über den Aufbau der Infrastruktur für alternative Kraftstoffe[60] und sollte darüber hinaus offene Rechtsfragen klären, um den notwendigen Ausbau der Ladeinfrastruktur zu begünstigen und Investitionssicherheit zu schaffen.[61] Die Regelungen zur Elektromobilität sind nicht in einem eigenen Abschnitt oder Unterabschnitt des EnWG enthalten, sondern wurden an verschiedenen Stellen in das vorhandene Regelungsgeflecht des EnWG eingeflochten.

So ist zum einen in den Strommarktgrundsätzen nach § 1a EnWG verankert, dass der elektromobile Verkehr in das Elektrizitätsversorgungssystem eingebunden und dadurch ein beachtlicher Beitrag zur Energiewende geleistet wird.[62] Vorrangig geht es darum, dass Elektrofahrzeuge künftig eben dann aufgeladen werden, wenn ein Überangebot von Strom aus volatilen Energien

[58] Vgl. BT-Drucks. 19/401.

[59] Gesetz zur Weiterentwicklung des Strommarktes (Strommarktgesetz) vom 26.07.2016, BGBl. I S. 1786, Artikel 1.

[60] Richtlinie 2014/94/EU des Europäischen Parlaments und des Rates vom 22.10.2014 über den Aufbau der Infrastruktur für alternative Kraftstoffe, ABl. 2014, Nr. L 307, 1.

[61] Vgl. den Gesetzesentwurf der Bundesregierung zum Strommarktgesetz, BT-Drucks. 18/7317, S. 2 f.

[62] Vgl. BT-Drucks. 18/7317, S. 77 und *Ludwigs/C. Langer*, in: Elspas/Graßmann/Rasbach, Energiewirtschaftsgesetz, 2018, § 1a Rdnr. 19.

wie Wind und Sonne besteht, und in Knappheitszeiten Strom in das Netz der allgemeinen Versorgung rückspeisen. Mit anderen Worten, Elektromobilität soll einen gewichtigen Beitrag zur besseren und kostengünstigeren Integration von volatilen regenerativen Energien leisten.[63]

Voraussetzung für den gewünschten gewichtigen Beitrag der Elektromobilität auf dem Stromnachfragemarkt ist das Vorhandensein von Ladeinfrastruktur für Elektrofahrzeuge. Um den Ausbau der Ladeinfrastruktur voranzutreiben und Investitionsrisiken abzubauen, hat der Gesetzgeber eine wichtige Rechtsfrage gelöst: Er hat mit der Ergänzung in § 3 Nr. 25 Halbsatz 2 EnWG klargestellt, dass Ladepunkte für Elektromobile den Letztverbrauchern gleichgestellt sind. Bis zu dieser Klarstellung war streitig, ob der Betreiber von Ladepunkten aufgrund seiner vielfältigen Leistungen gegenüber dem Fahrzeugnutzer Netzbetreiber, Energielieferant, Betreiber einer Energieanlage sui generis oder eher Letztverbraucher ist.[64] Die Folge einer Einstufung als Netzbetreiber oder Energielieferant wäre gewesen, dass der Ladepunktbetreiber zahlreiche regulatorische Pflichten zu erfüllen gehabt hätte, was wiederum die Attraktivität des Errichtens und Betreibens einer Ladeinfrastruktur deutlich geschmälert hätte.[65] Wäre der Ladepunkt für Elektrofahrzeuge Teil eines Netzes der allgemeinen Versorgung, wäre der Fahrzeugnutzer Anschlussnehmer und hätte gegen den Ladepunktbetreiber gemäß §§ 17, 20 EnWG einen Anspruch auf Anschluss und Zugang zum Ladepunkt. Der Ladepunktbetreiber bräuchte u.a. eine Betriebsaufnahmegenehmigung nach § 4 EnWG und müsste seine Infrastrukturnutzungsentgelte von den Regulierungsbehörden gemäß §§ 21, 21a, 23a EnWG prüfen und genehmigen lassen. Wäre der Ladepunktbetreiber Energielieferant, müsste er die umfangreichen Transparenzvorschriften für die Rechnungstellung nach § 42 EnWG wie z.B. die Ausweisung des Strommix für die Dauer des Ladevorgangs einhalten. Mit der Einordnung des Strombezugs von Ladepunkten für Elektrofahrzeuge als Letztverbrauch hat der Gesetzgeber die Entscheidung getroffen, zugunsten eines zügigen Aufbaus der Ladeinfrastruktur den Ladeinfrastrukturbetreiber vom energierechtlichen Pflichtengefüge des EnWG für Energieversorgungsunternehmen auszunehmen. Hiernach wandelt der Ladepunktbetreiber selbst am Ladepunkt elektrische Energie in chemische Energie um und erbringt somit gegenüber dem Fahrzeugnutzer keine Energielieferung im Sinne des EnWG und ist folglich auch kein Energielieferant im Sinne des EnWG.[66] *„Auf das nachgelagerte Rechtsverhältnis*

[63] Hierzu ausführlicher *Nationale Plattform Elektromobilität*, Fortschrittsbericht 2014 – Bilanz der Marktvorbereitung, 2014, S. 32 f.; *Ludwigs/Huller* (o. Fn. 17), (500) m.w.N.

[64] Statt vieler siehe *Schalle/Hilgenstock*, Einordnung der Stromlieferung beim Aufladen von Elektromobilen, EnWZ 2017, S. 291 ff.; *Ludwigs/Huller* (o. Fn. 17), (500 f.); *Boesche*, Sind Ladepunkte für Elektrofahrzeuge Letztverbraucher?, RdE 2015, S. 449 ff.

[65] Vgl. *Schalle/Hilgenstock*, (o. Fn. 64) (292).

[66] BT-Drucks. 18/7317, S. 78; *Boesche* (o. Fn. 64), (452 f.).

zwischen Ladepunktbetreiber und Fahrzeugnutzer findet das EnWG damit keine Anwendung. Der Fahrzeugnutzer wird quasi wie ein ‚Gast' eines Hausanschlusskunden oder Hotels behandelt, der für das EnWG unsichtbar ist."[67]

Vor diesem Hintergrund wird zugleich in § 17 Abs. 1 EnWG klargestellt, dass zum Kreis der Anspruchsberechtigten auf Netzanschluss auch Ladepunkte für Elektromobile gehören. Hiermit unterstreicht der Gesetzgeber nochmals, dass „*Ladepunkte für Elektromobile kein Teil des Energieversorgungsnetzes […] sind und wie andere Letztverbraucher einen allgemeinen Anspruch auf Netzanschluss haben*".[68] Auch wenn keine vergleichbare Ergänzung in § 20 Abs. 1 EnWG zum Anspruch auf Netzzugang getroffen wurde, ergibt sich aus der systematischen Zusammenschau mit § 3 Nr. 25 EnWG und § 17 Abs. 1 EnWG, dass Ladepunkte für Elektrofahrzeuge „jedermann" im Sinne des § 20 Abs. 1 EnWG sind und damit ebenso einen Anspruch auf Netzzugang haben.

Das EnWG bezieht Elektromobile – im Übrigen bereits seit der EnWG-Novelle 2011[69] und damit schon vor dem Inkrafttreten des Strommarktgesetzes – in den Teilnahmerkreis für zukünftige Flexibilitätsmärkte ein. Nach § 14a EnWG haben (Strom-)Verteilernetzbetreiber denjenigen Lieferanten und Letztverbrauchern im Bereich der Niederspannung, mit denen sie Netznutzungsverträge abgeschlossen haben, ein reduziertes Netzentgelt zu berechnen, wenn mit ihnen im Gegenzug die netzdienliche Steuerung von steuerbaren Verbrauchseinrichtungen vereinbart wird. Zu den steuerbaren Verbrauchseinrichtungen gehören nach § 14a Satz 2 EnWG ausdrücklich auch Elektromobile. Unklar und in der Praxis streitig ist, wer im Bereich der Elektromobilität Anspruchsberechtigter für das reduzierte Netzentgelt ist. Der Gesetzgeber hat mit § 3 Nr. 25 Halbsatz 2 EnWG und § 17 Abs. 1 EnWG klargestellt, dass der Ladepunkt und nicht der Elektrofahrzeugnutzer Letztverbraucher und Anschlussnehmer/-nutzer ist (s.o.). Daher müsste der Ladepunktbetreiber bzw. dessen Stromlieferant, der im Rahmen eines Lieferantenrahmenvertrags mit dem Netzbetreiber die Stromlieferung und Netznutzung am Ladepunkt zum Zwecke des Ladevorgangs abwickelt, das reduzierte Netzentgelt beanspruchen.[70] Andererseits ist nach dem klaren Wortlaut des § 14a Satz 2 EnWG nicht der Ladepunkt für Elektrofahrzeuge sondern das Elektromobil die steuerbare Verbrauchseinrichtung. Vor diesem Hintergrund dürfte der Elektrofahrzeugnutzer oder dessen Stromlieferant, der im Rahmen eines Lieferantenrahmenvertrags mit Netzbetreiber und Ladepunktbetreiber die Stromlieferung und Netznutzung am Ladepunkt zum

[67] *Bundesregierung* (o. Fn. 48), S. 33.

[68] BT-Drucks. 18/7317, S. 117; vgl. dazu auch *Ludwigs/Huller* (o. Fn. 17), (502 f.).

[69] Gesetz zur Neuregelung energiewirtschaftsrechtlicher Vorschriften vom 26. Juli 2011, BGBl. I, S. 1554.

[70] Vgl. *Missling*, in: Danner/Theobald (Hrsg.), Energiewirtschaftsgesetz, Stand der 95. Erg.-Lfg. (Oktober 2017), § 14a Rdnr. 14; *Boesche* (o. Fn. 64), (451 f.).

Zwecke des Ladevorgangs vertraglich abwickelt, Anspruchsinhaber sein.[71] Hierfür spricht auch, dass der Gesetzgeber ausdrücklich Elektromobile und nicht Ladepunkte für Elektromobile fördern und eine Weitergabe des reduzierten Netzentgelts an den Elektrofahrzeugnutzer/-halter vor Augen hatte.[72] Der Elektrofahrzeugnutzer soll wirtschaftlich angereizt werden, sein Fahrzeug für längere Zeit am Ladepunkt stehen zu lassen, damit dieses bei Überkapazitäten der Stromeinspeisung geladen bzw. bei Unterkapazitäten der Stromeinspeisung zum Zwecke der Rückspeisung entladen werden kann. Es ist allerdings nicht zu übersehen, dass diese Lesart auf praktische Hindernisse stößt. Der Fahrzeugnutzer ist als „vagabundierender" Stromkonsument für den Verteilernetzbetreiber nicht erkennbar und mangels statischem Aufenthaltsort auch nicht dauerhaft und jederzeit steuerbar.[73] Dies ist allein der Ladepunkt. Diese Unstimmigkeit sollte dringend in der noch ausstehenden Ausführungsverordnung zur Ausgestaltung der steuerbaren Verbrauchseinrichtung (vgl. § 14a Satz 3 EnWG) geklärt werden.

Bislang ergeben sich für den Ladepunktbetreiber für Elektrofahrzeuge keine Datenmeldepflichten zum Marktstammdatenregister. Das Marktstammdatenregister ist ein elektronisches Verzeichnis mit energiewirtschaftlichen Daten über die Unternehmen und Anlagen der Elektrizitäts- und Gaswirtschaft und wird von der Bundesnetzagentur geführt (vgl. § 111e Abs. 1 und Abs. 2 EnWG). Das Ziel des Markstammdatenregisters ist die Erstellung eines allumfassenden behördlichen Registers, welches den Strom- und Gasmarkt abbildet, privatwirtschaftliche und behördliche Meldungen vereinfacht und Datenqualität sowie Transparenz steigert. Die näheren Details zum Markstammdatenregister, insbesondere die registrierungspflichtigen Personen und zu erfassenden Energieanlagen, werden durch die Markstammdatenregisterverordnung[74] geregelt. Gemäß § 111f Nr. 2 lit. b) sublit. cc) EnWG ist der Verordnungsgeber ermächtigt, auch Ladepunktbetreiber dazu zu verpflichten, die für das Register nötigen Daten herauszugeben, wobei der Gesetzgeber private Ladepunkte mit einer Ladeleistung von höchstens 3,7 Kilowatt von den Pflichten der Rechtsverordnung ausnimmt.[75] Von dieser Verordnungsermächtigung hat der Verordnungsgeber bislang jedoch keinen Gebrauch gemacht.

[71] *Ludwigs/Huller* (o. Fn. 17), (503).

[72] Vgl. hierzu auch den Gesetzesentwurf der Bundesregierung zur Neuregelung energiewirtschaftlicher Vorschriften vom 6. Juni 2011, BT-Drucks. 18/6072, S. 73 f; *Sötebier*, in: Britz/Hellermann/Hermes (Hrsg.), Energiewirtschaftsgesetz, 3. Aufl. 2015, § 14a Rdnr. 1 ff.

[73] *Bundesregierung* (o. Fn. 48), S. 34.

[74] Verordnung über das zentrale elektronische Verzeichnis energiewirtschaftlicher Daten (Marktstammdatenregisterverordnung) vom 10.04.2017, BGBl I S. 842.

[75] Vgl. BT-Drucks. 18/7317, S. 131.

2. *Ladesäulenverordnung*

Die Verordnung über technische Mindestanforderungen an den sicheren und interoperablen Aufbau und Betrieb von öffentlich zugänglichen Ladepunkten für Elektromobile (Ladesäulenverordnung – LSV) beruht auf § 49 Abs. 4 EnWG und setzt die Richtlinie 2014/94/EU über den Aufbau der Infrastruktur für alternative Kraftstoffe[76] in nationales Recht um.

Die Verordnung regelt die technischen Mindestanforderungen an den sicheren und interoperablen Aufbau und Betrieb von öffentlich zugänglichen Ladepunkten für Elektromobile sowie weitere Aspekte des Betriebes von Ladepunkten wie Authentifizierung, Nutzung und Bezahlung (siehe § 1 LSV). Mit ihr verfolgt der Verordnungsgeber das Ziel, den Ausbau der Ladepunkte zu beschleunigen und Investitions- und Rechtssicherheit durch einen einheitlichen Steckerstandard zu schaffen.[77]

Die Vorgaben der Ladesäulenverordnung sind auf öffentlich zugängliche Ladepunkte beschränkt. Ein Ladepunkt ist nach § 2 Nr. 6 LSV eine Einrichtung, die zum Aufladen von Elektromobilen geeignet und bestimmt ist und an der zur gleichen Zeit nur ein Elektromobil aufgeladen werden kann.[78] Öffentlich zugänglich ist ein Ladepunkt, wenn er sich entweder im öffentlichen Straßenraum oder auf privatem Grund befindet, sofern der zum Ladepunkt gehörende Parkplatz von einem unbestimmten oder nur nach allgemeinen Merkmalen bestimmbaren Personenkreis tatsächlich befahren werden kann (siehe § 2 Nr. 9 LSV). Kein öffentlich zugänglicher Ladepunkt sind demnach Parkplätze für Taxen und Fahrzeuge des ÖPNV, Parkplätze für Carsharer, die durch abschließbare Beton-Poller o. ä. erkennbar nur für ein bestimmtes Carsharing-Unternehmen reserviert sind, oder ein Parkplatz, der durch einen Pförtner, eine Schranke oder durch eine Reservierung für spezifisch benannte Kunden (Bademeister, Arzt, Schild „Nur für Betriebsangehörige", Fahrzeug mit dem amtlichen Kennzeichen X–Y 123, Mitglieder eines Sportvereins o. ä.) gesichert ist, wodurch klar erkennbar ist, dass sich die Parkflächen und die Ladepunkte an einen ausgewiesenen Personenkreis

[76] Richtlinie 2014/94/EU des Europäischen Parlaments und des Rates vom 22.10.2014 über den Aufbau der Infrastruktur für alternative Kraftstoffe, ABl. 2014, Nr. L 307, 1.

[77] BR-Drucks. 507/15, S. 1 f.; siehe auch *Josipovic*, Der rechtliche Rahmen der Elektromobilität: Nationale und europäische Regelungen und ihre Auswirkungen auf den Fahrzeugabsatz, Rechtswissenschaftliche Arbeitspapiere der Technischen Universität Braunschweig, Bandnr. 2/2016, S. 38; ausführlicher zur technischen Standardisierung *Schweditsch*, Die deutsche Ladesäulenverordnung – (k)ein Vorbild für Österreich?, EnWZ 2016, S. 213 ff. (215).

[78] Der Verordnungsgeber unterscheidet im Weiteren zwischen Normalladepunkten (Ladeleistung von höchstens 22 Kilowatt, siehe § 3 Nr. 7 LSV) und Schnellladepunkten (Ladeleistung von mehr als 22 Kilowatt, siehe § 2 Nr. 8 LSV).

richten und es sich somit nicht um öffentlich zugängliche Parkflächen/Ladepunkte handelt.[79]

Nur für öffentlich zugängliche Ladepunkte gelten die Mindestanforderungen an die technische Sicherheit und Interoperabilität, die Verpflichtung zur Zulassung punktuellen Ladens, die Anzeige-, Registrierungs- und Nachweispflichten und die Aufsichtskompetenzen der Regulierungsbehörde. Betreiber von privaten Ladepunkten sind diesen Regularien nicht unterworfen.

§ 3 LSV enthält die technischen Anforderungen an die Errichtung und an den Betrieb von Ladepunkten. Je nachdem, ob es sich um Normal- oder Schnellladepunkte, Wechselstrom- oder Gleichstromladepunkte handelt, gelten unterschiedliche DIN-Normen für die Steckdosen bzw. Kupplungen an den Ladepunkten. Über § 3 Abs. 4 LSV ist sichergestellt, dass die sonstigen technischen Anforderungen, insbesondere an die technische Sicherheit von Energieanlagen gemäß § 49 EnWG, zusätzlich gelten. Nur kabellos und induktiv betriebene Ladepunkte sind gemäß § 3 Abs. 5 LSV von den Vorgaben zur technischen Sicherheit und Interoperabilität ausgenommen.

Der Verordnungsgeber hat mit der Novelle vom 14. Juni 2017 die Ladesäulenverordnung in Teilbereichen ergänzt und damit auch die Vorgabe aus Art. 4 Abs. 9 der Richtlinie 2014/94/EU über den Aufbau der Infrastruktur für alternative Kraftstoffe[80] umgesetzt. So müssen Betreiber von Ladepunkten nunmehr gemäß § 4 LSV den Elektrofahrzeugnutzern das punktuelle Aufladen ermöglichen. Fahrer von Elektrofahrzeugen sollen ihre Autos an allen öffentlichen Ladestationen laden können, auch wenn sie kein dauerhaftes Vertragsverhältnis mit dem jeweiligen Stromlieferanten oder Ladepunktbetreiber geschlossen haben. Die Ladesäulenverordnung sieht für ein solch punktuelles Aufladen vier Varianten vor, von denen mindestens eine dem Elektrofahrzeugnutzer zur Verfügung stehen muss: Die Betreiber sollen die für den bargeldlosen Bezahlvorgang erforderliche Authentifizierung und den Bezahlvorgang mittels eines gängigen kartenbasierten Bezahlsystems oder kostenlos mittels eines webbasierten Systems (App) unterstützen. Alternativ können sie auf eine Authentifizierung verzichten und die Abgabe des Stroms ohne direkte Gegenleistung oder gegen Barzahlung ermöglichen. In der Praxis werden bereits innovative Zugangs- und Abrechnungssysteme eingesetzt, die eine bargeldlose und barrierefreie Nutzung versprechen.[81] Ladepunkte, die vor dem 14. Dezember 2017 in Betrieb genommen worden sind, sind von der Pflicht zum punktuellen Laden ausgenommen (siehe § 8 LSV).

[79] *Bundesregierung* (o. Fn. 48), S. 37.

[80] Richtlinie 2014/94/EU des Europäischen Parlaments und des Rates vom 22.10.2014 über den Aufbau der Infrastruktur für alternative Kraftstoffe, ABl. 2014, Nr. L 307, 1.

[81] So wurde im Rahmen des Verbundvorhabens *SaxMobility* II das Zugangs- und Abrechnungssystem *StromTicket* entwickelt. Siehe hierzu weiterführend Urban Eco-Mobility, abrufbar unter https://eco-mobility.org/projekte/saxmobility-2-stromticket/ (zuletzt abgerufen am 31.07.2018).

Den Ladepunktbetreiber treffen zahlreiche Anzeige-, Registrierungs- und Nachweispflichten. Betreiber von Normal- und Schnellladepunkten haben der Regulierungsbehörde den Aufbau und die Außerbetriebnahme von Ladepunkten anzuzeigen (siehe § 5 Abs. 1 LSV) sowie bei Aufbau und nach entsprechender Aufforderung durch die Regulierungsbehörde auch während des Betriebs von Schnellladepunkten die Einhaltung der technischen Anforderungen durch Vorlage geeigneter Unterlagen nachzuweisen (siehe § 5 Abs. 2 LSV). Seit dem 18. April 2017 veröffentlicht die Bundesnetzagentur die im Rahmen der Ladesäulenverordnung gemeldeten Daten zur öffentlich zugänglichen Ladeinfrastruktur in Deutschland (Ladesäulenkarte).[82] Die Übersichtskarte und die Liste der öffentlich zugänglichen Ladepunkte werden in regelmäßigen Abständen aktualisiert. Die Karte stellt die Ladesäulen aller Betreiber dar, die das Anzeigeverfahren der Bundesnetzagentur erfolgreich durchlaufen und einer Veröffentlichung im Internet zugestimmt haben. Die Anzeigepflichten gelten auch, wenn bestehende Ladepunkte öffentlich zugänglich werden oder der Betreiber von Ladepunkten wechselt (siehe § 5 Abs. 4 LSV).

Sofern die technischen Mindestanforderungen nicht eingehalten bzw. die Einhaltung der technischen Mindestanforderungen vom Ladepunktbetreiber nicht nachgewiesen werden kann, darf die Regulierungsbehörde den Betrieb der betreffenden Ladepunkte untersagen (§ 6 Abs. 2 LSV). Die Regulierungsbehörde kann zudem die Einhaltung der technischen Anforderungen regelmäßig überprüfen (§ 6 Abs. 1 LSV).

3. *Erneuerbare-Energien-Gesetz*

Im Erneuerbare-Energien-Gesetz 2017 (EEG) ist keine Sonderstellung für die Elektromobilität vorgesehen. Mit Ausnahme der Regelung in § 61k EEG zur Vermeidung des Anfalls der doppelten EEG-Umlage erfährt die Stromnutzung zum Zwecke der Ladung von Elektromobilen keine Privilegierung.

Eine Privilegierung der Elektromobilität wäre aber durchaus denkbar. Grundsätzlich entfällt auf jede kWh, die von einem Energieversorgungsunternehmen über das Netz der allgemeinen Versorgung bezogen, von einem Nicht-EVU geliefert oder vom Letztverbraucher selbst erzeugt und verbraucht wird, die sogenannte EEG-Umlage. Es gelten bereits jetzt zahlreiche Entlastungstatbestände, wonach die EEG-Umlage ganz oder teilweise für den verbrauchten Strom entfällt. Ohne Anspruch auf Vollständigkeit seien hier beispielweise genannt: die vollständige Befreiung von der EEG-Umlage für Kraftwerkseigenverbrauch und energieautarke Eigenversorger

[82] Abrufbar unter https://www.bundesnetzagentur.de/DE/Sachgebiete/ElektrizitaetundGas/Unternehmen_Institutionen/HandelundVertrieb/Ladesaeulenkarte/Ladesaeulenkarte_node.html (zuletzt abgerufen am 31.07.2018).

gemäß § 61a EEG, für stromintensive Unternehmen nach der besonderen Ausgleichsregelung gemäß §§ 63 ff. EEG, für Strom der an Netzbetreiber zum Ausgleich physikalisch bedingter Netzverluste als Verlustenergie nach § 10 der Stromnetzentgeltverordnung geliefert wird gemäß § 61k Abs. 3 EEG und für Betreiber von Bestandsanlagen gemäß § 61c EEG sowie die Umlagereduzierung für Eigenversorger die den selbst verbrauchten Strom mit einer hocheffizienten KWK-Anlage produzieren gemäß § 61b EEG. Sämtliche Privilegierungstatbestände werden von der EU-Kommission auf Vereinbarkeit mit dem Beihilfenverbot nach Art. 107 Abs. 1 AEUV überprüft und notifiziert.[83]

Insbesondere wenn Strom aus erneuerbaren Energien an den Ladepunkten verbraucht wird, ließe sich eine EEG-Umlagereduzierung zur Förderung der Elektromobilität politisch mehr als gut rechtfertigen. Der Gesetzgeber beschreitet bislang diesen Weg jedoch nicht, weshalb der Fahrstrom der Elektrofahrzeuge im gleichen Umfang die Kosten für den Ausbau der Stromerzeugung aus regenerativen Energien trägt wie andere nicht privilegierte Letztverbraucher.

Vor diesem Hintergrund stellt sich die EEG-Umlagereduzierung nach § 61k Abs. 1 EEG weniger als Privilegierungstatbestand für Elektrofahrzeuge und mehr als Regelung zur Vermeidung einer unbilligen Doppelbelastung von Elektrofahrzeugen dar. Ziel der Regelung in § 61k Abs. 1 EEG ist es, eine Doppelbelastung von bivalenten Stromspeichern mit der EEG-Umlage bei Ein- und Ausspeicherung von Strom aus dem Netz der allgemeinen Versorgung zu vermeiden.[84] Sogenannte bivalente Speicher haben nicht wie netzgekoppelte Stromspeicher ausschließlich den Zweck, Strom durch Umwandlungsvorgänge zwischenzuspeichern und in das Netz wiedereinzuspeisen. Bivalente Speicher wie bspw. die Batterien der Elektrofahrzeuge entnehmen auch endgültig Strom zur Ladung der Elektrofahrzeuge. Hierbei kann die EEG-Umlage doppelt anfallen: Zum einen bei Entnahme des Stroms zur Ladung des Elektrofahrzeugs und zum anderen wenn der Strom aus der Batterie des Elektrofahrzeugs in das Netz der allgemeinen Versorgung rückgespeist wird, um ihn an andere Letztverbraucher zum Verbrauch weiterzuleiten. Elektromobilität soll einen gewichtigen Beitrag zur besseren Integration von volatilen regenerativen Energien leisten. Elektromobile sollen künftig eben dann aufgeladen werden, wenn ein Überangebot von Strom aus volatilen Energien wie Wind und Sonne besteht, und in Knappheitszeiten Strom in das Netz der allgemeinen Versorgung rückspeisen.[85] Fiele die EEG-

[83] Vgl. Europäischen Kommission, State Aid SA. 46526 (2017/N) vom 19.12.2017 und die Pressemitteilung hierzu vom 19. Dezember 2017, IP/17/5366.

[84] Vgl. BT-Drucks. 18/10668, S. 145.

[85] Vgl. *Nationale Plattform Elektromobilität*, Fortschrittsbericht 2014 – Bilanz der Marktvorbereitung, 2014, S. 32 f.; *Ludwigs/Huller* (o. Fn. 17), (500) m.w.N.

Umlage auf die Strommengen an, die zunächst aus dem Netz der allgemeinen Versorgung zur Ladung des Elektrofahrzeugs entnommen und dann wieder in das Netz der allgemeinen Versorgung rückgespeist wurde, hätten die Fahrzeugnutzer keinen wirtschaftlichen Anreiz, ihre Elektrofahrzeuge als bivalente Stromspeicher zur Verfügung zu stellen.

Aus diesem Grund verringert sich gemäß § 61k Abs. 1 Satz 1 EEG der Anspruch auf Zahlung der EEG-Umlage für Strom, der in einer Saldierungsperiode zum Zweck der Zwischenspeicherung in einem elektrischen, chemischen, mechanischen oder physikalischen Stromspeicher verbraucht wird, in dieser Saldierungsperiode in der Höhe und in dem Umfang, in der die EEG-Umlage für Strom, der mit dem Stromspeicher erzeugt wird, gezahlt wird, höchstens aber auf null. Für die Ermittlung der Verringerung wird gemäß § 61k Abs. 1 Satz 2 EEG vermutet, dass für Strom, der mit dem Stromspeicher erzeugt wird, die volle EEG-Umlage gezahlt worden ist, soweit der Strom in ein Netz eingespeist und in einen Bilanzkreis eingestellt wurde. Weitere Voraussetzungen für die EEG-Umlagebefreiung sind nach § 61k Abs. 1b EEG: Derjenige, der die EEG-Umlage für den in dem Stromspeicher verbrauchten Strom zu zahlen hat, muss sicherstellen, dass die Befreiungsvoraussetzungen jederzeit durch geeichte Messeinrichtungen und eine nachvollziehbare, die Saldierungsperioden berücksichtigende Abrechnung eingehalten werden, insbesondere sämtliche Strommengen durch geeichte Messeinrichtungen und erforderlichenfalls intelligente Messsysteme nach dem Messstellenbetriebsgesetz gesondert erfasst werden, und seine gesetzlichen Mitteilungspflichten zur EEG-Umlage erfüllt hat.

Schließlich bleibt darauf hinzuweisen, dass gemäß § 61k Abs. 1a Satz 3 EEG die Verringerung der EEG-Umlage auf höchstens 500 im Stromspeicher verbrauchte Kilowattstunden je Kilowattstunde installierter Speicherkapazität pro Kalenderjahr begrenzt ist.

Je nachdem wie sich das Potential der Elektromobilität als mobiler Stromspeicher entfaltet, ist es durchaus denkbar, dass der Gesetzgeber mit der Zustimmung der EU-Kommission zukünftig die Elektromobilität stärker fördert, indem er einen Privilegierungstatbestand für Elektromobilität schafft. Immerhin hat er in § 61k Abs. 1c EEG der Bundesnetzagentur den Auftrag erteilt, die geltenden Regelungen für Stromspeicher, deren Strom nicht ausschließlich in ein Netz eingespeist und nicht ausschließlich vom Betreiber selbst verbraucht wird, bis zum 31. Dezember 2020 zu evaluieren und der Bundesregierung über die Erfahrungen mit diesen Bestimmungen zu berichten.

4. Messstellenbetriebsgesetz

Im Messstellenbetriebsgesetz (MsbG)[86] wird das Betreiben von Ladesäulen zur Versorgung von Elektromobilen – konsistent zum EnWG – als Letztverbrauch eingestuft. Ausgelöst durch die erst kurz zuvor ergangene Anpassung des Letztverbraucherbegriffs in § 3 Nr. 25 EnWG klammert nun auch § 2 Nr. 8 MsbG *„alle Vorgänge der Durchleitung, Zwischenspeicherung und Weitergabe von Strommengen an Ladepunkten"*[87] von der Energieversorgung bzw. dem Netzbetrieb aus.[88] Anders als im EnWG ist aber nicht nur der Ladepunktbetreiber, sondern auch der Elektrofahrzeugnutzer Anschlussnutzer i.S.v. § 2 Nr. 3 MsbG.[89]

Vor diesem Hintergrund gelten die Technischen Vorgaben in Teil 2 Kapitel 3 des MsbG zur Gewährleistung von Datenschutz und Datensicherheit beim Einsatz von Smart-Meter-Gateways sowohl für den Ladepunktbetreiber als auch für den Elektrofahrzeugnutzer.[90] Dies ist konsequent, da gerade die Daten zum Verbrauchsverhalten des Elektrofahrzeugnutzers schützenswert sind und auch ein lediglich punktuelles Aufladen nicht die Authentifizierung des Elektrofahrzeugnutzers ausschließt (vgl. § 4 Nr. 2 LSV).

Die Einordnung des Elektrofahrzeugnutzers als Letztverbraucher neben dem Ladepunktbetreiber lässt jedoch auch Fragen offen. So sind gemäß § 29 Abs. 1 MsbG zwar nur ortsfeste Zählpunkte mit intelligenten Messsystemen auszustatten. Elektrofahrzeuge sind weder ortsfeste Einrichtungen noch haben sie einen Zählpunkt i.S.v. § 2 Nr. 28 MsbG, an dem der Energiefluss messtechnisch erfasst wird. Insofern wäre es konsequent, die Einbaupflicht für intelligente Messsysteme auf die Ladepunkte für Elektrofahrzeuge zu beschränken.[91] Andererseits soll mit dem MsbG der Letztverbraucher über sein Verbrauchsverhalten informiert werden, sodass er seine Entscheidung über Zeitpunkt und Umfang der Energieentnahme anhand der aktuellen Stromangebotskapazitäten ausrichten kann (vgl. § 21 Abs. 1 Nr. 2 MsbG). Wenn der Elektrofahrzeugnutzer regelmäßig sein Fahrzeug punktuell ohne Authentifizierung lädt (vgl. § 4 Nr. 1 LSV), wird es schwer, ihn über sein Ver-

[86] Das MsbG trat zum 1. September 2016 in Kraft, vgl. Gesetz zur Digitalisierung der Energiewende vom 29. August 2016, Artikel 1, BGBl. I S. 2034.

[87] Vgl. Beschlussempfehlung und Bericht des Ausschusses für Wirtschaft und Energie, BT-Drucks. 18/8919, S. 23.

[88] *Säcker/Zwanziger*, in: Säcker (Hrsg.), Berliner Kommentar zum Energierecht, Messstellenbetriebsgesetz, Bd. 4, 4. Aufl. 2017, § 2 Rdnr. 24.

[89] Vgl. BT-Drucks. 18/8919, S. 23; *Ludwigs/Huller* (o. Fn. 17), (502).

[90] Ausführlicher zu den technischen Vorgaben nach §§ 19–21 und 23–28 MsbG *Mätzig/Netzband/Bruchmann*, in: Säcker (Hrsg.), Berliner Kommentar zum Energierecht, Messstellenbetriebsgesetz, Bd. 4, 4. Aufl. 2017, und zu den technischen Vorgaben nach § 22 *Schmidt*, Säcker (Hrsg.), Berliner Kommentar zum Energierecht, Messstellenbetriebsgesetz, Bd. 4, 4. Aufl. 2017.

[91] Sowohl *Ludwigs/Huller* (o. Fn. 17), (502); *Bundesregierung* (o. Fn. 48), S. 35.

brauchsverhalten zu informieren und sein Verbrauchsverhalten zu steuern, wenn sein Fahrzeug nicht mit einem intelligenten Messsystem ausgestattet ist.

Der Gesetzgeber hat die Sonderstellung des Elektromobilitätssektors[92] und die damit verbundenen Unsicherheiten in Bezug auf die Elektromobilität erkannt. Zum einen sind die im MsbG gestellten technischen Mindestanforderungen für den Elektromobilitätssektor unzweckmäßig. Zum anderen erschwert die unvorhersehbare technische Weiterentwicklung der Elektromobilität die Gesetzgebung hinsichtlich eines intelligenten Messwesens.[93] Der Gesetzgeber hat daher gemäß § 48 MsbG bis zum 31. Dezember 2020 Messsysteme von den technischen und datenschutzrechtlichen Vorgaben ausgenommen, die ausschließlich der Erfassung der zur Beladung von Elektromobilen entnommenen oder durch diese zurückgespeisten Energie dienen.

Die vorübergehende Bereichsausnahme betrifft nach dem klaren Wortlaut aber nur Messsysteme, die ausschließlich der Erfassung der zur Beladung von Elektromobilen entnommenen oder durch diese zurückgespeiste Energie dienen. Dienen Messsysteme selbst in geringem Umfang einem anderen Zweck als dem in § 48 Satz 1 MsbG genannten, sind sie von der Bereichsausnahme nicht umfasst.[94] Die Ausnahme nach § 48 Satz 1 MsbG findet wiederum keine Anwendung, wenn die Nutzung des betreffenden Messsystems unter Berücksichtigung der besonderen Anforderungen der Elektromobilität mit unverhältnismäßigen Gefahren verbunden ist, die im Verfahren nach § 26 Abs. 1 MsbG festgestellt und bekannt gemacht werden (§ 48 Satz 2 MsbG). Der Gesetzgeber geht davon aus, dass die Maßnahmenkompetenz dafür beim Bundesamt für Sicherheit und Informationstechnik (BSI) liegt.[95] Dieser Verfahrensverweis auf § 26 Abs.1 MsbG ist jedoch missglückt, da in dem dort genannten Maßnahmenkatalog keine entsprechende Gefahrenfeststellung näher konkretisiert ist.[96]

Spätestens ab dem 1. Januar 2021 liegt eine einheitliche Verpflichtung zum Einbau von intelligenten Messsystemen in Ladesäulen vor.[97] Der Gesetzgeber schließt dabei nicht aus, dass die Messeinrichtungen auch mobil ange-

[92] Vgl. den Gesetzesentwurf zur Digitalisierung der Energiewende der Bundesregierung, BT-Drucks. 18/7555, S. 104; vgl. auch *Elspas*, in: Rohrer/Leonhardt/Karsten (Hrsg.), Messstellenbetriebsgesetz 2018, § 48 Rdnr. 2; *Salevic/Zöckler*, in: Säcker (Hrsg.), Berliner Kommentar zum Energierecht, Messstellenbetriebsgesetz, Bd. 4, 4. Aufl. 2017, § 48 Rdnr. 2.

[93] BT-Drucks. 18/7555, S. 104; vgl. auch *Salevic/Zöckler* (o. Fn. 92); *Elspas* (o. Fn. 92).

[94] Vgl. *Elspas* (o. Fn. 92), § 48 Rdnr. 7.

[95] Vgl. BT-Drucks. 18/7555, S. 104.

[96] Vgl. dazu auch *Elspas* (o. Fn. 92), § 48 Rdnr. 12; *Salevic/Zöckler* (o. Fn. 92), § 48 Rdnr. 10 ff.

[97] *Ludwigs/Huller* (o. Fn. 17), (502).

wendet werden können, indem diese am Kraftfahrzeug selbst angebracht und nicht ausschließlich in der Ladeinfrastruktur verbaut werden.[98]

5. Gesetz zur Neuregelung des gesetzlichen Messwesens

Ladesäulen mit Stromzählern sowie der Stromzähler selbst sind nach dem Mess- und Eichrecht grundsätzlich eichpflichtige Messgeräte. Auch die Anzeige des Stromzählers einer Ladesäule ist eine Zusatzeinrichtung im Sinne von § 3 Nr. 24 b) des Mess- und Eichgesetzes (MessEG), die nach § 1 MessEG der Eichpflicht unterliegt.[99] Die aus einer öffentlichen Ladestation bezogene und zu bezahlende elektrische Energie muss für den einzelnen Nutzer nachprüfbar sein. Die beweissichere Datenübertragung muss gewährleistet sein.[100]

Wird Energie zum Zwecke des Ladens eines Elektrofahrzeugs verschenkt oder pauschal ohne Mengenbeschränkung („Flatrate") abgerechnet, gibt es keine Vorgaben des Eichrechts. Jedoch muss hierfür bei der Pauschalabrechnung auf jegliche Angaben von Messwerten zu Abrechnungszwecken verzichtet werden.[101] Zu diesen Pauschalabrechnungsverfahren gehört auch der Ansatz, die Ladeenergie ungemessen pauschal mit einer Parkgebühr abzurechnen.[102]

Zusatzeinrichtungen, die vom Anwendungsbereich des MessEG ausgenommen sind, sind in § 4 der Mess- und Eichverordnung (MessEV) festgelegt. In die Bereichsausnahme fallen nach § 4 Nr. 2 MessEV Tarifschaltuhren an Messgeräten für die Abgabe von Elektrizität, deren Stand und deren eingestellte Schaltzeiten bei geschlossenem Gehäuse erkennbar sind. Ebenfalls befreit von der Eichpflicht sind gemäß Anlage 1 Nr. 12 MessEV Parkuhren und Parkscheinautomaten. Bei einer Parkuhr ist die Anzeige einer elektrischen Messgröße nicht vorgesehen. Eine Überprüfung der abgerechneten

[98] BT-Drucks. 18/7555, S. 104.

[99] *Bundesregierung* (o. Fn. 48), S. 41.

[100] *Bundesministerium für Verkehr und digitale Infrastruktur* (Hrsg.), Kompendium für den interoperablen und bedarfsgerechten Aufbau von Infrastruktur für Elektrofahrzeuge, Februar 2014, S. 29, abrufbar unter https://www.now-gmbh.de/content/1-aktuelles/1-presse/20140207-erfolgreiche-konferenz-elektromobilitaet-vor-ort-fachkonferenz-fuer-kommunale-vertreter/oeffentliche_ladeinfrastruktur_fuer_staedte __kommunen_und_versorger.pdf (zuletzt abgerufen am 31.07.2018).

[101] *Arbeitsgemeinschaft Mess- und Eichwesen (AG ME) und Deutsche Akademie für Metrologie (DAM)*, Eichrechtliche Grundlagen im Bereich der Elektromobilität – Informationen für Händler, Netzbetreiber, Messstellenbetreiber, Messdienstleister, Hersteller, Entwickler und Konstrukteure, Stand: Mai 2015, S. 5, abrufbar unter http://www.eichamt.sachsen.de/download/AGME-Infoblatt-Elektrofahrzeuge_Mai_2015.pdf (zuletzt abgerufen am 31.07.2018).

[102] *Arbeitsgemeinschaft Mess- und Eichwesen (AG ME) und Deutsche Akademie für Metrologie (DAM)* (o. Fn. 101).

Parkzeit lässt sich durch den Nutzer der Parkfläche anhand angemessener Mittel wie z.B. einer Stoppuhr selbst durchführen. Eine Eichung zum Schutz des Nutzers ist deshalb nicht notwendig und nicht vorgesehen. Wird an der Ladesäule für Elektrofahrzeuge nur die Ladezeit berechnet, ohne dass die Preisberechnung von Strompreisschwankungen abhängig ist, sind eine Nachmessung und die aus der Messung folgende Preisberechnung beim Ladevorgang für den Nutzer mittels angemessener eigener Kontrollmittel überprüfbar. Solche Ladesäulen werden nach Auffassung der Arbeitsgemeinschaft Mess- und Eichwesen (AGME), der Physikalisch-Technischen Bundesanstalt (PTB) und der Landeseichämter den Tarifschaltuhren bzw. Parkuhren gleichgestellt und von der Eichpflicht ausgenommen.[103]

6. *Zukünftige Änderungen durch das EU-Winterpaket und offene Rechtsfragen zur rechtlichen Entflechtung*

Der Rechtsrahmen für Elektromobilität ist längst nicht stabil. Auf europäischer Ebene wird weiterhin an dessen Fortentwicklung gearbeitet. So wird derzeit auf EU-Ebene im Rahmen des sogenannten EU-Winterpakets[104] über Änderungen an der Elektrizitätsbinnenmarktrichtlinie zugunsten von Maßnahmen zur Förderung von Elektromobilität diskutiert (im Folgenden: EltRL-E). Im Erwägungsgrund 27 zur EltRL-E wird auf folgenden Änderungsbedarf verwiesen:

> *„In der Mitteilung über eine europäische Strategie für emissionsarme Mobilität*[105] *wird die Notwendigkeit der Umstellung auf einen CO_2-armen Verkehrssektor unterstrichen und betont, dass die verkehrsbedingten Emissionen vor allem in städtischen Gebieten reduziert werden müssen. Dabei wird auf den wichtigen Beitrag hingewiesen, den die Elektromobilität bei der Verwirklichung dieser Ziele leisten kann. Darüber hinaus ist der Ausbau der Elektromobilität ein wichtiger Bestandteil der Energiewende. Die in dieser Richtlinie enthaltenen Marktvorschriften sollten deshalb zur Schaffung günstiger Bedingungen für alle Arten von Elektrofahrzeugen beitragen. Sie sollten insbesondere den wirksamen Ausbau von öffentlich zugänglichen und privaten Ladepunkten für Elektrofahrzeuge sowie die effiziente Integration der Fahrzeugaufladung in den Systembetrieb gewährleisten."*

[103] *Begleit- und Wirkungsforschung Schaufenster Elektromobilität* (Hrsg.), Deutsches Dialog Institut GmbH, Rechtlicher Rahmen im Schaufensterprogramm Elektromobilität, S. 4.

[104] Vorschlag der Europäischen Kommission für eine Richtlinie des Europäischen Parlaments und des Rates mit gemeinsamen Vorschriften für den Elektrizitätsbinnenmarkt, COM (2016) 864 final, vom 23. Februar 2017.

[105] SWD (2016) 244 final.

a) Neue Vorschriften in Art. 33 EltRL-E zur Einbindung der Elektromobilität in das Stromnetz

Vor diesem Hintergrund enthält die EltRL-E in Art. 33 neue Vorschriften zur Einbindung der Elektromobilität in das Stromnetz:

(1) Die Mitgliedstaaten bieten den erforderlichen Regulierungsrahmen, um den Anschluss öffentlich zugänglicher und privater Ladepunkte an das Verteilernetz zu erleichtern. Die Mitgliedstaaten stellen sicher, dass die Verteilernetzbetreiber auf nichtdiskriminierende Weise mit den Unternehmen zusammenarbeiten, die Eigentümer von Ladepunkten für Elektrofahrzeuge sind, diese errichten, betreiben oder verwalten, auch in Bezug auf den Anschluss an das Netz.

(2) Die Mitgliedstaaten können Verteilernetzbetreibern gestatten, Eigentümer von Ladepunkten für Elektrofahrzeuge zu sein, diese zu errichten, zu verwalten oder zu betreiben, sofern folgende Bedingungen erfüllt sind:

(a) andere Parteien haben nach Abschluss eines offenen und transparenten Ausschreibungsverfahrens kein Interesse bekundet, Eigentümer von Ladepunkten für Elektrofahrzeuge zu sein, diese zu entwickeln, zu verwalten oder zu betreiben;
(b) die Regulierungsbehörde hat ihre Zustimmung erteilt.

(3) Die Artikel 35 und 56 gelten für Verteilernetzbetreiber, die an Eigentum, Errichtung, Betrieb oder Verwaltung von Ladepunkten beteiligt sind.

(4) Die Mitgliedstaaten führen in regelmäßigen Abständen – mindestens alle fünf Jahre – eine öffentliche Konsultation durch, um das mögliche Interesse der Marktteilnehmer an Eigentum, Errichtung, Betrieb oder Verwaltung von Ladepunkten für Elektrofahrzeuge erneut zu prüfen. Deutet die öffentliche Konsultation darauf hin, dass Dritte in der Lage sind, Eigentümer solcher Ladepunkte zu sein, diese zu errichten, zu betreiben oder zu verwalten, stellen die Mitgliedstaaten sicher, dass die diesbezüglichen Tätigkeiten der Verteilernetzbetreiber schrittweise eingestellt werden.

Aus den vorgenannten Vorschriften geht deutlich der Wille hervor, dass die Ladeinfrastruktur für Elektrofahrzeuge anders als die Infrastruktur zur leitungsgebundenen Strom- und Gasversorgung nicht als natürliches Monopol betrachtet wird. Vielmehr soll sich ein Wettbewerb hierum entspinnen.[106] Daher sollen grundsätzlich nur solche Unternehmen Eigentümer von Lade-

[106] Siehe Erwägungsgrund Nr. 30 Satz 2 der Richtlinie 2014/94/EU des Europäischen Parlaments und des Rates vom 22. Oktober 2014 über den Aufbau der Infrastruktur für alternative Kraftstoffe, Amtsblatt der EU Nr. L 307/1 vom 28.10.2014; vgl. auch *Ludwigs/Huller* (o. Fn. 17), (502).

punkten für Elektrofahrzeuge sein, diese errichten, betreiben oder verwalten, die nicht Verteilernetzbetreiber sind. Verteilernetzbetreiber sind in diesem Zusammenhang darauf beschränkt und zugleich verpflichtet, in nichtdiskriminierender Weise mit den Unternehmen zusammenarbeiten, sprich insbesondere Netzanschluss und Netzzugang für die Ladepunkte zu gewähren. Im Ergebnis sieht der Richtlinienentwurf eine Vorrangstellung der Marktakteure aus den wettbewerblichen Bereichen gegenüber den Verteilernetzbetreibern vor.[107] Nur ausnahmsweise sollen die Verteilernetzbetreiber berechtigt sein, Eigentümer von Ladepunkten für Elektrofahrzeuge zu sein, diese zu errichten, zu verwalten oder zu betreiben, sofern andere Marktteilnehmer nach Abschluss eines offenen und transparenten Ausschreibungsverfahrens kein Interesse daran bekundet haben und die Regulierungsbehörde ihre Zustimmung erteilt hat. Eine ausnahmsweise Berechtigung der Verteilernetzbetreiber soll schließlich nur temporär erteilt werden, bis andere Marktteilnehmer ihr Interesse an Eigentum, Errichtung, Betrieb oder Verwaltung von Ladepunkten für Elektrofahrzeuge bekunden bzw. eine öffentliche Konsultation darauf hindeutet, dass Dritte in der Lage sind, die Aufgabe zu übernehmen. In diesem Fall haben die Verteilernetzbetreiber ihre diesbezüglichen Tätigkeiten schrittweise einzustellen.

Was zunächst einfach klingt, wirft viele noch zu klärende Fragen auf wie z.B.: Sind die Marktabfragen zum Interesse der Marktteilnehmer an Eigentum, Errichtung, Betrieb oder Verwaltung von Ladepunkten für Elektrofahrzeuge bundesweit oder gar europaweit durchzuführen? Können die Marktabfragen auf die örtlichen Ladeinfrastrukturen einzelner Bundesländer oder gar auf Stadtgrenzen beschränkt werden? Wird die Zustimmung der Regulierungsbehörde zur ausnahmsweisen Berechtigung von Verteilernetzbetreibern zu Eigentum, Errichtung, Betrieb oder Verwaltung von Ladepunkten für Elektrofahrzeuge unternehmensindividuell nach Prüfung der Umstände des Einzelfalls erteilt oder werden im Rahmen einer Allgemeinverfügung alle Verteilernetzbetreiber in der Bundesrepublik berechtigt? Müssen die Marktteilnehmer, die später Interesse an Eigentum, Errichtung, Betrieb oder Verwaltung von Ladepunkten für Elektrofahrzeuge bekundet haben, ähnlich wie in § 46 Abs. 2 EnWG bei Konzessionsübergang die bereits von Verteilernetzbetreibern errichteten Ladeinfrastrukturen gegen angemessene Vergütung übernehmen bzw. zumindest pachten oder muss der Verteilernetzbetreiber ähnlich wie in § 16 Abs. 2 MsbG die errichtete Infrastruktur zurückbauen, wenn der neue Ladepunktbetreiber die vorhandene Infrastruktur nicht übernehmen bzw. nutzen möchte?

[107] *Ludwigs/Huller* (o. Fn. 17), (504).

b) Offene Rechtsfragen zur rechtlichen Entflechtung vom Stromverteilernetzbetrieb

Es stellen sich auch entflechtungsrechtliche Fragen. So verweist Art. 33 Abs. 3 EltRL-E schlicht darauf, dass für Verteilernetzbetreiber, die an Eigentum, Errichtung, Betrieb oder Verwaltung von Ladepunkten beteiligt sind, die Entflechtungsvorgaben der Artikel 35 und Artikel 56 der Elektrizitätsbinnenmarktrichtlinie gelten.

Art. 35 EltRL-E enthält die unveränderten[108] Pflichten zur rechtlichen und operationellen Entflechtung[109]. Demnach muss ein Verteilernetzbetreiber, wenn er zu einem vertikal integrierten Unternehmen gehört, zumindest hinsichtlich seiner Rechtsform, Organisation und Entscheidungsgewalt unabhängig von den übrigen Tätigkeitsbereichen sein, die nicht mit der Verteilung zusammenhängen (Art. 35 Abs. 1 EltRL-E). Darüber hinaus enthält Art. 56 EltRL-E die nahezu unveränderten[110] Pflichten zu buchhalterischen Entflechtung[111]. Demnach haben vertikal integrierte Elektrizitätsversorgungsunternehmen unter anderem in ihrer internen Rechnungslegung jeweils getrennte Konten für ihre Übertragungs- und Verteilungstätigkeiten in der Weise zu führen, wie sie dies tun müssten, wenn die betreffenden Tätigkeiten von separaten Unternehmen ausgeführt würden, und für jede Tätigkeit eine Bilanz sowie eine Gewinn- und Verlustrechnung zu erstellen und testieren zu lassen.

Das Gebot zur rechtlichen Entflechtung des Stromnetzbetriebs von den wettbewerblichen Bereichen nach Art. 35 Abs. 1 EltRL-E wirft die wohl wichtigste strategische Frage für Verteilernetzbetreiber auf: Muss ein Verteilernetzbetreiber den Ladeinfrastrukturbetrieb für Elektrofahrzeuge rechtlich und operationell vom Stromverteilnetzbetrieb trennen, z.B. durch Gründung einer Ladeinfrastrukturgesellschaft mit eigenen Geschäftsführern bzw. Vorständen usw., wenn er übergangsweise zum Ladeinfrastrukturbetrieb nach Art. 33 Abs. 2 EltRL-E berechtigt ist? Die Antwort hierauf dürfte entscheidend dafür sein, ob sich Verteilernetzbetreiber um eine ausnahmsweise

[108] Vgl. die hervorgehobenen Änderungsvorschläge in COM (2016) 864 final, vom 23. Februar 2017 (Fn. 104), Seite 92 ff.

[109] Hierzu ausführlicher *Theobald*, in: Danner/Theobald (Hrsg.): Energiewirtschaftsgesetz, Stand der 95. Erg.-Lfg. (Oktober 2017), Einführung Rndr. 29 ff.; *Knauff*, in: Kment (Hrsg.): Energiewirtschaftsgesetz, 1. Aufl. 2015, § 6 Rdnr. 1 ff; *Lecheler/ Herrmann*, Energierechtliches Unbundling und EG-Wettbewerbsrecht, WuW 2005, S. 482 ff.; *Kühne/Brodowski*, Das neue Energiewirtschaftsrecht nach der Reform 2005, NVwZ 2005, S. 849 ff. (850).

[110] Vgl. die hervorgehobenen Änderungsvorschläge in COM (2016) 864 final, vom 23. Februar 2017 (Fn. 104), Seite 117 f.

[111] Hierzu ausführlicher *Theobald* (o. Fn. 109); *Knauff* (o. Fn. 109), § 6 b Rdnr. 1 ff; *Hölscher*, in: Britz/Hellermann/Hermes (Hrsg.): Energiewirtschaftsgesetz, 3. Aufl. 2015, § 6b Rdnr. 7.

Berechtigung zum temporären(!) Ladeinfrastrukturbetrieb überhaupt bemühen werden und damit die Ladeinfrastruktur für Elektromobilität, wie von der EU gewünscht, verstärkt aufgebaut wird. Interessant ist, dass diese Frage trotz ihrer strategischen Bedeutung von dem EU-Richtliniengeber an keiner Stelle näher beleuchtet wird. Dies mag daran liegen, dass in den politischen Diskurs um das EU-Winterpaket viele verschiedene Modelle des Ladeinfrastrukturbetriebs für Elektrofahrzeuge eingehen und der EU-Richtliniengeber keine Vorauswahl treffen, sondern die Details dem Markt und den Regulierungsbehörden überlassen wollte, die den vorübergehenden Ladeinfrastrukturbetrieb durch die Verteilernetzbetreiber genehmigen müssen.

Im Folgenden soll daher die Frage nach dem Umfang der rechtlichen Entflechtung von Stromverteilernetzbetrieb und Ladeinfrastrukturbetrieb für Elektrofahrzeuge mit den Mitteln der Auslegung geklärt werden.

aa) Wortlaut

Der Wortlaut der Verweisnorm in Art. 33 Abs. 3 EltRL-E lässt keine eindeutige Beantwortung der Frage zu.

Art. 33 Abs. 3 EltRL-E ordnet schlicht an, dass die Art. 35 und 56 der EltRL-E für Verteilernetzbetreiber **gelten**, die an Eigentum, Errichtung, Betrieb oder Verwaltung von Ladepunkten beteiligt sind.

Gelten steht nach seinem Wortsinn für „gültig sein, Gültigkeit haben".[112] Folgende Synonyme können anstelle von gelten verwendet werden: „bestehen, anbelangen, berühren, vorherrschen, betreffen, durchhalten, entsprechen, von Bestand sein".[113]

Auch ein Blick in die englische Fassung der beabsichtigten Regelung hilft leider nicht weiter. Art. 33 der englischen Fassung lautet: Articles 35 and 56 shall apply to distribution system operators engaged in ownership, development, operation or management of recharging points. Apply steht für gelten, anwenden, verwenden, zutreffen, Anwendung finden, übernehmen.[114]

Schon nach dem allgemeinen Wortsinn reicht also die Verweisnorm von der unmittelbaren Anwendung der Entflechtungspflichten bis hin zu deren lediglich entsprechender Anwendung. Wenig hilfreich ist dabei auch, dass Art. 33 Abs. 3 EltRL-E keine erläuternden Zusätze wie „entsprechend" oder „unmittelbar" enthält, mit denen die Reichweite des Verweises auf die Entflechtungsgebote klar geregelt wäre.

[112] *Dudenredaktion*, „gelten" auf Duden online, abrufbar unter https://www.duden.de/rechtschreibung/gelten (zuletzt abgerufen am 31.07.2018).

[113] *woxikon.de*, abrufbar unter http://synonyme.woxikon.de/synonyme/gelten.php (zuletzt abgerufen am 31.07.2018).

[114] *Linguee*, Wörterbuch Englisch-Deutsch, abrufbar unter https://www.linguee.de/deutsch-englisch/search?source=auto&query=apply (zuletzt abgerufen am 31.07.2018).

Der offene Wortlaut lässt demnach die denkbar weiteste Wortlautauslegung zu, wonach solche Verteilernetzbetreiber an Eigentum, Errichtung, Betrieb oder Verwaltung von Ladepunkten für Elektrofahrzeuge beteiligt sein dürfen, die in EU-Mitgliedstaaten tätig sind und die Entflechtungsvorgaben der Art. 35 und 56 EltRL-E umgesetzt haben, indem sie den Stromnetzbetrieb den europarechtlichen und nationalen Entflechtungsregelungen entsprechend von der Stromerzeugung und dem originären Stromhandel/-vertrieb rechtlich entflochten haben. Somit wäre es unschädlich, wenn der Verteilernetzbetreiber ausnahmsweise im Bereich des Ladeinfrastrukturbetriebs Strom an Fahrzeugnutzer verkauft. Für diesen Teilbereich wäre ausnahmsweise eine Entflechtung vom Stromverteilernetzbetrieb nicht erforderlich. Nur der Stromvertrieb außerhalb des Ladeinfrastrukturbetriebs für Elektrofahrzeuge wäre vom Stromverteilernetzbetrieb weiterhin zu entflechten.

Andererseits lässt der offene Wortlaut ebenso gut die denkbar engste Wortlautauslegung zu: Die Entflechtungsvorschriften richten sich an alle Verteilernetzbetreiber, die an Eigentum, Errichtung, Betrieb oder Verwaltung von Ladepunkten beteiligt sind. Der Verweis auf das rechtliche Entflechtungsgebot gilt uneingeschränkt. Demnach muss auch der Ladeinfrastrukturbetrieb für Elektrofahrzeuge rechtlich vom Stromverteilernetzbetrieb getrennt sein. Zugegeben, dieser Auslegungsschluss könnte eindeutiger gezogen werden, wenn die Regelung in Art. 33 Abs. 3 EltRL-E lautete: „Für Verteilernetzbetreiber, die an Eigentum, Errichtung, Betrieb oder Verwaltung von Ladepunkten beteiligt sind, gelten Art. 35 und 56 EltRL-E für die Entflechtung von Ladeinfrastrukturbetrieb und Verteilnetzbetrieb entsprechend.“

Nicht zuletzt ist eine vermittelnde Wortlautauslegung denkbar: Wenn ein Verteilernetzbetreiber im Ladeinfrastrukturbetrieb für Elektrofahrzeuge tätig ist, dann hat er gleichwohl die Entflechtung von Verteilernetzbetrieb und Stromvertrieb zu wahren. Demnach darf ein Stromverteilernetzbetreiber, der nicht unter die de-minimes-Regelung nach Art. 35 Abs. 4 EltRL-E fällt und daher den Verteilernetzbetrieb insbesondere vom Stromvertrieb rechtlich zu trennen hat, auch nicht im Rahmen des Ladeinfrastrukturbetriebs für Elektrofahrzeuge Strom an Letztverbraucher verkaufen. Mit anderen Worten: Ein solcher Verteilernetzbetreiber darf nur Eigentümer, Errichter, Betreiber und/oder Verwalter der Ladeinfrastruktur für Elektrofahrzeuge sein, ohne über die Ladeinfrastruktur im eigenen Namen und auf eigene Rechnung oder im Namen und im Auftrag anderer Dienstleister Strom an den Nutzer des Elektrofahrzeugs zu verkaufen.

Das Hamburger Modell[115] zeigt, dass auch solche Modelle wie das vorgenannte in der Praxis verfolgt werden. Nach dem Hamburger Modell verkauft der Ladeinfrastrukturbetreiber für Elektrofahrzeuge nicht den Strom an den

[115] Zum Hamburger Modell siehe Seite 23 unter Punkt 6.1. der Drucksache der Bürgerschaft der Freien und Hansestadt Hamburg 20/12811.

Ladepunkten an den Elektrofahrzeugnutzer, sondern gewährt jedem Stromlieferanten Zugang zu den Ladepunkten. Das Hamburger Modell zeichnet sich gerade dadurch aus, dass es nicht verpflichtend ist, an den öffentlichen Ladestationen mit den jeweiligen Vertriebsorganisationen der säulenbetreibenden Unternehmen einen Stromliefervertrag zu schließen. Vielmehr kann der Strom des jeweils individuell gewählten stromliefernden Unternehmens geladen werden, sofern dieser ein regeneratives Stromprodukt für Elektrofahrzeuge anbietet und einen entsprechenden Lieferantenrahmenvertrag mit dem Ladeinfrastrukturbetreiber für Elektrofahrzeuge abgeschlossen hat. Über eine RFID-Karte mit mobilem Zählpunkt wird der Zugang zu den Ladestationen ermöglicht. Für die Bereitstellung des Stroms an der Ladestation wird dem Lieferanten ein monatlich erhobenes Infrastrukturnutzungsentgelt gemäß der geladenen Strommenge vom Ladeinfrastrukturbetreiber für Elektrofahrzeuge in Rechnung gestellt, die das Unternehmen an seine Kundschaft wie bei „klassischen“ Stromverträgen weiterverrechnet. Bei dem Hamburger Modell verpflichtet sich also der Ladeinfrastrukturbetreiber für Elektrofahrzeuge, jede Nutzung mit RFID-Karte zuzulassen, kann jedoch von zugelassenen Fremdkunden keine Einnahmen aus der Stromlieferung erzielen. Somit ist der Ladeinfrastrukturbetreiber für Elektrofahrzeuge gerade nicht im Stromvertrieb tätig. Er stellt lediglich die Ladeinfrastruktur entgeltlich zur Verfügung. Der Strom, der über die Ladepunkte an den Autonutzer geliefert wird, wird vom jeweiligen Stromlieferanten geliefert und gegenüber dem Autofahrer abgerechnet. Nach dem Hamburger Modell bleibt es folglich bei der rechtlichen Trennung zwischen Verteilernetzbetrieb und Stromvertrieb.

Als Zwischenergebnis bleibt festzuhalten: Mangels erläuternden Zusatzes lässt der Verweis in Art. 33 Abs. 3 EltRL-E nach dem reinen Wortlaut verschiedene Auslegungsergebnisse zu.

bb) Systematik

Etwas mehr Klarheit wird gewonnen, wenn die Regelung in Art. 33 Abs. 3 EltRL-E im systematischen Zusammenhang mit den Entflechtungsgeboten nach Art. 35 EltRL-E, der EU-Richtlinie über den Aufbau der Infrastruktur für alternative Kraftstoffe vom 22. Oktober 2014 und mit den anderen Regelungen in Art. 33 Abs. 2 und Abs. 4 EltRL-E zur Einbindung der Elektromobilität in das Stromnetz betrachtet werden.

(1) Systematische Zusammenhänge mit den Entflechtungsgeboten nach Art. 35 EltRL-E

Art. 33 Abs. 3 EltRL-E ordnet die Geltung der Pflicht zur rechtlichen, operationellen und buchhalterischen Trennung von Verteilernetzbetrieb und wettbewerblichen Tätigkeiten der Stromversorgung, also der Erzeugung und des Vertriebs, an. Die entsprechenden Entflechtungsgebote aus Art. 35 und Art. 56 EltRL-E erfahren keine Änderung oder Ergänzung im Hinblick auf den Ladeinfrastrukturbetrieb für Elektrofahrzeuge. Mit anderen Worten gilt das bisherige Entflechtungsregime unverändert fort.

Art. 35 Abs. 1 EltRL-E verpflichtet einen Verteilernetzbetreiber, der zu einem vertikal integrierten Unternehmen gehört, zumindest hinsichtlich seiner Rechtsform, Organisation und Entscheidungsgewalt unabhängig von den übrigen Tätigkeitsbereichen zu sein, die nicht mit der Verteilung zusammenhängen. Nach Art. 2 Nr. 41 EltRL-E ist ein vertikal integriertes Unternehmen ein Elektrizitätsunternehmen oder eine Gruppe von Elektrizitätsunternehmen, in der ein und dieselbe(n) Person(en) berechtigt ist (sind), direkt oder indirekt Kontrolle auszuüben, wobei das betreffende Unternehmen bzw. die betreffende Gruppe von Unternehmen mindestens eine der Funktionen Übertragung oder Verteilung und mindestens eine der Funktionen Erzeugung von oder Versorgung mit Elektrizität wahrnimmt. Die maßgeblichen Tätigkeitsbereiche sind demnach die Stromerzeugung, die Stromverteilung/-übertragung und die Stromversorgung. Stromversorgung ist dabei i.S.d. Verkaufs einschließlich des Weiterverkaufs von Elektrizität an Kunden zu verstehen (vgl. § 2 Nr. 8 EltRL-E). Demnach ist der Netzbetrieb allein von Erzeugung und Stromvertrieb zu trennen. Tätigkeiten des Verteilernetzbetreibers außerhalb der Stromerzeugung und außerhalb des Stromvertriebs sind zulässig und nicht rechtlich zu entflechten.

Soweit der Ladeinfrastrukturbetreiber[116] für Elektrofahrzeuge – wie z.B. im Hamburger Modell – reiner Infrastrukturbetreiber ist und an den Ladepunkten selbst keinen Strom an den Fahrzeugführer verkauft, ist der Ladeinfrastrukturbetrieb für Elektrofahrzeuge keine Stromversorgung im Sinne des Stromvertriebs und somit nicht rechtlich vom Stromnetzbetrieb zu entflechten. Ein solches Rechtsverständnis spricht gegen eine enge Wortlautauslegung und zumindest für eine vermittelnde Wortlautauslegung (s.o.).

Aber sogar eine weite Auslegung, wonach der Verteilernetzbetreiber selbst den zur Ladung des Elektrofahrzeugs benötigten Strom an den Fahrzeugnutzer verkaufen darf, scheint hiernach auf den zweiten Blick vertretbar. In Wissenschaft und Praxis entbrannte eine Diskussion um die Auslegung der Vorschriften des EnWG zur energiewirtschaftsrechtlichen Einordnung der öffentlich zugänglichen Ladepunkte für Elektromobilität.[117] Die Meinungen reichten von der Einordnung als Teil der allgemeinen Elektrizitätsversorgungsnetze über die Einordnung als Kundenanlage bis hin zu einer Einordnung als Energieanlage sui generis. Der deutsche Gesetzgeber hat mit dem

[116] Ladeinfrastrukturbetrieb ist hier und im Folgenden im weiten Sinne des Art. 33 Abs. 3 EltRL-E gemeint und erfasst Eigentum, Errichtung, Verwaltung und Betrieb von Ladepunkten für Elektrofahrzeuge.

[117] Hierzu ausführlicher *Boesche* (o. Fn. 64).

Strommarktgesetz vom 26. Juli 2016[118] den Streit zwischenzeitlich beendet, indem er die Legaldefinition des Letztverbrauchers in § 3 Nr. 25 EnWG erweiterte und nunmehr klarstellt, dass der Strombezug der Ladepunkte für Elektromobile dem Letztverbrauch gleichsteht (s.o.). Eine entsprechende klarstellende Regelung ist vom EU-Richtliniengeber bislang nicht vorgesehen. Gleichwohl wird auch zu den derzeit geltenden EU-Regelungen die Auffassung vertreten werden, dass der Betrieb der Ladepunkte für Elektrofahrzeuge als Letztverbrauch eingeordnet werden kann bzw. die derzeit geltenden Richtlinienregelungen einer solchen Einordnung nicht entgegenstehen.[119] Diese Ansicht scheint aufgrund der Ausführungen in Erwägungsgrund 25 der EltRL-E vorzugswürdig. Hierin unterstreicht der Richtliniengeber das Potential der Elektromobilität als steuerbare Last und damit als gewichtigen Beitrag der Verbraucherseite zur angebotsorientierten Stromabnahme. Wörtlich heißt es im Erwägungsgrund 25 der EltRL-E:

„Alle Verbraucher sollten unmittelbar am Markt teilnehmen können, insbesondere indem sie ihren Verbrauch den Marktsignalen anpassen und im Gegenzug in den Genuss von niedrigeren Strompreisen oder von Anreizzahlungen kommen. Die Vorzüge dieser aktiven Teilnahme dürften im Laufe der Zeit mit steigender Wettbewerbsfähigkeit von Elektrofahrzeugen, Wärmepumpen und anderen flexiblen Lasten zunehmen. Die Verbraucher sollten sich an allen Formen der Laststeuerung beteiligen können und deshalb die Möglichkeit haben, sich für intelligente Messsysteme und Elektrizitätsverträge mit dynamischen Stromtarifen zu entscheiden. Dadurch sollen sie in die Lage versetzt werden, ihren Verbrauch den Echtzeit-Preissignalen, die den Wert und die Kosten von Strom oder dessen Transport in unterschiedlichen Zeiträumen widerspiegeln, anzupassen, während die Mitgliedstaaten für eine angemessene Exposition der Verbraucher gegenüber dem Großhandelspreisrisiko sorgen sollten. Die Mitgliedstaaten sollten auch sicherstellen, dass diejenigen Verbraucher, die sich nicht aktiv am Markt beteiligen wollen, keine Nachteile erfahren und ihnen vielmehr fundierte Entscheidungen über die ihnen zur Verfügung stehenden Möglichkeiten in einer Weise erleichtert werden, die den Bedingungen des inländischen Marktes am besten gerecht wird.“

Folgt man der Auffassung, dass der Ladeinfrastrukturbetrieb für Elektrofahrzeuge Letztverbrauch ist, ergäbe sich aus Art. 35 EltRL-E kein Entflechtungsgebot für den Verteilernetzbetreiber. Der Strombezug am Ladepunkt zum Zwecke der „Betankung“ des Elektrofahrzeugs wäre demnach nicht Stromvertrieb oder Stromerzeugung, sondern eben Letztverbrauch. Wie zuvor ausgeführt, ist nach Art. 35 EltRL-E der Netzbetrieb allein von Erzeugung und Stromvertrieb zu trennen. Tätigkeiten des Verteilernetzbetreibers außerhalb der Stromerzeugung und außerhalb des Stromvertriebs, also im Bereich des Letztverbrauchs, wie z.B. die Errichtung und Verwaltung sowie der Betrieb von Ladepunkten für Elektrofahrzeuge, wären weiterhin zulässig.

[118] Gesetz zur Weiterentwicklung des Strommarktes vom 26. Juli 2016, BGBl. I, S. 1786 ff.

[119] Vgl. *Boesche* (o. Fn. 64), (451); *Ludwigs/Huller* (o. Fn. 17), (502).

Andererseits kommt bei dieser Lesart zum allgemeinen Entflechtungsgebot der Anordnung in Art. 33 Abs. 3 EltRL-E, dass die Entflechtungsvorschriften nach Art. 35 und 56 EltRL-E für Verteilernetzbetreiber gelten, die an Eigentum, Errichtung, Betrieb oder Verwaltung von Ladepunkten beteiligt sind, sogar ein eigenständiger Regelungsgehalt zu. Hieraus könnte abgeleitet werden, dass der Richtliniengeber die rechtliche, operationelle und buchhalterische Entflechtung des Verteilernetzbetriebs von der Stromerzeugung und dem Stromvertrieb auf den Ladeinfrastrukturbetrieb für Elektrofahrzeuge erweitert hat – insbesondere auch für den Fall der ausnahmsweisen Berechtigung zum vorübergehenden Ladeinfrastrukturbetrieb. Dies spricht allein für eine enge Wortlautauslegung und sogar gegen eine vermittelnde Auslegung (s.o.).

(2) Systematischer Zusammenhang mit der EU-Richtlinie zu alternativen Kraftstoffen

Die Vorschriften in Art. 33 EltRL-E zur Einbindung der Elektromobilität in das Stromnetz müssen aber auch im Zusammenhang mit den Regelungen der EU-Richtlinie über den Aufbau der Infrastruktur für alternative Kraftstoffe vom 22. Oktober 2014 (im Folgenden: RL für alternative Kraftstoffe) interpretiert werden.

Diese zeigt unmissverständlich, dass zugunsten eines deutlich erhöhten Anteils an Elektrofahrzeugen im Verkehrssektor die erforderliche Ladeinfrastruktur geschaffen werden soll und zwar mit wesentlicher Unterstützung durch die Verteilernetzbetreiber.

Nach Art. 4 Abs. 1 der RL für alternative Kraftstoffe stellen die Mitgliedstaaten anhand ihrer nationalen Strategierahmen sicher, dass bis spätestens 31. Dezember 2020 eine angemessene Anzahl von öffentlich zugänglichen Ladepunkten errichtet wird, damit Elektrofahrzeuge zumindest in städtischen bzw. vorstädtischen Ballungsräumen und anderen dicht besiedelten Gebieten sowie gegebenenfalls in Netzen, die von den Mitgliedstaaten bestimmt werden, verkehren können. Die Anzahl dieser Ladepunkte wird unter Berücksichtigung – unter anderem – der in ihrem jeweiligen nationalen Strategierahmen angegebenen geschätzten Zahl der bis Ende 2020 zugelassenen Elektrofahrzeuge sowie der von der Kommission veröffentlichten bewährten Verfahren und Empfehlungen festgelegt. Gegebenenfalls sind spezielle Erfordernisse hinsichtlich der Einrichtung der an Haltestationen öffentlicher Verkehrsmittel öffentlich zugänglichen Ladepunkte zu berücksichtigen.

Hierfür wird den Verteilernetzbetreibern eine wichtige Rolle in Bezug auf den Ausbau der Ladeinfrastruktur und konkret der Ladepunkte zugeschrieben. *„Bei der Fortentwicklung ihrer Aufgaben sollten die Verteilernetzbetreiber – von denen einige möglicherweise zu vertikal integrierten Unternehmen gehören, die Ladepunkte besitzen oder betreiben – nicht-diskriminierend mit* *anderen Eigentümern oder Betreibern von Ladepunkten zusammenarbeiten, insbesondere indem sie die Informationen bereitstellen, die für den wirksamen Zugang zum System und für dessen Nutzung benötigt werden.“* (vgl. Erwägungsgrund 29 zur RL für alternative Kraftstoffe).

Aus dem Vorgenannten lässt sich ablesen, dass der EU-Richtliniengeber den Besitz und den Betrieb der Ladepunkte also den wettbewerblich ausgerichteten Bereichen der vertikal integrierten Energieversorgungsunternehmen zugeschrieben hat. Die Verteilernetzbetreiber sollen die verbundenen Unternehmen nicht bevorzugen, sondern durch eine diskriminierungsfreie Verfahrensweise den verbundenen wie den nicht verbundenen Ladeinfrastrukturbetreibern für Elektrofahrzeuge den Anschluss und den Zugang zum Stromversorgungsnetz gewähren. Oder in den Worten der RL für alternative Kraftstoffe ausgedrückt: Die Mitgliedstaaten stellen sicher, dass die Verteilernetzbetreiber mit jeder Person, die öffentlich zugängliche Ladepunkte errichtet oder betreibt, nichtdiskriminierend zusammenarbeiten (vgl. Art. 4 Abs. 11 RL für alternative Kraftstoffe). Bemerkenswert ist aber auch, dass der EU-Richtliniengeber Regeln für den Wettbewerb um die Stromlieferung an den Ladepunkten für Elektrofahrzeuge vorgibt, die mögliche Vorteile örtlich etablierter Stromlieferanten eingrenzen:

> So haben die Mitgliedstaaten sicherzustellen, dass es nach den rechtlichen Rahmenbedingungen möglich ist, dass der Vertrag über die Stromversorgung für einen Ladepunkt mit einem anderen Versorgungsunternehmen als demjenigen geschlossen werden kann, der den Haushalt oder die Betriebsstätte mit Strom beliefert, in dem bzw. in der sich dieser Ladepunkt befindet (vgl. Art. 4 Abs. 12 RL für alternative Kraftstoffe). Der Betreiber eines Ladepunktes kann also mit dem Nutzer des Elektrofahrzeugs einen eigenen Stromliefervertrag abschließen, ohne dass der Stromlieferant, der das Grundstück, auf dem sich der Ladepunkt befindet, oder den betreffenden Fahrzeugnutzer bereits im Haushalt oder an der Betriebsstätte mit Strom versorgt, dem ein vertragliches Alleinbelieferungsrecht entgegenhalten kann. Dies unterstreicht die Regelung in Art. 4 Abs. 9 RL für alternative Kraftstoffe. Demnach müssen alle öffentlich zugänglichen Ladepunkte den Nutzern von Elektrofahrzeugen auch das punktuelle Aufladen ermöglichen, ohne dass ein Vertrag mit dem betreffenden Elektrizitätsversorgungsunternehmen oder Betreiber geschlossen werden muss.
>
> Zudem müssen die Mitgliedstaaten sicherstellen, dass die Betreiber von öffentlich zugänglichen Ladepunkten von jedem Elektrizitätsversorgungsunternehmen in der Union – vorbehaltlich der Zustimmung des Versorgungsunternehmens – ungehindert Strom beziehen können. Demnach kann der Betreiber des Ladepunktes für Elektrofahrzeuge frei am Markt den Strom einkaufen, den er zur Belieferung des Fahrzeugnutzers am Ladepunkt benötigt.

Die Betreiber von Ladepunkten dürfen den Kunden Leistungen zum Aufladen von Elektrofahrzeugen auf der Grundlage eines Vertrags, auch im Namen und Auftrag anderer Dienstleister, erbringen (vgl. Art. 4 Abs. 8 RL für alternative Kraftstoffe). Demnach kann der Ladeinfrastrukturbetreiber für Elektrofahrzeuge also auch reiner Infrastrukturbetreiber sein und z.B. die Stromversorgung des Fahrzeughalters am Ladepunkt im Namen und auf Rechnung eines Stromlieferanten durchführen.

Die Mitgliedstaaten stellen sicher, dass die Preise, die von den Betreibern öffentlich zugänglicher Ladepunkte berechnet werden, angemessen, einfach und eindeutig vergleichbar, transparent und nichtdiskriminierend sind (vgl. Art. 4 Abs. 10 RL für alternative Kraftstoffe).

Alle vorgenannten Regelungen lassen den Schluss zu, dass der EU-Richtliniengeber kein Leitmodell für den Ladeinfrastrukturbetreiber für Elektrofahrzeuge verfolgte, sondern durch einen modelloffenen Ansatz auf einen lebendigen Wettbewerb beim Ladeinfrastrukturbetrieb setzt. Dieser Ansatz ist nachvollziehbar, wenn man bedenkt, dass wirksamer Wettbewerb die effizienten Modelle schneller ans Tageslicht fördert als theoretisch geplante Modellvorstellungen, deren wirtschaftliche Tragfähigkeit erst noch in der Praxis bewiesen werden muss.

Aber es lässt sich für die hier aufgeworfene Frage zur Entflechtung zwischen Stromverteilernetzbetrieb und Ladeinfrastrukturbetrieb für Elektrofahrzeuge folgende Feststellung treffen: Ein Stromverteilernetzbetreiber, der nicht nur die Ladeinfrastruktur für Elektrofahrzeuge errichtet, betreibt oder verwaltet, sondern auch im eigenen Namen und auf eigene Rechnung den zum Laden des Elektrofahrzeugs erforderlichen Strom an den Fahrzeugnutzer liefert, bekommt dadurch nur einen begrenzten Zugang zum wettbewerblich ausgestalteten Stromvertrieb. Denn der Vertrag mit dem Fahrzeugnutzer über die Stromversorgung an dem betreffenden Ladepunkt berechtigt den Verteilernetzbetreiber nicht zugleich zur Strombelieferung des Fahrzeugführers in dessen Haushalt oder an dessen Betriebsstätte (vgl. Art. 4 Abs. 12 RL für alternative Kraftstoffe). Das punktuelle Aufladen des Elektrofahrzeugs an öffentlich zugänglichen Ladepunkte muss sogar ohne vorherige Begründung eines Dauerschuldverhältnisses zwischen Fahrzeugnutzer und Ladeinfrastrukturbetreiber möglich sein (Art. 4 Abs. 9 RL für alternative Kraftstoffe und § 4 Ladesäulenverordnung).

Vor diesem Hintergrund scheint es mehr als denkbar, dass der EU-Richtliniengeber eine temporäre (!) Verflechtung von Infrastrukturbetrieb und Stromvertrieb bei Stromverteilernetzbetreibern zulässt, um das gewünschte Ziel, einen deutlich erhöhten Anteil an Elektrofahrzeugen im Verkehrssektor und den schnellen Aufbau der dafür erforderlichen Ladeinfrastruktur, zu erreichen.

(3) Systematischer Zusammenhang mit Art. 33 Abs. 2 und Abs. 4 EltRL-E

Diese Lesart wird nicht zuletzt durch den systematischen Zusammenhang mit den Regelungen in Art. 33 Abs. 2 und Abs. 4 EltRL-E bekräftigt.

Nach Art. 33 Abs. 2a und Abs. 4 EltRL-E ist der Verteilernetzbetreiber nur und nur solange zum Ladeinfrastrukturbetrieb für Elektrofahrzeuge berechtigt, wie keine anderen Unternehmen nach Abschluss eines offenen und transparenten Ausschreibungsverfahrens Interesse an der Ausübung des Ladeinfrastrukturbetriebs bekundet haben bzw. bis eine regelmäßig durchzuführende öffentliche Konsultation darauf hindeutet, dass Dritte in der Lage sind, Eigentümer solcher Ladepunkte zu sein, diese zu errichten, zu betreiben oder zu verwalten. Mit anderen Worten, die Verteilernetzbetreiber werden nur ausnahmsweise und nur vorübergehend zum Ladeinfrastrukturbetrieb berechtigt, um als Motoren die für die Elektromobilität erforderliche Ladeinfrastruktur aufzubauen und den Wettbewerb um die Ladepunkte anzukurbeln.

Würde der Verweis in Art. 33 Abs. 3 EltRL-E auf das rechtliche Entflechtungsgebot so ausgelegt, dass Verteilernetzbetreiber in jedem Fall den Ladeinfrastrukturbetrieb für Elektrofahrzeuge vom Verteilernetzbetrieb rechtlich trennen müssen, würde die ausnahmsweise Berechtigung der Verteilernetzbetreiber zum Ladeinfrastrukturbetrieb ad absurdum geführt. Denn es würde gerade nicht die Verteilernetzgesellschaft, sondern eine andere gesellschaftsrechtliche Einheit die Ladeinfrastruktur für Elektrofahrzeuge errichten, betreiben bzw. verwalten.

Selbstverständlich blieben bei dieser engen Auslegung noch Verteilernetzbetreiber zum Ladeinfrastrukturbetrieb für Elektrofahrzeuge berechtigt, die aufgrund der de-minimis-Regelung in Art. 35 Abs. 4 EltRL-E von der rechtlichen Entflechtung ohnehin befreit sind. Allerdings wird dies nicht den gewünschten Effekt haben, wenn man bedenkt, dass gerade in Großstädten und Ballungsgebieten der Bedarf nach Ladeinfrastruktur für Elektrofahrzeuge besteht und die Stromverteilernetzbetreiber in diesen Städten und Ballungsgebieten nicht unter die de-minimis-Regelung fallen.

Der vom EU-Richtliniengeber ausnahmsweise verfolgte Zweck, die Verteilernetzbetreiber vorübergehend zum Ladeinfrastrukturbetrieb zu berechtigen und sie so als Motor für den gewünschten Ausbau der Elektromobilität im Verkehrssektor zu nutzen, spricht sogar dafür, dass Verteilernetzbetreiber über die Ladeinfrastruktur direkt Strom an die Autofahrer verkaufen dürfen.

In Art. 33 Abs. 2 EltRL sind die Voraussetzungen für die ausnahmsweise temporäre (!) Berechtigung der Verteilernetzbetreiber abschließend aufgezählt. Wäre die Berechtigung zum Ladeinfrastrukturbetrieb davon abhängig, dass der Verteilernetzbetreiber über die Ladepunkte nicht selbst den Strom verkauft, dann hätte es nahegelegen, ein entsprechendes Vertriebsverbot bzw.

eine entsprechende Entflechtungspflicht in den Katalog der Berechtigungsvoraussetzungen in Art. 33 Abs. 2 EltRL-E direkt aufzunehmen.

Würden Verteilernetzbetreiber gezwungen, zur ungebrochenen Trennung vom Stromvertrieb ausschließlich reiner Ladeinfrastrukturbetreiber zu sein und die Stromlieferung an den Autofahrer anderen Unternehmen zu überlassen, hinge die Etablierung von Elektrofahrzeugen im Verkehrssektor davon ab, dass Lieferanten den Stromvertrieb an Autofahrer für wirtschaftlich lohnend einschätzten und mit dem Verteilernetzbetreiber entsprechende Lieferantenrahmenverträge abschlössen. Mal abgesehen davon dürfte das punktuelle Aufladen von Elektrofahrzeugen nach Art. 4 Abs. 9 der RL für alternative Kraftstoffe in der Praxis dann schwierig umsetzbar sein. Denn der Stromlieferant des Elektrofahrzeugnutzers müsste mit jedem Verteilernetzbetreiber, der Ladeinfrastrukturbetreiber ist, einen Lieferantenrahmenvertrag abschließen, um seinen Kunden im gesamten Bundesgebiet mit Strom an den Ladepunkten beliefern zu können. Noch schwieriger dürfte es für den Stromlieferanten sein, durch den Abschluss von Lieferantenrahmenverträgen ein punktuelles Beliefern/Aufladen des Elektrofahrzeugs des Kunden im EU-Ausland sicherzustellen.

Der EU-Richtliniengeber hat gerade die ausnahmsweise Berechtigung von Verteilernetzbetreibern für den Fall zugelassen, dass andere Unternehmen nicht Ladeinfrastrukturbetreiber sein und hierüber Strom verkaufen wollen. Die Vorschriften in Art. 33 Abs. 2 EltRL-E stehen daher unter dem Leitgedanken „besser Verteilernetzbetreiber ausnahmsweise und vorübergehend (!) im Rahmen des Ladeinfrastrukturbetriebs auch zum Verkauf von Strom an Fahrzeugnutzer berechtigen, als wenn die Zahl der Elektrofahrzeuge nicht steigt, weil es bereits an der erforderlichen Ladeinfrastruktur oder an Angeboten von Stromlieferanten am Ladepunkt mangelt".

Der Verweis in Art. 33 Abs. 3 EltRL-E auf das rechtliche Entflechtungsgebot nach Art. 35 Abs. 1 EltRL-E entfaltet dann wieder seine volle Geltungskraft, wenn Marktteilnehmer Interesse an Eigentum, Errichtung, Betrieb und Verwaltung von Ladepunkten für Elektrofahrzeuge bekundet haben und die Verteilernetzbetreiber schrittweise ihre diesbezüglichen Aktivitäten einstellen müssen. Vor diesem Hintergrund verbleibt für die Regelung in Art. 33 Abs. 3 EltRL-E selbst bei weitester Auslegung ein Geltungsbereich.

cc) Sinn und Zweck

Die Lesart, dass Verteilernetzbetreiber unter den Voraussetzungen des Art. 33 Abs. 2 EltRL-E neben dem Ladeinfrastrukturbetrieb sogar im eigenen Namen und auf eigene Rechnung am Ladepunkt Strom an den Fahrzeugnutzer verkaufen dürfen, widerspricht auch nicht dem Sinn und Zweck der Regelungen in Art. 33 EltRL-E.

Sinn und Zweck der Regelungen zur Einbindung der Elektromobilität in das Stromnetz ist ausweislich des Erwägungsgrundes 27 zur EltRL-E, dass in der Mitteilung über eine europäische Strategie für emissionsarme Mobilität die Notwendigkeit der Umstellung auf einen CO_2-armen Verkehrssektor unterstrichen und betont wird, dass die verkehrsbedingten Emissionen vor allem in städtischen Gebieten reduziert werden müssen. Für die Verwirklichung dieser Ziele leistet die Elektromobilität einen gewichtigen Beitrag. Darüber hinaus ist der Ausbau der Elektromobilität ein wichtiger Bestandteil der Energiewende. Die in der EltRL-E enthaltenen Marktvorschriften sollen deshalb zur Schaffung günstiger Bedingungen für alle Arten von Elektrofahrzeugen beitragen. Sie sollen insbesondere den wirksamen Ausbau von öffentlich zugänglichen und privaten Ladepunkten für Elektrofahrzeuge sowie die effiziente Integration der Fahrzeugaufladung in den Systembetrieb gewährleisten. Wie an anderer Stelle herausgearbeitet, werden hiermit auch die Ziele der RL für alternative Kraftstoffe verfolgt.

Das Ausbauziel für einen deutlich erhöhten Anteil an Elektrofahrzeugen im Verkehrssektor und damit für den erhöhten Einsatz von alternativen Kraftstoffen im Verkehrssektor kann nur erreicht werden, wenn die erforderliche Ladeinfrastruktur für Elektrofahrzeuge aufgebaut wird. Der Ausbau der Ladeinfrastruktur für Elektrofahrzeuge ist folglich das vorrangige Ziel, dem sich die Entflechtungsvorschriften unter den Voraussetzungen des Art. 33 Abs. 2 EltRL-E, in gewissem Umfang für eine bestimmte Zeit (!) unterordnen müssen. Wenn andere Marktteilnehmer nicht Eigentümer, Errichter, Betreiber oder Verwalter der Ladeinfrastruktur für Elektrofahrzeuge sein wollen oder können, sollen nach dem Willen des EU-Richtliniengebers die Stromverteilernetzbetreiber für die erforderliche Übergangszeit den gewünschten Ausbau der Elektromobilität im Verkehrssektor vorantreiben.

Nach alldem ist das rechtliche Entflechtungsgebot nach Art. 35 Abs. 1 EltRL-E sowie der Verweis hierauf in Art. 33 Abs. 3 EltRL-E nach Sinn und Zweck wie folgt auszulegen: Werden die Verteilernetzbetreiber ausnahmsweise berechtigt, an Eigentum, Errichtung, Verwaltung und Betrieb von Ladepunkten für Elektrofahrzeuge beteiligt zu sein, dürfen sie über die Ladepunkte auch in eigenem Namen und auf eigene Rechnung Strom an die Fahrzeugnutzer zur Ladung des Elektrofahrzeugs verkaufen. Im Übrigen ist es ihnen (außerhalb der de-minimis-Regelung) verboten, neben der Ladung von Elektromobilen im Stromvertrieb tätig zu sein, also dem Fahrzeugnutzer auch in seinen Haushalt oder an seine Betriebsstätte Strom zu liefern.

dd) Zusammenfassung

Die Regelungen zur Einbindung der Elektromobilität in das Stromnetz sind zwei Maximen unterworfen. Der Anteil der Elektrofahrzeuge im Verkehrssektor soll deutlich erhöht werden, um den Einsatz fossiler Kraftstoffe und damit die Treibhausgasemissionen zu senken und den Einsatz von Strom (aus erneuerbaren Energien) als alternativen Kraftstoff zu erhöhen. Zu diesem Zweck sollen günstige Bedingungen für den wirksamen Ausbau von öffentlich zugänglichen und privaten Ladepunkten für Elektrofahrzeuge sowie für die effiziente Integration der Fahrzeugaufladung in den Systembetrieb der Stromverteilernetzbetreiber geschaffen werden. Um diskriminierungsfreie Zugangsbedingungen für die Betreiber von Ladeinfrastrukturen für Elektrofahrzeuge zu gewährleisten, sollen die Stromverteilernetzbetreiber nicht zugleich Ladeinfrastrukturbetreiber sein.

Wenn aber kein Marktteilnehmer Interesse an Eigentum, Errichtung, Betrieb oder Verwaltung von Ladepunkten für Elektrofahrzeuge hat, sollen die Stromverteilernetzbetreiber vorübergehend berechtigt werden können, an Eigentum, Errichtung, Betrieb oder Verwaltung von Ladepunkten für Elektrofahrzeuge beteiligt zu sein. Diese sollen als „Motor" der Elektromobilität im Verkehrssektor dann ausnahmsweise und für eine bestimmte Zeit die Ladeinfrastrukturen aufbauen und betreiben, um nicht nur den bereits vorhandenen Bedarf an Ladeinfrastruktur zu decken, sondern auch mit der angebotenen Ladeinfrastruktur neuen Bedarf zu wecken. Hierfür nimmt der EU-Richtliniengeber in Kauf, dass die Verteilernetzbetreiber über die von ihnen betriebene Ladeinfrastruktur zugleich im eigenen Namen und auf eigene Rechnung Strom an den Fahrzeugnutzer am Ladepunkt liefern. Das rechtliche Entflechtungsgebot ist in diesem Fall zugunsten der Förderung der Elektromobilität eingeschränkt. Dies ist hinnehmbar, da die Einschränkung nicht allumfassend ist und nur solange gilt, bis Marktteilnehmer Interesse an Eigentum, Errichtung, Betrieb oder Verwaltung von Ladepunkten für Elektrofahrzeuge bekunden und die Stromverteilernetzbetreiber schrittweise ihre diesbezüglichen Aktivitäten einstellen müssen.

Der nationale Gesetzgeber hatte in der Vergangenheit die europarechtlichen Regelungen unverändert übernommen. Daher kann davon ausgegangen werden, dass er auch die Regelungen in Art. 33 EltRL-E unverändert übernehmen und in das bestehende Entflechtungsregime einbauen wird. Hierdurch wird es – wie bei der EltRL-E selbst – keinen größeren Anpassungsbedarf bei den bereits geltenden Entflechtungsvorschriften geben[120]. Wünschenswert aber wäre, dass der nationale Gesetzgeber die Frage der rechtlichen und operationellen Entflechtungspflicht bei dem übergangsweisen Ladeinfrastrukturbetrieb durch die Verteilernetzbetreiber eindeutiger regelt als es der europäische Richtliniengeber.

[120] So auch *Ludwigs/Huller* (o. Fn. 17), (505).

V. Resümee

Die Elektromobilität folgt eigenen Zielen und damit eigenen Regeln. Es gibt noch kein erprobtes Modell und noch keine erprobten Marktverfahren, was ein dynamisches Regelungsgeflecht für die nächsten Jahre erwarten lässt. Elektromobilität lässt sich daher nicht ohne Weiteres in den bestehenden Rechtsrahmen einbauen, ohne dass dabei offene komplexe Rechtsfragen entstehen. Offene Rechtsfragen halten wettbewerbliche Marktakteure aber davon ab, in Elektromobilität zu investieren, was letztlich kontraproduktiv für einen raschen Ausbau der Elektromobilität ist. Auf Grund der erheblichen Potenziale der Elektromobilität ist es daher mehr als lohnenswert, über eine Systematisierung der Regelungen der Elektromobilität und in bestimmten Teilen auch über eine Zusammenfassung in einem eigenständigen gesetzlichen Regelwerk nachzudenken. Ein solches Vorgehen hätte nicht nur den Vorteil, dass damit ein stimmiges Gefüge geschaffen und somit die Einheit der Rechtsordnung besser gewahrt werden könnte. Es würde auch das Risiko reduziert, dass der nationale Gesetzgeber über die verschiedenen Förderbzw. Privilegierungstatbestände den Überblick verliert und dadurch einzelne Marktakteure Mehrfachbegünstigungen erhalten, was – wie die energiewirtschaftsrechtlichen Privilegierungen für stromintensive Unternehmen, Eigenversorger und Eigenerzeuger zeigen – die EU-Kommission schnell als unzulässige Beihilfen einstufen könnte.

Nach der Novelle ist vor der Novelle?

Schwächen des neuen Rügeregimes gemäß § 47 EnWG

Cornelia Kermel*

I. Einleitung

Seit vielen Jahren werden im Zusammenhang mit der Vergabe von Konzessionsverträgen im Strom- und Gasbereich zahlreiche Rechtsstreitigkeiten geführt. Zunächst ging es insbesondere um Streitigkeiten zwischen Alt- und Neukonzessionär über die Art der Übertragung (Pflicht zur Überlassung von Eigentum oder bloß von Besitz) sowie um die Ermittlung des Kaufpreises (Sachzeitwert, Ertragswert u.ä.). In der Folgezeit verlagerte sich der Schwerpunkt dieser Streitigkeiten zunehmend auf die Frage, ob der vermeintliche Neukonzessionär – wegen Nichtigkeit des geschlossenen Konzessionsvertrages gemäß § 134 BGB infolge Verstoßes gegen das Diskriminierungsverbot – nach § 46 Abs. 1 EnWG bzw. §§ 18, 19 GWB überhaupt Inhaber des gesetzlichen Überlassungsanspruchs gemäß § 46 Abs. 2 Satz 2 EnWG geworden ist. In diesen Streitigkeiten zwischen Alt- und vermeintlichem Neukonzessionär auf Übertragung des Strom- bzw. Gasverteilernetzes der allgemeinen Versorgung kam es folglich zu einer Inzidentprüfung, ob das jeweilige Konzessionsverfahren von der Kommune diskriminierungsfrei durchgeführt worden ist oder nicht.

In zwei Grundsatzentscheidungen vom 17. Dezember 2013 konkretisierte der Bundesgerichtshof sodann die formellen und materiellen Anforderungen an die Durchführung eines diskriminierungsfreien Konzessionsverfahrens im Sinne von § 46 EnWG bzw. §§ 18, 19 GWB.[1] Gleichzeitig wies der BGH auf die im Falle eines Verstoßes gegen das Diskriminierungsverbot nach §§ 19, 20 GWB a.F.[2] eintretende Nichtigkeitsfolge der Konzessionsverträge nach § 134 BGB hin.

* Rechtsanwältin bei Noerr LLP.

[1] BGH, Urteil vom 17.12.2013 – KZR 65/12 – „Stromnetz Heiligenhafen“ und BGH, Urteil vom 17.12.2013 – KZR 66/12 – „Stromnetz Berkenthin“.

[2] Entsprechen §§ 18, 19 GWB.

Obwohl der BGH die Anwendung des Kartellvergaberechts auf Konzessionsverfahren nach § 46 EnWG ablehnte[3] und auch eine Verwirkung mit der Geltendmachung entsprechender Rügen verneinte, sorgte ein – erstmalig in den Entscheidungsgründen in Sachen „Stromnetz Berkenthin" – geäußerter Rechtsgedanke des BGH für eine Verlagerung der Streitigkeiten auf die Ebene Kommune und unterlegener Bieter. Unter Heranziehung des auch § 101a GWB a.F.[4] zugrundeliegenden Rechtsgedankens erwog der BGH eine ausnahmsweise Wirksamkeit des Konzessionsvertrages trotz Verstoßes gegen das Diskriminierungsverbot in dem Fall, in dem alle diskriminierten Bewerber um die Konzession ausreichend Gelegenheit hatten, ihre Rechte zu wahren, diese Möglichkeit aber nicht genutzt haben. In diesem Fall könne und müsse die fortdauernde Behinderung durch den fehlerhaft abgeschlossenen Konzessionsvertrag im Interesse der Rechtssicherheit hingenommen werden. Dies sei, so der BGH, insbesondere in Betracht zu ziehen, wenn die Gemeinde – in Anlehnung an den auch § 101a GWB a.F. zugrundeliegenden Rechtsgedanken – alle Bewerber um die Konzession in Textform über die beabsichtigte Auswahlentscheidung unterrichtet und den Konzessionsvertrag erst 15 Kalendertage nach Absendung der Information abschließt.[5] Aus dieser in der „Stromnetz Berkenthin"-Entscheidung des BGH gewählten Formulierung wurde sodann vereinzelt eine Pflicht des unterlegenen Bewerbers abgeleitet, die beabsichtigte Auswahlentscheidung im Wege eines einstweiligen Verfügungsverfahrens gemäß §§ 935 ff. ZPO anzugreifen, um so die Untersagung des Vertragsschlusses zwischen der Kommune und dem vermeintlich obsiegenden Bewerber zu verhindern. Mache der unterlegene Bewerber hiervon keinen Gebrauch, könne er in einem etwaigen Hauptsacheverfahren die Unwirksamkeit des Konzessionsvertrages nicht mehr geltend machen.[6]

Demgegenüber vertrat die ganz überwiegende Meinung die Auffassung, dass es für die Rechtewahrung im Sinne des BGH ausreicht, unmittelbar nach der Mitteilung über die beabsichtigte Auswahlentscheidung gegenüber der Gemeinde entsprechende Rügen zu erheben und diese so weit wie möglich zu begründen. Nicht erforderlich sei dagegen die Beantragung einer einstweiligen Verfügung zur Vermeidung des Vertragsschlusses oder die zeitnahe Erhebung einer Hauptsacheklage.[7]

[3] BGH, Urteil vom 17.12.2013 – KZR 65/12, juris Rdnr. 85 – „Stromnetz Heiligenhafen"; BGH, Urteil vom 17.12.2013 – KZR 66/12, juris Rdnr. 112 – „Stromnetz Berkenthin".

[4] Entspricht dem geltenden § 134 GWB.

[5] BGH, Urteil vom 17.12.2013 – KZR 66/12, juris Rdnr. 107 ff. – „Stromnetz Berkenthin"

[6] LG München, Beschluss vom 01.01.2016 – HK O 8010/15, juris Rdnr. 3; LG Chemnitz, Urteil vom 18.12.2015 – 2 HK O 92/15.

[7] OLG Stuttgart, Urteil vom 19.11.2015 – 2 U 60/15, juris Rdnr. 77 ff.; OLG Dresden, Urteil vom 29.11.2016 – U 1/16 Kart., juris Rdnr. 35; OLG Koblenz, Urteil vom

Mit Inkrafttreten des Gesetzes zur Änderung der Vorschriften zur Vergabe von Wegenutzungsrechten zur leitungsgebundenen Energieversorgung am 03. Februar 2017[8] führte der Gesetzgeber ein mehrstufiges Rüge- und Präklusionsregime ein. Danach obliegt es den Bewerbern um die jeweilige Konzession, die für sie erkennbaren Rechtsverletzungen bereits in drei verschiedenen Verfahrensstadien gegenüber der Kommune zu rügen und zwar innerhalb der im EnWG festgelegten Fristen. Hilft die Kommune der jeweiligen Rüge nicht ab, muss der Bieter innerhalb der im Gesetz festgelegten Frist von 15 Kalendertagen einen Antrag auf Erlass einer einstweiligen Verfügung stellen. Hält der Bieter dieses Procedere nicht ein, ist er mit den Einwänden gegen erkennbare Rechtsverletzungen ausgeschlossen.

Ziel der Novelle ist es, Strom- und Gaskonzessionierungsverfahren zu beschleunigen und mit einem höheren Maß an Rechtssicherheit auszustatten.[9]

Im Folgenden soll der Frage nachgegangen werden, ob das neue Rügeregime tatsächlich in der Lage ist, im Vergleich zu dem bis zum 03. Februar 2017 geltenden Recht Konzessionierungsverfahren zu beschleunigen und mit einem höheren Maß an Rechtssicherheit auszustatten.

II. Vergleich des Rechtsschutzes nach altem und nach neuem Recht

Um die tatsächliche Wirkung des neuen Rügeregimes zu verdeutlichen, werden zunächst die Rechtsschutzmöglichkeiten nach altem Recht aufgezeigt und sodann dem neuen Rügeregime gegenübergestellt.

1. *Rechtsschutz bei Konzessionierungen nach altem Recht*

Das EnWG enthielt in seiner bis zum 03. Februar 2017 geltenden Fassung keine Vorgaben dazu, wie Bewerber mit erkannten bzw. erkennbaren Rechtsverletzungen im Konzessionsverfahren umzugehen haben. Anders als im Kartellvergaberecht[10] fanden sich im EnWG keine Regelungen, ob überhaupt gerügt werden musste sowie zu welchem Zeitpunkt und in welcher Form dies zu erfolgen hatte. Gerade vor dem Hintergrund der Anforderungen an die Bieter bei der Vergabe öffentlicher Aufträge nach dem Kartellvergabe-

11.05.2017 – U 482/16 Kart., S. 9 jedenfalls bei nicht ausreichender Information über die Auswahlentscheidung; OLG Karlsruhe, Urteil vom 26.03.2014 – 6 U 68/13 (Kart), juris Rdnr. 75 in Bezug auf den Altkonzessionär; LG Frankfurt a.M., Urteil vom 08.03.2017 – 3-08 O 141/16, S. 15; LG Stuttgart, Urteil vom 05.04.2016 – 41 O 43/14 K, Versorgungswirtschaft 2016, 240 ff.; *Höch/Kaufmann*, Versorgungswirtschaft 2016, 242 ff.

[8] BGBl. I 2017, 130–132.

[9] BT-Drs. 18/8184, S. 8.

[10] Vgl. § 134 GWB.

recht bestand in der Rechtsprechung und Literatur Uneinigkeit darüber, ob Bieter in Strom- und Gaskonzessionsverfahren verpflichtet sind, Kommunen auf Rechtsverstöße im Konzessionsverfahren hinzuweisen bzw. diese gerichtlich – insbesondere im Wege einstweiliger Verfügungsverfahren – geltend zu machen.

a) Anforderungen an die Geltendmachung von Verstößen im Konzessionsverfahren bis zu den Entscheidungen des BGH vom 17. Dezember 2013

Die Kartellsenate des OLG Düsseldorf und des Schleswig-Holsteinischen OLG verneinten in mehreren Entscheidungen eine Pflicht der Bieter, Kommunen auf Rechtsverstöße im Verfahren um die Vergabe von Konzessionsverträgen nach § 46 EnWG hinzuweisen.[11] Beide Gerichte hatten die Frage unter dem Gesichtspunkt der Verwirkung (§ 242 BGB) geprüft und waren jeweils zu der Auffassung gelangt, dass der bisherige Konzessionsvertragspartner als unterlegener Bieter nicht verpflichtet war, die von ihm später vertretene energie- bzw. kartellrechtliche Unzulässigkeit der Auswahlentscheidung bereits zu einem früheren Zeitpunkt zu rügen. Begründet wurde dies u.a. damit, dass der Einwand der Treuwidrigkeit insbesondere deshalb fehl gehe, weil es sich bei den kartellrechtlichen Maßgaben um solche handele, die nicht in erster Linie die Mitbewerber schützen sollten, sondern objektiven öffentlichen Interessen und Zielen dienten und diese daher unabhängig von etwaigen Rügen stets zu beachten seien.[12]

Anders sah es dagegen der Vergabesenat des OLG Düsseldorf in seinen Beschlüssen vom 09. Januar 2013 und 04. Februar 2013 zur Ausschreibung sog. strategischer Partnerschaften für kommunale Netzgesellschaften.[13] Obwohl es in diesen Fällen um die Vergabe von Dienstleistungsaufträgen der Netzbetreibergesellschaften im Vorfeld der Konzessionsvergabe ging, äußerte sich der Vergabesenat des OLG Düsseldorf zu der – dort nicht entscheidungserheblichen – Frage, ob auch bei den einer Nachprüfung nach dem GWB nicht unterliegenden (reinen) Konzessionsvergaben nach § 46 EnWG eine Rügepflicht der an dem Konzessionierungsverfahren beteiligten Bieter bestehe, was das Gericht im Ergebnis bejahte. Nach Auffassung des Vergabesenats des OLG Düsseldorf ergibt sich auch bei Konzessionsvergaben nach § 46 EnWG eine Verpflichtung der Bieter, den Auftraggeber auf Verstöße im Verfahren hinzuweisen. Hierbei handele es sich um eine unselbständige Nebenpflicht der Bieter. Darüber hinaus ergebe sich die Rügepflicht aus dem

[11] OLG Düsseldorf, Beschluss vom 12.12.2012 – VI-3 Kart 137/12; OLG Schleswig, Urteil vom 22.11.2012 – 16 U (Kart) 22/12.

[12] OLG Schleswig, Urteil vom 22.11.2012 – 16 U (Kart) 22/12, juris Rdnr. 167; vgl. auch *Kermel/Herten-Koch*, RdE 2013, 255 ff.; *Kermel/Wagner*, RdE 2014, 221 ff.

[13] OLG Düsseldorf, Beschluss vom 09.01.2013 – VII-Verg 26/12; OLG Düsseldorf, Beschluss vom 04.02.2013 – VII-Verg 31/12.

durch das Anfordern der Vergabeunterlagen begründeten Schuldverhältnis nach §§ 241 Abs. 2, 311 Abs. 2 Nr. 1 BGB. Wegen der Rechtsfolgen von Rügepflichtverstößen sei eine Verletzung vorvertraglicher Hinweispflichten im Allgemeinen angemessen nur in der Weise zu sanktionieren, dass die betreffenden Rügen bei dem regelmäßig anzustrengenden einstweiligen Verfügungsverfahren nach §§ 935 ff. ZPO von einer Nachprüfung jedenfalls materiell-rechtlich ausgeschlossen seien.[14]

In zwei bemerkenswerten Entscheidungen hat sich der BGH zu einer Reihe von rechtlichen Aspekten bei der Konzessionsvergabe nach § 46 EnWG geäußert, darunter auch zu Rechtsschutzmöglichkeiten der im Konzessionsverfahren unterlegenen Bieter.[15] In beiden Verfahren ging es um die Frage, ob der vermeintliche Neukonzessionär, zu dessen Gunsten die Auswahlentscheidung der jeweiligen Kommune getroffen worden war, gegenüber dem bisherigen Netzbetreiber einen Anspruch auf Herausgabe des Energieverteilnetzes der allgemeinen Versorgung nach § 46 Abs. 2 Satz 2 EnWG hat. Dies wurde seitens des Altkonzessionärs verneint, da nach dessen Auffassung das jeweilige Konzessionsverfahren gegen das Diskriminierungsverbot gemäß § 46 EnWG bzw. §§ 19, 20 GWB a.F. verstieß. Diese Einwände hatte der Altkonzessionär allerdings erstmalig in dem vom vermeintlichen Neukonzessionär angestrengten Rechtsstreit auf Herausgabe des Netzes geltend gemacht, nachdem zuvor über mehrere Jahre außergerichtlich versucht worden war, eine Einigung herbeizuführen.

In beiden Entscheidungen verneinte der BGH einen Anspruch des vermeintlichen Neukonzessionärs auf Herausgabe des jeweiligen Energieverteilnetzes der allgemeinen Versorgung mit der Begründung, dieser sei nicht Inhaber des Anspruchs nach § 46 Abs. 2 Satz 2 EnWG geworden. Das jeweilige Konzessionsverfahren habe gegen das Diskriminierungsverbot bzw. gegen das dem Diskriminierungsverbot innewohnenden Transparenzgebot gemäß § 46 EnWG bzw. §§ 19, 20 GWB a.F. verstoßen und behindere den unterlegenen Altkonzessionär unbillig. Der jeweils geschlossene Konzessionsvertrag sei daher nichtig. Die von dem vermeintlichen Neukonzessionär erhobenen Einwände, der Altkonzessionär könne die Unwirksamkeit nicht mehr geltend machen, da er präkludiert sei, wies der BGH wie bereits die Vorinstanzen zurück.[16]

[14] OLG Düsseldorf, Beschluss vom 09.01.2013 – VII-Verg 26/12, juris Rdnr. 64; OLG Düsseldorf, Beschluss vom 04.02.2013 – Verg 31/12, juris Rdnr. 42; in diesem Sinne bereits LG Köln, Urteil vom 07.11.2012 – 90 O 59/12; zur Kritik an diesen Entscheidungen *Kermel/Herten-Koch* (o. Fn. 12).

[15] BGH, Urteil vom 17.12.2013 – KZR 65/12 – „Stromnetz Heiligenhafen"; BGH, Urteil vom 17.12.2013 – KZR 66/12 – „Stromnetz Berkenthin".

[16] BGH, Urteil vom 17.12.2013 – KZR 65/12, juris Rdnr. 81 ff. – „Stromnetz Heiligenhafen"; BGH, Urteil vom 17.12.2013 – KZR 66/12, juris Rdnr. 103 ff. – „Stromnetz Berkenthin".

Ausgangspunkt der Überlegungen des BGH zu etwaigen Rügepflichten des unterlegenen Bieters bildet dessen Aussage, wonach ein gegen § 46 EnWG verstoßendes Auswahlverfahren diejenigen Bewerber, deren Chancen auf die Erteilung der Konzession hierdurch beeinträchtigt werden, entgegen § 20 Abs. 1 GWB a.F. unbillig behindert und daher der Konzessionsvertrag grundsätzlich gemäß § 134 BGB nichtig sei.[17]

Dieser im Falle eines Verstoßes gegen das Diskriminierungsverbot grundsätzlich eintretenden Nichtigkeitsfolge des Konzessionsvertrages nach § 134 BGB kann nach Auffassung des BGH nur ganz ausnahmsweise entgegenstehen, dass alle diskriminierten Bewerber ausreichend Gelegenheit hatten, ihre Rechte zu wahren, diese Möglichkeit aber nicht genutzt haben. In diesem Fall könne und müsse die fortdauernde Behinderung durch den fehlerhaft abgeschlossenen Konzessionsvertrag im Interesse der Rechtssicherheit hingenommen werden. Diese sei insbesondere in Betracht zu ziehen, wenn die Gemeinde – in Anlehnung an den auch § 101a GWB a.F. zugrundeliegenden Rechtsgedanken – alle Bewerber um die Konzession in Textform über die beabsichtigte Auswahlentscheidung unterrichtet und den Konzessionsvertrag erst 15 Kalendertage nach Absendung der Information abschließt.[18]

Der BGH hat allerdings offengelassen, auf welche Weise die unterlegenen Bieter ihre Rechte wahren müssen. Er hat weder die Beantragung einer einstweiligen Verfügung noch die Erhebung einer Hauptsacheklage – etwa in Form einer Feststellungsklage – durch den unterlegenen Bieter gefordert.[19] Überdies lehnte der BGH eine entsprechende Anwendung der vergaberechtlichen Rügepflicht nach § 107 Abs. 3 GWB a.F.[20] ausdrücklich ab. Offengelassen hat der BGH ebenfalls, ob sich eine Rügepflicht des unterlegenen Bieters aus dem vorvertraglichen Vertrauensverhältnis zum Konzessionsgeber ergebe.[21] Gleichzeitig hob der BGH in diesem Kontext hervor, dass dem Altkonzessionär gegenüber dem Netzüberlassungsverlangen des Neukonzessionärs die Berufung auf die Nichtigkeit des Konzessionsvertrages wegen Mängeln im Auswahlverfahren nicht verwehrt werden dürfe.[22] Schließlich lehnte der

[17] BGH, Urteil vom 17.12.2013 – KZR 65/12, juris Rdnr. 81 ff. – „Stromnetz Heiligenhafen"; BGH, Urteil vom 17.12.2013 – KZR 66/12, juris Rdnr. 103 ff. – „Stromnetz Berkenthin".

[18] BGH, Urteil vom 17.12.2013 – KZR 66/12, juris Rdnr. 107 ff. – „Stromnetz Berkenthin".

[19] So auch *Dörfler/Stein*, Versorgungswirtschaft 2017, 97 [99]; *Boos*, EWeRK 2016, 33 [35].

[20] Entspricht dem geltenden § 160 Abs. 3 GWB.

[21] So aber noch OLG Düsseldorf, Beschluss vom 09.01.2013 – VII-Verg 26/12, juris Rdnr. 64; OLG Düsseldorf, Beschluss vom 04.02.2013 – VII-Verg 31/12, juris Rdnr. 42; a.A. *Kermel/Herten-Koch* (o. Fn. 12), [256 ff.].

[22] BGH, Urteil vom 17.12.2013 – KZR 65/12, juris Rdnr. 89 – „Stromnetz Heiligenhafen"; BGH, Urteil vom 17.12.2013 – KZR 66/12, juris Rdnr. 117 – „Stromnetz Berkenthin".

BGH in den entschiedenen Fällen auch eine Verwirkung des Rechts auf Geltendmachung der Nichtigkeit des Konzessionsvertrages (§ 242 BGB) ab.[23]

b) Folgen der BGH-Rechtsprechung für den Rechtsschutz im Konzessionsverfahren?

Auch in späteren Entscheidungen hat der BGH die Anforderungen an eine Rechtewahrung im Sinne seiner Entscheidungen vom 17. Dezember 2013 nicht konkretisiert.[24] Dies führte in der Folgezeit dazu, dass die Anforderungen an die „Rechtewahrung“ unterschiedlich beurteilt wurden.

Das OLG Karlsruhe vertrat in seiner Entscheidung vom 26. März 2014 die Auffassung, dass mit Rechtewahrung im Sinne der BGH-Rechtsprechung grundsätzlich ein Antrag auf Erlass einer einstweiligen Verfügung gemeint sei.[25] Unter entsprechender Anwendung des § 101a Abs. 1 Satz 1 GWB a.F. sei diese Möglichkeit gegeben, wenn die Gemeinde den unterlegenen Bietern die beabsichtigte Zuschlagsentscheidung einschließlich der maßgebenden Gründe in Textform mitteile und ihnen ausreichend Zeit gebe, einen Antrag auf Erlass der einstweiligen Verfügung zu stellen.[26]

Das Erfordernis, zur Rechtewahrung einen Antrag auf Erlass einer einstweiligen Verfügung stellen zu müssen, bejahte das OLG Karlsruhe allerdings nur für diejenigen Bewerber, die nicht Inhaber des Bestandnetzes sind. In Bezug auf den Altkonzessionär lehnte der Senat dagegen ein solches Erfordernis ab. Der Altkonzessionär verliere durch eine fehlerhafte Auswahlentscheidung nicht nur die Chance auf Erlangung der Konzession, sondern werde hierdurch zu einem Zwangsverkauf seines Netzes verpflichtet, sofern nicht die Nichtigkeitsfolge eintrete.[27]

In der Folgezeit bejahten vereinzelt Landgerichte im Rahmen von einstweiligen Verfügungsverfahren zur Rechtewahrung die Notwendigkeit eines Antrags auf Erlass der einstweiligen Verfügung, ohne dies allerdings näher zu begründen.[28]

[23] BGH, Urteil vom 17.12.2013 – KZR 65/12, juris Rdnr. 90 – „Stromnetz Heiligenhafen“; BGH, Urteil vom 17.12.2013 – KZR 66/12, juris Rdnr. 118 f. – „Stromnetz Berkenthin“.

[24] BGH, Beschluss vom 03.06.2014 – EnVR 10/13, juris Rdnr. 58 – „Stromnetz Homberg“; BGH, Urteil vom 18.11.2014 – EnZR 33/13, juris Rdnr. 23 f. – „Stromnetz Schierke“; *Boos* (o. Fn 19).

[25] OLG Karlsruhe, Urteil vom 26.03.2014 – 6 U 68/13 (Kart), juris Rdnr. 66.

[26] OLG Karlsruhe, Urteil vom 26.03.2014 – 6 U 68/13 (Kart), juris Rdnr. 67 ff.

[27] OLG Karlsruhe, Urteil vom 26.03.2014 – 6 U 68/13 (Kart), juris Rdnr. 75.

[28] LG München, Beschluss vom 01.01.2016 – HK O 8010/15, juris Rdnr. 3; LG Hannover, Beschluss vom 03.08.2015 – 74 O 2/15.

Das OLG Stuttgart[29] und das OLG Koblenz[30] verneinten demgegenüber die Notwendigkeit eines Antrags auf Erlass einer einstweiligen Verfügung zur Rechtewahrung jedenfalls in den Fällen, in denen der unterlegene Bewerber von der Gemeinde im Anschluss an die Vergabeentscheidung in nicht ausreichendem Umfang informiert worden ist. Eine solche nicht ausreichende Information sah das OLG Koblenz in dem Fall für gegeben an, in dem die zur Verfügung gestellten Unterlagen nicht ausreichend sind, um dem unterlegenen Bewerber die zu seiner Interessenswahrnehmung erforderliche Überprüfung zu ermöglichen.[31] Nach Auffassung des OLG Stuttgart würde die BGH-Entscheidung vom 17. Dezember 2013 als sinnlos entwertet, wenn man sie nur dahingehend verstehen würde, dass man den nicht bedachten Bewerber informiert, einfach 15 Tage zuwartet und dann – frei von jeglicher Fortwirkung von das Ausschreibungs- und Auswahlverfahren prägenden Mängeln – den Zuschlag erteilen dürfte. Dem reinen 15-tägigen „Aussitzen" könne keine Heilungswirkung zukommen.[32]

Das OLG Brandenburg wiederum verneinte in zwei Entscheidungen vom 19. Juli 2016 die Notwendigkeit, erkennbare Rechtsverletzungen schon während des Konzessionsverfahrens zu rügen und zwar auch dann, wenn eine solche Rügepflicht im Verfahrensbrief postuliert worden war.[33]

Das LG Stuttgart verneinte sodann in seiner Entscheidung vom 05. April 2016 mit beachtlichen Argumenten das Erfordernis einer einstweiligen Verfügung überhaupt und zwar unabhängig davon, ob der unterlegene Bieter Altkonzessionär ist oder nicht und ob unmittelbar Rügen erhoben worden sind.[34] Schon aufgrund des vorläufigen Charakters der einstweiligen Verfügung könne hierdurch Rechtssicherheit nicht herbeigeführt werden. Selbst bei einer Zurückweisung des Antrags bliebe dem unterlegenen Bieter auch weiterhin die Möglichkeit, die Sach- und Rechtslage zunächst in einem Berufungsverfahren und sodann in einem Hauptsacheverfahren zu klären.[35]

Das LG Frankfurt a.M. sah es in seiner Entscheidung vom 08. März 2017 wie zuvor bereits das OLG Stuttgart für die Rechtewahrung wiederum als ausreichend an, wenn der unterlegene Bewerber schon während des Ausschreibungsverfahrens auf angebliche Mängel der Auswahlkriterien hingewiesen und diese Bedenken nach Zuschlagsbeschluss durch die Stadtver-

29 OLG Stuttgart, Urteil vom 19.11.2015 – 2 U 60/15, juris Rdnr. 78.

30 OLG Koblenz, Urteil vom 11.05.2017 – U 482/16 Kart.

31 OLG Koblenz, Urteil vom 11.05.2017 – U 482/16 Kart., S. 9 f.

32 OLG Stuttgart, Urteil vom 19.11.2015 – 2 U 60/15, juris Rdnr. 78, zustimmend LG Frankfurt a.M., Urteil vom 08.03.2017 – 3-08 O 141/16, S. 13.

33 OLG Brandenburg, Urteile vom 19.07.2016 – Kart U 1/15, und Kart U 2/15.

34 LG Stuttgart, Urteil vom 05.04.2016 – 41 O 43/14 K, Versorgungswirtschaft 2016, 240 ff.

35 LG Stuttgart, Urteil vom 05.04.2016 – 41 O 43/14 K, Versorgungswirtschaft 2016, 240 [241]; zustimmend *Höch/Kaufmann* (o. Fn. 7), [244].

ordnetenversammlung wiederholt habe. Ein zusätzlicher Antrag auf Erlass einer einstweiligen Verfügung sei zwar möglich, aber zur Rechtewahrung nicht erforderlich.[36] Diese Auffassung stehe nicht im Widerspruch zu der im Beschluss des OLG Frankfurt a.M. vom 09. März 2015[37] geäußerten Rechtsauffassung.[38] Das OLG Frankfurt a.M. habe in dieser Entscheidung lediglich die Berechtigung des alten Konzessionärs für einen Antrag auf Erlass einer einstweiligen Verfügung bejaht, um den Abschluss des Konzessionsvertrages zu verhindern. Diese Entscheidung besage jedoch nicht, dass der Konzessionsvertrag nach Ablauf der 15 Tage wirksam sei, wenn kein Mitbewerber eine einstweilige Verfügung beantragt hat.[39]

Auch das OLG Dresden verneinte in seiner Entscheidung vom 29. November 2016, mit der es die gegenteilige Entscheidung des LG Chemnitz vom 18. Dezember 2015[40] aufhob, die Notwendigkeit einer gerichtlichen Geltendmachung in Form eines einstweiligen Verfügungsverfahrens.[41] Das Gericht erachtete vielmehr die von der dortigen Beklagten nach Erhalt der Vorabinformation über die geplante Auswahlentscheidung ergriffenen Maßnahmen als in der Gesamtschau zur Wahrung ihrer Rechte für ausreichend.[42] Die dortige Beklagte hatte bereits unmittelbar nach Erhalt der Vorabinformation unmissverständlich deutlich gemacht, dass sie mit der Auswahlentscheidung nicht einverstanden sei, und konkrete Rügen erhoben. Auch gegenüber der vermeintlichen Neukonzessionärin hatte sie die Rügen geltend gemacht. Das OLG Dresden hob bei seinen Überlegungen hervor, dass bislang keine gesicherte Rechtslage zu der Frage herrsche, was konkret unter Rechtewahrung im Sinne der BGH-Rechtsprechung in Sachen „Stromnetz Berkenthin" und „Stromnetz Heiligenhafen" zu verstehen sei. Deswegen dürften hieran keine überspannten Anforderungen gestellt werden.[43]

Der überwiegenden Rechtsprechung, die ein Erfordernis der Beantragung einer einstweiligen Verfügung zur Rechtewahrung gegen den Abschluss eines unter Verstoß gegen das Diskriminierungsverbot gemäß § 46 EnWG und §§ 18, 19 GWB zu schließenden Konzessionsvertrages verneint[44], ist zuzustimmen. Aus der vom BGH formulierten Heranziehung des auch § 101a GWB a.F. zugrundeliegenden Rechtsgedankens lässt sich tatsächlich nur eine Informations- und Wartepflicht der Gemeinde ableiten, nicht dagegen eine

36 LG Frankfurt a.M., Urteil vom 08.03.2017 – 3-08 O 141/16, S. 14.
37 OLG Frankfurt a.M., Beschluss vom 09.03.2015 – 11 W 47/14.
38 So aber *Boos* (o. Fn. 19), [36].
39 LG Frankfurt a.M., Urteil vom 08.03.2017 – 3-08 O 141/16, S. 14 f.
40 LG Chemnitz, Urteil vom 18.12.2015 – 2 HK O 92/15.
41 OLG Dresden, Urteil vom 29.11.2016 – U 1/16 Kart, juris Rdnr. 32 ff.
42 OLG Dresden, Urteil vom 29.11.2016 – U 1/16 Kart, juris Rdnr. 37.
43 OLG Dresden, Urteil vom 29.11.2016 – U 1/16 Kart, juris Rdnr. 36.
44 Vgl. hierzu ausführlich *Kermel/Wagner* (o. Fn. 12); *Kermel/Herten-Koch* (o. Fn. 12).

Pflicht der unterlegenen Bieter, Rügen in einem einstweiligen Verfügungsverfahren geltend zu machen.

Die Überlegungen des BGH in Bezug auf die in den Urteilsgründen angesprochene „Rechtewahrung“ zielen darauf ab, zu vermeiden, dass die Gemeinde über die gesamte Laufzeit des Konzessionsvertrages Gefahr läuft, dem Einwand der Nichtigkeit des Konzessionsvertrages ausgesetzt zu sein. Es soll verhindert werden, dass die Gemeinde über 20 Jahre der erstmaligen Erhebung solcher Einwendungen gegen das Konzessionierungsverfahren ausgesetzt ist, die bereits im Rahmen der Auswahlentscheidung hätten erhoben werden können und mit denen sie nach Abschluss des Konzessionsvertrages nicht mehr rechnen muss. In diesem Rahmen soll für die Kommune Vertrauensschutz und damit Rechtssicherheit geschaffen werden.[45] Ein solcher Vertrauensschutz kann jedoch bereits dann nicht begründet werden, wenn ein unterlegener Bewerber unmittelbar nach der Auswahlentscheidung deren Richtigkeit rügt. Dann weiß die Kommune um das Bestehen von Einwänden. Erst Recht kann Rechtssicherheit zugunsten der Kommune in diesem Sinne nicht eintreten, wenn sie sich weigert, dem unterlegenen Bewerber Einsicht in die Verfahrensunterlagen zu gewähren. In diesem Fall verhindert sie die Erkennbarkeit von Rechtsverletzungen, sodass ein Vertrauensschutz dahingehend, es würden keine Einwände erhoben, nicht bestehen kann.

Auch ist, wie das LG Stuttgart zutreffend festgestellt hat, eine Rechtssicherheit, wie sie der BGH vor Augen hatte, durch die Beantragung bzw. den Erlass einer einstweiligen Verfügung aufgrund des vorläufigen Charakters nicht möglich.[46] Die Kommune kann dagegen Rechtsmittel einlegen bzw. den Verfügungskläger in das Hauptsacheverfahren zwingen.[47] Aber auch im Falle der Ablehnung der beantragten einstweiligen Verfügung besteht für die Kommune keine Rechtssicherheit dahingehend, dass ein im Anschluss hieran geschlossener Konzessionsvertrag dauerhaft Bestand hat. Es bleibt für den im einstweiligen Verfügungsverfahren unterlegenen Bewerber die Möglichkeit, seine Einwendungen im Hauptsacheverfahren oder im Rahmen einer von dem vermeintlich obsiegenden Bewerber erhobenen Netzherausgabeklage geltend zu machen.

2. *Rechtsschutz bei Konzessionierungen nach neuem Recht*

Mit dem am 03. Februar 2017 in Kraft getretenen § 47 EnWG wurde im EnWG erstmalig ein sog. Rügeregime im Zusammenhang mit der Vergabe von qualifizierten Wegenutzungsrechten etabliert. Ziel der Novelle ist es,

[45] Vgl. *Höch/Kaufmann* (o. Fn. 12), [243 f.].

[46] LG Stuttgart, Urteil vom 05.04.2016 – 41 O 43/14 K, Versorgungswirtschaft 2016, 240 [241 f.].

[47] §§ 926, 936 ZPO.

Strom- und Gaskonzessionsverfahren zu beschleunigen und mit einem höheren Maß an Rechtssicherheit auszustatten.[48]

a) Inhalt des Rügeregimes gemäß § 47 EnWG

Ausweislich § 47 Abs. 1 EnWG kann jedes beteiligte Unternehmen eine Rechtsverletzung wegen Nichtbeachtung der Grundsätze eines transparenten und diskriminierungsfreien Verfahrens nach § 46 Abs. 1 bis 4 EnWG nur geltend machen, soweit es diese nach Maßgabe von § 47 Abs. 2 EnWG gerügt hat.

§ 47 Abs. 2 i.V.m. § 46 Abs. 4 Satz 4 EnWG verlangt von dem jeweils beteiligten Unternehmen, dass es erkennbare Rechtsverletzungen im Rahmen der Bekanntmachung des Auslaufens des Konzessionsvertrages innerhalb von 3 Monaten rügt („Rüge 1“). Erkennbare Rechtsverletzungen im Rahmen der Mitteilung der Auswahlkriterien sind innerhalb von 15 Tagen ab deren Zugang zu rügen („Rüge 2“). Schließlich sind Rügen gegen erkennbare Rechtsverletzungen aus der Information über die geplante Auswahlentscheidung innerhalb von 30 Tagen ab Zugang dieser Information zu rügen („Rüge 3“). Wird Akteneinsicht beantragt, beginnt die 30 Tagesfrist erneut ab dem ersten Tag, an dem die Gemeinde die Akten zur Einsichtnahme bereitgestellt hat.

An die jeweilige Rüge schließt sich die Obliegenheit des Bieters zur gerichtlichen Geltendmachung der Einwände für den Fall an, dass die Gemeinde ihr nicht abhilft. So muss der Bieter nicht abgeholfene Rügen in allen drei Fällen innerhalb von 15 Kalendertagen ab Zugang der Mitteilung, dass die Gemeinde der Rüge nicht abgeholfen hat, gerichtlich geltend machen (§ 47 Abs. 5 Satz 1 EnWG). Andernfalls drohen die Einwände des Bieters wiederum zu präkludieren. Ausweislich § 47 Abs. 5 Satz 2 EnWG gelten für die Obliegenheit zur gerichtlichen Geltendmachung die Vorschriften der Zivilprozessordnung über das Verfahren auf Erlass einer einstweiligen Verfügung. Ein Verfügungsgrund muss nach § 47 Abs. 5 Satz 3 EnWG nicht glaubhaft gemacht werden. Dieser ergibt sich nach der Gesetzesbegründung bereits aus der drohenden Präklusion.[49]

§ 47 Abs. 6 EnWG untersagt der Gemeinde, den Konzessionsvertrag vor Ablauf der Fristen betreffend die gerichtliche Geltendmachung zu schließen.

Mit der Einführung dieses Rügeregimes hat der Bundestag zugleich eine Ergänzung des Gerichtskostengesetzes (GKG) beschlossen.[50] Gemäß § 53 Abs. 1 Nr. 4 GKG beträgt der Streitwert im einstweiligen Verfügungsverfahren maximal 100.000 Euro.

[48] BT-Drs. 18/8184, S. 8.
[49] BT-Drs. 18/8184, S. 17.
[50] BT-Drs. 18/10503, S. 3; BR-Drs. 766/16, S. 2.

Das neue Rügeregime findet grundsätzlich nur auf solche Konzessionsverfahren Anwendung, mit denen seit dessen Inkrafttreten am 03. Februar 2017 begonnen wurde. Allerdings sieht das EnWG in § 118 Abs. 23 EnWG[51] eine Übergangsregelung für bereits begonnene Konzessionsverfahren vor. Danach können Kommunen durch eine entsprechende Aufforderung zur Rüge die Rügeobliegenheiten auch auf zum Zeitpunkt des Inkrafttretens des Gesetzes bereits laufende Konzessionsverfahren zur Anwendung bringen. Mit Zugang eines solchen Aufforderungsschreibens bei den Bietern können die Fristen für die Erhebung der „Rüge 1“ (Bekanntmachung) und der „Rüge 2“ (Auswahlkriterien) in Gang gesetzt werden.

b) Probleme des neuen Rügeregimes nach § 47 EnWG

Bereits sehr schnell zeigte sich, dass das neue Rügeregime die zuvor bestehenden Rechtsunklarheiten nicht nur nicht beseitigt, sondern weitere Rechtsunsicherheiten geschaffen hat.[52] Die nachfolgende Darstellung ist dabei nicht als abschließend zu betrachten.

Bereits die Übergangsregelung gemäß § 118 Abs. 23 EnWG wirft verschiedene Rechtsfragen auf. Streitig ist beispielsweise, ob die Anwendung des Rügeregimes auf laufende Konzessionsverfahren gemäß § 118 Abs. 23 EnWG zwingend ist[53] oder im Ermessen der Gemeinde steht[54]. Der Wortlaut der Vorschrift und die Gesetzeshistorie sprechen für Letzteres. Aus der vorstehenden Rechtsproblematik leitet sich eine weitere Streitfrage ab, nämlich, ob die Anwendung des Rügeregimes auf laufende Konzessionsverfahren zuvor eines Ratsbeschlusses der Kommune bedarf oder nicht.[55]

Die Rügeobliegenheit und die damit einhergehende Präklusion im Fall der Nichterhebung nach § 47 EnWG erfasst nur „erkennbare“ Rechtsverletzungen. Wann eine solche Erkennbarkeit vorliegt, wird nicht weiter konkretisiert

[51] Die Übergangsregelung wurde ursprünglich in § 118 Abs. 20 EnWG eingefügt, vgl. BT-Drs. 18/10503, S. 3; BR-Drs. 766/16, S. 2. Durch Art. 1 Nr. 18 des Gesetzes zur Modernisierung der Netzentgeltstruktur (Netzentgeltmodernisierungsgesetz) vom 17.07.2017 (BGBl. I 2017, 2505 f.) ist die Regelung des § 118 Abs. 20 EnWG zu § 118 Abs. 23 EnWG geändert worden.

[52] *Dörfler/Stein* (o. Fn 19); *Czernek*, EnWZ 2018, 99 ff.; *Höch*, RdE 2017, 157 ff.; *Keller-Herder*, ER 2017, 91 [96]; *Kupfer*, NVwZ 2017, 428 [433]; *Zimmermann/Schenek*, BWGZ 2017, 612 [615]; *Wolf/Dörfler*, Versorgungswirtschaft 2016, 137 ff.; *Theobald/Wolkenhauer*, DÖV 2016, 724 ff.; *Lange/Möllnitz*, EWeRK 2016, 5 ff.; *Brahms/Ellerbrock*, ER 2016, 143 ff.; *Boos*, ZNER 2017, 102 ff.; *Brück von Oertzen/Kreggenfeld*, EWeRK 2016, 12 ff.

[53] So LG Mainz, Urteil vom 27.06.2018 – 12 HK O 31/18 Kart, S. 12 ff.; LG Mainz, Urteile vom 30.07.2017 – 12 HK O 27/17, S. 10, und 12 HK O 28/17, S. 10.

[54] BDEW, Anwendungshilfe Konzessionen in der Strom- und Gasversorgung vom 09.07.2018, S. 25 f.; BDEW, Anwendungshilfe zur Novellierung der §§ 46 ff. EnWG vom 18.01.2017, S. 11.

[55] Verneinend LG Mainz, Urteil vom 27.06.2018 – 12 HK O 31/18 Kart, S. 12 ff.; LG Mainz, Urteile vom 30.07.2017 – 12 HK O 27/17, S. 10, und 12 HK O 28/17, S. 10.

und kann zu Streitigkeiten führen. Probleme können hierbei insbesondere in den Fällen auftreten, in denen dem Bewerber keine vollständige Akteneinsicht gewährt worden ist und streitig wird, ob aus dieser unvollständigen Akteneinsicht bereits bestimmte Rechtsverletzungen erkennbar waren.

Erhebliche Unsicherheiten bestehen auch in Bezug auf das in § 47 Abs. 3 EnWG geregelte Akteneinsichtsrecht selbst. Dieses steht jedem beteiligten Unternehmen *„zur Vorbereitung einer Rüge“* gegen die Auswahlentscheidung zu. In der Praxis wird die Akteneinsicht zunächst nur von den unterlegenen Bewerbern beantragt. Haben diese sodann eine entsprechende Rüge erhoben, wird vielfach dem obsiegenden Bewerber deren Inhalt zur Kenntnis gebracht und er wird um Stellungnahme gebeten. Da sich die Rüge meist auch auf den Inhalt der Auswertungsmatrix bezieht, benötigt der obsiegende Bewerber ebenfalls eine entsprechende Akteneinsicht in diese Unterlagen, um Stellung nehmen zu können. In der Regel wird dem obsiegenden Bewerber diese Einsicht jedoch mit der Begründung versagt, ihm stünde das Akteneinsichtsrecht nach § 47 Abs. 3 EnWG nicht zu, da es nicht um die Vorbereitung seiner Rüge ginge.

Probleme mit dem Akteneinsichtsrecht ergeben sich auch insoweit, als dieses gemäß § 47 Abs. 3 Satz 3 EnWG zu versagen ist, soweit dies zur Wahrung von Betriebs- oder Geschäftsgeheimnissen geboten ist.[56] Zwar kann die Kommune die Bieter bereits im Auswahlverfahren auffordern, in ihrem Angebot etwaige Betriebs- und Geschäftsgeheimnisse kenntlich zu machen.[57] Fraglich ist allerdings, ob der Kommune nicht diesbezüglich auch eine eigenverantwortliche Pflicht obliegt, nachzuprüfen, ob es sich tatsächlich um Betriebs- und Geschäftsgeheimnisse handelt. Dies wird wohl jedenfalls in den Fällen zu bejahen sein, in denen der Bieter sein gesamtes Angebot oder große Teile davon als Betriebs- und Geschäftsgeheimnisse tituliert.[58]

Soweit die Kommune dem unterlegenen Bieter – etwa unter Hinweis auf das, nicht überprüfte, Vorliegen von Geschäfts- und Betriebsgeheimnissen – die Akteneinsicht nur beschränkt gewährt, stellt sich im Einzelfall die Frage, ob dadurch die 30 Tagesfrist gemäß § 47 Abs. 2 Satz 4 EnWG ausgelöst werden kann. Nach dem Wortlaut knüpft der Beginn der Frist daran an, dass die Gemeinde „die Akten zur Einsichtnahme bereitgestellt hat“. Ein Bereitstellen in diesem Sinne wird jedenfalls dann zu verneinen sein, wenn eine Überprüfung der Kommune, ob es sich bei den nicht vorgelegten bzw. geschwärzt vorgelegten Unterlagen um Betriebs- und Geschäftsgeheimnisse handelt, unterblieben ist.

[56] Vgl. zum Begriff der Betriebs- und Geschäftsgeheimnisse BVerfG, Beschluss vom 14.03.2006, 1 BvR 2087/03, juris Rdnr. 87; BGH, Beschluss vom 31.01.2017 – X ZB 10/16, juris Rdnr. 39.

[57] BT-Drs. 18/8184, S. 17, 28.

[58] Für eine umfassende Prüfpflicht der Kommunen und Hinweis auf das Kartellvergaberecht *Czernek* (o. Fn. 52), [103].

Ein besonderes Problem bereitet auch das Verhältnis von § 47 Abs. 5 und Abs. 6 EnWG. Nach § 47 Abs. 5 EnWG ist der unterlegene Bewerber nur verpflichtet, innerhalb der genannten Fristen die einstweilige Verfügung zu beantragen. Nicht erforderlich ist dagegen, dass die einstweilige Verfügung innerhalb der 15 Kalendertage erlassen worden ist. Der Gemeinde wiederum ist es nach § 47 Abs. 6 EnWG nur bis zum Ablauf der Frist aus § 46 Abs. 2 Satz 3 EnWG („Rüge 3") oder zumindest jener Frist betreffend die gerichtliche Geltendmachung der nicht abgeholfenen Rügen aus § 47 Abs. 5 Satz 1 EnWG untersagt, den Vertrag zu schließen. Fraglich ist zum einen, ob das Verbot des Vertragsschlusses auch in dem Fall gilt, dass innerhalb der 15 Tagesfrist die einstweilige Verfügung beantragt, aber nicht erlassen worden ist, die Gemeinde aber von der Antragstellung vor Vertragsschluss erfährt. Des Weiteren stellt sich die Frage, ob der Vertragsschluss zu einer Präklusion führt.

Mit einem entsprechenden Sachverhalt hat sich das OLG Frankfurt a.M. in seinem Beschluss vom 26. Februar 2018 beschäftigt.[59] Der im Konzessionsverfahren unterlegene Altkonzessionär eines Gasnetzes ersuchte einstweiligen Rechtsschutz gegen den drohenden Vertragsschluss der Gemeinde mit dem vermeintlichen Neukonzessionär. Hierzu beantragte der Altkonzessionär nach Nichtabhilfe seiner Rügen innerhalb der 15 Tagesfrist des § 47 Abs. 5 Satz 1 EnWG eine einstweilige Verfügung. Obwohl das einstweilige Verfügungsverfahren rechtshängig und dies der Gemeinde auch bekannt war, schloss die Gemeinde am ersten Tag nach Ablauf der 15 Tagesfrist – und bevor das Gericht über den Antrag auf Erlass der einstweiligen Verfügung entscheiden konnte – den Konzessionsvertrag mit dem vermeintlichen Neukonzessionär. Daraufhin stellte der Altkonzessionär seinen Antrag im einstweiligen Rechtsschutzverfahren um und begehrte, den Vollzug des Vertrages einstweilig zu untersagen. Nach Zurückweisung des Antrags durch das LG Wiesbaden[60] entschied das OLG Frankfurt a.M. über die vom Altkonzessionär hiergegen eingelegte sofortige Beschwerde.

Das OLG Frankfurt a.M. wies die sofortige Beschwerde zurück und führte aus, dass kein besonderes Interesse an einer Entscheidung im einstweiligen Rechtsschutz bestehe, weil der Altkonzessionär – nach erfolgtem Vertragsschluss – seine Rechte und Einwände vollumfänglich in einem möglichen Hauptsacheverfahren geltend machen könne. Die Rechte des Altkonzessionärs seien sowohl im Hinblick auf eine negative Feststellungsklage des Altkonzessionärs als auch auf eine gegen den Altkonzessionär gerichtete Klage

[59] OLG Frankfurt a.M., Beschluss vom 26.02.2018 – 11 W 2/18 (Kart), Versorgungswirtschaft 2018, 143 f. mit Anmerkung *Kermel/Lautenbach*, Versorgungswirtschaft 2018, 144 ff.

[60] LG Wiesbaden, Beschluss vom 08.12.2017 – 12 O 111/17.

auf Netzherausgabe durch die fristgemäße Beantragung einer einstweiligen Verfügung gewahrt.[61]

Zunächst stellte das Gericht fest, dass das Begehr des Altkonzessionärs nach dem erfolgten Vertragsschluss der Gemeinde mit dem vermeintlichen Neukonzessionär nur noch darauf gerichtet sein konnte, die Vollziehung des Vertrages zu verhindern. In Abweichung zur Rechtsprechung des LG Mainz[62] ging das Gericht davon aus, dass ein auf die Verhinderung des Vertragsschlusses gerichteter Antrag nach dem Vertragsschluss ins Leere gehe.[63] Die Dringlichkeitsvermutung des § 47 Abs. 5 Satz 3 EnWG, wonach ein Verfügungsgrund stets in der drohenden Präklusion zu sehen ist, finde nur in denjenigen Fällen Anwendung, in denen der Vertragsschluss noch verhindert werden könne, was das OLG Frankfurt a.M. in dem zu beurteilenden Fall verneinte.[64]

Ein Verfügungsgrund war nach Auffassung des Gerichts nicht gegeben, weil der Altkonzessionär seine Rechte vollumfänglich in einem nachfolgenden Hauptsacheverfahren geltend machen könne.[65] Dies gelte sowohl für eine Nichtigkeitsfeststellungsklage des Klägers als auch für eine gegen den Altkonzessionär gerichtete Herausgabeklage des vermeintlichen Neukonzessionärs.[66] Der Vertragsschluss stelle keine Zäsur dar, die eine Überprüfung des Verfahrens in der Hauptsache ausschließe.[67]

Die in der Literatur vereinzelt aufgeworfene Frage, ob nach der Durchführung des in § 47 Abs. 5 EnWG geregelten einstweiligen Verfügungsverfahrens überhaupt noch ein Hauptsacheverfahren geführt werden kann, hat das OLG Frankfurt a.M. mit seiner Entscheidung vom 26. Februar 2018 positiv beantwortet. Das einstweilige Verfügungsverfahren hat lediglich zur Folge, dass es die Präklusion des Bieters verhindert. Dem Bieter bleibt es mithin unbenommen, Rügen auch in einem Hauptsacheverfahren geltend zu machen.[68] Der vereinzelt vertretenen Auffassung, auch die Hauptsacheklage müsse innerhalb der 15 Tagesfrist des § 47 Abs. 5 EnWG geltend gemacht werden[69], ist nicht zu folgen. Sie findet weder im Wortlaut noch im Sinn und

[61] OLG Frankfurt a.M., Beschluss vom 26.02.2018 – 11 W 2/18 (Kart), Versorgungswirtschaft 2018, 143 [144].

[62] LG Mainz, Urteil vom 19.02.2015 – 12 HK O 2/15, juris Rdnr. 28.

[63] OLG Frankfurt a.M., Beschluss vom 26.02.2018 – 11 W 2/18 (Kart), Versorgungswirtschaft 2018, 143 mit Anmerkung *Kermel/Lautenbach* (o. Fn. 59).

[64] OLG Frankfurt a.M., Beschluss vom 26.02.2018 – 11 W 2/18 (Kart), Versorgungswirtschaft 2018, 143 [144] mit Anmerkung *Kermel/Lautenbach* (o. Fn. 59).

[65] OLG Frankfurt a.M., Beschluss vom 26.02.2018 – 11 W 2/18 (Kart), Versorgungswirtschaft 2018, 143 [144].

[66] OLG Frankfurt a.M., Beschluss vom 26.02.2018 – 11 W 2/18 (Kart), Versorgungswirtschaft 2018, 143 [144].

[67] OLG Frankfurt a.M., Beschluss vom 26.02.2018 – 11 W 2/18 (Kart), Versorgungswirtschaft 2018, 143 [144] mit Anmerkung *Kermel/Lautenbach* (o. Fn. 59), [145 f.].

[68] So schon *Höch* (o. Fn. 52), [164].

[69] So *Czernek* (o. Fn. 52), [105].

Zweck des § 47 EnWG eine Stütze, zumal völlig unklar ist, welches Ereignis die Frist auslösen soll. Auch steht dieser Auffassung die Rechtsschutzgarantie des Art. 19 Abs. 4 GG entgegen.

Ungeklärt ist in diesem Zusammenhang die Frage, ob das einstweilige Verfügungsverfahren über zwei Instanzen geführt werden muss, um zu verhindern, dass eine Präklusion des Bieters eintritt. Dieses Problem stellt sich insbesondere in dem Fall, in dem der Antrag auf Erlass einer einstweiligen Verfügung in der ersten Instanz zurückgewiesen worden ist. Jedenfalls aus dem Wortlaut des § 47 Abs. 5 EnWG lässt sich ein solcher Gang durch die Instanzen nicht ableiten. Auch aus dem Zweck der Schaffung eines möglichst hohen Maßes an Rechtssicherheit lässt sich nicht herleiten, dass der Instanzenzug im einstweiligen Verfügungsverfahren ausgeschöpft werden muss. Mit der Beantragung einer einstweiligen Verfügung hat der Bieter gerügte Rechtsverletzungen, denen nicht abgeholfen worden ist, gerichtlich geltend gemacht, wie es § 47 Abs. 5 Satz 1 EnWG verlangt. Hierdurch weiß die Kommune um die Einwände des Bieters und um das Risiko, dass diese auch in einem Hauptsacheverfahren geltend gemacht werden könnten. Da die Durchführung eines Hauptsacheverfahrens selbst nicht die Durchführung eines einstweiligen Verfügungsverfahrens bis zur Erschöpfung des Rechtswegs voraussetzt, ist ein Grund, zunächst alle Instanzen im einstweiligen Verfügungsverfahren zu durchlaufen, nicht erkennbar.

III. Fazit

Das in § 47 EnWG eingeführte Rügeregime führt im Vergleich zu dem bis 03. Februar 2017 geltenden Recht weder zu einer Beschleunigung der Konzessionsverfahren noch erhöht es deren Rechtssicherheit. Die gesetzlich vorgesehene Vorschaltung eines einstweiligen Verfügungsverfahrens vor das eigentliche Hauptsacheverfahren zur Vermeidung einer Präklusion führt tatsächlich eher zu einer Verlängerung des Auswahlverfahrens. Da es sich bei dem einstweiligen Verfügungsverfahren um ein summarisches Verfahren handelt, dürfte der überwiegende Teil der streitigen Verfahren zukünftig erst im Hauptsacheverfahren endgültig entschieden werden. Da bis zu drei Rügen in einem Konzessionsverfahren zunächst jeweils in einem einstweiligen Verfügungsverfahren behandelt werden müssten, bevor über die gerügten Rechtsverletzungen in einem Hauptsacheverfahren über bis zu drei Instanzen endgültig entschieden worden ist, dürfte eine Beschleunigung der Konzessionsverfahren mit diesem Rügeregime nicht erreicht werden können. Es bleibt mithin abzuwarten, ob eine endgültige Klärung der dargestellten Rechtsfragen durch die Gerichte erfolgen wird oder durch eine erneute Novellierung des Konzessionsrechts diese Rechtsfragen obsolet werden.

Europäisches Regulierungsrecht und mitgliedstaatliches Zivilrecht

Ein Spannungsfeld

GUNTHER KÜHNE*

I. Einleitung

Die beiden Begriffe „Europäisches Regulierungsrecht" und „Mitgliedstaatliches Zivilrecht" scheinen auf den ersten Blick nichts miteinander zu tun zu haben, ja sogar in einem gewissen Gegensatz zueinander zu stehen. Sie gehören unterschiedlichen Rechtsebenen (europäisches – nationales Recht) und Gegenstandsbereichen (öffentliches Recht – Zivilrecht) an. Eine solche zerlegende Betrachtungsweise würde indes der Rechtswirklichkeit unserer Tage nicht gerecht werden. Die genannten Ebenen und Gegenstandsbereiche haben sich längst vielfältig ineinandergeschoben. An dieser Entwicklung haben Aufkommen und Verbreitung des Rechtsbereichs des *Regulierungsrechts* einen erheblichen Anteil.

In ihm sind die ehedem monopolistischen Wirtschaftsbereiche insbesondere des Post- und Telekommunikationswesens, des Eisenbahnwesens und der leitungsgebundenen Energieversorgung (Strom und Gas) aufgegangen. Bis zur konzeptionellen Wende dieser Rechtsbereiche im Laufe der 90er Jahre des vorigen Jahrhunderts von der Monopol- zur Wettbewerbswirtschaft waren die einzelnen Teilbereiche verhältnismäßig klar dem öffentlichen Recht und dem Privatrecht zuzuordnen. Der Jubilar hat in seinem 1982 erschienenen Lehrbuch des Energierechts[1] den alten Rechtszustand in mustergültiger Klarheit und Systematik analysiert und dargestellt und damit aus heutiger Sicht als erstrangige rechtshistorische Quelle einer vergangenen Energierechtsepoche der Nachwelt überliefert. In dieser Darstellung verbinden sich systematische Konturenschärfe und unternehmerisch-praktische Sichtweise – zwei Eigenheiten, die das umfangreiche, weit über das Energierecht hinausreichende und die sowohl unternehmerisch als auch wissenschaftlich geprägte Lebenswelt des Jubilars widerspiegelnde Werk auch zum

* Dr. iur., LL.M. (Columbia), em. Professor an der Technischen Universität Clausthal; Honorarprofessor an der Georg-August-Universität Göttingen

[1] *Büdenbender*, Energierecht, München Köln 1982.

modernen Energierecht prägen. Mit einem Unterschied: Ein solcher Geist muss sich an dem gegenwärtigen ungeordneten Rechtszustand weit mehr reiben als in früheren Jahren, was er auch bei vielen Gelegenheiten deutlich erkennen lässt.

Ihrem Gehalt nach sind die dem Regulierungsrecht zuzuordnenden Materien öffentlich-rechtlicher Natur. Dies hängt mit ihrer Gemeinwohlbezogenheit zusammen. Nach einer eingeführten Umschreibung umfasst Regulierung dasjenige hoheitliche Handeln, mit dem die Verwaltung auf einen Wirtschaftssektor oder auf den wirtschaftlich geprägten Teil eines Lebensbereichs einwirkt, um sowohl Bedingungen für Wettbewerb zu schaffen und aufrechtzuerhalten als auch anstelle einer staatlichen Eigenvornahme die Gemeinwohlsicherung im betreffenden Sektor oder Lebensbereich zu garantieren.[2] Mittlerweile ist der Begriff der Regulierung dabei, über den bezeichneten Wirkungsbereich hinaus in das *Privatrecht* (Zivilrecht) vor- und einzudringen. Auch dort obwalten jedenfalls teilweise Gemeinwohlbelange. Dies gilt z.B. für das Verbraucherschutzrecht, das schon gegenwärtig zu einem Bestandteil des Regulierungsrechts geworden ist, wenn man z.B. an die Transparenzanforderungen bei Preisanpassungen in den Strom- und Gas-Richtlinien der EU denkt. Gemeinwohlbezogen ist auch das sog. Regulierungsprivatrecht, d.h. das privatrechtliche Instrumentarium, welches der Durchsetzung regulierungsrechtlicher Gemeinwohlanforderungen dient (im deutschen Recht z.B. § 32 EnWG).

In einer umfangreichen Untersuchung hat jüngst *Hellgardt*[3] im Einzelnen dargelegt, dass auch das Privatrecht in erheblichem Umfang Regulierungscharakter aufweise. Dies sei dann der Fall, wenn Vorschriften privatrechtlichen Charakters zum einen verhaltenssteuernde Zwecke und zum anderen die Verwirklichung von Allgemeinwohlzielen verfolgen.[4] Letzteres sei im Hinblick auf die spezifischen unionsrechtlichen Ziele besonders häufig bei europarechtsgeleitetem Privatrecht der Fall.[5] In Gegensatz zu diesem regulatorischen Privatrecht setzt *Hellgardt* die Teile des Privatrechts, die keine Allgemeinwohlziele, sondern nur den Interessenausgleich unter Privaten verfolgen, z.B. weite Teile der Rechtsgeschäftslehre und des vertraglichen Schuldrechts.[6]

Diese nicht-regulatorischen, auf Interessenausgleich zwischen privaten Rechtssubjekten gerichteten und als „klassisch" zu bezeichnenden Bereiche des Privatrechts fallen in die Zuständigkeit der Mitgliedstaaten. Dies schließt indes keineswegs aus, dass sie mit den unionsrechtlich gesteuerten Privat-

[2] *Ruffert*, in: Fehling/Ruffert (Hrsg.), Regulierungsrecht, 2009, S. 359 (§ 7 Rdnr. 58).

[3] *Hellgardt*, Regulierung und Privatrecht, 2016; bespr. von *Kühne*, AcP 217 (2017), S. 687 ff.

[4] *Hellgardt*, (o. Fn. 3), S. 52 ff.

[5] *Hellgardt*, (o. Fn. 3), S. 187 ff.

[6] *Hellgardt*, (o. Fn. 3), S. 59 ff.

rechtsnormen in Spannung geraten können. Die Gegenwart liefert hierfür zwei markante Problembereiche: die zivilrechtlichen Folgen von Verstößen gegen europäisches (unionsrechtliches) Regulierungsvertragsrecht (II.) und die Anwendung des § 315 BGB (Billigkeitskontrolle) innerhalb des europarechtsgeleiteten Regulierungsrechts (III.).

II. Zivilrechtliche Folgen von Verstößen gegen europäisches Regulierungsvertragsrecht

1. *Verstöße gegen EU-(Energie-)Regulierungsrecht*

Seit etlichen Jahren wird in Rechtsprechung und Literatur ein langandauernder Streit um die zivilrechtlichen Folgen von Verstößen gegen EU-geleitetes Zivilrecht in Energielieferverträgen geführt.[7] Nach europäischem Sekundärrecht bestehen für Lieferverträge über Strom und Gas verschiedene Regelungen über Transparenzanforderungen für einseitige Preiserhöhungen nach Vertragsschluss seitens des Lieferanten. Diese Transparenzanforderungen beziehen sich insbesondere auf Anlass, Voraussetzungen und Umfang eines einseitigen Leistungsbestimmungsrechts des Lieferanten. Bei den sekundärrechtlichen Rechtsquellen des EU-Rechts handelt es sich zum einen um die sog. Klauselrichtlinie.[8] Sie enthält Transparenzanforderungen an Allgemeine Geschäftsbedingungen (AGB) für eine Vielzahl von Vertragsarten. Im Energiebereich kommen die AGB-Regelungen bei sog. Sonderkundenverträgen, d.h. den Strom- und Gaskunden zur Anwendung, die nicht als Grundversorgungskunden zu qualifizieren sind. Zum anderen und im Unterschied dazu finden bei Verträgen über Grundversorgung Verbraucherschutzvorschriften einschließlich Transparenzanforderungen Anwendung, die in den Binnenmarkt-Richtlinien Strom[9] und Gas[10] als Rechtsnormen niedergelegt sind. Beide Rechtsquellen – Klauselrichtlinie und Binnenmarkt-Richtlinien Strom und Gas – sind auf nationaler Ebene in den §§ 305 ff. BGB bzw. auf der Grundlage des § 39 EnWG in den Grundversorgungsverordnungen (GVV) Strom und Gas umgesetzt worden.

[7] Statt vieler: *Büdenbender*, Preisänderungen in Energielieferungsverträgen mit Tarif- und Grundversorgungskunden, NJW 2017, 299 ff. einerseits; *Markert*, Preisanpassung in der Strom- und Gasversorgung, EnWZ 2016, 195 ff., andererseits.

[8] Richtlinie 93/13/EWG des Rates vom 5.4.1993 über missbräuchliche Klauseln in Verbraucherverträgen, ABl. Nr. L 95 v. 21.4.1993, S. 29.

[9] Richtlinie 2009/72/EG des Europäischen Parlaments und des Rates vom 13.7.2009 über gemeinsame Vorschriften für den Elektrizitätsbinnenmarkt und zur Aufhebung der Richtlinie 2003/54/EG, ABl. L 211 v. 14.8.2009, S. 55.

[10] Richtlinie 2009/73/EG des Europäischen Parlaments und des Rates vom 13.7.2009 über gemeinsame Vorschriften für den Erdgasbinnenmarkt und zur Aufhebung der Richtlinie 2003/55/EG, ABl. L 211 v. 14.8.2009, S. 94.

Bis zum Jahre 2013 hatte der BGH in zahlreichen Entscheidungen von den Vertragsparteien verwendete Preisanpassungsklauseln in Sonderkundenverträgen wegen Verstoßes gegen das AGB-Gesetz (§§ 307, 309 BGB) für unwirksam erklärt.[11] Dies hatte erhebliche Rechtsunsicherheit zur Folge. Aus dem Bedürfnis nach Rechtssicherheit heraus gingen Lieferanten dazu über, die in den Grundversorgungsverordnungen, also Rechtsnormen, enthaltenen Preisanpassungsregelungen (§ 4 Abs. 1, 2 AVBEltV/AVBGasV) wörtlich in die Sonderkundenverträge zu übernehmen.

Der BGH billigte diese Praxis insbesondere im Hinblick auf das von ihm zugrunde gelegte Gebot der Gleichbehandlung von Sonderkunden und Grundversorgungskunden.[12] Diese Klärung war allerdings nur von vorübergehender Dauer. Es begann nun die Phase der Überprüfung der Vereinbarkeit der deutschen gerichtlichen Praxis mit den Transparenzanforderungen, wie sie in den EU-rechtlichen Rechtsquellen (Klausel-Richtlinie und Binnenmarkt-Richtlinien Strom und Gas) niedergelegt sind. Das Instrument waren Vorabentscheidungsersuchen deutscher Gerichte, insbesondere des BGH, an den EuGH.[13]

Für den Sondervertragskundenbereich hat der EuGH mit Urteil vom 21.3.2013[14] die Anwendung der Klausel-Richtlinie auch auf solche Preisanpassungsklauseln bejaht, welche Rechtsnormen wie die deutschen AVB (jetzt GVV) Strom und Gas wörtlich übernehmen. Nach Auffassung des EuGH waren diese wegen Intransparenz für den Kunden unwirksam. Als Konsequenz dieser Entscheidung gab der BGH mit Urteil vom 31.7.2013[15] seine bisherige Rechtsprechung i.S. einer AGB-rechtlichen Unbedenklichkeit (sog. Leitbildrechtsprechung) auf und schloss sich dem EuGH an.

In einem weiteren Schritt hat der EuGH dann in seinem Urteil vom 23.10.2014[16] entschieden, dass die in § 4 Abs. 1,2 AVBElt/AVBGas enthaltenen Regelungen über Preisanpassungen gegen Art. 3 Abs. 5/Art. 3 Abs. 3 StromRL/GasRL 2003 wegen mangelnder Transparenz verstoßen. Auch insoweit folgte der BGH in seinen Urteilen vom 28.10.2015[17], 9.12.2015[18] und 6.4.2016[19] dem EuGH, so dass damit auch die gesetzlichen Preisanpassungsrechte für unwirksam erklärt wurden.

[11] Z.B. BGHZ 179, 186 (mangelnde Klarheit und Verständlichkeit einer Preisanpassungsklausel in einem Erdgassondervertrag); BGH NJW 2010, 993 (unangemessene Benachteiligung eines Erdgasversorgungskunden durch Fehlen einer Verpflichtung des Lieferanten zur Preissenkung bei gesunkenen Gestehungskosten).

[12] BGHZ 182, 59 (Rdnr. 19 f.).

[13] BGH RdE 2011, 148 und 370; OLG Oldenburg, RdE 2011, 152.

[14] C-92/11, RdE 2013, 218 (*RWE-Vertrieb*).

[15] BGHZ 198, 111 (47 ff.).

[16] C-359/11 und C-400/11, RdE 2015, 69 (*Schulz und Egbringhoff*).

[17] BGHZ 207, 209.

[18] BGH RdE 2016, 181 (21).

[19] BGH NJW 2016, 3589.

2. *Die Folgen von Verstößen gegen EU-(Regulierungs-)Recht*

Missbräuchliche AGB-Klauseln sind nach EU-Recht (Art. 6 Abs. 1 der Klausel-Richtlinie 93/13) für den Verbraucher unverbindlich. Die gleiche Rechtsfolge ergibt sich für AGB-Verstöße nach deutschem AGB-Recht (§ 306 Abs. 1 BGB). Grundsätzlich gleichlaufend sind beide Rechtsordnungen auch hinsichtlich der (Un-)Zulässigkeit der Ersetzung unwirksamer AGB-Klauseln durch zulässige: Sowohl nach EU-Recht[20] als auch nach deutschem Recht[21] ist die Anpassung einer unwirksamen Klausel zu einer wirksamen im Wege der sog. geltungserhaltenden Reduktion unzulässig. Bezogen auf AGB-widrige Preisanpassungsklauseln würde dies bedeuten, dass Strom- und Gaslieferverträge für ihre gesamte Geltungsdauer vom Lieferanten trotz gestiegener Bezugskosten zu den Preisen bei Beginn der Vertragslaufzeit erfüllt werden müssten. Auf der Grundlage unwirksamer Preiserhöhungsklauseln wären bereits gezahlte Preiserhöhungsbeträge nach § 812 BGB zurückzuerstatten. Der BGH hat diese Unwirksamkeitsfolgen in zwei Entscheidungskonstellationen eingeschränkt:

- In zwei Entscheidungen vom 14.3.2012[22] zu Klauseln in Sonderkundenverträgen hat der BGH die Unwirksamkeitsfolge mit Hilfe des Instituts der ergänzenden Vertragsauslegung eingeschränkt. Die durch die Unwirksamkeit der Preisanpassungsklausel entstandene Lücke füllte das Gericht damit, dass der Kunde die Unwirksamkeit der Preiserhöhung über den Anfangspreis hinaus nicht mehr geltend machen kann, wenn er sie nicht innerhalb eines Zeitraums von drei Jahren nach Zugang der jeweiligen Jahresrechnung, in der die Erhöhung erstmals berücksichtigt wurde, beanstandet hat. Diese Rechtsschöpfung ist als „Fristenlösung“ oder auch „T-3 Rechtsprechung“ in die Diskussion eingegangen.
- In seinen Urteilen vom 28.10.2015[23], 9.12.2015[24] und 6.4.2016[25] zu den gesetzlichen Preisanpassungsrechten im Tarifkunden-und Grundversorgungsbereich hat der BGH dann ebenfalls mit Hilfe des Instituts der ergänzenden Vertragsauslegung die durch die Unwirksamkeitsfolge entstandene Lücke gefüllt. Danach ist der Lieferant ebenfalls berechtigt, Steigerungen der eigenen Bezugskosten an seine Kunden weiterzugeben.

[20] EuGH, C-618/10, Urt. v. 14.6.2012, NJW 2012, 2257, (71).
[21] Statt vieler: *Grüneberg*, in: Palandt (Hrsg.): BGB, 77. Aufl. 2018, § 306 Rn. 6 m.w.N.
[22] BGHZ 192, 372 (21 ff.); ZNER 2012, 265.
[23] BGHZ 207, 209 (6 ff.)
[24] BGH RdE 2016, 181 (22 ff.).
[25] BGH NJW 2016, 3589 (15).

3. EuGH und BGH im Spannungsfeld zwischen EU-Recht und mitgliedstaatlichem Zivilrecht

Die Rechtsprechung des BGH in Nachvollzug der Entscheidungen des EuGH zu den Preisanpassungsklauseln hat in den literarischen Stellungnahmen zu lebhaften Auseinandersetzungen geführt.[26] Diese Auseinandersetzungen beziehen sich sowohl auf die materiell-zivilrechtliche Rechtslage als auch auf den prozessualen Umgang des BGH mit den EuGH-Entscheidungen.

Hinsichtlich der *materiell-zivilrechtlichen Kernfrage* geht es um die Vereinbarkeit der vom BGH mit Hilfe der ergänzenden Vertragsauslegung entwickelten Ersatzanpassung mit der „nackten" Unwirksamkeitsfolge von Verstößen gegen AGB-Vorschriften, insbesondere Transparenzvorgaben nach der Klauselrichtlinie 93/13 und nach sekundärem EU-Gemeinschaftszivilrecht (Binnenmarktrichtlinien Strom und Gas). EuGH und BGH werden bei ihrem Umgang mit der durch die Gesetzwidrigkeit der Preisanpassungsklausel entstehenden Vertragslücke offenkundig von unterschiedlichen Sichtweisen geleitet. Der EuGH konzentriert sich in seiner Judikatur ganz auf die Verwirklichung der Teleologie des EU-Verbraucherschutzrechts, indem er jede Klauselersatzlösung als Schwächung der auf Ächtung rechtswidriger Klauseln gerichteten policy des EU-Rechts verwirft. Die durch das gemeinschaftsrechtliche Effektivitätsprinzip verstärkte Durchsetzungsmacht des EU-Rechts wird als Folge des Fehlens eines gemeinschaftsrechtlichen allgemeinen Schuldvertragsrechts auf EU-Ebene durch keine materiellen Postulate wie Vertragsgerechtigkeit eingehegt. Der BGH seinerseits wiederum konzentriert seine Argumentationslinie auf die Vertragsgerechtigkeit, wenn er den Gedanken der Erhaltung des bei Vertragsbeginn gegebenen Wertverhältnisses von Leistung und Gegenleistung über die gesamte Vertragslaufzeit betont. Dabei lässt er Unsicherheiten im Umgang mit dem auch im deutschen AGB-Recht geltenden Verbot der geltungserhaltenden Reduktion erkennen.[27] Diese Unsicherheiten sind verständlich: Zum einen geht es bei den Unwirksamkeitsfolgen der hier in Rede stehenden Art um solche der Störung des Äquivalenzverhältnisses von Leistung und Gegenleistung. Derartige Defekte im Vertragsgefüge zu beheben ist normalerweise zentrale Aufgabe des Instituts der Störung der Geschäftsgrundlage. Die dabei vorzunehmenden objek-

[26] Besondere Sichtbarkeit hat dabei die Auseinandersetzung *Markerts* mit der Rechtsprechung des BGH erlangt; vgl. nur beispielhaft und zuletzt *Markert*, Anmerkung zu: BVerfG: Verfassungsrechtlich keine Vorlagepflicht an den EuGH wegen einseitiger Gaspreiserhöhungen aufgrund ergänzender Vertragsauslegung nach der BGH-Rechtsprechung, Versorgungswirtschaft 2018, S. 85 ff.

[27] Zu solchen Unsicherheiten im Verhältnis ergänzende Vertragsauslegung – geltungserhaltende Reduktion vgl. *Büdenbender*, Neugestaltung von Preisanpassungsklauseln in Energielieferungsverträgen über Elektrizität und Gas, NJW 2013, S. 3601ff. (3603).

tiven Interessenwertungen in subjektiv gefärbte Auslegungserwägungen einzubetten, entbehrt nicht einer gewissen Künstlichkeit. Zum anderen hat im deutschen Recht – anders als nach dem Verständnis des EuGH zum EU-Recht – das Verbot der geltungserhaltenden Reduktion einiges von seiner rechtspolitischen Überzeugungskraft verloren.[28] Das stärkere Insistieren auf der ersatzlosen Nichtanwendung rechtswidriger AGB-Klauseln auf europäischer Ebene mag auch damit zusammenhängen, dass der Warnfunktion und Sanktionierungsstrenge von Verbotsvorschriften in einer Rechtsgemeinschaft von 28 z.T. sehr heterogenen Zivilrechtssystemen verständlicherweise ein höherer Stellenwert zuzuerkennen ist.

Die *prozessualen* Aspekte des Unterschieds der Sichtweisen von EuGH und BGH konzentrieren sich auf die Frage, ob der BGH in seinen einschlägigen Verfahren der letzten Zeit zur Vorlage an den EuGH nach Art. 267 Abs. 3 AEUV verpflichtet war und hinsichtlich zukünftiger Verfahren weiter ist. Der BGH hat dies mit Rücksicht auf die seiner Ansicht nach gegebene Offenkundigkeit der Vereinbarkeit seiner Auffassung mit dem EU-Recht („acte éclairé") bislang abgelehnt.[29]

III. Die Anwendung des § 315 BGB (Billigkeitskontrolle) innerhalb des europarechtsgeleiteten Regulierungsrechts

Das Verhältnis zwischen EU-geleitetem Regulierungsrecht und mitgliedstaatlichem Zivilrecht ist jüngst in einer anderen Fallkonstellation erneut hochaktuell geworden. Es geht um die Frage, ob innerhalb des EU-geleiteten Infrastrukturregulierungsrechts bei der Bemessung von Nutzungsentgelten Raum für eine Billigkeitskontrolle nach § 315 BGB ist. Entzündet hat sich die Diskussion an der EuGH-Entscheidung vom 9.11.2017,[30] die die Anwendung des § 315 BGB innerhalb des Eisenbahnregulierungsrechts betraf. Sie hat indes über diesen Sektor hinaus große Bedeutung für andere Infrastrukturbereiche, namentlich den Energiesektor.

1. Die Parallelanwendung gemeinwohlbezogenen (EU-)Regulierungsrechts und der zivilrechtlichen Billigkeitskontrolle durch die Rechtsprechung

Die Anwendung der zivilrechtlichen Billigkeitskontrolle (§ 315 BGB) auf gemeinwohlbezogene und staatlich-normativ gesteuerte Wirtschaftssubjekte

[28] Vgl. dazu die nuancierenden Darlegungen *Schlossers* in: Staudinger/*Schlosser*, BGB, Neubearbeitung 2013, § 306 Rdnr. 22 ff.

[29] BGH, Beschl. v. 26.4.2016, VIII ZR 76/13 (Rdnr. 2, 3). Das BVerfG hat mit Beschluss vom 17.11.2017 – 2 BvR 1131/16 –, NVwZ 2018, 659, diese Auffassung des BGH gebilligt.

[30] EuGH, Urt. v. 9.11.2017 – C 489/15 (*CT Logistics GmbH/DB Netz AG*), EuZW 2018, 74.

hat in Deutschland eine beträchtliche Tradition. Ihren sichtbaren Ausdruck fand diese Traditionslinie in der vom RG im Jahre 1925[31] eingeführten Billigkeitskontrolle der Entgelte von Monopolbetrieben mit Gemeinwohlbezug. Diese zivilrechtliche Rechtsprechungslinie hatte ihren berechtigten Sinn, da wegen fehlenden oder nicht funktionsgerechten Wettbewerbs die Richtigkeitsgewähr privatautonomer Vertragsgestaltung nicht eingreifen konnte. Diese Rechtsprechungslinie verlor jedenfalls einen Teil ihrer inneren Legitimation mit der Schaffung einer Kartellkontrolle durch das „Gesetz gegen Wettbewerbsbeschränkungen" (GWB) im Jahre 1958 und insbesondere der damit verbundenen Einführung einer Missbrauchsaufsicht über marktbeherrschende Unternehmen, deren Funktion in der Sicherung eines missbrauchsfreien Marktverhaltens besteht. Gleichwohl hielt der BGH die Parallelanwendung von kartellrechtlicher Missbrauchsaufsicht und zivilrechtlicher Billigkeitskontrolle (§ 315 BGB) aufrecht.[32] Maßgebend hierfür waren im wesentlichen punktuelle Divergenzen zwischen einzelnen materiellen Tatbestands- („Missbräuchlichkeit", „Unbilligkeit") und Beweislastelementen.

Einen Schritt zurück hinsichtlich der Parallelanwendung ging der BGH in seiner Entscheidung vom 19.11.2008 (VIII ZR 138/07),[33] in der er die zivilrechtliche Billigkeitskontrolle von Gaspreisen in entsprechender Anwendung von § 315 BGB neben der kartellrechtlichen Missbrauchsaufsicht ablehnte. Begründet wurde dies damit, dass der Gesetzgeber mit der Verschärfung der kartellrechtlichen Missbrauchsaufsicht über die Energiepreise (§ 29 GWB) zu erkennen gegeben habe, dass er eine Kontrolle der Strom- und Gaspreise nur über das Instrument der kartellrechtlichen Missbrauchsaufsicht verwirklicht wissen wollte. Die Zivilgerichte seien demnach zu einer umfassenden Billigkeitskontrolle entsprechend § 315 BGB nicht legitimiert.

Mit der Verschärfung des regulatorischen Kontrollregimes durch die Binnenmarkt-Richtlinien Strom und Gas und in dessen Umsetzung durch das EnWG 2005 (regulierungsbehördliche Einzelgenehmigung) musste es zu einer Klärung des Verhältnisses nunmehr zwischen der regulatorischen Entgeltkontrolle nach dem EnWG 2005 und der zivilrechtlichen Billigkeitskontrolle (§ 315 BGB) kommen. Der regulatorische Kontrollweg ist insbesondere dadurch gekennzeichnet, dass das Gesetz (§ 23a Abs. 4, § 29 Abs. 2 EnWG, §§ 48, 49 VwVfG) nachträgliche Korrekturmöglichkeiten für fehlerhafte Entgeltberechnungen vorsieht. Dessen ungeachtet verwarf der BGH in seinem Urteil vom 15.5.2012 (EnZR 105/10)[34] die Existenz eines regulie-

[31] RGZ 111, 310 ff. (313).

[32] BGHZ 164, 336, (346); dazu *Kühne*, Gerichtliche Entgeltkontrolle im Energierecht, NJW 2006, S. 654ff. (655); sowie *Kühne*, Billigkeitskontrolle und Verbotsgesetze, NJW 2006, S. 2520ff. (2521).

[33] BGHZ 178, 362 (Rdnr. 17 ff., 23).

[34] BGH NJW 2012, 3092.

rungsbehördlichen Kontrollmonopols zugunsten der Parallelanwendung der Billigkeitskontrolle nach § 315 BGB und des regulierungsverfahrensrechtlichen Instrumentariums. Ein wesentlicher Gesichtspunkt war dabei das Gebot effektiven Rechtsschutzes angesichts der nur sehr beschränkten Möglichkeiten der Netznutzer, auf die Entgeltfestsetzung Einfluss zu nehmen.[35] Wesentlich eingeengt wird in der Praxis allerdings die Parallelanwendung durch den Umstand, dass auch nach Einschätzung des BGH der regulatorischen Entgeltfestlegung eine starke Vermutungswirkung zugunsten der zivilrechtlichen Billigkeit zukommt.[36]

Der grundsätzlich-dogmatische Stellenwert, den der Kartellsenat seiner Entscheidung vom 15.5.2012 zugemessen hat, wird an dem Umstand deutlich, dass er nicht lange zuvor, am 18.10.2011,[37] eine Entscheidung zur Frage des Nebeneinander von Eisenbahnregulierungsrecht und zivilrechtlicher Billigkeitskontrolle gefällt hatte. Dabei ging es um die Anwendung des § 315 BGB auf Erhöhungen von Stornierungsentgelten im Trassenpreissystem 2008. Auch in diesem Falle sprach sich der BGH für die Anwendbarkeit des § 315 BGB aus. Wie fest etabliert das Konzept des BGH zur zivilrechtlichen Billigkeitskontrolle regulierter Strom- und Gasnetzentgelte insbesondere nach den abweisenden Entscheidungen des BVerfG[38] zu diesbezüglichen Verfassungsbeschwerden zu sein schien, wird aus den Darlegungen *Grünebergs*, eines Mitglieds des Kartellsenats, vom Februar 2018 deutlich: Mit diesen Entscheidungen des BVerfG „ist eine weiteres Kapitel des Energiewirtschaftsrechts geschlossen worden".[39]

2. *Die Eliminierung der zivilrechtlichen Billigkeitskontrolle aus dem Netzregulierungsrecht durch den EuGH*

Nach einigen Vorboten in der Rechtsprechung, insbesondere in Gestalt des Vorlagebeschlusses des LG Berlin vom 03.09.2015,[40] und Vorarbeiten

[35] BGH NJW 2012, 3092 (Rdnr. 26 ff.).

[36] BGH NJW 2012, 3092 (36); vgl. zu der Entscheidung auch die ablehnende Besprechung durch *Kühne*, (Energie-)regulatorische Entgeltgenehmigung und ex-post-Billigkeitskontrolle, in: Büscher, Erdmann, Haedicke, Köhler, Loschelder (Hrsg.): Festschrift für Joachim Bornkamm zum 65. Geburstag, 2014, S. 211 ff.

[37] BGH NVwZ 2012, 189 (Rdnr. 11 ff.).

[38] BVerfG, Beschl. v. 26.09.2017 – 1 BvR 1486/16; 1 BvR 1487/16; 1 BvR 2490/16; 1 BvR 2491/16, NJW 2017, 3507.

[39] *Grüneberg*, Zur Billigkeitskontrolle von regulierten Netzentgelten nach § 315 BGB, RdE 2018, 53 (57).

[40] N&R 2016, 53 m. *Ludwigs*, Anmerkung zum Beschluss des LG Berlin vom 3. September 2015 – Az. 20 O 203/14, N&R 2016, S. 56ff.

in der Literatur[41] hat das Urteil des EuGH vom 9.11.2017[42] entgegen dem Votum des Generalanwalts die zivilrechtliche Billigkeitskontrolle jedenfalls im Eisenbahnregulierungsrecht für unionsrechtswidrig und damit auch das entsprechende Umsetzungsrecht, sofern dieses eine Billigkeitskontrolle vorsieht, für unwirksam erklärt. Der EuGH führt für seine Auffassung nicht weniger als sieben (!) Unionsrechtsverstöße an, die teils institutioneller, teils inhaltlicher Natur sind.

Zu der erstgenannten Kategorie gehören insbesondere die Rügen der Verletzung von institutionellen Prinzipien wie der Unabhängigkeit des Eisenbahn-Netzbetreibers[43] und der mit der zivilrechtlichen Billigkeitskontrolle verbundenen Beeinträchtigungen der ausschließlichen Zuständigkeit und des Aufsichtsmonopols der Regulierungsstelle.[44] In materieller Hinsicht stehen die Verstöße gegen das Diskriminierungsverbot[45] und die Maßstabexklusivität des eisenbahnrechtlichen Entgeltsystems[46] im Vordergrund – Verstöße, die mit dem individualvertraglichen Charakter und der einzelfallbezogenen Anwendung der Kontrolle nach § 315 BGB verbunden sind.

Die gerade erst in Gang kommende Ausdeutung des EuGH-Urteils vom 9.11.2017 für die Zukunft konzentriert sich für den Eisenbahn-Bereich insbesondere auf die Frage, ob überhöhte Entgelte nunmehr statt mit der zivilrechtlichen Billigkeitskontrolle nach § 315 BGB mit kartellrechtlichen Schadensersatzansprüchen nach § 33a i.V.m. § 33 Abs. 1 GWB angegriffen werden können. Allerdings sprechen die Einwände gegen die Billigkeitskontrolle nach § 315 BGB teilweise auch gegen den Weg der kartellrechtlichen Entgeltkontrolle. Ein Weg über Art. 102 AEUV erscheint schon aus normhierarchischen Gründen nicht gangbar. Insgesamt macht rechtspolitisch das Nebeneinander von Regulierung und Kartellkontrolle wenig Sinn. Der deutsche Gesetzgeber hat dies im Energieregulierungsrecht auch so gesehen (vgl. § 111 Abs. 1, 2 EnWG).

Weitreichende Auswirkungen des EuGH-Urteils vom 9.11.2017 sind insbesondere auch für das Entgeltsystem im *Energieregulierungsrecht* zu erwarten. Nicht alle der sieben Gesichtspunkte, aus denen der EuGH die eisenbahnrechtliche Billigkeitsprüfung als unionsrechtswidrig verworfen hat, treffen auf das Energieregulierungsrecht in gleicher Weise zu. So betont die Eisenbahnzugangsrichtlinie 2001/14/EG die Unabhängigkeit des Eisenbahn-Netzbetreibers bei der Gestaltung der Netzentgelte, während etwa die Elektrizitäts-Richtlinie 2009/72/EG eine solche Aussage nicht kennt.

[41] Insbesondere von *Ludwigs*, Zivilgerichtliche Billigkeitskontrolle nach § 315 BGB und europäisches Eisenbahnregulierungsrecht, 2014, insbes. S. 18 ff.

[42] Rs. C-489/15, *CTL Logistics GmbH gegen DB Netz AG*, EuZW 2018, 74.

[43] (o. Fn. 42), Rdnr. 77 ff.

[44] (o. Fn. 42), Rdnr. 84–86.

[45] (o. Fn. 42), Rdnr. 70 ff.

[46] (o. Fn. 42), Rdnr. 88 ff.

Entscheidend für den EuGH ist jedoch offenbar, dass er institutionell ein Festlegungs- und Überprüfungsmonopol der Regulierungsbehörde verwirklicht sehen möchte, das den rechtsstaatlich gebotenen Rechtsschutz durch Gerichte nur noch gegen vorherige Akte dieser Regulierungsbehörde zulässt. Als materielle Zielvorstellung steht dahinter letztlich die Gewährleistung der Wettbewerbsgleichheit, die nicht durch eine Dualität von Entscheidungsträgern noch durch unterschiedliche Rechtswege oder durch materiell unterschiedliche, weil an einzelfallbezogene Kriterien anknüpfende Entscheidungen beeinträchtigt werden soll.

Die deutlich überwiegende Zahl der Gesichtspunkte, aus denen der EuGH die Unionsrechtskonformität der Billigkeitskontrolle im Eisenbahnregulierungsrecht verneint hat, trifft auch auf den Energiebereich zu: Besonderen Wert hat der EuGH in seiner Entscheidung vom 9.11.2017 auf das behördliche Entscheidungsmonopol der Regulierungsbehörde gelegt. Die selbständig neben der regulierungsbehördlichen Zuständigkeit bestehende Zuständigkeit der Zivilgerichte zur Billigkeitskontrolle im Eisenbahnbereich betrachtet der EuGH als Verletzung dieses Organisationsprinzips. Für den Bereich des Energieregulierungsrechts ergeben sich vergleichbare Aussagen. So soll nach Art. 35 Abs. 1 EltRiLi 2009/72/EG eine „einzige Behörde" tätig sein. In materieller Hinsicht hat das Diskriminierungsverbot nicht nur für das Eisenbahnregulierungsrecht (Art. 4 Abs. 5 RL 2001/14/EG), sondern auch für das Energieregulierungsrecht (Art. 32 Abs. 1 S. 1 RL 2009/72/EG) grundlegende Bedeutung. Einige der vom EuGH herausgestellten Verstöße gegen das Unionsrecht stellen sich als Unterpunkte zum Diskriminierungsverbot dar: so die Gefahr nicht harmonisierter Entscheidungen der Zivilgerichte, ferner die auf die Parteien beschränkte Wirkung der zivilgerichtlichen Entscheidungen und die Möglichkeit der Beendigung des Verfahrens der Billigkeitskontrolle durch Vergleich ohne Beteiligung der Regulierungsbehörde.[47]

Die Diskussion um die Auswirkungen des EuGH-Urteils vom 9.11.2017 hat gerade erst begonnen. Eine verbindliche Entscheidung durch den EuGH wird erst auf Vorlage eines deutschen Zivilgerichts ergehen können. Es ist zu erwarten, dass es dazu in Bälde kommt. In der Sache wäre eine im Ergebnis anderslautende Entscheidung gegenüber dem Urteil vom 9.11.2017 eine große Überraschung.

[47] Für die Unionsrechtswidrigkeit der Billigkeitskontrolle im Energieregulierungsbereich neuestens auch: *Berg*, Der Anfang vom Ende der zivilgerichtlichen Billigkeitskontrolle energiewirtschaftlicher Netzentgelte?, RdE 2018, S. 184ff. (195); *Fricke*, Die Billigkeitskontrolle von regulierten Netzentgelten, N&R 2018, S. 66ff.; *Ludwigs*, Anmerkung zum Urteil des EuGH vom 9. November 2017 – Rs. C-489/15, N&R 2018, S.55ff.; *Weitner*, Anmerkung zu EuGH: europarechtliches Ende der Billigkeitskontrolle regulierter Infrastrukturnutzungsentgelte, EnWZ 2018, S.77ff. (79).

3. *Die Billigkeitskontrolle als Notbehelf innerhalb eines unfertigen (Wirtschafts-) Regulierungsrechts*

Die zivilrechtliche Billigkeitskontrolle über § 315 BGB hat ihre rechtspolitische Grundlage in der Kompensation fehlender privatautonomer Verhandlungsmacht als Folge der einem Vertragspartner eingeräumten Befugnis zur einseitigen Festlegung von Leistungspflichten. Hier hat die Billigkeitskontrolle durch gerichtliche Bestimmung ihre historisch-rechtspolitische Berechtigung. Sie ist ein Mittel zur Herstellung quasi-kompetitiver Aushandlungsergebnisse. In einer Zeit, in der dem Privatrecht wegen fehlender anderweitiger positivrechtlicher Verankerungen eine Art Monopolstellung zur Verwirklichung der Vertragsfreiheit zufiel, war eine judikative Ausdehnungstendenz verständlich. Sie ist jedoch in dem Maße fraglich geworden, in dem sich Wirtschaftsrecht herausbildete. Bedeutende Schritte in diese Richtung waren die Einführung des Kartellrechts in Deutschland und in der EU im Jahre 1957/58.

Der wirtschaftsrechtliche Normenraum ist in der Folgezeit weiter durch das Regulierungsrecht angefüllt worden. Dadurch ist die Daseinsberechtigung der zivilrechtlichen Billigkeitskontrolle weiter geschwunden.[48] Unterschiede in den materiellen Kontrollmaßstäben zwischen zivil- und wirtschaftsrechtlichen Billigkeits- und Missbrauchstatbeständen sind weitestgehend eingeebnet worden. Verblieben sind Differenzen in prozessualer Hinsicht (Beweislast), wenn auch diese großenteils ebenfalls abgeschliffen worden sind (Indizwirkung der regulatorischen Entgeltgenehmigung). Im Bereich des Regulierungsrechts hat die zivilrechtliche Billigkeitskontrolle im Wesentlichen die Funktion eines Korrekturverfahrens für Fehler im Entgeltgenehmigungsverfahren angenommen – eine Funktion, die ihr allerdings wesensfremd ist.

In Wirklichkeit bezieht die zivilrechtliche Billigkeitskontrolle denn auch ihre Daseinsberechtigung – wenn überhaupt – aus verfahrensrechtlichen Defiziten in den Regulierungsverfahren. Dazu gehört insbesondere auch die fehlende Beteiligung der Netznutzer an den Verfahren. Insofern dient die zivilrechtliche Billigkeitskontrolle der Ausfüllung unfertigen Regulierungsrechts. Derartige Defizite sollten indes innerhalb des Regulierungsrechts behoben werden.

[48] Das Urteil des EuGH vom 9.11.2017 stellt denn auch einen weiteren Entwicklungsschritt der Entgeltkontrolle vom Privatrecht zum Wirtschaftsrecht dar; dazu aus entwicklungsgeschichtlicher Perspektive nach dem Stand von 2005 *Kühne*, Vom Privatrecht zum Wirtschaftsrecht, RdE 2005, S. 241 ff.

IV. Das Verhältnis Regulierungsrecht – Zivilrecht im Lichte übergreifender Tendenzen des EuGH

Bei den beiden zuvor behandelten Konstellationen des Aufeinandertreffens von EU-Regulierungsrecht und mitgliedstaatlichem interessenausgleichendem Zivilrecht handelt es sich um strukturell unterschiedliche Problemlagen. Während bei den EU-Rechtsverstößen das verbraucherschützende EU-Regulierungsrecht in Gestalt der AGB-Klauselrichtlinie und der Sondervorschriften des Energieverbraucherschutzrechts mit den nationalen Vorschriften des materiellen Schuldvertragsrechts zusammentrifft, stellt die Billigkeitskontrolle nach § 315 BGB einen Fremdkörper innerhalb des unfertigen Regulierungsrechts dar. Der EuGH hat in beiden Fällen das EU-Regulierungsrecht ohne Abstriche zur Geltung gebracht. Im Falle der Billigkeitskontrolle ist dies auch sachgerecht, da es um Defizite *innerhalb des Wirkungsbereichs* des Regulierungsrechts geht. Diese Defizite können nicht durch Rückgriff auf nationales, d.h. 28-fach verschiedenes Schuldrecht aufgefüllt werden. Im anderen Falle dagegen ist die Außerachtlassung elementarer mitgliedstaatlicher Grundsätze der Schuldvertragsgerechtigkeit zugunsten der ungeschmälerten Geltung regulierungsrechtlicher EU-Normen in höchstem Maße problematisch. Die zur Entscheidung des EuGH und des BGH gelangten Fallgestaltungen waren so gelagert, dass sich eher generalpräventive Interessen an der Durchsetzung des zu erheblichen Teilen formalen EU-Verbraucherschutzrechts und elementare Grundsätze der Vertragsgerechtigkeit (Wahrung des Äquivalenzverhältnisses zwischen Leistung und Gegenleistung über die gesamte Vertragsdauer) gegenüberstanden. Letzteres ist ein Kernanliegen des den Mitgliedstaaten zugewiesenen allgemeinen Schuldvertragsrechts. Bei der Abwägung zwischen diesen Wertungen sollte letzterem der Vorzug gegeben werden.[49] Zu einer endgültigen Klärung der Unionsrechtskonformität der BGH-Rechtsprechung zur Aufrechterhaltung der Entgelterhöhung mittels des Rechtsinstituts der ergänzenden Vertragsauslegung ist es zwar bislang nicht gekommen. Tendenziell erscheint allerdings die unionsrechtliche Verwerfung dieser Lösung als überwiegend wahrscheinlich, sollte der EuGH demnächst einmal Gelegenheit zur Entscheidung dieser Frage bekommen. Diese Einschätzung gründet sich darauf, dass die Rechtsprechung des EuGH in neuerer Zeit durch einen verschärften Durchsetzungswillen hinsichtlich des EU-Rechts geprägt ist. Dabei setzt sich der EuGH auch über Voten des Generalanwalts wie in der Entscheidung zur eisenbahnrechtlichen Billigkeitskontrolle (§ 315 BGB) hinweg.

[49] *Büdenbender*, Preisänderungen in Energielieferungsverträgen mit Tarif- und Grundversorgungskunden, NJW 2017, S. 299ff. (301), verneint die Europarechtswidrigkeit mit dem Hinweis, dass den Mitgliedstaaten gerade zur Behebung solcher europarechtlicher Verwerfungen die nationalrechtlichen Instrumente zur Verfügung stehen.

Eine Tendenz zur Schärfung der Durchsetzungskraft des EU-Rechts ist auch in anderen Zusammenhängen erkennbar, mit denen auch erhebliche Eingriffe in grundsätzlich mitgliedstaatlich geregelte Materien verbunden sind. Dies gilt z.B. für die in den vergangenen Jahren vom EuGH vollzogenen Eingriffe in das mitgliedstaatliche Verwaltungsverfahrensrecht im Zusammenhang mit Umweltvorhaben – eine Rechtsprechung, der sogar so bedeutende prozessuale Institute wie die Präklusionswirkung von Verwaltungsverfahren zum Opfer gefallen sind.[50] Sogar auf der Ebene des EU-Rechts selbst zeigen sich im Rahmen der Anwendung des EU-Kollisionsrechts (Rom I-VO) Tendenzen, bei der Bestimmung des anwendbaren Rechts den materiell-rechtlichen Regelungen des Gemeinschaftsrechts gegenüber nicht-gemeinschaftsrechtskonformem ausländischem Recht zum Durchbruch zu verhelfen.[51]

Ein besonders auffälliges Beispiel für die ansteigende Fixierung des EuGH auf die Durchsetzung des EU-Rechts bietet die Entscheidung in der Rechtssache *Slowakische Republik ./. Achmea BV* vom 6.3.2018.[52] Mit diesem Urteil erklärte der EuGH – wiederum gegen das Votum des Generalanwalts – Schiedsklauseln in bilateralen Investitionsschutzverträgen zwischen EU-Mitgliedstaaten für mit dem Unionsrecht unvereinbar. Kernelement der Begründung war die Berufung auf Art. 344 AEUV, wonach die Mitgliedstaaten verpflichtet sind, Streitigkeiten über die Auslegung oder Anwendung von Unionsrecht nicht anders als in den EU-Verträgen vorgesehen zu regeln. Zentrale Sorge des EuGH war offensichtlich die Sicherung der Autonomie des Unionsrechts und die Sicherstellung der vollen Wirksamkeit und einheitlichen Anwendung des Unionsrechts. Die aufgezeigten Tendenzen der EuGH-Rechtsprechung könnten zu Vermutungen darüber Anlass geben, dass es einen ursächlichen Zusammenhang zwischen eben diesen Tendenzen und den zunehmenden Kohäsionsdefiziten der EU auf politischem Felde gibt. Aber dies gehört in den Bereich der Spekulation.

[50] EuGH, Urt. v. 15.10.2015, Rs. C-137/14, EuZW 2016, 66 (75 ff.).

[51] Vgl. Rs. C-381/98, Urt. v. 9.11.2000, Slg. 2000, I-9305 = IPRax 2001, 225 (*Ingmar*), dazu *Kühne*, Die Entsavignysierung des Internationalen Privatrechts insbesondere durch sog. Eingriffsnormen, in: Lorenz/Trunk/Eidenmüller/Wendehorst/Adolff (Hrsg.): Festschrift für Andreas Heldrich zum 70. Geburtstag, 2005, S. 815 ff.; Rs. C-184/12, Urt. v. 17.10.2013, IPRax 2014, 174 (*Unamar*), dazu *Kühne*, Rechtswahl und Eingriffsnormen in der Rechtsprechung des EuGH, in: Cascante/Spahlinger/Wilske (Hrsg.): Global Wisdom on Business Transactions, International Law and Dispute Resolution. Festschrift für Gerhard Wegen zum 65. Geburtstag, 2015, S. 451 ff.

[52] Rs. C-284/16, EuZW 2018, 239.

V. Schlussbemerkungen

Die Rechtsprechung des EuGH im Spannungsfeld zwischen dem EU-Regulierungsrecht und seinen mitgliedstaatlichen Umsetzungsderivaten einerseits und dem nur mitgliedstaatlich geregelten, auf privaten Interessenausgleich gerichteten Zivilrecht andererseits weist in neuerer Zeit verstärkte Tendenzen zur Durchsetzung des Gemeinschaftsrechts auf. Diese Tendenz lässt sich innerhalb der Konfliktfelder sowohl der Billigkeitskontrolle nach § 315 BGB in ihrer Anwendung auf gemeinschaftsrechtliche Regulierungsbereiche als auch der zivilrechtlichen Folgen von Verstößen gegen europäisches Verbraucherschutz-Regulierungsrecht (Preisänderungsklauseln) ausmachen. Während die nur einen Notbehelf innerhalb des defizitären und daher vorrangig nachzubessernden Regulierungsrechts darstellende Billigkeitskontrolle im Ergebnis zu Recht vom EuGH missbilligt wird, bedeutet die Durchsetzung von EU-Regulierungsrecht zu Lasten grundlegender Elemente der Vertragsgerechtigkeit innerhalb des mitgliedstaatlichen allgemeinen Zivilrechts eine nicht akzeptable Einbuße an gerechtigkeitsorientierter Rechtskultur.

Die hier sichtbar werdende Tendenz zur verabsolutierenden Durchsetzung gemeinschaftsrechtlicher rechtspolitischer Zielsetzungen gegenüber rechtskulturell und rechtssystematisch tradierten Instituten in den Rechtsordnungen der Mitgliedstaaten ist auch in anderen Rechtsmaterien nachzuweisen wie z.B. dem Verwaltungsverfahrensrecht, dem internationalen Privatrecht und dem Recht der Schiedsgerichtsbarkeit. Eine ernste Folge dieser Tendenz ist die Vermehrung von Systembrüchen innerhalb der noch für lange Zeit vorzuhaltenden mitgliedstaatlichen Rechtsordnungen. Man mag die geschilderte Tendenz als Zeichen eines integrationspolitischen Fortschritts werten. Eine Erhöhung der Akzeptanz der Europäischen Union als einer umfassend wertegebundenen Rechtsgemeinschaft dürfte allerdings nicht die Folge sein.

Wissenschaftliche Veröffentlichungen von Professor Dr. Ulrich Büdenbender

I. Selbständige Publikationen

1. **Der vorläufige Rechtsschutz durch einstweilige Verfügung und einstweilige Anordnung im Nichtehelichenrecht**
   Schriften zum deutschen und europäischen Zivil-, Handels und Prozeßrecht, Band 83 (1975), Verlag Gieseking, Bielefeld
   Rezensionen: Brühl, FamRZ 1975, S. 240; Leipold, ZZP 91 (1980), S. 331; o.V., Zentralblatt für Jugendrecht 1975, 43
2. **Bindungs- und Präklusionswirkung von Teilentscheidungen nach BImSchG und AtG**
   (zusammen mit Ulrich Mutschler), Schriftenreihe Recht/Technik/Wirtschaft, Band 19 (1979), Verlag Heymanns, Köln u.a.
   Rezensionen: Bender, DVBl 1980, S. 430; Fischerhof, ET 1980, S. 149; Franke, BayVBl 1980, S. 447; v. Keiser, RdE 1980, S. 156; Ossenbühl, DÖV 1980, S. 313; Sellner, NJW 1981, S. 810; Selmer, GewArch 1980, S. 399
3. **Energierecht – Eine systematische Darstellung des gesamten Rechts der öffentlichen Energieversorgung**
   TÜV-RheinlandVerlag, Köln, 1982
   Rezensionen: Düngen, ZfE 1983, S. 85; Fischerhof, NJW 1982, S. 1634; Franke, MDR 1982, S. 880; Fromm, BB 1983, S. 323; Heller, WuW 1983, S. 39; Hermann, RdE 1982, S. 72; Hoffmann, GewArch 1982, S. 176; Kimminich, Die Verwaltung 1983, S. 111; Konrad, BayVBl 1982, S. 766; Rengeling, DVBl 1982, 1104; Weigt, WM 1983, S. 1123
4. **Energiekartellrecht**
   Sonderdruck des kartellrechlichen Teils des nachstehend aufgeführten Kommentars, Energiewirtschaft- und Technik Verlagsgesellschaft, Düsseldorf, 1994
   Rezensionen: Hermann, RdE 1995, S. 254; Püttner, DÖV 1996, S. 888
5. **Kommentar „Das Recht der öffentlichen Energieversorgung“**
   (zusammen mit Wilm Tegethoff und Heinz Klinger), Loseblatt-Kommentar, seit 1982, aktueller Stand: 2008, Energiewirtschaft und Technik Verlagsgesellschaft, Düsseldorf
   Rezensionen: Degenhart, BayVBl 1984, S. 384; Fischerhof, ET 1979, S. 367 und 1982, S. 993; Franke, BB 1978, S. 1528; Fromm, UPR 1983, 261; Hermann, RdE 1983, 37; 1985, S. 96; 1995, S. 254; Hoffmann, GewArch 1983, S. 104; Klaue, WuW 1983, S. 460; Knöpfle, BB 1983, S. 779; Püttner, DÖV 1996, S. 888; Theis, MDR 1983, S. 264; Weigt, WM 1983, S. 1002; 1985, S. 676; 1987, S. 1295
6. **Die Kartellaufsicht über die Energiewirtschaft**
   Veröffentlichung des Instituts für Energierecht an der Universität zu Köln, Band 76 (1995), Nomos Verlagsgesellschaft, Baden-Baden
   Rezensionen: Rittner, AöR 122 (1997), S. 469; Engel, AöR 122 (1997), S. 473
7. **Beiträge der Unternehmen zur Belebung des Arbeitsmarktes – insbesondere im Bereich der Personalpolitik** (1996)
8. **Vorteilsausgleich und Drittschadensliquidation bei obligatorischer Gefahrentlastung**
   Verlag J.C.B. Mohr (Paul Siebeck), Tübingen, 1996

Rezensionen: Bayer, JZ 1996, S. 956; Grunsky, AcP 196 (1996), S. 435; Sieg, ZVersWiss 1996, S. 707

9. **Gabler Lexikon Personal – Personalwirtschaft, Personalmanagement, Arbeits- und Sozialrecht**
(zusammen mit Hans Strutz), Betriebswirtschaftlicher Verlag Dr. Th. Gabler, Wiesbaden 1996
10. **Schwerpunkte der Energierechtsreform 1998**
RWS-Skript 307, RWS Verlag Kommunikationsforum, Köln 1999
Rezensionen: Hermann, ZfIR 2000, S. 79; o.V. DVBl 2000, A 239; BB 2000, Heft 1, S. IX
11. **Energierecht I – Recht der Energieanlagen**
(zusammen mit Wolff Heintschel von Heinegg und Peter Rosin), Verlag Walter de Gruyter, 1999
Rezensionen: Ossenbühl, ET 2000, S. 93; Tettinger, NWVBl 2000, 482; Rebentisch, DVBl. 2001, 1824; o.V. ZUR 2000, S. 53; BB 2000, Heft 11, S. VII
12. **Arbeitsrechtliche Grundlagen des Personalmanagements (Grundzüge)**
Lerneinheit 12 des AKAD-Fernstudiengangs Betriebswirtschaftslehre/Wirtschaftspädagogik (2001)
13. **KWK-AusbauG**
(zusammen mit Peter Rosin), Kommentar zum Gesetz für die Erhaltung, die Modernisierung und den Ausbau der Kraft-Wärme-Kopplung, RWS-Verlag, 2002.
Rezensionen: Börner, Versorgungswirtschaft 2003, 80; Burgi, RdE 2003, 128; Kühne, ET 2003, 362
14. **Das neue Energierecht in der Bewährung, Bestandsaufnahme und Perspektiven, Festschrift zum 65. Geburtstag von Prof. Dr. Jürgen F. Baur**
herausgegeben zusammen mit Günter Kühne, Nomos Verlagsgesellschaft Baden-Baden 2002.
Rezensionen: Pielow, RdE 2003, 247; o.V., ZUR 2003, 381.
15. **Gabler Kompakt-Lexikon Personal (zusammen mit Hans Strutz), 1000 Begriffe zu Personalwirtschaft – Personalmanagement – Arbeits- und Sozialrecht**
Dr. Th. Gabler Verlag,
a) 1. Aufl. 2003
b) 2. Aufl. 2005
c) 3. Aufl. 2010
16. **EnWG; Kommentar zum Energiewirtschaftsgesetz**
RWS Verlag, Köln 2003
Rezensionen: Kühne, RdE 2003, 287
17. **Verbändevereinbarungen im Energierecht**
RTW-Schriftenreihe Bd. 89, Heymanns Verlag, Köln etc. 2003.
Rezensionen: o.V., Versorgungswirtschaft 2003, 239.
18. **Kartellrechtliche Kontrolle der Netznutzungsentgelte nach dem Vergleichsmarktprinzip**
RTW Schriftenreihe Bd. 91; Köln etc. 2004.
19. **Zulässigkeit der Preiskontrolle von Fernwärmeversorgungsverträgen nach § 315 BGB**
Düsseldorfer Schriften zum Energie- und Kartellrecht Band 1, etv Energiewirtschaft und Technik Verlagsgesellschaft mbH Essen 2005.
Rezensionen: Berkner, ZNER 2006, 129; Derleder, NJW 2006, 1575; Lippert, RdE 2006, 283.

20. **Zulässigkeit von Maßnahmen des Regulierungsmanagements vor dem Hintergrund der Entflechtungsvorgaben des neuen Energiewirtschaftsgesetzes**
(zusammen mit Peter Rosin) Düsseldorfer Schriften zum Energie- und Kartellrecht, Band 2, etv Energiewirtschaft und Technik Verlagsgesellschaft Essen, 2005.
21. **Energierechtsreform 2005**
Band 1: Einführung. Normentexte. Materialien, etv Energiewirtschaft und Technik Verlagsgesellschaft Essen, 2005 (zusammen mit Peter Rosin).
Rezensionen: o. Verf., et 2006, Heft 1/2 S. 120; Kühne et 2006, Heft 4 S. 91.
22. **Düsseldorfer Energierechtstag, Regulierung – Erste Erfahrungen**
Düsseldorfer Schriften zum Energie und Kartellrecht Band 4, etv Energiewirtschaft und Technik Verlagsgesellschaft Essen 2006 (zusammen mit Karl-Heinz Lause und Peter Rosin, Hrsg.)
23. **Kaufpreis und Ertragswert von Stromverteilernetzen nach der Energierechtsreform 2005**
Düsseldorfer Schriften zum Energie- und Kartellrecht Band 5, etv Energiewirtschaft und Technik Verlagsgesellschaft Essen 2006 (zusammen mit Peter Rosin und Patric Bachert)
24. **Düsseldorfer Energierechtstag, Regulierung – Erste Erfahrungen**
Düsseldorfer Schriften zum Energie- und Kartellrecht Band 6, etv Energiewirtschaft und Technik Verlagsgesellschaft Essen 2007, (zusammen mit Peter Rosin und Markus F. Schimdt, Hrsg.)
25. **Einführung eines Ownership Unbundling bzw. System Operator in der Energiewirtschaft**
Düsseldorfer Schriften zum Energie- und Kartellrecht Band 7, etv Energiewirtschaft und Technik Verlagsgesellschaft Essen 2007 (zusammen mit Peter Rosin)
26. **Kostenorientierte Regulierung von Netzentgelten**
Düsseldorfer Schriften zum Energie- und Kartellrecht Band 8, etv Energiewirtschaft und Technik Verlagsgesellschaft Essen 2007.
27. **Datentransparenz in der Elektrizitätswirtschaft**
Düsseldorfer Schriften zum Energie- und Kartellrecht, Band 9, etv Energiewirtschaft und Technik Verlagsgesellschaft Essen 2007 (zusammen mit Peter Rosin und Maximilian Elspass).
28. **Arbeitsrecht**
UVK Verlagsgesellschaft, Konstanz 2008 (zusammen mit Christina Will)
29. **Berücksichtigung des für ein Netz vor der Energierechtsreform gezahlten Kaufpreises bei der Kalkulation und Regulierung der Netzentgelte**
Schriftenreihe Kommunalwirtschaftliche Forschung und Praxis Band 14, Peter Lang Verlagsgesellschaft Frankfurt 2007 (mit Peter Rosin und Cornelia Reichold).
30. **Die Regulierung elektrischer Netze. Offene Fragen und Lösungsansätze**
Bd. 32 der Reihe Ethics of Science and Technology Assessment, 2008 (zusammen mit Ulrich Steeger, Eberhard Feess, Dieter Nelles).
31. **Düsseldorfer Energierechtstag. Energiewirtschaft zwischen Markt und Dirigismus**
Düsseldorfer Schriften zum Energie- und Kartellrecht Band 11, etv Energiewirtschaft und Technik Verlagsgesellschaft Essen 2008 (zusammen mit Peter Rosin und Ulrich Schmidt).
32. **Festlegung von Indexreihen**, 2008, VWEW-Verlag Frankfurt.
33. **Düsseldorfer Energierechtstag. Die Energiewirtschaft zwischen Klimawandel und Regulierung.**
Düsseldorfer Schriften zum Energie- und Kartellrecht Band 14, etv Energieverlag GmbH Essen 2011 (zusammen mit Peter Rosin).

34. **Die Angemessenheit der Eigenkapitalrendite im Rahmen der Anreizregulierung von Netzentgelten in der Energiewirtschaft**
Düsseldorfer Schriften zum Energie- und Kartellrecht Band 15, etv Energieverlag GmbH Essen 2011.
35. **Materiellrechtliche Entscheidungskriterien der Gemeinden bei der Auswahl des Netzbetreibers in energiewirtschaftlichen Konzessionsverträgen**
Düsseldorfer Schriften zum Energie- und Kartellrecht Band 16, etv Energieverlag GmbH Essen 2011.
Rezension: Salje, RdE 2012, 172
36. **Die kartellrechtliche Kontrolle der Fernwärmepreise**
Düsseldorfer Schriften zum Energie- und Kartellrecht Band 17, etv Energieverlag GmbH Essen 2011
Rezension: Langer, ZNER 2013, 604
37. **Rechtsfragen des § 11 Abs. 2 Nr. 9 ARegV für die Netzentgeltregulierung**
Düsseldorfer Schriften zum Energie- und Kartellrecht Band 20, etv Energieverlag GmbH Essen 2014
Rezension: Haellmigk; WuW 2012, 600

II. Buchbeiträge

1. **Zur Dogmatik des Energierechts**
in: Europarecht, Energierecht, Wirtschaftsrecht; Festschrift für Bodo Börner zum 70. Geburtstag, 1992, S. 501 ff.
2. **Verantwortung und Entscheidungsmacht in Wirtschaftsunternehmen – Zusammenhänge und Zielkonflikte**
in: Fortbildungsprogramm für Wissenschaftsverwaltung, Materialien Nr. 51, herausgegeben von der Arbeitsgruppe Fortbildung im Sprecherkreis der Hochschulkanzler, 1992, S. 87 ff.
3. **Betriebliche Sozialleistungen**
(zusammen mit Manfred Selke), in: Strutz, Handbuch Personalmarketing, 2. Aufl. (1993), S. 593 ff.
4. **Zukunftssichernde Personalpolitik**
in: Jahrbuch Weiterbildung (1994), S. 8 ff.
5. **Produktverantwortung und Risikoakzeptanz – einige Überlegungen aus der Sicht von Investoren**
in: Schriftenreihe der Bayerstiftung für deutsches und internationales Arbeits- und Wirtschaftsrecht, Produktverantwortung und Risikoakzeptanz (1998), S. 11 ff.
6. **Der Kaufvertrag**
in: Das neue Schuldrecht in der anwaltlichen Praxis, herausgegeben von Dauner-Lieb/Heidel/Lepa/Ring, 2002 S. 195ff.
7. **Kommentierung der §§ 218, 433–480 BGB**
in: Schuldrecht – Anwaltkommentar, herausgegeben von Dauner-Lieb/Heidel/Lepa/Ring, 2002
Rezensionen: Pfaff, BB 2002, 1763
8. **Der Netzzugang in der Gaswirtschaft**
in: Kühne/Baur/Baron/Büdenbender, Das deutsche Berg- und Energierecht auf dem Wege nach Europa, VEnergR Bd.101, 2002, S. 35ff.

9. **Durchleitungsverweigerungsgründe aus Gründen des Umweltschutzes**
in: Hendler/Marburger/Reinhardt/Schröder (Hrsg.), Energierecht zwischen Umweltschutz und Wettbewerb, Schriftenreihe des Instituts für Umwelt- und Technikrecht der Universität Trier, Band 61, 2002
10. **Die Bedeutung von Wirtschaftsklauseln in Energielieferungsverträgen für den Preiswettbewerb**
in: Büdenbender/Kühne (Hrsg.), Das neue Energierecht in der Bewährung, Bestandsaufnahme und Perspektiven, Festschrift zum 65. Geburtstag von Professor Dr. Jürgen Baur, Nomos Verlagsgesellschaft Baden-Baden 2002
11. **Rechtsfragen der Durchleitung im Wettbewerb um den Endverbraucher**
in: Burgi (Hrsg.), Energiepartnerschaften zwischen privaten Versorgungsunternehmen, Stadtwerken und Kommunen; Dokumentation einer Fachtagung des Instituts für Berg- und Energierecht am 21. Februar 2002; Bochumer Beiträge zum Berg- und Energierecht, Band 38, Boorberg Verlag 2002
12. **Aktuelle Fragen des Energierechts mit Berührungspunkten zum Kartellrecht**
in: Schwerpunkte des Kartellrechts 2001, FIW-Schriftenreihe, Heft 186, S. 33–75; Köln etc. 2002.
13. **Grundlagen der Gewährleistung beim Unternehmenskauf**
in: Unternehmenskauf und Schuldrechtsmodernisierung, Fachtagung der Bayer-Stiftung für deutsches und internationales Arbeits- und Wirtschaftsrecht am 6. und 7. Juni 2002, Verlag C.H. Beck, München 2003.
14. **Leitlinien des Rechts der Kraft-Wärme-Kopplung und der erneuerbaren Energien**
in: Umweltrecht und richterliche Praxis
Festschrift für Ernst Kutscheidt zum 70. Geburtstag, Verlag C.H. Beck, München 2003.
15. **Grundfragen der Regulierung der deutschen Energiewirtschaft**
in: Hendler/Marburger/Reinhardt/Schröder (Hrsg.), Jahrbuch des Umwelt- und Technikrechts 2004, S. 189 ff.
16. **Kommentierung der §§ 433–480 BGB und des Anhangs „Unternehmenskauf-BGB"**
in: Anwaltkommentar BGB-Schuldrecht, herausgegeben von Dauner-Lieb/Heidel/Ring,
a) 1. Aufl. 2005
b) 2. Aufl. 2012
c) 3. Aufl. 2016
17. **Rechtliche Grundlagen für eine Koordination von Kraftwerken und Netzen**
in: Pielow (Hrsg.), Sicherheit in der Energiewirtschaft – In memorian Peter J. Tettinger, Bochumer Beiträge zur Berg- und Energiewirtschaft Bd. 49, 2007, S. 165 ff.
18. **Energiewirtschaftliche Konzessionsverträge in Hamburg** in: Baur/Sandrock/Scholtka/Shapira, Festschrift für Gunther Kühne zum 70. Geburtstag, 2009, S. 101 ff.
19. **Kartellrechtliche Aspekte im Recht der Netzentgeltregulierung – zugleich ein Beitrag zu Schnittmengen von Kartell- und Regulierungsrecht**
in: Dolde/Hansmann/Paetow/Schmidt-Aßmann (Hrsg.), Verfassung-Umwelt-Wirtschaft, Festschrift für Dieter Sellner, 2010, S. 439 ff.
20. **Energierecht**
in: Schulte/Schröder, Handbuch des Technikrechts, 2. Aufl. 2011, S. 601 ff.
21. **Die Rechtsprechung des Bundesgerichtshofes zur Wirksamkeit von Preisanpassungsklauseln in Energielieferverträgen über Strom, Gas und Fernwärme**
in: Hecker/Hendler/Proelß/Reiff (Hrsg.), Jahrbuch des Umwelt- und Technikrechts 2011, S. 363 ff.
21. **Ordnungspolitischer Vergleich der gesetzlichen Entflechtungskonzepte für die Transportnetzebene von Strom und Gas**
in: Klees/Gent (Hrsg.), Energie-Wirtschaft-Recht, Festschrift für Peter Salje, 2013, S. 33 ff.

23. **Energiewende 2011 und Wettbewerb in der Elektrizitätswirtschaft – zugleich ein Beitrag zur europarechtlichen Zulässigkeit –**
in: Hebeler/Hendler/Proelß/Reiff (Hrsg.), Jahrbuch des Umwelt- und Technikrechts 2013, S. 67 ff.
24. **Rechtliche Rahmenbedingungen für die Reform der Förderung erneuerbarer Energien in Deutschland.** Analyse von Leopoldina Nationale Akademie der Wissenschaften, acatech Deutsche Akademie der Technikwissenschaften und Union der deutschen Akademien der Wissenschaften im Rahmen des Akademieprojekts „Energiesysteme der Zukunft" 2014 (zusammen mit Klaus-Ferdinand Gärditz, Wolfgang Löwer, Markus Ludwigs, Marian Paschke, Peter-Tobias Stoll, Rüdiger Wolfram).
25. **Die Energiewende europäisch integrieren**, Stellungnahme von Leopoldina Nationale Akademie der Wissenschaften, acatech Deutsche Akademie der Technikwissenschaften und Union der deutschen Akademien der Wissenschaften im Rahmen des Akademieprojektes „Energiesysteme der Zukunft" 2015 (zusammen mit Christoph Schmidt, Hans-Jürgen Appdrath, Ottmar Edenhofer, Justus Haucap, Brigitte Knopf, Thomas Lange, Christoph Mayer, Christian Rehtanz).

III. Aufsätze

1. **Die Rechtsprechung des Bundesgerichtshofes zur Vaterschaftsvermutung gemäß § 1600 o Abs. 2 BGB**, FamRZ 1974, S. 289 ff.
2. **Zur Auslegung des Unfallbegriffes in § 2 AUB**, VersR 1974, S. 211ff.
3. **Der Anspruch der freiberuflich tätigen Mutter eines nichtehelichen Kindes gegen den Kindesvater auf Ersatz der Unkosten für einen „Berufsvertreter"**, FamRZ 1974, S. 410 ff.
4. **Kein Ende der „Mehrverkehrseinrede"?**, FamRZ 1975, S. 189 ff.
5. **Die Befugnis der Energieversorgungsunternehmen zur Geltendmachung von Gesichtspunkten des öffentlichen Interesses an einer gesicherten Energieversorgung im Verfahren des einstweiligen Rechtsschutzes gem. § 80 Abs. 5 VwGO**, et 1976, S. 439 ff.
6. **Die Neuordnung der Schlüsselgewalt in § 1357 nF BGB**, FamRZ 1976, S. 662 ff.
7. **Der günstige Weiterverkauf**, OLG Hamm, NJW 1974, S. 2091 – JuS 1976, S. 153 ff.
8. **Energieversorgungsunternehmen und vorläufiger Rechtsschutz im Genehmigungsverfahren nach § 7 AtG**, DVBl 1977, S. 679 ff
9. **Rechtsfragen der Energieversorgung in Krisenzeiten- zur Verordnung über die Sicherstellung der Elektrizitätsversorgung (ElektrizitätslastverteilungsVerordnung) und der Gasversorgung (GaslastverteilungsVerordnung)**, et 1977, S. 51 ff., 146 ff., 216 ff.
10. **Die verfassungsrechtliche Zulässigkeit des Ländervorbehaltes im Verwaltungsverfahrensgesetz des Bundes**, BayVBl 1977, S. 232 ff.
11. **Zur Einführung: Das Recht der öffentlichen Energieversorgung**, JuS 1978, S. 150 ff.
12. **Zur „Schließung der Sanktionslücke" im Kartellrecht**, et 1978, S. 90 ff.
13. **Verfassungsrechtliche Bedenken gegen die 4. Kartellgesetznovelle**, BB 1978, S. 1073 ff.
14. **Zur Notwendigkeit geschlossener Versorgungsgebiete in der leitungsgebundenen Energiewirtschaft**, et 1978, S. 735 ff. = VEnergR Band 47 (1981), S. 89ff.
15. **Zur Anfechtbarkeit atomrechtlicher Teilgenehmigungen**, et 1978, S. 429 ff.
16. **Unzumutbare Tarife für elektrische Wärmepumpen**, et 1979, S. 562 ff.

17. **Läßt sich der Wettbewerb in der Elektrizitätswirtschaft mit Hilfe von Durchleitungen elektrischer Energie über fremde Leitungsnetze einführen?**, RdE 1979, S. 14 ff. = VEnergR Band 47 (1981), S. 193ff.
18. **Keine Strukturpolitik durch die Kartellbehörden in der Elektrizitätswirtschaft**, LK 1979, S. 411 ff.
19. **Zur Aufspaltung der sofortigen Vollziehung von atomrechtlichenTeilentscheidungen** (zusammen mit Ulrich Mutschler), et 1979, S. 333 ff.
20. **Gedanken zu der Forderung nach Gleichpreisigkeit in der Elektrizitätswirtschaft**, Elektrizitätswirtschaft 1980, S. 2 ff.
21. **Befugnisse der Kartellbehörden zur präventiven Mißbrauchskontrolle?**, WuW 1980, S. 111 ff.
22. **Rechtsfragen der Fusionskontrolle bei der Beteiligung eines Stromversorgungsunternehmens an einem Gasversorgungsunternehmen**, RdE 1980, S. 22 ff.
23. **Auswirkungen der 4. Kartellgesetznovelle auf die Elektrizität- und Gaswirtschaft**, LK 1980, S. 590 ff.
24. **Die Befristung der Freistellung der Gebietsschutzverträge von der Anwendbarkeit der §§ 1, 15 und 18 GWB durch die 4. Kartellgesetznovelle (§ 103 a Abs. 1 und 4 GWB)**, ZfE 1980, S. 286 ff.
25. **Ist es zulässig, die Tarifgenehmigung nach §12 a BTOElt unter der auflösenden Bedingung zu erteilen, daß Preise für Sondervertragskunden in dem Geltungszeitraum der Genehmigung nicht erhöht werden?**, RdE 1981, S. 170 ff.
26. **Mißbrauchsaufsicht und Durchleitung in der Elektrizitätswirtschaft**, VEnergR Band 48 (1981), S. 129 ff.
27. **Grundfragen der einstweiligen Anordnung betr. nichteheliche Kinder nach § 641 d ZPO**, FamRZ 1981, S. 320 ff.
28. **Zur kartellrechtlichen Beurteilung von Energieerzeugungsverboten in energiewirtschaftlichen Verträgen**, et 1982, S. 43 ff.
29. **Erfahrungen in der Elektrizitätswirtschaft mit §§ 103, 103 a GWB nach der 4. Kartellgesetznovelle**, et 1983,S. 31 ff. = ZfE 1983, S. 60 ff.
30. **Energiewirtschaftsrecht, Energiesicherungsrecht und Energiepreisrecht – Überblick über die Entwicklung 1982/83**, et 1984, S. 529 ff.
31. **Energiekartellrecht – Überblick über die Entwicklung 1982/83**, et 1984, S. 529 ff.
32. **Preismißbrauchsaufsicht in der Elektrizitätswirtschaft nach dem Maßstab der Kartellreferentenentschließung von 1965 („Vertikalprinzip")**, RdE 1984, S. 70ff.
33. **Betriebsrenten und Versorgungsausgleich**, FamRZ 1986, S. 853 ff.
34. **Führungsverantwortung und rechtliche Konsequenzen im Bereich der Arbeitssicherheit**, Personal 1987, S. 326 ff.
35. **Kartellrechtliche Beurteilung von Personalübernahmeverpflichtungen in Konzessionsverträgen**, et 1989, S. 840 ff. = RdE 1989, S. 262 ff.
36. **Kartellrechtliche Beurteilung von Personalübernahmeverpflichtungen in Konzessionsverträgen** – Erwiderung auf den gleichnamigen Aufsatz von Kramm, et 1990, S. 380 ff.
37. **Energierecht im Spannungsfeld zwischen Recht, Technik, Ökonomie und Politik**, DZWiR 1994, S. 315 ff.
38. **Personalpolitik in und für Zeiten der Rezession**, Personal 1994, S. 4 ff.
39. **Vorteilsausgleich und Drittschadensliquidation – Gemeinsamkeiten, Berührungspunkte, Unterschiede**, JZ 1995, S. 920 ff.
40. **Personalpolitik im RWE-Konzern**, ZBF 1995, S. 1145 ff.
41. **Unternehmensübergreifende Nachwuchsförderung**, Personalführung 1995, S. 776 ff.
42. **Grundsätze des Hypothekenrechts**, JuS 1996, S. 665 ff.
43. **Grundsätze des Hypothekenrechts und ihre konkreten Auswirkungen, dargestellt in tabellarischer Form**, JuS 1996, L 57 ff.

44. **Die Zuständigkeit von Vormundschaftsgericht und Familiengericht nach geltendem und künftigem Recht**, FuR 1996, S. 300 ff.
45. **Elterliche Entscheidungsautonomie für die elterliche Sorge nach geltendem Recht und nach dem Entwurf eines Kindschaftsrechtsreformgesetzes**, AcP 197 (1997), S. 197 ff.
46. **Der vorläufige Rechtsschutz im Nichtehelichenrecht nach dem Entwurf eines Kindschaftsrechtsreformgesetzes**, ZZP 1997, Band 110, S. 33 ff.
47. **Die Verjährung zivilrechtlicher Ansprüche**, JuS 1997, S. 481 ff.
48. **Rückgewähransprüche im Bürgerlichen Recht**, JuS 1998, S. 38 ff., 135 ff., 227 ff., 325 ff.
49. **Der Unterhaltsanspruch des Vaters eines nichtehelichen Kindes gegen die Kindesmutter**, FamRZ 1998, S. 129 ff.; auch veröffentlicht in Schwab (Hrsg.); Das neue Familienrecht (1998), S. 421 ff.
50. **Eigene Aktien und Aktien an der Muttergesellschaft**, DZWiR 1998, S. 1 ff., 55 ff.
51. **Doitsu ni okeru kansayakkai ni yoru torishimariyaku no kontororu no jittai** (Organisations- und Gestaltungsbefugnisse des Aufsichtsrates), Zeitschrift Kansayaku 1998 (Nr. 402), S. 10 ff.
52. **Die leitungsgebundene Energiewirtschaft im Spannungsfeld zwischen Wettbewerb und Regulierung**, ZfIR 1998, S. 641 ff.
53. **Die Energieaufsicht über Energieversorgungsunternehmen nach dem neuen Energiewirtschaftsgesetz**, DVBl 1999, S. 7 ff.
54. **Durchleitung elektrischer Energie nach der Energierechtsreform**, RdE 1999, S. 1 ff.
55. **Energierecht nach der Energierechtsreform**, JZ 1999, S. 62 ff.
56. **Rechtsfragen anläßlich der Durchleitung elektrischer Energie**, VEnergR 91, S. 73 ff.
57. **Vorstand, Aufsichtsrat und Hauptversammlung – Kompetenzen, Kooperation, Kontrollbefugnisse**, JA 1999, S. 713 ff.
58. **Möglichkeiten zur Durchsetzung des Netzzugangs in der Elektrizitäts- und Gaswirtschaft**, ZIP 1999, S. 1469 ff.
59. **Die Bedeutung des europäischen Energierechts für den gemeinsamen Markt**, Wiss. Z. der TU Dresden 1999, S. 83 ff.
60. **Die Kontrolle des Vorstandes durch den Aufsichtsrat in deutschen Aktiengesellschaften** (Rechtslage und rechtstatsächliche Übung, JA 1999, S. 813 ff.
61. **Durchleitungen in der Elektrizitätswirtschaft und Eigentumsschutz**, WuW 2000, S. 119 ff.
62. **Mitbestimmungsrechtlicher Besitzstand im Gesellschaftsrecht**, ZIP 2000, S. 385 ff.
63. **Drittschadensliquidation bei obligatorischer Gefahrentlastung – eine notwendige oder überflüssige Rechtsfigur?**, NJW 2000, S. 986 ff.
64. **Der wilde Hengst** (Übungsklausur Zivilrecht), Jura 2000, S. 132 ff.
65. **Die kartellrechtliche Zulässigkeit von Gesamtbedarfsdeckungsklauseln**, et 2000, S. 359 ff.
66. **Tarifbindung trotz Austritts aus dem Arbeitgeberverband – eine notwendige oder eine korrekturbedürftige Regelung?**, NZA 2000, S. 509 ff.
67. **Die Erklärung der Allgemeinverbindlichkeit von Tarifverträgen nach dem Arbeitnehmer-Entsendegesetz**, RdA 2000, S. 193 ff.
68. **Die Kontrolle von Durchleitungsentgelten in der leitungsgebundenen Energiewirtschaft**, ZIP 2000, S. 2225 ff.
69. **Die Berücksichtigung der Gegenleistung bei der Rückabwicklung gegenseitiger Verträge**, AcP 200 (2000), S. 627 ff.
70. **Die Weitergabe politischer Mehrbelastungen an endverbrauchende Kunden**, et 2001, S. 298 ff.

71. **Die Entwicklung des Energierechts seit In-Kraft-Treten der Energierechtsreform von 1998**, DVBl 2001, S. 952 ff.
72. **Der Werkvertrag**, JuS 2001, S. 625 ff.
73. **Grundfragen des energierechtlichen Netzzugangs in der Gaswirtschaft nach der Gasnovelle (§ 6 a EnWG)**, RdE 2001, S. 165 ff.
74. **Hinweise für das Verfassen von Seminararbeiten** (zusammen mit Patric Bachert und Doreen Humbert), JuS 2002, S. 24 ff.
75. **Das Kaufrecht nach dem Schuldrechtsreformgesetz**, DStR 2002, S. 312 ff., 361 ff.
76. **Möglichkeiten und Grenzen einer Deregulierung in der leitungsgebundenen Energiewirtschaft**, DÖV 2002, S. 375 ff.
77. **Generelle und energierechtliche Konflikte zwischen Wettbewerb und Umweltschutz**, DVBl. 2002, S. 800 ff.
78. **Die preisrechtliche Behandlung von Netznutzungsentgelten**, ZIP 2003, S. 931 ff.
79. **Rechtsfragen des elektrizitätswirtschaftlichen Netzzugangs bei umfassendem Ausbau der Windenergieverstromung**, RdE 2003, S. 193 ff.
80. **Nationalrechtliche Regulierung des Netzzugangs in der leitungsgebundenen Energiewirtschaft**, et 2003, Special zu Heft 9, S. 2 ff.
81. **Gesetzentwurf für eine Umsetzung der Beschleunigungsrichtlinien Strom und Gas in eine EnWG-Novelle 2004**, et 2003, S. 746 ff. (zusammen mit Peter Rosin).
82. **Die Bedeutung der Verbrauchsgüterkaufrichtlinie für das deutsche Kaufrecht**, ZEuP 2004, S. 36 ff.
83. **Die Abwälzung von Subventionslasten für erneuerbare Energien und Kraft-Wärme-Kopplung auf den Stromverbraucher**, NVwZ 2004, S. 823 ff.
84. **Die Ausgestaltung des Regulierungskonzepts für die Elektrizitäts- und Gaswirtschaft**, RdE 2004, S. 284 ff.
85. **Entgeltregulierung: Rechtsschutz gegen regulierungsbehördliche Entscheidungen**, et 2005, Special zu Heft 4, S. 35 ff.
86. **Der Nacherfüllungsanspruch des Käufers – Wahlschuld oder elektive Konkurrenz**, AcP 205 (2005), S. 386 ff.
87. **Umweltschutz in der Novelle des Energiewirtschaftsgesetzes**, DVBl 2005, S. 1161 ff.
88. **Energierecht nach der Energierechtsreform**, et 2005, S. 642 ff.
89. **Auswirkungen der Energierechtsreform 2005 auf die Personalpolitik der Energieversorgungsunternehmen**, et 2006, Heft 4, S. 81 ff.
90. **Das System der Netzentgeltregulierung in der Elektrizitäts- und Gaswirtschaft**, DVBl. 2006, S. 197 ff.
91. **Das kartellrechtliche Preismissbrauchsverbot in der aktuellen höchstrichterlichen Rechtsprechung**, Zeitschrift für Wettbewerbsrecht (ZWeR) 2006, S. 233 ff.
92. **Der zeitliche Gestaltungsanspruch regulierungsbehördlicher Entscheidungen über die Höhe der Netznutzungsentgelte**, et 2006, S. 60 ff.
93. **Arbeitsrechtliche Regelungen der Energierechtsreform 2005**, RdA 2006, S. 193 ff.
94. **Verschärfung der Missbrauchsaufsicht für den Gasbetrieb**, Zeitschrift für Energie, Markt, Wettbewerb (e/m/w) 2007 Heft 3, S. 14 ff.
95. **Pro und Contra Ownership Unbundling in der Energiewirtschaft**, et 2007, Heft 8 S. 20 ff. (zusammen mit Peter Rosin)
96. **Die Elektrizitäts- und Gaswirtschaft im Spannungsfeld zwischen Wettbewerb und staatlicher Lenkung**, WissZ der TU Dresden, 2007, S. 51 ff.
97. **Die Bedeutung der Preismissbrauchskontrolle nach § 315 BGB in der Energiewirtschaft**, NJW 2007, S. 2945 ff.
98. **Die Korrekturfaktoren des § 21 Abs. 2–4 EnWG für die kostenbasierte Netzentgeltregulierung**, RdE 2008, S. 69 ff.
99. **Grenzen der Ausschließlichkeitsklauseln in Wasserkonzessionsverträgen für die Brauchwasserbelieferung**, WuW 2008, S. 441 ff.

100. **Einführung in das nationale wie das europäische Kartellrecht,** JA 2008, S. 481 ff.
101. **Die neue Rechtsprechung des BGH zu Preisanpassungsklauseln in Energielieferverträgen,** NJW 2009, S. 3125 ff.
102. **Eckpunkte der Energierechtsreform 2011,** RdE 2010, S. 197 ff. (zusammen mit Peter Rosin)
103. **Begründung von Gestaltungsrechten als Wirksamkeitsvoraussetzung?,** AcP 210 (2010), S. 611 ff.
104. **Die Regulierung der Netzentgelte für den Zugang zu überregionalen Gasfernleitungsnetzen,** DVBl. 2010, S. 1529 ff.
105. **Stellungnahme zu den Anträgen der Fraktionen von SPD (BT-Drucks. 17/3649), DIE LINKE (BT-Drucks. 17/3671) und BÜNDNIS 90/DIE GRÜNEN (BT-Drucks. 17/3182) anlässlich der öffentlichen Anhörung des Ausschusses für Wirtschaft und Technologie des Deutschen Bundestages am 24.01.2011 in Berlin,** Ausschussdrucksache 17 (9) 371 vom 19.1.2011
106. **Die Abgrenzung der Grundversorgungs-(Tarifversorgungs-)verträge von Sonderverträgen über die Lieferung von Elektrizität und Gas,** RdE 2011, S. 201 ff.
107. **Der Umfang des kaufrechtlichen Nacherfüllungsanspruchs nach § 439 BGB im Lichte der EuGH-Rechtsprechung zu Aus- und Einbaukosten,** DB 2011, S. 1736 ff. (zusammen mit Manuela Binder).
108. **Wirksamkeit von Preisanpassungsklauseln in Fernwärmelieferungsverträgen – Konsequenzen der BGH-Urteile 2011,** BB 2011, S. 2883 ff. (zusammen mit Marcel Gromm)
109. **Rechtliche Anforderungen an die kommunale Auswahl des Vertragspartners in energiewirtschaftlichen Konzessionsverträgen,** DVBl 2012, 1533 ff.
110. **Die Analyse höchstrichterlicher Entscheidungen,** JA 2013, 161 ff.
111. **Neugestaltung von Preisanpassungsklauseln in Gas- und Elektrizitätslieferungsverträgen,** NJW 2013, S. 3601 ff.
112. **Wirtschaftliche Lastenverteilung für die Förderung erneuerbarer Energien in der Elektrizitätswirtschaft,** et 2014, Heft 6, S.
113. **Aspekte der Bestimmung der „wirtschaftlich angemessenen Vergütung" nach § 46 Abs. 2,** EnWG RdE 2014, S. 1 ff. (zusammen mit Peter Rosin und Jana Michaelis)
114. **Energiearbeitsrecht als Sonderbereich des allgemeinen Arbeitsrechts,** RdA 2015, S. 16 ff.
115. **Das Kraft-Wärme-Kopplungsgesetz 2016 – Ein Überblick über das neue Recht zur Förderung von KWK-Anlagen,** REE 2016, S. 1 ff.
116. **Die Rechtsstellung der Individuen in der Elektrizitätswirtschaft nach der Energiewende 2011,** DÖV 2016, S. 712 ff.
117. **Preisänderungen in Energielieferungsverträgen mit Tarif- und Grundversorgungskunden,** NJW 2017, S. 299 ff.
118. **Die Rechtsprechung des BGH zu Preisanpassungen in der Elektrizitäts- und Gaswirtschaft,** ZIP 2017, S. 1041 ff.
119. **Rechtliche Bilanz der Energiewende 2011 im Hinblick auf den Ausstieg aus der Kernenergie,** DVBl. 2017, S. 148 ff.
120. **Die Rechtsfolgen unwirksamer Preisanpassungsklauseln in der Elektrizitäts- und Gaswirtschaft nach der Rechtsprechung des Bundesgerichtshofes mit dogmatischer Bewertung im Lichte der Rechtsgeschäftslehre,** in Festschrift Schmidt-Preuß, 2018 (im Erscheinen)

IV. Entscheidungsanmerkungen

1. Anmerkung zu dem Beschluß des **VG Stuttgart** vom **26.04.1974** – NJW 1974, S. 2303 ff.
2. Anmerkung zu dem Urteil des **LG Düsseldorf** vom **24.05.1974** – FamRZ 1975, S. 281 ff.
3. Anmerkung zu dem Beschluß des **OLG Düsseldorf** vom **26.02.1975** – FamRZ 1975, S. 505 ff.
4. Anmerkung zu dem Beschluß des **KG Berlin** vom **04.04.1975** – WM 1976, S. 442 f.
5. Anmerkung zu dem Beschluß des **OVG Münster** vom **18.08.1977** – et 1977, S. 710 ff.
6. Anmerkung zu dem Urteil des **BGH** vom **28.09.1982** – BB 1983, S. 1500 ff.
7. Anmerkungen zu dem Urteil des **AG Berlin-Charlottenburg** vom **24.06.1982** und zu dem Beschluß des **LG Berlin** vom **1.11. 1982** – FamRZ 1983, S. 306 ff.
8. Anmerkung zu dem Urteil des **LG Hamburg** vom **04.11.1982** – FamRZ 1983, S. 301 ff.
9. Anmerkung zu dem Beschluß des **OLG Frankfurt** vom **20.02.1984** – FamRZ 1984, S. 513 ff.
10. Anmerkung zu dem Vorlagebeschluß des **LG Kiel** vom **01.09.1998** – EWiR 1998, S. 1143 f.
11. Anmerkung zu dem Urteil des **BGH** vom **25.11.1998** – EWiR 1999, S. 243 f.
12. Anmerkung zu dem Urteil des **BGH** vom **08.12.1998** – EWiR 1999, S. 325 f.
13. Anmerkung zu dem Urteil des **BAG** vom **07.05.1998** – SAE 1999, S. 93 ff.
14. Anmerkung zu dem Urteil des **BAG** vom **15.12.1998** – EWiR 1999, S. 437 f.
15. Anmerkung zu dem Urteil des **LG Mannheim** vom **16.4.1999** – EWiR 1999, S. 609 f.
16. Anmerkung zu dem Beschluß des **BKartA** vom **31.8.1999** – EWiR 1999, S. 1009 f.
17. Anmerkung zu dem Urteil des **BAG** vom **17.11.1998** – EWiR 1999, S. 1037 f.
18. Anmerkung zu dem Urteil des **EuGH** vom **21.9.1999** – ZIP 2000, S. 34 ff.
19. Anmerkung zu dem Urteil des **BGH** vom **16.11.1999** – EWiR 2000, S. 129 f.
20. Anmerkung zu dem Urteil des **Hanseatischen OLG Bremen** vom **22.4.1999** – RdE 2000, S. 117 ff.
21. Anmerkung zu dem Urteil des **BGH** vom **7.7.2000** – EWiR 2000, S. 983 f.
22. Anmerkung zu dem Urteil des **OLG Dresden** vom **8.2.2001** – EWiR 2001, S. 317 f.
23. Anmerkung zu dem Urteil des **OLG Dresden** vom **8.2.2001** – RdE 2001, S. 149ff.
24. Anmerkung zu dem Urteil des **BAG** vom **17.5.2000** – SAE 2001, S. 190 f.
25. Anmerkung zu dem Urteil des **LAG Köln** vom **20.10.2000** – EWiR 2001, S. 653 f.
26. Anmerkung zu dem Urteil des **BGH** vom **3.7.2001**, EWiR 2001, S. 1009 f.
27. Anmerkung zu dem Urteil des **BAG** vom **14.8.2001**, SAE 2002, S. 229 f.
28. Anmerkung zu dem Beschluss des **OLG Düsseldorf** vom **18.9.2002**, EWiR 2003, S. 65f.
29. Anmerkung zu dem Beschluss des **BGH** vom **18.2.2003**, EWiR 2003, S. 1143 f.
30. Anmerkung zu dem Beschluss des **OLG Düsseldorf** vom **17.3.2004**, EWiR 2004, S. 761f.
31. Anmerkung zu dem Beschluss des **BGH** vom **13.7.2004**, EWiR 2004, S. 1133
32. Anmerkung zu dem Beschluss des **BGH** vom **28.6.2005**, EWiR 2005, S. 887
33. Anmerkung zu dem Beschluss des **BGH** vom **17.8.2006**, EWiR 2006, S. 759
34. Anmerkung zu dem Urteil des **BGH** vom **13.12.2006**, EWiR 2007, S. 261
35. Anmerkung zu dem Urteil des **BGH** vom **28.3.2007**, EWiR 2007, S. 619
36. Anmerkung zu dem Urteil des **BGH** vom **27.6.2007**, EWiR 2007, S. 651
37. Anmerkung zu dem Urteil des **ArbG Dresden** vom **12.4.2006**, EWiR 2007, S. 707 (zusammen mit Christina Will)
38. Anmerkung zu dem Urteil des **BGH** vom **4.3.2008**, EWiR 2008, S. 423
39. Anmerkung zu dem Urteil des **BGH** vom **4.3.2008**, LMK 2008, 264558
40. Anmerkung zu dem Urteil des **BGH** vom **11.11.2008**, LMK 2008, 276006

41. Anmerkung zu dem Urteil des **BGH** vom **17.12.2008**, EWiR 2009, S. 399
42. Anmerkung zu dem Beschluss des **BGH** vom **2.2.2010**, LMK 2010, 300577
43. Anmerkung zu dem Urteil des **BGH** vom **10.2.2009**, EWiR 2010, S. 43
44. Anmerkung zu dem Urteil des **BGH** vom **22.12.2009**, EWiR 2010, S. 311
45. Anmerkung zu dem Urteil des **BGH** vom **27.1.2010**, EWiR 2010, S. 557
46. Anmerkung zu dem Urteil des **BGH** vom **7.12.2010**, LMK 2011, 313540
47. Anmerkung zu dem Urteil des **BAG** vom **29.9.2010**, EWiR 2011, 235
48. Anmerkung zu dem Beschluss des **BGH** vom **9.2.2011**, EWiR 2011, 401
49. Anmerkung zu dem Urteil des **BGH** vom **6.4.2011**, LMK 2011, 320374
50. Anmerkung zu dem Urteil des **BAG** vom **11.10.2011**, EWiR 2012, 307
51. Anmerkung zu dem Urteil des **BGH** vom **15.5.2012**, EWiR 2013, 3
52. Anmerkung zu dem Urteil des **BGH** vom **10.10.2012**, LMK 2013, 341708
53. Anmerkung zu dem Urteil des **BGH** vom **17.12.2013**, LMK 2014, 359160
54. Anmerkung zu dem Beschluss des **BVerfG** vom **09.01.2014**, EWiR 2014, 239
55. Anmerkung zu dem Urteil des **BAG** vom **15.04.2014**, EWiR 2014, 761
56. Anmerkung zu dem Urteil des **BGH** vom **25.06.2014**, NJW 2014, 3017
57. Anmerkung zu dem Urteil des **BGH** vom **14.05.2014**, EWiR 2015, 45
58. Anmerkung zu dem Urteil des **BGH** vom **15.04.2015**, LMK 2015, 370519
59. Anmerkung zu dem Urteil des **BGH** vom **25.11.2015**, EWiR 2016, 141
60. Anmerkung zu dem Urteil des **BGH** vom **06.04.2016**, EWiR 2016, 141
61. Anmerkung zu dem Urteil des **BGH** vom **27.09.2016**, EWiR 2017, 25
61. Anmerkung zu dem Urteil des **BGH** vom **23.05.2017**, EWiR 20

V. Rezensionen

1. **Roth/Stielow, Der Abstammungsprozeß, Heft 21 der Schriftenreihe der NJW (1974)**, FamRZ 1975, S. 729 ff.
2. **Gerber (Hrsg.), Kindeswohl contra Elternwillen? Aspekte eines neuen Familienrechts (1975)**, FamRZ 1976, S. 477 ff.
3. **Brühl/Göppinger/Mutschler, Unterhaltsrecht, 2. Teil: Das Verfahrensrecht, 3. Auflage (1976)**, FamRZ 1976, S. 395 ff.
4. **Hinz, Kindesschutz als Rechtsschutz und elterliches Sorgerecht, Rechts- und staatswissenschaftliche Veröffentlichungen der Görres-Gesellschaft, Neue Folge, Heft 22 (1976)**, FamRZ 1976, S. 476 ff.
5. **10. Vortragsveranstaltung des Instituts für Energierecht an der Universität zu Köln, zugleich Besprechung der Schrift von Börner (Hrsg.), Kartellrechtliche Missbrauchsaufsicht in der Energieversorgungswirtschaft, Veröffentlichungen des Instituts für Energierecht an der Universität zu Köln, Band 38/40 (1977)**, et 1976, S. 670 ff.
6. **Göhring, Das Recht des Kindes und der Eltern, Beck-Rechtsinformation, 4. Auflage (1976)**, FamRZ 1977, S. 155 ff.
7. **Henrich, Familienrecht, 2. Auflage (1977)**, FamRZ 1977, S. 357 ff.
8. **v. Braunmühl/Kupffer/Ostermeyer, Die Gleichberechtigung des Kindes (1976)**, FamRZ 1978, S. 415 ff.
9. **Zeller, Das Recht des nichtehelichen Kindes (1976)**, FamRZ 1978, S. 415 ff.
10. **Krause, Bürgerliches Recht – Familienrecht (1977)**, FamRZ 1978, S. 291 ff.
11. **Winters, Atom- und Strahlenschutzrecht. Atomgesetz, Strahlenschutzverordnung, Röntgenverordnung mit zugehörigen Übereinkommen und Verordnungen. Erläuterte Ausgabe 1978**, et 1978, S. 645 ff.
12. **Gastinger/Oswald, Familienrecht (1978)**, FamRZ 1979, S. 756 ff.

13. **Obernolte/Danner, Energiewirtschaftsrecht, Energiewirtschaftsgesetz mit den Durchführungsbestimmungen, Nebengesetzen, Verordnungen und Erlassen,** NJW 1980, S. 877 1984, S. 418, 1989, Heft 42 S. XI, 1993, S. 2669
14. **John, Grundzüge des Familienrechts, Juristischer Studienkurs (1980),** FamRZ 1981, S. 104 ff
15. **v. Münch, Die Scheidung nach deutschem Recht, Beck-Rechtsberater im Deutschen Taschenbuchverlag, 2. Auflage (1980),** FamRZ 1981, S. 1019 ff.
16. **Beitzke, BGB Familienrecht, Prüfe Dein Wissen, Rechtsfälle in Frage und Antwort, Band 5, 8. Auflage (1981),** FamRZ 1981, S. 1118 ff.
17. **Börner (Hrsg.), Probleme des § 12 a BTOElt, Veröffentlichung des Instituts für Energierecht an der Universität zu Köln, Band 51 (1983),** DVBl 1984, S. 492 ff.
18. **Ronellenfitsch, Das atomrechtliche Genehmigungsverfahren, Schriftenreihe der Hochschule Speyer, Band 91 (1983),** AöR 1985, S. 110 ff.
19. **Ossenbühl, Rechtliche Probleme der Investitionskontrolle gemäß § 4 Energiewirtschaftsgesetz, Schriftenreihe Recht/Technik/Wirtschaft, Band 48 (1988),** AöR 1989, S. 512 ff.
20. **Jungtäubel, Preishöhen- und Preisstrukturkontrolle bei der leitungsgebundenen Stromversorgung, Verwaltungswissenschaftliche Abhandlungen, Band 19 (1994),** RdE 1995, S. 173.
21. **VDEW, Energierechtsnovelle und Stromlieferungsverträge – zu den Auswirkungen des Wegfalls des § 103 GWB auf bestehende und künftige Stromlieferungsverträge, Verlags- und Wirtschaftsgesellschaft der Elektrizitätswerke mbH – VWEW (1997),** RdE 1998, S. 166 f.
22. **Hermes, Staatliche Infrastrukturverantwortung (1998),** DVBl 2000, S. 1368ff.
23. **Beck/Brandt/Salander, Handbuch Energiemanagement (2000),** DVBl 2001, S. 974.
24. **Salje, Erneuerbare-Energien-Gesetz, 2. Aufl. (2000),** NVwZ 2002, S. 840.
25. **Geibel, Der Kapitalanlegerschaden, Tübinger rechtswissenschaftliche Abhandlungen, Bd. 93 (2002),** AcP 204 (2004), S. 144.
26. **Lippert, Energiewirtschaftsrecht (2003),** NVwZ 2004, S. 200.
27. **Rayermann/Loibl, Energierecht (2004),** DVBl 2004, S. 941
28. **Nauschütz, Das Unbundling integrierter Erdgasunternehmen – rechtliche Grenzen europäischer Wirtschaftsregulierung (2005),** AöR 131 (2006) S. 493
29. **Stefaniak, Der Wettbewerb in der Energiewirtschaft zwischen staatlicher Regulierung und selbstregulativer Verantwortung (2008),** AöR 134 (2009) S. 304
30. **Bachmann, Die elektive Konkurrenz,** JZ 2012, S. 89
31. **Schneider/Theobald, Recht der Energiewirtschaft,** DVBl 2012, S. 692
32. **Morell, Handbuch der Leitung- und Wegerechte,** DVBl 2013, S. 506
33. **de Witt/Durinke/Krause, Die Planung der Übertragungsnetze – Bedingung der Energiewende,** AÖR 138 (2013) S. 141.
34. **Scholz/Moench/Herz, Verfassungs- und europarechtliche Grundsatzfragen einer EEG-Reform,** AÖR 140 (2015) s. 466
35. **Gundel/Lange, Neuausrichtung der deutschen Energieversorgung – Zwischenbilanz der Energiewende,** DVBl 2016, S. 1321.
36. **Altrock/Huber/Gloibl/Walter, Übergangsbestimmungen im EEG 2014 – Kommentierungen und Materialien,** DVBl 2016, S. 1458
37. **Schmitt, Die Bedarfsplanung von Infrastrukturen als Regulierungsinstrument,** DVBl 2017, S. 560
38. **von Lewinski, Gesetzesverfasser und Gesetzgeber-Outsourcing und Fertigprodukte im Normsetzungsverfahren,** DVBl 2017, S. 1089

Autorenverzeichnis

Klaus Bacher, Mitglied und Richter des X. Zivilsenats und des Kartellsenats am BGH.
Michael Bartsch, Prof. Dr., Of Counsel bei White & Case LLP, Düsseldorf.
Andreas Böwing, Assessor, Mitglied des Aufsichtsrats der PSI AG.
Thomas Burmeister, Rechtsanwalt bei White & Case LLP, Düsseldorf.
Maximilian Emanuel Elspas, Dr., Rechtsanwalt bei Beiten Burkhardt, München.
Thomas Fetzer, Prof. Dr., Universität Mannheim.
Peter Franke, Vizepräsident der Bundesnetzagentur.
Andrees Gentzsch, Mitglied der Hauptgeschäftsführung BDEW Bundesverband der Energie- und Wasserwirtschaft e. V.
Justus Haucap, Prof. Dr., Heinrich-Heine-Universität Düsseldorf.
Volker Heck, Senior Partner bei Deekeling Arndt Advisors in Communications, Düsseldorf
Guido Hermeier, Dr., Rechtsanwalt, Amprion GmbH.
Thomas Hey, Rechtsanwalt bei Bird & Bird, Düsseldorf.
Nina Hollender, Leiterin der Rechtsabteilung, STEAG GmbH.
Charlotte Kreuter-Kirchhof, Prof. Dr., Heinrich-Heine-Universität Düsseldorf.
Torsten Körber, Prof. Dr., Universität zu Köln.
Jörg Kraffel, Dr., Rechtsanwalt bei White & Case LLP, Berlin.
Cornelia Kermel, Dr., Rechtsanwältin bei Noerr LLP.
Jürgen Kroneberg, Dr., Vorsitzender des Aufsichtsrats der EEX, Of Counsel bei White & Case LLP, Düsseldorf.
Gunther Kühne, Prof. Dr., Emeritus der TU Clausthal, Direktor des Instituts für deutsches und internationales Berg- und Energierecht (1978–2007).
Wiegand Laubenstein, Vorsitzender Richter am Oberlandesgericht Düsseldorf.
Markus Ludwigs, Prof. Dr., Universität Würzburg.
Karoline Mätzig, Dr., Rechtsanwältin bei PWC, Hamburg.
Jana Michaelis, LL.M., Rechtsanwältin bei White & Case LLP, Düsseldorf.
Jochen Mohr, Prof. Dr., Universität Leipzig, Richter am Oberlandesgericht Düsseldorf.
Christoph Müller, Dr., Vorsitzender der Geschäftsführung der Netze BW GmbH.
André Pfannenschmidt, Heinrich-Heine-Universität Düsseldorf.
Manfred Rebentisch, Dr., Of Counsel bei Clifford Chance, LLP, Düsseldorf.
Peter Rosin, Dr., Rechtsanwalt bei White & Case LLP, Düsseldorf.
Katrin Van Rossum, Vorsitzende Richterin am Oberlandesgericht in Düsseldorf.
Joachim Rumstadt, Vorsitzender der Geschäftsführung der STEAG GmbH.
Ulrich Rust, Dr. LL.M., Chefjustiziar der RWE AG, Essen.
Franz Jürgen Säcker, Prof. Dr. Dr. Dres. h.c., Leiter des Instituts für Energie- und Regulierungsrecht in Berlin.
Peter Salje, Prof. Dr., Emeritus der Leibniz Universität Hannover.
Christoph M. Schmidt, Präsident des RWI, Leibniz-Institut für Wirtschaftsforschung und Sachverständigenrat zur Begutachtung der gesamtwirtschaftlichen Entwicklung.
Matthias Schmidt-Preuss, Prof. Dr., Rheinische Friedrich-Wilhelms-Universität Bonn.
Kerstin Semmler, Rechtsanwältin bei Amprion GmbH.
Kristin Spiekermann, Dr., Rechtsanwältin bei White & Case LLP, Düsseldorf.
Arnd Uhle, Prof. Dr., Universität Leipzig, Richter des Verfassungsgerichtshofes des Freistaates Sachsen.

Hartmut Weyer, Direktor des Instituts für deutsches und internationales Berg- und Energierecht der TU Clausthal.
Christina Will, Rechtsanwältin bei White & Case LLP, Düsseldorf.
Bernd-Michael Zinow, Dr., Rechtsanwalt und General Counsel bei EnBW, Karlsruhe.